THE RUBIN EDITION

ArtScroll Series®

Rabbi Nosson Scherman/Rabbi Meir Zlotowitz
General Editors

A PROJECT OF THE

Mesorah Heritage Foundation

נביאים ראשונים

עם פירוש רש״י, רד״ק, מצודת דוד ומצודת ציון

PROPHETS

שמואל א–ב
I–II SAMUEL

The ArtScroll Series®

Published by

Mesorah Publications, ltd

THE RUBIN EDITION

THE EARLY PROPHETS WITH A COMMENTARY
ANTHOLOGIZED FROM THE RABBINIC WRITINGS

by
Rabbi Nosson Scherman

Contributing Editors:
Rabbi Meir Zlotowitz
Rabbi Yaakov Blinder
Rabbi Yitzchock Stavsky
Rabbi Feivel Wahl

Designed by
Rabbi Sheah Brander

FIRST EDITION
First Impression . . . September 2002
Second Impression . . . November 2002

Published and Distributed by
MESORAH PUBLICATIONS, Ltd.
4401 Second Avenue
Brooklyn, New York 11232

Distributed in Europe by
LEHMANNS
Unit E, Viking Industrial Park
Rolling Mill Road
Jarow, Tyne & Wear NE32 3DP
England

Distributed in Israel by
SIFRIATI / A. GITLER – BOOKS
6 Hayarkon Street
Bnei Brak 51127

Distributed in Australia & New Zealand by
GOLDS BOOK & GIFT CO.
3-13 William Street
Balaclava, Melbourne 3183
Victoria Australia

Distributed in South Africa by
KOLLEL BOOKSHOP
Shop 8A Norwood Hypermarket
Norwood 2196, Johannesburg, South Africa

THE ARTSCROLL SERIES® / RUBIN EDITION
THE PROPHETS: SAMUEL

ISBN: 1-57819-333-8 (Hardcover)
1-57819-334-6 (Leather)

Typography by Compuscribe at ArtScroll Studios, Ltd.
Custom bound by **Sefercraft, Inc.,** Brooklyn, N.Y.

את מהדורת הנ"ך אנחנו מקדישים לכבוד

"חתונת הזהב"

של הורינו היקרים שיזכו לאורך ימים טובים:

ר' חיים זוסמן נועם ב"ר נחום הלוי רובין
ובתיה בת ר' צבי-הרשל יששכר ממשפחת רוזמרין

אבא שיחי' הקדיש את חייו לעסוק בצרכי ציבור באמונה. לפני פרוץ המלחמה היה חבר בהנהגת בני-עקיבא בליטא, ואף אירגן קיבוץ הכשרה בסלבודקה ועמד בראשו. בשנות שהותו בארץ למד בישיבות פתח-תקוה וחברון, ואחר כך עסק בקליטתם וחינוכם של עליית הנוער ובשיקום רוחני של בני נוער משכונות העוני בירושלים.

פרשה מפוארת בחייו היא התנדבותו מיד לאחר המלחמה במסגרת פלוגות הסעד של מוסדות הישוב, לסייע בשיקומם הפיסי והרוחני של שארית הפליטה בגרמניה. כחניך ישיבות ליטאיות, מידת החסד היתה נר לרגליו: "עולם חסד יבנה". הוא החדיר בין שרידי החרב את האמונה והבטחון בדברי נעים זמירות ישראל (תהלים נ): "ושם דרך אראנו בישע אלקים", ודרשו חז"ל על זה (מועד קטן ה, א): כל השם אורחותיו זוכה ורואה בישועת הקב"ה.

בעת התנדבותו בגרמניה, הכיר את אשתו **בתיה רוזמרין** ממוצא חסידי גור-רדומסק, אשה מחוננת במידות תרומיות, אהבת חסד וטוב לב. ובעזרת השם הצליחו להקים בית נאמן בישראל, אחיי ואחותי: חנה פרנקטהל, נחום, ויהושע.

בדרכי הנדודים שלהם בתפקידים ציבוריים בצפון אפריקה, מכסיקו ולוס אנג'לס היה להם בית פתוח לרווחה לכל נצרך ולכל עובר אורח.

אנחנו מאחלים להם הרבה שנים של בריאות, אושר ויצירה, והרבה נחת מילדיהם ונכדיהם: "עוד ינובון בשיבה דשנים ורעננים יהיו".

כן אנחנו מביעים הכרת טובה להורינו מבית גאלדשטיין בלוס אנג'לס:

ר' אברהם אהרן לייב אלתר בן ר' חיים צבי גאלדשטיין שיחי',

עסקן ציבורי, אוהב צדקה וחסד ומתן בסתר לקשיי יום.

חיה ריסה בת הרב ברוך ביים תחי',

אשה נפלאה ומליאת חן, "אשה יראת ד' היא תתהלל".

ולכבוד הסבתא

בריינדל בת ר' דוד אלבין תחי'

יהי רצון שיזכו לאורך חיים טובים.

דוד רובין הלוי ורעייתו גיטל רבקה ממשפחת גאלדשטיין

ובניהם: אלישבע רחל, דב יששכר, צבי אשר, ופרומה אסתר, ומנוחה שרה.

הספר מוקדש ג"כ לעילוי נשמות זקנינו ובני דודינו ז"ל:

זקנינו, מצד אבי: ר' נחום בר' יהושע אייזיק הלוי הי"ד פרומה בת ר' יונה דוד גורדון הי"ד.

דודים ודודות מצד אבי: ר' דוד בר' נחום הלוי ניצול שואה ז"ל, ר' ניסן בר' נחום הלוי הי"ד

ר' דב בר' נחום הלוי הי"ד ר' חנוך בר' נחום הלוי הי"ד ר' יהושע אייזיק בר' נחום הלוי הי"ד.

ריינה בת ר' נחום הלוי ע"ה ראשה בת ר' נחום הלוי הי"ד.

זקנינו, מצד אמי: ר' צבי-הרשל יששכר בן ר' מרדכי רוזמרין ניצול שואה ז"ל אסתר בת ר' חיים פישל ניצולת שואה ז"ל.

דודים ודודות מצד אמי: ר' אריה בר' צבי-הרשל יששכר הי"ד ר' קלמן יחיאל בר' צבי-הרשל יששכר הי"ד

מרים בת ר' צבי-הרשל יששכר הי"ד דבורה בת ר' צבי-הרשל יששכר הי"ד.

זקנינו מצד משפחת גאלדשטיין: ר' חיים צבי בר' אברהם דב גאלדשטיין ניצול שואה ז"ל

מנוחה בת ר' אריה לייב דרוקר ניצולת שואה ז"ל הרב ברוך בן ר' אהרן אשר ביים ז"ל

תנצב"ה

This volume of Tanach is dedicated in honor of the
Golden Wedding Anniversary of our beloved parents,
may they enjoy many more happy, healthy and fruitful years together,

Chaim Zussman Noam Halevi
and Basya (Rozmarin) Rubin

Our father has always dedicated his life to faithful community service. Before WW II, he was a leader in Bnei Akiva, Lithuania, where he organized and led a kibbutz hachsharah in Slabodka. In Israel, he studied in the famed yeshivos of Petach Tikvah and Chevron, and was active in the absorption and education of the Aliat Hanoar. He was directly responsible for the spiritual rehabilitation of people in the most deprived neighborhoods of Jerusalem.

A glorious chapter of Noam's life was his selfless devotion to the Holocaust survivors. After the war, he volunteered in the religious units of the Jewish Agency to provide for the physical and spiritual rebirth of the survivors. As a product of the great Lithuanian yeshivos, Noam had absorbed the ethical teachings of kindness and the doctrine that God built the world on a foundation of generosity. He imbued the survivors of the Holocaust with faith in the words of the great Psalmist of Israel, that "One who orders [his] way, I will show him the salvation of G-d" *(Psalms 50:23)*.

While serving as Displaced Persons Field Coordinator, he met Basya Rozmarin, a descendant of the chassidim of Gur-Radomsk, a young woman graced with a sterling character, lovingkindness, and deep regard for family. Together they established a religious home in Israel. The Rubins have four children, Chana Rubin Frankenthal, Nachum, Joshua and David. Noam Rubin's position at the Jewish Agency took the family to several countries including North Africa, Mexico and the United States. Wherever they lived, they established an open door policy to anyone in need.

Our Parents,
Avraham Aharon Leib and Chaya Risa (Baim) Goldstein
and Grandmother, **Breindel Albin**
join in wishing the Rubins Mazal Tov.

David and Gitel Rivkah Rubin
Elisheva Rachel, Dov Yissacher, Tzvi Asher, Fruma Esther and Menuchah Sarah

Preface

This is the second volume of an ArtScroll / Mesorah project that, we hope, will bring new levels of knowledge and understanding to the study of *Nach* — the Prophets and the Sacred Writings. The enthusiastic response to *Joshua/Judges,* the first volume in this new series, demonstrates the importance this undertaking. It follows the now classic Stone Edition of the Chumash. With hundreds of thousands of copies in print and its acknowledged status as the standard Chumash of the English-speaking world, the Stone Edition sparked many requests for the same kind of commentary on the Prophets and Writings.

What is this work and how is it different from other ArtScroll / Mesorah commentaries? First, let us say what it is not. It is not an extended, detailed, phrase-by-phrase commentary, like the existing ArtScroll commentaries on such Books as Genesis, Joshua, and Ezekiel. Nor is it simply a translation with a very brief commentary like the one-volume Stone Edition of Tanach.

Rather, the commentary in this volume introduces and explains, inspires and clarifies, guides the reader through the chapters and verses so that they are easily comprehensible and so that even such complex issues as the role of the prophet Samuel, the tragedy of King Saul, and the crisis-filled life of King David, as they are elucidated by the Sages and classic commentators. Everywhere, the language and concepts are developed with the modern reader in mind. The results, we think, will justify the effort and open new windows of understanding and appreciation for countless readers and students.

To make this work even more useful for greater numbers of people, we have added the newly typeset classic commentaries of *Rashi, Radak, and Metzudos,* taken from the standard *Mikraos Gedolos* texts. In aggregate, this volume comprises an unprecedented array of features. It is our sincere hope that, with Hashem's help, it will introduce countless people to the beauty and profundity of the Word of Hashem, as expressed through His prophets.

The Books of the *Neviim Rishonim* — The Early Prophets — are dedicated by

MR. AND MRS. DAVID RUBIN of Los Angeles. The Rubins are one of their community's most respected and beloved younger couples, and deservedly so. They are backbones of the kehillah and have helped raise the standards of Torah education throughout Los Angeles. We are proud to count them as personal friends and generous supporters of the Foundation. This work is dedicated in honor of the golden wedding anniversary of Mr. Rubin's parents, **RABBI AND MRS. NOAM RUBIN**. They are products of the vibrant Jewish life of pre-War Lithuania and Poland, respectively. After the Holocaust, they helped succor and settle the survivors, and spent most of their lives in the service of our people, in addition to raising a wonderful family. This volume, as a contribution to the Torah knowledge of the Jewish people, is a fitting tribute to a magnificent couple. It is a privilege to share in this gesture of David and Gitel Rubin to their parents.

We are grateful to **RABBI MEYER MAY,** a dear friend and yeoman worker for the benefit of Klal Yisrael. He was instrumental in helping make this project possible. **ZEV WOLMARK** is a good friend of long standing, whose involvement in a host of Torah causes has earned him the respect and gratitude of many, including ourselves.

The atttractive and conveniently designed page which includes *Rashi, Radak* and *Metzudos,* cannot but elicit amazed admiration, especially from connoisseurs of the graphics arts. For that we are deeply grateful to our dear friend and colleague **REB SHEAH BRANDER,** who is not only a genius of his craft, but a talmid chacham of note.

RABBI DOVID FEINSTEIN graciously made his vast knowledge available. **RABBIS DOVID COHEN** and **JOSEPH ELIAS,** good friends and mentors, read the appendix and commented.

We are grateful also to the entire staff of ArtScroll Mesorah, to **AVROHOM BIDERMAN,** who coordinates much of the work, to **ELI KROEN** for his role in the graphics, and to **MOSHE DEUTCH** and **MORDECHAI GUTTMAN** who painstakingly set the pages.

The author is also deeply grateful to **RABBI YAAKOV BLINDER, RABBI MICHOEL SELIGSON,** and **RABBI YITZCHOK STAVSKY** whose research contributed significantly to this work. **RABBI FEIVEL WAHL** read the manuscript and offered many valuable suggestions and new information.

The Hebrew text and commentaries were proofread by **RABBI MOSHE ROSENBLUM** and by **DR. ALBERT SCHILD, RABBIS EZRA BLOCH, SHMUEL MUNK, YEHUDAH MUNK,** and **REUVIN SPIRA. MRS. JUDI DICK** read the commentary and offered valuable comments. **MRS. FAIGIE WEINBAUM** and **MRS. MINDY STERN** did their usual meticulous proofreading.

Finally, we express our profound thanks to Hashem Yisbarach for granting us the greatest of all privileges: to have a share in bringing His Torah to His people. May the time soon come when *the earth will be as filled with knowledge of HASHEM as water covering the sea bed* (Isaiah 11:9).

Rabbi Meir Zlotowitz / Rabbi Nosson Scherman

Elul 5762
September 2002

Samuel שמואל

The Book of Samuel begins with the longing of a barren woman, who became one of history's models of prayer. In response to Hannah's entreaty from the heart, God made her the mother of Samuel, the greatest of all the judges, and a prophet who was of the stature of Moses and Aaron. Samuel became the nation's leader during one of its most dismal periods to date, and he raised it back to its earlier eminence. From his home in Ramah, he traveled the length and breadth of the land, teaching, adjudicating, and inspiring.

During his tenure, the people insisted that they needed a king, and Samuel inaugurated the era of Jewish monarchy, anointing both Saul and David. Although Saul towered head and shoulders over his peers, he failed as a leader. His tragedy cost him the throne, and he was succeeded by David, who became the epitome of royal greatness.

Most of this Book is the story of David: man of faith, unselfish leader, great warrior, loyal friend, compassionate in victory, humble in defeat, and model of repentance. Only by studying his life in the light of the Talmudic and Rabbinic commentaries can one begin to imagine his stature. For a discussion of David's greatness, see the Appendix: "The Enigma of King David."

David consolidated the twelve often competing tribes into a single nation. He defeated external enemies and left his successor with a united, secure, prosperous kingdom. To the rest of us in all generations, he bequeathed legacies of pure faith, the seeds of the Messiah, and the Book of Psalms.

The Book of Samuel marks a historic transition in Jewish history in more ways than one, because the change from judges to kings also led to a change in the role of the prophets. Since the judges had been chosen by God because of their righteousness, there was no danger that they would defy Him or falsify His message. The monarchy, however, was hereditary, and — as seen in the sad accounts of the Books of Kings and Chronicles — many of the kings sinned grievously and ultimately brought the nation down. The kings could not be the moral leaders of the nation, as the judges had been. That role had to be assumed by prophets. Thus, after the Book of Samuel, we find the prophets assuming a new kind of authority and prominence, as the succeeding Books will show.

שמואל א
I Samuel

HAFTARAH FIRST DAY ROSH HASHANAH 1:1-2:10

א

א וַיְהִי אִישׁ אֶחָד מִן־הָרָמָתַיִם צוֹפִים מֵהַר אֶפְרָיִם וּשְׁמוֹ אֶלְקָנָה בֶּן־יְרֹחָם
ב בֶּן־אֱלִיהוּא בֶּן־תֹּחוּ בֶן־צוּף אֶפְרָתִי: וְלוֹ שְׁתֵּי נָשִׁים שֵׁם אַחַת חַנָּה וְשֵׁם
ג הַשֵּׁנִית פְּנִנָּה וַיְהִי לִפְנִנָּה יְלָדִים וּלְחַנָּה אֵין יְלָדִים: וְעָלָה הָאִישׁ הַהוּא מֵעִירוֹ
מִיָּמִים יָמִימָה לְהִשְׁתַּחֲוֹת וְלִזְבֹּחַ לַיהוָה צְבָאוֹת בְּשִׁלֹה וְשָׁם שְׁנֵי בְנֵי־עֵלִי
ד חָפְנִי וּפִנְחָס כֹּהֲנִים לַיהוָה: וַיְהִי הַיּוֹם וַיִּזְבַּח אֶלְקָנָה וְנָתַן לִפְנִנָּה אִשְׁתּוֹ
ה וּלְכָל־בָּנֶיהָ וּבְנוֹתֶיהָ מָנוֹת: וּלְחַנָּה יִתֵּן מָנָה אַחַת אַפָּיִם כִּי אֶת־חַנָּה אָהֵב
ו וַיהוָה סָגַר רַחְמָהּ: וְכִעֲסַתָּה צָרָתָהּ גַּם־כַּעַס בַּעֲבוּר הַרְּעִמָהּ כִּי־סָגַר יְהוָה

רש"י

(א) ויהי איש אחד. הכל לפי הסדר, משה מסר את התורה ליהושע, ויהושע לזקנים, ושופט מסר לשופט, עד שהגיע לעלי, וממנו לשמואל, כמו ששנינו וזקנים לנביאים (אבות א, א): **מן הרמתים צופים.** שתי רמות היו, שצופות ורואות זו את זו. ויונתן תרגם צופים, מִתַּלְמִידֵי נְבִיַּיָּא: **אלקנה.** לוי היה, מבני אביאסף בן קרח, כן נתייחס בדברי הימים -(א ה, ח): **אפרתי.** יונתן תרגם, בְּטוּרָא דְבֵית אֶפְרָיִם. ומדרש אגדה (רות רבה ב, ה), אֶפְרָתִי. בן פלטין, אבגיגוס, אדם חשוב, כמו אפריון נמטייה לרבי שמעון (בבא מציעא קיט, א), לשון חן: **(ג) ועלה האיש.** לשון הוה הוא, היה עולה מזמן מועד למועד לשילה. ומדרש אגדה (קהלת רבה ה,א), בדרך שהיה עולה בשנה זו, לא היה עולה בשנה אחרת, כדי להשמיע ישראל ויעשו כמותו: **(ד) ויהי היום.** (תרגום), וַהֲוָה יוֹם מוֹעֲדָא: **(ה) מנה אחת אפים.** (תרגום), חוּלָק חָד בְּחִיר, הראוי להתקבל בסבר פנים יפות: **(ו) צרתה.** אשת בעלה, פנינה: **גם כעס.** כעס אחר כעס, תמיד, לכך נאמר גַּם כַּעַס, היתה אומרת לה, כלום קנית היום מטפחת לבנך גדול, או חלוק לבנך קטן: **בעבור הרעמה.** שתתאונן, ורבותינו אמרו (בבא בתרא טז, א), בעבור הרעימה, שתתפלל, ולשם שמים נתכוונה:

רד"ק

(א) ויהי איש אחד מן הרמתים צופים. כבר כתבנו בתחילת ספר יהושע, כי הוי"ו תמצא בלשון הקדש בתחילת הדברים מנהג, וכן לשון ישמעאל, ודקדוק מלת וַיְהִי כתבנו שם גם כן: **מן הרמתים.** כתבו רבותינו זכרונם לברכה (מגילה יד, א) שתי רמות הם שצופות זו את זו, ואם כן ששתי רמות הם, והמלה מוכיחה כן שהיא בלשון שנים, יהיה פירוש מִן הָרָמָתַיִם מאחת משתי רמות, כמו וַיִּקָּבֵר בְּעָרֵי גִלְעָד (שופטים יב, ז), בְּשְׁתַּיִם תִּתְחַתֵּן בִּי (לקמן יח, כא) והדומים להם. וטעם צוֹפִים על הָרָמָתַיִם כמו שפירשנו. ויש לפרש צוֹפִים נביאים ומִן שזכר עומד במקום שנים, כאלו אמר מן צופים כלומר ממשפחת צופים, וכן תרגם יונתן מִתַּלְמִידֵי נְבִיַּיָּא, כי הנביא יקרא צופה כמו צֹפֶה נְתַתִּיךָ (יחזקאל ג, יז), וזהו פירוש הנכון, כי ממשפחת נביאים היה, כי מבני קרח היה כמו שמפורש יחסו בדברי הימים (־א ו, ט-כב), ובני קרח נביאים היו והם אסיר ואלקנה ואביאסף, ואלקנה אבי שמואל היה מבני בניו של אלקנה בן קרח: **מהר אפרים.** לוי היה והיה גר בארץ אפרים, ואפשר כי לטעם זה נסמך מעשה פלגש בגבעה (שופטים פרק יט-כא), לסיפור הזה בדבר אלקנה ותולדות שמואל, שגם הוא לוי היה והיה גר בירכתי הר אפרים (שם יט-א), ומסבתו באה רעה גדולה לישראל, ומסבת זה באה טובה גדולה לישראל, ושמואל בנו החזיר ישראל לדרך טובה: **אפרתי.** על שני פנים נאמר, האחד מיוחס על השבט על מי שהוא משבט אפרים, או על מי שהוא גר בארץ אפרים, כמו הַאֶפְרָתִי אַתָּה (שם יב, ה) והאחד מיוחס למקום הנקרא בית לחם אפרת, כמו וְדָוִד בֶּן אִישׁ אֶפְרָתִי (לקמן יז, יב) מַחְלוֹן וְכִלְיוֹן אֶפְרָתִים (רות א, ב), וזה הוא מיוחס אל הר אפרים כמו שאמר מֵהַר אֶפְרָיִם, ולכך קראו אֶפְרָתִי, כי לא נוכל לפרש שהיה אפרתי מיוחס לשבט אפרים, כי לוי היה, אם כן מה שאמר אפרתי שהיה מהר אפרים. ויש לתמוה אחר שאמר מֵהַר אֶפְרָיִם למה אמר אֶפְרָתִי אחר כן, ואפשר שאמר גם כן לפי שהוא ואבותיו היו גרים שם, ועל צוף אמר אפרתי לא על אלקנה, כי על אלקנה כבר פירש מהר אפרים, זהו נכון לפי הפשט, ומה שאמר כי הוא ואבותיו היו גרים בהר אפרים, נראה כי נחלתם היתה שם, כי מבני קהת היו ובני קהת להם ערים בהר אפרים, כמו שאמר בספר יהושע וּלְמִשְׁפְּחוֹת בְּנֵי קְהָת הַלְוִיִּם וגו׳ אֶת שְׁכֶם וְאֶת מִגְרָשֶׁיהָ בְּהַר אֶפְרָיִם (יהושע כא, כ-כא), ובדרש (מדרש שמואל א, ו) מפרש אותו לשון גדולה וחשיבות: אפרתי, אמר רבי יהושע בן לוי פלאטיני. ויונתן תרגם אפרתי, גַּבְרָא פַּלֵּיג חוּלַק בְּקוּדְשַׁיָּא בְּטוּרָא דְבֵית אֶפְרָיִם: **(ג) ועלה.** כן היה עושה בכל שנה ושנה שהיה עולה לשילה לזבוח, ומה שאמר מעירו לומר שהיה מזרז בני עירו לעלות, ובדרש (קהלת רבה ה, יט) לא בדרך שהיה עולה בשנה זו היה עולה בשנה אחרת, אלא בכל שנה היה עולה בדרך אחרת, בשביל להשמיע את ישראל ולהעלות אותן לשילה: **מימים ימימה.** משנה לשנה, כמו וְשָׁמַרְתָּ אֶת הַחֻקָּה הַזֹּאת לְמוֹעֲדָהּ מִיָּמִים יָמִימָה (שמות יג, י) או פירש ממועד למועד, וכן תרגם יונתן מִזְּמַן מוֹעֵד לְמוֹעֵד: **להשתחות ולזבח.** להתפלל לפני ה׳ ולזבוח שם זבח המועד, ובדרש רבי אלעא בשם רבי יצחק שקולה תפילה כנגד הקרבנות, שנאמר לְהִשְׁתַּחֲוֹת וְלִזְבֹּחַ, ורבנן אמרי חביבה תפילה יותר מכל הקרבנות דכתיב לְהִשְׁתַּחֲוֹת ואחר כך לִזְבֹּחַ: **ושם שני בני עלי.** זכרם על הזבחים לפי מה שעתיד לזכור עליהם, (פרק ב, יב-טז) מה שהיו עושים בקרבנות: **(ד) ויהי היום.** יום מועד, וכן תרגם יונתן יוֹמָא דְמוֹעֲדָא, ובדרש (מדרש שמואל א, ח) רבי יהושע בן לוי אומר זה יומא של עצרת: **ונתן לפננה.** מן השלמים שהיה זובח: **(ה) ולחנה יתן.** כמו נתן, כמו אָז יִבְנֶה יְהוֹשֻׁעַ (יהושע ח, ל) אָז יַבְדִּיל מֹשֶׁה (דברים ד, מא) והדומים להם: **מנה אחת אפים.** מנה אחת נכבדת להשיב אפה וכעסה, וכן אֶרֶךְ אַפַּיִם (שמות לד, ו) ארך כעס, ויונתן תרגם חוּלַק חַד בְּחִיר, רצה לומר מנה הראויה להתקבל בסבר פנים יפות, ובדרש (מדרש שמואל א, ח) מהו אַפָּיִם, (בנפילת) [בכפילת] אפים בסבר פנים יפות, אַפָּיִם כנגד פנינה וילדיה, ואדוני אבי זכרונו לברכה פירש אַפָּיִם כעס, כלומר בכעס היה נותן לה מנה אחת לבד, לפי שהשם יתברך סגר את רחמה, ולא היו לה בנים שיתן לה מנות כמו לבני פנינה, היה לו כעס ועצב בזה, לפי שהיה אוהב חנה והיה מתאוה להיות לו ממנה בנים:

מצודת דוד

(א) מן הרמתים צופים. הוא שם מקום, על שם שהיו בה שתי גבעות רמות, צופים ומקבילים זה מול זה: **אפרתי.** על צוף יאמר, שהיה גם הוא מהר אפרים, ולא מבני אפרים, כי לוי היה ומבני קרח: **(ג) ועלה האיש ההוא.** מעולם היה מנהגו לעלות אל שילה בכל שנה ושנה, לְהִשְׁתַּחֲוֹת וְלִזְבֹּחַ לַה׳: **כהנים.** רוצה לומר, סגני הכהונה, כי עלי אביהם שימש בכהונה גדולה: **(ד) ויהי היום.** רוצה לומר, וכאשר בא היום של הבאת קרבנותיו, היה אלקנה זובח שלמים, והיה נותן לפנינה וכו׳: **מנות.** מזבח השלמים: **(ה) מנה אחת** . רוצה לומר, מיוחדת ביופי, ולתוספת ביאור אמר אַפָּיִם, רוצה לומר, הראויה לקבל אותה בסבר פנים יפות: **וה׳ סגר רחמה.** ולא ילדה, והיתה מצירה, ולזה הראה לה חיבה יתירה להפיג צערה: **(ו) וכעסתה צרתה** . פנינה צרתה, היתה מכעסת אותה בדברים: **גם כעס.** רוצה לומר, וחוזרת ומכעסת פעמים רבות: **בעבור הרעמה.** בכדי שתהיה חנה זעופה וקצופה:

מצודת ציון

(ג) מימים ימימה. משנה לשנה, וכן יָמִים תִּהְיֶה גְאֻלָּתוֹ (ויקרא כה,כט): **(ד) מנות.** ענין מתנה וחלק כמו לְמֹשֶׁה הָיָה לְמָנָה (שם ח, כט): **(ה) אפים.** מלשון פנים: **(ו) צרתה.** שתי נשים מאיש אחד תקראנה צרות, והוא מלשון צר ואויב, כי על פי רוב שונאות זו לזו: **הרעמה.** ענין זעם וזעף, כמו רָעֲמוּ פָּנִים (יחזקאל כז, לה):

1 BIRTH OF SAMUEL 1:1-28

Elkanah and his family

[1]There was a certain man from Ramathaim-zophim, from Mount Ephraim, whose name was Elkanah, son of Jeroham, son of Elihu, son of Tohu, son of Zuph, from the land of Ephraim. [2]He had two wives; one's name was Hannah and the name of the second was Peninnah. Peninnah had children, but Hannah had no children. [3]This man would ascend from his city from year to year to prostrate himself and to bring offerings to HASHEM, Master of Legions, in Shiloh, where the two sons of Eli — Hophni and Phinehas — were Kohanim to HASHEM.

Hannah's suffering

[4]It happened on the day that Elkanah brought offerings that he gave portions to Peninnah, his wife, and to all her sons and daughters. [5]But to Hannah he gave a double portion, for he loved Hannah and HASHEM had closed her womb. [6]Her rival [Peninnah] provoked her again and again in order to irritate her, for HASHEM had closed

---

1.

1-8. Elkanah and his family. Elkanah was a Levite, a descendant of Korah (*I Chronicles* 6:7-12). He is the unnamed prophet who comes to Eli in the next chapter (2:27-36), and is one of only forty-eight male prophets whose prophecies were recorded for posterity (*Megillah* 14a, *Rashi*). Elkanah had two wives, Peninnah, who had many children, and Hannah, who was childless. Hannah, whose prayer in Chapter 2 was prophetic, was one of the seven women whose prophecies were recorded in Scripture (ibid.).

The leader of the nation was Eli, the Kohen Gadol, who was one of the greatest of the judges, but who presided over Israel at a time when the spiritual and temporal standing of the people had fallen to a low estate. Eli's predecessor was Samson and, as seen in the Book of Judges, the Philistines were ascendant at that time.

1. הָרָמָתַיִם צוֹפִים — *Ramathaim-zophim.* This place was named for its topographical characteristics. Literally the name means *two heights looking* [at one another]; thus Elkanah lived on one of two hills, separated by a valley, that were opposite one another, so that a person standing on one hill could see the other one clearly (*Rashi*). Midrashically, the term describes the greatness of Elkanah: The letter *reish* of *Ramathaim* has the numerical value of 200, and the rest of the word, *mathaim*, can be read as מָאתַיִם, *two hundred*. The word *zophim* can be translated as *seers*, i.e., *prophets*. Thus, Elkanah is described as one of two hundred people who prophesied in his time (*Megillah* 14a, *Maharsha*).

אֶפְרָתִי — *From the land of Ephraim.* Though Elkanah was a Levite (see above), he resided in the province of Ephraim, where cities were granted to the Levite families of Kehath (*Joshua* 21:5).

Alternatively, the word אֶפְרָתִי means *distinguished person* (see *Rashi, Ruth* 1:2). Thus the word describes Elkanah's high standing (*Targum*).

2. After ten years of a childless marriage, Hannah urged Elkanah to take a second wife, following the example of Sarah, who counseled Abraham to take Hagar as his second wife. Peninnah bore ten children to Elkanah (*Pesikta Rabbasi* 43).

3. For information on the Tabernacle at Shiloh, see *Joshua* 18:1.

Elkanah and his family went to Shiloh regularly to pray and bring offerings at the Tabernacle. According to *Targum*, he went for each of the three pilgrimage festivals, but most commentators render that he went only once a year. *Ralbag* suggests that he took his entire family once a year and went alone for the other two festivals. *Abarbanel* explains that Elkanah took even his young children in order to inculcate them with the pure fear of God that would come from the atmosphere and service at the holy place, and so that the presence of the entire family would increase the joy of the festival observances.

The Sages teach that every year Elkanah took a different route in order to set an example for the people and encourage them to emulate him in making the pilgrimage to the Tabernacle. Apparently the general population was lax in performing this commandment, possibly for fear of Philistine raids, or, as *Panim Yafos* ventures, the commandment of the pilgrimage festivals did not take effect until the Temple was built in Jerusalem.

According to *Malbim*, the presence of Hophni and Phinehas in the Tabernacle discouraged pilgrims to the Tabernacle, because, as the narrative points out below, they did not conduct themselves properly.

5. מָנָה אַחַת אַפָּיִם — *A double portion.* To relieve Hannah's sadness at not having children, and to express his love for her, Elkanah would always give her an extra portion, or, according to some, a better portion.

6. וְכִעֲסַתָּה צָרָתָהּ גַּם־כַּעַס — *Her rival [Peninnah] provoked her again and again.* Peninnah tormented Hannah by asking her sarcastically, "Did you buy a cloak today for your older child, or an outfit for your younger one?" The Sages say that Peninnah's intentions were noble: by not allowing Hannah to make peace with her condition, Peninnah intended to goad her to pray for a child (*Bava Basra* 16a) — which indeed happened. The Sages teach that the Satan [in his accusations against Job] and Penninah both acted for the sake of Heaven (*Bava Basra* 16a). The *Baal Shem Tov* notes that Penninah is bracketed with the Satan, the very epitome of evil, because good intentions do not justify cruel tactics. Therefore Penninah was severely punished, for eight of her ten children died.

ז בְּעַד רַחְמָהּ: וְכֵן יַעֲשֶׂה שָׁנָה בְשָׁנָה מִדֵּי עֲלֹתָהּ בְּבֵית יהוה כֵּן תַּכְעִסֶנָּה וַתִּבְכֶּה
ח וְלֹא תֹאכַל: וַיֹּאמֶר לָהּ אֶלְקָנָה אִישָׁהּ חַנָּה לָמֶה תִבְכִּי וְלָמֶה לֹא תֹאכְלִי וְלָמֶה יֵרַע
ט לְבָבֵךְ הֲלוֹא אָנֹכִי טוֹב לָךְ מֵעֲשָׂרָה בָּנִים: וַתָּקָם חַנָּה אַחֲרֵי אָכְלָה בְשִׁלֹה וְאַחֲרֵי
י שָׁתֹה וְעֵלִי הַכֹּהֵן יֹשֵׁב עַל־הַכִּסֵּא עַל־מְזוּזַת הֵיכַל יהוה: וְהִיא מָרַת נָפֶשׁ וַתִּתְפַּלֵּל
יא עַל־יהוה וּבָכֹה תִבְכֶּה: וַתִּדֹּר נֶדֶר וַתֹּאמַר יהוה צְבָאוֹת אִם־רָאֹה תִרְאֶה ׀
בָּעֳנִי אֲמָתֶךָ וּזְכַרְתַּנִי וְלֹא־תִשְׁכַּח אֶת־אֲמָתֶךָ וְנָתַתָּה לַאֲמָתְךָ זֶרַע אֲנָשִׁים

רש"י

בעד רחמה. כנגד רחמה, וכן כל לשון בעד: **(ז) וכן יעשה.** אלקנה: **שנה בשנה.** נותן לה חלק מובחר, להראותה שמחבבה. ולצרתה, לפי חבה שבעלה מראה לה, כן תרבה גם היא להכעיסה: **(ח) אנכי טוב לך.** מחבבך: **מעשרה בנים.** שילדה לי פנינה: **(ט) אכלה בשלה.** לא מפיק ה"א, והאל"ף חטוף קמ"ץ, והוא כמו, אחרי אכול בשילה ואחרי שתה. והלשון נופל בין לזכר בין לנקבה, אחרי אכלה, לשון פעול, כמו לאכלה, לשון לפעול: **ועלי הכהן ישב על הכסא.** אותו היום ישב על כסא גדול, שנתמנה שופט על ישראל: **על מזוזת.** כמו, אצל מזוזות: **(יא) ה' צבאות.** למה נתייחד שם זה כאן, אמרה לפניו, רבונו של עולם, שני צבאות בראת בעולמך, העליונים, לא פרים ולא רבים ולא מתים, והתחתונים, פרים ורבים ומתים, אם אני מן התחתונים, אהיה פרה ורבה ומתה, ואם אני מן העליונים, לא אמות. זו מצאתי באגדה של רבי יוסי הגלילי (פסיקתא רבתי). ורבותינו דרשו במסכת ברכות (לא, ב) מה שדרשו, עד הנה לא היה אדם שקראו להקדוש ברוך הוא צבאות, אלא כך אמרה לפניו, רבונו של עולם, מכל צבאות שבראת בעולמך קשה בעיניך ליתן לי בן אחד: **אם ראה תראה.** רבותינו דרשו בו במסכת ברכות (שם) מה שדרשו: **אמתך.** האמור שלשה פעמים במקרא, כנגד שלשה דברים שהאשה מצווה עליהם: **זרע אנשים.** צדיקים, כמה דאת אומר בִּשְׁנֵי אֲנָשִׁים צַדִּקִים (מלכים־א ב, לב): **אנשים.** חשובים, כמה דאת אומר אֲנָשִׁים חֲכָמִים ... וִידֻעִים (דברים א, יג):

רד"ק

וה' סגר רחמה. תרגם יונתן מִן קֳדָם ה' אִיתְמְנַע לַהּ וְלָד: **(ו) צרתה.** פנינה שהיתה צרה לה, וכן כל שתי נשים לאיש אחד נקראות צרות, לפי שהן אויבות זו לזו ברוב, וכן במשנה (יבמות ב, א) פוטרות צרותיהן: **גם כעס.** כעס אחר כעס, היתה אומרת לה דברים של כעס, לפי שלא היו לה בנים, ובדרש (מדרש שמואל א, ח) מכעסת וחוזרת ומכעסת, מה היתה אומרת לה זבנת לבריך רבה סודר או לתניינא חלוק: **בעבור הרעימה.** מן רַעֲמוּ פָּנִים (יחזקאל כז, לה), ענין זעף, ורי"ש הַרְעִימָהּ דגושה שלא כמשפט, ובא כן לחזק קריאת הרי"ש, כמו קו"ף וּנְתַקְּנֻהוּ מִן הָעִיר (שופטים כ, לב) וזולתו מן הדגושים לתפארת הקריאה, ויונתן תרגם הַרְעִימָהּ לְאַקְנָיוּתָהּ, כלומר שתהא לה קנאה ממנה, היתה אומרת בפניה דברים של גידולי בנים וכיוצא בהם, כדי שתהא לה קנאה ויכאב לבה: **בעד רחמה.** על רחמה, כמו בְּעַד הַשֶּׁלַח יִפֹּלוּ (יואל ב, ח) וְכִפֶּר בַּעֲדוֹ (ויקרא טז, ו): **(ז) וכן יעשה.** אלקנה היה עושה כן שנה בשנה, לעלות בית ה' עם ביתו, ופנינה גם כן היתה מכעיסה חנה בכל פעם מדי עלותה בית ה', כי בדבר המנות היתה מכעסת אותה, שהיו לה ולבניה מנות ולחנה לא היתה אלא מנה אחת, לפי שלא היו לה בנים שיקחו מנות: **(ח) הלוא אנכי.** כתרגומו הֲלָא רְעוּתִי טָבָא לִיךְ, כלומר רצוני אליך ואהבתי אותך טוב לך מעשרה בנים, ויש מפרשים אנכי טוב לך יותר ממה שאני טוב לעשרה בנים שיש לי מפנינה, כלומר יותר אני אוהב אותך ממה שאני אוהב את בני, ואמרו (פיסקא רבתי, מג) כי עשרה בנים היו לפנינה, ולפירושנו יהיה טעם עשרה דרך כלל חשבון, כמו וְאָפוּ עֶשֶׂר נָשִׁים (ויקרא כו, כו) מֵעֲשָׂרָה שַׁלִּיטִים (קהלת ז, יט) שֶׁבַע כְּחַטֹּאתֵיכֶם, (ויקרא כו, כא) שֶׁבַע יִפּוֹל צַדִּיק, (משלי כד, טז) והדומים להם: **(ט) אכלה.** מקור בתוספת ה"א, ואין הה"א לנקבה כי איננה מפיק, וכן שָׁתֹה מקור, ופירוש אחרי שאכלו ושתו, ואפשר כי חנה גם כן אכלה, אף על פי שאמר וַתִּבְכֶּה וְלֹא תֹאכַל (פסוק ח), אפשר כי אחר שאמר לה בעלה וְלָמֶה לֹא תֹאכְלִי ופצר בה, אכלה מעט, ובעל הדרש אמר (כתובות סה, א) שתה ולא שתתה, לא דקדק: **ועלי הכהן ישב על הכסא על מזוזת היכל ה'.** פירוש סמוך למזוזות, כי המזוזות הם לחיי השערים לא המפתן, וכן וְעָלָיו מַטֵּה מְנַשֶּׁה (במדבר ב, כ) סמוך לו, וְזָבַחְתָּ עָלָיו (שמות כ, כא) סמוך לו וכן תרגם יונתן בִּסְטַר סִיפָּא דְהֵיכְלָא דַה', ויש מרבותינו זכרונם לברכה שאמרו (מדרש תהלים א, ב) כי אין ישיבה בעזרה אפילו למלכי בית דוד אלא לכהן גדול, שנאמר וְעֵלִי הַכֹּהֵן יֹשֵׁב עַל הַכִּסֵּא עַל מְזוּזַת, אבל וַיָּבֹא... דָּוִד וַיֵּשֶׁב לִפְנֵי ה' (לקמן־ב ז, יח) פירשוהו שישב עצמו לתפלה, ודרשו רבותינו יֹשֵׁב שהוא חסר וי"ו, ואמרו (מדרש שמואל א, ט) ישב כתיב, מלמד שבאותו היום מינוהו כהן גדול: **(י) ותתפלל על ה'.** כמו אל ה', וכן וְנִתַּן הַסֵּפֶר עַל אֲשֶׁר לֹא יָדַע סֵפֶר (ישעיה כט, יב) כמו אל יודע ספר, עַל שָׁפָן (מלכים־ב כב, ח) כמו אל שפן: **(יא) ותדר נדר.** אני תמה איך חל נדרה על בנה שיהיה נזיר, ועוד שלא היה בעולם ואיך חל הנדר עליו, ואפילו היה בעולם, הרי אמרו (נזיר כח, ב) האיש מדיר את בנו נזיר ואין האשה מדרת את בנה בנזיר, ואפילו באיש לא מצאו בו טעם, אלא אמרו הלכה היא בנזיר, ואם תאמר כי אלקנה עשה הנדר גם כן, אחרי ששמע מאשתו, זה לא ראינו, והיאך הניח הפסוק לספור עיקר הנדר, וכתב נדר חנה שאינו נדר זה רחוק, ויותר אני תמיה איך לא דברו רבותינו זכרונם לברכה בזה הדבר, כי לא מצאתי בדבריהם בזה שום דבר לא במדרש ולא בתלמוד: **ה' צבאות.** דרשו רבותינו זכרונם לברכה (ברכות לא, ב) לפי שלא מצאנו עד הנה אדם שקראו ה' צְבָאוֹת, כי מה שאמר למעלה לַה' צְבָאוֹת בְּשִׁלֹה (לעיל פסוק ג) הוא סיפור דברים ממחבר הספר, לפיכך אמרו למה נתיחד כאן בשם הזה, אמרה חנה לפני הקדוש ברוך הוא שני צבאות בראת בעולמך, העליונים לא פרים ולא רבים ולא מתים, התחתונים פרים ורבים ומתים, אם מן התחתונים אני אהיה פרה ורבה, אם מן העליונים אני אהיה בחיים ולא אמות, ועוד אמרו רבותינו זכרונם לברכה (מדרש שמואל ב, ד) אמר רב פעמי רגלים היו עולים, אמרה חנה לפני הקדוש ברוך הוא, רבון העולמים, מכל אוכלוסין שיש לפניך אין אתה פוקדני באחד מהן: **אם ראה תראה.** דרשו מפני הכפל, ואין צריך כי כן מנהג הלשון לצרף המקור עם הפעלים, כמו אִם שָׁמֹעַ תִּשְׁמְעוּן (ירמיהו יז, כד), ואמר כי

מצודת דוד

כי סגר ה' בעד רחמה. רוצה לומר, ובזה היה מקום לפנינה להכעיסה, וכמו שאמרו רבותינו זכרונם לברכה (ילקוט שמעוני רמז עז), שאמרה לה בדרך לעג, כלום קנית מעפורת לבנך הגדול, או חלוק לבנך הקטן. והיא גם היא נפשה מרה לה בעבור עקרותה, ונוח הדבר להכעיסה: **(ז) וכן יעשה.** כן עשה אלקנה בכל שנה, לתת לחנה מנה אחת אפים: **כן תכעסנה.** כמו וכן תכעיסנה, ורוצה לומר, הוא עשה את שלו להראות לה חיבה, וכן פנינה עשתה את שלה: **ותבכה.** בכל עת בואה אל שילה, בכתה מרוב התוגה, ובעבור זה נמנע ממנה תאות האכילה: **(ח) ולמה ירע לבבך.** למה יהיה לבבך נשבר מתוגיון חסרון בנים: **הלוא אנכי.** תרגום יונתן, הֲלָא רְעוּתִי. רצה לומר, הלא רצוני אליך ואהבתי לך, טובה היא לך מאלו ילדת עשרה בנים: **(ט) ותקם חנה.** ללכת אל בית ה': **אחרי אכלה.** עם שנאמר למעלה ותבכה ולא תאכל, מכל מקום אכלה מעט להחיות את הנפש: **(י) והיא מרת נפש.** בבואה להתפלל, היתה נפשה מרה לה במאוד: **(יא) בעני.** במה שאני מעונה בצער ותוגיון: **וזכרתני ולא תשכח.** כפל הדבר במלות שונות לתוספת ביאור, וכדרך המתפללים: **זרע אנשים.** רוצה לומר, בנים זכרים:

מצודת ציון

(ז) מדי. מתי, רצה לומר, בכל זמן, וכן מִדֵּי עָבְרוֹ (ישעיהו כח, יט): **(ח) ירע.** ענין שבר, כמו יָרֹעַ כַּבִּירִים לֹא חֵקֶר (איוב לד, כד): **(ט) על מזוזת.** אצל מזוזות: **(י) על ה'.** כמו אל ה': **(יא) אמתך.** שפחתך:

her womb. [7]This is what he would do year after year, and whenever [Peninnah] would go up to the house of HASHEM, she would provoke her; [Hannah] would cry and not eat. [8]Elkanah, her husband, said to her, "Hannah, why do you cry and why do you not eat? Why is your heart broken? Am I not better to you than ten children?"

[9]Hannah arose after eating in Shiloh and after drinking; and Eli the Kohen was sitting on the chair, near the doorpost of the Sanctuary of HASHEM. [10]She was feeling bitter, and she prayed to HASHEM, weeping continuously.

Hannah's Prayer

[11]She made a vow and said, "HASHEM, Master of Legions, if You take note of the suffering of Your maidservant, and You remember me, and do not forget Your maidservant, and give Your maidservant male offspring,

רד"ק

לחזק הדבר הוא זה הצירוף, והם זכרונם לברכה דרשו בו (ברכות לא, ב), אם ראה מוטב ואם לאו תראה, אני מקנאה לאלקנה בעלי ואני יולדת, כמו שכתֻבת בתורתך וְאִם לֹא נִטְמְאָה הָאִשָּׁה וּטְהֹרָה הִוא וגו׳ (במדבר ה, כח): **בעני אמתך**. שלשה יש בפסוק, כמו אֵלֶּה תּוֹלְדֹת נֹחַ (בראשית ו, ט) וישראל חמשה בפסוק (במדבר ח, יט) כי כן דרך המקראות לצחות, ודרשו בו (מדרש שמואל ב, ו) אמרה חנה שלש מצוות נצטותה האשה, ולא עברתי על אחת מהן: **וזכרתני ולא תשכח את אמתך**. הכפל לחזק התפלה והבקשה, וכן זָכוֹר אֵת אֲשֶׁר עָשָׂה לְךָ עֲמָלֵק... לֹא תִּשְׁכָּח (דברים כה, יז-יט) לחזק המצוה, ודרשו רבותינו זכרונם לברכה וּזְכַרְתַּנִי בזכרים, וְלֹא תִשְׁכַּח אֶת אֲמָתֶךָ בנקבות: **זרע אנשים**. פירוש זכרים, ומה שאמר וּמוֹרָה לֹא יַעֲלֶה עַל רֹאשׁוֹ, מוכיח כי על זכרים אמרה, כי לא יאמר זה על הנקבות, ויונתן תרגם בַּר בְּגוֹ בְּנֵי אֱנָשָׁא, ובדרש (מדרש שמואל ב, ו) זרע אנשים שלא יהו פניהם דומים לא לקוף ולא לסריס, דבר אחר זֶרַע אֲנָשִׁים חכמים, כמה דאת אמר אֲנָשִׁים חֲכָמִים וּנְבֹנִים (דברים א, יג), אנשים נביאים כמה דאת אמר וַיִּשָּׁאֲרוּ שְׁנֵי אֲנָשִׁים (במדבר יא, כו), ועוד אמרו (ברכות לא, ב) זרע ששקול כשני אנשים ומאי נינהו משה ואהרן, שנאמר מֹשֶׁה וְאַהֲרֹן בְּכֹהֲנָיו וּשְׁמוּאֵל בְּקֹרְאֵי שְׁמוֹ (תהלים צט, ו):

7. The pattern repeated itself. The more Elkanah showed his love for Hannah, the more Peninnah provoked her.

8. Elkanah tried to comfort Hannah by reminding her that he treated her personally better than he did Peninnah, despite Peninnah's having ten children (*Rashi*).

Abarbanel explains Elkanah's three questions. *Why do you cry* — such weeping is appropriate only over the dead. *Why do you not eat* — it is a *mitzvah* to eat from the flesh of offerings. *Why is your heart broken* — we are commanded to rejoice on the festivals.

The number ten, which combines all the single digits into a new unit, alludes to completion. By telling Hannah that he was better to her than to ten children, he was suggesting that his considerate treatment was the totality of good and that she needed nothing more, but Hannah did not accept his consolation, nor did she even deign to reply. She wanted children whom she could dedicate to the service of God. Homiletically, her unspoken reply was alluded to in Elkanah's words: אָנֹכִי, *I*, is the first word of the Ten Commandments. Thus it may be said that implicit in his words was that reliance on *God* is better than ten children (*Sichos Kodesh*).

9-11. Hannah's prayer

9. אַחֲרֵי אָכְלָה בְשִׁלֹה וְאַחֲרֵי שָׁתֹה — *After eating in Shiloh and after drinking.* Hannah acceded to Elkanah's plea. She ate and drank, but she was still not consoled. She went to the Tabernacle to pour out her heart to God. Eli the Kohen Gadol was sitting at the doorpost, where he could observe her.

Homiletically, *Hannah arose* in the spiritual sense, thanks to a confluence of factors that elevated her prayer enough to be answered. She was in Shiloh, a holy place; she had eaten the sacred flesh of the offerings on a holy day. She went to the Tabernacle and saw Eli, the great and holy leader of the people. All this allowed her to "arise" so that her prayer would be accepted (*R' Yechezkel of Kuzmir*).

10. Hannah wept because, as the Sages teach, the gates of tears are never closed (*Berachos* 32b).

11. וַתִּדֹּר נֶדֶר — *She made a vow.* She vowed that if she were blessed with a son, she would dedicate him exclusively to God. For a mother to dedicate her son to the service of the Tabernacle and have him remain away from home for the rest of his life (1:28) is an enormous sacrifice.

The Sages cite two views regarding her vow (*Nazir* 66a): (a) Her son would be a Nazirite and *a razor* [מוֹרָה] shall not come upon his head, since, among other things, a Nazirite is not permitted to cut his hair (see *Numbers* 6:1-8); (b) the word מוֹרָה is rendered as if it was spelled מוֹרָא, *fear*, i.e., she prayed that her son will never fear a human being; he will fear only God. The prevailing opinion is that Samuel was a Nazirite.

Ordinarily, a parent has no right to impose a vow on a child. In this case, since Samuel was born only in response to her prayer, she had the authority to commit his life to God (*Abarbanel*).

ה׳ צְבָאוֹת — *HASHEM, Master of Legions.* Hannah was the first human to address God with this Divine Name. By doing so she implied, "You have created so many hosts of beings in Your universe. Is it so hard to grant me just one son? (*Berachos* 31b). Grant me a child so that I can raise him to serve You." Such an unselfish prayer, a prayer whose goal is to serve God, has the greatest chance of being answered.

זֶרַע אֲנָשִׁים — *Male offspring.* One interpretation of the Sages is that she prayed for a son who would be outstanding in his wisdom and piety. Another interpretation is that Hannah prayed for a son who would not stand out, either in ability or physical characteristics. In short, she hoped for an average child (*Berachos* 31b). *Rabbi Chaim Shmulevitz* notes that

יב וּנְתַתִּיו לַיהוָה כָּל־יְמֵי חַיָּיו וּמוֹרָה לֹא־יַעֲלֶה עַל־רֹאשׁוֹ: וְהָיָה כִּי הִרְבְּתָה יג לְהִתְפַּלֵּל לִפְנֵי יְהוָה וְעֵלִי שֹׁמֵר אֶת־פִּיהָ: וְחַנָּה הִיא מְדַבֶּרֶת עַל־לִבָּהּ רַק שְׂפָתֶיהָ נָּעוֹת וְקוֹלָהּ לֹא יִשָּׁמֵעַ וַיַּחְשְׁבֶהָ עֵלִי לְשִׁכֹּרָה: יד וַיֹּאמֶר אֵלֶיהָ עֵלִי עַד־מָתַי תִּשְׁתַּכָּרִין הָסִירִי אֶת־יֵינֵךְ מֵעָלָיִךְ: טו וַתַּעַן חַנָּה וַתֹּאמֶר לֹא אֲדֹנִי אִשָּׁה קְשַׁת־רוּחַ אָנֹכִי וְיַיִן וְשֵׁכָר לֹא שָׁתִיתִי וָאֶשְׁפֹּךְ אֶת־נַפְשִׁי לִפְנֵי יְהוָה: טז אַל־תִּתֵּן אֶת־אֲמָתְךָ לִפְנֵי בַּת־בְּלִיָּעַל כִּי־מֵרֹב שִׂיחִי וְכַעְסִי דִּבַּרְתִּי עַד־הֵנָּה: יז וַיַּעַן עֵלִי וַיֹּאמֶר לְכִי לְשָׁלוֹם וֵאלֹהֵי יִשְׂרָאֵל יִתֵּן אֶת־שֵׁלָתֵךְ אֲשֶׁר שָׁאַלְתְּ מֵעִמּוֹ:

רש״י

ונתתיו לה׳. שיהא ראוי לתתו לה׳: **ומורה.** תרגום יונתן, וּמַרְוַת אֱנָשׁ לָא תְהֵא עֲלוֹהִי: **(יב) שמר את פיה.** מצפה מתי תפסיק, כך תרגמו יונתן, וְעֵלִי אוֹרִיךְ לַהּ עַד דְּתִפְסוֹק: **שמר.** לשון המתנה, כמו שָׁמַר אֶת הַדָּבָר (בראשית לז, יא), לא תִשְׁמוֹר עַל חַטָּאתִי (איוב יד, טז): **(יג) ויחשבה עלי לשכרה.** שלא היו רגילין להתפלל בלחש: **(טו) לא אדני.** לא אדון אתה בדבר הזה, גלית בעצמך שאין רוח הקודש שורה עליך שתדע שאיני שכורת יין (ברכות לא, ב): **(טז) אל תתן את אמתך.** כלפי שאמרה לו דבר קשה, חזרה ופייסתו, שלא יתננה הפקר ובזיון לפני צרתה בת בליעל: **כי מרב שיחי.** דברתי לפניך קושי: **שיחי.** יש מקומות שהוא לשון אניות לב. דבר אחר, מֵרֹב שִׂיחִי כתרגומו, חֲרֵי מִסְגֵי אֲקְנָיוּתִי וְאַרְגִיזוּתִי אוֹרְכִית בְּצְלוֹ עַד כְּעַן: **ובעסי.** שצרתי מכעסת אותי: **אל תתן.** לשון מסירה, כמו אַל תִּתְּנֵנִי בְּנֶפֶשׁ צָרָי (תהלים כז, יב): **(יז) את שלתך.** חסר א׳, לדרוש בו לשון בניס, כמו וּבְשִׁלְיָתָהּ הַיּוֹצֵאת וגו׳ (דברים כח, נז): **יתן את שלתך.** בשרה שנתקבלה תפלתה:

רד״ק

ונתתיו לה׳. שיהיה נזיר קדש לה׳ ויונתן תרגם וְאֲמְסְרִינֵיה דִיהֱא מְשַׁמֵּשׁ קֳדָם ה׳, ואם כן לדבריו מה נתנה לו חנה, והלא כל הלויים לה׳ נתונים, נוכל לפרש כי שאר הלוים היו באין לעבודת ה׳ מבן עשרים וחמש שנה, והיא נתנה אותו לה׳ כל ימיו, ובדרש (מדרש שמואל ב, ז) אמרו לה לחנה למה את מבקשת זרע אנשים חכמים, זרע אנשים נביאים, אמרה להם שיהא ראוי לתתו לה׳, וזהו וּנְתַתִּיו לה׳: **ומורה.** תער כמו וּמוֹרָה לֹא יַעֲלֶה עַל רֹאשׁוֹ דשמשון (שופטים יג, ה), ויונתן תרגם של שמשון, וּמִסְפַּר, ותרגם זה וּמַרְוַת אֱנָשׁ לָא תְהֵא עֲלוֹהִי, ועניינו לפי דעתו כמו באל״ף, ובדברי רבותינו זכרונם לברכה (נזיר סו, א) מחלוקת בזה רבי נהוראי אומר נזיר היה שמואל, שנאמר וּמוֹרָה לֹא יַעֲלֶה עַל רֹאשׁוֹ, מה מורה האמורה בשמשון נזיר אף מורה האמורה בשמואל נזיר, אמר רבי יוסי אין מורה אלא של בשר ודם, אמר לו רבי נהוראי והלא כתיב וְשָׁמַע שָׁאוּל וַהֲרָגָנִי (לקמן טו, ב) הרי שכבר היה עליו מורא של בשר ודם, אמר רב יוסף כמאן מתרגמין ומרות אֱנָשׁ לָא תְהֵא עֲלוֹהִי כמאן כרבי יוסי, ובדרש (במדבר י, ה) מפרש למה נקרא תער (ירושלמי נזיר ט, ו) מורה, אמר רבי אמי לֹא תָבוֹא שָׁמָּה יִרְאַת שָׁמִיר וָשָׁיִת, (ישעיה ז, כה) מה הדין מורה לא מדחיל אלא מן פרזלא, אף הדין שערא לא מדחיל אלא מן פרזלא: **(יב) והיה כי הרבתה.** בדרש (מדרש שמואל ב, ט) רבי שמעון בשם רבי חלפתא ובשם רבי מאיר, מכאן כל המרבה בתפילה נענה, מחלפא שטתיה דרבי מאיר, תמן אמר רבי אבהו בריה דרב פפי ורבי יהושע דסכנין בשם דרבי לוי בשם רבי מאיר, בְּכָל עֶצֶב יִהְיֶה מוֹתָר וּדְבַר שְׂפָתַיִם אַךְ לְמַחְסוֹר (משלי יד, כג), חנה על ידי שהרבתה בתפלה קצרה ימיו של שמואל, שנאמר וְיָשַׁב שָׁם עַד עוֹלָם (לקמן פסוק כב), ואין עולם של לוים אלא חמשים שנה, דכתיב וּמִבֶּן חֲמִשִּׁים שָׁנָה וגו׳ (במדבר ח, כה) והא אינון חמישים ושתים, אמר רבי יוסי בר בון תרתי שגמלתו: **שמר את פיה.** היה שומר ומעיין את פיה מה היתה זאת התפלה הארוכה, לא ישמע קולה רק שפתיה נעות, לפיכך היה חושב אותה שהיא שכורה, ותרגם יונתן שומר כמו ממתין, כמו שָׁמַר אֶת הַדָּבָר (בראשית לז, יא) לֹא תִשְׁמוֹר עַל חַטָּאתִי (איוב יד, טז) ופירוש את פיה כמו מאמרה ודבריה, וכן תרגם יונתן וְעֵלִי אוֹרִיךְ לַהּ עַד דְּתִפְסוֹק: **(יג) מדברת על לבה.** כתרגומו הִיא מְצַלְיָא בְלִבָּהּ, כלומר שהיתה מכוונת את לבה בתפלתה: **(יד) עד מתי תשתכרין.** עד מתי תראי עצמך כאילו את שכורה, שאת מתנועעת בשפתי פיך ואין דבריך נשמעין: **הסירי את יינך.** והתפקחי, כי את נראת כשכורה, ואין את עושה כשאר המתפללין שאומרים בקשתם בדרך שתוכל לשמוע, ואף על פי שלפעמים המתפלל אומר דבריו בחשאי קצת, אפילו הכי צועק ומתפלל במקצת דבריו גם כן, ואת הרבית כל כך להתפלל ולא נשמע קולך, ומתוך זה נראה כי שכורה את, ויונתן תרגם עַד אֵימָתַי אַתְּ מִשְׁתַּטְיָא הֲלָא תְפִיגִין יַת חַמְרִיךְ מִנָּיִךְ: **(טו) לא אדני.** אינני שכורה כמו שתחשוב, אלא אשה קשת רוח אנכי, רוחי קשה עלי מרוב צרתי, וסמיכות קְשַׁת רוּחַ כסמיכות נֹבֶלֶת עָלֶה (ישעיה א, ל) מְגֻלְּחֵי זָקָן (ירמיהו מא, ה) קְרוּעֵי בְגָדִים (מלכים־ב יח, לז) והדומים להם: **ויין ושכר.** כתרגומו חֲמַר חֲדַת וְעַתִּיק, וכן אומר בדרש (מדרש שמואל ב, יא) יין זה חדש שכר זה ישן, ויתכן לפרש שכר הנעשה מהפירות: **ואשפך את נפשי.** ברוב התפלה כאילו שפכה נפשה, כמו שִׁפְכוּ לְפָנָיו לְבַבְכֶם (תהלים סב, ט), ויונתן תרגם וַאֲמָרִית עוּלְבַן נַפְשִׁי בִּצְלוֹ קֳדָם ה׳: **(טז) לפני בת בליעל.** לפני ה׳ כבת בליעל, כלומר אל תחשוב שאעמוד שכורה לפני ה׳ יתברך כבת רשע, ויונתן תרגם לָא תַּכְלִים יַת אַמְתָךְ קֳדָם בַּת רְשִׁיעָא, נראה מדבריו כי בת בליעל אמרה על פנינה צרתה,

מצודת דוד

ונתתיו לה׳. רוצה לומר, אקבל עלי בנדר, שאתן אותו לה׳: **כל ימי חייו.** רוצה לומר, תמיד יתבודד בעבודת ה׳: **ומורה וכו׳.** יהיה נזיר עד עולם, לבל יתגלח, וכדין הנזיר: **(יב) שמר את פיה.** רוצה לומר, היה מסתכל לשמור מוצא שפתיה, לשמוע מדבריה: **(יג) וחנה.** אבל חנה היתה מדברת על לבה, רוצה לומר, בלחש, כאלו מדברת אל לבה, ולא היה נשמע לעלי: **ויחשבה עלי לשכרה.** כי כן דרך השכור לנענע בשפתיו, ואין אומר ואין דברים: **(יד) תשתכרין.** תראה בעצמך את השכרות זה זמן מרובה, ועד מתי: **הסירי את יינך.** אם שתית יין הרבה, עסוק להסיר שכרות היין בשינה וכדומה: **(טו) לא אדני.** רוצה לומר, אתה אדוני, לא כן הדבר, אבל אֲנִי אִשָּׁה קְשַׁת רוּחַ, רוצה לומר, מצרה ודאגה, ומדעת באתי הנה להתפלל, ולא מבלי דעת כשכור, כי יַיִן וְשֵׁכָר לֹא שָׁתִיתִי. **ואשפך וכו׳.** רוצה לומר, ואל תתמה על מה זה שפתי נעות וקולי לא ישמע, כי הלא לפני ה׳ אשפוך נפשי, ומה לי להרים קול להשמיע לזולת: **(טז) אל תתן.** אל תחשבני לבת בליעל לבוא שכורה לבית ה׳, כלומר, אם האמת כדבריך, מה לי להאריך בתפלה כל כך: **כי מרב שיחי וכעסי.** כי בעבור רוב ספור התלאות והכעס אשר פנינה מכעסת אותי, דברתי לפני ה׳ עד הנה, היות רבים הם: **(יז) יתן את שלתך.** ימלא את בקשתך, ובדרך תפלה אמר:

מצודת ציון

ומורה. תער, וכן בשמשון וּמוֹרָה לֹא יַעֲלֶה (שופטים יג, ה): **(יב) הרבתה.** מלשון רבוי: **(יג) על לבה.** כמו אל לבה: **נעות.** מלשון נע ונד: **ויחשבה.** חשב אותה: **(טו) ואשפך את נפשי.** תרגום יונתן, וַאֲמִירַת עוּלְבַן נַפְשִׁי בִּצְלוֹ, וכן יִשְׁפֹּךְ שִׂיחוֹ (תהלים קב, א): **(טז) אל תתן.** ענין האמירה על הדבר, כמו וְלִי נָתְנוּ הָאֲלָפִים (לקמן יח, ח): **לפני בת בליעל.** כמו לבת בליעל, ודוגמתו וְאַל תֹּאמַר לִפְנֵי הַמַּלְאָךְ (קהלת ה, ה), ומשפטו להמלאך: **בליעל.** בלי עול של מקום: **שיחי.** ענין ספור התלאות, כמו וְלִפְנֵי ה׳ יִשְׁפֹּךְ שִׂיחוֹ (תהלים קב, א): **עד הנה.** עד הזמן הזה: **(יז) שלתך.** כמו שאלתך באל״ף:

then I shall give him to Hashem all the days of his life, and a razor shall not come upon his head."

Eli's misjudgment and blessing

[12]*It happened as she continued to pray before Hashem that Eli observed her mouth.* [13]*Hannah was speaking to her heart – only her lips moved, but her voice was not heard – so Eli thought she was drunk.* [14]*Eli said to her, "How long will you be drunk? Remove your wine from yourself!"* [15]*Hannah answered and said, "No, my lord, I am a woman of aggrieved spirit. I have drunk neither wine nor strong drink, and I have poured out my soul before Hashem.* [16]*Do not deem your maidservant to be a base woman – for it is out of much grievance and anger that I have spoken until now."* [17]*Eli then answered and said, "Go in peace. The God of Israel will grant the request you have made of Him."*

רד"ק

ואמרה לו לא תכלימני בפניה, כי היא תשמח לאידי והיא מכעיסה אותי, ופירוש אַל תִּתֵּן, אל תתנני בזה הדבר הרע, אל תכלימני בו לפני זאת האשה בת בליעל, ונכון הוא הפירוש: **כי מרב שיחי וכעסי.** כתרגומו אֲרֵי מִסְּגֵי אַקְנָיוּתִי וְאַרְגִּיזוּתִי אוֹרְכִית בִּצְלוֹ עַד כְּעַן, כלומר מרוב שיש לי לשוח לפני האל הקנאות, שמקנאה אותי צרתי ומכעיסה אותי, דברתי לפני ה׳ יתברך עד הנה: **(יז) יתן ה׳ את שלתך.** חסר האל״ף והוטלה תנועתה על השי״ן, כי משפטו שאלתך, ופירוש דרך תפלה, או אמר לה כך דרך נבואה, כי נביא היה, ואמר לה לְכִי לְשָׁלוֹם כי אלהי ישראל יתן את שאלתך, לפיכך הטיבה את לבה ואכלה, כי קוותה לדברי הנביא, ואמרה לו תמצא שפחתך חן בעיני אדוני על דרך אֶמְצָא חֵן בְּעֵינֶיךָ אֲדֹנִי כִּי נִחַמְתָּנִי (רות ב, יג), ולפירוש הראשון יהיה פירוש תִּמְצָא שִׁפְחָתְךָ חֵן בְּעֵינֶיךָ, שתתפלל עלי עוד, ולפיכך הטיבה את לבה ואכלה, כי חשבה כי תפלת עלי תועיל לה, ובדרש (מדרש שמואל ב, יב) נראה כי דרך נבואה אמר לה לְכִי לְשָׁלוֹם, אמר לה הדין שלמא מן דידי, ברם שלמיך מן ברייך: **ואלהי ישראל יתן את שלתך.** שֵׁלָתֵךְ כתיב, אמר לה הבן הזה שאתה עתידה להעמיד, הרבה שלל עתיד הוא לשלול מן התורה:

her "average child" grew up to be one of Israel's greatest prophets and leaders, a man who was comparable to Moses and Aaron. This teaches that no one can ever know the potential of any human being!

12-18. Eli's misjudgment and blessing. Eli observed Hannah while she prayed and, mistaking her for a drunkard, he admonished her that she should leave the Tabernacle and come back when she was sober. Hannah responded that she had been praying fervently for a son, and Eli blessed her. The combination of her fervent prayer and the great man's blessing brought about a turning point in Jewish history.

13. Since it was not customary in those days to pray silently, Eli was sure there was something amiss (*Rashi*); or he thought she was drunk because her prayer was inordinately long, and drunkards tend to babble on and on (*Maharsha, Berachos* 31a).

Hannah became the paradigm of earnest prayer, and some of the laws of *Shemoneh Esrei* [the *Amidah*] are derived from her: that one must pray quietly, and that the words must be enunciated, but not loud enough to be heard by others.

Every Jew is required to chastise a wrongdoer, but as a Kohen, Eli had the special responsibility to safeguard the Tabernacle. Therefore Eli admonished her, since it is not only improper, it is forbidden for a drunkard to pray at the Tabernacle.

Knowing that Hannah was one of the great righteous women of the time, Eli was bewildered by her conduct and consulted the *Urim v'Tumim* for guidance (see *Judges* 1:1-2). The letters ה,כ,ר,ש lit up, and it then remained for the Kohen Gadol to form a word from the letters. Eli assumed that the letters spelled the word שִׁכֹּרָה, *drunken woman* — but in reality the letters should have been aligned to spell the word כְּשָׂרָה, *like Sarah*, i.e., the woman standing in the Tabernacle was like the Matriarch Sarah, who, like Hannah, was childless and prayed for a child. Alternatively, the letters spell כְּשֵׁרָה, *she is worthy*. Eli's error indicated that he had been stripped of Divine inspiration at that moment (*Vilna Gaon*).

15-16. Hannah protested that she was far from drunk; because she was pouring out her heart to God, Who hears silent entreaties, she had no reason to raise her voice (*Metzudos*). She begged Eli not to consider her a *base woman* who was desecrating the Tabernacle with drunkenness (*Radak*), or not to humiliate her and thus to subject her to further taunts from Peninnah, the *base woman* (*Rashi*).

17. Eli accepts Hannah's defense and either blesses her or assures her that her prayer will be accepted by God. From his response, the Talmud deduces that if someone has wrongly suspected another of wrongdoing, the accuser must placate and bless the victim (*Berachos* 31b).

Homiletically, Eli thought that Hannah's prayer was improper because a person who stands in the Sanctuary, the holiest place on earth, should not pray for personal needs, for this smacks of self-indulgence, as if someone is indulging in drink for personal pleasure. Eli's rebuke to Hannah was that to pray for a son because she had a personal desire for one was akin to drunkenness. She responded that, to the contrary, she did not pray for a son to satisfy her maternal instinct, but for a child who would be totally dedicated to God and His service. That being the case, Eli ratified her prayer with His blessing. Because of the lofty nature of Hannah's prayer, it was included in the Rosh Hashanah service, when the highest level of prayer is to proclaim God's sovereignty and to dedicate oneself to His service (*Likutei Sichos*).

יח וַתֹּאמֶר תִּמְצָא שִׁפְחָתְךָ חֵן בְּעֵינֶיךָ וַתֵּלֶךְ הָאִשָּׁה לְדַרְכָּהּ וַתֹּאכַל וּפָנֶיהָ לֹא־הָיוּ־לָהּ עוֹד׃ יט וַיַּשְׁכִּמוּ בַבֹּקֶר וַיִּשְׁתַּחֲווּ לִפְנֵי יהוה וַיָּשֻׁבוּ וַיָּבֹאוּ אֶל־בֵּיתָם הָרָמָתָה וַיֵּדַע אֶלְקָנָה אֶת־חַנָּה אִשְׁתּוֹ וַיִּזְכְּרֶהָ יהוה׃ כ וַיְהִי לִתְקֻפוֹת הַיָּמִים וַתַּהַר חַנָּה וַתֵּלֶד בֵּן וַתִּקְרָא אֶת־שְׁמוֹ שְׁמוּאֵל כִּי מֵיהוה שְׁאִלְתִּיו׃ כא וַיַּעַל הָאִישׁ אֶלְקָנָה וְכָל־בֵּיתוֹ לִזְבֹּחַ לַיהוה אֶת־זֶבַח הַיָּמִים וְאֶת־נִדְרוֹ׃ כב וְחַנָּה לֹא עָלָתָה כִּי־אָמְרָה לְאִישָׁהּ עַד יִגָּמֵל הַנַּעַר וַהֲבִאֹתִיו וְנִרְאָה אֶת־פְּנֵי יהוה וְיָשַׁב שָׁם עַד־עוֹלָם׃ כג וַיֹּאמֶר לָהּ אֶלְקָנָה אִישָׁהּ עֲשִׂי הַטּוֹב בְּעֵינַיִךְ שְׁבִי עַד־גָּמְלֵךְ אֹתוֹ אַךְ יָקֵם יהוה אֶת־דְּבָרוֹ וַתֵּשֶׁב הָאִשָּׁה וַתֵּינֶק אֶת־בְּנָהּ עַד־גָמְלָהּ אֹתוֹ׃

רש"י

(יח) תמצא שפחתך חן. לבקש עליה רחמים: **ופניה לא היו לה.** פנים של זעם: **(יט) ויבאו אל ביתם וידע אלקנה.** מכאן לאכסנאי, שאסור בתשמיש המטה: **(כ) לתקופות הימים.** מיעוט תקופות שתים, מיעוט ימים שנים, לששה חדשים ושני ימים, מכאן היולדת לשבעה, יולדת למקוטעים (יבמות מב, א): **שמואל.** על שם אל ועל שם המעשה הוא נקרא, כי ממנו שאלתיו: **(כא) את זבח הימים.** (תרגום, יַת דְּבַח מוֹעֲדַיָּא): **ואת נדרו.** נדרים שנדר בין רגל לרגל, היה מקריב ברגל: **(כב) עד יגמל.** לסוף עשרים וארבעה (ספרים אחרים, עשרים וארבעה) חדשים, שכך זמן תינוק לינק: **וישב שם עד עולם.** עולמים של לוים חמשים שנה, שנאמר וּמִבֶּן חֲמִשִּׁים שָׁנָה יָשׁוּב מִצְּבָא הָעֲבֹדָה (במדבר ח, כה), וכך היו ימיו של שמואל, חמשים ושתים, שהרי עלי שפט את ישראל ארבעים שנה, וביום תפלת חנה נתמנה שופט, צא אותה שנה לעיבורו של שמואל, נשתיירו שלשים ותשע, ושמואל פירנס את ישראל משמת עלי שלש עשרה שנה, שהרי יום שמת עלי, גלה הארון וישב בשדה פלשתים שבעה חדשים (לקמן שמואל-א ו, א), משם בא לקרית יערים, עד שהעלהו דוד, משמלך שבע שנים בחברון על יהודה, והמליכוהו כל ישראל עליהם, וכתיב וַיְהִי מִיּוֹם שֶׁבֶת הָאָרוֹן בְּקִרְיַת יְעָרִים וַיִּרְבּוּ הַיָּמִים וַיִּהְיוּ עֶשְׂרִים שָׁנָה (שם ז, ב), צא מהן שבע שנים שמלך דוד בחברון, נמצא משגלה הארון עד שמת שאול שלש עשרה שנה ושבעה חדשים, ושמואל מת לפני שאול ארבעה חדשים: **(כג) אך יקם ה' את דברו.** את שאלת ממנו זרע אנשים, ועלי בירכך ברוח הקודש אֱלֹהֵי יִשְׂרָאֵל יִתֵּן אֶת שֵׁלָתֵךְ (לעיל פסוק יז), יָקֵם ה' אֶת דְּבָרוֹ, וזהו לפי פשוטו. ומדרש אגדה (מדרש שמואל ג, ד), רבי נחמיה בשם רבי שמואל בר רב יצחק אמר, בכל יום ויום בת קול יוצאה ומפוצצת בעולם ואומרת, עתיד צדיק אחד לעמוד ושמו שמואל, וכל אשה שהיתה יולדת בן, היתה קוראה שמו שמואל, כיון שהיו רואים את מעשיו, היו אומרים אין זה שמואל, וכיון שנולד זה וראו מעשיו, אמרו דומה שזה הוא, וזהו שאמר, יָקֵם ה' אֶת דְּבָרוֹ, שיהא זה שמואל הצדיק:

רד"ק

(יח) לדרכה. הלכה לה לביתה ואכלה, נראה שלא אכלה עם בעלה, או אפשר כי אכלה מעט בהפצר בעלה ועכשיו הטיבה את לבה ואכלה, ובדרש (שם) מהו לדרכה שפירסה נדה כמו כִּי דֶרֶךְ נָשִׁים לִי (בראשית לא, לה): **ופניה.** פניה הרעים לא היו לה עוד, וכן תרגם יונתן וְאַפִּין בִּישִׁין: **(כ) לתקופות הימים.** ימי העבור כתרגומו לִזְמַן מִשְׁלַם יוֹמַיָּא, ופירוש וַתַּהַר חַנָּה שהרתה כבר, כי כאשר שבו משילה ידעה אלקנה בעלה והרתה, כמו שכתוב וַיִּזְכְּרֶהָ ה', לִתְקֻפוֹת הַיָּמִים זהו כשהשלים ימי ההריון ילדה בן ויש ווי"ן כזאת מורות לשעבר כמו הֵן אַתָּה קָצַפְתָּ וַנֶּחֱטָא (ישעיהו סד, ד) וַיִּבָּקְעוּ הַמָּיִם (שמות יד, כא) והדומים להם, ואמרו רבותינו זכרונם לברכה (יבמות מב, א) כי ימי הריונה היו ששה חדשים ושני ימים, מיעוט תקופות שתים מיעוט ימים שנים, והתקופה היא שלשה חדשים, ולמדנו מזה היולדת לשבעה יולדות למקוטעות: **שמואל.** הורכבה המלה בזה הטעם מן כי מה' שאלתיהו, כי יש באותיות שמואל שאול ויש באותיותיו גם כן מאל כאילו אמרה שאול מאל: **כי מה' שאלתיו.** חסר מלת אמרה, כלומר למה קראה שמו שמואל כי אמרה מה' שאלתיו. וכן תרגם יונתן אֲרֵי אֲמָרַת מִן קֳדָם ה' שְׁאִלְתֵּיהּ: **(כא) וכל ביתו.** כתרגומו וְכָל אֱנַשׁ בֵּיתֵיהּ: **את זבח הימים.** כתרגומו יַת דְּבַח מוֹעֲדַיָּא: **ואת נדרו.** לזבוח את זבח הימים שהיה רגיל לזבוח את זבח המועד מימים ימימה, ועלה גם כן לזבוח נדרו, כי נדר קרבן לה' על בנו וכן תרגם יונתן וּלְאַשְׁלָמָא יַת נִדְרֵיהּ: **(כב) עד יגמל.** עד תשלם יניקתו, והוא עשרים וארבע חדש שהתינוק יונק, ואף על פי שהיו חייבין להביאו משום יֵרָאֶה כָּל זְכוּרְךָ (שמות כג, יז), אמרו רבותינו זכרונם לברכה כי ראתה חנה בנער שהיה מעונג וחלוש, וחששה שמא יחלה מפני הדרך: **וישב שם עד עולם.** כמו שנדרה עליו וּנְתַתִּיו לַה' (פסוק יא) ופירוש עַד עוֹלָם כל ימי חייו, ורבותינו זכרונם לברכה דרשו עַד עוֹלָם עולם הלוים שהיו משרתים עד חמישים שנה, כמו שכתוב וּמִבֶּן חֲמִשִּׁים שָׁנָה יָשׁוּב מִצְּבָא הָעֲבֹדָה (במדבר ח, כה) ואמרו כל שנותיו של שמואל לא היו אלא חמישים ושתים שנה כי כבר אמרה חנה וּנְתַתִּיו לַה' כָּל יְמֵי חַיָּיו, ואמר וְיָשַׁב שָׁם עַד עוֹלָם, והוא עולם של לוים שהם חמישים שנה, ומשבא לבית ה' עד יום מותו חמישים שנה ושתי שנים שינק כמו שכתוב עַד יִגָּמֵל הַנַּעַר, ודרך הנער לינק עשרים וארבעה חדשים הרי חמישים ושתים שנה: **(כג) יקם ה' את דברו.** הפסוק מוכיח כי מה שאמר עלי יִתֵּן (ה') אֶת שֵׁלָתֵךְ (לעיל פסוק יז), דרך נבואה אמר שיתן לה ה' את שאלתה, והנה שאלתה היתה שיהיה לה זרע אנשים ושיהיה לה', לפיכך אמר יָקֵם ה' אֶת דְּבָרוֹ, פירוש אשר דבר על ידי הנביא שיתן שאלתה, והוא בן שיחיה ויהיה לה', ובדרש (מדרש שמואל ג, ד) אַךְ יָקֵם ה' אֶת דְּבָרוֹ, בכל יום ויום היתה בת קול יוצאת ומפוצצת בעולם ואומרת, עתיד צדיק אחד לעמוד ושמו שמואל, וכל אשה שהיתה יולדת בן היתה מוציאה שמו שמואל, כיון שהיו רואין את מעשיו היו אומרים אין זה שמואל, כיון שנולד זה וראו מעשיו אמרו דומה שזה הוא, וזה שאמר יָקֵם ה' דְּבָרוֹ:

מצודת דוד

(יח) תמצא. רוצה לומר, הנה מצאתי חן בעיניך, כי מה שבקשת עלי רחמים, יחשב לי למציאות חן, והחזיקה לו טובה בדבריה: **ותאכל.** מעתה אכלה כל צרכה, ולא היה לה עוד הזעם שהיה לה מאז, כי בטחה בתפלת עלי: **(יט) ויזכרה ה'.** עלתה זכרונה לפניו לטובה: **(כ) לתקופות הימים ותהר חנה.** רוצה לומר, לעת הקיף תשלום ימי ההריון, מעת אשר הרתה חנה: **ותלד בן.** בתשלום ההיקף. **כי מה' שאלתיו.** והוא לשון נופל על הלשון: **(כא) ויעל.** כשבא עת עלותו, עלה לזבוח: **את זבח הימים.** מה שהיה רגיל לזבוח בכל שנה: **ואת נדרו.** מה שנדר כל השנה והוא בביתו, הביאם לזבוח בעת עלותו: **(כב) לא עלתה.** בהשנה ההיא: **עד יגמל הנער.** רוצה לומר, לא אזוז מביתי עד יגמל הנער, ואחרי הגמלו, אביא גם אותו אל בית ה', וְנִרְאָה אֶת פְּנֵי ה' להשתחוות לפניו ולהודות לו על הנער היולד: **וישב שם.** הנער ישב שם עד עולם, רוצה לומר, כל ימי עלי, בכדי לשמש אותו: **(כג) הטוב בעיניך.** רוצה לומר, כפי חפצך עשי, ושבי עד גמלך אותו: **אך יקם ה' את דברו.** רצה לומר, מה שאמרת פה שתשב עד גמלך, הנה הדבר הזה מסור בידך לעשות בעצמך כאשר תרצה, אך אשר דברת על הנער, שהוא ישב בבית ה' עד עולם, הנה דבר זה אין בידך להדירו, אך ה' יקם את הדבר אשר דברת על הנער, והוא יתן בלבו לשבת בביתו עד עולם (ומלת דְּבָרוֹ מוסב על הנער, רצה לומר, דבר הנאמר בו ועליו): **ותשב האשה.** בביתה, ולא עלתה:

מצודת ציון

(יח) ופניה. ענין זעם, כמו לוֹא אַפִּיל פָּנַי בָּכֶם (ירמיהו ג, יב): **(יט) וידע.** ענין המשכב, כמו וְהַמֶּלֶךְ לֹא יְדָעָהּ (מלכים-א א, ד): **(כ) לתקופות.** מלשון הקפה וסבוב: **שאלתיו.** מלשון שאלה ובקשה: **(כב) יגמל.** ענין גמר ההנקה, וכן בְּיוֹם הִגָּמֵל (בראשית כא, ח):

[18]She said, "May your maidservant find favor in your eyes." Then the woman went on her way and she ate, the look on her face was no longer the same.

[19]They arose early in the morning and prostrated themselves before HASHEM; then they returned and came to their home, to Ramah. Elkanah knew Hannah his wife and HASHEM remembered her. [20]And it happened with the passage of the period of days that Hannah had conceived, and she gave birth to a son. She named him Samuel, for [she said,] "I requested him from HASHEM."

Samuel's birth

[21]The man Elkanah ascended with his entire household to bring to HASHEM the annual offering and his vow. [22]But Hannah did not ascend, as she told her husband, "When the child is weaned, then I will bring him, and he shall appear before HASHEM and shall settle there forever." [23]Elkanah her husband said to her, "Do what is good in your eyes; remain until you wean him — but may HASHEM fulfill His word." So the woman remained and nursed her son until she weaned him.

---

18. Hannah speaks in the future tense to imply that she hopes Eli will continue to pray for her.

וּפָנֶיהָ לֹא־הָיוּ־לָהּ עוֹד — *And the look on her face was no longer the same.* A person's face is a window to the heart. When Hannah was suffering with her barrenness and from Peninnah's teasing, her face reflected unhappiness. Now that she had received a blessing from the greatest man of the generation, her face glowed (*Maharal*).

19-23. The birth of Samuel

19. By prostrating themselves before God, the family signified total submission to and reliance upon God (*R' Hirsch, Psalms* 5:8). It was because of this faith and reliance that God *remembered her* (*Bereishis Rabbah* 56:2). Blessings are meaningless unless one has ultimate faith in the Source of all blessings. Those who complain that blessings do not come true have little faith in the power of prayer, and the fact that there is One Who hears, evaluates, and answers it.

According to the Sages, God "remembered" Hannah and she conceived on Rosh Hashanah, which is called יוֹם הַזִּכָּרוֹן, *the Day of Remembrance* in the holiday service (*Rosh Hashanah* 11a). So, too, the Sages teach that Sarah conceived on Rosh Hashanah and Joseph was freed from prison on that day. This is mentioned frequently in the liturgy of the day, and Hannah's story is read as the *haftarah* of the first day of Rosh Hashanah.

20. Biblical names are often replete with acknowledgment of God's role in history and nature. Samuel's name is formed from the letters of שָׁאוּל מֵאֵל, *borrowed from God* (*Radak*).

21-22. Elkanah came with his family on his annual pilgrimage to the Tabernacle, where he brought the ordained festival offerings and also the offerings he had vowed in gratitude for the birth of Samuel (*Radak*). Hannah remained behind. Since she had vowed to dedicate Samuel's life to God, meaning that she would leave him to serve in the Tabernacle, she preferred to keep him with her until he was physically mature enough to be on his own.

21. וַיַּעַל הָאִישׁ אֶלְקָנָה —*The man Elkanah ascended.* When Scripture uses the word *man* together with the person's name, as it is here, it is a title of distinction. When Hannah gave birth to Samuel, Elkanah — distinguished though he had always been — *ascended* and became an even greater *man*.

22. וְיָשַׁב שָׁם עַד־עוֹלָם — *And shall settle there forever.* In the plain sense of the term, Hannah meant that Samuel would remain in Shiloh all his life, but this presents difficulties. Since Hannah was a prophetess, we must assume that she would not have said something that contradicts the facts that Shiloh was later destroyed by the Philistines and that Samuel spent the latter part of his life living in Ramah and traveling the land to teach and judge. According to *Metzudos*, Hannah meant that Samuel would remain in the Tabernacle for as long as Eli lived, to serve him and to study under him.

It may also be that she spoke figuratively, meaning that Samuel would serve God all his life and turn his entire life and all his activities, wherever they were, into a "sanctuary," which he actually did.

The commentators note that the "eternity" of a Levite is fifty years, because a Levite withdrew from the most strenuous physical activity at the age of fifty. Since Hannah brought Samuel to Eli when he was two years old and he died at the age of fifty-two, he served for a total of fifty years, a figurative *forever*.

23. אַךְ יָקֵם ה׳ אֶת־דְּבָרוֹ — *But may HASHEM fulfill His word.* Eli had prophetically assured Hannah that God would give her male offspring. Elkanah now prayed that God would give her more children and that Samuel would have the years and health to carry out her vow that he would serve God all his life.

The Sages teach that a Heavenly voice was heard every day proclaiming that a great *tzaddik* named Samuel would be born. Women who heard this named their newborn sons Samuel, but as they grew up, it became apparent that none of those Samuels were the subject of the prophecy. Now Elkanah blessed Hannah that God's word should be fulfilled through *her* Samuel (*Rashi*).

כד וַתַּעֲלֵהוּ עִמָּהּ כַּאֲשֶׁר גְּמָלַתּוּ בְּפָרִים שְׁלֹשָׁה וְאֵיפָה אַחַת קֶמַח וְנֵבֶל יַיִן
כה וַתְּבִאֵהוּ בֵית־יהוה שִׁלוֹ וְהַנַּעַר נָעַר: וַיִּשְׁחֲטוּ אֶת־הַפָּר וַיָּבִיאוּ אֶת־הַנַּעַר
כו אֶל־עֵלִי: וַתֹּאמֶר בִּי אֲדֹנִי חֵי נַפְשְׁךָ אֲדֹנִי אֲנִי הָאִשָּׁה הַנִּצֶּבֶת עִמְּכָה בָּזֶה
כז לְהִתְפַּלֵּל אֶל־יהוה: אֶל־הַנַּעַר הַזֶּה הִתְפַּלָּלְתִּי וַיִּתֵּן יהוה לִי אֶת־שְׁאֵלָתִי
כח אֲשֶׁר שָׁאַלְתִּי מֵעִמּוֹ: וְגַם אָנֹכִי הִשְׁאִלְתִּהוּ לַיהוה כָּל־הַיָּמִים אֲשֶׁר הָיָה הוּא
ב א שָׁאוּל לַיהוה וַיִּשְׁתַּחוּ שָׁם לַיהוה: וַתִּתְפַּלֵּל חַנָּה וַתֹּאמַר
עָלַץ לִבִּי בַּיהוה רָמָה קַרְנִי בַּיהוה רָחַב פִּי עַל־אוֹיְבַי כִּי שָׂמַחְתִּי בִּישׁוּעָתֶךָ:

רש״י

(כד) ואיפה אחת קמח. שמעתי בשם רבינו יצחק הלוי, איפה אחת קמח, שלש סאין, להוציא ממנה שלשה עשרונים סלת הראוי לפר האחד, כדתנן (מנחות טו, ג) לחם הפנים עשרים וארבעה עשרונים מעשרים וארבעה סאין, עשרון סולת לסאה חטין: **ונבל יין.** לנסך: **והנער נער.** (תרגום), וְרַבְיָא הֲוָה יָנִיק: **(כה) ויביאו את הנער אל עלי.** לראות שנתקיימה נבואתו. ורבותינו דרשו מה שדרשו, שהורה הלכה, שאינו צריך כהן לשחיטת קדשים, כדאיתא בברכות (לא ב): **(כו) בי אדני.** לתת עיניך עליו שיהא תלמידך. ולפי מדרש רבותינו, שלא יענישהו מיתה: **(כז) אל הנער הזה התפללתי.** אל תאמר, זה ימות ויתנן לך אחר: **(כח) וגם אנכי השאלתיהו לה׳.** כאדם המשאיל כלי לרבו, או משאילו כנו לשמשו: **הוא שאול.** אנפרולטי״ן בלע״ז, כלומר אין אתה רשאי לענשו, הקדוש ברוך הוא נעשה עליו שואל, כי השאלתיו לו, ועליו להחזירו לי: **וישתחו שם.** שמואל, ויש אומרים אלקנה: **(א) רחב פי על אויבי.** על פנינה:

רד״ק

(כד) בפרים שלשה. מהם לאכול ומהם לזבוח לה׳, וכן וְאֵיפָה אַחַת קֶמַח, לאכול ולהקריב ממנה מנחה, וכן וְנֵבֶל יַיִן, לשתות ולהסיך ממנו, לפיכך אמר וַיִּשְׁחֲטוּ אֶת הַפָּר (פסוק כה) ולא אמר הפרים, רצה לומר הפר שהקריבו לה׳: **והנער נער.** כלומר עודנו נער קטן ורך, ואף על פי כן לא המתינה לו עד שיתחזק, אלא כיון שגמלתו כלומר שהשלימה לו יניקתו לסוף עשרים וארבעה חדשים שנולד, מיד העלתהו עמה בית ה׳, ויונתן תרגם וְרַבְיָא הֲוָה יָנִיק, ואין רצה לומר שהיה יונק עדיין, שהרי אומר כַּאֲשֶׁר גְּמָלַתּוּ ששלמה יניקתו, אלא יָנִיק רצה לומר נער קטן, כי כן לשון ארמי קוראין לנער יניק, כמו שמצאנו בדברי רבותינו זכרונם לברכה יניק וחכים (קידושין לב, ב) מר ינוקא ומר קשישא (פסחים קז, א), ויש מפרשים וְהַנַּעַר נָעַר, חריף, יודע בין טוב לרע, כמו המנער, שמנער את הפסולת מן הפשתן: **(כה) ויביאו את הנער.** אלקנה וחנה, אחרי ששחטו את הפר לקרבן, הביאו את הנער בית ה׳ אל עלי, להיות יושב ולומד לפניו, ושיחנך אותו לכל תורה ומצוה, והדרש (ברכות לא, ב) אין צריך לכתוב כי נודע הוא והוא רחוק: **(כו) בי אדני.** ענין תחנה ובקשה, כתרגומו בְּבָעוּ רִבּוֹנִי חי נַפְשָׁךְ, שתתן עיניך אל הנער הזה ותלמדהו כי אני האשה שהתפללתי אל ה׳: **עמכה.** כלומר לפניך ובמעמדך שהיית אתה שם בהתפללתי, ובעבור הנער הזה התפללתי, ונתן לי ה׳ את שאלתי כמו שבשרתני אתה, וה״א עִמְּכָה כה״א אֲשֶׁר... שָׁלַחְתְּ בְּשִׁמְכָה סְפָרִים (ירמיהו כט, כה) וְהָיָה לְאוֹת עַל יָדְכָה (שמות יג, טז) והדומים לה, כי הנח פעמים יכתב ופעם לא יכתב, ויש בו דרש (ברכות לא, ב) מכאן לארבע אמות של תפלה: **(כז) אל הנער.** בעבור הנער: **(כח) השאלתיהו.** החזרתי לו השאלה שהוא נתן לי ויונתן תרגם מְסָרְתֵּיהּ דִיהֵא מְשַׁמֵּשׁ קֳדָם ה׳: **אשר היה.** כמו אשר יהיה ורבים כמוהו: **הוא שאול.** כמו נתון, כלומר הוא שהיה שאול הנה הוא נתון לה׳, ויש בו דרש (מדרש שמואל ג, ו) באותה שעה נצנצה בה רוח הקדש ואמרה, כל זמן ששמואל קיים שאול קיים, זהו שאמרה שָׁאוּל לַה׳: **וישתחו.** אלקנה, כנוטל רשות לצאת מבית ה׳, או פירושו וַיִּשְׁתַּחוּ שמואל אף על פי שלא היה אלא בן שתי שנים, למדוהו להשתחות לה׳: **(א) ותתפלל חנה ותאמר.** התפללה לפני ה׳ ונתנה לו שבח והודאה על הבן שנתן לה, והתפללה לה׳ שיחיה ויהיה לה׳ ותרגם יונתן וְצַלִּיאַת חַנָּה בְּרוּחַ נְבוּאָה וַאֲמָרַת כְּבַר שְׁמוּאֵל בְּרִי עֲתִיד לְמֶהֱוֵי נְבִיָּא עַל יִשְׂרָאֵל וגו׳ וכן תרגם יונתן שירה זו על מלכי אומות העולם ועל כנסת ישראל, ובפסוק (ב) אֵין קָדוֹשׁ כַּה׳ אמר, עַל סַנְחֵרִיב מַלְכָּא דְאַתּוּר אִתְנַבִּיאַת וַאֲמָרַת, ובפסוק (ג) אַל תַּרְבּוּ אמר, על נבוּכַדְנֶצַּר מַלְכָּא דְבָבֶל אִתְנַבִּיאַת וַאֲמָרַת, ובפסוק (ד) קֶשֶׁת גִּבֹּרִים חַתִּים אמר, עַל מַלְכוּת אנטיוכוס אִתְנַבִּיאַת וַאֲמָרַת, ובפסוק (ה) שְׂבֵעִים בַּלֶּחֶם עַל בְּנוֹהִי דְהָמָן אִתְנַבִּיאַת וַאֲמָרַת, בפסוק (ו-י) ה׳ מֵמִית וּמְחַיֶּה עד ה׳ יֵחַתּוּ מְרִיבָיו אמר, על גמול הצדיקים בגן עדן, ועל פורענות הרשעים בגיהנם, ובפסוק (י) ה׳ יֵחַתּוּ מְרִיבָיו אמר דין גוג ומגוג ומלכות משיחנו, ולפי הפשט, פתחה חנה בשירה זו על שלוי עולם ומתגאים, ועל ענוי ארץ ושפלים, כי הקדוש ברוך הוא רואה הכל ומשפיל גאים ומגביה שפלים, כמו שהיה הדבר עליה ועל פנינה צרתה: **עלץ לבי בה׳.** לבי שהיה עצב עתה עלץ ושמח, וקרני שהיתה שפלה שלא היה לי להרים ראש לפני צרתי עתה רמה: **רמה קרני בה׳.** התוקף יקרא קרן לפי שהוא המקום הגבוה שבבהמה, גם הקרנים תוקף החיה כמו שכתוב בָּהֶם עַמִּים יְנַגַּח (דברים לג, יז) והוא באדם דרך משל, וכאילו אמר רם ראשי, כמו שכתוב וְעַתָּה יָרוּם רֹאשִׁי עַל אֹיְבַי (תהלים כז, י) וכל זה בה׳ שהיה בעזרי: **רחב פי.** מלעיל, מפני פי שהוא מלה זעירא: **על אויבי.** על פנינה ועל המכעיסים אותה בהיותה עקרה: **בישועתך.** שהושעת לי מצרתי ונתת לי בן:

מצודת דוד

(כד) פרים שלשה. עם שלשה פרים לזבוח לה׳, והקמח למנחות, והיין לנסכים: **ותבאהו.** את הנער: **והנער נער.** רצה לומר, הנער היה עודנו נער קטן ורך, ועם כל זה לא נמנעה מלהביאו כאשר גמלתו: **(כה) וישחטו וכו׳.** רוצה לומר, כאשר שחטו הפר הראשון, הביאו את הנער אל עלי, להראותו שנתקבלה תפלתו: **(כו) בי אדני.** בקשה מעלי והשביעתו בחיי נפשו, לשום עינו על הנער: **הנצבת.** אשר עמדתי פה בהיותך גם אתה יושב פה, כמו שכתוב למעלה וְעֵלִי הַכֹּהֵן יֹשֵׁב וגו׳ (פסוק ט): **(כז) אל הנער הזה התפללתי.** רוצה לומר, התפלה שהתפללתי אז, היתה לשאלד בן, והנה זהו אשר ילדתי: **(כח) וגם וכו׳.** רוצה לומר, גם בעת התפלה נדרתי אז להשאילו לה׳, להתבודד תמיד בעבודתו: **אשר היה.** כמו אשר יהיה, רוצה לומר, כל זמן אשר יהיה בזה העולם, הוא שאול לה׳: **וישתחו.** שמואל השתחוה להודות לה׳, אשר שם חלקו מעובדי ה׳. **(א) ותתפלל חנה.** עצם התפלה היא בסוף אמריה, ובתחלה סדרה שבחו של מקום, ולזה נאמר וַתֹּאמַר: **עלץ לבי בה׳.** בתשועת ה׳ שמח לבי: **רמה קרני.** לנגח בו אויבי, ועל פנינה ובניה אמרה, והוא ענין מליצה, לומר שמעתה לא יוכלו לצער אותה כמאז: **רחב פי.** כי עד הנה הייתי כשה נאלמה לא תפתח פיה, ועתה רחב פי על אויבי, להשיב אמרים: **כי שמחתי בישועתך.** שמחתי היא על אשר בא התשועה ממך, ויש די בזה להשיב אמרים:

מצודת ציון

(כד) ואיפה. שם מדה בת שלש סאין: **ונבל.** נאד, והוא כלי היין: **(כו) בי.** ענין בקשה: **(כח) השאלתיהו.** מלשון שאלה: **(א) עלץ.** ענין שמחה, כמו בַּעֲלֹץ צַדִּיקִים (משלי כח, יב): **רמה.** גבהה:

---

24. A child is normally weaned at twenty-four months. It is a remarkable tribute to Hannah that she was ready to dedicate her young child to God at such a tender age (*Radak, Abarbanel*). She and Elkanah brought him to Shiloh with animals, flour, and wine that would be used entirely as a thanksgiving offering (*Ralbag*), or partly for an offering and

Samuel's dedication as a servant of God

[24]*She brought him up with her when she weaned him, with three bulls, one ephah of flour, and a flask of wine; she brought him to the house of HASHEM in Shiloh, though the child was still tender.* [25]*They slaughtered the bull, and brought the child to Eli.* [26]*She said, "Please, my lord! By your life, my lord, I am the woman who was standing by you here praying to HASHEM.* [27]*This is the child that I prayed for; HASHEM granted me my request that I asked of Him.* [28]*Furthermore, I have dedicated him to HASHEM — all the days that he lives he is dedicated to HASHEM." He then prostrated himself to HASHEM.*

2 **HANNAH'S SONG OF PRAYER** 2:1-10

[1]*Then Hannah prayed and said:*

My heart exults in HASHEM, my pride has been raised through HASHEM;
my mouth is opened wide against my antagonists, for I rejoice in Your salvation.

---

partly to provide Samuel with food (*Radak*).

26. **בִּי אֲדֹנִי** — *"Please, my lord."* This implies that she made a request. The Sages teach that she asked Eli to supervise Samuel's upbringing and accept him as a disciple (*Rashi, Radak*). In addition to her aspirations for Samuel, Hannah made this request because the child was very young and would need care and supervision. Ordinarily, Levites began their training at the age of 25 (*Ralbag*).

28. Here Hannah declared that she was giving up her son to serve God all his life. The expression she used — שאל, *lending* — is interpreted variously. Our translation follows *Radak*, that it also means to give or dedicate. *Rashi* and *Abarbanel* explain that she was "lending" Samuel to God, meaning that he was still hers and should be returned to her intact, in the sense that he should not be severely punished (*Rashi*), or that he should also be available to serve his parents (*Abarbanel*). According to *Mahari Kara* and *Radak*, she meant that God had lent him to her for the time that she had been able to raise him, but that she was now returning him to God. Homiletically, the word שָׁאוּל refers to King Saul, the first of the two kings who would be anointed by Samuel. Hannah prayed that Saul should not die during Samuel's lifetime (*Midrash*).

וַיִּשְׁתַּחוּ שָׁם לַה' — *He then prostrated himself to HASHEM.* Who bowed? Either Elkanah, to acknowledge acceptance of Hannah's vow; Samuel, whose mother had trained him from infancy to bow to God; or Eli, in gratitude for the miracle of Samuel's birth (*Abarbanel*).

Peninnah and Hannah. Homiletically, the two women symbolize two sets of values within Torah observance. The Hebrew word *peninnah* means a pearl or gem, which are items of great temporal value. Peninnah herself was a scrupulously observant woman who acted for the sake of Heaven [see comm. to v. 6], but her values were those of pearls and gems, i.e., she wanted her children to observe the commandments, but to pursue prosperity and comfort in this world. Hannah pleaded for children, but not for children like Peninnah's; she wanted to dedicate her children to the service of God as their highest priority. Samuel would literally spend his life in a "sanctuary," and the rest of her children would do so figuratively, because sanctity would permeate their lives (*Sichos Kodesh*).

2.

1-10. Hannah's Prayer/Song. Hannah's lyrical expression of gratitude is described by *Targum (Song of Songs* 1:1) as one of history's ten great prophetic songs. Indeed, *Targum* here interprets it as a series of prophecies regarding future miracles of salvation. In the plain meaning, its theme is the acknowledgment that triumph and defeat, wealth and poverty, grandeur and degradation are not permanent conditions. God apportions them according to what people deserve or need, or what is necessary for the fulfillment of the Divine plan; therefore good deeds and prayer can effect changes in the human condition.

Verse 1 introduces the passage by saying that *Hannah prayed*, although it might have seemed more appropriate to say that she *sang.* Most commentators explain that prayer must begin with praise of God, after which the petitioner makes his request. So, too, Hannah sang her song of thanksgiving in the first nine verses of the passage and then, in verse 10, prayed for her young son. Alternatively, the Talmud (*Pesachim* 117a) lists תְּפִלָּה, *prayer,* as one of the ten expressions of praise of God.

Yalkut Shimoni cites a Midrash that Hannah prayed with the eighteen blessings of *Shemoneh Esrei*, and shows how each of them is alluded to in her Prayer/Song.

1. **עָלַץ לִבִּי בַּה'** — *My heart exults in HASHEM.* My heart that had been despondent over my childlessness is now joyous (*Radak*) because of God's salvation (*Metzudos*).

Hannah stressed that she owed her exultation to God. Neither Elkanah's loving but futile encouragement nor Eli's reproof over her "drunkenness" mattered once God had accepted her prayer and granted her a son (*Abarbanel*).

רָמָה קַרְנִי — *My pride* [lit. *horn*] *has been raised.* An animal's erect and lofty horn is the symbol of its pride, as well as its means of defense (*Radak*).

Prophetically, Hannah alluded to King David, whom Samuel anointed with oil poured from a horn, and whose reign endured, unlike Saul's, which ended after only two years (*Megillah* 14a).

עַל־אוֹיְבַי — *Against my antagonists.* Now that she had a child, Hannah could respond to the taunts of Peninnah and anyone else who had teased her about her barrenness (*Radak*).

According to *Targum Yonasan,* she foretold that Israel would "open its mouth" to recount the miracles that would force the Philistines to return the Holy Ark (Chs. 5-6), during the time when Samuel was emerging as the national leader.

כִּי שָׂמַחְתִּי בִּישׁוּעָתֶךָ — *For I rejoice in Your salvation.* Hannah

ב־ג אֵין־קָדוֹשׁ כַּיהוָה כִּי־אֵין בִּלְתֶּךָ וְאֵין צוּר כֵּאלֹהֵינוּ: אַל־תַּרְבּוּ תְדַבְּרוּ
גְּבֹהָה גְבֹהָה יֵצֵא עָתָק מִפִּיכֶם כִּי אֵל דֵּעוֹת יְהוָה ולא [וְלוֹ ק] נִתְכְּנוּ
ד־ה עֲלִלוֹת: קֶשֶׁת גִּבֹּרִים חַתִּים וְנִכְשָׁלִים אָזְרוּ חָיִל: שְׂבֵעִים בַּלֶּחֶם נִשְׂכָּרוּ
ו וּרְעֵבִים חָדֵלּוּ עַד־עֲקָרָה יָלְדָה שִׁבְעָה וְרַבַּת בָּנִים אֻמְלָלָה: יְהוָה מֵמִית

רש"י

(ב) ואין צור כאלהינו. אין צייר כאלהינו, הצר צורה בתוך צורה: **(ג) אל תרבו תדברו.** כל גסי הרוח אשר שעתם מגלחת, ובשביל פנינה שהיתה מתגאה עליה היא מדברת, לפי פשוטו. ולפי דרשו, כתרגומו שתרגם יונתן: **עתק.** דבר חזק. דבר אחר, לשון סרה, כמו וַיַּעְתֵּק מִשָּׁם הָהָרָה (בראשית יב, ח), יצא דבר סרה מפיכם: **כי אל דעות ה'.** יודע מה שבלבבכם: **ולו נתכנו עללות.** כל מעשי האדם נמנין לפניו: **נתכנו.** לשון מנין, כמו וְתֹכֶן לְבֵנִים תִּתֵּנוּ (שמות ה, יח): **(ד) קשת גברים חתים וגו'.** כך אומנותו של הקדוש ברוך הוא, מתיש את הגבורים ומחזק את החלשים, משביע את הרעבים ומרעיב את השבעים: **(ה) שבעים בלחם.** ולא צריכים להיות נשכרים לשום מלאכה, מרעיבם, ונשכרו בלחם פרנסתם ורעבים שהיו טורחים ויגעים על מזונות: **חדלו.** מטרחם: **עד עקרה ילדה שבעה ורבת בנים וגו'.** ובעוד שהעקרה יולדת שבעה בנים, רבת בנים אֻמְלָלָה וקוברת בניה. חנה ילדה שבעה, שנאמר כִּי פָקַד ה' אֶת חַנָּה וַתַּהַר וַתֵּלֶד שְׁלֹשָׁה בָנִים וּשְׁתֵּי בָנוֹת (להלן פסוק כא), וכשחנה יולדת אחד, פנינה קוברת שנים, ועשרה בנים היו לה, שנאמר הֲלוֹא אָנֹכִי טוֹב לָךְ מֵעֲשָׂרָה בָּנִים (לעיל א, ח) של פנינה, כשילדה חנה ארבעה קברה פנינה שמונה, וכשנתעברה וילדה ולד חמישי, נשתטחה פנינה לרגליה ובקשה רחמים וחיו ונקראו על שמה, אלו דברי רבי נחמיה. רבי יהודה אומר, בני בנים הרי הן כבנים (פסיקתא רבתי מג). ויש אומרים, שבעה, בגימטריא כמנין שמואל:

רד"ק

(ב) אין קדוש כה'. שהתפללתי בבית מקדשו ונשמעה תפלתי: **כי אין בלתך.** ידעתי כי אין בלתך שראוי להתפלל לו, ועל כן עלי לומר אֵין קָדוֹשׁ כַּה': **ואין צור כאלהינו.** אין חזק כאלהינו שהופך הטבעים ברצונו, כי הייתי עקרה ולא היה בטבעי ללדת: **(ג) אל תרבו.** אל תרבו שתדברו גבוהות, אמרה כנגד פנינה וכנגד המכעיסים אותה: **יצא.** אל יצא, ואל שזכר עומד במקום שנים: **עתק.** דבר חזק: **כי אל דעות ה'.** הכל יודע הוא ואין נסתר ממנו, ואמרה דעות לשון רבים כלומר כל דעות בני אדם ידעם כאחד בלא רבוי ובלא שינוי אצלו, כמו שאמר הַיֹּצֵר יַחַד לִבָּם הַמֵּבִין אֶל כָּל מַעֲשֵׂיהֶם (שם לג, טו): **ולא נתכנו עללות.** כתיב באל"ף וקרי בוי"ו, ופירוש הכתוב כי לא נתכנו עלילות בני אדם אם לא יחפוץ האל, ופירוש הקרי כי לו לבדו נתכנו העלילות לא לבן אדם, כי הוא עושה כאשר ירצה, ובן אדם אומר ולא יעשה ודבר ולא יקימנה, ופירוש עלילות מעשים: **(ד) קשת גברים חתים.** טעם חתים על גבורים לא על קשת, כי היה לו לומר חתה, ופירוש חתים הם וקשתם, וכמוהו כִּי הָיְתָה אֵלָיו פְּנֵי הַמִּלְחָמָה (לקמן־ב י, ט) קוֹל נְגִידִים נֶחְבָּאוּ (איוב כט, י) והדומים להם שכתבנו בספר מכלל: **אזרו חיל.** החיל והכח הוא אזורם: **(ה) שבעים בלחם נשכרו.** אותם שהם שבעים מתחילה שבו להיות נשכרים בפת לחם, ואותם שהיו רעבים מתחלה ונשכרו חדלו מלהשתכר ומלטרוח על טרפם, כי היו שבעים ברצון הבורא יתברך, עד שיגיע רצון הבורא עד כך והשגחתו עד, כי מי שהיתה עקרה כמוני ילדה שבעה, ומי שהיתה רבת בנים כצרתי פנינה עתה אומללה נכרתה, כלומר שמתו בניה, ומה שאמר שבעה אינו דוקא אבל הוא כך חשבון, כי כן דרך הכתוב כשירצה לומר רבים יאמר שבע, כמו אֻמְלְלָה יֹלֶדֶת הַשִּׁבְעָה (ירמיהו טו, ט) שֶׁבַע כְּחַטֹּאתֵיכֶם (ויקרא כו, כא) שֶׁבַע יִפּוֹל צַדִּיק וָקָם (משלי כד, טז), לפי שהעולם במספר שבעה, שבע ככבים משרתים, שבע ימי השבוע, ועל עצמה אמרה חנה שהיו לה בנים ובנות כמו שכתוב כִּי פָקַד ה' אֶת חַנָּה וַתַּהַר וַתֵּלֶד שְׁלֹשָׁה בָנִים וּשְׁתֵּי בָנוֹת (פסוק כא): **ורבת בנים.** זה אמרה על פנינה, אמרו כשהיתה חנה יולדת אחד היו בני פנינה מתים שנים, ובדרש (פסיקתא רבתי פ' מג) עַד עֲקָרָה יָלְדָה שִׁבְעָה, שמואל בגימטריא במספר שבעה, ויתכן לומר כי אמרה זה חנה על כנסת ישראל, וכל השירה כולה גם כן על כנסת ישראל, ולכך התחיל בה בלשון וַתִּתְפַּלֵּל, כי לשון התפלה יפול ברוב על הענינים העתידים, ובמעט על מה שעבר, ואמרה זה ברוח נבואה ולכך הושמה במכתב בין הנביאים, כי היא נבואה כולה עתידה על צרות ישראל ותשועתם, כמו שתרגם המתרגם יונתן בן עוזיאל ויפה אמר, ומתיישב בלב הנבונים, ודעתינו בזה הפסוק והשירה כולה, כי אמרה חנה, כל עניני העולם וצרכי בני אדם תלויים ביד הבורא יתברך וברצונו, והוא משגיח בכללים ובפרטים ועושה בהם כרצונו, ואפילו אם יראה לבני אדם שיעשה להם דבר שאינו על רצונם וחפצם, יש להם להתפלל אליו בכל נפשם כמו שעשיתי אני, והוא יתן להם בקשתם ורצונם בכל דבר שיהיה חפצם וצרכם, כי השגחתו בתחתונים כמו שהיא בעליונים, כמו שאמרה בסוף (פסוק ח) כִּי לַה' מְצֻקֵי אֶרֶץ וַיָּשֶׁת עֲלֵיהֶם תֵּבֵל ואמרה כי אם יהיו ישראל בצרה ובגלות תחת עובדי גילולים, הנמשלים לאשה שילדה בנים הרבה, והיא מתגאה בהם ושמחה ומתאדרת עליהם בכל עת שתתגבר האשה הרבה בבנים להצר ולהרע לעקרה, והיא כנסת ישראל הנמשלת לאשה עקרה שיולדת מעט בנים, כמו שנראה בישעיה רָנִּי עֲקָרָה לֹא יָלָדָה (ישעיהו נד, א) וכמוהו הרבה, אפילו שהיו לה מעט בנים לזאת העקרה, עוד יבא זמן שתהיה גם היא רבת בנים, בעת שישובו אל ה' בכל לבם ויתפללו אליו בגלותם וצרתם, ואז אותה שהיתה רבת בנים אומללה, פירוש נכרתה ונפסקה מלהוליד ולהצליח ומה שילדה יכרת ויאבד, וזה מורה על ביאת משיחנו וענין תשועת ישראל בשובינו לארצינו במהרה בימינו, ומיתת הנועדים עם גוג ומגוג כי תהיה בהם מהומה גדולה, וישראל ינצלו הטובים שבהם, ועל זה אמר רַגְלֵי חֲסִידָיו יִשְׁמֹר (פסוק ט) וכל הענין נמשך בזה הדרך, ומעתה פתחתי לך הדרך ותבין מעצמך:

מצודת דוד

(ב) כי אין בלתך. רוצה לומר, אין בורא בלתך, ומי מהנבראים אשר ידמה קדושתו לקדושת הבורא: **(ג) אל תרבו וכו'.** אמרה נגד פנינה ובניה, אל תרבו לדבר דבר גבוהה, רוצה לומר, גאוה וגסות, וכפלה המלה, להורות על גאוה גדולה והתמדתה: **יצא עתק.** אל שאמרה, משמשת במקום שנים, כאלו אמרה אל יצא עתק מפיכם: **כי אל דעות ה'.** ה' הוא אל היודע הכל, ולפניו נמנים מעשה הבריות: **(ד) קשת.** רוצה לומר, ועל שהוא יודע הכל, לזה משלם לאיש כמעשהו, ופתאום יושברו קשת וחוזק הגבורים, והנכשלים אזרו חיל: **(ה) שבעים.** אנשים שהיו שבעים נעשו רעבים, עד שישכרו עצמם לעבודה בעבור הלחם: **ורעבים.** ואשר היו משכירים עצמם בעבור הרעבון, חדלו מלהשכיר עצמן, כי מצאו די מחסורם: **עד עקרה ילדה שבעה.** רוצה לומר, כל כך רבה השגחתו, עד אשר מי שהיתה עקרה, ילדה שבעה בנים, ומי שהיתה בת רבת בנים, נכרתה באבדן כל בניה:

מצודת ציון

(ב) בלתך. זולתך: **צור.** ענין חוזק, והוא מלשון צור וסלע: **(ג) עתק.** דברי חזק, כמו יְדַבְּרוּ עָתָק (תהלים צד, ד): **נתכנו.** ענין מנין, כמו, וְתֹכֶן לְבֵנִים (שמות ה, יח): **עללות.** מעשים, כמו אֲשֶׁר עוֹלַל לִי (איכה א, יב): **(ד) חתים.** ענין שבירה, כמו וְצִדְקָתִי לֹא תֵחָת (ישעיהו נא, ו): **ונכשלים.** מלשון מכשול, והוא ענין רפוי הכח: **אזרו חיל.** חגרו כח, וכן הַמְאַזְּרֵנִי חָיִל (תהלים יח, לג): **(ה) חדלו.** מנעו: **אמללה.** ענין כריתה, כמו אֻמְלַל אָנִי (שם ו, ג):

attributed her good fortune to God and God alone, so that anyone in distress would follow her example of praying for help. Her experience is included in the Rosh Hashanah service as an eternal reminder that prayer and repentance are the Jew's shield against suffering.

2. . . . אֵין־קָדוֹשׁ כַּה' — *There is none as holy as* HASHEM. . . Hannah attributes the success of her supplication to the incomparable holiness of the One to Whom she prayed

Man's shifting fortunes

²There is none as holy as HASHEM, for there is none besides You,
and there is no Rock like our God.
³Do not abound in speaking with arrogance upon arrogance,
let not haughtiness come from your mouth;
for HASHEM is the God of thoughts, and [men's] deeds are accounted by Him.
⁴The bow of the mighty is broken, while the foundering are girded with strength.
⁵The sated ones are hired out for bread, while the hungry ones cease to be so;
while the barren woman bears seven, the one with many children becomes bereft.

---

and the sanctity of the Tabernacle where she addressed her plea (*Radak*).

Homiletically כִּי אֵין בִּלְתֶּךָ, *for there is none besides You,* means that nothing in the universe is totally divorced from Godliness, meaning that everything can be used in some way to do His will; otherwise it could not exist (*Beis Yaakov*).

וְאֵין צוּר כֵּאלֹהֵינוּ — *And there is no Rock like our God.* No one and nothing is as all-powerful as God, Who changed nature by enabling a barren woman to bear a child. (*Radak*).

Homiletically, the Talmud (*Megillah* 14a) reads צוּר as צַיָּר, *artisan*, i.e., there is no *artisan* like our God. Referring to her own experience, Hannah said, "A human being draws a figure on a wall, and is unable to endow it with breath, soul, internal parts and intestines. But the Holy One, Blessed is He, shapes a form inside another form [a child in his mother's womb] and endows it with breath, soul, internal parts and intestines."

God as the "Rock." As noted above, the word rock has two connotations: in the literal sense, it symbolizes God as the strong, impregnable, unalterable, unconquerable Protector of Israel. In the sense of "artisan," it symbolizes Him as the One Who decrees the form of His universe and its creatures, and Who shapes them into their permanent form. When Hannah refers to the *Rock* as *our God*, the God of Israel, she means (a) that God is the Source of our strength and our Protector; and (b) that He shaped Israel in conformity with His will that the Jewish people remain eternally loyal to the Torah (*R' Hirsch* to *Deuteronomy* 32:4).

3. Hannah addresses people whose hubris leads them arrogantly to demean and berate the less fortunate. Their success and power leads them to believe that they are above criticism and retribution, because others flatter them and their victims fawn before them. But they fail to realize that God sees through their protestations of sincerity. He knows the inner corruption that motivates their deeds and speeches, and He knows everything they do.

According to *Targum*, Hannah alluded prophetically to King Nebuchadnezzar, who blasphemed against God and directed arrogant threats against Jerusalem, which he conquered and destroyed — but God repaid Nebuchadnezzar with ignominy and humiliation.

וְלֹא נִתְכְּנוּ עֲלִלוֹת —*And [men's] deeds are accounted by Him,* i.e., God keeps a reckoning of what people do. *Chovos Halevavos* renders: *He accounts for causes,* i.e., people make their plans, but the *causes* of events are in God's hands; only He determines what can be accomplished.

4. קֶשֶׁת גִּבֹּרִים חַתִּים — *The bow of the mighty is broken.* As a weapon that enables a warrior to strike from a great distance while remaining invulnerable, the "bow" symbolizes the power of the one who wields it and the weakness of its target.

As the One Who is aware of the hidden motives of the mighty (v. 3), God destroys their power so that they can no longer subjugate their former victims, and He gives power to the weak (*Rashi*), because delusions of those with temporal power mean nothing to God (*Kara*). *Radak* renders: *the mighty, who had the bow, are broken.*

Prophetically, Hannah referred to the miracle of Chanukah, when the downtrodden and outnumbered Hasmoneans overpowered the dominant Syrian-Greeks (*Targum*).

5. Continuing the theme of the previous verse, Hannah gives illustrations of how God reverses the fortunes of the arrogant and the humble. Those who were so prosperous and *sated* that they had no need to work will suffer such sharp setbacks that they will be forced to be *hired out for bread*, while those who had been hungry and had to struggle to keep from starving will no longer even have to work.

עַד־עֲקָרָה יָלְדָה שִׁבְעָה — *While the barren woman bears seven.* Hannah was referring to herself. The plain sense of the verse is that she did not stop bearing children with the birth of Samuel, but went on to have another six children. This, however, is contradicted by 2:21, which states that she had only three sons and two daughters. *Radak* explains that the word *seven* is not meant literally, but is a Biblical idiom for "many," or that the numerical value of שְׁמוּאֵל [Samuel], 377, is equal to that of שִׁבְעָה [the number seven], meaning that Hannah considered Samuel to be the equivalent of seven children.

According to the Midrash, every time Hannah gave birth, two of Peninnah's children died. After Hannah had her fourth, only two of Peninnah's children still survived, so that when Hannah's fifth child was conceived, the terrified Peninnah begged Hannah to pray for the last two survivors. She did, and the children remained alive. Since this happened only because of Hannah's prayers, it was as if they were hers, giving her a total of seven (*Rashi*).

Although Peninnah's intention was pure, to inspire Hannah to pray (*Bava Basra* 16a), it was מִצְוָה הַבָּאָה בַּעֲבֵרָה, *a mitzvah that came about through a sin,* by causing an aggrieved person to feel pain (*Chozeh David*).

This is a prophetic allusion to the future redemption, when the "barren, widowed" Jerusalem will be filled with her children, while Rome, which destroyed the Second Temple and exiled Israel, will be bereft of its inhabitants (*Targum*).

ז־ח וּמְחַיֶּה מוֹרִיד שְׁאוֹל וַיָּעַל: יהוה מוֹרִישׁ וּמַעֲשִׁיר מַשְׁפִּיל אַף־מְרוֹמֵם: מֵקִים מֵעָפָר דָּל מֵאַשְׁפֹּת יָרִים אֶבְיוֹן לְהוֹשִׁיב עִם־נְדִיבִים וְכִסֵּא כָבוֹד יַנְחִלֵם כִּי לַיהוה מְצֻקֵי אֶרֶץ וַיָּשֶׁת עֲלֵיהֶם תֵּבֵל:
ט רַגְלֵי °חסידו [°חֲסִידָיו ק׳] יִשְׁמֹר
י וּרְשָׁעִים בַּחֹשֶׁךְ יִדָּמּוּ כִּי־לֹא בְכֹחַ יִגְבַּר־אִישׁ: יהוה יֵחַתּוּ °מריבו [°מְרִיבָיו ק׳] °עלו [°עָלָיו ק׳] בַּשָּׁמַיִם יַרְעֵם יהוה יָדִין אַפְסֵי־אָרֶץ וְיִתֶּן־עֹז לְמַלְכּוֹ וְיָרֵם קֶרֶן מְשִׁיחוֹ:

רש״י

(ט) חסידו. חסידו כתיב, חסידיו קרי, בין יחיד בין רבים, וכן יְחַתּוּ מְרִיבָיו (פסוק י), מריבו, בין יחיד בין רבים: (י) עלו בשמים ירעם. עלו כתיב, אפילו עלו בשמים, מרעים עליהם ומורידם: ידין אפסי ארץ. שופטן ומייסרן, יוסטיצי״א בלע״ז:

רד״ק

(ו) ה׳ ממית ומחיה. את האדם, אמר בתחלה ממית ואחר כך מחיה בהפכו מחיה שמעמידו בחיים ומאריך ימיו כשירצה, וכן וַתַּחֲלִימֵנִי וְהַחֲיֵנִי (ישעיהו לח, טז) והדומים לו שפירושם העמדת החיים באדם, וכן מוֹרִיד שְׁאוֹל וַיָּעַל כמו הֶעֱלִיתָ מִן שְׁאוֹל נַפְשִׁי חִיִּיתַנִי מִיָּרְדִי בוֹר (תהלים ל, ד), וכן מִיַּד שְׁאוֹל כִּי יִקָּחֵנִי סֶלָה (שם מט, טז) כי טעם מיד שאול למעלה ממנו ולמטה ממנו, או הוא רמז לצרות ולרווחות, וכן אֲנִי אָמִית וַאֲחַיֶּה (דברים לב, לט), או יהיה מֵמִית וּמְחַיֶּה אני אמית ואחיה, רמז לגמול הצדיקים ולעונש הרשעים בנפשותם, או אמר פסוק זה בדרך נבואה או בדרך קבלה על תחיית המתים לעתיד לבא: (ז) אף מרומם. הרבוי לפי שעלייה יותר כח וגבורה מהירידה: (ח) מאשפת. לשון יחידות, בשקל אחות הראוי בתשלומו אחיות וקבוצו חבקו אשפתות בתמורת הנח בדגש: מצקי ארץ. עמודי ארץ, וכן וַיַּצִּגֻם לִפְנֵי ה׳ (יהושע ז, כג) ויעמידום, ומצוקי ארץ הם הצדיקים כי בזכותם מתקיים התבל, וכן אומר וְצַדִּיק יְסוֹד עוֹלָם (משלי י, כה), או יהיה פירושו על דרך וּמִתַּחַת זְרֹעֹת עוֹלָם (דברים לג, כז) רצה לומר כי הוא יתברך הוא קיום עולם ומעמידו ומעמידי האדם לו הם ובכחו עומד הכל, וסדר היישוב בארץ להעמיד היצורים עליה, וזהו שאמר וַיָּשֶׁת עֲלֵיהֶם תֵּבֵל, כי מקומות היישוב יקראו תבל: (ט) חסידו. כתיב בלא יו״ד וקרי ביו״ד, וכן מריבו עלו (פסוק י) והענין אחד כי יו״ד הרבוי תפול לפעמים: ישמר. שלא ינגפו: ידמו. ישתקו מרגשם ורשעתם, או פירוש יכרתו, וכן אַל תִּדַּמּוּ בַּעֲוֹנָהּ (ירמיהו נא, ו), ופירוש בַּחֹשֶׁךְ כאדם שהולך בחשך שיפול: כי לא בכח יגבר איש. לא יהיה מה שיחשבו שיגברו בכחם ובחילם, כי כאשר יהיה רצון האל להושיבם בחשך והיא הצרה שתבא אליהם, לא תועילם גבורתם ועושרם: (י) ה׳ יחתו מריביו. מריבי הצדיקים הם מריביו: עליו בשמים ירעם. עליו על כל אחד ממריביו, ובי״ת בַּשָּׁמַיִם במקום מן, כמו שנאמר יַרְעֵם מִן שָׁמַיִם ה׳ (לקמן־ב כב, יד), וכן בי״ת בַּקֳּדָשִׁים לֹא יֹאכַל (ויקרא כב, ד) וְהַנּוֹתָר בַּבָּשָׂר וּבַלָּחֶם (שם ח, לב) והדומים להם ויש לפרשו כמשמעו כלומר יעשה הרעם בשמים להשמיעם ולבהלם, וזהו פירוש עָלָיו כלומר בעבורו, והרעם הוא משל על הגזירות היורדות מן השמים, שאמר וַיִּשְׁלַח חִצִּים וַיְפִיצֵם בָּרָק וַיָּהֹם (לקמן־ב כב, טו): ידין אפסי ארץ. על דרך כי הוא לקצות ארץ יביט אם יסתר איש במסתרים: ויתן עז למלכו וירם קרן משיחו. כפל דבר כי המלך הוא המשיח, ואמרה חנה זה על דרך נבואה או דרך קבלה, כי היתה קבלה אצלה כי עתיד להיות מלך בישראל, וחתמה השירה הזאת בדברי המלך לפי שזכרה מפלת הרשעים והם אויבי ישראל, ואמרה כי האל יתן עז למלך ישראל שיושעו ישראל על ידו מיד אויביהם, ואם אמרה זה בדרך נבואה רמזה בזה שעל ידי שמואל בנה יהיה מלך בישראל, והוא ימשחנו:

מצודת דוד

(ו) ה׳ ממית ומחיה. רוצה לומר, לא במקרה בא, כי אם יד ה׳ עשתה זאת, הוא ממית בני רבת הבנים, והוא מחיה בני העקרה, ולא תשכל מלידה ומבטן ומהריון: מוריד שאול. ובזה מוריד את בת רבת הבנים אל השאול, רוצה לומר, בשפל המצב ועומק הצרה, ואת העקרה מעלה מעומק שפל מצבה: (ז) ה׳ מוריש. את השבעים, עד אשר בלחם נשכרו: ומעשיר. את הרעיבים, עד אשר חדלו: משפיל. בזה משפיל גאות השבעים, ואף מרומם עליהם את הרעיבים, ולא די במה שחדלו מלהשכיר עצמם, כי אף ישכרו את השבעים וירומו עוד עליהם: (ח) מקים מעפר דל. מי שהיה דל ונבזה שחה עד לעפר, ה׳ מקימו מן העפר: מאשפת וכו׳. כפל הדבר במלות שונות: להושיב. מרימו מן האשפות, ומגביהו עוד להושיב אותו עם נדיבים, להיות דומה להם: ינחלם. רוצה לומר, יכובדו בעיני הבריות, כאלו היו מלומדים בכבוד ובאה להם מנחלת אבותם: כי לה׳. וזה בעבור שיסודות הארץ המה לה׳, ועל היסודות ההם עשה הוא את העולם, לזה בידו לעשות בעולמו כרצונו: (ט) רגלי חסידיו ישמר. רוצה לומר, אולם הכל במשפט, כי רגלי חסידיו ישמור מלכד, והרשעים יוכרתו בבוא חושך הפורעניות, בעת נתמלא סאתם: כי לא בכח. אין התגברות האיש תלוי בכחו, כי אם היא ביד ה׳, ועל פי כשרון מעשה האיש: (י) ה׳ יחתו מריביו. כחתימה לסדר שבחי המקום, חזרה להתפלל על שמואל בנה ואמרה, אתה ה׳ נא יחתו וישברו מריביו של בני ואנשי מלחמתו, כי ראתה ברוח הקודש שפלשתים ילחמו בו, והתפללה שהמה יחתו: עליו בשמים ירעם. בעבור בני, ירעם האל יתברך בשמים על פלשתים. ונתקיימה תפלתה כמו שכתבו וַיַּרְעֵם ה׳ בְּקוֹל גָּדוֹל וגו׳ עַל פְּלִשְׁתִּים (לקמן ז, י): ה׳ ידין אפסי ארץ. רוצה לומר, אתה ה׳, נא ידין בני אפסי ארץ, להיות שופט בישראל, ויסבב במקומות עריהם לשפטם. וכן נתקיים כמו שכתוב וְהָלַךְ וגו׳ וְסָבַב וגו׳ וְשָׁפַט אֶת יִשְׂרָאֵל (שם פסוק טז): ויתן עז למלכו. ה׳ יתן עוז וגבורה להמלך אשר בני ימליך אותו, והוא שאול (פרק י, א): וירם קרן משיחו. על דוד אמרה, כי שמואל בנה רק משחו למלך (פרק טז, יג), אבל לא המליכו בחייו, כי שמואל מת ועודנו לא מלך עד לאחר זמן, והתפללה עליו חנה שירום קרן ממשלתו:

מצודת ציון

(ו) מוריד. מלשון ירידה: (ז) מוריש. ענין עניות, כמו וְלָרָשׁ אֵין כֹּל (שמואל־ב יב, ג): (ח) מאשפת. הוא מקום השלכת הזבל: ירים. ירומם: אביון. התאב לכל דבר, כי אין לו מאומה: נדיבים. שרים וחשובים: מצקי ארץ. מצבי ארץ, ודוגמתו וַיַּצִּקוּ אֶת אֲרוֹן (שמואל־ב טו, כד). ורצה לומר, היסודות והעמודים שהם מצבי הארץ ומעמידים אותה: וישת. וישם: תבל. מקום המיושב נקרא תבל: (ט) ידמו. יכרתו, כמו אַל תִּדַּמּוּ בַּעֲוֹנָהּ (ירמיהו נא, ו): (י) יחתו. ישברו: ירעם. מלשון רעם ורעש: אפסי. קצות, כי בקצות הארץ היא אפס וכלה: קרן. המלה ההיא הונחה על התגברות, כי בעלי חיים בעלי הקרן, יתחזקו בהם:

---

6. ה׳ מֵמִית וּמְחַיֶּה — *HASHEM brings death and gives life*. Hannah meant this literally, that the key to life is in God's hand; He decides when to terminate it and He has the power to extend life, even when someone is so ill that he is on the verge of being *lowered to the grave*. Alternatively, she referred to the resurrection of the dead, when God restores life and raises people from the grave (*Radak*).

According to Rabbi Eliezer (*Sanhedrin* 108a), she referred to Korah, Samuel's ancestor, who rebelled against Moses and was swallowed up into the earth (see *Numbers* 16-17). In this verse Hannah prayed that Korah would be raised from the grave, i.e., have a share in the World to Come. *Maharsha*

[6]HASHEM brings death and gives life, He lowers to the grave and raises up.
[7]HASHEM impoverishes and makes rich, He humbles and He even elevates.
[8]He raises the needy from the dirt,
from the trash heaps He lifts the destitute,
to seat [them] with nobles and to endow them with a seat of honor —
for HASHEM's are the pillars of the earth, and upon them He set the world.
[9]He guards the steps of His devout ones,
but the wicked are stilled in darkness;
for not through strength does man prevail.

A prayer for Samuel

[10]HASHEM, may those who contend with him be shattered,
let the heavens thunder against them.
May HASHEM judge to the ends of the earth;
may He give power to His king and raise the pride of His anointed one.

---

explains that Korah saw prophetically that Samuel would be equal to Moses and Aaron, and this vision led him to believe that his rebellion should succeed. Hannah felt, therefore, that her successful prayer for a son was responsible for misleading Korah, and so she prayed for him.

7. ה׳ מוֹרִישׁ וּמַעֲשִׁיר — *HASHEM impoverishes and makes rich.* Poverty and wealth are not permanent conditions. The rich should not be complacent and the poor should not despair, for God may reverse their fortunes at any time (*Ralbag*).

מַשְׁפִּיל אַף־מְרוֹמֵם — *He humbles and He even elevates.* It is easier for the rich to become poor than for the poor to become rich; but when God wills it, even that happens (*Radak*). Moreover, when God wills it, the erstwhile pauper is so elevated that the once-haughty magnate becomes his employee (*Metzudos*).

8. מֵקִים מֵעָפָר דָּל — *He raises the needy from the dirt.* Hannah likens her childless state to that of someone so destitute that he lacks the most basic human needs and is forced to clean the streets of filth. Just as God raises him from dire poverty to become the equal of nobles, so God elevated Hannah by giving her a child (*Ralbag*).

The Sages interpret this verse as a reference to Hannah, Sarah, and Rachel, all of whom were childless, or to Joseph, who was catapulted from prison to primacy. Consequently, it refers not to a rise from poverty to wealth, but to a change of prestige and status, from degradation to a *seat with nobles (Abarbanel*).

מְצֻקֵי אֶרֶץ —*The pillars of the earth*, i.e., the righteous, for the world exists in their merit (*Radak*).

9. רַגְלֵי חֲסִידָיו יִשְׁמֹר — *He guards the steps of His devout ones.* The changes in people's fortunes are not haphazard. God's providence protects the righteous from stumbling; one falls because of sin (*Metzudos*).

Homiletically the Talmud interprets רַגְלֵי as *occasions,* in the plural: if someone is tempted to sin on *two occasions*, but remains *devout*, God will protect him from future sin (*Yoma* 38b). The word חֲסִידָיו, *His devout ones*, is spelled without a *vav*, in the singular form: *His devout one*, implying that God would maintain the world for the sake of even one righteous person (ibid.).

It is a principle of Jewish faith that there is a purpose to life and that God watches over people; the more righteous they are, the more they are subject to Divine Providence. Even when they suffer, it is because God's infinite wisdom has determined that it should be so.

Rabbi Yisrael of Husyatin, a 20th-century chassidic leader, was leaving a train, and a valise was placed on the ground to make his descent easier. As his foot touched it, he shuddered and refused to step on it. When the valise was later opened, a holy book was found in it. To this incident, the rabbi's disciples applied the verse *He guards the steps of His devout ones.*

10. ה׳ יֵחַתּוּ מְרִיבָיו — *HASHEM, may those who contend with him be shattered.* After expressing praise and gratitude to God, Hannah prayed for her son, asking that God protect him from any opponents, specifically from the Philistines, who were soon to capture the Ark and perpetrated constant aggressions against Israel. God fulfilled this part of Hannah's prayer in Samuel's first battle against the Philistines, as related in 7:10 (*Ralbag*).

Alternatively, *Him* refers to God, for those who oppose the righteous are considered to be opponents of God, as well (*Radak*).

לְמַלְכּוֹ...מְשִׁיחוֹ — *To his king... his anointed one.* Samuel anointed Saul and David, the first kings of Israel, and Hannah prayed for their success. More than a prayer for Samuel and the kings whom he directly raised to greatness, this verse is a prayer for the nation, because her prophetic vision includes the hope that the Philistines would be defeated and that Israel as a nation be saved from the humiliation of the loss of the Ark, the destruction of Shiloh, and the death of Eli, all of which were soon to occur. According to *Targum Yonasan,* she prayed for all Jews throughout history, and for the future Messiah, who is called Samuel's *anointed one*, because he will descend from David, whom Samuel anointed (*Yalkut Shimoni*). Thus, Hannah prayed and sang not only as the mother of Samuel, but as the mother of the Jewish people for all ages.

יא וַיֵּלֶךְ אֶלְקָנָה הָרָמָתָה עַל־בֵּיתוֹ וְהַנַּעַר הָיָה מְשָׁרֵת אֶת־יְהוָה אֶת־פְּנֵי עֵלִי
יב־יג הַכֹּהֵן׃ וּבְנֵי עֵלִי בְּנֵי בְלִיָּעַל לֹא יָדְעוּ אֶת־יְהוָה׃ וּמִשְׁפַּט הַכֹּהֲנִים אֶת־הָעָם כָּל־
יד אִישׁ זֹבֵחַ זֶבַח וּבָא נַעַר הַכֹּהֵן כְּבַשֵּׁל הַבָּשָׂר וְהַמַּזְלֵג שְׁלֹשׁ־הַשִּׁנַּיִם בְּיָדוֹ׃ וְהִכָּה
בַכִּיּוֹר אוֹ בַדּוּד אוֹ בַקַּלַּחַת אוֹ בַפָּרוּר כֹּל אֲשֶׁר יַעֲלֶה הַמַּזְלֵג יִקַּח הַכֹּהֵן בּוֹ
טו כָּכָה יַעֲשׂוּ לְכָל־יִשְׂרָאֵל הַבָּאִים שָׁם בְּשִׁלֹה׃ גַּם בְּטֶרֶם יַקְטִרוּן אֶת־הַחֵלֶב וּבָא ׀
נַעַר הַכֹּהֵן וְאָמַר לָאִישׁ הַזֹּבֵחַ תְּנָה בָשָׂר לִצְלוֹת לַכֹּהֵן וְלֹא־יִקַּח מִמְּךָ בָּשָׂר
טז מְבֻשָּׁל כִּי אִם־חָי׃ וַיֹּאמֶר אֵלָיו הָאִישׁ קַטֵּר יַקְטִירוּן כַּיּוֹם הַחֵלֶב וְקַח לְךָ כַּאֲשֶׁר
יז תְּאַוֶּה נַפְשֶׁךָ וְאָמַר ׀ לוֹ [לֹא ק] כִּי עַתָּה תִתֵּן וְאִם־לֹא לָקַחְתִּי בְחָזְקָה׃ וַתְּהִי
חַטַּאת הַנְּעָרִים גְּדוֹלָה מְאֹד אֶת־פְּנֵי יְהוָה כִּי נִאֲצוּ הָאֲנָשִׁים אֵת מִנְחַת יְהוָה׃

רש"י

(יא) היה משרת את ה' את פני עלי. מכאן למשמש פני תלמידי חכמים, כמשמש פני השכינה: **(יג) ומשפט הכהנים.** הם קבעו להם חק זה, ולהם לא היה לנחלה כי אם חזה ושוק של שלמים: **(יד) בדוד.** סיר: **בקלחת.** יורה: **בפרור.** מחבת: **(יז) כי נאצו.** לשון בזיון: **(יח) נער חגור אפוד בד.** (תרגום), כַּרְדוּט דְּבוּץ, והוא לשון מעיל, שהרי תרגם יונתן, מעילין, דְּכֵי כֵן תִּלְבַּשְׁנָה בְּנוֹת הַמֶּלֶךְ הַבְּתוּלוֹת מְעִילִים (שמואל־ב יג, יח), כַּרְדוּטִין:

רד"ק

(יא) על ביתו. כמו אל ביתו, וכן וַתִּתְפַּלֵּל עַל ה' (לעיל א, י) כמו אל ה': **את פני עלי.** כמו לפני, כלומר שהיה עלי מלמדו עבודת ה', ויונתן תרגם בְּחַיֵּי עֵלִי כַּהֲנָא, כמו שתרגם אונקלוס (על) [אֶל] פָּנָיו לְהַאֲבִידוֹ (דברים ז, י) בְּחַיֵּיהוֹן לְאוֹבָדֵיהוֹן: **(יב) בני בליעל.** בני רשע, ובדרש בנים שבלו שם שמים מעליהם, אמרו אין מלכות בשמים, וזהו שאמר לֹא יָדְעוּ אֶת ה', או פירושו לֹא יָדְעוּ אֶת ה', לא היו יודעים דרך ה' שהיו עושים מעשה רשע בכהונתם, כמו שמספר והולך מה היו עושים, ויונתן תרגם גַּבְרִין רַשִׁיעִין לָא הֲווֹ יָדְעִין לְמִדְחַל מִן קֳדָם ה': **(יג) ומשפט הכהנים.** הם שמו להם זה החק והמשפט: **כבשל הבשר.** בשר שלמים, ומלבד משפט שהוא חזה ושוק היה נער הכהן לוקח משאר הבשר שהיה חלק הבעלים, כָּל אֲשֶׁר יַעֲלֶה הַמַּזְלֵג בבת אחת, וזה היה חק עולה וגזל ששמו הכהנים על ישראל: **והמזלג.** ידוע, והוא כלי ברזל יש לו שנים שמעלים בו בשר מן הקדירה: **שלש השנים בידו.** שלש שם תואר סמוך, כאילו אמר כי המזלג משולש בשנים, וכמוהו גדול הכנפים (יחזקאל יז, ג) רצה לומר שכנפיו גדולים, כן שְׁלֹשׁ הַשִּׁנַּיִם רצה לומר בו שניו שלש, ויהיה שלש תואר על משקל גדול, ואמר שנים בלשון שנים ואף על פי שהם שלש, לפי ששני האדם והבהמה הם זוגות אמר בשני הכלים בלשון זוגות, ואף על פי שאינם זוגות: **(יד) והכה.** במזלג שבידו היה מכה בבשר שבכיור, וכל הבשר שהיה מעלה במזלג היה לוקח לו, ולא היה מתרצה בחלק הכהונה הכתוב בתורה: **בכיור.** כיור, דוד, קלחת, פרור, מיני קדרים הם, ותרגם יונתן וּקְבַע לֵיהּ בְּכִיוֹרָא אוֹ בְדוּדָא אוֹ בְקִדֵירָא אוֹ בְמְלֵיסָא, ותרגם מזלג מַשִׁילְיָא, ותרגם ירושלמי וּמִזְלְגֹתָיו וּמַחְתֹּתָיו (שמות כז, ג) וּמְשִׁילְיָתֵיהּ וּמַחְתְּיָתֵיהּ: **יעלה.** מבנין הפעיל: **(טו) גם בטרם.** היו לוקחים את הבשר ואוכלים קודם הקטרת האימורים, וזה רעה רבה, כי לא נתן להם האל אלא שיזכו משלחנו אחר שיזרקו הדם ויקטירו החלבים, ובדרש (מדרש שמואל ו, א) אמר להם הקדוש ברוך הוא מפני מה אתם אוכלים שירי מנחה ומניחים את הקומץ לזבובים, מפני מה אתם אוכלים את הבשר ומניחין את החלבים שטוחין בחמה, מה ישראל אומרים להם, יבא הכהן ויזרוק את הדם ויקטיר את החלב ואחר כך יקח לו הבשר, מה הכהן אומר לו, הדם אני זורק והחלב אני מקטיר תְּנָה בָשָׂר לִצְלוֹת לַכֹּהֵן: **ולא יקח ממך.** כך היה אומר לו, ואחר כך היה לוקח גם מן המבושל, או פעמים היה לוקח מן המבושל, כמו שכתוב כְּבַשֵּׁל הַבָּשָׂר (פסוק יג), ופעמים היה לוקח מן החי לצלי, ולא היה לוקח אחר כך מן המבושל: **(טז) כיום.** הכ"ף כ"ף האמתית, וכן הִשָּׁבְעָה לִּי כַּיּוֹם (בראשית כה, לג) כִּי אֹתוֹ כְהַיּוֹם תִּמְצְאוּן אֹתוֹ (לקמן ט, יג): **ואמר לו.** כתוב בוי"ו וקרי באל"ף, ושניהם נכונים בענין: **(יז) כי נאצו.** כמו כי נאץ, נאצת ענין מיאוס ובזוי, וכן תרגם יונתן אֲרֵי בְזוֹ: **את מנחת ה'.** כתרגום יַת קוּרְבָּנַיָּא דַה':

מצודת דוד

(יא) את פני. רוצה לומר, לפניו, כי היה מלמדו איך ישרת את ה': **(יב) לא ידעו את ה'.** ולחוסר הידיעה הרשיעו לעשות: **(יג) ומשפט הכהנים.** בני עלי עשו לעצמם מנהג קבוע עם העם הזובחים: **כל איש.** כאשר היה מי זובח שלמים, בא אליו משרת הכהן ובידו מזלג בעל שלש השינים, בכדי שירבה ליקח בו: **(יד) והכה.** בהמזלג ההוא הכה בכח בַּכִּיּוֹר וכו', בכדי לתחבו בבשר, וכל אשר יעלה המזלג מן הבשר, היה לוקח לעצמו: **בו.** עם המזלג: **הבאים.** לזבוח: **(טו) גם בטרם.** גם לפעמים בא קודם הקטרת האימורין, בעוד שלא בשלו את הבשר, ושאל בשר חי חלופי המבושל: **(טז) קטר יקטירון.** יקטירו את החלב בתחלה כמו בכל עת, ואחרי זה תקח לך כאשר תרצה, או חי או מבושל: **כי עתה.** תן לי מיד, ואם היא קודם הקטרה: **(יז) הנערים.** משרתי הכהן: **כי נאצו.** כי בני עלי בזו מנחת ה', ומהם למדו הנערים לחטוא עוד יותר בדבר בזיון הקדשים:

מצודת ציון

(יא) על ביתו. אל ביתו: **(יג) ומשפט.** ומנהג, כמו וְכֹה מִשְׁפָּטוֹ (לקמן כז, יא): **את העם.** עם העם: **והמזלג.** שם כלי בעלת שינים, עשוי לתחוב בו בשר ולהוציא מהקדרה, וכן אֶת הַמִּזְלָגֹת (שמות לח, ג): **(יד) כיור דוד קלחת פרור.** הם כלי בשול, כיורה וקדרה וכדומה: **(טו) חי.** דבר שלא נתבשל קרוי חי: **(טז) כיום.** רצה לומר, כעת, וכן בְּיוֹם הַכֹּתִי (במדבר ח, יז): בחזקה. **בכח ובעל כרחך:** **(יז) נאצו.** הוא ענין כעס, כמו נֶאָצוֹת גְּדֹלוֹת (נחמיה ט, יח) והושאל אל הבזיון, כי המבזה למי, הוא מכעיסו: **מנחת.** המלה ההיא כולל כל הקרבנות שהמה למנחה ולדורון:

11-17. Eli's wayward sons. Although Eli the Kohen Gadol was one of the greatest judges, his sons did not follow his example. The aged High Priest delegated responsibility for the Tabernacle administration to his sons Hofni and Phinehas, but they abused their authority, by demanding larger portions from the offerings than the Torah awarded them and by treating the people shabbily. This passage and verse 22 detail how they misbehaved. The language of the verses is very harsh, because great people are judged by high standards and their shortcomings are treated very seriously. In the case of Hofni and Phinehas, their deeds were taken by the people to be a reflection on the standards of the Tabernacle itself, and as such constituted the most serious of sins, a *chillul Hashem*, a desecration of God's Name.

The passage begins by saying that Samuel remained in the Tabernacle, to set the stage for the ensuing events that

SAMUEL'S YOUTH
2:11-3:21
Shortcomings of Eli's sons

[11]Elkanah then went to Ramah, to his house, while the boy served HASHEM before Eli the Kohen. [12]The sons of Eli were lawless men; they did not recognize HASHEM.

[13]This was the practice of the Kohanim with the people: When any person would slaughter a sacrifice the Kohen's attendant would come while the meat was cooking, with a three-pronged fork in his hand. [14]He would thrust it into the pot or the cauldron or the pan or the kettle, and everything the fork would bring up the Kohen would take with it. This is what they would do with all the Israelites who would come there, to Shiloh. [15]Even before they would burn the fat [upon the Altar] the Kohen's attendant woucld come and say to the man who was bringing the offering, "Give some meat for roasting for the Kohen; he will not take cooked meat from you, but only raw [meat]." [16]The man would say, "Let them first burn the fat [upon the altar] and then take for yourself whatever your soul desires." But [the attendant] would say, "No; give it now, or else I will take it by force." [17]The sin of the attendants was very great before HASHEM, for the men had disgraced HASHEM's offering.

---

led to Samuel replacing Eli as the leader of Israel.

11. Elkanah returned home while Hannah fulfilled her pledge by leaving Samuel with Eli to begin his lifetime of Divine service. Although Eli, as Kohen Gadol and Judge/leader of the nation, surely had a host of duties, he apparently took personal responsibility for Samuel's upbringing, since his blessing had been instrumental in Samuel's birth.

Obviously, Samuel was too young to perform the Levite service, but Eli began to teach and train him (*Radak*).

The verse states that Samuel served God, although Eli was the one he actually served. This teaches that serving a righteous scholar is tantamount to serving God Himself (*Rashi*).

12. בְּנֵי עֵלִי בְּנֵי בְלִיָּעַל — *The sons of Eli were lawless men.* The second phrase can be translated literally as *the sons of a lawless man.* The verse means to say that even though Hophni and Phinehas were the sons of a holy and righteous man, they conducted themselves as if they had been raised by a lawless person (*Abarbanel*). Indeed, there is a Midrash that Eli himself was called a *lawless man*, because the people held him responsible for the misdeeds of his sons.

לֹא יָדְעוּ אֶת ה' — *They did not recognize HASHEM*, i.e., though they surely knew that Hashem was the Creator, they acted as if they did not recognize His authority. According to *Targum,* they did not know how to fear God.

13-14. The word זֶבַח generally refers to a קָרְבַּן שְׁלָמִים, *peace offering*. After the designated parts are placed on the Altar, the Kohen is awarded the breast and the right thigh, with the rest going to the owner of the offering (*Leviticus* 7:28-34). Eli's sons established a new practice that their attendants would seize larger portions, thus depriving the owner of meat that was rightfully his (*Rashi; Radak*). As a further indication of their greed, they used a three-pronged fork, making it likely that they would spear as many as three pieces of meat (*Malbim*).

The people apparently accepted this practice without protest, unlike the violation in verse 16, about which they complained. *Rabbi Avigdor Miller* explains that the attendants interpreted this silence as acquiescence, but the real reason the people did not complain was because they were ashamed to make an issue of whether they got larger or smaller portions of meat. In verse 16, however, the people protested because the attendants were showing disrespect for the primacy of the Altar.

14. כָּכָה יַעֲשׂוּ לְכָל־יִשְׂרָאֵל — *This is what they would do with all the Israelites.* Decency would have dictated they should not deprive poor people or large families of the meat that was rightfully theirs, but they treated everyone with the same disregard (*Malbim*).

15-16. The Temple practice was that the Kohanim were not permitted to take their portion until the designated parts were placed on the Altar, but the attendants of Hofni and Phinehas would sometimes disregard this law and demand meat before performing the Altar service. Thus, they were not only depriving the owners of their rightful share, they were placing their own greed above their obligation to God, a grievous sin (*Mahari Kara; Radak*).

Malbim notes that here they did not seize the meat, but demanded that the owners give it to them. This was an attempt to appease the owners, as if to say, "You choose what you will give us, and we will be satisfied with a smaller portion than we would get if we plunged our large forks into the pot. Also, by giving it to us now before you begin cooking, you will spare yourself the extra bother of salting and spicing our part when you put it into the pot." But despite this enticement, the people did not agree to violate the prescribed order of the service; they would rather have less meat for themselves than transgress the proper procedure. But the attendants ignored their protests (*Malbim*).

17. הַנְּעָרִים. . .הָאֲנָשִׁים —*The attendants... the men.* The young attendants sinned because of the bad example set by the *men*, i.e., Hofni and Phinehas (*Abarbanel*).

כִּי נִאֲצוּ הָאֲנָשִׁים אֵת מִנְחַת ה' – *For the men had disgraced HASHEM's offering.* Hofni and Phinehas are described by the Midrash (*Bereishis Rabbah* 54:4) as righteous people. Nevertheless, because they did not properly supervise and rebuke the attendants, they led the nation to think that they approved of such rude and greedy behavior. Therefore our

יח־יט וּשְׁמוּאֵל מְשָׁרֵת אֶת־פְּנֵי יהוה נַעַר חָגוּר אֵפוֹד בָּד: וּמְעִיל קָטֹן תַּעֲשֶׂה־לּוֹ אִמּוֹ
כ וְהַעַלְתָה לוֹ מִיָּמִים ׀ יָמִימָה בַּעֲלוֹתָהּ אֶת־אִישָׁהּ לִזְבֹּחַ אֶת־זֶבַח הַיָּמִים: וּבֵרַךְ עֵלִי
אֶת־אֶלְקָנָה וְאֶת־אִשְׁתּוֹ וְאָמַר יָשֵׂם יהוה לְךָ זֶרַע מִן־הָאִשָּׁה הַזֹּאת תַּחַת הַשְּׁאֵלָה
כא אֲשֶׁר שָׁאַל לַיהוה וְהָלְכוּ לִמְקֹמוֹ: כִּי־פָקַד יהוה אֶת־חַנָּה וַתַּהַר וַתֵּלֶד שְׁלֹשָׁה־
כב בָנִים וּשְׁתֵּי בָנוֹת וַיִּגְדַּל הַנַּעַר שְׁמוּאֵל עִם־יהוה: וְעֵלִי זָקֵן מְאֹד וְשָׁמַע
אֵת כָּל־אֲשֶׁר יַעֲשׂוּן בָּנָיו לְכָל־יִשְׂרָאֵל וְאֵת אֲשֶׁר־יִשְׁכְּבוּן אֶת־הַנָּשִׁים הַצֹּבְאוֹת
כג פֶּתַח אֹהֶל מוֹעֵד: וַיֹּאמֶר לָהֶם לָמָּה תַעֲשׂוּן כַּדְּבָרִים הָאֵלֶּה אֲשֶׁר אָנֹכִי שֹׁמֵעַ

רש"י

(יט) ומעיל קטן תעשה לו אמו. משנה לשנה: **(כ) וברך עלי.** לשון הוה הוא, מברכו היה בכל שנה: **תחת השאלה אשר שאל.** לו כן, ואמר לו ישם ה' לך זרע וגו', יהי רצון שכל בנים שיהו לך, יהו מן הלקחת הזו, והרי זה מקרא מסורס: **(כב) אשר ישכבון.** כמשמעו. ורבותינו אמרו (יומא ט, ב), מתוך ששהו את קיניהן, והם היו ממתינות עד שתראו קיניהן קריבין, מעלה עליהם כאלו שכבום:

רד"ק

(יח) משרת את פני ה'. למה כתב זה והלא אמר למעלה (פסוק יא) מְשָׁרֵת אֶת ה', אלא לפי שספר בגנות עלי ספר בשבח שמואל, שלא למד ממעשיהם להתעסק באכילה ובשתייה ובתענוג העולם, אלא משרת את פני ה', ומה היתה עבודתו היה מתעסק בתלמוד תורה ולדעת את ה', וללמוד את עבודת הלויים בשיר בפה ובכלי, וכל זה הוא עבודת ה': **חגור אפוד בד.** תרגם יונתן כַּרְדוּט דְבוּץ, ותרגם כִּי כֵן תִּלְבַּשְׁנָה בְנוֹת הַמֶּלֶךְ הַבְּתוּלֹת מְעִילִים (לקמן־ב יג, יח) כַּרְדוּטִין, ותרגם וּמְעִיל קָטֹן (לקמן פסוק יט) כמשמעו זְעִיר, דומה לי כי המעיל נעשה בתכונות שונות, יש מעיל לעטיפה וכן מעיל שמואל, שנאמר וְהוּא עֹטֶה מְעִיל (פרק כח, יד) וכן היה מעיל כהן גדול הבגד העליון שהיה עוטה אותו, והמעיל שהיו בנות המלך לובשות היה מלבוש עשוי בתכונת מלבושי הנשים, וכן האפוד עשוי בתכונות שונות, של כהן גדול היה עשוי בתכונה הכתובה בתורה, ואפוד של פשתן היו חוגרים אותו העובדים את ה', והיו משתנים בו משאר בני אדם, ואותו היו חוגרים בין כהן בין לוי בין ישראל, כמו שכתוב בכהנים וימת ביום ההוא שמנים וחמשה איש נֹשֵׂא אֵפוֹד בָּד (לקמן כב, יח), וכן בשמואל שהיה לוי חגור אפוד בד, וכן דוד כשהיה בעבודת האל לפני הארון חגור אפוד בד, כמו שכתוב וְדָוִד חָגוּר אֵפוֹד בָּד (לקמן־ב ו, יד): **(יט) ומעיל קטן תעשה לו.** המעיל שהיה עוטהו בעומד לכבוד היום, ובאמרו קָטֹן כלומר במדתו, והוצרך לומר זה כי לא היה מנהגם לעטות מעיל אלא הגדולים, אבל הקטנים לא, וזה מרוב אהבתה אותו וכי היה משרת את פני ה' עשתה לו מעיל, ולא היתה מניחתו אצלו כדי שלא יעטה אותו בימי החול אלא ממועד למועד לכבוד היום, והוא היה נער ולא היה נשמר מלעטותו, לפיכך היתה מעלה אותו לו במועד ומחזירה אותו עד מועד אחר: **תעשה.** כמו עשתה ורבים כמוהו או אמר תעשה כי לא עשתה לו מעיל אחד לבד אלא כמו שהיה הולך וגדל כן תעשה לו כמדתו מעיל: **והעלתה.** נפתחו הה"א והעי"ן להקל על קריאתה, וקריאת המלה מלרע כי הטעם בתי"ו: **(כ) וברך.** כן היה עושה בכל זמן שהיו עולים היה מברך אותם, ואומר להם שישים ה' להם זרע שיהיו עמהם, כי שמואל כבר נתנוהו לה' ותחתיו יתן להם זרע, וזהו תַּחַת הַשְּׁאֵלָה אֲשֶׁר שָׁאַל, כל אחד מהם אלקנה ואשתו, והשאלה הוא שמואל ולַה' כמו מה', או יהיה פירושו תחת השאלה אשר שאלו, כי כבר נתנוהו לה' והיו צריכין לבנים אחרים שיגדלו עמהם וישרתום לעת זקנתם, ויונתן תרגם זֶרַע, בְּנִין כַּשְׁרִין: **למקומו.** ולא אמר למקומם, נראה כי הרמתה היתה מקומו ולא מקומה, כי חנה היתה משפחתה מעיר אחרת: **(כא) כי פקד.** טעם למה שאמר והלכו למקומו כלומר הלכו בטוחים בברכת עלי שברכם, וכן היה להם כי פקד ה' אותה: **עם ה'.** משמש כתרגומו מְשַׁמֵּשׁ קֳדָם ה': **(כב) זקן מאד.** אמר זה להודיע כי עלי לא היה משמש בכהונה מרוב זקנותו, לפיכך היו עושין בניו מה שהיו עושים בדברי הכהונה, ואף על פי שכהן אינו נפסל בשנים, אם הזקין בשנים הרבה שירתת הוא נפסל, על עלי נאמר זקן מאד מלמד שהגיע לעת הרתת: **ישכבון.** כמשמעו, ויש מרבותינו זכרונם לברכה שפירשוהו שלא כמשמעו, ואמרו שלא היו שוכבין עמהם, אלא על ידי שהיו מעלות קרבניהון לשילה, והיו הם משהים אותן ומלינים אותם חוץ לבתיהם לילה אחת, מעלה עליהם הכתוב כאילו שכבום: **הצבאות.** הנשים היולדות הבאות לשילה בקרבן כמו שכתוב בתורה (ויקרא יב, ו) שהיולדות צריכות קרבן, ונקראו בלשון צבא, וכן בלויים הבאים לעבודת אהל מועד אמר לִצְבֹא צָבָא (במדבר ח, כד), לפי שהבאים לעבודת האל לביתו באים צבא וחיל שנאספין מזה ומזה לבא שם, וכן הנשים היולדות נאספות להביא קרבנותיהן לפיכך אמר הַצֹּבְאוֹת, וכן אמר בְּמַרְאֹת הַצֹּבְאֹת (שמות לח, ח) והתרגום בשניהן דְאַתְיָין לְצַלָּאָה, ומה שאמר בשניהם פֶּתַח אֹהֶל מוֹעֵד, לפי שלא היו נכנסות הנשים באהל מועד, וקרא בית ה' אשר בשילה, אהל מועד, לפי שלא היה עליו תקרה אלא היריעות מלמעלה:

מצודת דוד

(יח) ושמואל משרת וכו'. ולא למד ממעשיהם: **את פני ה'.** ולמעלה אמר את פני עלי, להגיד שלאחר שגדל, לא הוצרך עוד לעלי להורותו: **נער.** רוצה לומר עם שהיה עדיין נער, היה חגור אפוד בד, כדרך החשובים עובדי ה': **(יט) מימים ימימה.** בכל שנה ושנה העלתה לו מעיל חדש, לפי צורך גופו שגדל בכל שנה ושנה: **זבח הימים.** מה שרגיל לזבוח בכל שנה: **(כ) וברך עלי.** בראותו את שמואל הולך וגדל בעבודת ה', ברך את אלקנה אביו ואת אשתו, שישים ה' לו עוד זרע ממנה, ויהיה כשמואל: **תחת.** בעבור זכות השאלה אשר כל אחד מכם שאלו לה', כמו שכתוב למעלה הוּא שָׁאוּל לַה' (א, כח), בשכר זה יהיה לכם עוד זרע: **והלכו למקומו.** מיד אחר ברכת עלי, ולא שהו שם עוד, שלא לבטל מפריה ורביה, כי אכסניא אסור בתשמיש המטה (כתובות סה, א), ובטוחים היו בברכת עלי שיהיה להם עוד זרע: **(כא) כי פקד ה'.** רוצה לומר, וכאשר ברך כן היה, כִּי פָקַד ה' וכו': **ויגדל הנער שמואל.** רוצה לומר, אולם לבד שמואל היה הלוך וגדל עם ה' ובביתו, ולא כן אחיו, כי גדלו עם אביהם ולא הגיעו למעלת שמואל: **(כב) ועלי זקן מאד.** אמר זה, להצדיק מעט את עלי על מה שלא היה מייסר את בניו, כי בעבור שהזקין ותש כחו, לא היה יכול לייסרם מעתה: **לכל ישראל.** לקחת מבשר הזבח בחזקה: **ואת אשר ישכבון וכו'.** רוצה לומר היו מתעצלים בהקרבת קני היולדות והזבות הבאות בצבא רב אל אהל מועד, והיו ממתינות על הקרבתן, ולא חזרו לשמש את ביתם, ושכבו במקום בואן, אם כן הם היו משכיבין אותן במקום בואן, ולחטא יחשב להם, על שבטלו בעליהן מפריה ורביה: **(כג) את דבריכם.** מה שמדברים עליכם דברים רעים:

מצודת ציון

(יח) אפוד. מלבוש, דומה קצת לאפוד של כהן גדול, ויחגרו בו עובדי ה' להשתנות משאר בני אדם, וכן נאמר בדוד כשהלך לפני הארון וְדָוִד חָגוּר אֵפוֹד בָּד (שמואל־ב ו, יד): **בד.** פשתן: **(יט) ומעיל.** מלבוש דומה קצת למעיל של כהן גדול: **(כא) פקד.** ענין זכרון והשגחה: **(כב) ישכבן.** רצה לומר משכיבין: **הצבאות.** מלשון צבא, ורצה לומר, הרבה כאחת:

---

verse criticizes them very harshly, as if they, too, were contemptuous of the offerings. They are blamed for the sinful behavior of the attendants because they were complicit in the desecration. Indeed, *R' Yonah* (*Shaarei Teshuvah* 4:16) writes that their sin was disrespect for the offerings [by letting the attendants take their share before that of the Altar].

Eli blesses Hannah

[18]Samuel was serving before HASHEM *— a lad girded with a linen robe. [19]His mother would make him a small robe and bring it up to him from year to year, when she came up with her husband to slaughter the annual offering. [20]Then Eli would bless Elkanah and his wife and say, "May* HASHEM *grant you offspring from this woman," because of the dedication that he dedicated to* HASHEM, *and they would return to [Elkanah's] place. [21]For* HASHEM *had remembered Hannah, and she conceived and gave birth to three sons and two daughters. And the boy Samuel grew up with* HASHEM.

Eli's sons disobey him

[22]Eli became very old. He heard about all that his sons were doing to all of Israel, and that they would lie with the women who congregated at the entrance of the Tent of Meeting, [23]so he said to them, "Why do you do such things? For I hear

18-21. Eli's new blessing

18. **וּשְׁמוּאֵל מְשָׁרֵת אֶת פְּנֵי־ה׳** — *Samuel was serving before* HASHEM. This has been said in verse 11. It is repeated here to draw the sharp contrast with Eli's sons and their attendants. They indulged themselves with food and drink, and put their convenience above that of the people they were supposed to serve, while Samuel devoted himself unselfishly to the service of God (*Radak*).

אֵפוֹד בָּד — *A linen robe.* This was reminiscent of the robe that was worn by the Kohen Gadol, although, of course, it was not the same. Such a robe was worn by people who had attained a degree of prophecy or Divine inspiration, to signify his high spiritual level (*Hil. Klei HaMikdash* 10:13). Although such robes were worn only by adults, Hannah made small ones for the very young Samuel (v. 19) to show her affection for him (*Radak*), and to symbolize her vow that he would devote his life to God.

20. Impressed with the spiritual growth of Samuel, Eli would regularly bless Elkanah and Hannah that they should have other children who would be as elevated as Samuel (*Metzudos*). Attributing Samuel's virtues to the righteous woman whose prayer had been so graciously heeded by God, Eli blessed Elkanah that all his future offspring should be from her (*Abarbanel*).

תַּחַת הַשְּׁאֵלָה — *Because of the dedication,* i.e., because Elkanah and Hannah had "dedicated" their son to God (see 1:28), Eli blessed them with additional children. Alternatively, because they had left themselves without a son to care for them in their old age, Eli's blessing was that God give them children who would remain with them for their time of need (*Radak*).

21. This verse continues the previous one: Elkanah and Hannah went home confident that Eli's blessing would be fulfilled, and their confidence was well placed, because God indeed remembered her with sons and daughters (*Radak*).

וַיִּגְדַּל. . .עִם־ה׳ — *[Samuel] grew up with* HASHEM. The word עִם, *with*, implies a close relationship, as in the final marriage blessing, which concludes with the words מְשַׂמֵּחַ חָתָן עִם הַכַּלָּה, *Who gladdens the groom with the bride*. The use of this word signifies that the marriage ceremony is complete. Thus, by saying that Samuel grew up *with* God, the verse indicates the very high degree of Samuel's spiritual growth.

22-26. Eli's futile admonition. After contrasting the spiritual growth of Samuel with the spiritual decline of Eli's sons, Scripture begins the tragic story of Eli and the defeat by the Philistines. The implication of this passage is that the sins of Hofni and Phinehas did not happen while Eli was healthy enough to function as Kohen Gadol. But when he became elderly [and began to tremble, so that he was no longer permitted to perform the Tabernacle service (*Radak*)], his sons took over and committed the abuses described above (vs. 13-17, as well as the more serious one described in verse 22). He chastised them to no avail. As will be seen below, his admonition was not strict enough to restrain them.

22. The aged Eli was unaware of his sons' sinful activities until he was told about them by others. In addition to their taking of portions to which they were not entitled, this verse tells of another practice that, on the surface seems far worse, as follows:

וְאֵת אֲשֶׁר־יִשְׁכְּבוּן אֶת־הַנָּשִׁים הַצֹּבְאוֹת — *And that they would lie with the women who congregated.* The major commentators give two interpretations. The first follows the plain implication of the verse, that Hofni and Phinehas actually committed immoral acts with the unescorted women who came with offerings. It was common for women to be at the Tabernacle since a woman who gives birth or has experienced certain kinds of bodily discharges must bring offerings to complete the purification process (see *Leviticus* 12:1-8, 15:25-30).

The second interpretation follows the Sages (*Shabbos* 55b, *Yoma* 9a), that they did not actually do anything immoral, but that Scripture speaks of them in such very harsh terms because they were inconsiderate of the women. Instead of performing the service of the women's offerings as quickly as possible so that they could return to normal family life with their husbands, Hofni and Phinehas dawdled and delayed so that many women would have to stay at Shiloh for an extra night. For thus interfering in the relationship between husband and wife, Scripture describes Hofni and Phinehas as major sinners.

Ralbag finds persuasive support for the interpretation of the Sages in verse 29. There, a prophet castigates them for abusing the offerings, but makes no mention of immoral behavior. Clearly, contends *Ralbag*, the implication of adultery is figurative, not literal.

The reason for their laxity with the women's offerings was that these offerings were birds, from which the Kohen

כד אֶת־דִּבְרֵיכֶם רָעִים מֵאֵת כָּל־הָעָם אֵלֶּה: אַל בָּנָי כִּי לוֹא־טוֹבָה הַשְּׁמֻעָה אֲשֶׁר
כה אָנֹכִי שֹׁמֵעַ מַעֲבִרִים עַם־יהוה: אִם־יֶחֱטָא אִישׁ לְאִישׁ וּפִלְלוֹ אֱלֹהִים וְאִם לַיהוה
יֶחֱטָא־אִישׁ מִי יִתְפַּלֶּל־לוֹ וְלֹא יִשְׁמְעוּ לְקוֹל אֲבִיהֶם כִּי־חָפֵץ יהוה לַהֲמִיתָם:
כו וְהַנַּעַר שְׁמוּאֵל הֹלֵךְ וְגָדֵל וָטוֹב גַּם עִם־יהוה וְגַם עִם־אֲנָשִׁים:
כז וַיָּבֹא אִישׁ־אֱלֹהִים אֶל־עֵלִי וַיֹּאמֶר אֵלָיו כֹּה אָמַר יהוה הֲנִגְלֹה נִגְלֵיתִי אֶל־
כח בֵּית אָבִיךָ בִּהְיוֹתָם בְּמִצְרַיִם לְבֵית פַּרְעֹה: וּבָחֹר אֹתוֹ מִכָּל־שִׁבְטֵי יִשְׂרָאֵל לִי
לְכֹהֵן לַעֲלוֹת עַל־מִזְבְּחִי לְהַקְטִיר קְטֹרֶת לָשֵׂאת אֵפוֹד לְפָנָי וָאֶתְּנָה לְבֵית
כט אָבִיךָ אֶת־כָּל־אִשֵּׁי בְּנֵי יִשְׂרָאֵל: לָמָּה תִבְעֲטוּ בְּזִבְחִי וּבְמִנְחָתִי אֲשֶׁר צִוִּיתִי

רש״י

(כד) אשר אנכי שמע מעברים עם ה׳. שמועה שעם ה׳ מעבירים עליכם, לשון וַיַּעֲבִירוּ קוֹל בַּמַּחֲנֶה (שמות לו, ו), מוציאים עליכם קול שמועה לא טובה: **(כה) ופללו.** לשון משפט, כמו וְנָתַן בִּפְלִלִים (שם כא, כב): **אלהים.** דיין: **כי חפץ ה׳ להמיתם.** שכבר נחתם גזר דין, אבל קודם שנחתם גזר דין, נאמר כִּי לֹא אֶחְפֹּץ בְּמוֹת הַמֵּת (יחזקאל יח, לב): **(כז) ויבא איש אלהים.** זה אלקנה (מדרש שמואל ה, א): **הנגלה נגליתי אל בית אביך.** מכאן שנתנבא אהרן במצרים, ומה היא הנבואה, הוא שנאמר וָאֹמַר אֲלֵהֶם אִישׁ שִׁקּוּצֵי עֵינָיו הַשְׁלִיכוּ וּבְגִלּוּלֵי מִצְרַיִם אַל תִּטַּמָּאוּ (שם כ, ז): **הנגלה נגליתי.** הידעתם כי הטובה הזאת והגדולה הזאת נתתי לאהרן:

רד״ק

(כג) העם אלה. הבאים לזבוח, גם בני העיר שילה: **(כד) מעברים עם ה׳.** שאתם מעבירים עם ה׳ מלבא באהל מועד מפני החמס שאתם עושים להם בקרבנותיהם, ויונתן תרגם דְּרַנְנִין עַמָּא דַה׳, כלומר מעבירים עם ה׳ קול עליכם ומרננים אחריכם: **(כה) ופללו אלהים.** ישפטנו הדיין, ויונתן תרגם אִם יֵחוֹב גְּבַר לִגְבַר הֲלָא יֵיתוּן לָקֳדָם דַּיָּנָא וְיִשְׁמַע מִלֵּיהוֹן וְיַפְלֵי בֵּינֵיהוֹן, נראה כי פירש פללו מתרגום וּבִעַרְתָּ (דברים יג, ו) וּתְפַלֵּי: **מי יתפלל לו.** מי יתפלל בעבורו, כלומר מי יכנס למשפט בעבורו עם השם יתברך, ויש לפרשו לשון תפלה ובקשה, על דעת יונתן שתרגמו כן מִמָּן יִבְעֵי וְיִשְׁתְּבֵיק לֵיהּ: **כי חפץ ה׳ להמיתם.** על דרך הַשְׁמֵן לֵב הָעָם הַזֶּה (ישעיהו ו, י), ואמר עַד אֲשֶׁר אִם שָׁאוּ עָרִים (שם שם יא) וכן וַיְחַזֵּק ה׳ אֶת לֵב פַּרְעֹה (שמות ט, יב) וכן כִּי הִקְשָׁה ה׳ אֱלֹהֶיךָ אֶת רוּחוֹ וְאִמֵּץ אֶת לְבָבוֹ (דברים ב, ל), והטעם כי כשיגדיל האדם לחטוא ימנע האל ממנו דרכי התשובה כדי שיקבל עונשו והנשארים יראו וייראו, אבל הרשע שלא הרבה לחטוא יפתחו לו דרכי התשובה אם רוצה לשוב, ועליו נאמר כִּי לֹא אֶחְפֹּץ בְּמוֹת הַמֵּת... הָשִׁיבוּ וִחְיוּ (יחזקאל יח, לב), ואפילו ירבה הרשע לחטוא, אם שב אל ה׳ בכל לבבו, ומראה לבני אדם גם כן תשובתו שלימה, ואוחז הדרך הטובה בכל נפשו ובכל מאודו, באמת תקובל תשובתו שלימה ויהיה לו סיוע אלהי בתשובה, אבל בוחן לבבות יודע האמת וראה בבני עלי כי לא היה לבבם שלם, ואפילו ישמעו לקול אביהם ויסורו מדרכם הרעה ידע כי לא יעשו זה בכל לבב, לפיכך חפץ שלא ישמעו לקול אביהם ויענשו וימותו ברשעם, כדי שיאמרו בני אדם רשעים היו אלה וראוים היו לעונש הזה ויצדיקו עליהם את הדין, ורבותינו (ספרי במדבר מב) הקשו אלה הפסוקים ואמרו כתיב כִּי חָפֵץ ה׳ לַהֲמִיתָם וכתוב כִּי לֹא אֶחְפֹּץ בְּמוֹת הַמֵּת, ותירצו כאן קודם גזר דין כאן לאחר גזר דין: **(כו) הלך וגדל וטוב.** כמו שהיה גדל כן היה מטיב דרכיו, ויונתן תרגם וָטוֹב, וּשְׁמֵיהּ טָב: **גם עם ה׳ וגם עם אנשים.** כתרגומו וְתַקְּנַן אוֹרְחָתֵיהּ קֳדָם ה׳ וּתְרִיצִין עוֹבָדוֹהִי בְּגוֹ בְּנֵי אֱנָשָׁא: **(כז) ויבא איש אלהים.** רבותינו אמרו כי הוא אלקנה אבי שמואל, כי נביא היה והיה מכלל ארבעים ושמנה נביאים שנתנבאו לבני ישראל: **הנגלה.** מקור בתשלומו עם נו״ן נפעל, כמו נִשְׁאֹל נִשְׁאַל דָּוִד (לקמן כ, כח) והה״א לתמיהה, והמפרשים פירשו הה״א לאמת הדבר כפשוטו של ענין, וכן ה״א הֲרָצַחְתָּ וְגַם יָרָשְׁתָּ (מלכים-א כא, יט), ואדוני אבי זכרונו לברכה פירשו לתמיהה והוא קשור עם סוף הענין, וכן הוא אומר (פסוקים כז-כט) הֲנִגְלֹה נִגְלֵיתִי אֶל בֵּית אָבִיךָ ובחור אותי כדי שתבעטו בזבחי ובמנחתי, לָמָּה תִבְעֲטוּ בְּזִבְחִי והנכון בעיני כי תצא זאת הה״א לתחלת הדברים לשמוע התשובה, ואף על פי שהדבר ידוע, וכן במלות השאלה כמו אֵי הֶבֶל אָחִיךָ (בראשית ד, ט) וַיֹּאמֶר לוֹ אַיֶּכָּה (שם ג, ט) מַה זֶּה בְיָדֶךָ (שמות ד, ב) מַה לְּךָ פֹה אֵלִיָּהוּ (מלכים-א יט, יג) מַה לְּךָ הַיָּם (תהלים קיד, ה) וכן הה״א שהיא לשאלה גם כן כמו הֲנִגְלֹה נִגְלֵיתִי, וכן הֲרָצַחְתָּ וְגַם יָרָשְׁתָּ, הֲמִן הַסֶּלַע הַזֶּה (במדבר כ, י) הֲרָאִיתָ כִּי נִכְנַע אַחְאָב (מלכים-א כא, כט): **אל בית אביך.** אהרן ומשה שהיו נביאי ה׳ במצרים: **לבית פרעה.** כתרגומו וּמְשַׁעְבְּדִין לְבֵית פַּרְעֹה: **(כח) לעלות על מזבחי.** משפטו להעלות מבנין הפעיל כלומר להעלות עולות: **(כט) למה תבעטו בזבחי.** כי המבוזה הדבר בועט בו ברגליו, כך אתם תבזו הזבח והמנחה שתראו שאינם באים הזבחים והמנחות אלא להבריאכם, והנה זה בזיון הקדשים וכאילו תבעטו בהם ותרחיקום, כי בעבורכם נמנעים ישראל מלהביא:

מצודת דוד

מאת כל העם. מוסב למעלה, לומר, אשר אנכי שומע מֵאֵת כָּל הָעָם אֵלֶּה, והם הבאים לזבוח: **(כד) אל בני.** אל תעשו מעתה כדברים האלה: **כי לא טובה וכו׳.** השמועה שאני שומע מה שעם ה׳ מוציאים עליכם קול, הנה לא טובה היא, ולחטא יחשב, ולזה מנעו עצמכם מלעשותם עוד: **(כה) אם יחטא וכו׳.** ורוצה לומר, ומה כשהאדם חוטא לחבירו, שקובל הוא לפני השופט ועושה משפט, ולא היה אם כן נספה בלא משפט, ועם כל זאת שופטו גם אלהים, אם הטעה את השופט ויצא המשפט מעוקל: **ואם לה׳.** רוצה לומר, ומכל שכן כשהאדם חוטא לה׳, וכי מי הוא אשר ישפוט את החוטא, הלא בודאי הוא בעצמו שופט משפטו, ואיך לא תיראו מפניו אם הוא הבעל דין והדיין: **כי חפץ ה׳ להמיתם.** על כי הרבו לפשוע, ולזה חיזק לבבם: **(כו) הלך וגדל.** בחכמה וביראת ה׳: **וגם עם אנשים.** שהיתה דעתו מעורבת עם הבריות ומקובל להם, וסמכו כאן, לומר שהיה מקובל גם לבני עלי, ולא חשדוהו שהוא הוא המביא דבתם רעה אל אביהם: **(כז) איש אלהים.** אמרו רבותינו זכרונם לברכה (ספרי וזאת הברכה פיסקא שמב), שהוא אלקנה אבי שמואל: **הנגלה נגליתי.** רוצה לומר, אם האמת הוא אשר נגלה נגליתי וכו׳, רוצה לומר, הלא ידוע הוא לכל: **אל בית אביך.** זה אהרן, שניבא במצרים וָאֹמַר אֲלֵהֶם אִישׁ שִׁקּוּצֵי עֵינָיו וכו׳ וּבְגִלּוּלֵי מִצְרַיִם וכו׳ (יחזקאל כ, ז) (שמות רבה ג, טז): **לבית פרעה.** תרגום יונתן, וּמְשַׁעְבְּדִין לְבֵית פַּרְעֹה: **(כח) ובחר אתו.** עוד היטבתי עמו שבחרתיו לכהן לי: **(כט) למה תבעטו.** רצה לומר, ואם אמנם כל הטובות האלה עשיתי עם בית אביך, למה תבעטו אתם בזבחי, וכי זו היא הגמול:

מצודת ציון

(כד) מעברים. ענין הוצאות קול, כמו וַיַּעֲבִירוּ קוֹל בַּמַּחֲנֶה (שמות לו, ו): **(כה) ופללו, יתפלל.** ענין משפט, כמו וְנָתַן בִּפְלִלִים (שם כא, כב): **(כז) הנגלה.** היא בה״א השאלה: **(כח) לעלות.** להעלות: **אשי.** הם מתנות כהונה, שהמה מותר מאש המזבח: **(כט) תבעטו.** הוא ענין בזיון, והמשיל לבהמה הבועטת ברגליה, וכן וַיִּשְׁמַן יְשֻׁרוּן וַיִּבְעָט (דברים לב, טו):

received only a very small share, so the attendants gave priority to the offerings that were more "profitable" to them.

23. אֲשֶׁר אָנֹכִי שֹׁמֵעַ. . .מֵאֵת כָּל־הָעָם — *For I hear... from all these people.* In his rebuke, Eli did not say from whom he

of your evil deeds from all these people. [24]*No, my sons! — for the report that I hear* HASHEM*'s people passing on is not good.* [25]*If man sins against man, a judge tries him; but if he sins against* HASHEM*, who can speak in his defense?" But they would not listen to their father's voice, for* HASHEM *desired to kill them.* [26]*But the boy Samuel kept growing and improving, both with* HASHEM *and with people.*

Prophetic judgment against Eli

[27]*A man of God came to Eli and said to him: Thus said* HASHEM*, "Did I not appear to your ancestor's family when they were in Egypt [enslaved] to the house of Pharaoh,* [28]*and choose him from among all the tribes of Israel to be a Kohen to Me, to ascend My altar, to burn incense, to wear an Ephod before me; and [didn't] I give your ancestor's family all the fire-offerings of the Children of Israel?* [29]*Why do you scorn My sacrifice and My meal-offering which I have commanded [to be brought in My]*

---

heard of their *evil deeds;* he said generally that he heard of it *from all these people.* This teaches proper conduct: When one hears a good report about someone, he should tell the subject from whom he heard it, but if it is a critical report, he should tell the subject about it without naming a source (*Midrash Shmuel* 7).

24. **כִּי לוֹא טוֹבָה הַשְּׁמֻעָה** — *For the report ... is not good.* Even if the allegations are not true, the report is not good, because it is a desecration of God's Name (*Malbim*).

The Gerrer Rebbe, the *Beis Yisrael*, once reprimanded a disciple who was the subject of shameful rumors. The disciple protested that the charges were not true, to which the Rebbe exclaimed, "Should it even be true!" His point, like Eli's, was that a Jew's behavior should be above reproach.

25. **אִם־יֶחֱטָא אִישׁ לְאִישׁ וּפִלְלוֹ אֱלֹהִים** — *If man sins against man, a judge tries him.* "If a person wrongs his fellow, then the two parties will go to the court, which will hear their case and try to work out a settlement. But if one sins against God, who will entreat God on his behalf?" (*Targum Yonasan*). Only repentance and good deeds can earn God's forgiveness (*Yoma* 87a). Eli was telling his sons that he cannot protect them or intercede for them.

כִּי חָפֵץ ה׳ לַהֲמִיתָם — *For* HASHEM *desired to kill them*, because they did not repent from their sins (*Niddah* 70b); or because their verdict had already been sealed (*Rashi).*

When repentance can be withheld. The verse implies that God would not permit them to repent even if they had wanted to, a judgment that seems to contradict the principle that man has free-will, and that God forces neither virtue nor sin upon people. With reference to Pharaoh, whose heart God hardened in Egypt during the course of the Ten Plagues, *Rambam* (*Hil. Teshuvah* 6:3) explains that sometimes people sin so frequently and egregiously that God removes from them the possibility of repentance so that they will be punished for their sins. Pharaoh had squandered his opportunity to repent. His oppression of the Jews was so unjustifiably severe — and his stubbornness in refu-sing to submit after the first five plagues so indicative of the depth of his evil — that he forfeited his chance to repent. Therefore God "hardened his heart" [see *Exodus* 10:1] so that he would continue his denial and be destroyed. *Radak* employs the same principle to explain the case of Eli's sons. They had sinned for so long and so profusely that God closed the gates of repentance so that they would ignore their father's plea.

Ralbag suggests that God impeded their repentance because they refused to accept rebuke. See *Rambam,* ibid. 4:2.

26. In sharp contrast with Eli's sons, the young Samuel continuously grew in piety and stature, even though he was growing up in the declining environment of their leadership of the Tabernacle. Samuel grew in the esteem of both God and people, because a God-fearing person should consider the effect of his deeds on his fellows (*Avos* 2:1). Often one may conduct himself with scrupulous regard for the halachah, but with disregard for the effect his deeds have on others. Or one may neglect his duty toward God in order to please people. Both courses are wrong. As the Mishnah teaches, a Jew must choose behavior that is pleasing to *both* God and men, as exemplified by Samuel.

27-36. Eli's family is cursed. The sins of Hophni and Phinehas, and Eli's failure to show sufficient strength in dealing with them, exhausted God's patience, as it were. He sent a prophet, identified as Elkanah (*Rashi*) or Phinehas (*Ralbag*), to tell Eli that the shortcomings of his family had reached the point of no return, that they had abused the sanctity of their position as His surrogates of the *sanctuary*.

Even though Eli was a prophet, God sent the message through Elkanah because Eli's spirit of prophecy may have declined in his old age (*Ralbag*). Or the sinfulness of his sons may have caused Eli to lose the privilege of prophecy.

27-28. The sins of Eli's family are measured in proportion to the exalted status they had been granted. It began when God chose Aaron to lead the nation in Egypt to exhort them to refrain from the idolatry of their masters. Then, in the Wilderness, He elevated Aaron's family to be His priests and perform the service of the sanctuary. Surely this placed a great responsibility on Eli and his family, the heirs of Aaron, and made their brazen behavior all the more unacceptable.

29. **לָמָּה תִבְעֲטוּ** — *Why do you scorn.* In speaking of the sins of Hophni and Phinehas, the prophet rebuked Eli in the second person plural, because his failure to rebuke his sons adequately made him a partner in their misdeeds, although this did not excuse their behavior; men of their stature should have responded even to Eli's mild remonstrance.

מָעוֹן וַתְּכַבֵּד אֶת־בָּנֶיךָ מִמֶּנִּי לְהַבְרִיאֲכֶם מֵרֵאשִׁית כָּל־מִנְחַת יִשְׂרָאֵל לְעַמִּי:
ל לָכֵן נְאֻם יהוה אֱלֹהֵי יִשְׂרָאֵל אָמוֹר אָמַרְתִּי בֵּיתְךָ וּבֵית אָבִיךָ יִתְהַלְּכוּ לְפָנַי עַד־
לא עוֹלָם וְעַתָּה נְאֻם־יהוה חָלִילָה לִּי כִּי־מְכַבְּדַי אֲכַבֵּד וּבֹזַי יֵקָלּוּ: הִנֵּה יָמִים בָּאִים
לב וְגָדַעְתִּי אֶת־זְרֹעֲךָ וְאֶת־זְרֹעַ בֵּית אָבִיךָ מִהְיוֹת זָקֵן בְּבֵיתֶךָ: וְהִבַּטְתָּ צַר מָעוֹן
לג בְּכֹל אֲשֶׁר־יֵיטִיב אֶת־יִשְׂרָאֵל וְלֹא־יִהְיֶה זָקֵן בְּבֵיתְךָ כָּל־הַיָּמִים: וְאִישׁ לֹא־
אַכְרִית לְךָ מֵעִם מִזְבְּחִי לְכַלּוֹת אֶת־עֵינֶיךָ וְלַאֲדִיב אֶת־נַפְשֶׁךָ וְכָל־מַרְבִּית
לד בֵּיתְךָ יָמוּתוּ אֲנָשִׁים: וְזֶה־לְּךָ הָאוֹת אֲשֶׁר יָבֹא אֶל־שְׁנֵי בָנֶיךָ אֶל־חָפְנִי וּפִינְחָס

רש"י

(כט) אשר צויתי מעון. אשר צויתי במעוני: **להבריאכם מראשית וגו'.** הרי זה מקרא מסורס, ותכבד את בניך ממני לעמי, לעיני עמי כבדת את בניך ממני, ומהו הכבוד, להבריאכם מראשית כל מנחת ישראל, קדמה סעודתכם לסעודתי, כמה שנאמר גַּם בְּטֶרֶם יַקְטִרוּן אֶת הַחֵלֶב וגו' (לעיל פסוק טו). להבריאכם לשון סעודה, כמו תָּבֹא נָא תָמָר אֲחוֹתִי וְתַבְרֵנִי לֶחֶם (שמואל-ב יג, ה): **לעמי.** מוסב על וַתְּכַבֵּד אֶת בָּנֶיךָ מִמֶּנִּי, הראיתם לעמי שאתם נכבדים ממני, ובמה הראיתם, להבריאכם מראשית מנחתי: **(ל) אמור אמרתי.** שני פעמים פסקתי גדולה לבני איתמר, בבני גרשון ובבני מררי נאמר בְּיַד אִיתָמָר בֶּן אַהֲרֹן הַכֹּהֵן (במדבר ד כח, לג), ועלי מבני איתמר היה, זו ראיתי במדרש שמואל (ח, ג). ולשון הגו"ן מז"ה שמעת"י. אמור אמרתי ביתך ובית אביך וגו' מתחלה נתתי כהונה גדולה לאלעזר הכהן, שנאמר וְהַפְשֵׁט אֶת אַהֲרֹן אֶת בְּגָדָיו וגו' (שם כ, כו), ובימי פלגש שפקרו ישראל ברוב המצות, ומי גרם להם, פנחס וכיוצא בו, שהיה להם לסבב מעיר אל עיר ולהוכיחם, נטלתי הכהונה גדולה מהם ונתתיה לך, שמבני איתמר אתה, ואמרתי יתהלכו לפני עד עולם, שכשפוסקין לו גדולה לאדם, פוסקין לו ולדורותיו עד עולם: **כי מכבדי אכבד.** את בני פנחס, שכבד אותי בשטים (שם פרק כה, יא), וכן היתה בימי שלמה, כשנבנה בית המקדש וַיְגָרֶשׁ שְׁלֹמֹה אֶת אֶבְיָתָר מִהְיוֹת כֹּהֵן לַה' (מלכים-א ב, כז), כדבר ה' אשר דבר אל בית עלי, ונעשה צדוק כהן גדול תחתיו, שהיה מבני פנחס, שכן נתייחסו בדברי הימים (-א ו, לח): **ובזי יקלו.** מאליהם, משאסתלק מהם: **(לא) וגדעתי את זרעך.** החוזק שיש לכם בביתי, שאתם אומרים ואם לא לקחתי בחזקה: **(לב) והבטת צר מעון.** וראית צרתך בלכך בתוך מעוני, כאשה הרואה צרתה עמה בבית: **בכל אשר ייטיב את ישראל.** כשיבנה בית עולמים בימי שלמה, ותהא טובתם של ישראל שלימה, כמה שנאמר שם לֹא נָפַל דָּבָר אֶחָד מִכֹּל דְּבָרוֹ הַטּוֹב (מלכים-א ח, נו), יְהוּדָה וְיִשְׂרָאֵל רַבִּים כַּחוֹל אֲשֶׁר עַל הַיָּם וגו' (שם ד, כ). וַיֵּשֶׁב יְהוּדָה וְיִשְׂרָאֵל לָבֶטַח אִישׁ תַּחַת גַּפְנוֹ וְתַחַת תְּאֵנָתוֹ וגו' כֹּל יְמֵי שְׁלֹמֹה (שם ה, ה): **ולא יהיה זקן בביתך.** מדה כנגד מדה, אתם אכלתם קדשים לפני זמנן, בְּטֶרֶם יַקְטִרוּן אֶת הַחֵלֶב (לעיל פסוק טו), אף אתם תמותון בלא זמן: **(לג) ולאדיב.** כמו ולדאיב: **ימותו אנשים.** בחורים, איני דומה אבלו של בחור, לאבלו של תינוק: **(לד) וזה לך האות.** שיתקיים הדבר, ביום אחד ימותו שני בניך, והיא תהיה לך אות שיתקיים כל הפורענות שנאמר לך, וְהִבַּטְתָּ צַר מָעוֹן (פסוק לב), וְכָל מַרְבִּית בֵּיתְךָ יָמוּתוּ אֲנָשִׁים (פסוק לג):

רד"ק

אשר צויתי מעון. כלומר במעוני, וכן הַנִּמְצָא בֵּית ה' (שם-ב טז, ח) כמו בבית ה': **ותכבד.** שלא גערת בהם ולא מנעתם מעשות הרעות: **להבריאכם.** ולא אמר להבריאם, כי אי אפשר שלא היה עלי אוכל ממה שהיו בניו אוכלים, ופירוש להבריאכם להשמינכם וכן וְעֶגְלוֹן אִישׁ בָּרִיא מְאֹד (שופטים ג, יז): **לעמי.** הלמ"ד כלמ"ד הָרְגוּ לְאַבְנֵר (לקמן-ב ג, ל) וְהַשְּׁלִשִׁי לְאַבְשָׁלוֹם (דברי הימים-א ג, ב): **(ל) אמור אמרתי.** במדרש מתחילה נתתי כהונה לאלעזר הכהן ובניו, שנאמר וְהִלְבַּשְׁתָּם אֶת אֶלְעָזָר בְּנוֹ (במדבר כ, כו) ובימי פלגש בגבעה שפקרו ישראל ברוב המצות, ומי גרם להם פנחס ואלעזר ושאר הכהנים שהיה להם לסבוב מעיר אל עיר ולהוציאם ולא עשו כן, לפיכך נטלתי כהונה גדולה מהם ונתתיה לך שאתה מבני איתמר, ואמרתי שיתהלכו ביתך ובית אביך לפני עד עולם, עתה חָלִילָה לִּי כִּי מְכַבְּדַי אֲכַבֵּד, בני פנחס שכבד אותי בשטים: **ובזי יקלו.** שנאמר וַיְגָרֶשׁ שְׁלֹמֹה אֶת אֶבְיָתָר מִהְיוֹת כֹּהֵן וגו' כדבר ה' אשר דבר אל בית עלי (מלכים-א ב, כז) ונעשה צדוק כהן גדול שהיה מבני פנחס, חלילה לי שיתהלכו הם לפני כי אחר שהם בוזי דין הוא שיקלו, ועל זרע עלי אמר זה ולא על שאר הכהנים, אף על פי שאמר מתחלה ביתך ובית אביך ובכלל בית אביך שאר הכהנים, כמו שאמר נגליתי לבית אביך והוא אהרן הכהן הוא ובניו שחטאו בכהונה סילק מהם כבוד הכהונה וברית הכהונה, וכבוד הכהונה הוא להיות כהן גדול ולא היה בזרעו כהן גדול אלא טפל לאחרים, כמו שאמר סְפָחֵנִי נָא (פסוק לו) וברית הכהונה החיים והשלום כמו שאמר לפנחס הִנְנִי נֹתֵן לוֹ אֶת בְּרִיתִי שָׁלוֹם (במדבר כה, יב) ואמר בְּרִיתִי הָיְתָה אִתּוֹ הַחַיִּים וְהַשָּׁלוֹם (מלאכי ב, ה) ועל זרע עלי אמר וְכָל מַרְבִּית בֵּיתְךָ יָמוּתוּ אֲנָשִׁים (פסוק לג) הפך הברית, כמו שהם חללו הברית וכבוד הכהונה: **יקלו.** ענין קלון, ולהבדיל הענין בא קל הקו"ף, ונדגשת קו"ף יִקַּלּוּ רֹדְפֵיכֶם (ישעיהו ל, טז) שהוא ענין קלות, ושניהם מבנין נפעל מפעלי הכפל, ואמר יֵקָלּוּ ולא אמר אקל כמו שאמר אֲכַבֵּד, כי הם יקלו מעצמם בהסתירי פני מהם, ובדרש (מדרש שמואל ח, ג) רבי ירמיה בשם רבי שמואל מצינו שהחמיר הקדוש ברוך הוא בכבודו של צדיק יותר מכבודו, בכבודו של צדיק מה כתיב וּמְקַלֶּלְךָ אָאֹר (בראשית יב, ג), בכבודו של הקדוש ברוך הוא כתיב וּבֹזַי יֵקָלּוּ, יקלו על ידי אחרים: **(לא) הנה ימים באים.** כי לא חלה הקללה על זרע עלי עד שנעשה צדוק כהן גדול: **וגדעתי.** פירוש והכרתי: **זרעך.** חוזק כלומר אורך החיים: **מהיות זקן.** שימותו בחורים, ורבותינו פירשו חכם כמו וְהָדַרְתָּ פְּנֵי זָקֵן (ויקרא יט, לב), רצה לומר שלא יהיה מבית עלי

מצודת דוד

אשר צויתי מעון. להקריב במעוני, וזהו המשכן: **ותכבד.** תעשה כבוד לבניך יותר ממני: **להבריאכם.** להשמין אתכם מֵרֵאשִׁית וכו', ולא תמתינו עד יקטירו החלב, כמו שכתוב למעלה (פסוק טו): **לעמי.** אשר הובא לצורך עמי לרצות להם, ולא להשמין אתכם [ועל שלא הוכיח את בניו כראוי כללו עמהם]: **(ל) ובית אביך.** הם בני איתמר: **יתהלכו לפני.** רצה לומר ישמשו בכהונה גדולה: **כי מכבדי.** מי שהיה מכבד אותי, אכבדו גם אני, רצה לומר, אחזיר שמוש הכהונה (הגדולה) לבני פנחס בן אלעזר, שכיבד אותי בשטים בקנאו את קנאתי (במדבר כה): **ובזי.** הם בני עלי, שביזו את המקום, יקל כבודם, וכן היה בימי שלמה, כי גירש את אביתר מכהן לה', שהיה מזרע עלי (מלכים-א ב, כז), וכיהן צדוק תחתיו (שם פסוק לה), שהיה מזרע פינחס: **(לא) וגדעתי.** אכרית חוזק ממשלתך: **מהיות זקן.** רצה לומר, מושל ושר, כי המושלים והשרים נקראו זקני העם: **(לב) והבטת צר מעון.** רצה לומר, זרעך יראה צרתו במעון, כי יהיה כהן גדול אחר, לא מהם (ובלשון שאלה קראו צר, עם כי לא יהיו בזמן אחד, כי אין כהן גדול

מצודת ציון

מעון. במעון, רצה לומר במשכן מקום מדורי, כמו אָהַבְתִּי מְעוֹן בֵּיתֶךָ (תהלים כו, ח): **להבריאכם.** ענין שומן, כמו וְעֶגְלוֹן אִישׁ בָּרִיא (שופטים ג, יז): **(ל) חלילה.** חולין וגנאי: **יקלו.** הוא הפך הכבוד: **(לא) וגדעתי.** אכרית, כמו וַאֲשֵׁירֵהֶם תְּגַדֵּעוּן (דברים ז, ה): **זרעך.** ענין חוזק, כי החוזק הא בזרוע: **(לב) והבטת.** ענין ראיה והסתכלות: **צר.** כמו ששתי נשים לאיש אחד תקראנה צרות, כמו כן יקראו שני כהנים גדולים זה לזה בלשון צר: **מעון.** במעון: **(לג) לכלות.** המצפה לדבר ואינו בא, קרוי כליון עינים בלשון מקרא: **ולאדיב.** הוא הפוך, כמו ולדאיב, והוא מענין צער ותוגה, כמו וְדַאֲבוֹן נָפֶשׁ (שם כח, סה): **מרבית.** ענין גדול, כמו אֲשֶׁר טִפַּחְתִּי וְרִבִּיתִי (איכה ב, כב):

dwelling place, and you honor your sons more than Me, to fatten yourselves from the choicest parts of all the offerings of Israel, before My people?" [30]*Therefore, [this is] the word of* HASHEM*, God of Israel: "I had indeed said that your family and your father's family would walk before Me forever — but now," — the word of* HASHEM *— "far be it from Me [to do so]; for I honor those who honor Me, and those that scorn Me will be accursed.* [31]*Behold, days are coming when I shall cut off your arm and the arm of your father's family, from there being any old person in your family.* [32]*And you will see a rival [Kohen in My] dwelling place throughout all the good [times] that He will bring upon Israel, but there will be no old men in your family for all time.* [33]*But I will not [completely] cut off any of your men from upon My altar, to make your eyes pine and your soul sad; and all those raised in your house will die as [young] men.* [34]*This [will be] the sign for you: that which will befall your two sons, Hophni and Phinehas*

רד״ק

סמוך בסנהדרין: **(לב) צר מעון.** מעון הוא בית ה׳, ופירוש צר כמו וְכִעֲסַתָּה צָרָתָהּ (לעיל א, ו), כי כמו שתי נשים לאיש אחד צרות זו לזו כן שני כהנים בבית המקדש צרים זה לזה, לפי שכל אחד נוטל חלקו ועינו צרה בשל חבירו, וצר סמוך למעון, או פירושו צר במעון: **בכל אשר ייטיב.** וכל הטוב אשר ייטיב ה׳ את ישראל כשיבנה בית המקדש, זרעך יהיה נקלה שם שיהיה גדול עליהם והם טפלים לאחרים, ויונתן תרגם וּתְהֵא מִסְתַּכֵּל בְּעַקְתָא דְתֵיתֵי עַל אֱנָשׁ בֵּיתָךְ בְּחוֹבִין דְחַבְתּוּן בְּבֵית מִקְדְשִׁי וּבָתַר כֵּן אַיְיתִי טַבְתָא עַל יִשְׂרָאֵל: **(לג) לכלות את עיניך.** רצה לומר עיני בני בניך אשר יהיו בזמן ההוא, וכן וְלַאֲדִיב אֶת נַפְשֶׁךָ, נפש בני בניך שיהיו בזמן ההוא, וזהו כליון עינים שיראו בבית המקדש כהן נגיד עליהם, ויותר גדול יהיה עונש זה משימותו כלן ולא ישאר מהם זכר, לפיכך אמר וְאִישׁ לֹא אַכְרִית לְךָ מֵעִם מִזְבְּחִי, והענין כענין שאמר דוד אל תהרגם פֶּן יִשְׁכְּחוּ עַמִּי הֲנִיעֵמוֹ בְחֵילְךָ וְהוֹרִידֵמוֹ (תהלים נט, יב), כי זה הוא העונש הגדול שיחיו ויראו ברעתם, וכן שאל משה רבינו עליו השלום הָרְגֵנִי נָא הָרֹג... וְאַל אֶרְאֶה בְּרָעָתִי (במדבר יא, טו): **ולאדיב את נפשך.** הפוך מן דאבון נפש, וכן תרגומו וּלְאַפָּחָא נַפְשָׁךְ, וכן תרגם ומדיבות נפש, ומפחן נפש: **וכל מרבית ביתך.** כענין אֲשֶׁר טִפַּחְתִּי וְרִבִּיתִי (איכה ב, כב), טרימינ״ט בלע״ז: **ימותו אנשים.** בחורים וכן תרגם יונתן עוּלֵימִין, וכן בָּא בַאֲנָשִׁים (לקמן יז, יב) באנשים זקנים, כל אחד יתפרש לפי מקומו: **(לד) וזה לך האות.** כשתראה שני בניך ימותו ביום אחד יתברר לך כי העתיד אשר דברתי על בניך יתקיים:

מצודת דוד

כי אם אחד): **בכל אשר ייטיב.** בכל הימים אשר ייטיב ה׳ לישראל להיות המקדש על מכונו, יביט צר במעון: **(לג) ואיש לא אכרית.** מכל וכל מבלי לעבוד מי מהם על המזבח, אלא ישמשו במזבח ויראו ברעתם, להיות להם כליון עינים ודאבון נפש (ועם שאמר לעלי בלשון נוכח ויחידי, על הזרע ידבר, היות כי זרע האדם יחשב כהוא עצמו): **וכל מרבית.** כל גדולי ביתך ימותו אנשים, לא זקנים ולא קטנים, כי אם בחורים, שאבלותם מרובה: **(לד) וזה לך האות.** שיתקיים כל דברי הנבואה: **אשר יבא.** האות, הוא הדבר אשר יבוא אל שני בניך שימותו ביום אחד, ובזה תדע שיתקיים הכל:

וַתְּכַבֵּד אֶת־בָּנֶיךָ מִמֶּנִּי — *And you honor your sons more than Me.* This prophecy came soon after Eli had chastised his sons (vs. 23-25), an illustration of God's patience with sinners. God delayed punishment to give Eli an opportunity to intervene, but his attempt to do so was tepid and unacceptable. So inadequate was it that it was tantamount to giving greater honor to them than to God, thus making Eli a partner in their sins.

30. When Aaron died, he was succeeded as Kohen Gadol by his son Elazar, who was succeeded by his son Phinehas. But in the aftermath of the tragic episode of the concubine of Gibeah (*Judges* 19-21), God held Phinehas responsible for the tragedy because he and the elders had failed to travel from city to city to reprove and elevate the people. Had they raised the moral level of the people, the miscreants of Gibeah would not have acted so abominably. The high priesthood was removed from Phinehas and conferred upon the family of Eli, a descendant of Aaron's second son, Ithamar, where the position should have remained forever, but now Eli forfeited the honor. At first, the position of leadership was shared between the families of Elazar and Ithamar, but King Solomon removed it permanently from Ithamar's family, in fulfillment of this prophecy (*Rashi,* see *I Kings* 2:27).

כִּי־מְכַבְּדַי אֲכַבֵּד — *For I honor those who honor Me.* God's pronouncement is a guide for people: If He honors those who honor Him, surely people should display similar gratitude to those who honor them (*R' Yonah* to *Avos* 4:1).

31-32. God will *cut off your arm,* i.e., the power, that Eli's family had exercised in the Tabernacle. This was measure for measure, since Eli's sons had taken portions of the offerings by force (v. 16). The decree of early death was also measure for measure, because Eli's sons ate the sacrificial meat before it was permitted (*Rashi*).

The Divine curse that Eli's descendants would die young was still in effect in Talmudic times. The Talmud records that individuals could soften the effect of this curse by engaging in Torah study and acts of kindness. Those who did so would be spared, while others were still subject to the curse. Of great Torah sages who were descended from Eli, Rabbah died at 40, but Abaye, who excelled in kindness as well as Torah, lived to 60 (*Rosh Hashanah* 18a).

33. Eli's family would suffer the humiliation of serving in the Temple and seeing others exercise the leadership that should have been theirs (*Radak*). In addition, they would endure the grief of seeing their men die in the prime of life (*Radak*).

34. As is often found in prophetic pronouncements, this one would be confirmed by a *sign,* i.e., a symbolic act or, as in this case, an event that the prophet foretold.

לה בְּיוֹם אֶחָד יָמוּתוּ שְׁנֵיהֶם: וַהֲקִימֹתִי לִי כֹּהֵן נֶאֱמָן כַּאֲשֶׁר בִּלְבָבִי וּבְנַפְשִׁי יַעֲשֶׂה
לו וּבָנִיתִי לוֹ בַּיִת נֶאֱמָן וְהִתְהַלֵּךְ לִפְנֵי־מְשִׁיחִי כָּל־הַיָּמִים: וְהָיָה כָּל־הַנּוֹתָר בְּבֵיתְךָ
יָבוֹא לְהִשְׁתַּחֲוֺת לוֹ לַאֲגוֹרַת כֶּסֶף וְכִכַּר־לָחֶם וְאָמַר סְפָחֵנִי נָא אֶל־אַחַת
ג א הַכְּהֻנּוֹת לֶאֱכֹל פַּת־לָחֶם: וְהַנַּעַר שְׁמוּאֵל מְשָׁרֵת אֶת־יהוה לִפְנֵי
ב עֵלִי וּדְבַר־יהוה הָיָה יָקָר בַּיָּמִים הָהֵם אֵין חָזוֹן נִפְרָץ: וַיְהִי בַּיּוֹם הַהוּא וְעֵלִי שֹׁכֵב
ג בִּמְקֹמוֹ ועינו [וְעֵינָיו ק׳] הֵחֵלּוּ כֵהוֹת לֹא יוּכַל לִרְאוֹת: וְנֵר אֱלֹהִים

רש"י

(לה) **כהן נאמן.** הוא צדוק (מלכים-א ב, לה). (לו) **לאגורת כסף.** בשביל להשתכר מעה כסף: **לאגורת כסף.** ממשקלות, עֶשְׂרִים גֵּרָה הוּא (שמות ל, יג): **ספחני.** אספני: (א) **היה יקר.** היה מנוע, וכן (משלי יז כז), יְקַר רוּחַ אִישׁ תְּבוּנָה, מנוע דברים, אדם מבין: **אין חזון נפרץ.** (תרגום), לֵית נְבוּאָה גַּלְיָא. נפרץ-לשון (בראשית כח יד), וּפָרַצְתָּ יָמָּה וָקֵדְמָה:

רד"ק

(לה) **והקימותי לי כהן נאמן.** אמרו כי זה היה צדוק כי לא חלה על זרע עלי הקללה עד שנעשה צדוק כהן גדול, וזה היה כשהיה בורח דוד מפני אבשלום שנסתלק אביתר והיה צדוק כהן גדול, שנאמר וַיַּעַל אֶבְיָתָר ואחר כן אמר וַיֹּאמֶר הַמֶּלֶךְ לְצָדוֹק הָשֵׁב אֶת אֲרוֹן הָאֱלֹהִים הָעִיר (לקמן־ב טו, כד-כה) ואותו היום נתמנה כהן גדול, אבל לא היה כהן גדול עד שנמשח שלמה והוא גם כן נמשח לכהן גדול, וקודם היום הזה לא היה מסולק זרע עלי מכהונה גדולה שהרי היה אחיה בן אחיטוב נושא אפוד במלחמת שאול (לקמן יד, ג) ואחימלך היה כהן גדול בנוב (לקמן כב, יא) ואביתר בנו היה כהן גדול עד שהוקם צדוק: **כאשר בלבבי ובנפשי יעשה.** פירוש שיעשה כל אשר ברצוני, וכן תרגם יונתן די בְּמֵימְרִי וּבִרְעוּתִי יַעְבֵּד: **בית נאמן.** פירוש קיים, כמו במקום נאמן כי זרע צדוק היו כהנים גדולים, וכן תמצאם מיוחסים בדברי הימים (־א, ה לד-מ) עד עזרא: **והתהלך לפני משיחי.** הוא וזרעו, ואמר לִפְנֵי מְשִׁיחִי כי הכהן היה בא לפני המלך להורותו הדרך הטובה, ולא היה המלך בא לפני הכהן הגדול אלא כשהיה שואל באורים ותומים, כמו שכתוב וְלִפְנֵי אֶלְעָזָר הַכֹּהֵן יַעֲמֹד וְשָׁאַל לוֹ בְּמִשְׁפַּט הָאוּרִים (במדבר כז, כא) אבל בכל עת אחר שירצה המלך לראות הכהן הגדול ולדבר עמו הכהן היה בא לפניו, וכן אמר זכריה הנביא וְיָשַׁב וּמָשַׁל עַל כִּסְאוֹ וְהָיָה כֹהֵן עַל כִּסְאוֹ וַעֲצַת שָׁלוֹם תִּהְיֶה בֵּין שְׁנֵיהֶם (זכריה ו, יג) ופירוש והיה כהן על כסאו כמו לפני כסאו כמו הָעוֹמְדִים עָלָיו (שופטים ג, יט) נִצָּבִים עָלָיו (בראשית יח, ב) שהוא כמו לפניו, ויונתן תרגם וִישַׁמֵּשׁ קֳדָם מְשִׁיחִי, ונראה כי דעתו כמו שפירשנו: (לו) **להשתחות לו.** כתרגומו לְאִישְׁתַּפָּלָא לֵיהּ, כלומר ישפיל עצמו לפניו ויבקש ממנו על מחיתו: **לאגורת כסף.** בעבור אגורת כסף, והאל"ף נוספת והוא מן עֶשְׂרִים גֵּרָה (שמות ל, יג), ותרגומו לְמָעָא דִכְסַף כתרגום עשרים גרה, עשרים מָעִין, ויש מפרשים אותו מתרגום שָׂכָר (במדבר יח, לא) אַגְרָא: **וככר לחם.** כתרגומו פִּיתָא דְלַחְמָא, כלומר חתיכת לחם: **ספחני נא.** חברני נא, כמו וְנִסְפְּחוּ עַל בֵּית יַעֲקֹב (ישעיהו יד, א) מֵהִסְתַּפֵּחַ בְּנַחֲלַת ה׳ (לקמן כו, יט) ענין החבור והדבוק: **אל אחת הכהנות.** אל אחת ממשמרות הכהנים, וכן תרגם יונתן מְנִינִי כְעַן לַחֲדָא מִמַּטְרַת כַּהֲנַיָּא: (א) **משרת את ה׳.** כבר פירשנוהו (פרק ב, יח): **יקר.** שלא היו נביאים בישראל, וזה אֵין חָזוֹן נִפְרָץ שלא היה החזון נפרץ אלא נגדר וסתום, ותרגומו הֲוָה כַּסֵּי בְּיוֹמַיָּא הָאִינוּן לֵית נְבוּאָה גַלְיָא: (ב) **ויהי ביום ההוא.** הלילה בכלל היום: **מקומו.** במקום שהכהנים ישנים לפנים מן הלוים: **החלו כהות.** להיות כהות כי הוא תואר: **לא יוכל לראות.** תוספת ביאור, ופירוש לא יוכל לראות היטב, אבל רואה היה שהרי אמר החלו ולא אמר כהו, וכן הוא אומר ביעקב אבינו לֹא יוּכַל לִרְאוֹת (בראשית מח, י) ואחר כך אמר וַיַּרְא יִשְׂרָאֵל אֶת בְּנֵי יוֹסֵף (שם שם, ח) וטעם הספור הזה במקום הזה אם ענינו על דרך פשוטו לא מצאתי לו טעם נכון, ואם הוא דרך משל ורצה לומר עיני הלב כלומר רוח הקדש, וטעמו שהיתה רוח הקדש הולכת ופוסקת ממנו שלא היתה רגילה אצלו כבתחלה מפני מעשה בניו, לפיכך באה הנבואה הזאת אל שמואל ולא באה אליו, ובדרש (מדרש שמואל ח, ח) אומר כהות ממש, ואמר כל המעמיד בן רשע עיניו כהות, מנא לן מיצחק וכן עלי, ולדעת הדרש היה הספור הזה הנה לפי שעתיד לזכור הנבואה שבאה לשמואל על עון בניו:

מצודת דוד

(לה) **כהן נאמן.** זה צדוק, והוא יעשה כאשר בלבבי, כתורה וכמצוה: **בית נאמן.** בית קבוע לו ולזרעו אחריו: **והתהלך.** יטייל לפני המלך לשעשע עמו, ועצת שלום תהיה ביניהם: (לו) **להשתחות לו.** להכהן הגדול אשר יועמד מזרע צדוק: **לאגורת כסף.** בעבור אגורת כסף וככר לחם אשר יקבל ממנו במתנה: **ואמר.** הנותר בביתך יאמר לו, בבקשה ממך אספני וחברני נא אל אחת ממשרות הכהנים, לאכול בזה פת לחם, כי יהיה חסר לחם בזולת זה. (א) **לפני עלי.** רוצה לומר שהיה זריז בעבודת ה׳, לעשותה לפני עלי וקודם לו, כי מתחלה הורהו עלי עבודת ה׳, ואחר זמן נתחזק מאליו, ולבסוף נתעלה יותר עד שזכה לנבואה: **ודבר ה׳.** דברי הנבואה היה בימים ההם דבר יקר מאוד, יותר מבשאר הימים: **אין חזון נפרץ.** כאילו הנבואה גדורה לבל תצא, ולא נפרץ גדרה: (ב) **ביום ההוא.** ביום בא איש האלהים אל עלי: **במקומו.** במקום שהכהנים שוכבים, לפנים מן הלוים: **החלו כהות.** התחילו להיות כהות וחשוכות: **לא יוכל לראות.** כאשר מקודם, וכפל הדבר לתוספת ביאור:

מצודת ציון

(לה) **נאמן.** מתקיים, כמו יָתֵד בְּמָקוֹם נֶאֱמָן (ישעיהו כב, כג): **והתהלך.** ענין טיול, כמו וְהִתְהַלַּכְתִּי בְּתוֹכְכֶם (ויקרא כו, יב). (לו) **לאגורת.** האל"ף נוספת, והוא כמו גרה, שהוא מטבע של כסף, והוא מעה: **וככר.** כך נקרא לחם שלם: **ספחני.** ענין הקבוץ והדבוק, כמו וְנִסְפְּחוּ עַל בֵּית יַעֲקֹב (ישעיהו יד, א): **פת.** הוא פרוסה, כמו פָּתוֹת אֹתָהּ פִּתִּים (ויקרא ב, ו): (א) **יקר.** חשוב, כמו יָקְרָה נַפְשִׁי (לקמן כו, כא): **חזון.** נבואה: **נפרץ.** מלשון פרצה: (ב) **החלו.** התחילו: **כהות.** חשוכות, כמו וְהִנֵּה כֵּהָה (ויקרא יג, ו):

---

35. **כֹּהֵן נֶאֱמָן** — *A faithful Kohen.* In the plain sense, this means a Kohen who, unlike Hofni and Phinehas, would be faithful to God (*Radak*). Alternatively, *a permanent Kohen*, whose line would not be cut off, like Eli's (*Mahari Kara*).

The commentators agree that this *faithful Kohen* would be Zaddok, who was appointed by David and anointed by Solomon. Until then, the office was still held by offspring of Eli.

וְהִתְהַלֵּךְ לִפְנֵי־מְשִׁיחִי — *And he will walk before My anointed one.* In protocol, the king is higher than the Kohen Gadol, and therefore the Kohen Gadol must come to the king when summoned – *walk before* him – rather than vice versa. The only exception to this rule is when the king wishes to consult the *Urim v'Tumim*, in which case the king comes to the Sanctuary (*Radak*).

36. Once Zaddok became the Kohen Gadol, the offspring of Eli became so degraded that when they wished to join those performing the Temple service so that they could share in the livelihood of the priestly family, they would be forced to plead with the Kohen Gadol from Zaddok's family. This would be a fitting punishment for Eli's family's greed in taking more than their rightful share of the sacrificial meat (*Ralbag*).

— they will both die on the same day. [35]*And I will appoint for Myself a faithful Kohen, who will do as is in My heart and in My desire, and I will build for him a faithful house, and he will walk before My anointed one all the days.* [36]*And it shall be that anyone left over of your family will come to bow down to him for a small coin or a loaf of bread, and will say, 'Please attach me to one of the priestly divisions to eat a morsel of bread.' "*

3 *Samuel's call to prophecy*

[1]*The lad Samuel was serving* HASHEM *before Eli. The word of* HASHEM *was scarce in those days; vision was not widespread.* [2]*It happened on that day that Eli was lying in his place; his eyes had begun to become dim, he could not see.* [3]*The lamp of God*

3.

Samuel emerges as the next leader of Israel. The first three verses set the stage for Samuel's imminent ascendancy to become leader and judge of the nation: Samuel was a disciple of Eli; because there was a dearth of senior prophets at that time, the mantle fell upon Samuel; Eli had declined physically and was blind; Samuel was ready to receive the glow of the still burning *lamp of Hashem*; and he was open to the influence of the Ark of Hashem (see *Malbim*).

Samuel's age. From a superficial reading of the previous chapters, one would assume that Samuel was born and came under Eli's tutelage when the Kohen Gadol was already very elderly and that Samuel received his first prophecy when he was still a youngster. Most emphatically this was not the case. According to *Seder Olam* and the Talmudic sources, Hannah's prayer for a child and Eli's blessing took place at the very beginning of Eli's reign as Judge. Samuel was born during that year and the events of this chapter happened nearly forty years later. Thus, Samuel had been Eli's disciple until he was a mature man, which was when he received the prophecy described in this chapter. True, Scripture tells us very little about the intervening forty years and almost nothing about Samuel, but this follows the familiar rule that the Torah is not a history book; it records what is needed to present the teachings that God wishes to convey.

1-10. Samuel's first prophecy. Aside from Samuel's lack of personal experience with it, prophecy was uncommon in those days, so that when God's voice first came to Samuel, he did not recognize it for what it was. Moreover, although Samuel was a disciple of the prophet Eli, he was not being trained to be a prophet, despite his very great promise. This explains why neither Eli nor Samuel realized at first that Samuel was hearing the voice of God.The nature of the prophecy he was about to receive was an indication that he was soon to replace Eli.

1. Samuel was not yet old enough to help with the Tabernacle service, but the verse implies that he served Eli with such reverence that it was as if he were actually serving in the Sanctuary itself (*Yerushalmi, Eruvin* 5:1).

וּדְבַר ה׳ הָיָה יָקָר — *The word of* HASHEM *was scarce.* Prophets were rare because few people were worthy of prophecy (*Ralbag*), and what prophecy there was, was kept private (*Rashi, Radak*). According to the Talmud (*Megillah* 14a), there were two hundred prophets (see 1:1) and the previous chapter shows that God had a prophet when He wished to deliver a message, but apparently He did not send prophetic messages to the nation, as He had through Moses and as He would in the future.

2. וַיְהִי בַּיּוֹם הַהוּא — It happened on that day. Most commentators agree that *that day* was the same day that a prophet warned Eli that his reign was about to end (2:27-36). God would now send this new prophecy to Samuel to impress upon Eli that the decree would soon be carried out (*Malbim*). Similarly, Pharaoh's dream was repeated to show that God was about to act (*Genesis* 41:32).

וְעֵינָיו הֵחֵלּוּ כֵהוֹת — *His eyes had begun to become dim,* i.e., he was becoming blind. *Mahari Kara* explains that this is meant to explain why Samuel had to be close at hand to attend to Eli, and therefore thought that Eli was the one who called him (V. 5). Alternatively, Eli's prophetic powers — his spiritual "eyes" — had weakened due to the behavior of his sons, so that prophecy would now come to Samuel (*Radak*).

Midrashically, this was a measure for measure punishment. Eli had turned a "blind eye" to his sons' misdeeds, so his vision was taken away (*Midrash Shmuel* 8:8).

3-5. The conditions are ready for Samuel's first prophetic vision. It was toward the end of the night, while the lamps of the Tabernacle Menorah, which were filled with oil before nightfall, were still burning. This alludes to Samuel's spiritual state, for the spiritual trials of the previous day had waned and those of the new one had not yet begun. In addition, Samuel was attuned to the lofty influence of the Sanctuary and Ark of Hashem, where his mind and heart always lay, because his constant ambition was to draw closer to God. This all explains why Samuel was worthy of the spirit of prophecy. *Avnei Nezer* notes that a person truly is in the place where his mind and heart are. Someone whose thoughts are on holiness is in a holy place even though his body is elsewhere.

The Talmud (*Kiddushin* 78a) explains that Samuel could not have been literally sleeping in the Sanctuary, because it was forbidden even to sit in the Courtyard, much less to lie down in the building itself! Therefore, as noted, he was there in the spiritual sense, although he was actually sleeping in the area designated as living quarters of the Levites (*Targum, Malbim*).

In the literal sense, the commentators interpret the verse as follows: *Samuel was lying* [in the sleeping quarters of the Levites]. *From the Sanctuary . . . God called to Samuel.* Since Samuel had never before experienced prophecy (see v. 7), he ran to Eli, thinking it was he who had called. Eli,

ד טֶרֶם יִכְבֶּה וּשְׁמוּאֵל שֹׁכֵב בְּהֵיכַל יהוה אֲשֶׁר־שָׁם אֲרוֹן אֱלֹהִים: וַיִּקְרָא
ה יהוה אֶל־שְׁמוּאֵל וַיֹּאמֶר הִנֵּנִי: וַיָּרָץ אֶל־עֵלִי וַיֹּאמֶר הִנְנִי כִּי־קָרָאתָ לִּי
ו וַיֹּאמֶר לֹא־קָרָאתִי שׁוּב שְׁכָב וַיֵּלֶךְ וַיִּשְׁכָּב: וַיֹּסֶף יהוה קְרֹא עוֹד שְׁמוּאֵל
וַיָּקָם שְׁמוּאֵל וַיֵּלֶךְ אֶל־עֵלִי וַיֹּאמֶר הִנְנִי כִּי קָרָאתָ לִי וַיֹּאמֶר לֹא־קָרָאתִי
ז בְנִי שׁוּב שְׁכָב: וּשְׁמוּאֵל טֶרֶם יָדַע אֶת־יהוה וְטֶרֶם יִגָּלֶה אֵלָיו דְּבַר־יהוה:
ח וַיֹּסֶף יהוה קְרֹא־שְׁמוּאֵל בַּשְּׁלִשִׁית וַיָּקָם וַיֵּלֶךְ אֶל־עֵלִי וַיֹּאמֶר הִנְנִי כִּי קָרָאתָ
ט לִי וַיָּבֶן עֵלִי כִּי יהוה קֹרֵא לַנָּעַר: וַיֹּאמֶר עֵלִי לִשְׁמוּאֵל לֵךְ שְׁכָב וְהָיָה אִם־
יִקְרָא אֵלֶיךָ וְאָמַרְתָּ דַּבֵּר יהוה כִּי שֹׁמֵעַ עַבְדֶּךָ וַיֵּלֶךְ שְׁמוּאֵל וַיִּשְׁכַּב
י בִּמְקוֹמוֹ: וַיָּבֹא יהוה וַיִּתְיַצַּב וַיִּקְרָא כְפַעַם־בְּפַעַם שְׁמוּאֵל ׀ שְׁמוּאֵל
יא וַיֹּאמֶר שְׁמוּאֵל דַּבֵּר כִּי שֹׁמֵעַ עַבְדֶּךָ: וַיֹּאמֶר יהוה אֶל־שְׁמוּאֵל
יב הִנֵּה אָנֹכִי עֹשֶׂה דָבָר בְּיִשְׂרָאֵל אֲשֶׁר כָּל־שֹׁמְעוֹ תְּצִלֶּינָה שְׁתֵּי אָזְנָיו: בַּיּוֹם
יג הַהוּא אָקִים אֶל־עֵלִי אֵת כָּל־אֲשֶׁר דִּבַּרְתִּי אֶל־בֵּיתוֹ הָחֵל וְכַלֵּה: וְהִגַּדְתִּי לוֹ

רש"י

(ג) **ושמואל שוכב.** במקומו בעזרת הלוים השומרים בית המקדש, וכן תרגם יונתן, וּשְׁמוּאֵל שָׁכִיב בַּעֲזָרַת לֵוָאֵי: **בהיכל ה' אשר שם ארון האלהים:** (ד) **ויקרא ה'.** וקול יצא מהיכל ה' מבית קדשי הקדשים, שקרא שמואל, סוף המקרא העליון מחובר לראש המקרא התחתון, זהו שאמר הכתוב (איוב לז ה), יַרְעֵם אֵל בְּקוֹלוֹ נִפְלָאוֹת, עלי היה כהן ושומר מבפנים, ושמואל היה לוי ושוכב מבחוץ, וקפץ הקול דרך עלי לשמואל, במסכת תמיד: (ז) **טרם ידע את ה'.** עדיין לא היה מכיר ענין קול נבואה, כל 'טרם' שבמקרא, לשון 'עדיין לא', כתרגומו, 'עד לא', ואינו לשון 'לפני', וזה יוכיח, ועוד, (שמות ט ל), כִּי טֶרֶם תִּירְאוּן, מפורש ממנו, וכן (בראשית ב ה), כָּל שִׂיחַ הַשָּׂדֶה טֶרֶם יִהְיֶה בָאָרֶץ: (י) **ויאמר שמואל דבר.** ולא הזכיר שם מקום כמו שאיוהו עלי, אמר שמא קול אחר הוא: (יא) **עושה דבר.** היא לקיחת הארון ביד פלשתים: **תצלינה.** לשון צלצלים, טנטינ"ר בלע"ז: (יב) **החל וכלה.** אותו היום אתחיל גזירתי על בית עלי, שימותו חפני ופנחס, ומכאן ואילך אכלה גזירתי ואשלימה עליהם מדור אל דור, להמיתם אנשים בני שמונה עשרה שנה: **החל וכלה.** אקומינצ"ט אאישפליימנ"ט בלע"ז:

רד"ק

(ג) **ונר אלהים טרם יכבה.** אם על נרות המנורה אמר היה זה קודם עלות השחר, כי הנרות היו דולקים מערב עד בוקר, אף על פי שפעמים היו כבות מקצתן בלילה, ושמן היו נותנים בהן במדה שהיו דולקים מערב עד בקר, וברוב פעמים היו דולקים עד הבקר, ונר מערבי בכל זמן היו מוצאים אותו דולק, ואמר כי באה נבואה זאת לשמואל קודם שכבו הנרות בעוד לילה כמו זמן קריאת הגבר, שהרי אומר אחרי כן וַיִּשְׁכַּב שְׁמוּאֵל עַד הַבֹּקֶר (פסוק טו), ובדרש אמר (בראשית רבה נח, ב) כי על נר הנבואה אמר, ואמרו וְזָרַח הַשֶּׁמֶשׁ וּבָא הַשָּׁמֶשׁ (קהלת א, ה) עד שלא ישקיע הקב"ה שמשו של צדיק אחד הוא מזריח שמשו של צדיק אחר, עד שלא ישקיע שמשו של משה מזריח שמשו של יהושע, עד שלא תשקע שמשו של עלי הזריח שמשו של שמואל, וזהו שאמר וְנֵר אֱלֹהִים טֶרֶם יִכְבֶּה: **ושמואל שכב בהיכל ה'.** בהיכל ה' דבק עם ונר אלהים טרם יכבה, כי הנר היה בהיכל ה' ושמואל היה שוכב במקומו, כי שמואל לא היה שוכב בהיכל ה' אלא בעזרת הלוים, לפיכך האתנחתא בשוכב לפי שאינו דבק עם בהיכל ה', וכן פירשו רבותינו זכרונם לברכה (קידושין עח, ב) כי לא יתכן להבין הפסוק כמשמעו שהרי אין ישיבה בעזרה אלא למלכי בית דוד בלבד, וכל שכן שכיבה, וכל שכן בהיכל, וכן תרגם יונתן וּבוֹצִין בֵּית מַקְדְּשָׁא דַה' עַד לָא טְפָא וּשְׁמוּאֵל שָׁכִיב בַּעֲזָרַת לֵוָאֵי וְקָלָא אִישְׁתְּמַע מֵהֵיכְלָא דַה' דְּתַמָּן אֲרוֹנָא דַה', ובדרש יַרְעֵם אֵל בְּקוֹלוֹ נִפְלָאוֹת (איוב לז, ה) תמן תנינן (מדות א, ט) נעלה הכהן מבפנים ובן לוי ישן לו מבחוץ, קפץ הדבר על עלי ודבר על שמואל מבחוץ (מדרש שמואל ט, ב): **אשר שם ארון אלהים.** בלא ה"א הידיעה, והמסרה לית כוותיה: (ז) **טרם ידע את ה'.** פירוש טרם שידע את ה' היה זה שקרא אליו, ולא הבין כי עדיין לא ידע את ה' ולא נגלה אליו דבר ה' בנבואה, לפיכך לא היה מבין כי ה' קורא על בן אדם, לפיכך קם שלש פעמים אל עלי בטרם ידע: **וטרם יגלה.** הוא כפול דבר, או פירוש טֶרֶם יָדַע כי עדיין לא ידע בחכמת האלהית אף על פי שלמד בשאר החכמות, כי אילו למד בזאת החכמה היה מבין ומבחין בקול הנבואה, ונראה שכן דעת יונתן שתרגם עַד דְּלָא אֲלִיף לְמִידַע דַּחַלְתָּא דַה': (ח) **ויבן עלי.** כי בשתי הפעמים חשב עלי כי נדמה לו לשמואל כי אדם קורא אותו, ומתוך שנתו היה נדמה לו זה ולא היה קורא לו אדם, אבל כאשר ראה כי שלש פעמים זו אחר זו שמע הקול אחרי שניעור משנתו, ידע כי לא היה טועה שמואל ובאמת היה שומע הקול ולא היה קול אדם, כי לא היה שם אדם אחר שהיה קורא אותו, לפיכך הבין עלי כי קול מלאך ה' היה, והחכם רבי אברהם אבן עזרא פירש כי לפי ששמואל לבדו היה שומע הקול ועלי לא היה שומע אותו, ידע עלי והבין כי קול הנבואה היה, שהקדוש ברוך הוא משמיע אותו למי שירצה, וכן וַיִּשְׁמַע אֶת הַקּוֹל מִדַּבֵּר אֵלָיו (במדבר ז, פט), וכן אמרו רבותינו זכרונם לברכה (יומא ד, ב) מִדַּבֵּר אֵלָיו קול לו קול אליו, משה שומע ואין ישראל שומעין: (י) **ויבא ה' ויתיצב.** נראה בפעם הזאת נראית תמונה לנגד עיניו במראה הנבואה, לפיכך אמר וַיִּתְיַצֵּב כמו וַיִּתְיַצֵּב מַלְאַךְ ה' בַּדֶּרֶךְ (במדבר כב, כב): **דבר כי שמע עבדך.** ולא

מצודת דוד

(ג) **טרם יכבה.** עדיין לא כבה אף נר אחד מנרות המנורה: **ושמואל שכב.** במקום אשר הלוים שוכבים: **בהיכל ה'.** זה קדש הקדשים, כאשר מפרש, אשר שם ארון אלהים, ומוסב הוא למקרא שלאחריו, לומר שקול הקריאה היה בהיכל ה' וכו': (ה) **כי קראת לי.** כי חשב שעלי קראו: (ז) **טרם ידע.** עדיין לא ידע חכמת אלהות בהיותו עודנו נער, כי אם ידע, היה אם כן מכיר קול נבואה: **וטרם יגלה.** עד הנה, עדיין לא נגלה אליו ה' לדבר בו: (ח) **בשלישת.** בפעם השלישית: (ט) **אם יקרא.** אם יוסיף לקרוא עוד: (י) **דבר.** ולא אמר דבר ה' כאשר הורהו עלי (פסוק ט), כי חשב פן עם כל זאת לא ה' דבר בו: (יא) **תצלינה שתי אזניו.** ירעדו אזניו מגודל החרדה, והכוונה היא על לקיחת הארון: (יב) **אקים.** אתחיל לקיים דברי איש האלהים אשר דבר בשם ה': **החל וכלה.** אז בעת לקיחת הארון יתחיל הפורעניות, כי ימותו שני בניו במלחמה ההיא, וכן אכלה לקיים כל דברי הנבואה: (יג) **והגדתי לו.** רצה לומר, הלא מאז הגדתי לו על ידי איש אלהים שאשפוט את ביתו:

מצודת ציון

(ד) **הנני.** הנה אני. (ז) **טרם.** עדיין לא, כמו הֲטֶרֶם תֵּדַע (שמות י, ז): (ח) **ויבן.** מלשון בינה: (י) **כפעם בפעם.** רצה לומר כמו בפעמים הקודמים: **שמואל שמואל.** הכפל בא לזרוז את הנקרא: (יא) **תצלינה.** ענין תנועה ורעדה, כמו לְקוֹל צָלֲלוּ שְׂפָתָי (חבקוק ג, טז):

had not yet gone out — and Samuel was lying — in the Temple of HASHEM where the Ark of God was.

Samuel's bewilderment

[4]HASHEM called to Samuel, and he said, "Here I am." [5]He ran to Eli and said, "Here I am, for you called me." But he said, "I did not call; go back and lie down," so he went and lay down. [6]HASHEM continued to call again, "Samuel!" so Samuel arose and went to Eli and said, "Here I am, for you called me." But he said, "I did not call, my son; go back and lie down." [7]Samuel had not yet known HASHEM, and the word of HASHEM had not yet been revealed to him. [8]HASHEM continued to call, "Samuel!" a third time, and he arose and went to Eli and said, "Here I am, for you called me." Then Eli realized that HASHEM was calling the lad.

[9]Eli said to Samuel, "Go and lie down; and if He calls you, you should say, 'Speak, HASHEM, for Your servant is listening.' " Samuel went and lay down in his place. [10]HASHEM came and stood, and called as the other times, "Samuel, Samuel!" and Samuel said, "Speak, for Your servant is listening."

The downfall of the house of Eli

[11]HASHEM said to Samuel, "Behold, I am going to do [such] a thing in Israel that when anyone hears about it, both of his ears will ring. [12]On that day, I will fulfill for Eli all that I have spoken concerning his house, beginning to destroy. [13]I have told him

רד"ק

אמר ה׳ כמו שאמר לו עלי, כי היה ירא עדיין מהזכיר השם במראה הנבואה, ויש בו דרש כי חשש עדיין שמא קול שד הוא, וזה רחוק: **(יא) עשה דבר**. זהו גלות הארון: **תצלינה**. מבנין הפעיל שרשו צלל, והוא ענין הרגשה כמו לְקוֹל צָלְלוּ שְׂפָתַי (חבקוק ג, טז): **(יב) ביום ההוא**. ביום שיהיה זה הדבר הקשה, אשר כל שמעו תצלינה שתי אזניו, ביום ההוא אקים אל עלי מה שדברתי אל ביתו על ידי איש האלהים, כמו הכתוב למעלה (פרק ב, כז-לו) כי ביום ההוא תהיה תחלת הפורענות הבאה על בית עלי שימותו בניו, וכן אכלה הרעה על בית עלי עד עולם: **אל ביתו**. כמו על ביתו, וכן אֶל הֶהָרִים לֹא אָכָל (יחזקאל יח, ו):

thinking it was a dream, sent him back to sleep.

It is common that when God speaks to people, He shields them from the full measure of His holiness, otherwise it would be more than they could tolerate, just as the eye cannot withstand a blinding flash of light. When God first spoke to Moses at the burning bush, He revealed His holiness only gradually (see comm. to *Exodus* 3:3).

4. **הִנֵּנִי** — *Here I am.* This expression connotes obedience and humility. "I am ready for priesthood. I am ready for kingship. I am ready to be slaughtered. I am ready to be killed" (*Tanchuma, Yayeira*). In other words, I am ready to serve in whatever capacity is required of me, without the intrusion of personal ego. Three times Samuel thought Eli was calling him, and each time he arose from his sleep with the same alacrity and rushed to the service of his master, declaring, *Here I am! (Beer Mosheh).*

6. This verse is a lesson in sensitivity. Having erred once, Samuel did not *run,* as he had before; unsure of himself, he *went* to Eli and spoke to him as politely as he had the first time. Sensitive to Samuel's feelings and not wanting to embarrass him with another somewhat curt dismissal, Eli affectionately calls him *"my son."* Perhaps Eli now suspected that Samuel was receiving prophecy and did not want to deflate him, because the prophetic spirit does not rest in a state of despondency (*Abarbanel).*

8-9. A third time Samuel heard the voice and went to Eli. Now Eli realized that it was a prophetic voice, not a dream or imagination, and he was sure that God would call to Samuel again. Knowing that his young disciple was unlearned in the ways of prophecy, Eli told him how to respond when he heard the voice.

10. **וַיָּבֹא ה׳ וַיִּתְיַצַּב** — *HASHEM came and stood.* Not only did Samuel hear a voice, he had a vision of someone standing before him (*Radak*).

The repetition of the name, *Samuel, Samuel,* is an indication of love (*Rashi, Genesis* 22:11) and urgency (*Metzudos*). The Sages see the repetition as an allusion to Samuel's humility and piety: although he had now become a prophet, he remained the same Samuel as he had been before (*Tosefta Berachos* 1:15). Samuel did not say "Speak HASHEM," as Eli had instructed him; he omitted the word HASHEM, thinking that it may not have been the Divine voice (*Rashi).* According to *Radak*, Samuel was too awestruck to mention the Name. This is a further indication of his humility.

11-14. The chilling prophecy. Without specifying what would happen, God told Samuel that a fearsome event would take place, that the judgment foretold in the previous chapter would now come upon Eli's family, and that there was no more chance for a reprieve. The climax of these terrible events would be the destruction of the Tabernacle and the seizure of the Ark by the Philistines. It is noteworthy that the term *when anyone hears about it, both of his ears will ring* is found only twice more in Scripture (*II Kings* 21:12 and *Jeremiah* 19:3), both of which refer to the destruction of the Temple and the exile of the people.

12. **הָחֵל וְכַלֵּה** — *Beginning to destroy.* As narrated in the next chapter, Eli's sons would be killed in battle, Eli himself would die, the Tabernacle would be destroyed, and the

כִּֽי־שֹׁפֵ֥ט אֲנִ֛י אֶת־בֵּית֖וֹ עַד־עוֹלָ֑ם בַּעֲוֺ֣ן אֲשֶׁר־יָדַ֗ע כִּֽי־מְקַלְלִ֥ים לָהֶם֙ בָּנָ֔יו וְלֹ֥א
יד כִהָ֖ה בָּֽם׃ וְלָכֵ֥ן נִשְׁבַּ֖עְתִּי לְבֵ֣ית עֵלִ֑י אִם־יִתְכַּפֵּ֞ר עֲוֺ֧ן בֵּית־עֵלִ֛י בְּזֶ֥בַח וּבְמִנְחָ֖ה עַד־
טו עוֹלָֽם׃ וַיִּשְׁכַּ֤ב שְׁמוּאֵל֙ עַד־הַבֹּ֔קֶר וַיִּפְתַּ֖ח אֶת־דַּלְת֣וֹת בֵּית־יְהוָ֑ה וּשְׁמוּאֵ֣ל יָרֵ֔א
טז מֵהַגִּ֥יד אֶת־הַמַּרְאָ֖ה אֶל־עֵלִֽי׃ וַיִּקְרָ֤א עֵלִי֙ אֶת־שְׁמוּאֵ֔ל וַיֹּ֖אמֶר שְׁמוּאֵ֣ל בְּנִ֑י וַיֹּ֖אמֶר
יז הִנֵּֽנִי׃ וַיֹּ֗אמֶר מָ֤ה הַדָּבָר֙ אֲשֶׁ֣ר דִּבֶּ֣ר אֵלֶ֔יךָ אַל־נָ֖א תְכַחֵ֣ד מִמֶּ֑נִּי כֹּ֣ה יַעֲשֶׂה־לְּךָ֤ אֱלֹהִים֙
יח וְכֹ֣ה יוֹסִ֔יף אִם־תְּכַחֵ֤ד מִמֶּ֙נִּי֙ דָּבָ֔ר מִכָּל־הַדָּבָ֖ר אֲשֶׁר־דִּבֶּ֥ר אֵלֶֽיךָ׃ וַיַּגֶּד־ל֤וֹ שְׁמוּאֵל֙
אֶת־כָּל־הַדְּבָרִ֔ים וְלֹ֥א כִחֵ֖ד מִמֶּ֑נּוּ וַיֹּאמַ֕ר יְהוָ֣ה ה֔וּא הַטּ֥וֹב °בעינו [°בְּעֵינָ֖יו ק]
יט־כ יַעֲשֶֽׂה׃ וַיִּגְדַּ֖ל שְׁמוּאֵ֑ל וַֽיהוָה֙ הָיָ֣ה עִמּ֔וֹ וְלֹא־הִפִּ֥יל מִכָּל־דְּבָרָ֖יו אָֽרְצָה׃ וַיֵּ֙דַע֙ כָּל־
כא יִשְׂרָאֵ֔ל מִדָּ֖ן וְעַד־בְּאֵ֣ר שָׁ֑בַע כִּ֤י נֶאֱמָן֙ שְׁמוּאֵ֔ל לְנָבִ֖יא לַיהוָֽה׃ וַיֹּ֥סֶף
ד א יְהוָ֖ה לְהֵרָאֹ֣ה בְשִׁלֹ֑ה כִּֽי־נִגְלָ֨ה יְהוָ֧ה אֶל־שְׁמוּאֵ֛ל בְּשִׁל֖וֹ בִּדְבַ֥ר יְהוָֽה׃ וַיְהִ֥י

רש"י

(יג) **כי מקללים להם בניו.** מקללים ׳לי׳ היה לו לומר, אלא שכנה הכתוב: **מקללים.** מקילים, וכן כל קללה, לשון קלות ובזיון הוא: **ולא כהה.** לא הכהה פניהם להעבירם מגדולתן: (יז) **כה יעשה לך.** כאותה קללה עצמה, שלא יהיה לך בנים הגונים, וכן עלתה בו, ואף על פי שהגיד לו: (יח) **ולא כחד.** מכאן אמרו (מכות יא א), קללת חכם אפילו על תנאי היא באה: **ה׳ הוא.** אדון הוא, והכל שלו: (כא) **כי נגלה ה׳ אל שמואל.** לפי שאמר למעלה ודבר ה׳ היה יקר בימים ההם, אמר כאן כי מעתה בשביל שמואל, נגלה ושנה והרגיל להגלות:

רד"ק

(יג) **כי שפט אני.** לא יכלה משפטי בזרעו עד זמן קצוב, אלא עד עולם אשפטם שיתבזו ויתקצרו ימיהם: **בעון אשר ידע.** בעון סמוך למלת אשר כאילו אמר בעון הדבר אשר ידע ובעונו ילקה זרעו עד עולם, שכתוב וּמְשַׁלֵּם עֲו‍ֹן אָבוֹת אֶל חֵיק בְּנֵיהֶם אַחֲרֵיהֶם (ירמיהו לב, יח), ואף על פי שהיו בבנים זכאים, האל יתברך שמו קורא הדורות מראש ויודע מה שעתיד להיות, ידע כי לא יהיה בבניו עד עולם שיהיה זכאי כל כך שלא יזכר לו עון אבותיו זה: **כי מקללים להם בניו.** תקון סופרים, כי לא רוצה לומר לאל יתברך אלא שכנה הכתוב, וזה אחד משמונה עשר פסוקים שהם תקון סופרים, והקללה הזאת הוא ענין בזיון כמו שאמר עליהם וּבֹזַי יֵקָלּוּ (פרק ב, ל) ויונתן תרגם אֲרֵי מַרְגְּזִין לְהוֹן בְּנוֹהִי: **ולא כהה בם.** לא עצרם ולא מנעם, אף על פי שאמר אַל בָּנָי כִּי לֹא טוֹבָה הַשְּׁמֻעָה (לעיל ב, כד) זה היה לעת זקנותו שלא היו יראים ממנו, ומתחלת עשותם הרעה היה לו למנעם ולהריב עמהם בחזקה ולא עשה כן: (יד) **בזבח ובמנחה.** לפי שהיו הם כהנים ומקריבים זבח ומנחה אמר כן, כלומר לא תועיל להם כהונתם לפני, או מפני שמעלו בזבח ובמנחה אף על פי שישתדלו בזבח ובמנחה לכפר מעלם, לא יכפר להם לעולם, ורבותינו זכרונם לברכה דרשו (ראש השנה יח, א) בזבח ובמנחה הוא דלא יתכפר אבל יתכפר בתלמוד תורה ובגמילות חסדים, ומהם אמרו (מדרש שמואל י, א) אבל מתכפר בתפלה: (טו) **ויפתח.** כלומר קם בבקר ופתח דלתות בית ה׳ כמנהגו, ולא הלך אל עלי בקומו לספר לו המראה כי ירא מהגידה לו: (יז) **כה יעשה לך אלהים.** כן הוא מנהג הלשון לאמר דבר זה בשבועה, וכן כֹּה יַעֲשֶׂה לִּי אֱלֹהִים (לקמן־ב ג, לה) ובדרש (מדרש שמואל י, ב) כֹּה יַעֲשֶׂה לְּךָ אֱלֹהִים, כשם שאין בני יורשים את מקומי כך אין בניך יורשין את מקומך: (יח) **ולא כחד ממנו.** ובדרש (מכות יא, א) אף על פי כן באה לו קללתו, מכאן אמרו קללת חכם אפילו על תנאי היא באה: **ה׳ הוא.** בדרש (מדרש שמואל י, ב) אמר ליה אדון הוא, מר הוא, הטוב בעיניו יעשה: (יט) **ולא הפיל מכל דבריו ארצה.** כל מה שהיה אומר היה בא, והקדוש ברוך הוא מקיים על ידו אפילו הדברים שהיה אומר שלא ברוח נבואה, ובזה הדבר ידעו כל ישראל כי נאמן שמואל לנביא ה׳, ותרגומו וְלָא בָטֵיל מִכָּל פִּתְגָמוֹהִי לְאַרְעָא: (כא) **להראה.** בחולם וכן לְהֵרָאֹה אֶל מָנוֹחַ (שופטים יג, כא) כמו שבא בשלמים הִנָּתֹן תִּנָּתֵן (ירמיהו לח, ג): **כי נגלה.** טעם מלת כי, לפי שאמר וַיֹּסֶף, אמר כי המראה הראשונה הבאה לשמואל היתה בשילה בבית ה׳, וכן עתה הוסיף להראות לו בשילה, והמראה הזאת היתה לו לצוות בני ישראל לצאת לקראת פלשתים למלחמה, וזהו שאמר בִּדְבַר ה׳, וכן אמר וַיְהִי דְבַר שְׁמוּאֵל לְכָל יִשְׂרָאֵל (פרק ד, א):

מצודת דוד

בעון. בעבור העון אשר יודע הוא מה שבניו מקילים ובוזים כבודי, ולא מיחה בהם כראוי. ומלת לָהֶם היא תקון סופרים, והרי הוא כאלו נאמר לי. או רצה לומר שאת עצמם מקללים ברוע מעשיהם, כי ענוש יענשו, והקללה תבא עליהם: **ולא כהה בם.** רצה לומר, אף בשמוע דברי איש האלהים, עם כל זאת לא חש ולא גער בבניו להכהות מראות פניהם לביישם ברבים: (יד) **בזבח ובמנחה.** כי אין קטיגור נעשה סניגור, על כי חטאם היה בדבר הקרבנות, אולם בתשובה יכופר עון: **עד עולם.** העון הזה שמור להם עד עולם לזרעם אחריהם, לקיים בהם ככל דברי הנבואה: (טו) **ויפתח.** פתח הדלתות כמנהגו, ולא הלך להגיד הנבואה לעלי, כי פחד ממנו לבשרו בשורה קשה: (יז) **מה הדבר.** רצה לומר אין ספק שה׳ קרא לך עוד, לזאת אשאלך מה דבר בך, ואל תמנע מלהגיד לי: **כה יעשה לך אלהים.** גזם ולא אמר, וכדומה לזה נמצא הרבה במקרא, והרי הוא כאומר, רעה כזאת וכזאת יעשה לך אלהים, ועוד כזאת יוסיף לך רעה, אם תכחד ממני אפילו דבר אחד מכל דבר ה׳: (יח) **ולא כחד.** אפילו דבר אחד: **ה׳ הוא.** רצה לומר, הלא הוא ה׳ והכל שלו, ויעשה הטוב בעיניו, כי מי יוכל לומר לו מה תעשה: (יט) **ויגדל.** בחכמה ויראת ה׳: **ולא הפיל וכו׳.** רוצה לומר, אפילו דבריו שאמר בעצמו לא בנבואה, לא בטל אותם המקום להיות נופלים בארץ לבל יתקיימו [ואמר במשל, מהזורק דבר מה, ולא יחטיא לנפול בארץ]: (כ) **כי נאמן שמואל.** כי לפעמים אף אם באה הנבואה למי, היא חוזרת ונפסקת, אבל שמואל היה מוחזק לנביא המתקיים: (כא) **ויסף כו׳.** רצה לומר, עם שלפני זה היה דבר ה׳ יקר, אבל לאחר זה הוסיף ה׳ להראה בשלה גם לשאר בני הנביאים: **כי נגלה.** והסבה היתה, על שנגלה ה׳ אל שמואל, ובעבורו בא לעולם שפע הנבואה, וחלה גם על יתר בני הנביאים: **בדבר ה׳.** רצה לומר, לא שראה שום מראה, כי אם נגלה אליו בדבריו וקולו אשר שמע:

מצודת ציון

(יג) **מקללים.** ענין בזיון, כמו קְלָלָה נִמְרֶצֶת (מלכים־א ב, ח). או הוא מלשון קללה ממש: **כהה.** ענין חושך: (טו) **המראה.** מראה הנבואה: (יז) **תכחד.** ענין מניעה והעלמה, כמו לֹא נִכְחַד מֵאֲדֹנִי (בראשית מז, יח): (כ) **נאמן.** מתקיים, כמו בַּיִת נֶאֱמָן (לעיל ב, לה):

---

13. **כִּי־מְקַלְלִים לָהֶם בָּנָיו** — *That his sons were blaspheming* [lit. *cursing*] *themselves.* In the literal sense of the phrase, Hophni and Phinehas brought the curses of the people upon them-

Ark would be captured — all of which would portend the *beginning* of the destruction of the House of Eli, as foretold in 2:30-36 (*Metzudos*).

that I am executing judgment against his house forever for the sin [he committed] that he was aware that his sons were blaspheming themselves and he did not censure them. [14]*Therefore I have sworn concerning the house of Eli that the sin of the house of Eli would never be atoned for by sacrifice or meal-offering."*

Eli accepts the bitter decree

[15]*Samuel lay until the morning, when he opened the doors of the House of* HASHEM*; and Samuel was fearful of relating the vision to Eli.* [16]*Eli called Samuel and said, "Samuel, my son!" and he said, "Here I am."* [17]*He said, "What is the word that He spoke to you? Please do not withhold from me! Such shall God do to you and such shall He do further, if you withhold from me anything from the word that He spoke to you!"* [18]*Samuel told him all the words and did not withhold from him. [Eli] said, "He is* HASHEM*; He will do what is good in His eyes."*

[19]*Samuel grew up, and* HASHEM *was with him; He did not cast any of his words to the ground.* [20]*All of Israel, from Dan to Beer-sheba, knew that Samuel was faithful as a prophet to* HASHEM*.*

[21]*[Thus]* HASHEM *once again appeared in Shiloh, for* HASHEM *appeared to Samuel in Shiloh, with the word of* HASHEM*.*

---

selves by their behavior (*Ralbag*), or brought God's curse upon themselves (*Malbim*).

Most other commentators agree that *cursing themselves* is a euphemism; the intent of the verse is that they were *blaspheming God* by their outrageous behavior, but that the language of the verse avoids such blatant disrespect of God. Such changes are called תִּקּוּן סוֹפְרִים, *an emendation of the Scribes*. Although this expression implies that the Sages changed the language of Scripture to avoid disrespect of the Divine, the commentators agree that the Sages would never have tampered with the original word of God or the prophets. Rather, *Rashba*, *Ikkarim*, *Maharal* and others explain that the original text was formulated with such great delicacy that it was *as if* a scribe had made the terminology more delicate to avoid any inappropriate expression (see *Mizrachi, Numbers* 11:15; *Gur Aryeh, Genesis* 18:22).

וְלֹא כִהָה בָּם — *And he did not censure them.* Actually Eli had rebuked his sons (2:23-25), but he had waited until he was too old and weak to control them (*Radak*). Alternatively, as Kohen Gadol, he had the authority to remove them from their positions, but failed to do so (*Rashi*).

14. God now reinforced the previously foretold punishment (2:32) with an oath, meaning that it would not be rescinded (*Rosh Hashanah* 18a). Sacrifices could not atone for their sins, because they had sinned against the sacrificial service itself (*Radak, Mahari Kara*). As noted to 2:31-32, individuals could alleviate, though not annul, the decree through Torah study and acts of kindness.

15-18. Eli accepts the judgment. God had not specifically commanded Samuel to relate the prophecy, so, out of his great respect and awe for Eli, Samuel did not tell him about the stark decree. Instead, he went about his usual duties in the morning, but Eli was certain that there must have been a prophecy about him.

17. כֹּה יַעֲשֶׂה־לְּךָ אֱלֹהִים — *Such shall God do to you.* "If you do not tell me, may the same curse that was pronounced upon me befall you" (*Rashi*), i.e., that your children will not inherit your position (*Radak*). Alternatively, this follows the frequent practice of Scripture, in which oaths or punishments are implied, but not stated explicitly (*Radak*).

Eli's demand of Samuel implies that he knew that a curse was involved. Perhaps he assumed this because of Samuel's reluctance to tell him about the prophecy.

18. The righteous Eli accepted God's decree. Once he heard that the judgment was expressed in the form of an oath, he knew that it was final. Had there not been an oath — as in the previous chapter — the prophetic rebuke would have been a signal to repent and thereby invoke Divine mercy to revoke the decree (*Malbim*). As further testimony to Eli's righteousness, he used the Four-letter Name of mercy, signifying his acceptance that whatever God does is for the good, even when it seems on the surface to be harsh (*Yalkut Me'am Loez*).

19-21. The era of Samuel begins. Samuel grew in wisdom and fear of God (*Metzudos*), and everything he said, even if it was not a prophecy, came true (*Radak*), thus winning the confi-dence of the people that he was indeed a prophet of God. *Rashi* interprets verse 21 to mean that a new era had begun, because the merit of Samuel caused the word of God to become more common in Israel, so that others began to prophesy, as well.

Kli Yakar notes that this underlines the contrast between the declining years of Eli and the emergence of Samuel. Due to the depredations of Hophni and Phinehas, both Eli and Shiloh lost their eminence and prophecy waned in Israel. *Abarbanel* infers from verse 21 that God's Presence would have departed entirely from Shiloh, had it not been for the great merit of Samuel; now, thanks to Samuel, it was restored to an even greater degree than before, as prophecy became widespread.

דְּבַר־שְׁמוּאֵל לְכָל־יִשְׂרָאֵל　　וַיֵּצֵא יִשְׂרָאֵל לִקְרַאת פְּלִשְׁתִּים לַמִּלְחָמָה
ב וַיַּחֲנוּ עַל־הָאֶבֶן הָעֵזֶר וּפְלִשְׁתִּים חָנוּ בַאֲפֵק׃ וַיַּעַרְכוּ פְלִשְׁתִּים לִקְרַאת יִשְׂרָאֵל
וַתִּטֹּשׁ הַמִּלְחָמָה וַיִּנָּגֶף יִשְׂרָאֵל לִפְנֵי פְלִשְׁתִּים וַיַּכּוּ בַמַּעֲרָכָה בַּשָּׂדֶה כְּאַרְבַּעַת
ג אֲלָפִים אִישׁ׃ וַיָּבֹא הָעָם אֶל־הַמַּחֲנֶה וַיֹּאמְרוּ זִקְנֵי יִשְׂרָאֵל לָמָּה נְגָפָנוּ יהוה הַיּוֹם
לִפְנֵי פְלִשְׁתִּים נִקְחָה אֵלֵינוּ מִשִּׁלֹה אֶת־אֲרוֹן בְּרִית יהוה וְיָבֹא בְקִרְבֵּנוּ וְיֹשִׁעֵנוּ
ד מִכַּף אֹיְבֵינוּ׃ וַיִּשְׁלַח הָעָם שִׁלֹה וַיִּשְׂאוּ מִשָּׁם אֵת אֲרוֹן בְּרִית־יהוה צְבָאוֹת יֹשֵׁב
ה הַכְּרֻבִים וְשָׁם שְׁנֵי בְנֵי־עֵלִי עִם־אֲרוֹן בְּרִית הָאֱלֹהִים חָפְנִי וּפִינְחָס׃ וַיְהִי כְּבוֹא
אֲרוֹן בְּרִית־יהוה אֶל־הַמַּחֲנֶה וַיָּרִעוּ כָל־יִשְׂרָאֵל תְּרוּעָה גְדוֹלָה וַתֵּהֹם הָאָרֶץ׃

רש"י

(א) ויהי דבר שמואל לכל ישראל. נהיה הדבר שנאמר לשמואל, ובא לכל ישראל, והאיך היה הפורענות, ויצא ישראל לקראת פלשתים למלחמה: **האבן העזר.** עדיין לא היה כן שמה, כי בימי שמואל נקראת כן (לקמן ז יב), וכאן קראה על שם סופה: **(ב) ותטש המלחמה.** ותתפשט המלחמה, כמו (לקמן ל טז), וְהִנֵּה נְטֻשִׁים עַל פְּנֵי כָל הָאָרֶץ, וכן (שופטים טו ט), וַיִּנָּטְשׁוּ בַּלֶּחִי:

רד"ק

(א) ויצא ישראל. כלומר צוה אותם לצאת בדבר השם ויצאו, וצוה אותם לצאת להנגף לפני פלשתים לפי שהיו ענושים וחייבים את המשפט הזה, וכן במלחמת הגבעה (שופטים כ, יח) צוה אותם לעלות, וינגפו: **על האבן העזר.** כמו הארון הַבְּרִית, (יהושע ג, יד) והכותב אמר זה, כי כשהיתה זאת המלחמה אבן נגף היתה ולא אבן עזר, ועדיין לא נקראה אבן העזר, כי על המלחמה האחרת שעשה שמואל עם פלשתים בין המצפה ובין השן, שקרא אותה שמואל אבן העזר שעזרם האל יתברך באותה מלחמה (לקמן ז, יב), אבל מה שנכתב הנה אבן העזר דברי הסופר הם, וכן וַיִּרְדֹּף עַד דָּן (בראשית יד, יד): **(ב) ותטש המלחמה.** כענין וַיִּטֹּשׁ עַל הַמַּחֲנֶה (במדבר יא, לא) ענין התפשטות הדבר, ויונתן תרגם וְאִתְרְטִישׁוּ עָבְדֵי קְרָבָא: **(ג) וישיענו.** תרגם יונתן וּבְדִיל יְקַר שְׁמֵיהּ נִתְפְּרִיק מִיַּד בַּעֲלֵי דְבָבָנָא: **(ד) את ארון ברית ה' צבאות ישב הכרבים.** טעם הספור הזה לומר כי הוא אדון החילות להגביר אוהביו ולהחליש אויביו, ויושב הכרובים אמר להודיע כי הוא קרוב לבני אדם לכל אשר יקראוהו באמת, ולולי העונות לכל זה היה נמצא, והעונות גרמו, ומפני זה אמר וְשָׁם שְׁנֵי בְנֵי עֵלִי עִם אֲרוֹן בְּרִית הָאֱלֹהִים חָפְנִי וּפִינְחָס, להודיע כי הם גרמו המכשלה, וכדי שיבואו למלחמה היתה סבה מאת האלהים ששאלו זקני ישראל את הארון, והם גרמו את המכשלה עם עונות ישראל הבאים למלחמה, כי היו בהם עובדי עבודת אלילים, וארון זה הוא הארון שבו מונחין שברי לוחות והוא היה יוצא עמהם למלחמה, והוא שנאמר עליו וַאֲרוֹן בְּרִית ה׳ נֹסֵעַ לִפְנֵיהֶם (במדבר י, לג), ומצאנו מחלוקת בדברי רבותינו זכרונם לברכה בזה, מהם אמרו כי לוחות ושברי לחות מונחין בארון אחד וספר תורה עמהם בארון, ומה שכתוב וְשַׂמְתֶּם אֹתוֹ מִצַּד אֲרוֹן בְּרִית ה׳ (דברים לא, כו) פירושו ושמתם אותו בארון מצד לוחות ברית השם, ומהם אמרו כי כמין גלוסקא עשו לארון מבחוץ ושם היה ספר תורה מונח, וזהו שאמר מצד ארון ברית ה׳, ומהם אמרו כי בארון אחד לבדו היה ספר תורה מונח, ומהם אמרו כי לשברי לוחות היה ארון לבדו והוא היה יוצא למלחמה, והפסוקים מוכיחין כי הלוחות השלימות, היו בזה הארון שהביאו במחנה, שהרי אמר יושב הַכְּרֻבִים מראה כי הכרובים היו עליו, ועוד כי זה הארון שיצא למלחמה זה הוא הארון שהיה בבית השמש בשובו משדה פלשתים, והוא שהיה בקרית יערים ובבית עובד אדום ובעיר דוד, ומעיר דוד העלוהו והכניסוהו לבית קדש הקדשים:

מצודת דוד

(א) ויהי דבר שמואל לכל ישראל. רוצה לומר שהיה ונתקיימה נבואת שמואל לכל ישראל, והוא מה שנאמר לו, הִנֵּה אָנֹכִי עֹשֶׂה דָבָר בְּיִשְׂרָאֵל וכו׳ (לעיל ג, יא), וחוזר ומפרש איך נתקיימה, ואמר, וַיֵּצֵא יִשְׂרָאֵל וכו׳, ואז לא משלו פלשתים על ישראל, ועיין בקונטרס בחשבון הדורות: **האבן העזר.** הוא דברי כותב הספר, כי שם האבן העזר לא נקראה עד אחר המלחמה האחרת שעשה שמואל, וישראל נצחו אז (לקמן ז, יב): **(ב) ותטש המלחמה.** אנשי המלחמה נתפשטו כדרך הנלחמים: **(ג) אל המחנה.** לאותן שלא הלכו במערכה: **למה נגפנו.** כי חשבו אשר המה מנוקים מעון: **את ארון.** כי אמרו, כאשר ישגיח ה׳ בארון בריתו, ישגיח גם בנו: **(ד) ישב הכרבים.** אשר שוכן על הכרובים אשר על הכפורת: **ושם וכו׳.** רוצה לומר, הם נשאו הארון: **(ה) וירעו.** לכבוד ביאת הארון: **ותהם הארץ.** הוא מלשון גוזמא והפלגה, ורוצה לומר קול התרועה נשמע למרחוק:

מצודת ציון

(ב) ויערכו. ענין סדור, כמו וְעָרַךְ עָלֶיהָ הָעֹלָה (ויקרא ו, ה), ורצה לומר, סדרו אנשי החיל לעמוד מול המלחמה: **ותטש.** ענין פזור והתפשטות, כמו וַיִּטֹּשׁ עַל הַמַּחֲנֶה (במדבר יא, לא): **וינגף.** ענין הכאה, כמו פֶּן תִּגֹּף בָּאֶבֶן רַגְלֶךָ (תהלים צא, יב): **במערכה.** היא מקום המלחמה, שעומדים שם סדורים: **(ה) ותהם.** מלשון המייה:

4.

✤ **The prophecy begins to be fulfilled.** The prophecy to Samuel had spoken of a frightening calamity that would befall the nation. Now it would take shape through the Philistines, who would defeat Israel in battle and capture the Ark. [As to why God permitted the Ark to be so degraded, see below.] The role of Samuel in the catastrophe is in dispute. According to *Rashi* and many others, the people acted without consulting Samuel and the calamity was God's way of fulfilling the prophecy given him in 3:12. *Radak*, however, interprets 4:1 to mean that Samuel commanded Israel to go to battle, as the means for the prophecy to come to pass. His [Divinely commanded] intention was that the nation would suffer the defeat that it merited, entirely apart from the sins of Eli's family. If so, the ensuing events are eloquent testimony to Israel's faith in God and His prophets, for the people still trusted Samuel after the debacle, recognizing that their sins, not Samuel's "mistake" had brought them to the sorry pass of losing their Tabernacle and Ark, as well as Eli, their great judge.

The narrative and commentary will show how easy it can be for people to misinterpret events and to think that they are acting in accordance with God's will when, in reality, they are abrogating it.

1. As noted above, the *word of Samuel* refers to his earlier prophecy, which would now be fulfilled as a result of the

4 **THE ARK'S CAPTURE** 4:1-5:12

The Philistines defeat Israel

[1]The word of Samuel befell all of Israel.

Israel went out to war against the Philistines. They encamped at Eben-ezer, while the Philistines encamped at Aphek. [2]The Philistines arrayed themselves opposite Israel and the battle spread. Israel was smitten before the Philistines; they slew about four thousand men in the battlefield.

[3]The people came to the camp, and the elders of Israel said, "Why did HASHEM smite us today before the Philistines? Let us take with us from Shiloh the Ark of the Covenant of HASHEM that He may come in our midst and save us from the hands of our enemies!"

The Ark is brought to the front

[4]So the people sent to Shiloh and carried from there the Ark of the Covenant of HASHEM, Master of Legions, Who dwells atop the Cherubim, and the two sons of Eli — Hophni and Phinehas — were there along with the Ark of the Covenant of God. [5]When the Ark of the Covenant of HASHEM arrived at the camp, all of Israel sounded a great shofar blast and the ground shook.

people's own decision to attack the Philistines (*Rashi*). According to *Radak*, *the word of Samuel* was a direct command that the people go out to fight the Philistines.

2-3. Soul-searching, but wrong answer. The nation that had defeated the Canaanites with negligible casualties under Joshua was right to attribute this major defeat to God's unwillingness to help or to their own unworthiness. But if the elders were confused and found no sin to be the cause (*Metzudos*), they should have consulted their prophet Samuel or the *Urim v'Tumim*. Or they should have prayed and repented. Instead, although they recognized that they were lacking in merit (*Abarbanel*), they thought that the Ark was all they needed to reverse their fortunes. Convinced that the holiness of the Ark would save them, they failed to realize that Israel had to be worthy if miracles were to happen. Since the people were still lacking, God was now orchestrating the realization of the earlier prophecies (*Radak*).

The same misplaced faith was to occur before the destruction of the First Temple, when the people were so confident that the Temple would protect them that they disregarded the warnings of Jeremiah and Ezekiel.

Had they indulged in mass repentance and turned to God, Who was the power behind the Ark, the outcome might well have been different, for the decree against Hophni and Phinehas did not necessarily require such a far-reaching national calamity.

When the elders wondered why they were defeated, God said, "When the sons of Eli sinned against the Tabernacle and against the women, you were silent — and now you ask why you were defeated!" (*Tanna d'Vei Eliyahu*).

4. The Ark. This verse is laden with meaning. They brought the Ark that contained the Tablets of the Law that God gave to Moses on Yom Kippur, after the Jews had repented from the sin of the Golden Calf (*Exodus* 34:1-4). Upon the Ark were the two golden Cherubim [see *Exodus* 25:17-22]. The Presence of God *dwells atop the Cherubim*, meaning that He is always close to His children, Israel, and is ready to respond to their prayers and repentance — providing they are worthy of His intervention. In this setting of battle, God is described as צְבָאוֹת, *Master of Legions*, for He is in control of every aspect of nature and history and orchestrates events in consonance with His plan. Thus, this phrase implies that God's intervention *could* have been invoked if Israel had indeed deserved it, but they did not. To make matters worse, there were idolaters among them. The verse goes on to specify Hophni and Phinehas, because they bore the underlying responsibility for the calamitous turn of events, since they were the ones who had degraded Shiloh and caused the people to stray from their innocent devotion to God. Although the people brought the *Ark of the covenant of God*, it could not help them because Israel, influenced by Hophni and Phinehas, had strayed from the covenant (*Radak*).

The Talmud expresses it graphically: The smoke of the Altar in Shiloh mingled with the smoke from the carved image of Micah [see *Judges* Chs. 17-18] (*Sanhedrin* 103b).

⇝ **Which Ark.** There were two sets of Tablets, the first which Moses broke after seeing the Golden Calf and the second which God gave Moses after the repentance. It is clear that the shards of the First Tablets were preserved, but there is a Talmudic dispute (*Yerushalmi Shekalim* 6:1) whether they were kept in an ark of their own or if they were in the Ark that contained the second Tablets. *Rashi* (to *Deuteronomy* 10:1) follows the view that there were two arks and that the one with the broken Tablets was customarily brought to battle to invoke Divine help. *Ramban* there disagrees and maintains that both sets of Tablets were kept in the same Ark. All agree, however, that in this episode, the people sinned by bringing the second Tablets to the battlefield. *Abarbanel* discusses the matter at length.

5. וַיָּרִעוּ. . .תְּרוּעָה גְדוֹלָה — *(They) sounded a great shofar blast.* They meant to herald the arrival of the Ark (*Metzudos*), which would bring them victory. But unlike the great shofar blasts at Jericho or the trumpet blasts in a successful battle, this one was meaningless (*Tanna d'Vei Eliyahu*), because it was not intended to lead to repentance. Rather it was the sound of bravado, as if the shofar without prayer could bring victory (*Abarbanel*).

ו וַיִּשְׁמְעוּ פְלִשְׁתִּים֙ אֶת־ק֣וֹל הַתְּרוּעָ֔ה וַיֹּ֣אמְר֔וּ מֶ֗ה ק֠וֹל הַתְּרוּעָ֤ה הַגְּדוֹלָה֙ הַזֹּ֔את בְּמַחֲנֵ֖ה הָעִבְרִ֑ים וַיֵּ֣דְע֔וּ כִּ֚י אֲר֣וֹן יְהוָ֔ה בָּ֖א אֶל־הַֽמַּחֲנֶֽה׃ ז וַיִּֽרְאוּ֙ הַפְּלִשְׁתִּ֔ים כִּ֣י אָמְר֔וּ בָּ֥א אֱלֹהִ֖ים אֶל־הַֽמַּחֲנֶ֑ה וַיֹּאמְרוּ֙ א֣וֹי לָ֔נוּ כִּ֣י לֹ֥א הָיְתָ֛ה כָּזֹ֖את אֶתְמ֥וֹל שִׁלְשֹֽׁם׃ ח א֣וֹי לָ֔נוּ מִ֣י יַצִּילֵ֔נוּ מִיַּ֛ד הָאֱלֹהִ֥ים הָאַדִּירִ֖ים הָאֵ֑לֶּה אֵ֣לֶּה הֵ֤ם הָֽאֱלֹהִים֙ הַמַּכִּ֣ים אֶת־מִצְרַ֔יִם בְּכָל־מַכָּ֖ה בַּמִּדְבָּֽר׃ ט הִֽתְחַזְּק֞וּ וִֽהְי֤וּ לַֽאֲנָשִׁים֙ פְּלִשְׁתִּ֔ים פֶּ֚ן תַּֽעַבְד֣וּ לָֽעִבְרִ֔ים כַּאֲשֶׁ֥ר עָבְד֖וּ לָכֶ֑ם וִהְיִיתֶ֥ם לַאֲנָשִׁ֖ים וְנִלְחַמְתֶּֽם׃ י וַיִּלָּחֲמ֣וּ פְלִשְׁתִּ֗ים וַיִּנָּ֤גֶף יִשְׂרָאֵל֙ וַיָּנֻ֙סוּ֙ אִ֣ישׁ לְאֹהָלָ֔יו וַתְּהִ֥י הַמַּכָּ֖ה גְּדוֹלָ֣ה מְאֹ֑ד וַיִּפֹּל֙ מִיִּשְׂרָאֵ֔ל שְׁלֹשִׁ֥ים אֶ֖לֶף רַגְלִֽי׃ יא וַאֲר֥וֹן אֱלֹהִ֖ים נִלְקָ֑ח וּשְׁנֵ֣י בְנֵי־עֵלִ֔י מֵ֖תוּ חָפְנִ֥י וּפִֽינְחָֽס׃ יב וַיָּ֤רָץ אִישׁ־בִּנְיָמִן֙ מֵהַמַּ֣עֲרָכָ֔ה וַיָּבֹ֥א שִׁלֹ֖ה בַּיּ֣וֹם הַה֑וּא וּמַדָּ֣יו קְרֻעִ֔ים וַאֲדָמָ֖ה עַל־רֹאשֽׁוֹ׃ יג וַיָּב֡וֹא וְהִנֵּ֣ה עֵ֠לִי יֹשֵׁ֨ב עַֽל־הַכִּסֵּ֜א °יך [°יַ֣ד ק] דֶּ֙רֶךְ֙ מְצַפֶּ֔ה כִּֽי־הָיָ֣ה לִבּ֔וֹ חָרֵ֔ד עַ֖ל אֲר֣וֹן הָאֱלֹהִ֑ים וְהָאִ֗ישׁ בָּ֚א לְהַגִּ֣יד

רש״י

(ח) בכל מכה במדבר. על ים סוף. ויונתן תרגם, ולעמיה עבד פרישן במדברא. ובספרי שנינו, שהפרשה הזו עירוב דברים, מי שאמר זה לא אמר זה, כשרין שבהם אמרו, מִי יַצִּילֵנוּ מִיַּד הָאֱלֹהִים הָאַדִּירִים הָאֵלֶּה, והרשעים אמרו, אֵלֶּה הֵם הָאֱלֹהִים הַמַּכִּים אֶת־מִצְרַיִם בְּכָל מַכָּה, כל מכות שהיו לו, על המצרים הביאם, אין לו עוד מכה מעתה: (יב) איש בנימן. זה היה שאול, שחטף את הלוחות מיד גלית וברח לו: (יג) יד דרך מצפה. אצל יד הדרך היה מצפה:

רד״ק

(ח) מיד האלהים האדירים האלה. תרגום יונתן מִיַּד מֵימְרָא דַהּ׳ דְעוֹבָדוֹהִי רַבְרְבִין אִילֵין אִינוּן גְבוּרְתָא דַהּ׳ וגו׳, ואדוני אבי זכרונו לברכה פירש בַּמִּדְבָּר מן וּמִדְבָּרֵךְ נָאוֶה (שיר השירים ד, ג), וזה פירוש במצותו ובדברו הכה במצרים, ועתה הוא בעצמו בא אוי להם, ובדברי רבותינו זכרונם לברכה (ספרי במדבר פיסקא פח) עירובי דברים נאמרה הפרשה, מִי יַצִּילֵנוּ מִיַּד הָאֱלֹהִים הָאַדִּירִים הָאֵלֶּה עד כאן דברי צדיקים שבהם, אבל הרשעים היו אומרים אֵלֶּה הֵם הָאֱלֹהִים הַמַּכִּים אֶת מִצְרַיִם בְּכָל מַכָּה בַּמִּדְבָּר, אמרו עשר מכות היו לו וכולן הביאן על המצרים, ושאר המכות כלה על עמו במדבר, אין לו מכה עוד מעתה, אמר להם הקדוש ברוך הוא אתם אומרים שאין לי מכה עוד, אני מביא עליכם מכה שלא היתה מעולם, והיה אחד מהם יוצא בטחור ועכבר יוצא מן התהום ושומט את בני מעיו וחוזר לתהום, וכן הוא אומר וַתִּכְבַּד יַד ה׳ אֶל הָאַשְׁדּוֹדִים (לקמן ה, ו), ויש מפרשים מִי יַצִּילֵנוּ מִיַּד הָאֱלֹהִים הָאַדִּירִים הָאֵלֶּה כי מנהג לשונם היה לקרא לאלהים אחרים לשון רבים, וזהו שאמרו מִי יַצִּילֵנוּ מִיַּד הָאֱלֹהִים הָאַדִּירִים הָאֵלֶּה, וכיוצא בדבר (דברים כה, יח) וְאַתָּה עָיֵף וְיָגֵעַ על ישראל, וְלֹא יָרֵא אֱלֹהִים על עמלק, עירובי דברים כתובין כאן וכן יתכן להיות כפשוטו: (יב) וירץ איש בנימן. דרשו בו (מדרש שמואל יא, א) שהוא היה שאול בן קיש שחטף הלוחות מיד גלית הפלשתי וברח לו, ורחוק הוא שהוציא אדם את הלוחות מהארון, שהרי כמה נגעים וכמה רעות באו לפלשתים מקדושת הארון בהיותו בארץ פלשתים לבד, כל שכן אם שלחו יד בו, כי גם אנשי בית שמש שהיו ישראלים מתו כמה מהן כי ראו בארון ה׳ (לקמן ו, יט): (יג) יד דרך מצפה. כתיב יך, כלומר שהיה לבו מכה אותו ומפחד על ארון האלהים שיצא, ונכתב יך לזה הטעם על דרך וַיַּךְ לֵב דָּוִד אֹתוֹ (לקמן כד, ו) וקרי יד שפירוש מקום כמו וְיָד תִּהְיֶה לְךָ (דברים כג, יג), כלומר היה יושב על הכסא במקום שהיה רואה דרך הבאים מן המלחמה, והיה מצפה ומיחל שיבא אדם, כי היה לבו חרד על ארון האלהים, ויונתן הוסיף בו שער שתירגם עַל כְּבַשׁ אוֹרַח תַּרְעָא מְסָכֵי, כמו שאמר בפסוק האחר בְּעַד יַד הַשַּׁעַר (פסוק יח):

מצודת דוד

(ו) ויאמרו. אלו לאלו: וידעו. אחר החקירה, נודע להם שבא הארון אליהם: (ז) לא היתה כזאת. להביא הארון אל המלחמה: (ח) במדבר. על ים סוף שהוא במדבר: (ט) התחזקו. אמרו אלו לאלו אתם פלשתים התחזקו: והיו לאנשים. רצה לומר לגבורים ואמיצי הלב: והייתם. רצה לומר, אבל אם תהיו לאנשים, אז תוכלו על כל פנים להלחם בהם, לבלי היות מנוצחים לעבוד אותם, ותהיו על כל פנים דומה להם בדבר הנצחון: (יב) ומדיו קרעים. דרך צער ואבלות: (יג) ויבוא. רצה לומר, בעת בואו לשילה, יֹשֵׁב עֵלִי עַל הַכִּסֵּא וכו׳: יד דרך מצפה. אצל מקום דרך ההולך למקום המלחמה, והיה מצפה ומייחל לשמוע מה מהמלחמה, כי היה לבו חרד על הליכת הארון: והאיש בא. מדרך אחר בא להגיד בהעיר:

מצודת ציון

(ו) העברים. בני ישראל נקראים עברים, כי אברהם אביהם היה מעבר הנהר: (ז) שלשם. יום השלישי שלפני היום: (ח) האדירים האלה. בכל המקרא הזה אמר בלשון רבים, לפי שאמר הָאֱלֹהִים שכתוב בכל מקום בלשון רבים, לזה אמר הכל בלשון רבים: (ט) לאנשים. רצה לומר גבורים ואמיצי לב: (י) רגלי. הולכי רגל, לא רוכבי סוסים: (יב) ומדיו. ומלבושיו, כמו וַיַּלְבֵּשׁ וגו׳ מַדָּיו (לקמן יז, לח): ואדמה. עפר: (יג) יד. מקום: מצפה. ענין תוחלת ותקוה, כמו וַאֲנִי בָּהּ אֲצַפֶּה (מיכה ז, ז): ותזעק. זעקת שבר ויללה:

6-9. The Philistines were struck with terror because the Ark with the Second Tablets had never before been removed from the Holy of Holies — *yesterday or the day before.* — and taken to battle (*Targum Yonasan*). But they regained their courage and decided to fight for their lives and freedom.

Kli Yakar offers a novel interpretation. What had never happened before was that the Philistines had never inflicted upon Israel such a crushing defeat with so many casualties. Therefore they feared that God would now come to the aid of His people. If so, it would have been better if the Philistines had not scored such an overwhelming victory.

8. הַמַּכִּים אֶת־מִצְרַיִם בְּכָל־מַכָּה בַּמִּדְבָּר — *Who struck the Egyptians with all kinds of plagues in the Wilderness.* But the Ten Plagues were in Egypt, not the Wilderness! This refers to the plagues at the Sea of Reeds, which was in the Wilderness (*Rashi; Ralbag*). As the Pesach Haggadah states, the plagues at the sea were five times greater than those in

The Philistines are frightened

[6]The Philistines heard the sound of the blast and they said, "What is the sound of this great blast in the camp of the Hebrews?" And they became aware that the Ark of HASHEM had come to the camp. [7]The Philistines were afraid, as they said, "God has come to the camp!" And they said, "Woe to us, for such a thing had not happened yesterday or the day before! [8]Woe to us! Who will save us from the hand of this mighty God? This is the God Who struck the Egyptians with all kinds of plagues in the Wilderness! [9]Be strong; be men, O Philistines, lest you become enslaved to the Hebrews as they have been enslaved to you! Be men and fight!"

Israel is defeated and the Ark is captured

[10]So the Philistines fought. Israel was smitten and they ran, every man to his tents. The blow was very great: Thirty thousand foot soldiers fell from Israel; [11]the Ark of God was taken; and the two sons of Eli — Hophni and Phinehas — died.

[12]A Benjamite man ran from the battlefront and came to Shiloh that day, his clothing ripped and earth upon his head. [13]When he came Eli was seated in a chair next to the road, looking out, for his heart was fearful about the Ark of God. The man arrived to

Egypt. Alternatively, the phrase refers to two different manifestations of God's power: the plagues in Egypt and the many miracles in the Wilderness, such as the manna, the clouds of glory and so on (*Targum Yonasan*).

According to *Sifrei,* this verse alludes to a dialogue between three Philistine parties: (1) The worthier ones exclaimed rever-ently that they had no hope of prevailing against *this mighty God.* (2) The wicked ones responded that God had emptied His arsenal of plagues against the Egyptians; God had no weapons left with which to attack the Philistines, so they would be able to defeat the Jews and had no reason to fear Divine retalia-tion. Hearing this blasphemy, God said that he would show the Philistines a plague that had never happened before! (5:6-12).

9. הִתְחַזְּקוּ — *Be strong.* (3) A third party, composed of courageous warriors, said, "Even if we cannot conquer the Jews and make them our slaves, at least we can fight heroically and prevent them from subjugating us. Jewish ascendancy is worse than death" (*Metzudos*).

10-11. Israel's crushing defeat and loss of the Ark. In a shocking turn of events, the Philistines won an unprecedented victory. They came to fight; the Jews came expecting an automatic victory — but that could not be without God's help. Thoroughly demoralized, the Jewish soldiers did not merely retreat to their camp as they did the first day (v. 3); they fled in total confusion, attempting to get back to their homes. This breakdown of military discipline enabled the Philistines to kill thousands more than they would have otherwise (*Malbim*). The prophecies of Samuel and Elkanah had been fulfilled.

In the pithy expression of the Sages, "Flight is the beginning of defeat."

Abarbanel lists five reasons for the loss of the Ark: (a) Although outright idol worship was rare, the nation tolerated the existence of the Carved Image of Micah (*Judges* 18:31); (b) By specifying the deaths of Eli's sons, Scripture implies that their corruption of the Tabernacle service played a role in the debacle; (c) Israel had sinned in taking the Ark to battle without God's permission; (d) The people did not pray for God's help before going into battle, overconfident that He would protect them and the Ark; (e) God wanted to demonstrate the majesty of the Ark. He did not help Israel in its war because they failed to honor the Ark properly, but when the Philistines did not return it, God performed great miracles to show them that they had no right to keep it12-17. Eli hears the news. *A Benjamite man*, in an act of great courage and enormous strength and stamina, wrested the Tablets of the Law from the Philistine giant Goliath and

ran with them to Shiloh, a distance of sixty *mil* (nearly forty-five miles). There he told the anxiously waiting Eli of the calamity. This man was Saul, the future king (*Rashi; Midrash Shmuel* 11:1). King David alluded to this when he eulogized Saul (*II Samuel* 1:23) as *swifter than eagles, stronger than lions (Me'am Loez).*

Radak, however, finds the above Midrash difficult. In the plain sense of the narrative, he maintains, the Philistines kept possession of the Tablets, as well as the Ark.

12. Despite his own success in saving his life, Saul tore his clothes and put earth on his head in mourning over Israel's defeat and the capture of the Ark. Although his appearance should have prepared any onlooker for terrible news, Eli was blind (v. 15), so that he was caught by surprise and shocked (*Malbim).*

13. יַד דֶּרֶךְ מְצַפֶּה — *Next to the road, looking out.* Eli sat by the road where he would ordinarily be the first to hear any news, but Saul, who came by a roundabout way, had entered the city from a different direction, so that Eli heard the cry of anguish from the city before Saul came to him (*Abarbanel*).

The word יַד, *next to,* יַךְ is spelled, *strike* or *pound*, to teach that Eli's heart was pounding in trepidation of what might be happening on the battlefield (*Radak*).

כִּי־הָיָה לִבּוֹ חָרֵד עַל אֲרוֹן הָאֱלֹהִים — *For his heart was fearful about the Ark of God.* That Eli was waiting for news is understandable, but the verse alludes to his righteousness and sense of responsibility for the national good. Although he had been warned that both his sons would die on the same

יד בָּעִיר וַתִּזְעַק כָּל־הָעִיר: וַיִּשְׁמַע עֵלִי אֶת־קוֹל הַצְּעָקָה וַיֹּאמֶר מֶה קוֹל הֶהָמוֹן
טו הַזֶּה וְהָאִישׁ מִהַר וַיָּבֹא וַיַּגֵּד לְעֵלִי: וְעֵלִי בֶּן־תִּשְׁעִים וּשְׁמֹנֶה שָׁנָה וְעֵינָיו קָמָה
טז וְלֹא יָכוֹל לִרְאוֹת: וַיֹּאמֶר הָאִישׁ אֶל־עֵלִי אָנֹכִי הַבָּא מִן־הַמַּעֲרָכָה וַאֲנִי מִן־
יז הַמַּעֲרָכָה נַסְתִּי הַיּוֹם וַיֹּאמֶר מֶה־הָיָה הַדָּבָר בְּנִי: וַיַּעַן הַמְבַשֵּׂר וַיֹּאמֶר נָס
יִשְׂרָאֵל לִפְנֵי פְלִשְׁתִּים וְגַם מַגֵּפָה גְדוֹלָה הָיְתָה בָעָם וְגַם־שְׁנֵי בָנֶיךָ מֵתוּ חָפְנִי
יח וּפִינְחָס וַאֲרוֹן הָאֱלֹהִים נִלְקָחָה: וַיְהִי כְּהַזְכִּירוֹ ׀ אֶת־אֲרוֹן הָאֱלֹהִים וַיִּפֹּל
מֵעַל־הַכִּסֵּא אֲחֹרַנִּית בְּעַד ׀ יַד הַשַּׁעַר וַתִּשָּׁבֵר מַפְרַקְתּוֹ וַיָּמֹת כִּי־זָקֵן הָאִישׁ
יט וְכָבֵד וְהוּא שָׁפַט אֶת־יִשְׂרָאֵל אַרְבָּעִים שָׁנָה: וְכַלָּתוֹ אֵשֶׁת־פִּינְחָס הָרָה לָלַת
וַתִּשְׁמַע אֶת־הַשְּׁמֻעָה אֶל־הִלָּקַח אֲרוֹן הָאֱלֹהִים וּמֵת חָמִיהָ וְאִישָׁהּ וַתִּכְרַע
כ וַתֵּלֶד כִּי־נֶהֶפְכוּ עָלֶיהָ צִרֶיהָ: וּכְעֵת מוּתָהּ וַתְּדַבֵּרְנָה הַנִּצָּבוֹת עָלֶיהָ אַל־
כא תִּירְאִי כִּי־בֵן יָלָדְתְּ וְלֹא עָנְתָה וְלֹא־שָׁתָה לִבָּהּ: וַתִּקְרָא לַנַּעַר אִי כָבוֹד
לֵאמֹר גָּלָה כָבוֹד מִיִּשְׂרָאֵל אֶל־הִלָּקַח אֲרוֹן הָאֱלֹהִים וְאֶל־חָמִיהָ וְאִישָׁהּ:

רש"י

(יח) מפרקתו. אפרקותיה, עגס הצואר: **(יט) ללת.** על כרחו 'ללדת' פירושו, ואין לו דמיון. ומנחם חברו בחלק 'יללה', לפי שחבלי לידתה ביללה באו לה, ויסוד יללה, אין אות ביסודה אלא למ"ד לבדה: **נהפכו.** נשתנו מכדרכן, לכך מתה: **צריה.** צירי דלתי בטנה, קרדוני"ל בלע"ז: **(כא) אי כבוד.** אין כבוד, וכן (איוב כב ל), יְמַלֵּט אִי נָקִי, אין נקי: **אל הלקח.** כמו על הלקח, ואין צריך לזוזו מלשון אל, למי שיודע להבין דברו: **אל הלקח.** איטויר"ש לאיסטריפו"ש בלע"ז: **ואל חמיה.** ואל הרעה הזאת, שמת חמיה ואישה:

רד"ק

(טו) ועיניו קמה. כל אחת מעיניו קמה, כלומר כהתה, ואמר לשון קימה בעין, וכן כִּי קָמוּ עֵינָיו מִשֵּׂיבוֹ (מלכים־א יד, ד) כי לעת הזקנה תיבש הלחות, ויקומו יתרי העין ותכנס העין בחורה, ויש מפרשים ענין כליון עינים, וכן תרגם יונתן כָּלוּ עֵינֵיהֶם (ירמיהו יד, ו) קָמָה עֵינֵיהוֹן וכן תרגם יונתן וְעֵינָיו קָמָה: **(יז) ויען המבשר.** מספר החדשות על טוב, ועל רע נקרא מבשר: **נלקחה.** נזכר הארון בלשון זכר ובלשון נקבה, בלשון זכר ברוב וכן בזו הפרשה וַאֲרוֹן אֱלֹהִים נִלְקָח (לעיל פסוק יא), ובזה הפסוק בלשון נקבה, וכן אֲשֶׁר בָּאָה אֲלֵיהֶם אֲרוֹן ה' (דברי הימים־ב ח, יא): **(יח) כהזכירו.** כהזכיר המבשר ארון האלהים: **ויפל.** עלי, מרוב כאב לב שאחזו נפל לאחריו: **בעד יד השער.** כתרגומו עַל כְּבַשׁ אוֹרַח תַּרְעָא: **מפרקתו.** עצם הצואר נקרא מפרקת לפי שנעשה פרקים פרקים: **וכבד.** כבד התנועה מפני זקנתו, או פירוש שהיה כבד בשר שהיה בעל בשר, לפיכך מת בנפלו מפני כבדו: **(יט) הרה ללת.** היתה הרה וקרבו ימיה ללדת, והדל"ת חסרה כן דעת רוב המפרשים, וכן תרגם יונתן מְעַדְיָא לְמֵילַד, ורבי אחי רבי משה פירשו מן יללה, כלומר קרבו ימיה לחיל ולזעוק בחבליה, ודקדוק המלה ללת בפלס לרדת לשבת בחסרון יו"ד ילל כמו יו"ד ירד ישב, ומכפל הלמדי"ן חסרו האחרונה שהיא למ"ד הפעל, ונשאר במלה מן השרש עי"ן הפעל לבד כמו לתת אלא שזו בצירי וזו בפתח: **כי נהפכו עליה צריה.** כלומר נהפכו ונתגלגלו עליה צירי וחבלי הלידה עם חבלי השמועה הרעה, ומחוזק ציריה כרעה וילדה ומתה, ותרגם יונתן אֲרֵי בְעַתוּהָא חֶבְלָהָא, ובדברי רבותינו זכרונם לברכה (בכורות מה, א) תניא רבי אלעזר אומר כשם שצירים לדלת הבית כך יש צירים לרחם האשה, שנאמר וַתִּכְרַע וַתֵּלֶד כִּי נֶהֶפְכוּ עָלֶיהָ צִרֶיהָ: **(כ) וכעת.** בכ"ף: **מותה.** בשורק: **(כא) אי כבוד.** כמו אין כבוד בחסרון הנו"ן, ובא בחירק כמו וְאִין יֶשׁ פֹּה תַּחַת יָדְךָ (לקמן כא, ט) או כמו אי כבוד בצירי, כלומר איה הכבוד שאיננו היום בישראל:

מצודת דוד

(טז) מה היה הדבר. מה נעשה בהמלחמה: **(יז) וגם מגפה.** כי הפלשתים רדפו אחריהם והכום: **(יח) בעד יד השער.** נגד מקום השער: **כי זקן האיש וכבד.** רצה לומר, לפי שהיה זקן וכוחו תש והיה בעל בשר, לזה לא היה יכול להתחזק בעת נפלו להטות עצמו על צדו: **(יט) הרה ללת.** רצה לומר, נשלם ימי הריונה ללדת: **כי נהפכו.** מחרדת השמועה, נהפכו ונתגלגלו עליה פתאום חבלי הלידה: **(כ) וכעת מותה.** וכאשר בא עת מותה על ידי הלידה הפתאומית: **אל תיראי.** היות חשבו שמתפחדת שלא תמות גם היא בעבור רוע המזל, וכמו שאמרו רבותינו זכרונם לברכה (שבת קה, ב), אחד מן המשפחה שמת, ידאגו וכו', ולזה אמרו לה, דע כי בן ילדת, ושוב אין לך לפחד, כי אם נולד בן זכר, נתרפאת כל המשפחה, וכמו שאמרו רבותינו זכרונם לברכה (ירושלמי מועד קטן ג, ז): **ולא שתה לבה.** אל דבריהן: **(כא) לאמר.** רצה לומר, השם יורה, אשר בעת שנולד, גָּלָה כָבוֹד מִיִּשְׂרָאֵל וכו':

מצודת ציון

(יד) ההמון. העם הרב: **(טו) קמה.** רצה לומר כל אחת קמה, כי בעת הראות, דרך העין להתנענע, ושל עלי קמה ועמדה, כי לא ראה עוד: **(טז) נסתי.** ברחתי: **(יז) המבשר.** כל המספר חדשות בין טוב בין רע, נקרא מבשר: **(יח) אחרנית.** לאחוריו: **בעד.** נגד: **מפרקתו.** הוא עצם הצואר, על שם שעשוי פרקים פרקים: **(יט) ללת.** רצה לומר ללדת, ובא בחסרון הדל"ת, לפי שילדה ביללה: **ותכרע.** נפלה על ברכיה: **נהפכו.** ענין סבוב וגלגול, על כי בעת הגלגול מתהפך הדבר מצד אל צד, וכן מִתְהַפֵּךְ בְּמַחֲנֵה מִדְיָן (שופטים ז, יג): **צריה.** הם חבלי הלידה, הבאה מהשמטת קשרי הרחם התקועים זה בזה, והוא מושאל מן צירי הדלתות, וכן צִירִים וַחֲבָלִים יֹאחֵזוּן (ישעיהו יג, ח): **(כ) ענתה.** השיבה: **שתה.** שמה, כמו לְמַעַן שִׁתִי (שמות י, א): **(כא) אי כבוד.** כמו אין כבוד, ותחסר הנו"ן, כמו יְמַלֵּט אִי נָקִי (איוב כב, ל). והיא בחיר"ק, ודוגמתו וְאִין יֶשׁ פֹּה (לקמן כא, ט), שהיא בחיר"ק:

day (2:34), his concern was for the fate of the Ark (*Ralbag*).

14-15. The man came to Eli with the news. By citing his infir-mity and advanced age, the verse prepares us for Eli's surprise, the frailty that contributed to his death, and Saul's delicate, step-by-step narrative, to lessen the suddenness of the shock.

16-18. The man began with the least tragic news and gradually built up to the worst. Eli bore it stoically until he heard that the Ark had been lost; then Eli fell and died from his injuries, after forty years as the judge of the nation.

inform the city, and the entire city cried out. [14]*Eli heard the sound of the outcry and said, "What is the commotion of this multitude?" And the man hastened — he came and told Eli.* [15]*Now Eli was ninety-eight years old; his eyes had become motionless and he could not see.*

Eli hears the tragic news and dies

[16]*The man said to Eli, "I am the one who came from the battlefront. And I ran from the battlefront today." [Eli] said, "What is the report, my son?"* [17]*The bearer of the tidings answered him saying, "Israel ran from before the Philistines; and there was a great blow among the people; also, your two sons — Hophni and Phinehas — died; and the Ark of God was taken!"* [18]*As soon as he mentioned the Ark of God, [Eli] fell backwards off his chair, opposite the site of the city gate, breaking his neck, and he died, for the man was old and heavy. He had judged Israel for forty years.*

The wife of Phinehas gives birth

[19]*His daughter-in-law, the wife of Phinehas, was soon to give birth, and when she heard the news about the capture of the Ark of God and [that] her father-in-law died, and her husband, she crouched down and gave birth, for her labor pains came upon her.* [20]*As she was about to die, those standing around her spoke to her, "Fear not, for you have borne a son!" But she did not answer, and she did not take it to her heart.* [21]*She called the boy Ichabod, saying, "Glory has been exiled from Israel," because of the capture of the Ark of God and because of [the deaths of] her father-in-law and her husband.*

The Tabernacle in Shiloh had stood for 369 years; it was now destroyed by the Philistines and never rebuilt (*Zevachim* 118a). Samuel succeeded Eli at the age of forty-one.

19-22. The wife of Phinehas gives birth. Even what should have been a joyous event was transformed into tragedy.

19. הָרָה לָלַת — *Was soon to give birth.* The word לָלַת, referring to birth, is normally spelled with a *dalet* — לָלֶדֶת — but the defective spelling alludes to the word יְלָלָה, *wailing*, because the baby was born in an atmosphere of intense grief (*Rashi*).

News of the triple tragedy caused her to give birth prematurely, resulting in the serious complications that caused her death.

20. The women around her felt that she was afraid the prophecy of doom would engulf the entire family, including her. They tried to calm her fears by saying that she had given birth to a son and, as the Talmud teaches (*Moed Katan* 27b), the birth of a boy is a heavenly sign that the family has been "healed," and that the danger has been removed — thus she need fear no further. But it was too late. She ignored their words and died (*Metzudos*).

21. וַתִּקְרָא לַנַּעַר אִי כָבוֹד — *She called the boy Ichabod.* The name is a contraction of the words אֵין כָּבוֹד, *there is no glory (Rashi),* or אֵי כָבוֹד, *where is glory? (Radak).*

21-22. גָּלָה כָבוֹד מִיִּשְׂרָאֵל — *Glory has been exiled from Israel.* The commentators note that verse 21 mentions three symptoms of the exile of glory: The two deaths and the capture of the Ark, but verse 22 mentions only the Ark. *Radak* explains that although it was true that all three factors contributed to the exile of glory, her choice of name emphasized that the primary source of Israel's glory was the presence of the Ark, and its loss was a greater tragedy than the deaths of her husband and father-in-law. On the same theme, *Ralbag* elaborates that there would be another Kohen Gadol and other prophets, but there was no replacement for the Ark.

According to *Abarbanel*, the chronology was as follows: She named the baby Ichabod, which her friends took to be a reference to the three tragic events (v. 21). She then contradicted them, saying that she gave the name only to commemorate the capture of the Ark, which was even more painful to her than the loss of her loved ones.

Malbim offers a homiletical explanation, which is based on fundamental concepts of Judaism. At first she referred to both parts of the Torah, the Written Torah, represented by the Ark, and the Oral Torah, represented by Eli and Phinehas. Both are essential to the glory of Israel, because the sages of Israel can salvage the Torah with their wisdom. Thus the losses of the Ark and the custodians of the Oral Torah are equally tragic. Then, in verse 22, she went on to say that the two are so intertwined and indivisible that both the Torah and its human repositories comprise the *Ark of God*; they are a single entity.

Destruction of Shiloh. In addition to the tragedies recounted in this chapter, the Philistines destroyed the Tabernacle at Shiloh (see *Jeremiah* 7:12; 26:6-9; *Psalms* 78:60-64). While the Ark was in Philistine captivity, a new Tabernacle and national Altar were built in the city of Nob. From the time of the destruction of Shiloh until the Temple was built by Solomon, it was permitted for individuals to erect *bamos*, private altars, and bring certain private offerings.

The spiritual source of the conflict between Israel and Philistia. *Be'er Moshe* (to Chapter 17) explains at length that the rivalry between the two nations has deep spiritual roots. It began at the dawn of Jewish history, when the Phi-

כב וַתֹּאמֶר גָּלָה כָבוֹד מִיִּשְׂרָאֵל כִּי נִלְקַח אֲרוֹן הָאֱלֹהִים׃

ה

א־ב וּפְלִשְׁתִּים לָקְחוּ אֵת אֲרוֹן הָאֱלֹהִים וַיְבִאֻהוּ מֵאֶבֶן הָעֵזֶר אַשְׁדּוֹדָה׃ וַיִּקְחוּ
פְלִשְׁתִּים אֶת־אֲרוֹן הָאֱלֹהִים וַיָּבִיאוּ אֹתוֹ בֵּית דָּגוֹן וַיַּצִּיגוּ אֹתוֹ אֵצֶל דָּגוֹן׃
ג וַיַּשְׁכִּמוּ אַשְׁדּוֹדִים מִמָּחֳרָת וְהִנֵּה דָגוֹן נֹפֵל לְפָנָיו אַרְצָה לִפְנֵי אֲרוֹן יְהוָה
ד וַיִּקְחוּ אֶת־דָּגוֹן וַיָּשִׁבוּ אֹתוֹ לִמְקוֹמוֹ׃ וַיַּשְׁכִּמוּ בַבֹּקֶר מִמָּחֳרָת וְהִנֵּה דָגוֹן
נֹפֵל לְפָנָיו אַרְצָה לִפְנֵי אֲרוֹן יְהוָה וְרֹאשׁ דָּגוֹן וּשְׁתֵּי ׀ כַּפּוֹת יָדָיו כְּרֻתוֹת
ה אֶל־הַמִּפְתָּן רַק דָּגוֹן נִשְׁאַר עָלָיו׃ עַל־כֵּן לֹא־יִדְרְכוּ כֹהֲנֵי דָגוֹן וְכָל־הַבָּאִים
ו בֵּית־דָּגוֹן עַל־מִפְתַּן דָּגוֹן בְּאַשְׁדּוֹד עַד הַיּוֹם הַזֶּה׃ וַתִּכְבַּד
יַד־יְהוָה אֶל־הָאַשְׁדּוֹדִים וַיְשִׁמֵּם וַיַּךְ אֹתָם °בעפלים [°בַּטְּחֹרִים ק] אֶת־
ז אַשְׁדּוֹד וְאֶת־גְּבוּלֶיהָ׃ וַיִּרְאוּ אַנְשֵׁי־אַשְׁדּוֹד כִּי־כֵן וְאָמְרוּ לֹא־יֵשֵׁב אֲרוֹן אֱלֹהֵי
ח יִשְׂרָאֵל עִמָּנוּ כִּי־קָשְׁתָה יָדוֹ עָלֵינוּ וְעַל דָּגוֹן אֱלֹהֵינוּ׃ וַיִּשְׁלְחוּ וַיַּאַסְפוּ אֶת־
כָּל־סַרְנֵי פְלִשְׁתִּים אֲלֵיהֶם וַיֹּאמְרוּ מַה־נַּעֲשֶׂה לַאֲרוֹן אֱלֹהֵי יִשְׂרָאֵל וַיֹּאמְרוּ

רש״י

(ב) אצל דגון. דמות עשוי כדמות דג: **(ד) המפתן.** אסקופה: **(ו) וישמם.** לשון שממה: **בטחורים.** חלחולת, כרכשא, מכת הנקב, עכברים נכנסין בנקביהם ושומטין בני מעיהם, ויוצאין:

רד״ק

(כב) ותאמר. פעם אחרת אמרה, כי בתחלה אמרה גלה כבוד בעבור הארון שנשבה ובעבור שמת חמיה ואישה, ועתה שבה ואמרה בעבור הארון לבדו גלה כבוד, כי הוא עיקר הכבוד: **(ב) ויציגו.** ויעמידו: **(ג) נפל לפניו.** כמו על פניו, וכן תרגם יונתן עַל אַפּוֹהִי: **(ד) אל המפתן.** כמו על המפתן, וכן וַיַּךְ אֶת הַפְּלִשְׁתִּי אֶל מִצְחוֹ (לקמן יז, מט) כמו על, והמפתן היא האסקופא התחתונה רק דגון נשאר עליו, אמרו כי דגון מטבורו ולמטה היה צורת דג לפיכך נקרא דגון, ומטבורו ולמעלה צורת אדם כמו שאמר וּשְׁתֵּי כַּפּוֹת יָדָיו כְּרֻתוֹת אֶל הַמִּפְתָּן וזהו פירושו רַק דָּגוֹן נִשְׁאַר עָלָיו, צורת דג נשאר עליו, ויונתן תרגם לְחוֹד גּוּפֵיהּ דְדָגוֹן אִשְׁתְּאַר עֲלוֹהִי: **(ה) לא ידרכו.** בדרש (מדרש שמואל יא, ה) רבי ירמיה בשם רבי שמואל בר רב יצחק, מצינו שהחמירו ישראל בעבודת אלילים יותר מאומות העולם, באומות העולם כתיב עַל כֵּן לֹא יִדְרְכוּ אבל בישראל כתיב וּפָקַדְתִּי עַל כָּל הַדּוֹלֵג עַל הַמִּפְתָּן, קפץ (צפניה א, ט): **(ו) בעפלים.** כתיב, וקרי בטחורים, והכתיב הוא שם כנוי לתחתוניות, כי עפולי לשון גבוהות כמו עֹפֶל וָבַחַן (ישעיהו לב, יד) והכנוי בהפך, והקרי הוא שם החולי:

מצודת דוד

(כב) ותאמר. וחזרה ואמרה, עיקר גלות הכבוד, הוא בעבור כי נלקח הארון: **(ג) לפניו ארצה.** על פניו, נפל לארץ לפני הארון: **וישבו.** כי חשבו שבמקרה נפל: **(ד) כרתות אל המפתן.** היו כרותות ומונחות על המפתן: **רק דגון.** גוף העבודת כוכבים העשוי בדמות דג: **(ה) על כן.** על שמצאו על המפתן ראשו וכפות ידיו, החזיקו המפתן למקום קדוש, ולא דרכו עליו: **וכל הבאים.** מיתר העם: **מפתן דגון.** מפתן בית דגון: **(ו) וישמם.** במה שהכה אותם בעפולים, והיו בצורת טחורים: **(ז) כי כן.** אשר הארון עשה בהם שפטים ובאלהיהם:

מצודת ציון

(ב) דגון. שם עבודת כוכבים. **ויציגו.** העמידו: **(ד) כרתות.** חתיכות: **המפתן.** האסקופה, וכן מַתַּחַת מִפְתַּן הַבַּיִת (יחזקאל מז, א): **(ה) ידרכו.** ענין צעדה, והוא מלשון דרך: **כהני.** כומרים, יודעי חוק עבודת כוכבים: **(ו) וישמם.** מלשון שממה: **בעפלים.** כך שם המכה, ולפי שהם בחלחולת במקום מכוסה, נקראו עפולים, מלשון אופל, וכן וַיָּבֹא אֶל הָעֹפֶל (מלכים־ב ה, כד), והוא כמו אל האופל באל״ף. והקרי בטחורים, והוא שם שרץ מה, והיו דומים להם **(ז) קשתה.** מלשון קשה:

---

listines feuded with Abraham, stuffing up his wells (*Genesis* 26:14-15). It is well established in Jewish thought that the "wells" of the Patriarchs symbolized spiritual values and teachings that Abraham and his offspring sought to unearth and bring to the world, and that the historic battles of the Philistines were intended to stifle these holy lessons. The Philistines descend-ed from the ancestors of Egypt (*Genesis* 10:13-14), who were notorious for their immorality, and the Philistines then settled among the equally licentious Canaanites. In addition, sorcery, which is a denial of God's sovereignty, was rampant in ancient Egypt and mockery was a characteristic of the Philistines.

5.

☙ **God avenges the honor of the Ark.** That the capture of the Ark and the tragedy of Shiloh was caused by Jewish sinfulness does not excuse the behavior of the Philistines. This is similar to the Egyptian enslavement and persecution of the Jewish people. Even though God had decreed that Abraham's offspring would be exiled and enslaved [*Genesis* 15:13], Egypt, which actually carried out the persecution, had not been commanded to do so nor did it intend to carry out God's will, so they were fully deserving of punishment. On the other hand, Joshua and Israel warred against the Canaanites because God commanded them to, so they deserved to be rewarded for obeying the Divine command.

1-7. The punishment of Ashdod and its idol. With great bravado, the Philistines brought the Ark to the temple of Dagon, their idol. The Sages disagree regarding their intention. According to R' Yochanan, they meant to honor the

[22]And she said, "Glory has been exiled from Israel, for the Ark of God has been captured."

5

The Ark wreaks havoc in Ashdod

[1]The Philistines had taken the Ark of God and brought it from Eben-ezer to Ashdod. [2]The Philistines took the Ark of God and brought it to the House of Dagon, placing it next to Dagon. [3]The Ashdodites arose early the next day and behold, Dagon had fallen upon its face to the ground, before the Ark of HASHEM. So they took Dagon and returned it to its place. [4]They arose early the next morning and [again] Dagon had fallen upon its face to the ground before the Ark of HASHEM, and Dagon's head and the two palms of its hands were severed, [lying] upon the threshold; only Dagon's body remained intact. [5](This is why the priests of Dagon and all those who come to the House of Dagon do not tread upon the threshold of Dagon in Ashdod to this day.)

[6]The hand of HASHEM then became heavy against the Ashdodites, and He devastated them; He struck them — Ashdod and its surrounding areas — with hemorrhoids.

[7]The men of Ashdod were frightened because of this, and they said, "Let the Ark of the God of Israel not stay with us, for its hand has been hard against us and against Dagon, our god." [8]They summoned and gathered all the governors of the Philistines to them, and they said, "What shall we do about the Ark of the God of Israel?" They replied,

---

Ark by placing it next to their idol, saying, "This is a God and this is a god; let a God reside next to a god." Reish Lakish disagrees, arguing that if their intention was so noble, why were they so severely punished. Rather they said, "This is the victor and this is the vanquished; let the vanquished pay homage to the victor" (*Midrash Shmuel* 11:4). To this, R' Yochanan would respond that the intention of the Philistines is immaterial; there can be no greater disgrace to the Ark of Hashem than to be bracketed with an abomination! (*Kli Yakar*).

According to *Rashi* and *Radak*, the name Dagon comes from the Hebrew דָּג [*dag*], *fish.* Either the idol was in the shape of a fish (*Rashi*), or it was in a human form with arms from the waist up, and in the form of a fish from the waist down (*Radak*). *Ralbag*, however, maintains that its form was entirely human.

The Philistines lived along the Mediterranean coast and presumably were heavily involved in fishing. If so, this may be why they named their idol for a fish, symbolizing their allegiance to the "god" of aquatic life.

3-4. וְהִנֵּה דָגוֹן נֹפֵל לְפָנָיו אַרְצָה לִפְנֵי אֲרוֹן ה׳ — *And behold, Dagon had fallen upon its face to the ground, before the Ark of HASHEM.* Since the idol had been placed alongside the Ark, it would have fallen forward or backward, but not in front of the Ark. That it fell in such a position was God's way of showing the Philistines that their idol is no god, and that everything is subservient to HASHEM (*Ralbag*). Since the Philistines ignored the lesson, God toppled Dagon a second time, this time detaching its head and palms from its body (*Radak*), and proving that the fall was not merely an accident (*Abarbanel*).

5. In a bizarre refusal to recognize the obvious, the Philistines did not acknowledge that their god was nothing more than a powerless statue. They actually sanctified the place of its downfall.

6. In his mercy, God does not begin by striking at people. First He afflicts their property or, as in the case of Ashdod, He shows the futility of their idols, but if that does not achieve its goal, He punishes them directly. In this case, he afflicted the Philistines in an unprecedented and humiliating manner that was intended to deflate the arrogance of those who thought that they could treat the Ark of the Covenant as a symbol of their own power.

Midrash Shocher Tov comments that since the wickedest Philistines had said that God had used up all His plagues against Egypt (4:8), He now showed them a *new* type of plague.

God wanted to teach the Philistines that they captured the Ark not because they were strong or because Israel was weak, but because it was His will that Israel be punished — just as He was now punishing Philistia for its impudence (*Abarbanel*).

The punishment consisted of hemorrhoids, which were painful and embarrassing (*Radak*), and while they were relieving themselves, mice would enter their bodies and pull out their bowels (*Rashi*).

Because they gazed at the Tablets, which symbolize the mysteries of the Creator, they were now punished in a way that struck at the hidden part of their bodies (*R' Yeshaya of Trani*).

7. Finally the people of Ashdod realized that it was God, not chance, that caused their suffering, so they decided to remove the Ark from their midst. It is extraordinary, however, that they still referred to Dagon reverently as "*our god.*" Superstition dies hard.

8-12. The Ark's rounds. The governors of the Philistine city-states gathered and agreed that the Ashdodites needed relief, but instead of returning the Ark to Israel, they sent

ט גַּ֣ת יִסֹּ֔ב אֲר֖וֹן אֱלֹהֵ֣י יִשְׂרָאֵ֑ל וַיַּסֵּ֕בּוּ אֶת־אֲר֖וֹן אֱלֹהֵ֥י יִשְׂרָאֵֽל׃ וַיְהִ֞י אַחֲרֵ֣י ׀ הֵסַ֣בּוּ אֹת֗וֹ וַתְּהִ֨י יַד־יְהוָ֜ה ׀ בָּעִיר֙ מְהוּמָה֙ גְּדוֹלָ֣ה מְאֹ֔ד וַיַּךְ֙ אֶת־אַנְשֵׁ֣י הָעִ֔יר מִקָּטֹ֖ן וְעַד־

י גָּד֑וֹל וַיִּשָּׂתְר֥וּ לָהֶ֖ם °עפלים [°טְחֹרִֽים ק]׃ וַיְשַׁלְּח֥וּ אֶת־אֲר֛וֹן הָאֱלֹהִ֖ים עֶקְר֑וֹן וַיְהִ֗י כְּב֨וֹא אֲר֤וֹן הָאֱלֹהִים֙ עֶקְר֔וֹן וַיִּזְעֲק֨וּ הָעֶקְרֹנִ֜ים לֵאמֹ֗ר הֵסַ֨בּוּ אֵלַ֜י אֶת־אֲר֨וֹן אֱלֹהֵ֤י

יא יִשְׂרָאֵל֙ לַהֲמִיתֵ֣נִי וְאֶת־עַמִּֽי׃ וַֽיִּשְׁלְח֨וּ וַיַּאַסְפ֜וּ אֶת־כָּל־סַרְנֵ֣י פְלִשְׁתִּ֗ים וַיֹּאמְרוּ֙ שַׁלְּח֞וּ אֶת־אֲר֨וֹן אֱלֹהֵ֤י יִשְׂרָאֵל֙ וְיָשֹׁ֣ב לִמְקֹמ֔וֹ וְלֹֽא־יָמִ֥ית אֹתִ֖י וְאֶת־עַמִּ֑י כִּֽי־הָיְתָ֤ה

יב מְהֽוּמַת־מָ֙וֶת֙ בְּכָל־הָעִ֔יר כָּבְדָ֥ה מְאֹ֛ד יַ֥ד הָאֱלֹהִ֖ים שָֽׁם׃ וְהָֽאֲנָשִׁים֙ אֲשֶׁ֣ר לֹא־מֵ֔תוּ

ו

א הֻכּ֖וּ °בעפלים [°בַּטְּחֹרִ֑ים ק] וַתַּ֛עַל שַׁוְעַ֥ת הָעִ֖יר הַשָּׁמָֽיִם׃ וַיְהִ֥י אֲרוֹן־

ב יְהוָ֛ה בִּשְׂדֵ֥ה פְלִשְׁתִּ֖ים שִׁבְעָ֥ה חֳדָשִֽׁים׃ וַיִּקְרְא֣וּ פְלִשְׁתִּ֗ים לַכֹּהֲנִ֤ים וְלַקֹּֽסְמִים֙ לֵאמֹ֔ר

ג מַֽה־נַּעֲשֶׂ֖ה לַאֲר֣וֹן יְהוָ֑ה הוֹדִעֻ֕נוּ בַּמֶּ֖ה נְשַׁלְּחֶ֥נּוּ לִמְקוֹמֽוֹ׃ וַיֹּאמְר֗וּ אִֽם־מְשַׁלְּחִ֞ים אֶת־אֲר֨וֹן אֱלֹהֵ֤י יִשְׂרָאֵל֙ אַל־תְּשַׁלְּח֤וּ אֹתוֹ֙ רֵיקָ֔ם כִּֽי־הָשֵׁ֛ב תָּשִׁ֥יבוּ ל֖וֹ אָשָׁ֑ם אָ֤ז

ד תֵּרָֽפְאוּ֙ וְנוֹדַ֣ע לָכֶ֔ם לָ֛מָּה לֹא־תָס֥וּר יָד֖וֹ מִכֶּֽם׃ וַיֹּאמְר֗וּ מָ֣ה הָאָשָׁם֮ אֲשֶׁ֣ר נָשִׁ֣יב לוֹ֒ וַיֹּאמְר֗וּ מִסְפַּר֙ סַרְנֵ֣י פְלִשְׁתִּ֔ים חֲמִשָּׁה֙ °עפלי [°טְחֹרֵ֣י ק] זָהָ֔ב וַחֲמִשָּׁ֖ה עַכְבְּרֵ֣י

ה זָהָ֑ב כִּֽי־מַגֵּפָ֥ה אַחַ֛ת לְכֻלָּ֖ם וּלְסַרְנֵיכֶֽם׃ וַעֲשִׂיתֶם֩ צַלְמֵ֨י °עפליכם [°טְחֹרֵיכֶ֜ם ק] וְצַלְמֵ֣י עַכְבְּרֵיכֶ֗ם הַמַּשְׁחִיתִם֙ אֶת־הָאָ֔רֶץ וּנְתַתֶּ֛ם לֵאלֹהֵ֥י יִשְׂרָאֵ֖ל כָּב֑וֹד אוּלַ֞י

רש"י

(ט) **וישתרו.** כמו ויסתרו, שהרי הוא במסורת כתובים שי"ן, ומפורשים בלשון סמ"ך, מכת בית הסתרים: (יא) **מהומת מות.** כל מהומות על ידי רעם, וזה אביהן, (לקמן ז י), וַיַּרְעֵם ה' בְּקוֹל גָּדוֹל (בַּיּוֹם הַהוּא) עַל פְּלִשְׁתִּים וַיְהֻמֵּם, כך מפורש באגדת 'שלשים ושתים מדות' דרבי אליעזר בנו של רבי יוסי הגלילי: (ב) **במה נשלחנו.** באיזה ענין נשלחנו שלא יחרה אפו, וישוב חרונו ממנו: (ג) **אשם.** היכר דבר שאתם מודים שמעלתם בו: **אז תרפאו ונודע לכם.** שהוא עשה, כי למה לא תסור ידו אז מכם: (ד) **סרני פלשתים.** חמשה הם, כמה שנאמר (ביהושע יג ג), הָעַזָּתִי וְהָאַשְׁדּוֹדִי הָאֶשְׁקְלוֹנִי הַגִּתִּי וְהָעֶקְרוֹנִי:

רד"ק

(ח) **גת יסב.** לגת, ורבים כמוהו: **ויסבו את ארון אלהי ישראל.** בדגש הסמ"ך והבי"ת: (ט) **וישתרו להם.** כתיב בשי"ן והוא כמו בסמ"ך, ופירוש שהיה להם מכת הטחורים במקום סתר מבפנים והיה קשה להם ממה שאם היה להם במקום גלוי, ותרגום ולקו יתהון בְּטַחוֹרַיָּא: (י) **להמיתני ואת עמי.** שרי עיר עקרון אמרו כן: (ג) **למה לא תסור ידו מכם.** אז תדעו למה לא סרה ידו ומכתו מכם, לפי שהייתם מעכבים ארונו אצלכם, כי בשלחכם אותו תרפאו, והאשם לכפרה על אשר עשיתם: (ד) **וחמשה עכברי זהב.** זה מסייע הדרש שכתבנו למעלה (פרק ד, ח), כי כשהיה להם חולי התחתוניות, והיתה יוצאת החלחוליות שלהם בפי הטבעת מתוך החולי, והיו באים העכברים ושומטים את המעי ההוא, ולפי שהיה החולי אחד לסרנים ולעם, אמרו להם הכהנים והקוסמים, שיעשו אף בדמות הטחורים חמשה ובדמות העכברים חמשה כמספר הסרנים, ויהיו אשם לכפר להם ולהסיר אותו החולי מהם: **לכלם ולסרניכם.** כמו שִׁמְעוּ עַמִּים כֻּלָּם (מלכים־א כב, כח):

מצודת דוד

(ט) **יד ה' בעיר.** מכת יד ה' בעיר גת: **וישתרו.** העפולים, היו בהם נסתרים הרבה מבפנים, היותר מכאיבים: (י) **ואת עמי.** כי שרי העם היו הזועקים: (יא) **מהומת מות.** מלבד מכת העפולים, היתה בהם מגפת ה': (יב) **אשר לא מתו.** בהמגפה: **השמים.** הוא מדרך גוזמא, ורצה לומר גדלה מאוד עד למעלה: (ב) **מה נעשה.** אם לשלחו למקומו: **הודיענו.** רצה לומר, אם יהיה מההכרח לשלחו, הודיענו במה נשלחנו, אם להניחו בעגלה ולמשכו בבהמות, אם לשאתו בכתף: (ג) **אם משלחים.** רצה לומר, אם יצא הדבר לשלחו למקומו, אל תשלחנו ריקם מבלי מנחה ותשורה: **תשיבו לו אשם.** תשיבו לה' קרבן אשם, כדין המועל בהקדש (ויקרא ה, טו): **אז תרפאו.** רצה לומר, כשתרפאו, אז יהיה נודע לכם בבירור, לָמָּה לֹא תָסוּר יָדוֹ, קודם ההשבה, רצה לומר, אז תדעו שיד ה' עשתה זאת: (ד) **מספר.** כפי מספר סרני פלשתים שהם חמשה, ככה תשיבו חמשה עפולים עשויים מזהב: **וחמשה עכברי.** כי העפולים היו דומים בצד מה לדמות עכברים, ולזה אמר להשיב גם חמשה עכברי זהב, לכפר על העם חמשת האומות שבארץ פלשתים: **לכלם.** לכל העם ולהסרנים, וכולכם צריכים כפרה: (ה) **צלמי וכו' המשחיתם וכו'.** רצה לומר, עשו צלמי דמות העפולים והעכברים, אשר הם משחיתים וכו': **ונתתם וכו' כבוד.** רצה לומר, לא שהוא צריך לזה, אלא תנו לכבודו:

מצודת ציון

(ח) **יסב.** רצה לומר יובא: (ט) **וישתרו.** כמו יסתרו בסמ"ך: (יב) **שועת.** צעקת: (א) **בשדה פלשתים.** כמו בארץ פלשתים: (ב) **ולקסמים.** ולמכשפים: (ד) **עכברי.** שם מין שרץ: **מגפה.** ענין מכה: (ה) **את הארץ.** את אנשי הארץ:

---

it to Gath, another Philistine city. As the Philistines continued their stubborn defiance in the face of the punishments, God intensified the hemorrhoids.

9. מְהוּמָה גְּדוֹלָה — *A great commotion.* In Gath there had been a controlled fear. Now there was a general sense of terror in the city, caused by, as the verses continues, the suffering that afflicted everyone, *small* and *great*, a condition that was more universal than what had happened in Gath; also . . .

וַיִּשָּׂתְרוּ לָהֶם עֳפָלִים — *And they were afflicted internally with hemorrhoids.* The hemorrhoids that struck Ashdod had been near the surface; these, in Gath, were internal and

Gath is afflicted

Ekron is punished in turn

"Let the Ark of the God of Israel be transferred to Gath." So they transferred the Ark of the God of Israel.

[9]It was after they transferred it that the hand of HASHEM was [set] against the city [causing] a great commotion. The hemorrhoids struck the people of the city, from small to great, and they were afflicted internally with hemorrhoids. [10]They then sent the Ark of God to Ekron. It happened when the Ark of God arrived in Ekron that the people of Ekron cried out saying, "They have transferred to me the Ark of the God of Israel, to kill me and my people!"

[11]So they summoned and gathered all the governors of the Philistines and said [to them], "Send away the Ark of the God of Israel. Let it return to its place and not kill me and my people!" For there was a panic of death in the whole city; the hand of God was very heavy there. [12]The people who did not die were stricken with hemorrhoids, and the outcry of the city ascended to heaven.

6 **THE ARK'S RETURN** 6:1-7:1

The Philistines plan for the Ark's return

[1]The Ark of HASHEM had been in the land of the Philistines for seven months. [2]The Philistines called upon the priests and the sorcerers, saying, "What shall we do about the Ark of HASHEM? Inform us how we should send it [back] to its place!"

[3]They replied, "If [you] are sending [back] the Ark of the God of Israel, you must not send it [back] empty-handed, but you must certainly send back a guilt-offering to Him. Then you will be healed, and you will realize why His hand would not turn away from against you."

A guilt-offering to accompany the Ark

[4]So they said, "What is the guilt-offering that we should send back to Him?" They answered, "According to the number of Philistine governors — five golden [images of] hemorrhoids and five golden mice; for the same plague is upon all [of you] and upon your governors. [5]Make your images of hemorrhoids and your images of mice, which are demolishing the country, and give them as homage to the God of Israel; perhaps

---

therefore more painful (*Ralbag*).

10. The people of Gath did not convene a meeting of the governors. They followed the precedent of sending the Ark away, especially since their suffering was so intolerable. But the next prospective hosts, the people of Ekron, decided very quickly that they wanted no part of the Ark or the punishments that came with it. *Ralbag* points out that in Ekron the plague intensified and people began to die.

6.

Philistine regret. The Ark's exile in Philistia lasted for seven months, and the suffering continued for all of that time (as indicated by v. 3). While there may have been people who thought at first that the plague was coincidental, they became convinced that it could not have endured for so long unless it was God's punishment for their desecration of the Ark. Therefore they consulted their spiritual leaders as to how to return the Ark in a respectful manner.

1. **בִּשְׂדֵה פְלִשְׁתִּים** — *In the land [lit. the field] of the Philistines.* Seven months was the duration of the Ark's accumulated wanderings in Ashdod, Gath, and Ekron (*Targum Yonasan*). Alternatively, this occurred after the Ark's sojourns in the three cities. It was literally *in the* open *field* for seven months, where the city-dwellers moved it in the hope that the travail would end if the Ark was far from the population centers. They were wrong (*Tanna d'Vei Eliyahu*).

According to the Midrash (*Bereishis Rabbah* 54:4), when Abraham took the initiative in sending a gift of seven sheep to the Philistine king Abimelech, God reproached him and said that, as a result of this attempt to curry favor, the Ark would be exiled among the Philistines for seven months. Perhaps Abraham should not have entered into a covenant with a Canaanite nation.

2-5. Realizing that the plagues were probably a result of their dishonor to the Ark, the Philistine leaders wondered whether they should return it, and if so, how they should do so. They felt that since this was a spiritual matter, only their priests and sorcerers would know what to do. Those "wise men" did not say whether or not it *should* be returned, but if the decision was to do so, the leaders should send gifts that would symbolize the afflictions that God had visited upon them (*Malbim*).

4. **עְפֹלֵי זָהָב** — *Golden hemorrhoids.* They were to make golden representations of inflamed flesh and bulging veins. See comm. to 5:6.

ו יָקֵ֤ל אֶת־יָדוֹ֙ מֵעֲלֵיכֶ֔ם וּמֵעַ֥ל אֱלֹהֵיכֶ֖ם וּמֵעַ֥ל אַרְצְכֶֽם׃ וְלָ֤מָּה תְכַבְּדוּ֙ אֶת־לְבַבְכֶ֔ם
כַּאֲשֶׁ֛ר כִּבְּד֥וּ מִצְרַ֛יִם וּפַרְעֹ֖ה אֶת־לִבָּ֑ם הֲלוֹא֙ כַּאֲשֶׁ֣ר הִתְעַלֵּ֣ל בָּהֶ֔ם וַֽיְשַׁלְּח֖וּם
ז וַיֵּלֵֽכוּ׃ וְעַתָּ֗ה קְח֨וּ וַעֲשׂ֜וּ עֲגָלָ֤ה חֲדָשָׁה֙ אֶחָ֔ת וּשְׁתֵּ֤י פָרוֹת֙ עָל֔וֹת אֲשֶׁ֛ר לֹא־עָלָ֥ה
עֲלֵיהֶ֖ם עֹ֑ל וַאֲסַרְתֶּ֤ם אֶת־הַפָּרוֹת֙ בָּעֲגָלָ֔ה וַהֲשֵׁיבֹתֶ֥ם בְּנֵיהֶ֛ם מֵאַחֲרֵיהֶ֖ם הַבָּֽיְתָה׃
ח וּלְקַחְתֶּ֞ם אֶת־אֲר֣וֹן יְהוָ֗ה וּנְתַתֶּ֣ם אֹתוֹ֮ אֶל־הָעֲגָלָה֒ וְאֵ֣ת ׀ כְּלֵ֣י הַזָּהָ֗ב אֲשֶׁ֨ר
ט הֲשֵׁבֹתֶ֥ם לוֹ֙ אָשָׁ֔ם תָּשִׂ֥ימוּ בָאַרְגַּ֖ז מִצִּדּ֑וֹ וְשִׁלַּחְתֶּ֥ם אֹת֖וֹ וְהָלָֽךְ׃ וּרְאִיתֶ֗ם אִם־דֶּ֨רֶךְ
גְּבוּל֤וֹ יַֽעֲלֶה֙ בֵּ֣ית שֶׁ֔מֶשׁ ה֚וּא עָ֣שָׂה לָ֔נוּ אֶת־הָרָעָ֥ה הַגְּדוֹלָ֖ה הַזֹּ֑את וְאִם־לֹ֗א
י וְיָדַ֙עְנוּ֙ כִּ֣י לֹ֤א יָדוֹ֙ נָ֣גְעָה בָּ֔נוּ מִקְרֶ֥ה ה֖וּא הָ֥יָה לָֽנוּ׃ וַיַּעֲשׂ֤וּ הָאֲנָשִׁים֙ כֵּ֔ן וַיִּקְח֗וּ שְׁתֵּ֤י
יא פָרוֹת֙ עָל֔וֹת וַיַּאַסְר֖וּם בָּעֲגָלָ֑ה וְאֶת־בְּנֵיהֶ֖ם כָּל֥וּ בַבָּֽיִת׃ וַיָּשִׂ֛מוּ אֶת־אֲר֥וֹן יְהוָ֖ה אֶל־
יב הָעֲגָלָ֑ה וְאֵ֣ת הָאַרְגַּ֗ז וְאֵת֙ עַכְבְּרֵ֣י הַזָּהָ֔ב וְאֵ֖ת צַלְמֵ֥י טְחֹרֵיהֶֽם׃ וַיִּשַּׁ֨רְנָה הַפָּר֜וֹת
בַּדֶּ֗רֶךְ עַל־דֶּ֙רֶךְ֙ בֵּ֣ית שֶׁ֔מֶשׁ בִּמְסִלָּ֣ה אַחַ֗ת הָלְכ֤וּ הָלֹךְ֙ וְגָע֔וֹ וְלֹא־סָ֖רוּ יָמִ֣ין וּשְׂמֹ֑אול
יג וְסַרְנֵ֤י פְלִשְׁתִּים֙ הֹלְכִ֣ים אַחֲרֵיהֶ֔ם עַד־גְּב֖וּל בֵּ֥ית שָֽׁמֶשׁ׃ וּבֵ֣ית שֶׁ֔מֶשׁ קֹצְרִ֥ים
קְצִיר־חִטִּ֖ים בָּעֵ֑מֶק וַיִּשְׂא֣וּ אֶת־עֵֽינֵיהֶ֗ם וַיִּרְאוּ֙ אֶת־הָ֣אָר֔וֹן וַֽיִּשְׂמְח֖וּ לִרְאֽוֹת׃
יד וְהָעֲגָלָ֡ה בָּ֠אָה אֶל־שְׂדֵ֨ה יְהוֹשֻׁ֤עַ בֵּית־הַשִּׁמְשִׁי֙ וַתַּעֲמֹ֣ד שָׁ֔ם וְשָׁ֖ם אֶ֣בֶן גְּדוֹלָ֑ה

רש״י

(ז) עלות. מניקות: **אשר לא עלה עליהם עול.** כל זה לנסיון, שאין אלו ראויות למשוך, ועוד שגועות אחר בניהם, ואם יהא כח בארון שיוליכו אותו מאליהם, נדע שהוא עשה לנו: **(ח) בארגז.** שקריינ״ו בלע״ז: **(י) כלו בבית.** לשון כלא: **(יב) וישרנה.** הרי תיבה זו אנדרוגינוס, מלמד שאף הוולדות היו אומרים שירה, רוני רוני השיטה התנופפי וכו׳, כדאיתא במסכת עבודה זרה (כד ב). ולפי פשוטו, ׳וישרנה׳, לשון ׳ישר דרך׳, ישר היו הולכות: **הלך וגעו.** לשון צעקת בקר, געייה: **בית שמש.** ישראל היו שם: **(יג) וישמחו לראות.** היו מסתכלין היאך הוא בא לבדו, ומשמחתם נהגו בו קלות ראש, שלא היו מסתכלין בו באימה ודרך כבוד:

רד״ק

(ו) ולמה תכבדו. זה לבדו נמצא מבנין הדגוש בלשון כבדות: **התעלל בהם.** עשה מעשה השחתה, כמו את אֲשֶׁר הִתְעַלַּלְתִּי בְּמִצְרַיִם (שמות י, ב): **(ז) חדשה.** שלא נעשה בה מלאכה, בעבור קדושת הארון: **עלות.** מניקות, כתרגומו, ונקראו עָלוֹת על שם היונקים שנקראו עולים ועוללים, וצוו לקחת פרות עלות להראות המופת שלא שבו בעבור בניהם: **אשר לא עלה עליהם על.** זה אמרו בעבור קדושת הארון שלא נעשה בהם מלאכה אחרת, כמו שאמרו גם כן עֲגָלָה חֲדָשָׁה: **(ח) אל העגלה.** כמו על העגלה, וכן וַיַּךְ אֶת הַפְּלִשְׁתִּי אֶל מִצְחוֹ (לקמן יז, מט) כמו על מצחו, או הוא כמו בעגלה, וכן ואל הארון תתן שהוא כמו ובארון, וכן תרגם יונתן בַּעֲגַלְתָּא: **בארגז.** בתיבה, כתרגומו בְּתֵיבוּתָא: **(י) כלו בבית.** כמו כלאו, והוא מבעלי הה״א, כמו לא יִכְלֶה מִמְּךָ (בראשית כג, י) אֲשֶׁר כְּלִתְנִי הַיּוֹם הַזֶּה (לקמן כה, לג), או הוא מבעלי האל״ף ובא כדרך בעלי הה״א וכן מָלוּ תוֹכְךָ חָמָס (יחזקאל כח טז) כמו מלאו, וְנָשׂוּ אֶת כְּלִמָּתָם (שם לט, כו) כמו ונשאו, כי כבר נשתמשו בזה הענין בשתי לשונות בה״א ובאל״ף לפי שדרכם להמיר זה בזה, וטעם להשיב את בניהם מאחריהם ולכלוא אותם בבית, לפי שלולי דבר הארון היו שבות אל בניהם, אחר שלא היו בניהם הולכים אחריהם: **(יב) וישרנה הפרות.** כתרגומו וְאַכְוֵינָא תּוֹרָתָא, רצה לומר כוונו דרך בית שמש והלכו דרך ישרה לא סרו ימין ושמאל, ובא בסימן אחד של נקבה לבד, כמו וַיֵּחַמְנָה בְּבֹאָן לִשְׁתּוֹת (בראשית ל, לח) ודגש השי״ן בחסרון היו״ד פ״א הפועל, ובמלת ויחמנה בא נח הציר״י תמורת היו״ד פ״א הפועל: **הלך וגעו.** היו געות בעבור בניהם, צעקת הבקר תקרא געייה כמו אִם יִגְעֶה שּׁוֹר (איוב ו, ה), ובדרש (עבודה זרה כד, ב) שאמרו שירה, הוציאו וַיִּשַּׁרְנָה מלשון שירה: **(יג) וישמחו לראות.** עד שמרוב שמחה פרצו לראות בארון ופתחו וראו מה שבתוכו, לפיכך נענשו כמו שכתוב וְלֹא יָבֹאוּ לִרְאוֹת כְּבַלַּע אֶת הַקֹּדֶשׁ וָמֵתוּ (במדבר ד, כ):

מצודת דוד

אולי יקל. בעבור הכבוד אשר תעשו לו: **מעליכם.** על הסרנים יאמר: **ומעל ארצכם.** מעל יושבי ארצכם, מותר העם: **(ו) ולמה תכבדו.** על ששאלו מה נעשה לארון, כאלו היו מסופקים אם לשלחו אם להחזיקו, לזה אמרו וְלָמָּה תְּכַבְּדוּ וכו׳: **הלוא כאשר התעלל בהם.** רצה לומר, הלא סוף הדבר יהיה כאשר היה במצרים, שהיה משחק ומהתל בהם, ואחרי זה בעל כרחם שלחו את בני ישראל והלכו להם, וכמו כן יהיה סופכם: **(ז) ועתה קחו.** רצה לומר, קחו עצים ועשו עגלה חדשה לכבוד הארון: **ושתי פרות עלות.** רצה לומר, בחנו הדבר לדעת שהאמת אתנו, וזאת עשו, קחו פרות מניקות אשר לא משכו מעולם בעול, ואסרו אתהן בעגלה, וקחו את בניהן מהן, והנה מדרך הנהוג לא יזוזו ממקומן ללכת מבניהן, ומכל שכן שגם לא הורגלו במשיכת העול: **(ח) והלך.** רצה לומר הניחו ללכת מעצמו, לבל ינהג מי את הפרות: **(ט) וראיתם.** ואז תראו, אם מעצמו יעלה הארון דרך גבול ארצו אל בית שמש, אז בודאי בעבורו באה הרעה, ואם לא יעלה מעצמו דרך גבולו, אז נודע שבמקרה באה הרעה: **(יא) טחריהם.** הם העפולים שהיו דומים בצד מה לטחורים: **(יב) וישרנה הפרות.** הלכו בדרך הישר, לדרך העולה בית שמש: **במסלה אחת.** ולא הטו ימין ושמאול: **הלך וגעו.** רצה לומר, עם כי הלכו וצעקו בעבור חסרון בניהן, מכל מקום לא סרו ימין ושמאול: **(יג) וישמחו לראות.** לפי שאחרי זה התאבלו בסבת הארון, אמר עתה בעת ראותם, שמחו:

מצודת ציון

(ו) התעלל. ענין שחוק והתול, כמו אֲשֶׁר הִתְעַלַּלְתִּי בְּמִצְרַיִם (שמות י, ב): **(ז) עלות.** מניקות, כמו וְהַצֹּאן וְהַבָּקָר עָלוֹת עָלָי (בראשית לג, יג): **על.** הוא מה שהפרה מושכת בו: **ואסרתם.** ענין קשירה: **הביתה.** לכלאם בבית: **(ח) בארגז.** כענין תיבה: **(י) כלו.** כמו כלאו, והוא ענין תפיסה: **(יב) וישרנה.** מלשון ישרה: **במסלה.** בדרך הכבושה: **וגעו.** צעקת הפרה תקרא געה, כמו אִם יִגְעֶה שּׁוֹר (איוב ו, ה): **(יד) בית השמשי.** מבית השמש, והוא שם העיר:

He will alleviate His hand from upon you and your gods and your land. [6]*Why should you harden your hearts as Egypt and Pharaoh hardened their hearts? Did it not happen that when He mocked them they had to send [the Israelites] forth, and they left?* [7]*So now, take [materials] and make one new wagon, and [take] two nursing cows upon whom a yoke was never placed, and tie the cows to the wagon, and send their calves back home from behind them.* [8]*Then take the Ark of* HASHEM *and place it onto the wagon, and put the golden objects that you are sending back to Him as a guilt-offering in a box at its side. Send it forth and it will go.* [9]*Then you will see: If it ascends by the road to its boundary, toward Beth-shemesh, then it was He Who brought upon us all this great evil; but if not, we will know that His hand did not afflict us, but it was all by chance that this befell us."*

Proof that the Ark's return is God's will

[10]*The men did so — they took two nursing cows and tied them to the wagon, and secured their calves at home.* [11]*They placed the Ark of* HASHEM *onto the wagon, along with the box and the golden mice and their images of hemorrhoids.* [12]*The cows set out on the direct road — on the road to Beth-shemesh — on a single road did they go, lowing as they went, and they did not veer right or left. The governors of the Philistines went behind them until the border of Beth-shemesh.*

The Ark arrives at Beth-shemesh

[13]*[The people of] Beth-shemesh were reaping the wheat harvest in the valley, when they raised their eyes and saw the Ark, and they rejoiced to see [it].* [14]*The wagon came to the field of Joshua, a Beth-shemeshite, and stopped there, where there was a large rock.*

---

6. The priests urged the leaders not to be deterred by the expense of the proposed tribute. Would it not be foolish to let the nation continue to suffer merely to conserve precious gold? Were not the Egyptians stubborn, until they were not only forced to surrender to God, but were brought to their knees in the process? (*Ralbag*).

It is noteworthy that even four hundred years after the Exodus, nations were still intimidated by what God had done to Egypt.

7-9. Test of veracity. The priests suggested a course that would conclusively prove whether the plague was coincidental, or if it was for a sin other than that of the taking of the Ark. The Philistines were to send the Ark back in such a way that only a miracle could direct it back to the Jewish people. If that happened, then it would be clear that the hand of God had afflicted them, because nursing cows would never leave their young willingly unless their instincts were directed by God (*Malbim*).

This test also addressed the Philistine concern that the proposed tribute of gold would be too expensive. If the cows did not march to Jewish territory, the gold would not be lost.

The use of a new wagon and of calves that had never worked was to show respect for the Ark (*Radak*), or, as another proof of the miracle, they would not use oxen, which were accustomed to a yoke. Cows would not have known how to pull the wagon, unless God was directing them (*Rashi*).

10. הָאֲנָשִׁים — *The men.* In verse 2 they were called Philistines; in verse 4, the *Philistine governors;* here they are called *men.* The evolving titles may imply that the leaders grew in stature as they resolved to show respect to the Ark.

10-12. The Philistine leaders obey The leaders followed the instructions of the priests and sorcerers in every detail, and followed the wagon to see the outcome. The initial desecration of God's Name caused by the capture of the Ark was transformed into a great public sanctification of His Name.

12. וַיִּשַּׁרְנָה הַפָּרוֹת בַּדֶּרֶךְ — *The cows set out on the direct road.* In the plain meaning, וַיִּשַּׁרְנָה is from ישר, *straight, direct.* With no one leading them and without any training, the cows set out directly for Beth-shemesh, the nearest Jewish city. Not only that, they bellowed all along the way, instinctively grieving at being separated from their calves (*Rashi, Radak*).

Homiletically, the Sages derive the above word from שִׁיר, *song:* the cows *sang* a song of praise to God (*Avodah Zarah* 24b). Natural phenomena and beasts "sing praises" to God by carrying out His will, as the Psalmist says, *The heavens declare the glory of God, and the firmament tells of His handiwork (Psalms* 19:2).

13-16. The Ark arrives and Israel exults. Quite understandably, the people of Beth-shemesh were joyous when they saw the unescorted Ark coming home. They brought many offerings of celebration and gratitude and placed the Ark on the large stone in the field of Joshua, their fellow townsman, but they let their joy get the better of their judgment and did not greet the Ark with the proper reverence (*Rashi, Radak*). For the various interpretations of what they did wrong, see below, comm. to verses 19-21.

◆§ **Private altars.** During the period of the Tabernacle at Shiloh, it was forbidden to bring offerings anywhere else,

טו וַיְבַקְּעוּ֙ אֶת־עֲצֵ֣י הָעֲגָלָ֔ה וְאֶת־הַ֨פָּר֔וֹת הֶעֱל֥וּ עֹלָ֖ה לַיהוָֽה׃ וְהַלְוִיִּ֞ם הוֹרִ֣ידוּ ׀ אֶת־אֲר֣וֹן יהוה וְאֶת־הָאַרְגַּ֤ז אֲשֶׁר־אִתּוֹ֙ אֲשֶׁר־בּ֣וֹ כְלֵי־זָהָ֔ב וַיָּשִׂ֖מוּ אֶל־הָאֶ֣בֶן הַגְּדוֹלָ֑ה וְאַנְשֵׁ֣י בֵית־שֶׁ֡מֶשׁ הֶעֱלוּ֩ עֹל֨וֹת וַֽיִּזְבְּח֧וּ זְבָחִ֛ים בַּיּ֥וֹם הַה֖וּא לַיהוָֽה׃ טז־יז וַחֲמִשָּׁ֥ה סַרְנֵֽי־פְלִשְׁתִּ֖ים רָא֑וּ וַיָּשֻׁ֥בוּ עֶקְר֖וֹן בַּיּ֥וֹם הַהֽוּא׃ וְאֵ֙לֶּה֙ טְחֹרֵ֣י הַזָּהָ֔ב אֲשֶׁ֨ר הֵשִׁ֧יבוּ פְלִשְׁתִּ֛ים אָשָׁ֖ם לַיהוָ֑ה לְאַשְׁדּ֨וֹד אֶחָ֜ד לְעַזָּ֤ה אֶחָד֙ לְאַשְׁקְל֣וֹן אֶחָ֔ד לְגַ֥ת אֶחָ֖ד לְעֶקְר֥וֹן אֶחָֽד׃ יח וְעַכְבְּרֵ֣י הַזָּהָ֗ב מִסְפַּ֞ר כָּל־עָרֵ֤י פְלִשְׁתִּים֙ לַחֲמֵ֣שֶׁת הַסְּרָנִ֔ים מֵעִ֣יר מִבְצָ֔ר וְעַ֖ד כֹּ֣פֶר הַפְּרָזִ֑י וְעַ֣ד ׀ אָבֵ֣ל הַגְּדוֹלָ֗ה אֲשֶׁ֨ר הִנִּ֤יחוּ עָלֶ֙יהָ֙ אֵ֚ת אֲר֣וֹן יהוה עַ֚ד הַיּ֣וֹם הַזֶּ֔ה בִּשְׂדֵ֖ה יְהוֹשֻׁ֥עַ בֵּֽית־הַשִּׁמְשִֽׁי׃ יט וַיַּ֞ךְ בְּאַנְשֵׁ֣י בֵֽית־שֶׁ֗מֶשׁ כִּ֤י רָאוּ֙ בַּאֲר֣וֹן יהוה וַיַּ֤ךְ בָּעָם֙ שִׁבְעִ֣ים אִ֔ישׁ חֲמִשִּׁ֥ים אֶ֖לֶף אִ֑ישׁ וַיִּֽתְאַבְּל֣וּ הָעָ֔ם כִּֽי־הִכָּ֧ה יהוה בָּעָ֖ם מַכָּ֥ה גְדוֹלָֽה׃ כ וַיֹּֽאמְרוּ֙ אַנְשֵׁ֣י בֵֽית־שֶׁ֔מֶשׁ מִ֚י יוּכַ֣ל לַעֲמֹ֔ד

רש"י

(יח) **כפר הפרזי.** כפר שאין לו חומה: **אבל הגדולה.** היא האבן הגדולה האמורה למעלה, שהלמ"ד באה במקום נו"ן, וכן 'נשכה' במקום 'לשכה', בספר נחמיה (יג ז), ומפני שאירע להם אבלות בדבר, קראה אבל: (יט) **שבעים איש חמשים אלף איש.** תרגם יונתן, וקטל בסבי עמא שבעין גברא, ובקהלא חמשין אלפי גברא. ורבותינו אמרו (סוטה לה ב), שבעים איש, שכל אחד היה שקול כחמשים אלף, או חמשים אלף איש, שכל אחד שקול כשבעים סנהדרין:

רד"ק

(יד) **ואת הפרות העלו עלה.** אנשי בית שמש בקעו עצי העגלה והעלו הפרות עולה, כי הותרו הבמות משחרבה שילה ונקבה כשירה בבמת יחיד, ויש בדרש מרבותינו זכרונם לברכה (ירושלמי עבודה זרה פ"ב, הל"א) כי סרני פלשתים העלו אותם, כי רבי אליעזר אומר כי אין מקריבין מבהמות עבודת גילולים, והקשו לו זה הפסוק, ותירץ וכי מסרני פלשתים אנו למדין, ובמקום אחר אמרו (עבודה זרה כד, ב) הוראת שעה היתה, זהו לדעת רבי אליעזר אם ישראל הקריבום: (יח) **ועכברי הזהב.** כמו שהיו טחורי זהב במספר הערים חמשה, כן היו העכברים מספר כל ערי פלשתים שהם חמשה הנזכרים, וכן היו חמשה בעבור חמשת הסרנים, כלומר שהיו כפרה לכולן כמו שאמר למעלה (פסוק ד) כִּי מַגֵּפָה אַחַת לְכֻלָּם וּלְסַרְנֵיכֶם, ומה שאמר מֵעִיר מִבְצָר וְעַד כֹּפֶר הַפְּרָזִי חסר וי"ו, מֵעִיר מִבְצָר כלומר אף על פי שלא היתה מצות הקוסמים והכהנים לעשות אלא חמשת טחורי זהב וחמשה עכברי זהב למספר הסרנים והעיירות הגדולות, שהם אשדוד ועזה ואשקלון וגת ועקרון, הם עשו מעצמם יותר טחורי זהב ועכברים, כי היו יראים עדיין ועשו מכל הערים והכפרים שהם ערי הפרזות, כל עיר וכל כפר עשו טחור זהב ועכבר זהב בכל המקומות שהיו יושבים שם פלשתים: **ועד אבל הגדולה אשר הניחו עליה את ארון ה'.** כלומר כי סמוך לאותו מקום היו פרזות פלשתים, ומה שאמר עד היום הזה בשדה יהושע, אמר שהניח עליה הארון שהיא עַד הַיּוֹם הַזֶּה בִּשְׂדֵה יְהוֹשֻׁעַ, ונקראת האבן הגדולה אבל על האבל שנעשה בו, כמו שאמר ויתאבלו העם, ויונתן תרגם אָבֵל הַגְּדוֹלָה, אַבְנָא רַבְּתָא: (יט) **כי ראו בארון.** תרגם יונתן עַל דְּחָדִיאוּ וּדְחֲזוֹ יַת אֲרוֹנָא דַה', כמו שאמר וַיִּשְׂמְחוּ לִרְאוֹת (לעיל פסוק יג), ובדברי רבותינו זכרונם לברכה (סוטה לב, א) משום דחזו ויך באנשי בית שמש, ונחלקו בזה, מהם אמרו שהיו קוצרים ומשתחוים, כלומר שלא הניחו מלאכתם בעבורו, ומהם אמרו שאמרו דברים אשר לא כן כנגד הארון, ואמרו מאן אמרייך דאמרית ומאן פייסך דפייסית, ובדברי הדרש הזה יהיה פירוש ראו כמו לראות בך והדומים לו, שמפרשים אותם לשון בזיון, והנכון מה שפירשנו שפתחו אותו וראו מה שבתוכו, לפיכך אמר בַּאֲרוֹן ולא אמר ארון: **שבעים איש חמשים אלף איש.** חסר וי"ו השמוש וחמשים אלף איש, כמו שֶׁמֶשׁ יָרֵחַ (חבקוק ג, יא) רְאוּבֵן שִׁמְעוֹן (שמות א, ב) והדומים להם, ויונתן תרגם וּקְטַל בְּסָבֵי עַמָּא שִׁבְעִין גַּבְרָא וּבִקְהָלָא חַמְשִׁין אַלְפֵי גַבְרָא, ובדברי רבותינו זכרונם לברכה (סוטה לה, ב) שבעים איש שכל אחד שקול כחמשים אלף איש, ויש אומרים חמשים אלף שכל אחד שקול כשבעים סנהדרין:

מצודת דוד

(טו) **העלו עלות.** לבד הפרות האמור למעלה: (טז) **ראו.** שנבחן הדבר ונמצא כן: (יז) **ואלה טחרי.** רצה לומר, באלו לא הוסיפו על מה שאמרו הקוסמים והכהנים: **לאשדוד אחד.** רצה לומר, בעבור שר אשדוד אחד, וכן כולם: (יח) **ועכברי וכו'.** אבל על עכברי הזהב הוסיפו, והביאו אחד מול כל עיר, ולא חמשה לבד כדברי הקוסמים: **לחמשת.** אשר הם לחמשת הסרנים ותחת ממשלתם: **מעיר מבצר.** בין מול עיר מבצר, בין מול כפר פרוז מבלי חומה סביב: **ועד אבל הגדולה.** היא האבן הגדולה האמור למעלה (פסוק טו), וקראו אָבֵל, לפי שהעם התאבלו שם על אשר הכה ה' בהם כמו שכתוב למטה (פסוק יט), ורצה לומר, אין זה סוף הדבר אשר נכר ונודע עד היום הזה שדה יהושע, כי אפילו האבן הגדולה וכו' נכר הוא עד היום הזה בשדה יהושע בית השמשי: (יט) **ויך.** ה' הכה בהם על שפתחו הארון וראו בו בפנים, ולזה הכה בעם שבעים איש מגדולי העיר, והיו שקולים כחמשים אלף איש (סוטה לה, ב): (כ) **מי יוכל לעמד וכו'.** רצה לומר, הלא הגדולים שבנו מתו, ומי הוא הנשאר אשר יוכל לעמוד לפני ארון ה', לשמרו ולהזהר בקדושתו:

מצודת ציון

(טו) **אל האבן.** על האבן: (יח) **ועד.** ענינו כמו ואפילו, וכן לֹא מֵת מִמִּקְנֵה יִשְׂרָאֵל עַד אֶחָד (שמות ט, ז), ורצה לומר, אפילו אחד:

---

but with its destruction, private altars became permitted, and would remain so until the Temple would be built in Jerusalem. Therefore, the people of Beth-shemesh took the cows from the wagon and used them as burnt-offerings. Although only male animals may be brought as elevation-offerings [which are completely burned on the Altar (*Leviticus* 1:3)], this restriction applies only to the central Tabernacle or Temple, not to a private altar. Alternatively, the Philistine leaders were the ones who brought the cows as offerings (*Radak*).

16. There is no apparent reason to report that the Philistines returned home. It may be that God influenced them to leave so they would not witness the punishment He visited upon the people of Beth-shemesh (see v. 19). Had they seen it, they would probably have concluded that the previous

They chopped the boards of the wagon, and offered up the cows as an elevation-offering to H*ASHEM.*

[15]*The Levites had unloaded the Ark of* H*ASHEM and the box that was with it, in which were the golden objects, and placed them upon the large rock. The people of Beth-shemesh offered up elevation-offerings and slaughtered feast-offerings on that day to* H*ASHEM.* [16]*The five Philistine governors saw all this and returned to Ekron on that day.*

[17]*These are the golden hemorrhoids that the Philistines sent as a guilt-offering to* H*ASHEM: for Ashdod one; for Gaza one; for Ashkelon one; for Gath one; for Ekron one;* [18]*and golden mice corresponding to the number of all Philistine cities of the five governors, [who ruled] from fortified city until the open village, until the Great Mourning [Stone], upon which they placed the Ark of* H*ASHEM, which to this day is in the field of Joshua the Beth-shemeshite.*

The people are disrespectful

[19]*And He smote some of the men of Beth-shemesh because they peered [disrespectfully] into the Ark of* H*ASHEM. He struck among them seventy men, fifty thousand men. The people mourned because* H*ASHEM had smitten the people with a great blow.* [20]*And the people of Beth-shemesh said, "Who can [possibly] stand*

---

plagues were not because they had sinned against the Ark and God, but because it is the nature of the Ark to wreak destruction wherever it comes to rest (*Parshiyos b'Sifrei HaNeviim*).

17-18. The Philistine gifts are displayed. In addition to the five golden hemorrhoids and the five golden mice, symbolizing the five governors and the five major cities — which were made in accordance with the instructions of the priests and sorcerers — the smaller towns and villages also sent tributes, for fear that they might be the subjects of Divine retribution (*Abarbanel*).

18. **וְעַד אָבֵל הַגְּדוֹלָה** — *Until the Great Mourning [Stone].* All the Philistine gifts were brought to the great stone mentioned in verse 15. It was named "Mourning" because of the event described in the next verse (*Rashi*).

19-21. The punishment. Joy was transformed to mourning and triumph to tragedy. The people of Beth-shemesh sinned and were severely punished. This is an instance of people being judged by such high standards that even a seemingly trivial misdeed — or one that might have seemed to be a virtue in others — is regarded as a serious sin; more is expected of them. The sin of very righteous people cannot be easily dismissed . People who lived with the Tabernacle and knew the holiness of the Ark could not be casually forgiven for treating it lightly.

Generally speaking, they sinned by showing disrespect for the Ark. The Sages offer various accounts of the exact nature of the sin. Among them are: (a) Those working in the fields prostrated themselves when they saw the Ark, but they kept on working, as if their work was more important than the Ark (*Ralbag; Radak*). (b) They spoke contemptuously, saying, "Who angered you that you allowed yourself to be captured, and who appeased you that you now decided to return"? (*Sotah* 35a-b). (c) They gazed at the Tablets inside the Ark (*Targum Yonasan*). (d) If a chicken had wandered off, its owner would have searched for it, yet the Jews let the Ark wander from city to city and did nothing to try and retrieve it (*Bereishis Rabbah* 54:4).

According to the Midrash that Saul had removed the Tablets from the Ark [see 4:12-17], the sin may have been that they did not rush to cover the Ark, since it is forbidden to gaze at the uncovered Ark (*Numbers* 4:20).

19. **שִׁבְעִים אִישׁ חֲמִשִּׁים אֶלֶף אִישׁ** — *Seventy men, fifty thousand men,* i.e., seventy elders and 50,000 commoners (*Targum Yonasan*); seventy men, each of whom was as worthy as 50,000; or 50,000, each of whom was worthy of being one of the seventy elders (*Rashi*). According to either of *Rashi*'s explanations, the verse seems to be stressing that the caliber of the people was the reason God was so strict with them. According to *Abarbanel,* seventy Jews died at Beth-shemesh and 50,000 Philistines died during the entire period of the Ark's captivity.

20-21. Seeing that their greatest kinsmen had been struck down, the Beth-shemeshites understood that they were not worthy of being the hosts of the Holy Ark, so the townspeople appealed to the people of Kiriath-jearim to bring the Ark to their city (*Metzudos*).

The contrast between the Beth-shemshites and the Philistines is remarkable. When the Ark was wreaking havoc in the Philistine cities, its captors only wish was to be rid of it. In Beth-shemesh, the people attributed the plague to their own unworthiness and, far from simply removing it from their midst, they sought another, more suitable host for it. In speaking of their own inadequacy, they said, *who can [possibly] stand before* H*ASHEM* [the Divine Name representing mercy], *the God* [the Divine Name representing judgment], thus implying that they were not worthy of mercy and not equal to judgment.

כא לִפְנֵי יְהוָה הָאֱלֹהִים הַקָּדוֹשׁ הַזֶּה וְאֶל־מִי יַעֲלֶה מֵעָלֵינוּ׃ וַיִּשְׁלְחוּ מַלְאָכִים אֶל־
יוֹשְׁבֵי קִרְיַת־יְעָרִים לֵאמֹר הֵשִׁבוּ פְלִשְׁתִּים אֶת־אֲרוֹן יְהוָה רְדוּ הַעֲלוּ אֹתוֹ
ז א אֲלֵיכֶם׃ וַיָּבֹאוּ אַנְשֵׁי ׀ קִרְיַת יְעָרִים וַיַּעֲלוּ אֶת־אֲרוֹן יְהוָה וַיָּבִאוּ אֹתוֹ אֶל־בֵּית
ב אֲבִינָדָב בַּגִּבְעָה וְאֶת־אֶלְעָזָר בְּנוֹ קִדְּשׁוּ לִשְׁמֹר אֶת־אֲרוֹן יְהוָה׃ וַיְהִי
מִיּוֹם שֶׁבֶת הָאָרוֹן בְּקִרְיַת יְעָרִים וַיִּרְבּוּ הַיָּמִים וַיִּהְיוּ עֶשְׂרִים שָׁנָה וַיִּנָּהוּ כָּל־
ג בֵּית יִשְׂרָאֵל אַחֲרֵי יְהוָה׃ וַיֹּאמֶר שְׁמוּאֵל אֶל־כָּל־בֵּית
יִשְׂרָאֵל לֵאמֹר אִם־בְּכָל־לְבַבְכֶם אַתֶּם שָׁבִים אֶל־יְהוָה הָסִירוּ אֶת־אֱלֹהֵי הַנֵּכָר
מִתּוֹכְכֶם וְהָעַשְׁתָּרוֹת וְהָכִינוּ לְבַבְכֶם אֶל־יְהוָה וְעִבְדֻהוּ לְבַדּוֹ וְיַצֵּל אֶתְכֶם מִיַּד
ד פְּלִשְׁתִּים׃ וַיָּסִירוּ בְּנֵי יִשְׂרָאֵל אֶת־הַבְּעָלִים וְאֶת־הָעַשְׁתָּרֹת וַיַּעַבְדוּ אֶת־יְהוָה
ה לְבַדּוֹ׃ וַיֹּאמֶר שְׁמוּאֵל קִבְצוּ אֶת־כָּל־יִשְׂרָאֵל הַמִּצְפָּתָה וְאֶתְפַּלֵּל
ו בַּעַדְכֶם אֶל־יְהוָה׃ וַיִּקָּבְצוּ הַמִּצְפָּתָה וַיִּשְׁאֲבוּ־מַיִם וַיִּשְׁפְּכוּ ׀ לִפְנֵי יְהוָה וַיָּצוּמוּ

רש"י

(א) **קדשו.** זמינו: (ב) **מיום שבת הארון בקרית יערים.** וראו הפורענות שבא עליהם בעון בית עלי, ואת הגבורה שעשה הקדוש ברוך הוא בפלשתים: **וינהו וגו' אחרי ה'.** על ידי שמואל, שהיה מחזר מעיר לעיר, ושופטם ומוכיחם. וינהו, לשון המשכה הוא, ולשון ארמי הוא, תתנהו לפולחני, וכן וְלֹא נֹהַּ בָּהֶם (יחזקאל ז, יא), אין בהם תועלת למושכם אל הטוב. ומנחם חברו, וַיִּנָּהוּ לשון יללה, כמו נְהִי נִהְיָה (מיכה ב, ד), וכן וְלֹא נֹהַּ בָּהֶם (יחזקאל שם), ופירוש וַיִּנָּהוּ ... אחרי ה', שהתאבלו על מעשיהם הרעים, ושבו אחרי ה'. לשון אחר, וַיִּנָּהוּ, כמו ויתאספו, וְנִקְווּ אֵלֶיהָ כָל (העמים) [הַגּוֹיִם] (ירמיהו ג, יז), מתרגמינן, וְיִתְנְהוֹן לְמִפְלַח בַּהּ כָּל עַמְמַיָּא, ויהיה מזה הענין גם כן (יחזקאל שם), וְלֹא נֹהַּ בָּהֶם, כענין שאמר (שם), לֹא מֵהֶם וְלֹא מֵהֲמוֹנָם, וְלֹא מֶהֱמֵהֶם כלומר ולא מקבוץ שלהם (ספרים אחרים אינו): (ו) **וישאבו מים וישפכו.** תרגם יונתן, וּשְׁפִיכוּ לִבְּהוֹן בִּתְיוּבְתָּא כְּמַיָּא קֳדָם ה'. ולפי משמעו, אינו אלא סימן הכנעה, הרי אנו לפניך כמים הללו הנשפכין:

רד"ק

(א) **אל בית אבינדב בגבעה.** פירוש אשר בגבעה, וכמוהו רבים, ואפשר שגבעה זו בתוך קרית יערים והיה בעיר אבינדב אחר, לפיכך הודיע כי לבית אבינדב שהיה יושב בגבעה הביאו הארון: **קדשו.** כתרגומו זַמִּינוּ: **לשמר את ארון ה'.** לשמור הבית שהיה בו הארון שיהיה בטהרה, ולכבד ולרבץ לפני הארון: (ב) **וינהו.** יש מפרשים לשון נהו, כלומר בכו וחזרו בתשובה שלימה כי ראו דבר הארון וקדושתו, והיה להם לאות גדול כי ה' הוא האלהים, ונתחרטו על אלהי הנכר שהיו עובדים, ויש מפרשים מתרגום וְנִקְווּ אֵלֶיהָ (ירמיהו ג, יז) וְיִתְנְהוֹן, וכן תרגם יונתן וינהו, וְאִיתְנְהִיאוּ, כלומר כלם נאספו אחריו ועבדוהו לבדו, כמו שאמר וַיַּעַבְדוּ אֶת ה' לְבַדּוֹ (פסוק ד) אחר שהסירו הבעלים והעשתרות ובערו כל זכר עבודת אלילים: (ה) **קבצו את כל ישראל המצפתה.** כבר פירשתי בספר יהושע (פרק יא, ג) למה היה מנהג ישראל להקבץ מצפתה, ושם מזבח ובית תפלה כי שם היתה תשועה גדולה בהלחם יהושע עם המלכים, ובדרש (מדרש שמואל יג, א) אמר רבי סימון וכי שילה היא המצפתה או המצפתה היא שילה, אלא כיפה יוצאה מתחומו של בנימין לתחומו של יוסף ועליה בית המקדש של שילה נתון, ותמה אני מזה הדרש וכי מה לה' אצל שילה, והלא חרב משכן שילה מיום שגלה הארון ומעת שבא הארון לקרית יערים הביאו אהל מועד אל נוב, וכן אמר בסדר עולם (פרק יג) בתחילת עשרים שנה הביאו את אוהל מועד לנוב: (ו) **וישאבו מים וישפכו לפני ה'.** תרגום יונתן וּשְׁפִיכוּ לִבְּהוֹן בִּתְיוּבְתָּא כְּמַיָּא קֳדָם ה', ויתכן לפרש ששפכו מים לפני ה' סימן לכפרת עונות, על דרך כְּמַיִם עָבְרוּ תִזְכֹּר (איוב יא, טז):

מצודת דוד

(כא) **רדו העלו.** רדו אלינו והעלו אליכם. (א) **בגבעה.** אשר בגבעה, והוא שם מקום בקרית יערים: **קדשו.** הזמינו לשמור את הארון, לבל יבוא מי לראותו, ולכבד ולרבץ לפניו: (ב) **מיום.** רצה לומר, מהתחלת שבת הארון וכל הימים הרבים שהיו במספר עשרים שנה אשר ישב שם, בכל הזמן ההוא נהו ויללו ישראל להתחרט על מעשיהם אשר לא טובים, ושבו ללכת אחרי ה': (ג) **הסירו מכל וכל:** לבדו. **בלא שתוף:** (ו) **וישאבו מים.** רצה לומר, התעוררו לשאוב ולהזיל מי דמע, ושפכו בתפלה לפני ה':

מצודת ציון

(א) **קדשו.** הזמינו, כמו קַדְּשׁוּ עָלֶיהָ מִלְחָמָה (ירמיהו ו, ד): (ב) **שבת.** ענין עכבה: **וינהו.** מלשון נהי ויללה:

7.

Samuel's ascension. With this chapter, Samuel becomes the judge, leader, and prophet of the nation of Israel. He was the greatest of the judges and in many ways he was the equal of Moses and Aaron combined (see *Rashi, Numbers* 16:7). Samuel assumed the leadership at the age of 39, and his tenure extended for only eleven years (*Seder Olam*), after which Saul reigned as king for two years. During Samuel's tenure he created a spiritual and temporal revolution. The narrative of his work begins in this chapter, in which he fashioned a long-lasting mass repentance, ended the Philistine domination, and became the model leader who traveled the length and breadth of the country to judge, teach, and admonish, thus maintaining the level of spiritual elevation that he had initiated.

1-2. The Ark in Kiriath-jearim. The contrast between Beth-shemesh and Kiriath-jearim is very sharp and, many commentators note, was a major factor in Samuel's success in bringing about the national repentance. Whereas many people in Beth-shemesh died, no harm came to Kiriath-jearim. Not only that, in contrast to the people of Beth-shemesh, who sought to remove the Ark from its midst, those of Kiriath-jearim welcomed it — they *came and brought up* — and designated Elazar ben Abinadab to care for it and give it the proper respect. The positive experience of Kiriath-jearim helped people put the recent events into perspective. The Ark had been captured because of the sins of Israel and the Philistines were punished; the people of Beth-shemesh were punished not because the

before Hashem, this Holy God? To whom can [the Ark] ascend from among us?" [21]*They then sent emissaries to the inhabitants of Kiriath-jearim, saying, "The Philistines have returned the Ark of Hashem. Come down and bring it up unto yourselves."*

7 *The Ark is transferred to Kiriath-jearim*

[1]*So the men of Kiriath-jearim came and brought up the Ark of Hashem, and they brought it to the house of Abinadab on the hill, and they designated Elazar his son to guard the Ark of Hashem.*

SAMUEL THE JUDGE 7:2-8:3

[2]*From the time the Ark was stationed at Kiriath-jearim there ensued many days, they were twenty years, during which the entire House of Israel was drawn after Hashem.* [3]*Samuel said to the entire House of Israel, saying, "If you are returning unto Hashem with all your hearts, then remove the foreign gods and the Ashtaroth from your midst, and direct your hearts to Hashem, serving Him alone; then He will rescue you from the hand of the Philistines."*

[4]*So the Children of Israel removed the Baalim and the Ashtaroth, and served Hashem alone.*

The people repent

[5]*Then Samuel said, "Gather all of Israel to Mizpah, and I will pray to Hashem for you."* [6]*So they gathered at Mizpah. They drew water and poured it out before Hashem and fasted*

Ark is intrinsically dangerous but because they failed to show it proper respect. These events combined to bring about a spirit that Samuel fashioned into a renewed devotion to God.

2. **וַיִּרְבּוּ הַיָּמִים** — *There ensued many days.* The implication is that there was no plan at first as to how long the Ark should remain there; the days simply accumulated until twenty years went by. *Mahari Kara* notes that Samuel established the national Altar and Tabernacle at Nob, where it remained for thirteen years until Nob was destroyed. From there the Altar and Tabernacle were set up in Gibeon, where it remained until Solomon inaugurated the First Temple. During all those years, a total of fifty-seven, the Ark was not in the Tabernacle; it remained in Kiriath-jearim for twenty years and then King David moved it to Jerusalem. Those twenty years comprised the eleven of Samuel's reign as Judge, the two of King Saul, and the seven years that David reigned in Hebron, before consolidating his reign in Jerusalem.

וַיִּנָּהוּ כָּל־בֵּית יִשְׂרָאֵל אַחֲרֵי ה׳ — *During which the entire House of Israel was drawn after Hashem.* Not since the days of Joshua, a span of 350 years, had the righteousness of the entire nation been expressed so emphatically (*Parshiyos b'Sifrei Haneviim*). This occurred because of Samuel's leadership and dedication, as set forth in this chapter (*Rashi*).

3-6. The people repent. Samuel toured the entire land preaching and assuring Israel that only if they were deserving would God throw off the yoke of the Philistines. He succeeded. The entire nation discarded their idols and then Samuel gathered them at Mizpah for prayer and mass repentance.

3. Partial repentance is not enough. One cannot expect to simultaneously serve God and worship idols. Samuel told the people that not only must they purge the physical idols, they must banish them from their hearts. Only then could they be sure that God would protect them from all their enemies.

5. Once he had drawn the people after Hashem, Samuel seized the opportunity to bring about a mass repentance. The place for this was Mizpah, where God had performed the momentous miracle of giving Joshua victory over the united armies of many Canaanite kings (*Judges* Ch.11). Thus, Mizpah became the logical place for important gatherings, as in *Judges* 11:11, here, and below 10:17.

וְאֶתְפַּלֵּל — *And I will pray.* Righteous people feel responsible to pray for the spiritual welfare of the people, to admonish them and influence them to repent, so that they will be worthy of God's blessing (*Beis Elokim*).

6. **וַיִּשְׁאֲבוּ־מַיִם וַיִּשְׁפְּכוּ** — *They drew water and poured it out.* They literally poured water as a symbol of humility, comparing themselves to poured water (*Rashi*), to symbolize their prayer that God should disregard their sins, like water poured out on the ground (*Radak*), or that they had cleansed themselves of sin (*Ralbag*). Alternatively, the verse is interpreted figuratively: they poured out their hearts in repentance, like water (*Targum Yonasan*).

וַיָּצוּמוּ... — *And (they) fasted. . .* The word צום refers to a public fast, when people come together to repent and pray, as was done regularly in ancient Israel when the rains did not fall (*Siddur Iyun Tefillah*). Here the people fasted and confessed — classic ingredients of repentance — and Samuel judged monetary disputes (*Rashi*), because God does not forgive sins between man and his fellow until the guilty party makes payment and/or appeases the aggrieved party. Alternatively, Samuel judged their sins against God, and decided what must be done to gain forgiveness (*Radak*).

This verse makes clear that the public repentance was sincere and therefore worthy of Samuel's prayers and the resultant victory over the Philistines.

בַּיּ֣וֹם הַה֔וּא וַיֹּ֣אמְר֔וּ שָׁ֥ם חָטָ֖אנוּ לַיהוָ֑ה וַיִּשְׁפֹּ֧ט שְׁמוּאֵ֛ל אֶת־בְּנֵ֥י יִשְׂרָאֵ֖ל בַּמִּצְפָּֽה׃
ז וַיִּשְׁמְע֣וּ פְלִשְׁתִּ֗ים כִּֽי־הִתְקַבְּצ֤וּ בְנֵֽי־יִשְׂרָאֵל֙ הַמִּצְפָּ֔תָה וַיַּעֲל֥וּ סַרְנֵֽי־פְלִשְׁתִּ֖ים אֶל־
ח יִשְׂרָאֵ֑ל וַֽיִּשְׁמְעוּ֙ בְּנֵ֣י יִשְׂרָאֵ֔ל וַיִּֽרְא֖וּ מִפְּנֵ֥י פְלִשְׁתִּֽים׃ וַיֹּאמְר֤וּ בְנֵֽי־יִשְׂרָאֵל֙ אֶל־
ט שְׁמוּאֵ֔ל אַל־תַּחֲרֵ֣שׁ מִמֶּ֔נּוּ מִזְּעֹ֖ק אֶל־יְהוָ֣ה אֱלֹהֵ֑ינוּ וְיֹשִׁעֵ֖נוּ מִיַּ֥ד פְּלִשְׁתִּֽים׃ וַיִּקַּ֣ח
שְׁמוּאֵ֗ל טְלֵ֤ה חָלָב֙ אֶחָ֔ד ˚ויעלה [˚וַיַּעֲלֶ֥הוּ ק] עוֹלָ֛ה כָּלִ֖יל לַֽיהוָ֑ה וַיִּזְעַ֨ק שְׁמוּאֵ֤ל
י אֶל־יְהוָה֙ בְּעַ֣ד יִשְׂרָאֵ֔ל וַיַּעֲנֵ֖הוּ יְהוָֽה׃ וַיְהִ֤י שְׁמוּאֵל֙ מַעֲלֶ֣ה הָעוֹלָ֔ה וּפְלִשְׁתִּ֥ים נִגְּשׁ֖וּ
לַמִּלְחָמָ֣ה בְּיִשְׂרָאֵ֑ל וַיַּרְעֵ֣ם יְהוָ֣ה ׀ בְּקוֹל־גָּד֡וֹל בַּיּ֣וֹם הַהוּא֩ עַל־פְּלִשְׁתִּ֨ים֙ וַיְהֻמֵּ֔ם
יא וַיִּנָּגְפ֖וּ לִפְנֵ֥י יִשְׂרָאֵֽל׃ וַיֵּ֨צְא֜וּ אַנְשֵׁ֤י יִשְׂרָאֵל֙ מִן־הַמִּצְפָּ֔ה וַֽיִּרְדְּפ֖וּ אֶת־פְּלִשְׁתִּ֑ים
יב וַיַּכּ֕וּם עַד־מִתַּ֖חַת לְבֵ֥ית כָּֽר׃ וַיִּקַּ֨ח שְׁמוּאֵ֜ל אֶ֣בֶן אַחַ֗ת וַיָּ֤שֶׂם בֵּֽין־הַמִּצְפָּה֙ וּבֵ֣ין הַשֵּׁ֔ן
יג וַיִּקְרָ֥א אֶת־שְׁמָ֖הּ אֶ֣בֶן הָעָ֑זֶר וַיֹּאמַ֕ר עַד־הֵ֖נָּה עֲזָרָ֥נוּ יְהוָֽה׃ וַיִּכָּֽנְעוּ֙ הַפְּלִשְׁתִּ֔ים וְלֹא־
יָסְפ֣וּ ע֔וֹד לָב֖וֹא בִּגְב֣וּל יִשְׂרָאֵ֑ל וַתְּהִ֤י יַד־יְהוָה֙ בַּפְּלִשְׁתִּ֔ים כֹּ֖ל יְמֵ֥י שְׁמוּאֵֽל׃
יד וַתָּשֹׁ֣בְנָה הֶ֠עָרִים אֲשֶׁ֣ר לָֽקְחוּ־פְלִשְׁתִּ֨ים מֵאֵ֜ת יִשְׂרָאֵ֗ל ׀ לְיִשְׂרָאֵל֙ מֵעֶקְר֣וֹן וְעַד־
גַּ֔ת וְאֶת־גְּבוּלָ֔ן הִצִּ֥יל יִשְׂרָאֵ֖ל מִיַּ֣ד פְּלִשְׁתִּ֑ים וַיְהִ֣י שָׁל֔וֹם בֵּ֥ין יִשְׂרָאֵ֖ל וּבֵ֥ין
טו־טז הָאֱמֹרִֽי׃ וַיִּשְׁפֹּ֥ט שְׁמוּאֵ֖ל אֶת־יִשְׂרָאֵ֑ל כֹּ֖ל יְמֵ֥י חַיָּֽיו׃ וְהָלַ֗ךְ מִדֵּ֤י שָׁנָה֙ בְּשָׁנָ֔ה וְסָבַב֙

רש"י

וישפט שמואל. בין איש לרעהו, על עסקי ממון שביניהם, או על עסקי עבירה שעברו: **(ט) ויעלה עולה.** ויעלה כתיב, נקבה היתה, מכאן למדו רבותינו, עולה נקבה כשרה בבמת יחיד, במסכת עבודת כוכבים (כד, ב): **(יא) מתחת לבית כר.** מלרע לבית סרון: **(יב) ובין השן.** שן הסלע:

רד"ק

וישפט שמואל. שמואל העניש כל אחד לפי עונו, כי שם התודו עונותיהם: **(ח) אל תחרש ממנו.** מבנין הפעיל והוא פועל עומד, וכן הַחֲרִישׁוּ מִמֶּנִּי (שם יג, יג), וכן רוב הפעל הזה בבנין הפעיל הוא פועל עומד: **(ט) טלה חלב.** שהיה יונק עדיין: **ויעלה עולה.** כן כתיב וקרי וַיַּעֲלֵהוּ, ודרשו רבותינו זכרונם לברכה הכתיב ואמרו (עבודה זרה כד, ב), ויעלה כתיב שהיתה נקבה, ומכאן סמכו שעולת נקבה כשרה בבמת יחיד, וקבלו גם כן כי זר מקריב בבמת יחיד, כי משחרב משכן שילה ובאו להם לנוב הותרו הבמות, כל זמן שהיה אהל מועד בנוב וגבעון עד שנבנה בית עולמים שנאסרו ושוב לא היה להם היתר, ואמרו אין הבמה נתרת אלא על ידי נביא, כי שמואל העלה ראשון בבמת יחיד משחרב משכן שילה, וכן בגלגל יהושע העלה בבמת יחיד ראשון, שנאמר אָז יִבְנֶה יְהוֹשֻׁעַ (יהושע ח, ל): **ויענהו ה'.** אפשר על ידי אש שירדה מן השמים על העולה, או על ידי הרעם שהרעים בקול גדול על פלשתים להבהילם, וכאשר נשמע הרעם אז ידע כי ענהו ה': **(יא) לבית כר.** תרגם יונתן לְבֵית שָׁרוֹן, כמו כַּר נִרְחָב (ישעיהו ל, כג): **(יב) ובין השן.** שן סלע היה שם, ונקרא המקום על שמו: **(יג) כל ימי שמואל.** עד אשר זקן שמואל ולא יכול לצאת ולבא לפניהם, ולסבב על עריהם ולהוכיחם כמו שעשה לפני זקנתו, ולפיכך חטאו ישראל והיתה יד פלשתים עליהם, וזה היה להם הסבה אשר שאלו להם מלך, ואילו לא חטאו לא היו צריכים לפיכך היה רע בעיני ה' יתברך כששאלו להם מלך, אבל צריכים היו למלך כמו שאמר האל לשמואל כשבא אליו שאול, כָּעֵת מָחָר אֶשְׁלַח אֵלֶיךָ אִישׁ מֵאֶרֶץ בִּנְיָמִן וּמְשַׁחְתּוֹ לְנָגִיד... וְהוֹשִׁיעַ אֶת עַמִּי מִיַּד פְּלִשְׁתִּים... כִּי בָּאָה צַעֲקָתוֹ אֵלָי (לקמן ט, טז): **(יד) ותשבנה הערים.** כי שבט יהודה לכד הערים האלה מתחילה כמו שאמר בתחלת ספר שופטים (פרק א, יח), ואחר כך באו פלשתים ולקחום מהם, ועתה בימי שמואל שבו אותם הערים לישראל: **בין ישראל ובן האמרי.** לא ידעתי טעם לספור הזה בזה המקום, כי לא ראינו בזמן ההוא מלחמה בין ישראל ובין האמרי אלא עם פלשתים, ואולי בהיות הפלשתים נלחמים בישראל, היו נלחמים בהם גם כן יתר האמרי שנשארו בארץ עם בני דן, כמו שאמר בספר שופטים (א, לד) וַיִּלְחֲצוּ הָאֱמֹרִי אֶת בְּנֵי דָן, ואומר וּגְבוּל הָאֱמֹרִי מִמַּעֲלֵה עַקְרַבִּים מֵהַסֶּלַע וָמָעְלָה (שם פסוק לו), והם היו נלחמים בהם, ובראותם כי נכנעו פלשתים עשו גם הם שלום עם ישראל: **(טו) כל ימי חייו.** מיום שהחל להיות שופט עד שמת והם שלש עשרה שנה, ובדרש (מדרש תהלים צב, יב) וכי כל ימי חייו והלא לא שפטם אלא שלש עשרה שנה, אלא בן לוי עד שהוא במעי אמו הוא כתוב באסרטיא של מעלה:

מצודת דוד

וישפט. בדברים שבין אדם לחבירו: **(ז) ויעלו.** להלחם בם, כי חשבו שנתקבצו ישראל לצאת למלחמה: **(ח) אל תחרש ממנו.** אל תשתוק מהדבר אשר היא טובה לנו, והוא מזעוק אל ה' להושיענו: **(ט) טלה חלב.** רצה לומר, עודו יונק החלב: **ויענהו ה'.** רצה לומר, ראה שנתקבלה ברצון, כי ירדה האש ושרפה את העולה, והיה בטוח בתשועה: **(י) וירעם ה'.** הביא עליהם רעם בקול גדול ויהם אותם, ועל ידי זה נגפו לפני בוא ישראל למלחמה: **(יא) ויצאו.** אחר זה יצאו מן המצפה ורדפו אחריהם: **עד מתחת.** הכום בכל הדרך אשר רדפום, עד בואם מתחת לבית כר: **(יב) בין המצפה וכו'.** שם עמדו מערכות פלשתים: **עד הנה עזרנו ה'.** רצה לומר, עד המקום הזה עזרנו ה', במה שהממם בקול רעם ולא שלטה בהם יד ישראל עדיין, כי משם והלאה רדפו ישראל אחריהם ושלטה בהם ידם: **(יג) ולא יספו.** בימים שהנהיג שמואל עד לא נזדקן, לא הוסיפו לבוא בגבול ישראל: **ותהי יד ה' בפלשתים.** כאשר הלכו ישראל ללחום עמו בגבולו: **(יד) לישראל.** הערים ההם הוחזרו לישראל: **ואת גבולן.** הצילו גבול עצמן, לבלי תת לפלשתים לבוא לרשת עוד מה מגבולן: **ויהי שלום.** כי בעוד משלו פלשתים בישראל, נלחמו עמהם האמורי הנשארו בארץ ישראל, אבל כאשר חזקה יד ישראל, היה שלום ביניהם: **(טו) כל ימי חייו.** מעת שהועמד לשפוט עד שמת, ואף לאחר שמלך שאול, שפט הוא: **(טז) והלך.** בכל שנה הלך מביתו וסבב לבית אל וכו', ושם שפטם:

מצודת ציון

(ח) תחרש. תשתוק, וכן וְהֶחֱרִשׁ יַעֲקֹב (בראשית לד, ה): **(ט) כליל.** מלשון כל, רצה לומר העלה כל בשר העולה, כמשפט האמור בה: **(יב) ובין השן.** שן הסלע היה שם, ונקרא המקום על שמו: **(טז) מדי.** מתי, רצה לומר, בכל שנה ושנה:

on that day; they said there, "We have sinned to HASHEM!" And Samuel judged the Children of Israel at Mizpah.

[7]The Philistines heard that the Children of Israel had gathered together at Mizpah, and the governors of the Philistines came up against Israel. The Children of Israel heard and were afraid of the Philistines. [8]The Children of Israel said to Samuel, "Do not be silent from crying out on our behalf to HASHEM, our God, that He save us from the hands of the Philistines."

Salvation from the Philistines

[9]Samuel took a suckling lamb and offered it up entirely as an elevation-offering to HASHEM; Samuel cried out to HASHEM on behalf of Israel and HASHEM answered him. [10]Samuel was offering up the elevation-offering when the Philistines approached for the battle with Israel. HASHEM then thundered with a great noise on that day against the Philistines and confounded them, so that they were defeated by Israel. [11]The men of Israel went out of Mizpah and pursued the Philistines, striking them down until beneath Beth-car. [12]Samuel then took one rock and placed it between Mizpah and the cliff and called it Eben-ezer (the Rock of Help), saying, "HASHEM helped us until here."

Israel's cities are liberated

[13]The Philistines were humbled and no longer continued to enter the borders of Israel; and the hand of HASHEM was against the Philistines all the days of Samuel. [14]The cities that the Philistines had taken from Israel reverted to Israel from Ekron to Gath; and Israel rescued their surrounding areas from the hand of the Philistines. Furthermore, there was peace between Israel and the Amorite.

Samuel's route

[15]Samuel judged Israel all the days of his life. [16]He would travel year after year, circling

---

7-14. The Philistine threat is removed. Hearing of the great gathering in Mizpah, the Philistines assumed that an organized rebellion was in the making, and their army moved in to nip it in the bud. It may be that God put this mistaken idea into their minds in order to bring about an end to their domination of Israel. This victory also solidified Samuel's leadership because it demonstrated conclusively that he was God's chosen prophet.

8. The Jews had been demoralized by the Philistine rule and lacked confidence in their own fighting ability. They depended on Samuel to bring God into the fray (*Ralbag*).

9. Samuel brought an elevation-offering, which is entirely burnt on the altar, and which was a means of drawing the spirit of prophecy upon himself, *and HASHEM answered him* [with a fire from heaven (*Metzudos*)], as well as with a miraculous response to his prayer. He wanted this public display of God's acceptance of his service and prayer in order to further deepen the people's faith in God (*Ralbag*). As noted above, after the destruction of Shiloh, it was permitted to bring offerings on a *bamah*, or private altar.

ויעלהו — *And offered it up.* The word is pronounced as if its suffix is the masculine *vav* [וַיַּעֲלֵהוּ], literally *he offered him up*, but it is spelled with the feminine suffix, which is normally pronounced וַיַּעֲלֶהָ, *he offered her up.* The spelling implies that Samuel, a Levite, used a female sheep for his offering, although the Torah specified that an elevation-offering must be a male animal. From this the Sages derive that either gender is permitted on a private altar, and that the service there may be performed by a non-Kohen (*Avodah Zarah* 24b).

10-11. The Philistines attacked even before Samuel had completed the sacrificial service, and they were defeated without a single Jewish soldier shooting an arrow. God sounded a thunderous noise [accompanied by lightning bolts (*Ralbag*)] that confounded and terrified the Philistines so that all Israel had to do was chase and kill them. This great victory was in fulfillment of Hannah's prayer in 2:10. *Radak* suggests that God directed this frightening noise exclusively at the Philistines, so that the Jews should not be affected by it.

This miraculous event is recalled in the *Selichos* prayers that are recited on the Ten Days of Repentance and fast days: *He Who answered Samuel at Mizpah, may He answer us!*

12. Samuel erected a monument, *The Rock of Help*, as an eternal reminder of the great miracle. The Divine assistance stopped at that point; from there on, the Philistines were so undisciplined and the Jews so confident of Divine intervention that Israel joined in the fray (*Metzudos*).

13-14. As long as Samuel led Israel, the Philistines remained subdued and Israel took back the border towns that the Philistines had seized. During the Philistine ascendancy, even the Amorites felt confident enough to make forays from the areas that they still occupied (see *Judges* 1:34-37), but now they made peace with Israel (*Radak*).

15-17. Samuel as judge. Samuel was tireless and totally dedicated to the people. He undertook the arduous responsibility of constantly traveling throughout the land to teach, judge, and elevate the people, commoners as well as aristocrats. The Sages teach that he accepted no remuneration from the people, not even for expenses, thus setting an unparalleled example of integrity. As will be seen in 8:1, Samuel worked so hard that he grew old before his time, but he succeeded in reversing many generations of decline,

יז בֵּית־אֵל וְהַגִּלְגָּל וְהַמִּצְפָּה וְשָׁפַט אֶת־יִשְׂרָאֵל אֵת כָּל־הַמְּקוֹמוֹת הָאֵלֶּה: וּתְשֻׁבָתוֹ הָרָמָתָה כִּי־שָׁם בֵּיתוֹ וְשָׁם שָׁפָט אֶת־יִשְׂרָאֵל וַיִּבֶן־שָׁם מִזְבֵּחַ לַיהוָה:

ח

א-ב וַיְהִי כַּאֲשֶׁר זָקֵן שְׁמוּאֵל וַיָּשֶׂם אֶת־בָּנָיו שֹׁפְטִים לְיִשְׂרָאֵל: וַיְהִי שֶׁם־בְּנוֹ הַבְּכוֹר
ג יוֹאֵל וְשֵׁם מִשְׁנֵהוּ אֲבִיָּה שֹׁפְטִים בִּבְאֵר שָׁבַע: וְלֹא־הָלְכוּ בָנָיו °בדרכו [°בִּדְרָכָיו ק׳]
ד וַיִּטּוּ אַחֲרֵי הַבָּצַע וַיִּקְחוּ־שֹׁחַד וַיַּטּוּ מִשְׁפָּט: וַיִּתְקַבְּצוּ כֹּל זִקְנֵי יִשְׂרָאֵל
ה וַיָּבֹאוּ אֶל־שְׁמוּאֵל הָרָמָתָה: וַיֹּאמְרוּ אֵלָיו הִנֵּה אַתָּה זָקַנְתָּ וּבָנֶיךָ לֹא הָלְכוּ
ו בִּדְרָכֶיךָ עַתָּה שִׂימָה־לָּנוּ מֶלֶךְ לְשָׁפְטֵנוּ כְּכָל־הַגּוֹיִם: וַיֵּרַע הַדָּבָר בְּעֵינֵי שְׁמוּאֵל
ז כַּאֲשֶׁר אָמְרוּ תְּנָה־לָּנוּ מֶלֶךְ לְשָׁפְטֵנוּ וַיִּתְפַּלֵּל שְׁמוּאֵל אֶל־יְהוָה: וַיֹּאמֶר

רש״י

(ג) **ויטו.** הם עלמם: **ויטו.** דבר אחר, דהיינו המשפט. ורבותינו אמרו (שבת נו, א), לא חטאו בני שמואל, אלא לא הלכו בדרכי אביהן, שהיה מחזר בכל מקומות ישראל ושופטן בעריהן, והם לא עשו כן, כדי להרבות שכר לחזניהם ולסופריהם: (ו) **וירע הדבר.** לפי שאמרו לְשָׁפְטֵנוּ כְּכָל הַגּוֹיִם (פסוק ה):

רד״ק

(יז) **ותשבתו הרמתה כי שם ביתו.** ומשאר מקומות הרחוקים זולתי אותם שזכר שהיה סובב היו באים שם ברמה לפניו למשפט, ורבותינו זכרונם לברכה דרשו (ברכות י, ב) בכל מקום שהיה הולך ביתו עמו, כלומר שלא היה נהנה מאדם אלא משלו, ופירוש שָׁם, בכל המקומות שהיה סובב: **ויבן שם מזבח לה׳.** מיום שנחרב שילה שהותרו הבמות עשה הוא במתו, שהיה מקריב עליה כשהיה רוצה להקריב נדרים ונדבות וזבחי שלמים, כי זר מקריב בבמת יחיד כמו שכתבנו (לעיל פסוק ח): (ב) **יואל.** הוא וַשְׁנִי הנזכר בדברי הימים (־א ו, יג): **שפטים בבאר שבע.** ספר זה להודיע כי לא הלכו בדרכי אביהם, שהיה הולך וסובב על הערים שלא להטריח את כל ישראל לבא אליו למשפט, והם לא די להם שלא עשו זה אלא שישבו בקצה ארץ ישראל, כי באר שבע היה בקצה ארץ ישראל, כמו שאמר הכתוב מִדָּן וְעַד בְּאֵר שָׁבַע (לעיל ג, כ) כי אלה שתיהן היה קצות ארץ ישראל, ועדיין אלו היה האחד יושב בדן והאחד בבאר שבע לא היה רע, אבל שניהם היו שופטים בבאר שבע להטריח ישראל לבא אליהם ולהרבות שכרן, ואמרו רבותינו זכרונם לברכה (שבת נו, א) בני שמואל לא חטאו, אלא לפי שלא היו מחזירין בכל מקומות ישראל וישבו בבתיהם כדי להרבות שכר לחזניהם ולסופריהם, מעלה עליהן הכתוב כאילו לקחו שוחד, ומהם אמרו חלקם שאלו בפיהם, ומהם אמרו מתנות נטלו בזרוע, ולפי פשט הפשוט נראה שחטאו: (ג) **ויטו אחרי הבצע.** הם נטו אחרי הבצע, כלומר שהיה לבבם נוטה לממון והיו נבהלים להון, ואין טוב להיות שופטים אנשים כאלה אלא שׂנְאֵי בָצַע כמו שכתוב בתורה (שמות יח, כא), והם האנשים המסתפקים בחלקם הנמנעים מן העולם הזה ואינם רודפים אחר הממון, וזהו פירוש שׂנְאֵי בָצַע, ואין לפרש שונאי גזלה וחמס ושוחד כי כבר אמר יִרְאֵי אֱלֹהִים אַנְשֵׁי אֱמֶת (שם), ובני שמואל היו אוהבי בצע ולא עוד אלא שלקחו שוחד ויטו משפט, אבל יונתן תרגם וַיִּטּוּ אַחֲרֵי הַבָּצַע, וְאִתְפְּנִיאוּ בָּתַר מָמוֹן דִשְׁקָר: (ה) **אתה זקנת.** ואין אתה יכול לשפטנו כמו שעשית עד היום, ובניך ששמת לנו שופטים לא הלכו בדרכיך: **שימה לנו מלך לשפטנו ככל הגוים.** אמרו רבותינו זכרונם לברכה (סנהדרין כ, ב) שלשה מצוות נצטוו ישראל בכניסתן לארץ, למנות עליהם מלך ולמחות זרע עמלק ולבנות בית הבחירה, אם כן למה היה הדבר רע בעיני ה׳, לפי שבתרעומת שאלו אותו ולא לשם מצוה, כי אילו אמרו תנה לנו מלך שישפטנו ביושר ובאמונה לא היה הדבר רע בעיני שמואל, שהרי הכתוב מעיד כי בניו לא היו שופטים ישרים, או אילו אמרו נבא לפניך ותשפטנו אתה כל ימי חייך אחר שאין אתה יכול לחזר על המקומות, היו אומרים טוב, או אם אמרו נמנה בעצתך מלך עלינו אחר שאתה זקנת והמלך ישפטנו ויוכיחנו ויהיה מוראו עלינו לשמור דרך ה׳, זו השאלה היתה טובה, אבל כשאמרו שִׂימָה לָּנוּ מֶלֶךְ זה היה רע ומיעוט בטחון בהשם, ועוד שאמרו כְּכָל הַגּוֹיִם, והם לא היו צריכים ככל הגוים אם היו שומרים דרך ה׳ כי הוא לוחם את מלחמותם, והם אמרו וְיָצָא לְפָנֵינוּ וְנִלְחַם אֶת מִלְחֲמֹתֵינוּ (לקמן פסוק כ) לפיכך אמר הקדוש ברוך הוא לשמואל לֹא אֹתְךָ מָאָסוּ כִּי אֹתִי מָאֲסוּ מִמְּלֹךְ עֲלֵיהֶם (פסוק ז), ואין כוונתם שימאסו אותך למשפט כי אינם רוצים מלך בדבר המשפט לבד, כי די היה להם בך כל ימי חייך, אבל עתה כשמצאו עילה לשאול שופט שאלו מלך, ואותי מאסו ממלוך עליהם וסלקו בטחונם ממני, ובדברי חכמינו זכרונם לברכה (ספרי דברים קנו) מחלוקת מהם אמרו למה נענשו על שהקדימו כְּכָל הַגּוֹיִם, ומהם אמרו לא בקשו להם מלך אלא להעביד[ם] עבודת גילולים, שנאמר שִׂימָה וגו׳ והיינו אנחנו ככל הגוים, ומהם אמרו (סנהדרין כ, ב) זקנים שבהם כהוגן שאלו שנאמר שִׂימָה (עָלֵינוּ) [לָּנוּ] מֶלֶךְ לְשָׁפְטֵנוּ, ועמי הארץ שבהם קלקלו שנאמר וְהָיִינוּ גַם אֲנַחְנוּ כְּכָל הַגּוֹיִם (לקמן פסוק כ): (ו) **ויתפלל שמואל.** התפלל שתבא אליו הנבואה בענין זה מה ידבר ה׳:

מצודת דוד

(יז) **ותשבתו.** אחר סבובו, שב לרמה, כי שם היה ביתו: **ושם שפט וכו׳.** הבאים ממרחק: (ב) **שפטים בבאר שבע.** הועמדו לשופטים, וישבו בבאר שבע: (ג) **ויטו.** הטו עצמן לחשוק בממון, ובעבור זה לקחו שוחד והטו המשפט: (ה) **אתה זקנת.** ותש כוחך לשפוט עוד: **ככל הגוים.** שמלכם שופטם: (ו) **כאשר אמרו וכו׳ לשפטנו.** כי המשפט מסור הוא לשופטים, לדון על פי התורה, ולא למלך, לדון על פי דעתו: **ויתפלל.** שיבוא אליו הדבור לדעת מה ישיב להם:

מצודת ציון

(ב) **משנהו.** השני לו: (ג) **הבצע.** חמדת הממון, כמו שׂנְאֵי בָצַע (שמות יח, כא):

---

so that the nation was secure against its enemies and was growing spiritually during his tenure.

16. Although Samuel traveled throughout the country, the verse mentions only these places due to their greater sanctity and religious significance. Beth-el was Shiloh, where the Tabernacle stood for 369 years; Gilgal was where Joshua erected the Tabernacle of Moses for the first fourteen years in the Land; and Mizpah was the traditional place of prayer and assembly (*Abarbanel*). That Samuel had a particular affinity for such places and that he built an altar in Ramah (v. 17) was in fulfillment of his mother's vow (1:11, 1:28) that he would spend his life in service of God (*Parshiyos b'Sifrei Haneviim*).

8.

1-3. Prelude to monarchy. Samuel grew old and enlisted his sons to assist him, but they were a disappointment to the people, precipitating a demand that Samuel appoint a king to rule Israel.

⊷ **The role of Jewish monarchy.** To ask for a king is one of the 613 commandments (*Deuteronomy* 17:15), and all the prophecies regarding the Messianic era, when Israel would be at its spiritual zenith, revolve around a king of the Davi-

to Beth-el, Gilgal, and Mizpah, and judging Israel in all these places. [17]*Then he would return to Ramah, for his home was there, and there he would judge Israel. And there he built an altar to* HASHEM.

8

Samuel's sons prove disappointing

[1]*When Samuel became old, he appointed his sons judges over Israel.* [2]*The name of his firstborn son was Joel and the name of his second was Abijah; they were judges in Beer-sheba.* [3]*But his sons did not follow his ways. They were swayed by profit; they took bribes and they perverted justice.*

EVENTS LEADING TO THE MONARCHY 8:4-8:22

[4]*All the elders of Israel then gathered together and came to Samuel, to Ramah.* [5]*They said to him, "You have grown old, and your sons did not follow your ways. So now appoint for us a king to judge us, like all the nations."*

[6]*It was wrong in Samuel's eyes that they said, "Give us a king to judge us," and Samuel prayed to* HASHEM.

---

dic dynasty. The two tragic episodes of the graven image of Micah (*Judges* Chs. 17-18) and the concubine in Gibeah (ibid. Chs. 19-21) happened only because there was no king in Israel to exercise leadership and discipline (ibid. 18:1, 19:1), yet Samuel was angered by this request. Later in this chapter and again in 10: 17-19 and 12:12 he chastised the people severely for seeking a king. Why?

The people should have asked for a king to inspire them, lead them, and set an example of unselfish and wholehearted service of God. Instead, they wanted a king merely to be *like all the nations* — to imitate their neighbors who attacked them and worshiped idols. Was it God's desire that Israel be like nations that aspire only to wealth, glory, and conquest? Because Israel's goal was wrong, their first king, the righteous Saul, could not keep his throne permanently (*Ramban*).

R' Hirsch comments that the proper time for the people to seek a king would have been when the conquest of the Land was complete and the king would be not a symbol of power, but a role model of how to serve God and not be swayed by pomp and power. According to *R' D.Z. Hoffman*, if a king had led the people into *Eretz Yisrael* and spearheaded the conquest of the Canaanites, his subjects would have thought that they owed their property to him. Instead, Joshua and the Judges made it clear that only God gave them the Land; a king is secondary.

Radak explains that they erred in likening the proposed Jewish king to the neighboring monarchs — but a Jewish king must rule according to the Torah, not according to his whims or even conscientious judgment of what is right and what is wrong. That is why a king must write his own Torah scroll; he must engrave upon his consciousness that only the Torah is his ultimate law. In fact, it was the shortcomings of its kings that brought about the decline and eventual exile of the nation. This is why Samuel was so displeased with their request and why God described it as a rejection of Himself as King of Israel.

1. וַיְהִי כַּאֲשֶׁר זָקֵן שְׁמוּאֵל — *When Samuel became old.* Samuel was only fifty-two years old when he died (*Taanis* 5b), and at this time he was not yet fifty. He appeared old because he had turned prematurely white (*Rashi,* ibid.), because of his great exertions in constantly traveling throughout the land to lead the people (*Ralbag*). Unable to continue his travels, he assigned his sons to replace him (*Malbim*).

There was no case of nepotism in the Book of Judges. If Samuel chose his sons to assist him, he must have felt that they were the most qualified people available.

2-3. Instead of following Samuel's example of making themselves available to the people, they stationed themselves in Beer-sheba, in the extreme south, so that it was extremely difficult and time consuming for the great majority of the people to seek justice. Not only that, they sought fees for their services, in sharp contrast to their father, who never accepted payment, even for expenses. In the plain sense of the verse, they actually accepted bribes, but the Talmud (*Shabbos* 56a) states that such an interpretation of the verse is mistaken. Rather, they would summon people to their court in Beer-sheba in order to increase the income of their attendants and scribes. *Radak* comments they were too impressed by money, an improper trait for a judge. What they did was not illegal, but it did not live up to the high standards of Jewish leadership, and it certainly fell far short of the conduct people had a right to expect from children of Samuel. The people were outraged by this conduct and regarded it as tantamount to accepting bribes and perverting justice.

4-6. The people demand a king. The elders of the nation came to Samuel, which was good, because they made their request respectfully and presented it to God's prophet, rather than conspiring behind his back. They were justified in expressing their displeasure with Joab and Abijah, and in seeking a solution to the inadequacy of their leadership. What was wrong was that they asked for a king for the wrong reason — *to judge us, like all the nations* — as explained above.

The Talmud notes that the elders asked for a king to judge them, which was proper, but the common people were faulted for saying that they wanted to be like all the nations (*Sanhedrin* 20b).

5. אַתָּה זָקַנְתָּ — *You have grown old.* They recognized that Samuel had been forced to recruit assistants to help him lead, but they complained about their performance.

6. Though he was deeply upset by the request and took it as a personal affront, Samuel would not respond without seeking Divine guidance.

יהוה אֶל־שְׁמוּאֵל שְׁמַע בְּקוֹל הָעָם לְכֹל אֲשֶׁר־יֹאמְרוּ אֵלֶיךָ כִּי לֹא אֹתְךָ מָאָסוּ כִּי־אֹתִי מָאֲסוּ מִמְּלֹךְ עֲלֵיהֶם׃ ח כְּכָל־הַמַּעֲשִׂים אֲשֶׁר־עָשׂוּ מִיּוֹם הַעֲלֹתִי אֹתָם מִמִּצְרַיִם וְעַד־הַיּוֹם הַזֶּה וַיַּעַזְבֻנִי וַיַּעַבְדוּ אֱלֹהִים אֲחֵרִים כֵּן הֵמָּה עֹשִׂים גַּם־לָךְ׃ ט וְעַתָּה שְׁמַע בְּקוֹלָם אַךְ כִּי־הָעֵד תָּעִיד בָּהֶם וְהִגַּדְתָּ לָהֶם מִשְׁפַּט הַמֶּלֶךְ אֲשֶׁר יִמְלֹךְ עֲלֵיהֶם׃ י וַיֹּאמֶר שְׁמוּאֵל אֵת כָּל־דִּבְרֵי יהוה אֶל־הָעָם הַשֹּׁאֲלִים מֵאִתּוֹ מֶלֶךְ׃ יא וַיֹּאמֶר זֶה יִהְיֶה מִשְׁפַּט הַמֶּלֶךְ אֲשֶׁר יִמְלֹךְ עֲלֵיכֶם אֶת־בְּנֵיכֶם יִקָּח וְשָׂם לוֹ בְּמֶרְכַּבְתּוֹ וּבְפָרָשָׁיו וְרָצוּ לִפְנֵי מֶרְכַּבְתּוֹ׃ יב וְלָשׂוּם לוֹ שָׂרֵי אֲלָפִים וְשָׂרֵי חֲמִשִּׁים וְלַחֲרֹשׁ חֲרִישׁוֹ וְלִקְצֹר קְצִירוֹ וְלַעֲשׂוֹת כְּלֵי־מִלְחַמְתּוֹ וּכְלֵי רִכְבּוֹ׃ יג וְאֶת־בְּנוֹתֵיכֶם יִקָּח לְרַקָּחוֹת וּלְטַבָּחוֹת וּלְאֹפוֹת׃ יד וְאֶת־שְׂדוֹתֵיכֶם וְאֶת־כַּרְמֵיכֶם וְזֵיתֵיכֶם הַטּוֹבִים יִקָּח וְנָתַן לַעֲבָדָיו׃ טו וְזַרְעֵיכֶם וְכַרְמֵיכֶם יַעְשֹׂר וְנָתַן לְסָרִיסָיו וְלַעֲבָדָיו׃ טז וְאֶת־עַבְדֵיכֶם וְאֶת־שִׁפְחוֹתֵיכֶם וְאֶת־בַּחוּרֵיכֶם הַטּוֹבִים וְאֶת־חֲמוֹרֵיכֶם יִקָּח וְעָשָׂה לִמְלַאכְתּוֹ׃ יז־יח צֹאנְכֶם יַעְשֹׂר וְאַתֶּם תִּהְיוּ־לוֹ לַעֲבָדִים׃ וּזְעַקְתֶּם בַּיּוֹם הַהוּא מִלִּפְנֵי מַלְכְּכֶם אֲשֶׁר בְּחַרְתֶּם לָכֶם וְלֹא־יַעֲנֶה יהוה אֶתְכֶם בַּיּוֹם הַהוּא׃

רש״י

(ט) **העד תעיד בהם.** התרה בהם, שתהא אימת מלכם עליהם: (יב) **ולעשות כלי מלחמתו.** לעשות אותם אומנים ונפחים ונגרים: (יג) **לרקחות.** מתקנות מרקחים ובשמים, לתמרוקי נשיו:

רד״ק

(ח) **גם לך.** פירוש עמך, כלומר אף על פי כן שאתה עמהם ויצאת לפניהם במלחמותיהם, והצליחו עד אשר השלמת להם אויביהם עד אשר לא הוצרכו למלחמה, כי השיבותם על הדרך הטובה, אף על פי כן עתה מרדו בי גם עמך לשאול להם מלך מה שלא היו צריכים, כי אין להם מלחמה כי אם מלחמת נחש מלך בני עמון: (ט) **משפט.** חוק וכן משפט הכהנים מאת העם וכן ת״י נִימוּסָא, ונחלקו רבותינו זכרונם לברכה (סנהדרין כ, ב) במשפט המלוכה, רבי יוסי אומר כל האמור בפרשת המלך מלך מותר בו, רבי יהודה אומר לא נאמרה פרשה זו אלא ליראם ולבהלם: (יא) **ורצו לפני מרכבתו.** מלרע, והיה משפטו מלעיל על דרך נחי העי״ן, אף על פי כן באו מהם מלרע כמו שכתבנו בחלק הדקדוק מספר מכלל, וטעם וְרָצוּ על הפרשים שזכר, או טעמו כי יקח מבניכם גם כן להיותם רצים רגלים לפני מרכבתו, וכן תרגם יונתן כמו רצים, וְרָדְפִין קֳדָם רְתִיכוֹהִי: (יב) **ולעשות כלי מלחמתו.** תרגום יונתן וְאוּמְנַיָא לְמִיעְבַּד מָאנֵי קְרָבֵיהּ, וכל זה בשכר ולא בחנם, אלא שהמלך קודם לכל אדם: (יג) **לרקחות.** לרקח מרקחת הבשמים, ויונתן תרגם לְשַׁמָּשָׁן: **ולטבחות.** מבשלות, וכן בערבי יקרא המבשל טב״אך והכ״ף בערבי, חי״ת בעברי, או יהיה כמשמעו לשון זביחה כי המבשלות יזבחו מה שיבשלו: **ולאפות.** אופות הלחם: (טו) **וזרעיכם.** פירוש שדות וכרמים, וכבר אמר וְאֶת שְׂדוֹתֵיכֶם וְאֶת כַּרְמֵיכֶם, כי השדות והכרמים והזתים הטובים יקחם כלם אם ירצה, ושאר השדות והכרמים יעשר, רצה לומר יקח המעשר מן השדות והכרמים או מתבואה אחר מעשר הלויים, ורבותינו זכרונם לברכה פירשו לא שיקח השדות והכרמים, אלא פירותיהם אם יצטרכו אותם עבדיו כשילכו למלחמה, יפשטו על המקומות אם אין להם מה יאכלו שם יקחו אותם ונותן את דמיהן, אבל מעשר התבואה והפירות והצאן הוא משפטו בכל עת שירצה, שהרי שלמה מלך ישראל היה לוקח, וכן לקחת בנותיכם לנשים ולפלגשים ככל אשר יבחר, והראיה כי לא אמר שיקח השדות והכרמים והזיתים לעצמו, אלא וְנָתַן לַעֲבָדָיו, כלומר לאנשי מלחמתו כי כלם עבדיו, אלא מהו וְנָתַן לַעֲבָדָיו לאנשי החיל אשר עמו, לא שיקח גוף השדות והכרמים לעצמו, שאם כן היה לוקח אחאב כרם נבות במשפט המלוכה ולא היתה מצטרכת איזבל לכל הגלגולים ההם ולשפיכת דם נקי, (מלכים־א פרק כא), ומה שאומר הַטּוֹבִים כלומר שיבחר מהטובים לקחת פירותיהם ולתת לעבדיו, ומה שאמר שדותיכם וכרמיכם וזיתיכם כי הם עיקר המחיה, וכן אמר דְּגָנְךָ תִּירֹשְׁךָ וְיִצְהָרֶךָ (דברים יד, כג): (יז) **צאנכם יעשר.** ובכללם הבקר שהרי לא זכר בפרשה: **ואתם תהיו לו לעבדים.** אחר שאמר כל הפרשה מה צריך וְאַתֶּם תִּהְיוּ לוֹ לַעֲבָדִים, הלא אמר שיקח הבנים והבנות והשדות והכרמים וכל מה שירצה, אמרו רבותינו זכרונם לברכה שיוכל להטיל מס עליהם, כתיב הכא לַעֲבָדִים וכתיב התם יִהְיוּ לְךָ לָמַס וַעֲבָדוּךָ (דברים כ, יא):

מצודת דוד

(ז) **לכל אשר וכו׳.** ואף להיות המשפט מסור ביד המלך: **כי לא אתך מאסו.** רצה לומר, ופן תאמר איך אזדקק עוד להם אם מאסו בי, כי הנה לא אותך מאסו, כי הלא לא עשו דבר בלתך, אבל בי מאסו, ולא חפצו במשפטי התורה: (ח) **ככל המעשים.** רצה לומר, אין זה דבר חדש אצלם, כי כמו כל המעשים וכו׳ ומאסו בי ובחרו בעבודת כוכבים ומזלות, כן המה עושים גם עתה במה שאמרו לך שִׂימָה לָּנוּ מֶלֶךְ לְשָׁפְטֵנוּ (לעיל פסוק ה), למאס במשפט התורה ולבחור במשפט המלך: (ט) **ועתה.** הואיל ולא בך מאסו, הזדקק להם ושמע בקולם: **אך כי העד.** אמור להם בהתראה, שלא טוב להם שלא יהיה המלך נכנע למשפט התורה: **והגדת להם.** הנבא ואומר להם משפט המלך העולה על רוחו מה היא, וידעו שהיא קשה להם: (יא) **משפט המלך.** העולה על רוחו מבלי פנות אל משפט התורה: **יקח ושם לו.** יקח אותם בחזקה, וישימם במוליכי מרכבתו וברוכבי הסוסים, ולרוץ רגלי לפני מרכבתו: (יב) **ולשום לו וכו׳.** והנה רבים ימאסו לשום עליהם עול משא הנהגות העם: **ולחרש חרישו.** של המלך: (טו) **יעשר.** יקח מהם המעשר: (טז) **ועשה.** יעשה עמהם את הצריך לו למלאכתו: (יז) **ואתם.** אף אתם עצמכם לא תהיו בני חורין מלעבוד עבודתו: (יח) **וזעקתם.** בעבור קושי השעבוד מן המלכים, תזעקו לה׳ ולא יענה אתכם, כי כבר התרה בכם, ועם כל זאת חפצתם במלך:

מצודת ציון

(ט) **העד תעיד.** ענין התראה, על שם שדרך להתרות בפני עדים, למען לא יכחש לאחר זמן, כמו הָעֵד הֵעִד בָּנוּ (בראשית מג, ג): **משפט.** רצה לומר הנהגה, ואם היא שלא כדין, וכן וּמִשְׁפַּט הַכֹּהֲנִים (לעיל ב, יג): (יא) **ורצו.** ענין מהירת ההליכה: (יג) **לרקחות.** לעשות מעשה הבשמים, כמו מַעֲשֵׂה רֹקֵחַ (שמות ל, כה): **ולטבחות.** מבשלות, כי הנה טובחות מה שמבשלות מן הבשר: **ולאפות.** מלשון אפיית הפת: (יד) **וזיתיכם.** פרדסי הזית: (טו) **וזרעיכם.** מלשון זריעה: **לסריסיו.** לשריו ומשרתיו: (טז) **הטובים.** רצה לומר במראה:

Rejecting God by demanding a king

[7]HASHEM said to Samuel, "Listen to the voice of the people in all that they say to you, for it is not you whom they have rejected, but it is Me whom they have rejected from reigning over them. [8]Like all the deeds they have done from the day I brought them up from Egypt until this day — they forsook Me and worshiped the gods of others. So are they doing to you, as well. [9]And now, heed their voice, but be sure to warn them and tell them about the protocol of the king who will reign over them."

Royal prerogatives

[10]Samuel told all the words of HASHEM to the people who had requested a king of him. [11]He said, "This is the protocol of the king who will reign over you: He will take away your sons and place them in his chariots and cavalry, and they will run before his chariot; [12]he will appoint for himself captains of thousands and captains of fifty, to plow his furrow and to reap his harvest, and to produce his implements of battle and the furnishings of his chariot. [13]He will take your daughters to be perfumers, cooks, and bakers. [14]He will confiscate your best fields, vineyards, and olive trees, and present them to his servants. [15]He will take a tenth of your grain and vines, and present them to his officers and servants. [16]He will take your servants and maid-servants and your best young men and your donkeys and press them into his service. [17]He will take a tenth of your sheep, and you will be his slaves. [18]On that day you will cry out because of your king whom you have chosen for yourselves — but HASHEM will not answer you on that day."

7-9. God responds to the demand. Samuel had regarded the people's demand as a rejection of himself as judge, and if he was to be replaced by a king, he would no longer be able to relate to the people as their spiritual leader. God told him that this was not so. The people were not rejecting his leadership; they would continue to look to Samuel for guidance, but they were rejecting the absolute authority of God, by asking for a king who would rule them like a non-Jewish ruler. God told Samuel that he should *listen to the voice of the people* by agreeing to their demand; they would have their king, but Samuel would continue to be the moral authority of Israel (*Parshiyos b'Sifrei HaNeviim*).

8. כְּכָל־הַמַּעֲשִׂים אֲשֶׁר־עָשׂוּ — *Like all the deeds that they have done.* God told Samuel that Israel was merely repeating their historic pattern of behavior [see *Judges* Ch. 2], in which they preferred an ordinary, natural life and rejected God's lofty code of conduct, which enabled them to be guided by His supernatural intervention (*Malbim*).

כֵּן הֵמָּה עֹשִׂים גַּם־לָךְ —*So they are doing to you, as well.* Although your leadership has brought them security from their enemies, so that they have no legitimate need for a king, they are rebelling against Me (*Radak*).

9. *Malbim* continues, since they have chosen to live a natural life, they are not worthy of God's intervention, so that they truly need a king to guide them. Therefore, appoint a king to guide them (*Kli Yakar*), but first warn them what they can expect from their king.

10-19. Protocol of the king. The Talmud (*Sanhedrin* 20b) records a dispute regarding the royal prerogatives enumerated here. R' Yose holds that the king is legally entitled to exercise these powers. R' Yehudah holds that these are not legal powers, but Samuel meant to frighten the people by warning them of what a despot might very well do to them. *Rambam* rules according to R' Yose (*Hil. Melachim* 4:1). By commanding Samuel to tell the people *all the words of HASHEM*, He included the Divine judgment that they were rejecting God more than Samuel (*Abarbanel*).

11-12. The king will draft young men for his service and assign them to whatever tasks he deems them qualified.

14. The king may expropriate land for the use of his army, but not for his personal pleasure (see *Rashi, II Samuel* 9:9). *Rambam* (*Hil. Melachim* 4:6), however, rules that the king may not seize land or orchards, but he *may* seize their produce for his soldiers who need food, and he must compensate the owners for its value.

15. In addition to what the king may take for payment, he is entitled to tithes of all produce as part of his taxing power, after the other, Torah-mandated, tithes have been given (*Radak*).

16. בַּחוּרֵיכֶם הַטּוֹבִים — *Your best young men,* i.e., your most handsome young men may be conscripted to be his attendants (*Hil. Melachim* 4:2).

Rambam (4:3) specifies that if the king engages artisans, craftsmen, or laborers, he must pay them, but he does not make this stipulation regarding his army or household retinue. *Lechem Mishneh* conjectures that the king may not be required to pay those who are drafted for his army or household, because he provides them with room and board.

17. וְאַתֶּם תִּהְיוּ־לוֹ לַעֲבָדִים — *And you will be his slaves,* in the sense that you will be required to pay taxes, as if you had been conquered in war and forced to pay tribute (*Hil. Melachim* 4:1).

18. The burden of your king will weigh heavily upon you and you will cry out for relief, but God will not respond, because after you had been warned, you still demanded the king of your own free will (*Ralbag*).

יט־כ וַיְמָאֲנ֣וּ הָעָ֔ם לִשְׁמֹ֖עַ בְּק֣וֹל שְׁמוּאֵ֑ל וַיֹּ֣אמְרוּ לֹּ֔א כִּ֥י אִם־מֶ֖לֶךְ יִהְיֶ֥ה עָלֵֽינוּ׃ וְהָיִ֥ינוּ גַם־
כא אֲנַ֖חְנוּ כְּכָל־הַגּוֹיִ֑ם וּשְׁפָטָ֤נוּ מַלְכֵּ֙נוּ֙ וְיָצָ֣א לְפָנֵ֔ינוּ וְנִלְחַ֖ם אֶת־מִלְחֲמֹתֵֽנוּ׃ וַיִּשְׁמַ֣ע
כב שְׁמוּאֵ֔ל אֵ֖ת כָּל־דִּבְרֵ֣י הָעָ֑ם וַֽיְדַבְּרֵ֖ם בְּאָזְנֵ֥י יְהוָֽה׃ וַיֹּ֨אמֶר יְהוָ֜ה אֶל־
שְׁמוּאֵל֙ שְׁמַ֣ע בְּקוֹלָ֔ם וְהִמְלַכְתָּ֥ לָהֶ֖ם מֶ֑לֶךְ וַיֹּ֤אמֶר שְׁמוּאֵל֙ אֶל־אַנְשֵׁ֣י יִשְׂרָאֵ֔ל לְכ֖וּ
ט א אִ֥ישׁ לְעִירֽוֹ׃ וַֽיְהִי־אִ֞ישׁ °מבן ימין [°מִבִּנְיָמִ֗ין ק] וּשְׁמוֹ֩ קִ֨ישׁ בֶּן־אֲבִיאֵ֜ל בֶּן־
ב צְר֧וֹר בֶּן־בְּכוֹרַ֛ת בֶּן־אֲפִ֖יחַ בֶּן־אִ֣ישׁ יְמִינִ֑י גִּבּ֖וֹר חָֽיִל׃ וְלוֹ־הָיָ֨ה בֵ֜ן וּשְׁמ֣וֹ שָׁא֗וּל
בָּח֣וּר וָט֔וֹב וְאֵ֥ין אִ֛ישׁ מִבְּנֵ֥י יִשְׂרָאֵ֖ל ט֣וֹב מִמֶּ֑נּוּ מִשִּׁכְמ֣וֹ וָמַ֔עְלָה גָּבֹ֖הַּ מִכָּל־הָעָֽם׃
ג וַתֹּאבַ֙דְנָה֙ הָאֲתֹנ֔וֹת לְקִ֖ישׁ אֲבִ֣י שָׁא֑וּל וַיֹּ֨אמֶר קִ֜ישׁ אֶל־שָׁא֣וּל בְּנ֗וֹ קַח־נָ֤א אִתְּךָ֙
ד אֶת־אַחַ֣ד מֵהַנְּעָרִ֔ים וְק֣וּם לֵ֔ךְ בַּקֵּ֖שׁ אֶת־הָאֲתֹנֹֽת׃ וַיַּעֲבֹ֧ר בְּהַר־אֶפְרַ֛יִם וַֽיַּעֲבֹ֥ר
בְּאֶֽרֶץ־שָׁלִשָׁ֖ה וְלֹ֣א מָצָ֑אוּ וַיַּעַבְר֨וּ בְאֶֽרֶץ־שַׁעֲלִ֜ים וָאַ֗יִן וַיַּעֲבֹ֥ר בְּאֶֽרֶץ־יְמִינִ֖י וְלֹ֥א
ה מָצָֽאוּ׃ הֵ֚מָּה בָּ֚אוּ בְּאֶ֣רֶץ צ֔וּף וְשָׁא֛וּל אָמַ֛ר לְנַעֲר֥וֹ אֲשֶׁר־עִמּ֖וֹ לְכָ֣ה וְנָשׁ֑וּבָה פֶּן־
ו יֶחְדַּ֥ל אָבִ֛י מִן־הָאֲתֹנ֖וֹת וְדָאַ֥ג לָֽנוּ׃ וַיֹּ֣אמֶר ל֗וֹ הִנֵּה־נָ֤א אִישׁ־אֱלֹהִים֙ בָּעִ֣יר הַזֹּ֔את

רש"י

(ה) בארץ צוף. (תרגוס) בְּאַרְעָא דְּבָהּ נְבִיָּא: **צוף.** כמו צופה: **פן יחדל אבי מן האתנות.** שתגדל דאגה שלנו עליו, עד שישכח את האתונות: **ודאג.** איזשטאר"ה בלע"ז:

רד"ק

(יט) ויאמרו לא. בדגש הלמ"ד, וכן וַיֹּאמְרוּ לֹּא כִּי בָרְחוֹב נָלִין (בראשית יט, ב): **(כ) ושפטנו מלכנו.** בדברי הדיינין, או פירושו יקח משפטינו מיד אויבינו, כמו שָׁפְטֵנִי אֱלֹהִים וְרִיבָה רִיבִי (תהלים מג, א), וכן תרגם יונתן וְיִתְפְּרַע לָנָא: **ונלחם.** מבנין נפעל כלומר הוא נלחם את מלחמותינו, וכן תרגם יונתן במקצת הנוסחאות וְיַגִּיחַ יַת קְרָבָנָא, ואפשר שיהיה הנו"ן למדברים בעדם מהקל, וכן הוא בתרגום במקצת הנוסחאות וְנַגִּיחַ יַת קְרָבָנָא: **(כא) וידברם באזני ה'.** כתרגומו וְסַדְּרִינוּן קֳדָם ה', כלומר בתפלתו שהתפלל לאל שיענהו בדבר המלוכה, וסדר דבריהם לפניו: **(א) ויהי איש מבן ימין.** כן כתיב בשתי מלות, וקרי מבנימין מלה אחת והענין אחד: **קיש בן אביאל.** ובדברי הימים (־א ט, לט) אומר וְנֵר הוֹלִיד אֶת קִישׁ, ונר היה בן אביאל, והלא היה אחי קיש ואבי אבנר כמו שאומר בזה הספר, ויתכן לפרש כי אביאל היה שמו גם כן נר, ושני שמות היו לו כמו שמצאנו כמוהו רבים בדברי הימים, והיו לו שני בנים האחד קרא שמו קיש, והאחר קרא שמו נר כשמו והוא היה אבי אבנר, ומצאתי בויקרא רבה (פרשה ט, ב) כי עיקר שמו אביאל והיו קוראים שמו נר לפי שהיה מדליק נרות במבואות האפלות: **(ב) בחור וטוב.** פירוש טוב בתואר ובמראה, וכן תרגם יונתן עוּלֵים וְשַׁפִּיר, פירוש טוב בתאר וכן טוֹב מִמֶּנּוּ שַׁפִּיר מִינֵּיהּ: **(ד) בארץ שלשה.** תרגם יונתן בְּאַרְעָא דָרוֹמָא וכן תרגם מִבַּעַל שָׁלִשָׁה (מלכים־ב ד, מב) מארעא דָרוֹמָא: **בארץ שעלים.** תרגם יונתן בְּאַרַע מֶתְבְּרָא: **(ה) בארץ צוף.** תרגם יונתן בְּאַרְעָא דְּבָהּ נְבִיָּא: **ודאג לנו.** תרגם יונתן וְיַצִיף לָנָא, כלומר יפחד, וכן בבראשית רבה (פרשה נו, ד) וְאַיֵּה הַשֶּׂה לְעֹלָה (בראשית כב, ז) אמר לו יציף ההוא גברא מכל מקום ה' יראה לו השה:

מצודת דוד

(יט) בקול שמואל. אשר היה ממאס להם דבר המלך השופט לפי דעתו: **ויאמרו לא.** רצה לומר, לא נשמע אליך: **(כ) והיינו וכו'.** רצה לומר, ואם נהיה נעשקים מן המלך, נהיה אם כן ככל הגוים, לא נופלים מהם: **ושפטנו.** רצה לומר, עם העושק יבוא גם התועלת, כי ישפוט בינינו וילחם מלחמותינו: **(כב) לכו איש לעירו.** אתם לכו עתה איש אל עירו, ואנכי אעשה כדבריכם: **(א) בן איש ימיני.** רצה לומר, בן אדם גדול מבני בנימין: **(ב) בחור וטוב.** נבחר במעשיו ויפה מראה: **גבה.** והיה גבוה מכל העם מן כתפו ולמעלה: **(ה) פן יחדל.** רצה לומר, פן מעתה לא ישים עוד לב לדאגת אבדן האתונות, בעבור דאגתו עלינו, כי יחשוב שאנחנו נבוכים בארץ: **(ו) בעיר הזאת.** אשר לפנינו:

מצודת ציון

(יט) וימאנו. לא רצו: **(א) חיל.** ענין כח ואומץ: **(ב) משכמו.** מכתפו: **(ד) ואין.** לא מצאו בה: **(ה) יחדל.** ימנע:

19-22. Samuel's warning is not heeded. The people remained firm in their desire. They imagined all the good things that a righteous king would bring them, but would not consider the indignities and impositions of a despotic ruler. They emphasized the word מֶלֶךְ, which refers to a king who reigns with the consent and for the benefit of the people, as opposed to a מוֹשֵׁל, a tyrant who rules against the will of the people (*Malbim*).

On the other hand, so that their request for a king would no longer be offensive, they modified their language by emphasizing that the king would lead them in war, because he would unify the nation in battle whenever any of the tribes was threatened. They felt that the foreign marauders who had conquered parts of the land over the years had succeeded because all twelve tribes had never been marshalled to defend the ones that were threatened, but a king would be able to defend the entire land. Since they were, at least on the surface, modifying their earlier impertinence, God instructed Samuel to comply with their request (*Ralbag; Malbim*).

History proved the shortsightedness of the people. They thought that all kings would be like Moses, Joshua, and Samuel; even the least of the judges were righteous and pious men who staunchly upheld the Torah. Not so many of the future kings (*Behold a People*). The era of the Judges was now over and the era of the monarchy was about to begin.

21. וַיְדַבְּרֵם בְּאָזְנֵי ה' — *And repeated them to HASHEM.* Of

[19]But the people refused to listen to the voice of Samuel. They said, "No! There shall be a king over us, [20]and we will be like all the other nations; our king will judge us, and go forth before us, and fight our wars!" [21]Samuel heard all the words of the people and repeated them to HASHEM.

God concurs

[22]HASHEM told Samuel, "Listen to their voice, and crown a king for them." Samuel told the men of Israel, "Go, each man to his city."

9

APPOINTMENT, ANOINTMENT AND ACCEPTANCE OF SAUL
9:1-10:27

[1]There was a man of Benjamin whose name was Kish son of Abiel, son of Zeror, son of Becorath, son of Aphiah, son of a distinguished Benjamite — a mighty man of valor. [2]He had a son named Saul who was exceptional and goodly; no one in Israel was handsomer than he. From his shoulders up, he was taller than any of the people.

[3][One day] the donkeys of Kish, Saul's father, were lost, and Kish said to Saul his son, "Please take one of the attendants with you, arise and go; search for the donkeys."

Saul seeks the lost donkeys

[4]He passed through Mount Ephraim and he passed through the land of Shalishah, but they did not find [them]; they passed through the land of Shaalim, but they were not there; and he passed through the land of the Benjamite but they did not find them. [5]They came to the land of Zuph and Saul said to his attendant who was with him, "Come, let us return, lest my father stop thinking about the donkeys and worry about us!" [6]But [the attendant] said to him, "Behold now, there is a man of God in this city,

---

course God knew what the people had said — and He knew their inner motives, even when they spoke more respectfully in answering Samuel — but an agent should report back to his master; in doing so Samuel followed the example of Moses (*Exodus* 9:8), who told God what the people had said when asked if they were ready to accept the Torah.

9.

⁂ **Saul — Appointment, anointment, acceptance.** In this chapter we are introduced to Saul, who was to become the first king of Israel. The first two verses describe his outstanding qualities in glowing terms, to show how qualified he was to become the leader of God's people. Nevertheless, because it was improper for the people to request a king at that time — as Samuel told them in Chapter 8 and again in 12:16 — God did not give them a king from the tribe of Judah, a king whose dynasty would be permanent. He gave them a king — from the tribe of Benjamin — whose reign would be cut short. Had Saul not sinned during his aborted reign, he and his offspring would presumably have remained in a position of secondary leadership, even when the primary rulership had been transferred to the Davidic dynasty, but because of his later shortcoming, he died prematurely and his family lost its royal status (*Ramban* to *Genesis* 49:10).

1. The verse lists six generations of Saul's family, to imply that he was of distinguished lineage.

The father of Kish is called Abiel, but in *I Chronicles* 8:33, he is referred to as *Ner*. It may be simply that he had two names. The Midrash (*Vayikra Rabbah* 9:2) explains that the name *Ner*, meaning lamp, was given to Abiel as a title of honor, because it was his practice to set up lamps at night to illuminate the paths to the study halls, and because of this he merited a grandson who became king (*Radak*).

2. Saul was remarkably handsome physically, as a king should be to inspire the respect and loyalty of all the people, but beyond that, these encomiums refer also to his spiritual characteristics. He was a *tzaddik* (*Rashi, Moed Katan* 16b), a great Torah scholar (*Rashi, Gittin* 59a), and exceedingly humble (*Tosefta Berachos* 4:16). He was head and shoulders above the entire people — even those much older than he — in both physical strength and character (*Malbim*).

3-8. Saul seeks the lost donkeys. God's providence engineered a seemingly trivial chain of events to bring Saul to Samuel, who would anoint him as king. Kish's donkeys were lost and, instead of sending his servants to look for them, Kish sent Saul. Although donkeys would generally not venture far from home, Saul traveled extensively in search of them, until he was near the home of the prophet. And Saul "happened" to take along a servant who knew where Samuel lived (*Malbim*).

4. *Malbim* notes that the verse alternates between singular and plural, implying that there were times when they searched together and times when they went separately.

5. **וְדָאַג לָנוּ** — *And worry about us.* Here Saul showed his great humility, for he equated his servant to himself, saying that Kish would worry about *us*. Such humility made him worthy of the throne (*Tosefta, Berachos* 4:16), for humility is a prerequisite of a Jewish king (*Hil. Melachim* 2:6).

Rabbi Yisrael Salanter notes that when Samuel instructed Saul to go back home, he said that, although Kish was worried about the two of them, his primary concern was about Saul: "*What shall I do about my son?*" (10:2). From the different statements of Saul and Samuel, we derive an ethical teaching. Saul was humble and praised for it, which is how a person should be. But when Samuel was addressing Saul, it would have been improper, even insulting, for him to

וְהָאִישׁ נִכְבָּד כֹּל אֲשֶׁר־יְדַבֵּר בּוֹא יָבוֹא עַתָּה נֵלְכָה שָּׁם אוּלַי יַגִּיד לָנוּ אֶת־
ז דַּרְכֵּנוּ אֲשֶׁר־הָלַכְנוּ עָלֶיהָ: וַיֹּאמֶר שָׁאוּל לְנַעֲרוֹ וְהִנֵּה נֵלֵךְ וּמַה־נָּבִיא לָאִישׁ
ח כִּי הַלֶּחֶם אָזַל מִכֵּלֵינוּ וּתְשׁוּרָה אֵין־לְהָבִיא לְאִישׁ הָאֱלֹהִים מָה אִתָּנוּ: וַיֹּסֶף
הַנַּעַר לַעֲנוֹת אֶת־שָׁאוּל וַיֹּאמֶר הִנֵּה נִמְצָא בְיָדִי רֶבַע שֶׁקֶל כָּסֶף וְנָתַתִּי לְאִישׁ
ט הָאֱלֹהִים וְהִגִּיד לָנוּ אֶת־דַּרְכֵּנוּ: לְפָנִים | בְּיִשְׂרָאֵל כֹּה־אָמַר הָאִישׁ בְּלֶכְתּוֹ
לִדְרוֹשׁ אֱלֹהִים לְכוּ וְנֵלְכָה עַד הָרֹאֶה כִּי לַנָּבִיא הַיּוֹם יִקָּרֵא לְפָנִים הָרֹאֶה:
י וַיֹּאמֶר שָׁאוּל לְנַעֲרוֹ טוֹב דְּבָרְךָ לְכָה | נֵלֵכָה וַיֵּלְכוּ אֶל־הָעִיר אֲשֶׁר־שָׁם אִישׁ
יא הָאֱלֹהִים: הֵמָּה עֹלִים בְּמַעֲלֵה הָעִיר וְהֵמָּה מָצְאוּ נְעָרוֹת יֹצְאוֹת לִשְׁאֹב מָיִם
יב וַיֹּאמְרוּ לָהֶן הֲיֵשׁ בָּזֶה הָרֹאֶה: וַתַּעֲנֶינָה אוֹתָם וַתֹּאמַרְנָה יֵּשׁ הִנֵּה לְפָנֶיךָ מַהֵר |
יג עַתָּה כִּי הַיּוֹם בָּא לָעִיר כִּי זֶבַח הַיּוֹם לָעָם בַּבָּמָה: כְּבֹאֲכֶם הָעִיר כֵּן תִּמְצְאוּן

רש"י

(ו) **את דרכנו.** מעשה האתונות מה נהיתה בם, שבשבילם הלכנו את כל הדרך הזה: (ז) **ומה נביא לאיש.** תרגם יונתן, אִם מְקַבֵּל מָמוֹן, מָה נַיְתֵּי לְגַבְרָא. לא היה שאול מכיר במעשיו של שמואל, וסבר שישאל שכר: **ותשורה.** תרגום יונתן, וּמִדַּעַם דְּכָשַׁר, לשון יושר. ומנחם פירש, תְּשׁוּרָה, לשון תקרובת, ראות פני מלך ואדם חשוב, לשון אֲשׁוּרֶנּוּ (במדבר כד, יז), ונראין דבריו: (ח) **רבע שקל.** (תרגום) זוּזָא חֲדָא דְּכַסְפָּא: (ט) **לפנים בישראל.** הסופר כתב זאת, ואין זה מדברי נער שאול: **כי לנביא היום.** למי שקורים אותו נביא היום, היו קורים לפנים רואה: (יג) **כבאכם העיר כן וגו'.** מאריכות היו בדברים, כדי להסתכל ביופיו של שאול:

רד"ק

(ו) **והאיש נכבד.** כלומר נכבד וגדול בדברי הנבואה כל אשר ידבר בא יבא, וכן תרגם יונתן וְגַבְרָא מִתְנַבֵּי קְשׁוֹט כָּל מה דְיִתְנַבֵּי אִתְקַיְּמָ׳א יִתְקַיֵּים, והוצרך לומר זה אף על פי שכל נביא אמת כן הוא, כי כל מה שידבר בנבואה יבא, אלא לפי שהיה אצלם בזמן ההוא דבר הנבואה יקר עד שהתנבא שמואל, והוברי שמים או הקוסמים שהיו בהם או בעלי אוב, אם יאמרו פעמים העתיד או הנעלם יכזבו פעמים רבות, לפיכך אמר כל אשר יְדַבֵּר בֹּא יָבוֹא: **את דרכנו אשר הלכנו עליה.** כלומר הדבר אשר הלכנו בעבורו: (ז) **ומה נביא לאיש.** לא היו יודעים אם היה מקבל ממון כמו הקוסמים שנותנים להם ממון השואלים מהם, ותרגם יונתן אִם מְקַבֵּל מָמוֹן מָה נַיְתֵי לִנְבִיָּא: **כי הלחם אזל.** וכי לחם היו נותנין לו שכר, אלא כך אמרו אין לנו כסף כי אפילו הלחם אין לנו לצידה, ובמה נקנה צידה לדרכנו, ובדרך הזה תרגם יונתן אַף אֲנַחְנָא זְוָדִין עֲטָרוּ מִינָּנָא, עטרו פירוש סרו, והבמות לא סרו תרגומו לא עטרו: **ותשורה אין להביא.** מנחה אין לנו להביא לו: **מה אתנו.** ויונתן תרגם וּמִדַּעַם דְּכָשַׁר לֵית לְאַעָלָא לִנְבִיָּא דַה׳ וּמָה עִמָּנָא לְמֶעְבַּד: (ח) **ויסף הנער לענות את שאול.** פירוש לדבר, כמו וְעָנִיתָ וְאָמַרְתָּ (דברים כו, ה), וַיַּעַן אִיּוֹב, הראשון (איוב ג, א) כי זה תחלת השבת הדבור שהשיב הנער אל שאול בדבר הנביא ואיך יאמר וַיֹּסֶף הַנַּעַר, וכן תרגם יונתן לְמַעֲנֵי יַת שָׁאוּל ולא תרגם לאתבא, ויתכן לפרשו כמשמעו ענין מענה שהוא השבת הדבור, ופירוש וַיֹּסֶף כי מתחילה אמר שאול לנערו לְכָה וְנָשׁוּבָה (פסוק ה) וענה לו הנער הִנֵּה נָא אִישׁ (ה)אֱלֹהִים בָּעִיר הַזֹּאת (פסוק ו), ועתה כשאמר לו שאול וּמַה נָּבִיא לָאִישׁ (פסוק ז) הוסיף הנער לענותו הִנֵּה נִמְצָא בְיָדִי רֶבַע שֶׁקֶל: **רבע שקל כסף.** תרגם יונתן זוּזָא חד דְּכַסְפָּא, כי השקל ארבעה זוזים: (ט) **כי לנביא היום.** קבלו חכמינו זכרונם לברכה (בבא בתרא יד, ב) כי שמואל הנביא כתב ספרו, וזה המעשה היה בסוף ימיו, כי בחיי שאול מת שמואל ושאול לא מלך כי אם שתי שנים, אם כן מה הוא לְפָנִים או מהו הַיּוֹם, יתכן לפרש כי קריאת הרואה לנביא כמו שהיה לפנים כן היה היום שכתב שמואל זה, ומה שאמר לפנים אין רצונו לומר שנפסק היום, אלא רוצה לומר כי מלפנים היתה זאת הקריאה שקראו לנביא שאול ונערו רואה, כמו שאמרו הֲיֵשׁ בָּזֶה הָרֹאֶה (פסוק יב) אֵיזֶה בֵּית הָרֹאֶה (פסוק יח), אבל מקרוב בימי שמואל שנפרצה הנבואה ויצאו דברי הנביאים בישראל, הן בתוכחות הן בעתידות, היו קוראים גם כן לרואה נביא, לפי שלשון נביא הוא לשון דבור מענין נִיב שְׂפָתָיִם (ישעיהו נז, יט), ואף על פי שאינם שורש אחד, ובימי שמואל יש שהיו קוראים רואה כדברי הקדמונים, ויש שהיו קוראים נביא, ופירוש רואה שרואה במראה הנבואה העתידות, או מה שמצוה לפי שעה להגיד, וכן זֹאת לְפָנִים בְּיִשְׂרָאֵל וגו׳ שָׁלַף אִישׁ נַעֲלוֹ (רות ד, ז), כי מלפנים היה ואותו היום גם כן היתה זאת התעודה, ועוד היום הוא הקנין שקונין בו כל דבר: (יב) **ותאמרנה יש.** יש בו דרש (מדרש תנחומה פרשת חקת, כב), אמרו לו תראה הענן קשור על פתחו, כד״א וְיֵשׁ אֲשֶׁר יִהְיֶה הֶעָנָן (במדבר ט, כ): **הנה לפניך.** כנגד שאול כי הוא הנכבד, וחבירו נערו היה: **לעם בבמה.** כל במה בזה הענין ובדומה לו תרגם יונתן בֵּית אַסְחָרוּתָא, לפי שהיו זבחי שלמים שהם נאכלין לכל אדם אחר הקטרת חלבים וזריקת דם, והיו עושין אנשי העיר אותו זבח לאכול אותו בבית הבמה אשר עשו אותה לשעה, כי היתר הבמות היה באותו הזמן משחרב שילה והיה המשכן בנוב, וכל מקום מאכל קורין אותו מסיבה לפי שהיתה ישיבתם לאכול במסיבה, וכן תרגם וַיֵּשְׁבוּ לֶאֱכָל לֶחֶם (בראשית לז, כה), וְאַסְחָרוּ, כמו שאמרו רבותינו זכרונם לברכה (בבא בתרא קכ, א) במסיבה הלך אחר זקנה ובלשון ארמית אסחרותא: (יג) **כבאכם העיר.** כן אמרו רבותינו זכרונם לברכה (ברכות מח, ב) מה היה כל האריכות הזה שהאריכו אלו הנערות לדבר, מהם אמרו כדי להסתכל ביופיו של שאול, ומהם אמרו כי מה׳ היא לפי שלא הגיע עדיין השעה שאמר לו הקדוש ברוך הוא לשמואל, כָּעֵת מָחָר אֶשְׁלַח אֵלֶיךָ אִישׁ (פסוק טז):

מצודת דוד

והאיש נכבד. גדול הוא בדבר הנבואה, וכל אשר יאמר יתקיים: **את דרכנו.** את דבר דרכנו אשר הלכנו בעבורה: (ז) **והנה נלך.** רצה לומר, והנה אם נלך, מה נביא לו למנחה, כי חשבו שמקבל מתנות, כי לא ידעוהו מאז: **כי הלחם אזל.** כי אם עודנו היה, היינו מביאים לו לחם למנה, וזולת הלחם אין לנו תשורה להביא, כי מה אתנו בלעדו: (ח) **נמצא בידי.** רצה לומר משלי: (ט) **לפנים בישראל.** אלה דברי כותב הספר שאמר, בימים הקדמונים היה מנהג הלשון בישראל, כשהלך מי לדרוש דבר ה׳ מן הנביא, היה אומר נלך עד הרואה: **כי לנביא היום.** מה שהיום נקרא נביא, היה נקרא לפנים רואה: (יא) **במעלה העיר.** בהמסילה העולה אל העיר: **היש בזה.** בה״א השאלה, ורצה לומר, האם יש פה הרואה: (יב) **הנה לפניך.** הראו לו מקום ביתו, שהיה לפניו וממולו: **זבח היום.** זבח הקבוע ליום זה: (יג) **כן תמצאון.** רצה לומר, עדיין יהיה בביתו ולא עלה הבמה, ותמצאון אותו בביתו:

מצודת ציון

(ז) **נביא.** מלשון הבאה: **אזל.** הלך, כמו אָזְלוּ מַיִם מִנִּי יָם (איוב יד, יא): **ותשורה.** דורון, כמו וַתָּשֻׁרִי לַמֶּלֶךְ בַּשֶּׁמֶן (ישעיהו נז, ט): (יא) **לשאב.** כן יקרא לקיחת המים, כמו וּשְׁאַבְתֶּם מַיִם (שם יב, ג):

and the man is esteemed; everything he says is certain to occur. Let us go there now; perhaps he will tell us [which is] our road upon which we should travel."

A tribute for the "seer"

[7]Saul replied to his attendant, "Behold, if we go, what shall we bring to the man, for the bread is gone from our vessels and we have no gift to bring to the man of God? What do we have with us?" [8]The servant spoke up once more to Saul, and said, "Behold! I have a quarter of a silver shekel with me. I will give it to the man of God and he will tell us about our way."

[9](Formerly in Israel, this is what someone said when he went to inquire of God: "Let us go to the seer"; for "the prophet" of today was formerly called "the seer.")

Saul receives directions

[10]Saul said to his attendant, "You have spoken well; come, let us go." So they went to the city where the man of God was. [11]As they were climbing the ascent to the city they encountered some maidens going out to draw water, and they said to them, "Is this where the seer is?" [12]They answered them saying, "It is. Behold,he is just ahead of you. Hurry now, for he came to the city today, for the people are bringing a feast-offering today at the High Place. [13]As you enter the city you will find

---

equate Saul with his servant. The moral is that a person should be personally humble, but extend respect to others (*Or Yisrael*).

6. כֹּל אֲשֶׁר־יְדַבֵּר בּוֹא יָבוֹא — *Everything he says is certain to occur.* The mark of a true prophet is that his predictions are accurate in every detail, all the time (*Rambam, Hil. Melachim* 10:3). A prophet's activity is not limited to major events, such as plenty or famine, or war and peace; he may prophetically assist an individual even regarding daily, personal matters (ibid. *Yesodei HaTorah* 10:3).

7-8. Obviously Saul and his servant had no experience with Samuel. Moreover, it appears from the narrative that Saul was entirely unaware of Samuel's greatness. Although Samuel spent ten years traveling throughout the Land to teach and judge, those who were not involved in disputes — Saul among them — would not have cause to go to him. Samuel's ways must have been widely known, since he was the judge and leader of the people, yet Saul was ignorant of them. Saul was a spiritual giant (see vs. 1-2), but he was not a "man of the world." Nevertheless, this did not disqualify him from being chosen as king; it is more important for a Divinely chosen Jewish leader to be learned in the ways of God than in the ways of the world.

☙ A gift. Saul contended, and his servant agreed, that they could not visit Samuel without bringing a gift. According to *Rashi,* they thought he charged for his services; according to *Abarbanel*, they were simply unaware of Samuel's greatness. It was customary to bring such gifts, either to show respect to the seer or because he would distribute help to the poor (*Me'am Loez*).

7. כִּי הַלֶּחֶם אָזַל — *For the bread is gone.* They would not have given Samuel a loaf of bread. What they meant was that they did not even have enough money left to buy food (*Radak*).

9. "Seer" and "prophet." In earlier times, before God frequently sent prophets to chastise the nation, they were called *seers,* signifying that they had been privileged to "see" Godly visions. In later times, when sinfulness and idolatry became common and God sent prophets to admonish and preach, they were known as *neviim* [prophets] from the term נִיב שְׂפָתַיִם, *fruit of the lips*, because they were sent to deliver an oral message from God (*Chasam Sofer*).

Rabbi Yaakov Kamenetzky explains why this fact is tought only at this point. In the era of Judges, when the leaders were chosen by God and were uniformly righteous, though of varying quality, prophets were not needed as leaders of the people; they functioned as "seers." But now the era of dynastic monarchy was about to begin. There were righteous kings like David and Solomon, but there were also evil kings who dragged the nation down. Thus it became necessary to institute a new form of spiritual leadership of the nation. These were the prophets. Their title was changed to illustrate their changed role.

10-14. Saul finds Samuel.

12-14. Why did the maidens give such an unnecessarily verbose reply to a simple question? They wanted to prolong the conversation so that they could gaze at the very handsome Saul. Or God wished to delay the meeting with Samuel by a few seconds so that the moment of Saul's accession to leadership would not encroach upon Samuel's allotted time by even a moment (*Rashi, Berachos* 48b). Alternatively, since God had told Samuel the exact moment when he would encounter Saul (v. 16), Saul had to be delayed by a few seconds so that he and Samuel would meet at the predetermined time (*Malbim*).

12. יֵשׁ — *It is.* The Sages derive hermeneutically that the maidens pointed to a cloud of Heavenly glory that was perched over Samuel's home, just as such a cloud had always rested upon the Tabernacle in the Wilderness (*Radak*).

בַּבָּמָה — *At the High Place.* After the destruction of Shiloh, private altars were permitted and remained so until Solomon built the Temple. Such altars were called "high places" because it was customary, though not required, to erect them on hills.

אֹתוֹ בְּטֶרֶם יַעֲלֶה הַבָּמָתָה לֶאֱכֹל כִּי לֹא־יֹאכַל הָעָם עַד־בֹּאוֹ כִּי־הוּא יְבָרֵךְ הַזֶּבַח אַחֲרֵי־כֵן יֹאכְלוּ הַקְּרֻאִים וְעַתָּה עֲלוּ כִּי־אֹתוֹ כְהַיּוֹם תִּמְצְאוּן אֹתוֹ:
יד וַיַּעֲלוּ הָעִיר הֵמָּה בָּאִים בְּתוֹךְ הָעִיר וְהִנֵּה שְׁמוּאֵל יֹצֵא לִקְרָאתָם לַעֲלוֹת הַבָּמָה:
טו וַיהוָה גָּלָה אֶת־אֹזֶן שְׁמוּאֵל יוֹם אֶחָד לִפְנֵי בוֹא־שָׁאוּל לֵאמֹר:
טז כָּעֵת ׀ מָחָר אֶשְׁלַח אֵלֶיךָ אִישׁ מֵאֶרֶץ בִּנְיָמִן וּמְשַׁחְתּוֹ לְנָגִיד עַל־עַמִּי יִשְׂרָאֵל וְהוֹשִׁיעַ אֶת־עַמִּי מִיַּד פְּלִשְׁתִּים כִּי רָאִיתִי אֶת־עַמִּי כִּי בָּאָה צַעֲקָתוֹ אֵלָי:
יז וּשְׁמוּאֵל רָאָה אֶת־שָׁאוּל וַיהוָה עָנָהוּ הִנֵּה הָאִישׁ אֲשֶׁר אָמַרְתִּי אֵלֶיךָ זֶה יַעְצֹר בְּעַמִּי:
יח וַיִּגַּשׁ שָׁאוּל אֶת־שְׁמוּאֵל בְּתוֹךְ הַשָּׁעַר וַיֹּאמֶר הַגִּידָה־נָּא לִי אֵי־זֶה בֵּית הָרֹאֶה:
יט וַיַּעַן שְׁמוּאֵל אֶת־שָׁאוּל וַיֹּאמֶר אָנֹכִי הָרֹאֶה עֲלֵה לְפָנַי הַבָּמָה וַאֲכַלְתֶּם עִמִּי הַיּוֹם וְשִׁלַּחְתִּיךָ בַבֹּקֶר וְכֹל אֲשֶׁר בִּלְבָבְךָ אַגִּיד לָךְ:
כ וְלָאֲתֹנוֹת הָאֹבְדוֹת לְךָ הַיּוֹם שְׁלֹשֶׁת הַיָּמִים אַל־תָּשֶׂם אֶת־לִבְּךָ לָהֶם כִּי נִמְצָאוּ וּלְמִי כָּל־חֶמְדַּת יִשְׂרָאֵל הֲלוֹא לְךָ וּלְכֹל בֵּית אָבִיךָ:
כא וַיַּעַן שָׁאוּל וַיֹּאמֶר הֲלוֹא בֶן־יְמִינִי אָנֹכִי מִקְּטַנֵּי

רש"י

הבמתה. תרגם יונתן, לְבֵית אַסְחָרוּתָא. משחרבה שילה הותרו הבמות, והיו מקריבין שלמים בבמה, ואוכלים יחד: **כי הוא יברך הזבח.** תרגם יונתן, אֲרֵי הוּא פָּרֵיס מְזוֹנָא, בוצע על המזון, על השלמים מברכין באכילתם, ברוך אתה ה' אלהינו מלך העולם אשר קדשנו במצותיו וצונו לאכול את הזבח: **כהיום.** כאשר היום קיים: **(יז) יעצר בעמי.** ימשול, (וספרים אחרים אינו) כמו עָצוּר וְעָזוּב (דברים לב, לו). כך דרך המושל, לעצור העם במלחמה, שלא יתפזרו ולא יתפשטו זה מזה, ולעצור בכל אחד מעשות רעה. בלשוננו קורין מעטור, קורשטני"ר בלע"ז: **(יח) ויגש.** תרגם יונתן, וַקְרַב: **(כ) ולמי כל חמדת ישראל.** כאן בא לרמוז לו דבר המלוכה:

רד"ק

כי הוא יברך הזבח. תרגם יונתן אֲרֵי הוּא פָּרֵיס על מְזוֹנָא, והוא לשון בוצע בדברי רבותינו זכרונם לברכה בעל הבית בוצע (ברכות מו, א), ונקרא המברך תחלה בסעודה בוצע לפי שבוצע הלחם ומברך עליו, ופירוש יברך הזבח יברך על הזבח, ואף על פי שעל הלחם היה מברך תחלה, לפי שעיקר סעודה היה הזבח אמר יברך הזבח, או לפי שהזבח היה לו ברכה בפני עצמה, כי כשהיו אוכלין זבחי שלמים היו מברכים עליו אשר קדשנו במצוותיו וצוונו לאכול הזבח, וברכת הלחם לא היתה פוטרת של זבח: **הקראים.** הקרואים והמזומנים לאכול שם, כתרגומו זַמִּינַיָּא: **כהיום.** הכ"ף לאמת הדבר, וכן הִשָּׁבְעָה לִּי כַּיּוֹם (בראשית כה, לג) והדומים לו: **(יד) יצא לקראתם.** יוצא מבית אחד מן העיר לעלות הבמה, ופגע בהם: **(טז) כעת מחר.** כעת הזאת למחר, וכן תרגם יונתן בעידנא הָדֵין מְחָר: **כי ראיתי את עמי.** כתרגומו אֲרֵי גְלֵי קֳדָמַי עולבנא דְעַמִּי: **כי באה צעקתו אלי.** כי פלשתים היו נלחמים בהם מעת שזקן שמואל ולא היה יכול להוכיחם חטאו, ופלשתים משלו בהם עד ששמו בארצם נציבים, וזעקו אל ה' ואמרו לשמואל להקים להם מלך להושיעם: **(יז) וה' ענהו.** אמר לו מרוח הנבואה, וכן תרגם יונתן וּמִן קֳדָם ה' אִתְאֲמַר לֵיהּ: **זה יעצר בעמי.** ימלוך, כמו יוֹרֵשׁ עֶצֶר (שופטים יח, ז) יורש מלוכה, ונקרא המלך עוצר לפי שעוצר העם שלא ילכו ולא יעשו דבר אלא ברשותו, ויונתן תרגם דֵין יַעְדֵי מַרְוָתָא מִן עַמִּי, כלומר יסיר המרות והממשלה מן עמי, ואמר זה בעבור פלשתים שהיו מושלים בהם, ואמר יעצור כלומר שיעצור פלשתים וימנעם מלהלחם בישראל, כמו שאמר וְהוֹשִׁיעַ אֶת עַמִּי מִיַּד פְּלִשְׁתִּים: **(יח) את שמואל.** כמו אל שמואל: **(יט) אנכי הראה.** לא היה זה חוץ מדרך הענוה, כי כיון ששאל לו איזה בית הרואה לא יתכן שלא יענהו, ורבותינו זכרונם לברכה אמרו (מדרש תנאים דברים א, יז) כי נכשל בזה הדבר, כי היה לו לומר שאל לאחרים או כיוצא בזה, אמר לו הקדוש ברוך הוא אתה הוא הרואה, אני מודיעך שאין אתה הרואה, והיכן הודיעהו, בשעה שאמר לו (ו)לֵךְ אֶשְׁלָחֲךָ אֶל יִשַׁי בֵּית הַלַּחְמִי וגו' (לקמן פרק טז, א) וַיַּרְא אֶת אֱלִיאָב (שם פסוק ו) אמר לו הקדוש ברוך הוא לא אמרת אָנֹכִי הָרֹאֶה, אַל תַּבֵּט אֶל מַרְאֵהוּ (שם פסוק ז): **וכל אשר בלבבך אגיד לך.** דבר האתונות וזולתו ממה שיש בלבו לשאול: **(כ) שלשת הימים.** לא אמר שלשת ימים על אבדת האתונות אלא על בקשתם, וכן תרגם יונתן וְעַל עֵיסַק אֲתָנַיָּא דַאֲבָדָא לָךְ וְאַתְּ אֲתֵיתָא לְמִיבְעֵיהוֹן יוֹמָא דְנַן תְּלָתָא יוֹמִין: **ולמי כל חמדת ישראל.** בזה הדבר רמז לו דבר המלוכה:

מצודת דוד

כי לא יאכל העם. רצה לומר, לזה מהר ולך, כי לא הרבה יתעכב בביתו, כי לא יאכל העם עד בואו, וימהר לבוא שמה, שלא יתאחרו הקרואים בעבורו: **יברך הזבח.** יברך על הזבח הברכה הראויה לה, והוא, אשר קדשנו במצותיו וצונו לאכול הזבח: **כהיום.** כהעת הזאת תמצאון אותו. ואמרו רבותינו זכרונם לברכה (ברכות מח, ב), שהנערות האריכו בדבריהן, להסתכל ביפיו של שאול: **(טז) כעת מחר.** כעת הזאת ביום מחר: **כי ראיתי את עמי.** משגיח אני בצרות עמי: **צעקתו.** על מה שפלשתים עושים להם [אחר שנזדקן שמואל]: **(יח) ויגש.** נתקרב אל שמואל ושאלו על בית הרואה: **(יט) וכל אשר בלבבך.** כל אשר תחפוץ לדעת אגיד לך: **(כ) אל תשם את לבך.** לדאוג עליהם: **ולמי כל חמדת ישראל.** כאומר ועוד מה יש לך לדאוג על האתונות, הלא למי כל חמדת ישראל וכו', ובזה רמז לו המלוכה: **(כא) מקטני.** מהקטן שבין השבטים, ומשפחתי הלא היא הצעירה וכו':

מצודת ציון

(יג) הקראים. המזומנים להסעודה, והוא מלשון קריאה: **כהיום.** כהעת הזאת, כי יום יאמר גם על ענין עת, וכן בְּיוֹם הַכֹּתִי (במדבר ח, יז), והכ"ף באה לאמתת הדבר: **(טז) לנגיד.** למושל ושר: **(יז) ענהו.** ענין אמירה, כמו מַעֲנֵה לָשׁוֹן (משלי טז, א): **יעצר.** ימשול, על שם שעוצר ומעכב בעמו מלעשות דבר שלא ברשות: **(יח) את שמואל.** אל שמואל: **אי זה.** איזו זה: **(יט) ושלחתיך.** לפי שאין דרך ללכת בלא נטילת רשות, אמר ושלחתיך: **(כא) בן ימיני.** מבנימין: **הצערה.** הקטנה, כמו קֶרֶן אַחַת מִצְּעִירָה (דניאל ח, ט):

---

13. כִּי־הוּא יְבָרֵךְ הַזֶּבַח — *Since he blesses the offering.* As the judge and prophet, Samuel was given the honor of reciting the first blessings over the bread and the flesh of the offering. At ordinary meals, the blessing over bread makes it unnecessary to recite a separate blessing over meat, but offerings are different. The special worthiness of sacrificial

him before he ascends to the High Place to eat, for the people will not eat before he comes, since he blesses the offering; only afterwards do the invited guests eat. Now go up, for you will find him as surely as it is day." [14]*So they ascended to the city. As they were entering the city, behold, Samuel was coming out towards them, to go up to the High Place.*

God prepares Samuel

[15]*Now* HASHEM *had revealed in Samuel's ear, one day before Saul had come, saying,* [16]*"At this time tomorrow I will send a man to you from the land of Benjamin; you shall anoint him to be a ruler over My people Israel, and he will save My people from the hand of the Philistines — for I have seen [the distress of] My people, since its cry has come before Me."*

Samuel honors Saul

[17]*When Samuel saw Saul,* HASHEM *spoke up to him, "This is the man of whom I said to you, 'This one will rule over My people.' "* [18]*Saul approached Samuel inside the [city] gate and said, "Tell me, please, which is the house of the seer?"* [19]*Samuel answered Saul, saying, "I am the seer! Go up before me to the High Place and you shall eat with me today. I will send you away in the morning, and I will tell you whatever is in your heart.* [20]*As for your donkeys which have been lost to you now for three days — do not concern yourself over them, for they have been found. Besides, to whom does all the desirable property in Israel belong, if not to you and to all your father's family?"*

[21]*Saul answered, saying, "But I am only a Benjamite, and am from the smallest of*

---

meat requires a special blessing: *Blessed is* HASHEM *. . . Who commanded us to eat the peace-offering* (*Rashi; Radak*).

16. לְנָגִיד – *To be a ruler.* God did not use the word מֶלֶךְ, *king,* because Saul's reign would be only temporary, until the monarchy reverted to the tribe of Judah, where Jacob had said it would remain permanently [*Genesis* 49:10] (*Meiri, Horayos* 11b).

וְהוֹשִׁיעַ אֶת־עַמִּי מִיַּד פְּלִשְׁתִּים — *And he will save My people from the hand of the Philistines.* Although Scripture had said that the Philistines were subdued *all the days of Samuel* (7:13), that held true only as long as Samuel was able to function as the guide of the nation — traveling, admonishing, teaching, and maintaining a spiritual level that made Israel worthy of God's help. Now that age and exhaustion hampered him, the Philistines were able to mount a resurgence. Saul's first task would be to quell the Philistine threat (*Radak*). God refers to Israel as *My people* to emphasize His love for them, which indicates that the influence of Samuel, though it may have waned somewhat, was still strong.

כִּי רָאִיתִי אֶת־עַמִּי — *For I have seen [the distress of] My people.* The bracketed insertion is from *Targum*, implying that what "God saw" was that a king was needed to defend Israel against the Philistine threat. *Abarbanel* takes exception to this, for God could have saved Israel through a judge, as He had for the past 369 years in the Land. He comments that God saw Israel's determination to have a king and acceded to it.

17-24. Samuel honors Saul publicly. Although Samuel did not proclaim Saul as the future king, he gave him unusual honor, which brought the unknown Benjamite to public attention for the first time.

17. זֶה יַעְצֹר בְּעַמִּי — *This one will rule over My people.* The verb implies restraint, for it is an essential element of rulership is for the ruler to control his people and keep them in line with his policies (*Rashi*). *Shem MiShmuel* adds that the ruler brings about unity, and where there is unity, there is everything.

19. אָנֹכִי הָרֹאֶה — *I am the seer!* It was uncharacteristic for the humble Samuel to speak of himself this way, but since he was asked a direct question — and he wished to invite Saul to join him at the feast — he had to identify himself. However, the Sages say that this breach of humility was held against him. God said, as it were, "Do you indeed see everything? I will show you that you do not!" Later, when Samuel saw Jesse's impressive firstborn, Eliab, and was convinced that he was the future king, God said, *Do not look at his appearance* (16:7), as if to say, "You do not see all" (*Radak*).

Having heard the prophecy that Saul was to be the king, Samuel showered unusual honor upon him, inviting him not only to be a guest at the feast, but to lead the way to the place of honor. Samuel assured Saul that he would tell him *whatever is in your heart*, referring specifically to the missing donkeys — the object of his quest — and whatever else might concern him (*Radak*), and to answer any Torah inquiries that he had (*Malbim*).

20. Not only have the donkeys been found, but you need never concern yourself with such trivial losses, because your taxing power will give you access to the national wealth. By so saying, Samuel hinted to Saul that he would be Israel's first king (*Mahari Kara*).

21-24. Saul understood the allusion and was shocked. With his typical humility, he exclaimed that neither he nor his family were qualified for such a lofty position. *Malbim* adds

שִׁבְטֵי יִשְׂרָאֵל וּמִשְׁפַּחְתִּי הַצְּעִרָה מִכָּל־מִשְׁפְּחוֹת שִׁבְטֵי בִנְיָמִן וְלָמָּה דִּבַּרְתָּ
כב אֵלַי כַּדָּבָר הַזֶּה׃ וַיִּקַּח שְׁמוּאֵל אֶת־שָׁאוּל וְאֶת־נַעֲרוֹ
וַיְבִיאֵם לִשְׁכָּתָה וַיִּתֵּן לָהֶם מָקוֹם בְּרֹאשׁ הַקְּרוּאִים וְהֵמָּה כִּשְׁלֹשִׁים אִישׁ׃
כג וַיֹּאמֶר שְׁמוּאֵל לַטַּבָּח תְּנָה אֶת־הַמָּנָה אֲשֶׁר נָתַתִּי לָךְ אֲשֶׁר אָמַרְתִּי אֵלֶיךָ שִׂים
כד אֹתָהּ עִמָּךְ׃ וַיָּרֶם הַטַּבָּח אֶת־הַשּׁוֹק וְהֶעָלֶיהָ וַיָּשֶׂם ׀ לִפְנֵי שָׁאוּל וַיֹּאמֶר הִנֵּה
הַנִּשְׁאָר שִׂים־לְפָנֶיךָ אֱכֹל כִּי לַמּוֹעֵד שָׁמוּר־לְךָ לֵאמֹר הָעָם קָרָאתִי וַיֹּאכַל שָׁאוּל
כה עִם־שְׁמוּאֵל בַּיּוֹם הַהוּא׃ וַיֵּרְדוּ מֵהַבָּמָה הָעִיר וַיְדַבֵּר עִם־שָׁאוּל עַל־הַגָּג׃
כו וַיַּשְׁכִּמוּ וַיְהִי כַּעֲלוֹת הַשַּׁחַר וַיִּקְרָא שְׁמוּאֵל אֶל־שָׁאוּל °הגג [°הַגָּגָה ק׳] לֵאמֹר
כז קוּמָה וַאֲשַׁלְּחֶךָּ וַיָּקָם שָׁאוּל וַיֵּצְאוּ שְׁנֵיהֶם הוּא וּשְׁמוּאֵל הַחוּצָה׃ הֵמָּה יוֹרְדִים
בִּקְצֵה הָעִיר וּשְׁמוּאֵל אָמַר אֶל־שָׁאוּל אֱמֹר לַנַּעַר וְיַעֲבֹר לְפָנֵינוּ וַיַּעֲבֹר וְאַתָּה
י א עֲמֹד כַּיּוֹם וְאַשְׁמִיעֲךָ אֶת־דְּבַר אֱלֹהִים׃ וַיִּקַּח שְׁמוּאֵל
אֶת־פַּךְ הַשֶּׁמֶן וַיִּצֹק עַל־רֹאשׁוֹ וַיִּשָּׁקֵהוּ וַיֹּאמֶר הֲלוֹא כִּי־מְשָׁחֲךָ יְהוָה עַל־
ב נַחֲלָתוֹ לְנָגִיד׃ בְּלֶכְתְּךָ הַיּוֹם מֵעִמָּדִי וּמָצָאתָ שְׁנֵי אֲנָשִׁים עִם־קְבֻרַת רָחֵל בִּגְבוּל

רש״י

(כב) **בראש הקרואים.** במקום מסיבת הגדולים, כי בדרך מסיבתן היה ניכר איזה מקום מיסב הגדול: (כג) **אשר אמרתי אליך.** לפי שידע שמואל שיבא שאול, צוה לתת לו מנה יפה לצרכו: (כד) **את השוק והעליה.** את השוק והירך שעליה: **הנה הנשאר.** מן המנות של הקרואים, והובא לבד לצרכך: **שים לפניך אכל.** בפרק אחרון דזבחים (קכ, א), קיימא לן חזה ושוק בבמה גדולה, ואין חזה ושוק בבמה קטנה, לפיכך הותר לאכול לשאול: **כי למועד שמור.** כי למועד האכילה היה השוק הזה שמור לצרכך: **לאמר העם קראתי.** אמירתי היתה לטבח, העם קראתי לסעודה, ויודע אני מספרם, והזהר במנותם, ונתתי לו המנות למספרם, וזו שמורה לצורכך: (כה) **וידבר עם שאול על הגג.** מוכיחו ומלמדו ליראה את הקדוש ברוך הוא: (כז) **ויעבר לפנינו.** וילך ברחוק ממנו, ולא ישמע את דברינו: **ויעבר.** הנער לפניהם, ולשאול אמר, ואתה עמוד עמדי: (ב) **עם קבורת רחל בגבול בנימן.** והלא קבורת רחל בגבול יהודה בבית לחם, אלא עכשיו הם בקבורת רחל, וכשתפגע בהם תמצאם בגבול בנימן בצלצח, כך שנויה בתוספתא דסוטה (פרק יא):

רד״ק

(כב) **ויביאם לשכתה.** אל הלשכה, וענינו חדר וזאת הלשכה היתה בית הבמה אשר שם אכלו הקרואים, וכן תרגם יונתן וְאָעֵלִינוּן לְבֵית אַסְחֲרוּתָא: **כשלשים איש.** הכ״ף היא כ״ף השיעור, רצה לומר שלשים פחות מעט או יותר מעט: (כד) **את השוק והעליה.** פירוש ואשר עליה והיא הירך, וכן תרגם יונתן וירכיה, ובדברי רבותינו זכרונם לברכה (עבודה זרה כה, א) מאי והעליה, רבי יוחנן אומר שוק ואליה, רבי אליעזר אומר שוק וחזה, רבי שמואל בר נחמני אומר שוק ושופי, ומאי וְהֶעָלֶיהָ דשופי עילוי שוק: **ויאמר הנה הנשאר.** פירוש ויאמר שמואל לשאול הנה זאת המנה הנשארת לבדה, חלוקה מהמנות האחרות אשר סדרתי לקרואים, וזאת המנחה אמרתי לטבח להצניעה לבדה לשים לפניך, אכול כי למועד הזה הוא שמור לך את זה החלק, כשאמרתי לטבח העם קראתי הכן המנות ואמרתי לשמור זה לך החלק, כי ידעתי בואך: (כו) **ויהי כעלות השחר.** בכ״ף: (כז) **ויעבר לפנינו.** שלא ישמע את דברינו: **עמד כיום.** ולא אמר שיעמוד היום בעיר, שהרי באותו היום הלך לו, שהרי אמר לו וַאֲשַׁלְּחֶךָּ (פסוק כו) ועוד שאמר לו בְּלֶכְתְּךָ הַיּוֹם מֵעִמָּדִי (פרק י, ב), אלא פירוש כיום לאמת הדבר, כמו הִשָּׁבְעָה לִּי כַּיּוֹם (בראשית כה, לג), ופירוש עֲמֹד, עמוד עד שאדבר עמך: (א) **את פך השמן.** לא היה זה השמן המשחה, כי לא היו משוחים ממנו אלא מלכי בית דוד, אבל שמן אפרסמון היה, ואמרו (מגילה יד, א) שאול ויהוא שנמשחו בפך לא נמשכה מלכותן, דוד ושלמה שנמשחו בקרן נמשכה מלכותן: **וישקהו.** בדרש (שמות רבה ח, א) כל נשיקות הם של תיפלות חוץ משלשה נשיקות, נשיקה של גדולה נשיקה של פרקים נשיקה של פרישות, נשיקה של גדולה וַיִּצֹק עַל רֹאשׁוֹ וַיִּשָּׁקֵהוּ, נשיקה של פרקים וַיֵּלֶךְ וַיִּפְגְּשֵׁהוּ בְּהַר הָאֱלֹהִים וַיִּשַּׁק לוֹ (שמות ד, כז), נשיקה של פרישות וַתִּשַּׁק עָרְפָּה לַחֲמוֹתָהּ (רות א, יד), רבי תנחומא אומר אף נשיקה של קריבות שנאמר וַיִּשַּׁק יַעֲקֹב לְרָחֵל (בראשית כט), למה שהיתה קרובתו: **הלוא כי משחך.** מלת הלא תבא במקומות לחזק הדבר ולזרז האדם, וכן הֲלֹא שְׁלַחְתִּיךָ (שופטים ו, יד) הֲלֹא שֹׁמַעַתְּ בִּתִּי (רות ב, ח) והדומים להם: (ב) **בלכתך היום.** אמרו רבותינו זכרונם לברכה (תוספתא סוטה יא, ז) היכן מצינו שנקברה רחל בצלצח בגבול בנימן, והלא לא נקברה אלא

מצודת דוד

ולמה דברת וכו׳. כאומר אין אני ראוי למלוכה: (כב) **לשכתה.** אל הלשכה, מקום אשר יאכלו שם, ונתן להם מקום לשבת בראש כולם, במקום המעולה: **והמה.** הקרואים: (כג) **אשר אמרתי.** אז אמרתי לך הצנע אותה: (כד) **וירם הטבח.** הביא בהרמת הידים, כאשר הדרך להביא לפני החשובים: **הנה הנשאר.** רצה לומר לא תחשוב שזהו חלקי הנשאר למאכלי, ובדברו עמו הראה לו הנשאר למאכלו ואמר, הנה זה הנשאר למאכלו: **שים לפניך.** לזה שים את המנה ההיא לפניך ואכול: **כי למועד.** כי המנה ההיא שמורה לך על מועד ביאתך: **לאמר.** כי אמר המזמן את הקרואים, והוא שמואל: **העם קראתי.** הלא אני קראתי את העם על הזבח, ועלי ליתן לכל אחד מנה הראויה לו, לזאת שמור המנה ההיא לשאול, כי היא ראויה לו: (כה) **על הגג.** שעל ביתו אשר בעיר: (כז) **ויעבר לפנינו.** יתרחק מאתנו ללכת לפנינו, שלא ישמע מה אדבר בך: **ויעבר.** כשמוע הנער דברי שמואל, עבר מעצמו לפניהם: **ואתה עמד.** זהו גמר דברי שמואל, שאמר לו אמור לנער ויעבור ואתה עמוד כעת הזאת, ולפי שהנער עבר לפניהם מיד בשומעו תחלת דבריו, הפסיק בו: (א) **הלוא.** באמת הדבר אשר משחך ה׳ על ידי: (ב) **בלכתך.** לאמת בלבבו דבר המלוכה, אמר לו אותות, האחת היא, שאמר לו בְּלֶכְתְּךָ וכו׳: **עם קבורת רחל.** רצה לומר, אשר הם עתה סמוך לקבורת רחל, ואתה הולך והם באים, ותמצאם בגבול בנימין בצלצח:

מצודת ציון

(כב) **לשכתה.** ענין חדר מה: (כג) **לטבח.** המבשל, הטובח מה שמבשל: **המנה.** ענין מנחה וחלק, כמו וְהָיָה לְךָ לְמָנָה (שמות כט, כו): **שים.** מלשון שימה: (כד) **והעליה.** רצה לומר ואשר עליה, והוא הירך שעל השוק: **למועד.** לזמן: (כו) **השחר.** הוא האור הנוצץ טרם תצא השמש: **ואשלחך.** אלווה אותך, כמו וְאַבְרָהָם הֹלֵךְ עִמָּם לְשַׁלְּחָם (בראשית יח, טז) תרגם אונקלוס, לְאַלְוָאָיהוֹן: (כז) **כיום.** כעת: (א) **פך.** שם כלי מה: **ויצק.** ושפך: **וישקהו.** נשק לו: (ב) **עם קבורת רחל.** סמוך לקבורתה:

the tribes of Israel, and furthermore my family is the youngest of all the families of the tribe of Benjamin; why, then, have you spoken to me in this way?"

[22]Samuel then took Saul and his attendant and brought them into the chamber. He gave them a place at the head of the invited guests, who were some thirty men. [23]Samuel said to the cook, "Bring the portion that I gave you, about which I told you, 'Keep it with yourself.' " [24]So the cook lifted up the thigh piece with what was attached to it, and placed it before Saul. [Samuel] then said, "This is the set-aside [portion]. Put it before yourself — eat; for it was reserved for you for the [feast] time when I told [the cook about] the people I had invited." So Saul ate with Samuel on that day.

Samuel and Saul meet in the morning

[25]When they descended from the High Place to the city, he spoke with Saul on the rooftop. [26]They arose early [the next morning], and at daybreak Samuel called Saul to the roof, saying, "Arise, I will send you off." So Saul arose and the two of them — he and Samuel — went outside. [27]As they were going down at the edge of town, Samuel said to Saul, "Tell the attendant to go on ahead of us"; so he passed ahead. "You stand here now and I will let you hear the word of God."

10

Saul is anointed and given prophetic proof

[1]Then Samuel took a flask of oil and poured some onto [Saul's] head, and he kissed him. He said, "Indeed, HASHEM has anointed you as ruler over His heritage. [2]When you leave me today you will encounter two men near Rachel's Tomb, at the border of

that Saul's surprise was even greater, since his tribe of Benjamin had been disgraced and diminished in size by the tragedy of the concubine at Gibeah (*Judges* Chs. 19-21). Samuel ignored his protestations and seated both Saul and his servant at the head of the table. That Saul was chosen despite these drawbacks is further proof of his personal greatness.

What is more, when God had informed Samuel of Saul's coming, Samuel had set aside for him a special portion of the offering, to be served at the feast, thus conferring even greater honor on Saul (*Rashi; Ralbag*).

25. After the feast, Samuel brought Saul up to his roof, where they could speak privately. We are not told the subject of the conversation, although the commentators assume that the prophet prepared Saul for his new responsibility. According to *Rashi*, Samuel reproved him and taught him to fear God. *Malbim* writes that Samuel taught him the mysteries of the Torah and Godly matters.

10.

1-9. Anointment and prophetic proof. Samuel anointed Saul and gave him signs to prove that the anointment was indeed prophetically ordained. Apparently, Saul was still so stunned by his elevation that he needed proof to believe that it was God's will.

Samuel carried out this ritual secretly, because he was planning to make a public demonstration through a lottery that God had chosen Saul (vs. 20-21), and if it had been known that he had already anointed Saul, some people might have questioned the integrity of the lottery.

Which oil? Moses had been commanded to compound a special mixture of oil and spices, which he was to use to anoint and consecrate the Tabernacle, its vessels, and the Kohanim (*Exodus* 30:22-3). Moses' oil remained intact and undiminished despite its repeated use until the time of King Josiah, when the destruction of the Temple was imminent. Then, the oil and the Ark were both hidden, and they remain in concealment until the coming of Messiah. The same oil was used to anoint every Kohen Gadol and king of the Davidic dynasty, until it was concealed. Non-Davidic kings were anointed with a different oil, known as שֶׁמֶן אֲפַרְסְמוֹן, *balsamum [pharsimon] oil.* Since Saul was not a Davidic king, the commentators differ regarding what oil Samuel used to anoint him. *Rashi* and others hold that Samuel used the oil of Moses, while *Radak* and others say he used balsamum.

1. פַּךְ הַשֶּׁמֶן — *A flask of oil.* Samuel anointed Saul from a fragile earthenware vessel, symbolizing the temporary nature of his kingship, while David was anointed with oil from a horn, because his monarchy would be permanent (16:15). This fulfilled Hannah's prayer רָמָה קַרְנִי, *my pride [*lit. *my horn] has been raised* (*Megillah* 14a).

וַיִּשָּׁקֵהוּ — *And he kissed him.* Samuel's kiss infused Saul with a new and exalted status (*Bereishis Rabbah* 70:12), enabling him to prophesy when he encountered a group of prophets [v. 10] (*Malbim*).

2-7. Samuel now foretells three events, which will be indications for Saul that he has truly been elevated to the kingship.

2. Superficially the verse seems to locate Rachel's grave in the province of Benjamin, but that is impossible because she was buried in Bethlehem, in the portion of Judah. The Sages explain that the "two men whom you will meet at the grave, in Bethlehem, are now in Zelzah. They are on the way to Bethlehem, where you will encounter them" (*Rashi, Tosefta Sotah* 11:7).

בִּנְיָמִ֖ן בְּצֶלְצַ֑ח וְאָמְר֣וּ אֵלֶ֗יךָ נִמְצְא֤וּ הָאֲתֹנוֹת֙ אֲשֶׁ֣ר הָלַ֣כְתָּ לְבַקֵּ֔שׁ וְהִנֵּ֨ה נָטַ֤שׁ אָבִ֙יךָ֙
את־דִּבְרֵ֣י הָאֲתֹנ֔וֹת וְדָאַ֤ג לָכֶם֙ לֵאמֹ֔ר מָ֥ה אֶעֱשֶׂ֖ה לִבְנִֽי׃ ג וְחָלַפְתָּ֨ מִשָּׁ֜ם וָהָ֗לְאָה
וּבָ֙אתָ֙ עַד־אֵל֣וֹן תָּב֔וֹר וּמְצָא֣וּךָ שָּׁם֙ שְׁלֹשָׁ֣ה אֲנָשִׁ֔ים עֹלִ֥ים אֶל־הָאֱלֹהִ֖ים בֵּֽית־אֵ֑ל
אֶחָ֞ד נֹשֵׂ֣א ׀ שְׁלֹשָׁ֣ה גְדָיִ֗ים וְאֶחָד֙ נֹשֵׂ֗א שְׁלֹ֙שֶׁת֙ כִּכְּר֣וֹת לֶ֔חֶם וְאֶחָ֥ד נֹשֵׂ֖א נֵֽבֶל־יָֽיִן׃
ד־ה וְשָׁאֲל֥וּ לְךָ֖ לְשָׁל֑וֹם וְנָתְנ֤וּ לְךָ֙ שְׁתֵּי־לֶ֔חֶם וְלָקַחְתָּ֖ מִיָּדָֽם׃ אַ֣חַר כֵּ֗ן תָּבוֹא֙ גִּבְעַ֣ת
הָאֱלֹהִ֔ים אֲשֶׁר־שָׁ֖ם נְצִבֵ֣י פְלִשְׁתִּ֑ים וִיהִ֣י֩ כְבֹאֲךָ֨ שָׁ֜ם הָעִ֗יר וּפָגַעְתָּ֞ חֶ֤בֶל נְבִאִים֙
ו יֹרְדִ֣ים מֵהַבָּמָ֔ה וְלִפְנֵיהֶ֞ם נֵ֤בֶל וְתֹף֙ וְחָלִ֣יל וְכִנּ֔וֹר וְהֵ֖מָּה מִֽתְנַבְּאִֽים׃ וְצָלְחָ֤ה עָלֶ֙יךָ֙
ז ר֣וּחַ יְהוָ֔ה וְהִתְנַבִּ֖יתָ עִמָּ֑ם וְנֶהְפַּכְתָּ֖ לְאִ֥ישׁ אַחֵֽר׃ וְהָיָ֕ה כִּ֥י °תבאינה [°תָבֹ֛אנָה ק׳]
ח הָאֹת֥וֹת הָאֵ֖לֶּה לָ֑ךְ עֲשֵׂ֤ה לְךָ֙ אֲשֶׁ֣ר תִּמְצָ֣א יָדֶ֔ךָ כִּ֛י הָאֱלֹהִ֖ים עִמָּֽךְ׃ וְיָרַדְתָּ֣
לְפָנַי֮ הַגִּלְגָּל֒ וְהִנֵּ֤ה אָנֹכִי֙ יֹרֵ֣ד אֵלֶ֔יךָ לְהַעֲל֣וֹת עֹל֔וֹת לִזְבֹּ֖חַ זִבְחֵ֣י שְׁלָמִ֑ים

רש״י

צלצח. זו צלצח של הקדוש ברוך הוא, שהוא למעלה, והיא ירושלים: **ודאג לכם.** יראה עליכם, כל לשון דאגה לשון יראה, דושטי״ר בלע״ז: (ג) **אלון תבור.** מישר תבור: (ה) **גבעת האלהים.** גבעת קרית יערים, אשר עכשיו ארון האלהים שם: **נצבי פלשתים.** סרדיוטות שמינו על ישראל, שהיו רודין בהם, ומושיבים נציבים בערי ישראל: **חבל נבאים.** תרגם יונתן, סִיעַת סַפְרַיָּא. **חבל** סיעה, וכן חֶבְלֵי שְׁאוֹל סַבֻּנִי (שמואל־ב כב, ו), (תרגם) מַשִׁרְיַת רַשִׁיעַיָּא אַקְפּוּנִי: **מהבמה.** תרגם יונתן, מִבֵּית אִסְחָרוּתָא: (ז) **כי תבאנה האתות האלה לך.** ותדע כי דברי אמת, וכשם שבאו לך אותות הללו, כך יתקיים דבר המלוכה: **עשה לך אשר תמצא ידך.** (תרגם) אתקין לך מאני מַלְכוּתָא, והכן לך טכסיסי המלוכה כמו שתוכל: (ח) **וירדת לפני הגלגל.** ולאחר שתמלוך, תרד הגלגל לפני, קודם שארד אני: **והנה אנכי ירד אליך.** לסוף שבעת ימים שתרד אתה:

רד״ק

בבית לחם, שנאמר וַתָּמָת רָחֵל וַתִּקָּבֵר בְּדֶרֶךְ אֶפְרָתָה הִוא בֵּית לָחֶם (בראשית לה, יט), ואין בית לחם אלא חלקו של יהודה שנאמר וְאַתָּה בֵּית לֶחֶם אֶפְרָתָה וגו׳ (מיכה ה, א), אלא כך אמר לו עכשיו שאני מדבר עמך הנה הם עם קבורת רחל, הנה הם באים ואתה הולך ואתה מוצא אותם בגבול בנימן בצלצח: **והנה נטש אביך.** פירוש קודם שנמצאו האתונות: (ג) **אלון תבור.** כתרגומו מֵישַׁר תָּבוֹר: **עלים אל האלהים בית אל.** הוא לוז שקראו יעקב בית אל (בראשית כח, יט) ושם היה המזבח שבנה יעקב, ובשעת היתר הבמות היו מקריבים שם, ואותו הבית היה קדוש והיו באים שם ישראלים באותו הזמן להתפלל בזכות יעקב, וכן אמר על זה יעקב יִהְיֶה בֵּית (ה)אֱלֹהִים (שם פסוק כב), ואף על פי שהדרש יש לו דרך אחרת בזה, זה שכתבנו הוא הנראה לפי פשטי הפסוקים, כי בית אל היה מקום קדוש לעולם ומקום מזבח, והיו באים להתפלל שם והיה מקום נבואה כמו שאמר וְזֶה שַׁעַר הַשָּׁמָיִם (שם פסוק יז), פירוש שער לידע ממנו מה שגוזרין בתחתונים מן השמים, ואמר הושע בֵּית אֵל יִמְצָאֶנּוּ וְשָׁם יְדַבֵּר עִמָּנוּ (הושע יב, ה), ותרגם יונתן עֹלִים אֶל הָאֱלֹהִים, דְסַלְקִין לְמִסְגַד קֳדָם ה׳ לְבֵית אֵל: (ד) **שתי לחם.** תרגם יונתן תַּרְתֵּין גְרִיצָן דִלְחֵם, פירושו חלות לחם, וּשְׁלֹשֶׁת כִּכְּרוֹת לֶחֶם (לעיל פסוק ג) תרגום תְּלָתָא פִּיתִּין דִלְחַם, והככרות הם גדולות מן החלות, נראה כי אותו שהיה נושא שלשה ככרות לחם היה נושא גם כן חלות לחם, וזכר גם כן הככרות לפי שהם הגדולות ולא זכר הקטנות, כי לא יתכן כי אם לא היו נושאים אלא שלשה ככרות לחם שיתנו לשאול ונערו שתים ולא ישארו עמהם אלא ככר אחד, והם היו שלשה, אלא כי גם חלות לחם היו נושאים שתים או שלשה, ונתנו לשאול ונערו שתי חלות לחם, ואחר שזכר ככרות וזכר חלות ידועה הוא שלא יקראו הככרות חלות, וכן כתוב בתורה וְכִכַּר לֶחֶם אַחַת וְחַלַּת לֶחֶם... אַחַת (שמות כט, כג): (ה) **גבעת האלהים.** תרגם יונתן לְגִבְעֲתָא דִּי בַהּ אֲרוֹנָא דַה׳, והיא גבעת קרית יערים כי שם היה הארון מיום שהשיבוהו פלשתים (לעיל ו, כא) עד שהעלהו דוד משם (שמואל־ב ו, ב): **אשר שם נצבי פלשתים.** שהיו פלשתים מושלים בישראל והיו להם נציבים ממונים על ישראל, שם וכן גֶּבַע בִּנְיָמִן (מלכים־א טו, כב), כמו שאמר בדוד כשהיה מושל באדום וַיָּשֶׂם בֶּאֱדוֹם נְצִבִים (לקמן־ב ח, יד), והממונה על דבר נקרא נציב שמעמידין אותו עליהם, ואמר לו שמואל כי שם תצלח עליו רוח ה׳ לשני דברים, האחד לפי שהיה שם הארון והשני לפי שהיו שם נציבי פלשתים, רמז לו כי הוא יסירם משם ויושיע ישראל מידם: **חבל נביאים.** תרגם יונתן סִיעַת סַפְרַיָּא, רוצה לומר תלמידים, כי תלמידי חכמים נקראו סופרים, ואלה היו תלמידי הנביאים הגדולים, והתלמידים היו נקראים בני הנביאים, והנביאים הגדולים שהיו באותו הזמן מעלי עד דוד היו אלקנה ושמואל, וגד ונתן ואסף והימן וידותון: **מהבמה.** כי שם בקרית יערים היה במה: **ולפניהם נבל ותף וחליל וכנור.** כי רוח הקדש אינה שורה אלא מתוך שמחה: **והמה מתנבאים.** תרגם יונתן מְשַׁבְּחִין, כלומר נבואתם היתה שירות ותושבחות לאל, נאמרות ברוח הקדש: (ו) **וצלחה עליך רוח ה׳.** תעבור ותנוח עליך רוח נבואה: **והתנבית.** בא על דרך בעלי הה״א: **ונהפכת לאיש אחר.** רוצה לומר שתהיה לך רוח יתירא ורוח נבואה ושררה, וזהו שאמר גם כן וַיַּהֲפָךְ לוֹ אֱלֹהִים לֵב אַחֵר (פסוק ט): (ז) **כי תבאינה.** כתוב ביו״ד, כמו תְּבֹאֶינָה בְּהֵיכַל מֶלֶךְ (תהלים מה, טז) שנקראת האל״ף והיו״ד למשך, אבל זה נקרא תָבֹאנָה בהעלם האל״ף, והכתיב והקרי שניהם אחד ושניהם נכונים בלשון, כמו תשובנה ותשובינה: **עשה לך אשר תמצא ידך.** כלומר כל מה שתרצה לעשות עשה כי האלהים עמך, ויש לפרש כי רמז לו בזה הדבר על מלחמת נחש העמוני, ויונתן תרגם אתקן לך מאני מַלְכוּתָא:

מצודת דוד

והנה נטש. כאומר הנה בהמצאם עזב דאגה קטנה, ובא לו על ידם דאגה גדולה, ואומר מה אעשה למצוא את בני: (ג) **וחלפת.** והאות השני הוא, כאשר תעבור משם והלאה וכו׳: **בית אל.** זה שילה שעמד בה בית אלהים: (ה) **אחר כן.** והאות השלישי, כאשר תבוא אל גבעת האלהים והיא קרית יערים, שעמד הארון שם בגבעה כמו שכתוב למעלה (ז, א): **נבל וכו׳.** בכדי לשמחם להשרות הנבואה עליהם, כי אין השכינה שורה אלא מתוך שמחה (שבת ל, ב), וכן נאמר באלישע וְהָיָה כְּנַגֵּן הַמְנַגֵּן וַתְּהִי עָלָיו יַד ה׳ (מלכים־ב ג, טו): (ו) **וצלחה.** תעבור עליך רוח ה׳ ותנבא עמם, ותהיה נהפך לאיש אחר, כי עתה אינך נביא: (ז) **עשה לך.** התקן לך כלי מלכות כפי יכולתך, כי האלהים עמך ומלוך תמלוך: (ח) **וירדת לפני הגלגל.** הזהירו ואמר לו, לאחר שתמלוך כאשר תרד הגלגל בעת המלחמה עם פלשתים, והנה תרד שם קודם שארד אני, ותמתין אז שבעת ימים עד בואי, כי אני אעלה העולות לה׳, ושם אודיע לך את אשר תעשה בדבר המלוכה [ולפי שלא המתין, כעס עליו ולא אמר לו גם אז]:

מצודת ציון

נטש. עזב: (ג) **וחלפת.** ענין העברה, כמו חָלַף הָלַךְ לוֹ (שיר השירים ב, יא): **נבל.** נאד: (ה) **נצבי.** פקידי פלשתים, מה שהציבו: **ופגעת.** ענין פגישה: **חבל.** סיעה, כמו חֶבְלֵי רְשָׁעִים (תהלים קיט, סא): **נבל ותף וגו׳.** שמות מיני כלי זמר: (ו) **וצלחה.** ועברה, כמו וְצָלְחוּ הַיַּרְדֵּן (שמואל־ב יט, יח):

Benjamin, in Zelzah. They will tell you that the donkeys that you went to seek were found, and that your father has abandoned the matter of the donkeys and has begun to worry about you, saying, 'What shall I do about my son?' [3]*Then you will travel beyond there and come to the Plain of Tabor, where you will be encountered by three men on their way to [worship before] God at Beth-el — one carrying three kids, one carrying three loaves of bread, and one carrying a container of wine.* [4]*They will greet you and give you two breads, which you should take from them.* [5]*After that you will arrive at the Hill of God, where the Philistine commissioners are stationed. It shall be that when you arrive at the city you will encounter a band of prophets descending from the High Place, and before them [players of] lyre, drum, flute, and harp and they will be prophesying.* [6]*The spirit of* HASHEM *will then pass over you, and you will prophesy with them, and you will be transformed into another person.* [7]*After these signs come upon you, do for yourself [to prepare for kingship] as best as you can, for God is with you.* [8]*Then you shall go down to Gilgal ahead of me; behold! I will go down to you, to offer burnt-offerings, to sacrifice peace-offerings.*

Samuel arranges a meeting

3. עֹלִים אֶל־הָאֱלֹהִים בֵּית־אֵל — *On their way to worship before God at Beth-el.* This was the place where Jacob had his vision of God on his way to his exile with Laban and where he built an altar (*Genesis* 28:19). It remained a place where people brought offerings at times when private offerings were permitted, and it was a place that was suited for prophetic inspiration (*Radak*).

Malbim comments that the items carried by the three men symbolized three different goals of Godly service. The three kids for offerings symbolize a person whose sole intention is to serve God, without any desire for personal benefit. The three loaves indicate a person who hopes to be rewarded with his essential personal needs, like bread which is simple and necessary. The wine alludes to pleasure and luxury. Its bearer serves God, but longs for the "good life" in return.

5-6. Saul would then come to גִּבְעַת הָאֱלֹהִים, *the Hill of God,* i.e., Kiriath-jearim, where the Ark was being kept. There he would see the Philistine commissioners who were in *Eretz Yisrael* as a show of force and to be sure that the Jews were not preparing for war. While the Philistines did not dare fight Israel as long as Samuel was alive, they maintained control over the country. These two phenomena — the location and the presence of the Philistines — had a dual purpose. The holiness of the place elevated Saul to the level of prophecy and the sight of the foreign forces implied to him that his mission as king would be to conquer the Philistines, once and for all (*Radak*).

5. חֶבֶל נְבִיאִים — *A band of prophets.* These young men were students of Samuel, aspiring to become prophets under his tutelage (*Targum Yonasan; Radak*). People cannot prophesy at will. They must prepare themselves spiritually and be joyous, because prophecy cannot rest upon a person who is depressed or slothful, which is why prophets would try to inspire joy and enthusiasm through music (*Hil. Yesodei HaTorah* 6:4-5). This also explains why Isaac needed a feast in order to be in a proper frame of mind to give the blessings to his son (*Genesis* 27:4). In order to help elevate themselves to the proper level, they went to the *hill of God.*

6. וְנֶהְפַּכְתָּ לְאִישׁ אַחֵר — *And you will be transformed into another person.* At the moment when a person prophesies, he becomes a different kind of person, on a level far above others (ibid. 7:1). You will acquire a spirit of prophecy and leadership (*Radak*).

7. Having seen all the signs come true, you should realize that you are indeed destined to be king and you should prepare yourself. This preparation includes such mundane things as proper garments, as well as the policies you will pursue and your strategies for achieving them (*Rashi*).

⊱§ **Significance of the signs.** The three signs were designed to overcome Saul's doubts about the status of his tribe and about his personal worth. The first sign, which had men coming from Rachel's grave in the province of Judah to meet Saul, symbolized that kingship could indeed emanate from the mother of the youngest, smallest tribe, and from the land of the regal tribe of Judah to Saul, the Benjamite. The trio that gave him bread symbolized that Saul deserved to receive the tribute of the nation. Finally, Saul encountered a band of people who had been studying and laboring for years to earn the gift of prophecy — yet Saul was catapulted to that spiritual zenith. This being so, he could just as well be worthy of the throne (*Parshiyos b'Sifrei HaNeviim*).

8. וְיָרַדְתָּ לְפָנַי הַגִּלְגָּל — *Then you shall go down to Gilgal ahead of me.* This was not to happen until some time after Saul became king (*Rashi*), but Samuel issued this directive now because it would have profound significance for Saul's tenure. Whether God would remain with Saul, as promised in verse 7, would depend on whether he would obey the prophet's instruction in every detail, even if there was a compelling reason not to. If not, he would lose the throne (*Radak*). This test of Saul's obedience would take place in Chapter 13.

ט שִׁבְעַת יָמִים תּוֹחֵל עַד־בּוֹאִי אֵלֶיךָ וְהוֹדַעְתִּי לְךָ אֵת אֲשֶׁר תַּעֲשֶׂה: וְהָיָה כְּהַפְנֹתוֹ שִׁכְמוֹ לָלֶכֶת מֵעִם שְׁמוּאֵל וַיַּהֲפָךְ־לוֹ אֱלֹהִים לֵב אַחֵר וַיָּבֹאוּ כָּל־הָאֹתוֹת הָאֵלֶּה

י בַּיּוֹם הַהוּא: וַיָּבֹאוּ שָׁם הַגִּבְעָתָה וְהִנֵּה חֶבֶל־נְבִאִים לִקְרָאתוֹ

יא וַתִּצְלַח עָלָיו רוּחַ אֱלֹהִים וַיִּתְנַבֵּא בְּתוֹכָם: וַיְהִי כָּל־יוֹדְעוֹ מֵאִתְּמוֹל שִׁלְשׁוֹם וַיִּרְאוּ וְהִנֵּה עִם־נְבִאִים נִבָּא וַיֹּאמֶר הָעָם אִישׁ אֶל־רֵעֵהוּ מַה־זֶּה

יב הָיָה לְבֶן־קִישׁ הֲגַם שָׁאוּל בַּנְּבִיאִים: וַיַּעַן אִישׁ מִשָּׁם וַיֹּאמֶר וּמִי אֲבִיהֶם עַל־כֵּן

יג־יד הָיְתָה לְמָשָׁל הֲגַם שָׁאוּל בַּנְּבִאִים: וַיְכַל מֵהִתְנַבּוֹת וַיָּבֹא הַבָּמָה: וַיֹּאמֶר דּוֹד שָׁאוּל אֵלָיו וְאֶל־נַעֲרוֹ אָן הֲלַכְתֶּם וַיֹּאמֶר לְבַקֵּשׁ אֶת־הָאֲתֹנוֹת וַנִּרְאֶה כִי־אַיִן וַנָּבוֹא

טו־טז אֶל־שְׁמוּאֵל: וַיֹּאמֶר דּוֹד שָׁאוּל הַגִּידָה־נָּא לִי מָה־אָמַר לָכֶם שְׁמוּאֵל: וַיֹּאמֶר שָׁאוּל אֶל־דּוֹדוֹ הַגֵּד הִגִּיד לָנוּ כִּי נִמְצְאוּ הָאֲתֹנוֹת וְאֶת־דְּבַר הַמְּלוּכָה לֹא־הִגִּיד

יז לוֹ אֲשֶׁר אָמַר שְׁמוּאֵל: וַיַּצְעֵק שְׁמוּאֵל אֶת־הָעָם אֶל־יְהוָה

יח הַמִּצְפָּה: וַיֹּאמֶר ׀ אֶל־בְּנֵי יִשְׂרָאֵל כֹּה־אָמַר יְהוָה אֱלֹהֵי יִשְׂרָאֵל אָנֹכִי הֶעֱלֵיתִי אֶת־יִשְׂרָאֵל מִמִּצְרָיִם וָאַצִּיל אֶתְכֶם מִיַּד מִצְרַיִם וּמִיַּד כָּל־הַמַּמְלָכוֹת הַלֹּחֲצִים

יט אֶתְכֶם: וְאַתֶּם הַיּוֹם מְאַסְתֶּם אֶת־אֱלֹהֵיכֶם אֲשֶׁר־הוּא מוֹשִׁיעַ לָכֶם מִכָּל־רָעוֹתֵיכֶם וְצָרֹתֵיכֶם וַתֹּאמְרוּ לוֹ כִּי־מֶלֶךְ תָּשִׂים עָלֵינוּ וְעַתָּה הִתְיַצְּבוּ לִפְנֵי יְהוָה

רש"י

תוחל. תמתין: **(ט) לב אחר.** רוח גבורת מלכות: **(יב) ומי אביהם.** מה תימה לך בדבר מי אביהם של נביאים, וכי נבואה ירושה היא: **(טז) ואת דבר המלוכה לא הגיד.** דרך צניעות היתה בו:

רד"ק

(ח) שבעת ימים תוחל. פירוש מיום הפרדי ממך בגלגל, וזה היה אחר חידוש המלוכה, כי בחידוש המלוכה, שניהם באו הגלגל יחד עם כל ישראל, ואחר שדבר שמואל דבריו הלך לו ובחר לו שאול שלשת אלפים, ויתר העם שלח לאוהליו, ומיום שנפרד שמואל משאול שם בגלגל, אמר לו שייחל לו שבעה ימים עד שיבא אליו, ושאול לא יצא מן הגלגל, אלא היה שם מחדש המלוכה עד שעת המלחמה, כמו שאמר וְשָׁאוּל עוֹדֶנּוּ בַגִּלְגָּל (לקמן יג, ז), ומה שאמר לו זה הדבר עתה, ולא המתין לו עד שיהיו בגלגל ויפרד ממנו, שיאמר לו אז שִׁבְעַת יָמִים תּוֹחֵל עַד בּוֹאִי אֵלֶיךָ, מפני שעתה כשדבר לו בדבר המלוכה, רמז לו בזה הדבר תתקיים לו המלוכה אם לאו, זו היא מצוה ראשונה שצוהו, ואם יעמוד בה תתקיים בידו המלוכה ואם לאו לא תתקיים, לפיכך אמר וְהוֹדַעְתִּי לְךָ אֵת אֲשֶׁר תַּעֲשֶׂה, כלומר אז אודיע אותך מה יהיה ממלכותך: **(יא) מאתמול.** בחירק האלף ודגש התי"ו: **(יב) ומי אביהם.** תרגם יונתן וּמַאן רַבְּהוֹן, וכן הוא הפירוש מי המלמד אלה הנביאים ומשרה עליהם רוח נבואה, ואין לתמוה בזה כי הקדוש ברוך הוא המלמד אלה הנביאים מלמד גם כן זה, ויש מפרשים אביהם כמשמעו, לפי שאמרו מַה זֶּה הָיָה לְבֶן קִישׁ (פסוק יא) אמרו, ואלה הנביאים מי אביהם, וכי מאביהם היה להם הנבואה שאתם תמהים על בן קיש: **על כן היתה למשל.** פירוש זאת האמירה היתה למשל מהיום ההוא ומעלה, כשהיה אדם שפל עולה במעלה היה אומר הֲגַם שָׁאוּל בַּנְּבִאִים: **(יג) מהתנבות.** בא על דרך בעלי הה"א: **ויבא הבמה.** כי הנביאים מצאוהו חוץ לבמה, וכשכלה מהתנבות עמהם בא לבית הבמה: **(יד) ויאמר דוד שאול אליו.** אולי מצאו שם בבית הבמה, או קצר הכתוב והלך לו שאול אל עירו ומצאו דודו תחלה, ושאל אותם על דרכם: **(טז) לא הגיד לו.** אולי מתוך צניעות שהיתה בו: **(יז) ויצעק שמואל.** כמו ויאסף, ולפי שהאסיפה והקבוץ על ידי הצעקה יבא בזה הלשון: **אל ה' המצפה.** כמו שפירשתי בספר יהושע (יא, ג) ובספר שופטים (יא, יא) הטעם למה היה מנהג ישראל להקבץ במצפה, ושם היה מזבח ובית התפלה: **(יח) כה אמר.** מתחילה כששאלתם מלך אמר לכם זה: **(יט) ותאמרו לו.** יש מפרשים כמו לא באלף, כי אותיות אהו"י מתחלפות, והנכון כמשמעו כמו שתרגם יונתן וַאֲמַרְתּוּן קֳדָמוֹהִי לֵית אֲנַחְנָא מִתְפָּרְקִין אֱלָהֵין מַלְכָּא תְּמַנֵּי עֲלָנָא, והוא הוסיף בו מלת לא באלף כמו שאמר בחדוש המלוכה (ותאמרו לא כי מלך ימלוך עלינו) [ויאמרו לא כי אם מלך יהיה עלינו] (לעיל ח, יט): **התיצבו לפני ה'.** לפי שאם היה אומר להם שמואל שאול ימלוך עליכם, היו מקנאים שאר השבטים אם לא היה נלכד על ידי אורים ותומים, וזהו לפני ה' שהיה שם כהן ואורים ותומים, והיו שואלים בהם על הדרך שפירשנו (שופטים ב, כח) בדבר פלגש בגבעה, ואפשר שהביאו שם הארון:

מצודת דוד

(ט) לב אחר. רצה לומר, גודל לבב כאשר ראוי למלך: **(יא) מה זה היה.** רצה לומר, מה זה הסיבה לבן קיש להתנבאות, וכי אביו נביא, להתנבאות גם הוא, וכי גם שאול יהיה בין הנביאים ודומה להם, וכי מאין באה לו הנבואה: **(יב) משם.** מן הגבעה: **ומי אביהם.** רצה לומר, מה תתמהו, וכי מי אביהם של כל חבל הנביאים, הלא גם אביהם של אלו לא נביאים היו: **היתה למשל.** בבוא אדם למעלה שלא הורגל בה, אמרו עליו במשל, הגם שאול בנביאים: **(יד) ויאמר דוד שאול.** בבואו אל הבמה, מצאו דודו ושאל להם, אן הלכתם: **כי אין.** לא מצאנו אותם, ובאנו אל שמואל לשאלו עליהם: **(יז) ויצעק.** אסף את העם: **אל ה'.** במקום שנאספים רוב צבור, שם השכינה שורה: **(יט) לשבטיכם.** כל שבט לבד, להטיל הגורל מי ימלוך:

מצודת ציון

(ח) תוחל. תמתין, כמו וַיָּחֶל עוֹד (בראשית ח, י): **(ט) כהפנתו.** כאשר פנה: **שכמו.** כתפו: **(יא) שלשם.** יום השלישי שלפני היום: **(יג) ויכל.** כלה: **(יד) דוד.** אחי אביו: **אן.** אנה, ובאה בחסרון הה"א: **(יז) ויצעק.** ענין אסיפה, על כי באה בצעקת המאסף: **(יח) הלחצים.** הדוחקים:

---

9. The *new heart* of this verse is not the spirit of prophecy of verse 6. Here he received a sense of regal power (*Rashi*). The verse juxtaposes this spirit of strength with the fulfillment of the three signs, because they proved to Saul that God had chosen him and caused him to overcome the humility that had made him reluctant to believe

You shall wait for seven days until I come to you and I will inform you what you are to do."

[9]As soon as [Saul] turned away to depart from Samuel, God transformed him with a new heart and all these signs came about on that day.

Saul among the prophets

[10]They arrived there at the Hill and behold! a band of prophets was opposite him. The spirit of God passed over him, and he prophesied among them. [11]All those who had known him from yesterday and before then saw that behold! he was prophesying along with the prophets, and they said one to another, "What is this that has happened to the son of Kish? Is Saul also among the prophets?" [12]A man spoke up from there and said, "And who is their father?" It thus became an aphorism: "Is Saul also among the prophets?" [13]Then he stopped prophesying and arrived at the High Place.

Saul conceals his royal status

[14]Saul's uncle said to him and his attendant, "Where did you go?" He replied, "To look for the donkeys, but when we saw that they were gone we went to Samuel." [15]Saul's uncle said, "Tell me now what Samuel said to you." [16]Saul answered his uncle, "He told us that the donkeys had been found," but he did not tell him about the matter of the kingship of which Samuel had spoken.

Samuel summons the nation

[17]Samuel gathered the people to HASHEM at Mizpah. [18]He said to the Children of Israel, "Thus said HASHEM, the God of Israel: 'I brought Israel up from Egypt. I rescued you from the hand of Egypt and from the hand of all the kingdoms that oppressed you. [19]Today you have rejected your God, Who saves you from all your calamities and troubles, and you said to Him, "Only place a king over us!" Now stand before HASHEM,

---

that he could rise to the throne.

10-13. Saul among the prophets. Up to now, Saul had been far from home, in a place where he was unknown, thus his ability to prophesy impressed no one but himself. Now he would continue to prophesy where he was known and where his surprising new loftiness made him a symbol of man's ability to transcend himself. The astonishment of his neighbors is testimony to his humility, because the spiritual greatness that qualified him for kingship was entirely unknown to those who thought they knew him well.

11. **מַה־זֶּה הָיָה לְבֶן־קִישׁ** — *What is this that has happened to the son of Kish?* In addition to their surprise that Saul himself had become a prophet, they added that there had never been prophets in his family. Thus they were witness to an incomprehensible phenomenon (*Abarbanel*).

12. **הֲגַם שָׁאוּל בַּנְּבִאִים** — *Is Saul also among the prophets?* This aphorism is popular to this day, as a positive expression of praise for someone who overcame obstacles and achieved unexpected eminence. As the wise man implied with his response, spiritual greatness is not hereditary. Of course people with a good environment and inborn talent have an advantage, but only insofar as they make use of their gift. Without personal effort, they will never grow.

13. **וַיָּבֹא הַבָּמָה** — *And arrived at the High Place.* Scripture contrasts Saul with the group of prophets of verse 5. They prophesied in the conventional way, by first ascending the High Place where they prayed and may have brought offerings, to bring themselves to a spiritual height. With Saul, God reversed the process. He was uplifted to the level of prophecy and then he went up to the High Place, where he prayed and solidified the spiritual gift (*Malbim*).

14-16. Saul remains modest. After the succession of events — the honors Samuel rendered Saul, the anointment, the three signs, and his prophesying — one would have expected Saul to reveal his new status, especially within his family. But Saul remained as modest as ever and said nothing, a trait that he demonstrated again below (vs. 22,27). Modesty is praiseworthy, and because of it Saul merited that Queen Esther would descend from him (*Megillah* 13b). On the other hand, this narrative of his excessive modesty foreshadowed his later downfall (see 15:17).

17-24. Saul is introduced to the people. Samuel assembled the nation to show them that the choice of Saul was made by God.

17. **אֶל־ה׳ הַמִּצְפָּה** — *To HASHEM at Mizpah.* Mizpah had been a historic place of prayer and miraculous intervention (see 7:5). Samuel summoned the people now to demonstrate by lottery (*Rashi*) or through the *Urim v'Tumim* (*Radak*) that Saul had been chosen by God.

18-19. Before making the choice of the new king, Samuel made it clear that God was not pleased with their request, but He would give them a king anyway. Samuel reminded them that God had taken them from Egypt and destroyed their enemies — why should Israel now feel that only a mortal king could save them from the Philistines and other enemies? But the people had rejected salvation through Divine intervention and preferred a king. If so, God would not stand in their way (*Abarbanel*).

כ לְשִׁבְטֵיכֶם וּלְאַלְפֵיכֶם: וַיַּקְרֵב שְׁמוּאֵל אֵת כָּל־שִׁבְטֵי יִשְׂרָאֵל וַיִּלָּכֵד שֵׁבֶט בִּנְיָמִן:
כא וַיַּקְרֵב אֶת־שֵׁבֶט בִּנְיָמִן °למשפחתו [°לְמִשְׁפְּחֹתָיו ק׳] וַתִּלָּכֵד מִשְׁפַּחַת הַמַּטְרִי
כב וַיִּלָּכֵד שָׁאוּל בֶּן־קִישׁ וַיְבַקְשֻׁהוּ וְלֹא נִמְצָא: וַיִּשְׁאֲלוּ־עוֹד בַּיהוָה הֲבָא עוֹד הֲלֹם
כג אִישׁ וַיֹּאמֶר יהוה הִנֵּה־הוּא נֶחְבָּא אֶל־הַכֵּלִים: וַיָּרֻצוּ וַיִּקָּחֻהוּ מִשָּׁם
כד וַיִּתְיַצֵּב בְּתוֹךְ הָעָם וַיִּגְבַּהּ מִכָּל־הָעָם מִשִּׁכְמוֹ וָמָעְלָה: וַיֹּאמֶר שְׁמוּאֵל אֶל־כָּל־
הָעָם הַרְּאִיתֶם אֲשֶׁר בָּחַר־בּוֹ יהוה כִּי אֵין כָּמֹהוּ בְּכָל־הָעָם וַיָּרִעוּ כָל־הָעָם
כה וַיֹּאמְרוּ יְחִי הַמֶּלֶךְ: וַיְדַבֵּר שְׁמוּאֵל אֶל־הָעָם אֵת מִשְׁפַּט הַמְּלֻכָה וַיִּכְתֹּב
כו בַּסֵּפֶר וַיַּנַּח לִפְנֵי יהוה וַיְשַׁלַּח שְׁמוּאֵל אֶת־כָּל־הָעָם אִישׁ לְבֵיתוֹ: וְגַם־שָׁאוּל הָלַךְ
כז לְבֵיתוֹ גִּבְעָתָה וַיֵּלְכוּ עִמּוֹ הַחַיִל אֲשֶׁר־נָגַע אֱלֹהִים בְּלִבָּם: וּבְנֵי בְלִיַּעַל אָמְרוּ מַה־

יא

א יֹשִׁעֵנוּ זֶה וַיִּבְזֻהוּ וְלֹא־הֵבִיאוּ לוֹ מִנְחָה וַיְהִי כְּמַחֲרִישׁ: וַיַּעַל נָחָשׁ הָעַמּוֹנִי
וַיִּחַן עַל־יָבֵישׁ גִּלְעָד וַיֹּאמְרוּ כָּל־אַנְשֵׁי יָבֵישׁ אֶל־נָחָשׁ כְּרָת־לָנוּ בְרִית וְנַעַבְדֶךָּ:

רש״י

(כא) וילכד שאול. אף על פי שלא היה שם, נפל הגורל עליו, שהיו כותבין שמם באיגרות ונתונין בקופסא, והנביא מכניס ידו ונוטל איגרת אחת: **(כב) נחבא אל הכלים.** בבית שנתנו שם הבאין כליהן, שהיה בורח מן הגדולה. ומדרש אגדה רבי תנחומא (פרשת ויקרא, ג), ואל הכלים, באורים ותומים, אמר, שמא איני ראוי לגדולה עד שישאלו באורים ותומים, ושאלו ועלה בידו: **(כו) אשר נגע אלהים.** (תרגום) גברין דַחֲלֵי חֶטְאָה דְאִתְיְהַב דַחֲלָא מִן קֳדָם ה׳ בְּלִבְּהוֹן:

רד״ק

(כא) וילכד שאול. מקרא קצר, כי קודם לכן הקריב משפחת המטרי לגברים, ואז נלכד שאול: **(כב) הבא עוד הלם איש.** כלומר אם בא עדיין הנה שאול: **אל הכלים.** כמו בכלים, כלומר בין כלי העם הבאים שם שנתנו כליהם בבית אחד, והוא נחבא בין הכלים ההם שהיה בורח מן השררה ובא אֶל במקום בי״ת השמוש, כמו וְאֶל הָאָרֹן תִּתֵּן אֶת הָעֵדֻת (שמות כה, כא) כמו ובארון, ובדרש (מדרש תנחומא ויקרא, ד) אֶל הַכֵּלִים באורים ותומים, אמר שאול שמא אינני הגון למלכות עד שישאלו באורים ותומים: **(כד) הראיתם.** בדגש הרי״ש שלא כמנהג, וכן הַרְּאִיתֶם כִּי שָׁלַח בֶּן הַמְרַצֵּחַ הַזֶּה (מלכים־ב ו, לב): **כי אין כמהו.** כי אדם בעל קומה וצורה נאה יאות למלוכה, וייראו העם אותו יותר: **יחי המלך.** תרגם יונתן יַצְלַח מַלְכָּא: **(כה) משפט המלכה.** חוק המלוכה על העם, כמו שכתוב למעלה (פרק ח, יא-יז): **וינח לפני ה׳.** בארון הניחו: **(כו) וגם שאול הלך לביתו.** להודיע שהלך לו לביתו כבתחילה, כיון שראה שלא היה מקובל ומרוצה לכל ישראל הלך לביתו ולא התנהג עדיין כמשפט מלך: **אשר נגע אלהים בלבם.** שנתן אלהים בלבם לרצות לו, ויונתן תרגם וַאֲזָלוּ עִמֵּיהּ קְצַת מִן עַמָּא גַבְרִין דַחֲלֵי חֶטְאָה דְאִתְיְהַב דַחֲלָא מִן קֳדָם ה׳ בְּלִבְּהוֹן, ויוכיח פירושו וּבְנֵי בְלִיַּעַל שאמר אחר כן (פסוק כז): **(כז) ולא הביאו לו מנחה.** כמו שהוא מנהג שמביאים מנחה למלך ביום שהוקם מלך, ויונתן תרגם וְלָא אַתוֹ לְמִשְׁאַל בִּשְׁלָמֵיהּ:

מצודת דוד

ולאלפיכם. הם המשפחות החלוקות לאלפים: **(כ) ויקרב.** רצה לומר, הקריב שמות כל השבטים לפני האורים ותומים, להטיל הגורל: **וילכד.** רצה לומר, עלה הגורל לבני בנימין, ונלכד פתקו ביד המעלה מן הקלפי: **(כא) וילכד שאול.** אחר שהטילו הגורל על הגברים, נלכד פתקו של שאול ביד המעלה: **(כב) וישאלו עוד בה׳.** אחר שבקשוהו, הוסיפו לשאול עוד באורים ותומים, האם בא לפה עוד איש מלבד הנמצאים שם והידועים: **נחבא.** הסתיר עצמו בין כלי העם, והיה להם מקום מיוחד להעמיד שם כלי תשמישם, והיה שאול מטמין עצמו שם, כי היה בורח מן השררה: **(כד) הראיתם.** אם נותנים אתם לב לראות ולהתבונן בהמלך אשר בחר ה׳, כִּי אֵין כָּמֹהוּ וכו׳, והגון הוא למלוכה: **וירעו.** תרועת מלוכה: **(כה) את משפט המלכה.** חק המלוכה הראוי על פי התורה והמצוה, שיהא מוראו על העם ולא ימרו פיו: **לפני ה׳.** לפני הארון: **(כו) אשר נגע אלהים.** אשר נגע יראת אלהים בלבם, לכבד את המלך אשר נמשח על פי הדבור: **(כז) מה ישענו זה.** על כי היות משפחתו הצעירה, ומי אם כן יחזיק בידו: **ולא הביאו לו מנחה.** כאשר הדרך להביא למלך ביום המלכו: **ויהי כמחריש.** עשה עצמו כחרש לא ישמע או כאלם לא יפתח פיו. **(א) כרת לנו ברית.** לבל המית אותנו:

מצודת ציון

(כב) הלם. פה: **נחבא.** מלשון מחבואה ומסתור: **אל הכלים.** כמו בכלים, וכן וְאֶל הָאָרֹן תִּתֵּן (שמות כה, כא), ומשפטו, ובארון: **(כד) הראיתם.** בה״א השאלה: **(כה) משפט.** חוק הראוי: **(כז) ויבזהו.** מלשון בזיון: **כמחריש.** יאמר על חרשת האוזן, ועל השתיקה: **(א) ויחן.** מלשון חניה:

20-21. According to *Rashi*, Samuel drew lots. The names of all the tribes were placed in a box, and Samuel drew the name of Benjamin. Then he wrote the names of all the families of Benjamin, and the Matrite family was chosen. Finally the names of all the men of the family were placed in the box, and Saul's name was drawn. According to *Radak*, the *Urim v'Tumim* was brought to make the selection.

Midrash Tanchuma (Vayikra 3) states that when Saul was informed of his choice, he insisted that he was not worthy and that the *Urim v'Tumin* should be consulted again. Meanwhile, he ran away and concealed himself.

22. The *Urim v'Tumim* revealed that Saul had hidden among the belongings of the assembled people (*Abarbanel*). The expression "He is hidden among the baggage" has become a familiar aphorism for someone who flees from honor.

This illustrates the maxim found in *Eruvin* (13b), that if one flees from honor, honor pursues him.

24. **כִּי אֵין כָּמֹהוּ בְּכָל־הָעָם** — *That there is none like him among all the people.* Saul's imposing physical appearance radiated authority and inspired the respect that is essential for a king (*Radak*). In addition, he projected the majesty of his position (*Abarbanel*).

according to your tribes and your thousands.' "

Saul is singled out

[20]Samuel then brought all the tribes of Israel near, and the tribe of Benjamin was singled out. [21]Then he brought the tribe of Benjamin near according to its families, and the Matrite family was singled out; [eventually] Saul son of Kish was singled out. They searched for him but he was not found. [22]They then asked HASHEM further, "Has the man arrived here as yet?"

And HASHEM replied, "He is hidden among the baggage." [23]They ran and took him from there, and he stood in the midst of the people. He was taller than any of the people from his shoulder upward. [24]Samuel said to all the people, "Have you seen [the one] whom HASHEM has chosen, that there is none like him among all the people?" And all the people shouted, saying, "May the king live!"

Skeptics ridicule Saul

[25]Samuel then told the people the protocol of the kingship. He wrote it in a bookand placed it before HASHEM. Then Samuel sent away all the people, everyone to his home. [26]Saul, too, went to his home, to Gibeah, and with him went all the army of those whose heart was inspired by [fear of] God. [27]But base men said, "How can this person save us!" They ridiculed him and did not bring him a tribute, but he remained mute.

11

SAUL PROVES HIMSELF 11:1-15

[1]Then Nahash the Ammonite went up and besieged Jabesh-gilead, and all the people of Jabesh said to Nahash, "Seal a covenant with us, and we will serve you."

יְחִי הַמֶּלֶךְ — *May the king live!* I.e., may he succeed (*Targum Yonasan*).

25-27. An inauspicious beginning. Saul was king but he failed to act like one. His humility reasserted itself at a time when he should have established his authority and not tolerated the disrespect described in verse 27.

25. מִשְׁפַּט הַמְּלֻכָה — *The protocol of the kingship.* Samuel warned the people of the authority of the king and the punishment that would befall anyone who dared rebel against him (*Ralbag*). Alternatively, Samuel repeated the privileges of the king that he had enumerated above (8:9-17). Now that they actually had their king, he reminded them of the consequences of their choice (*Abarbanel*).

26. וְגַם־שָׁאוּל הָלַךְ לְבֵיתוֹ — *Saul, too, went to his home. Radak* and *Abarbanel* submit that Saul realized that he did not have the unanimous support of the people, and therefore could not yet function as king.

It may be that he intentionally bided his time, certain that an occasion would arise that would enable him to exercise his leadership and display his prowess. If so, his conviction was borne out in the next chapter.

וַיֵּלְכוּ עִמּוֹ הַחַיִל — *And with him went all the army . . .* The verse suggests what made these people escort Saul respectfully: they feared God, and if Saul was His choice, then they accepted Saul wholeheartedly. So it is always. People are fickle; if they are motivated by piety and fear of God, they will accept what He gives them, but if they lack trust in God, they can always find cause for complaint.

27. The *base men* had been awed by Saul's imposing appearance, but their initial respect soon waned because it was so superficial. Unwilling to accept his authority, they derided him and refused to show the minimal respect of bringing him a gift (*Ralbag*) or even greeting him (*Targum Yonasan*).

Commendable though modesty is in the Jewish scale of values, Saul's failure to assert himself was a prime factor in the loss of his reign (*Yoma* 22b). A king has no right to forgive slights to his honor, and the Torah commands that a king must be given due respect (*Rambam, Hil. Melachim* 2:3), because his honor is the honor of the nation. An insult to a head of state is an insult to the country, and he is obligated to defend the prestige of his nation.

11.

⇐§ Saul proves his mettle. The lawless men had derided Saul's ability to help the people. Now the time came when the nation needed his leadership, and he proved more than equal to the challenge.

1-3. A "snake" strikes. A new oppressor rose up against Israel, one whose name, Nahash — נָחָשׁ, literally *snake* — was an apt reflection of his character. Nahash, King of Ammon, was a cruel and treacherous man, as is clear from verse 2. He appears to be cowardly, as well, because he limited his attack to Jabesh-gilead, a relatively minor city on the east bank of the Jordan, which could not be easily defended by the rest of the nation. And he timed his attack when there was a vacuum of leadership, because Samuel had stepped aside and Saul had not yet established his authority. Furthermore, Nahash had reason to think that the rest of the nation would refuse to help, because the people of Jabesh-gilead had refused to join all the other tribes in punishing those who committed the atrocity against the concubine at Gilead (*Judges* 21:8-9), and it might well be that the resentment against Jabesh was still fresh. Another motive of Nahash might have been to humiliate the new king of Israel, a son of the tribe of Benjamin, because in the aftermath of the bloody battle against the tribe of Ben-

ב וַיֹּאמֶר אֲלֵיהֶם נָחָשׁ הָעַמּוֹנִי בְּזֹאת אֶכְרֹת לָכֶם בִּנְקוֹר לָכֶם כָּל־עֵין יָמִין וְשַׂמְתִּיהָ
ג חֶרְפָּה עַל־כָּל־יִשְׂרָאֵל: וַיֹּאמְרוּ אֵלָיו זִקְנֵי יָבֵישׁ הֶרֶף לָנוּ שִׁבְעַת יָמִים וְנִשְׁלְחָה
ד מַלְאָכִים בְּכֹל גְּבוּל יִשְׂרָאֵל וְאִם־אֵין מוֹשִׁיעַ אֹתָנוּ וְיָצָאנוּ אֵלֶיךָ: וַיָּבֹאוּ
הַמַּלְאָכִים גִּבְעַת שָׁאוּל וַיְדַבְּרוּ הַדְּבָרִים בְּאָזְנֵי הָעָם וַיִּשְׂאוּ כָל־הָעָם אֶת־
ה קוֹלָם וַיִּבְכּוּ: וְהִנֵּה שָׁאוּל בָּא אַחֲרֵי הַבָּקָר מִן־הַשָּׂדֶה וַיֹּאמֶר שָׁאוּל מַה־לָּעָם כִּי
ו יִבְכּוּ וַיְסַפְּרוּ־לוֹ אֶת־דִּבְרֵי אַנְשֵׁי יָבֵישׁ: וַתִּצְלַח רוּחַ־אֱלֹהִים עַל־שָׁאוּל °בשמעו
ז [°כְּשָׁמְעוֹ ק׳] אֶת־הַדְּבָרִים הָאֵלֶּה וַיִּחַר אַפּוֹ מְאֹד: וַיִּקַּח צֶמֶד בָּקָר וַיְנַתְּחֵהוּ
וַיְשַׁלַּח בְּכָל־גְּבוּל יִשְׂרָאֵל בְּיַד הַמַּלְאָכִים ׀ לֵאמֹר אֲשֶׁר אֵינֶנּוּ יֹצֵא אַחֲרֵי שָׁאוּל
וְאַחַר שְׁמוּאֵל כֹּה יֵעָשֶׂה לִבְקָרוֹ וַיִּפֹּל פַּחַד־יהוה עַל־הָעָם וַיֵּצְאוּ כְּאִישׁ אֶחָד:
ח וַיִּפְקְדֵם בְּבָזֶק וַיִּהְיוּ בְנֵי־יִשְׂרָאֵל שְׁלֹשׁ מֵאוֹת אֶלֶף וְאִישׁ יְהוּדָה שְׁלֹשִׁים אָלֶף:
ט וַיֹּאמְרוּ לַמַּלְאָכִים הַבָּאִים כֹּה תֹאמְרוּן לְאִישׁ יָבֵישׁ גִּלְעָד מָחָר תִּהְיֶה־לָכֶם

רש״י

(ב) כל עין ימין. כמשמעו. ומדרש אגדה (מדרש שמואל יד, ז) הביאו לי ספר תורתכם שכתוב בה ימין, ואשרפה, על שכתוב בו לא יבא עמוני ומואבי וגו׳ (דברים כג, ד): **חרפה.** גידוף: **(ה) אחרי הבקר.** אחר זמן מועד ביאת הבקר מן השדה: **(ז) לבקרו.** לבהמותיו: **(ח) ויפקדם בבזק.** רבותינו אמרו (יומא כב, ב), בשברי חרסים (ספרים אחרים איתו). לשון אחר, בבזק, באבנים, שנטל מכל אחד אבן ומנאם, כמו ויפקדם בטלאים (לקמן טו, ד), שנטל מכל אחד טלה ומנאם בהם, כמו שהיו מונים אותם בחלאי שקלים, ותרגם כצרור אבן במרגמה (משלי כו, ח), היך בוזקא דכיפא בקלעא. וכלמדנו, ויפקדם בטלאים, כד איתון מסכנין, באלין בזקייא, כד איתון עתירין, באלין אימריא. לשון אחר, בבזק, שם מקום הנזכר (בספר שופטים א, ה) וימצאו את אדני בזק בבזק:

רד״ק

(ב) עין ימין. ענין הסמיכות רוצה לומר עין צד הימין, ופירוש הפסוק כמשמעו, ויש בו דרש (מדרש שמואל יד, ז) אמר להם נחש הביאו ספר תורה שהוא עין ימינכם, ואעקר מתוכו לא יָבֹא עַמּוֹנִי... בִּקְהַל ה׳ (דברים כג, ד): **(ה) בא אחרי הבקר.** כמו שאמר למעלה וְגַם שָׁאוּל הָלַךְ לְבֵיתוֹ (לעיל פרק י, כו) כמו שפירשתי, והיה מתעסק בצרכי ביתו והיה בא אחרי הבקר עם האכרים: **(ו) ותצלח רוח אלהים.** רוח גבורה, וכן תרגם יונתן וּשְׁרַת רוּחַ גְּבוּרָא מִן קֳדָם ה׳ עַל שָׁאוּל: **בשמעו.** כתיב בבי״ת וקרי בכ״ף והענין אחד: **(ז) ואחר שמואל.** לפי שלא קבלו אותו כולם למלך אמר וְאַחַר(י) שְׁמוּאֵל, מי שלא ירצה לצאת אחרי יצא אחרי שמואל, כדי שיהיו זריזים לצאת: **(ח) בבזק.** שם מקום, וכבר פירשנו בו פירוש אחר בספר מכלל שהוא כמו באבנים, כלומר שלקח אבן מכל אחד ואז ידע בזה מספרם, ותרגום כִּצְרוֹר אֶבֶן בְּמַרְגֵּמָה (משלי כו, ח) היך בזקא דכיפא בְּקִלְעָא, ובמדרש (במדבר רבה ב, יא) וַיִּפְקְדֵם בְּבָזֶק, ויספרם בַּטְּלָאִים (לקמן טו, ד), כד אינון מסכנין באילין בזקייא כד אינון עתירין באילין אמריא:

מצודת דוד

(ב) בזאת. בזה התנאי והאופן, שאנקר מכל איש עין ימינו: **ושמתיה חרפה.** הדבר הזה יהיה חרפה לכל ישראל, על שלא יוכלו להושיע אתכם מבזיון גדול כזה: **(ג) הרף לנו.** התרפה מאתנו והמתן שבעת ימים, ורצה לומר, אם הכוונה בזה לחרף לכל ישראל, הנה ראוי להודיעם, ואם לא יושיענו אז יחשב לחרפה: **(ה) אחרי הבקר.** על כי ראה שבזוהו, לא נהג גם הוא עדיין בעצמו כבוד מלוכה, והלך אחרי הבקר להנהיגם כדרך ההדיוט: **(ו) ותצלח.** עבר עליו רוח גודל לבב וגבורה מה׳ כשמעו וכו׳, וחרה אפו על נחש העמוני: **(ז) ביד המלאכים.** אשר באו מיביש גלעד: **לאמר.** צוום לאמר להם, מי שלא יצא למלחמה ינותח בקרו כזה: **פחד ה׳.** לא פחד נתיחת הבקר, כי אם פחדו מה׳ להמרות פי משיחו: **כאיש אחד.** רצה לומר, במהירות רב ובהסכמה אחת:

מצודת ציון

(ב) בנקור. ענין נקיבה, כמו הַעֵינֵי הָאֲנָשִׁים הָהֵם תְּנַקֵּר (במדבר טז, יד): **(ג) הרף.** מלשון רפיון: **(ז) צמד.** זוג, על שם שדרכם ללכת מצומדים ומחוברים: **וינתחהו.** חתך כל אחד לנתחים, רצה לומר לאברים: **(ח) בבזק.** שם מקום: **(ט) לאיש.** לכל איש:

---

jamin, four hundred girls from Jabesh had been "conscripted" to marry the surviving men of Benjamin, Saul's tribe. Thus many or most of the people of Jabesh were Saul's kinsmen, through marriage, and if he were helpless to rescue them, his prestige would have dissipated rapidly (*Parshiyos b'Sifrei HaNeviim*).

1. The people of Jabesh-gilead despaired of defending themselves against King Nahash, and tried to negotiate a surrender.

2. בִּנְקוֹר לָכֶם כָּל־עֵין יָמִין — *When each right eye of yours is put out*. Nahash said openly that his intention was to shame the entire nation by parading its helplessness against him. The Sages offer three homiletical interpretations of the *right eye:* (a) Nahash wanted the Jabeshites to surrender their most skilled archers and slingers; (b) to abolish the Sanhedrin, for the judges are the "eyes" of the people; and (c) Nahash demanded that a Torah scroll — the right eye of the nation — be brought to him. He would burn it because it contained the verse that forbids Ammonite males to enter the Jewish nation (*Midrash Shmuel* 14).

3. Preying on Nahash's wish to humiliate the entire nation, the Jabeshites asked for a seven-day respite. Then, if no one came to their aid, it would indeed be a mark of shame on Israel. By agreeing, Nahash signaled that the mere conquest of a single, helpless town was not his goal. He wanted to humiliate all of Israel by showing that it was powerless against him.

4-8. Saul mobilizes the nation. Saul rose to the occasion and organized the entire nation to join him in defense of Jabesh-gilead.

The Ammonite invasion

[2]*But Nahash the Ammonite replied to them, "On this [condition] I will seal [a covenant] with you: when each right eye of yours is put out. It will be a sign of shame for all of Israel.* [3]*The elders of Jabesh replied to him, "Hold off from [attacking] us for seven days while we send messengers throughout all the Land of Israel. If there is no one to save us, then we will go out to you [and submit]."*

[4]*When the messengers arrived at Gibeath-shaul and reported these words to the people, all the people raised their voices and wept.* [5]*Just then Saul came in from the field, behind his oxen, and Saul said, "Why are the people crying?" They told him the words of the men from Jabesh.* [6]*The spirit of God passed over Saul when he heard these things, and he became very angry.* [7]*He took a pair of oxen and cut them into pieces, which he sent with the messengers throughout the Land of Israel, saying, "Whoever does not go out after Saul and Samuel [to battle], so shall be done to his oxen." A dread of* HASHEM *fell upon the people and they went forth as one man.*

Saul demands national mobilization

The nation responds

[8]*He counted them at Bezek, and the Children of Israel were three hundred thousand, and the men of Judah, thirty thousand.* [9]*They said to the messengers who had come, "So shall you tell the people of Jabesh-gilead: 'Tomorrow there will be a*

---

4. וַיְדַבְּרוּ הַדְּבָרִים בְּאָזְנֵי הָעָם — *And reported these words to the people.* The messengers came to Gibeath-shaul to bring their plight to the new king, but since he was not there, they told the general populace why they had come, causing an outcry of sympathy (*Abarbanel*).

5. אַחֲרֵי הַבָּקָר מִן־הַשָּׂדֶה — *From the field, behind his oxen.* In the plain sense of the verse, Saul still did not act as the king; he had gone back to his work in the fields, like an ordinary farmer, perhaps because of the resistance to his rule [10:27] (*Radak*).

According to *Rashi* and *Mahari Kara*, however, he had discontinued his field work, but now arrived on the scene at the time when the oxen are normally brought in from the fields.

6. רוּחַ־אֱלֹהִים — *The spirit of God,* i.e., a spirit of superior strength (*Targum Yonasan*), transformed the humble Saul into a fierce warrior who would crush the audacious Nahash. This was another fulfillment of Samuel's prophecy that Saul would be transformed (10:6). This *spirit of God* is the lowest degree of prophecy, in which God inspires a person to embark on great deeds to rescue an entire community. Saul's anger was a noble expression of outrage at the cruelty of Nahash (*Abarbanel*).

7. Saul cut the oxen into pieces to symbolize that a nation lives only if it is united; if it is disunited and apathetic to the tragedy of its fellows, it dies (*Malbim*). Saul's intention was different in kind from that of the Levite who sliced his concubine's body into twelves pieces (*Judges* 19:29-30). The Levite meant to shock; Saul meant to inspire.

Saul included Samuel in his charge, so that those who had not been willing to accept the authority of the unproven king would respond to the call from the revered prophet (*Radak*). Although Samuel was not present and Scripture does not say that Samuel participated in the forthcoming battle, Saul was justified in invoking his name, because Samuel had delegated him to lead.

The verse states that *a dread of* HASHEM *fell upon the people,* indicating that the huge response — 330,000 people — was evoked not by fear of Saul, but by dedication to God (*Metzudos*).

⇐§ Judah's special status and the national outrage.

8. וַיִּפְקְדֵם בְּבָזֶק — *He counted them in Bezek.* In the plain sense, Bezek was the name of the city where Saul counted them.

The Sages interpret that the word *bezek* means *pottery shards,* alternatively, *pebbles.* Since it is forbidden to count Jews by the head (*Exodus* 30:12-13), each man handed in a shard or pebble. Saul counted them to determine the number of volunteers in his army (*Yoma* 22b).

וְאִישׁ יְהוּדָה — *And the men of Judah . . .* The tribe of Judah was counted separately, as they would be later, in preparation for Saul's war against Amalek (15:4). Presumably this was because Judah had always enjoyed preeminent status as the leader of the tribes, as exemplified in the blessings of Jacob (*Genesis* 49:8-10), and the Divine command that Judah be the first to do battle with the Canaanites (*Judges* 1:1). It was natural, therefore, that they would be in the forefront of the battle and were therefore counted separately. It may also be that Saul had another reason for showing particular respect to Judah. It was known that Jacob's blessing conferred royal status upon Judah, and Saul might have feared of the Judahites would resent the new Benjamite king. To forestall such feelings, Saul showed deference to Judah.

The degree to which the entire nation was outraged by Nahash's treatment of Jabesh-gilead is evidenced by the very large number of volunteers who enlisted in the army on very short notice. Later, when Samuel conveyed God's command that Saul mobilize the nation for war against Amalek — and we may assume that there was more adequate time to prepare than was allowed by the seven-day deadline of this battle — only 210,000 men volunteered, whereas here there were 330,000.

9-11. Saul leads the nation to victory.

תְּשׁוּעָה °בחם [°כְּחֹם ק׳] הַשֶּׁמֶשׁ וַיָּבֹאוּ הַמַּלְאָכִים וַיַּגִּידוּ לְאַנְשֵׁי יָבֵישׁ
(י) וַיִּשְׂמָחוּ: וַיֹּאמְרוּ אַנְשֵׁי יָבֵישׁ מָחָר נֵצֵא אֲלֵיכֶם וַעֲשִׂיתֶם לָּנוּ כְּכָל־הַטּוֹב
(יא) בְּעֵינֵיכֶם: וַיְהִי מִמָּחֳרָת וַיָּשֶׂם שָׁאוּל אֶת־הָעָם שְׁלֹשָׁה רָאשִׁים
וַיָּבֹאוּ בְתוֹךְ־הַמַּחֲנֶה בְּאַשְׁמֹרֶת הַבֹּקֶר וַיַּכּוּ אֶת־עַמּוֹן עַד־חֹם הַיּוֹם וַיְהִי
(יב) הַנִּשְׁאָרִים וַיָּפֻצוּ וְלֹא נִשְׁאֲרוּ־בָם שְׁנַיִם יָחַד: וַיֹּאמֶר הָעָם אֶל־שְׁמוּאֵל מִי הָאֹמֵר
(יג) שָׁאוּל יִמְלֹךְ עָלֵינוּ תְּנוּ הָאֲנָשִׁים וּנְמִיתֵם: וַיֹּאמֶר שָׁאוּל לֹא־יוּמַת אִישׁ בַּיּוֹם
(יד) הַזֶּה כִּי הַיּוֹם עָשָׂה־יהוה תְּשׁוּעָה בְּיִשְׂרָאֵל: ◀ וַיֹּאמֶר שְׁמוּאֵל
(טו) אֶל־הָעָם לְכוּ וְנֵלְכָה הַגִּלְגָּל וּנְחַדֵּשׁ שָׁם הַמְּלוּכָה: וַיֵּלְכוּ כָל־הָעָם הַגִּלְגָּל
וַיַּמְלִכוּ שָׁם אֶת־שָׁאוּל לִפְנֵי יהוה בַּגִּלְגָּל וַיִּזְבְּחוּ־שָׁם זְבָחִים שְׁלָמִים לִפְנֵי
יב (א) יהוה וַיִּשְׂמַח שָׁם שָׁאוּל וְכָל־אַנְשֵׁי יִשְׂרָאֵל עַד־מְאֹד: וַיֹּאמֶר
שְׁמוּאֵל אֶל־כָּל־יִשְׂרָאֵל הִנֵּה שָׁמַעְתִּי בְקֹלְכֶם לְכֹל אֲשֶׁר־אֲמַרְתֶּם לִי
(ב) וָאַמְלִיךְ עֲלֵיכֶם מֶלֶךְ: וְעַתָּה הִנֵּה הַמֶּלֶךְ ׀ מִתְהַלֵּךְ לִפְנֵיכֶם וַאֲנִי זָקַנְתִּי וָשַׂבְתִּי

HAFTARAS KORACH
11:14-12:22

רש״י

(יב) מי האמר. בלשון בזיון, שאול ימלוך עלינו, תנו אותם ונמיתם: **ימלך עלינו.** בתמיה: **(יד) ויאמר שמואל וגו׳ ונחדש שם המלוכה.** לפי שבראשונה היו עוררים על הדבר, ועתה נתרצו כולם: **(ב) ואני זקנתי ושבתי.** אמרו רבותינו, זקנה קפצה עליו, כדאיתא במסכת תענית (ה, ב):

רד״ק

(ט) בחם השמש. כתיב בבי״ת וקרי בכ״ף והענין אחד: **(יא) באשמרת הבקר.** משלש משמרות שמחלקים הלילה השומרים, כמו שנאמר בדבר גדעון (שופטים ז, יט), ושאול בא אל מחנה עמון באשמורה השלישית שהיה אשמורת הבקר: **ויפצו.** הוי״ו כוי״ו ביום השלישי וַיִּשָּׂא אַבְרָהָם אֶת עֵינָיו (בראשית כב, ד) והדומים לו, כלומר מה שנשארו מהם שלא הכום כי נפוצו הנה והנה: **שנים יחד.** כתרגומו תְּרֵין דְעַרְקִין כַּחֲדָא: **(יב) שאול ימלך עלינו.** בתמיה, ויונתן תרגם מָה דֵין דִמְבַסֵר לְמֵימַר לָא כָשַׁר שָׁאוּל לְמִמְלַךְ עֲלָנָא: **(יד) ונחדש שם המלוכה.** לפי שבפעם הראשונה מקצתם בזוהו ואמרו מַה יֹּשִׁעֵנוּ זֶה (לעיל י, כז), עכשיו נתרצו כלם מפני התשועה שבאה על ידו במלחמת נחש, ואמר שמואל לחדש המלוכה בגלגל לכבוד הארון ואהל מועד שהיו שם מתחלה כשבאו לארץ (יהושע ד, יט), לפיכך היו מכבדים אותו המקום אף על פי שעתה לא היה שם כי בנוב היה: **(ב) זקנתי ושבתי.** השיבה יותר מהזקנה (פרקי אבות ה, כה), ואמרו רבותינו זכרונם לברכה (תענית ה, ב) כי קפצה עליו זקנה כי לא היה אלא בן חמשים ושתים שנה כשמת, ולפי שלא יאמרו עליו ולא ירננו העם שמת בקצר ימים, קפצה עליו זקנה כדי שיראה זקן, כי לא היו הכל יודעים מספר שניו, והוא בחר מיתתו כדי שלא ימות שאול בחייו, וחמישים ושתים שנה של שמואל אמרו כי כשהתפללה חנה אותו היום נתמנה עלי שופט, אולי קבלה היתה אצלם זה כי מן הפסוקים לא ראינו זה, כי אפשר שעדיין לא היה שופט עלי אבל היה נביא וכהן גדול בשילה ולאחר זמן נתמנה שופט, ואם כן הוא שבאותו היום נתמנה שופט ימצא לפי זה שלא היה שמואל אלא בן חמישים ושתים שנה, שהרי עלי שפט את ישראל ארבעים שנה (לעיל ד, יח) ומת ביום שגלה הארון (שם) והיה שבעה חדשים בשדה פלשתים (פרק ו, א) והיה בקרית יערים עשרים שנה (לעיל ז, ב) ודוד העלה אותו מקרית יערים (דברי הימים-א יג, ו) אחר שבע שנים שמלך בחברון, הנה יחסרו מעשרים שנה שבע שנים של דוד, נשארו שלש [ועשרה] (ועשרים) לשמואל וארבעים של עלי הרי חמישים ושלש, צא מהם שנה אחת לעבורו שנאמר וַיְהִי לִתְקֻפוֹת הַיָּמִים וגו׳ (לעיל א, כ) הרי חמשים ושנים:

מצודת דוד

(י) ויאמרו אנשי יביש. אמרו לאנשי נחש העמוני, מָחָר נֵצֵא וכו׳ ועשו בנו כאשר תרצו, ולהטעותם אמרו, שלא יהיו נשמרים: **(יא) בתוך המחנה.** של נחש העמוני: **באשמרת הבקר.** הוא המשמר השלישי הסמוך לבוקר: **ויפצו.** נתפזרו אלו מאלו: **(יב) מי האמר.** מי האיש האומר בלעג ובתמיה, שאול ימלוך עלינו וכי הגון הוא למלוכה, את האנשים האלה תנו בידינו ונמיתם, ואמרו זה על כי ראו שה׳ עמו והתשועה באה על ידו: **(יג) כי היום וכו׳.** ואין ראוי להמית איש ביום תשועה: **(יד) ונחדש שם המלוכה.** על כי בראשונה לא קבלוהו כולם ברצון: **(טו) וימלכו שם.** המליכוהו שנית, בהסכמת כולם וברצון טוב: **לפני ה׳.** כי השכינה שורה במקום שרוב צבור נאספים. **(א) הנה שמעתי וכו׳.** רצה לומר, עד לא המלכתי מלך, לא יכולתי להוכיח אתכם, כי פן תחשבו שתכלית דברי המה למנוע המלכת מלך, ולזה שמעתי בתחלה לקולכם והמלכתי מלך: **(ב) ועתה.** אבל עתה הואיל והמלך מתהלך לפניכם והוחזק במלוכה, אם כן מי הוא אשר יערב לבו להעבירו ממלכותו, וגם אני זקנתי וכוחי תש להחזיק עוד בממשלה, ובני הלא המה אתכם נכונים לעבודת המלך וחפצים בו כמותכם, ואם כן שוב אין מקום לומר שרוח אחרת אתי, ולזה אדבר עתה דברי:

מצודת ציון

כחם השמש. כאשר יתחמם השמש בגבורתו, והוא חצי היום: **(יא) ראשים.** חלקים: **באשמרת.** מלשון משמר: **היום.** השמש קרויה יום, כמו לְרוּחַ הַיּוֹם (בראשית ג, ח): **ויפצו.** נתפזרו, כמו וְיָפֻצוּ אֹיְבֶיךָ (במדבר י, לה): **(ב) ושבתי.** השיבה הוא יותר מהזקנה: **הנם.** הנה הם:

---

10. מָחָר נֵצֵא אֲלֵיכֶם — *Tomorrow we will go forth to you.* This message was intentionally ambiguous. The overconfident Ammonites took it to mean surrender, but the people of Jabesh intended to *go forth* to fight and surprise the Ammonites (*Abarbanel*).

11. Saul attacked the Ammonites on three fronts and, as he promised the messengers of Jabesh, the victory was won by the time *the day became hot.*

12-15. Saul's reign is universally accepted. By his leadership, Saul won over the skeptics and vindicated his appointment as king.

12. וּנְמִיתֵם — *And we will put them to death.* One of the king's primary duties is to unify and guide the nation, and someone who opposes his sovereignty is traitorous and may be executed at the discretion of the king (*Rambam, Hil. Melachim* 3:8). Therefore, since Saul had now proven himself,

salvation for you by the time the sun gets hot.'" The messengers came and told the people of Jabesh, and they rejoiced. [10]*So the people of Jabesh said [to Nahash], "Tomorrow we will go forth to you, and you may do to us whatever seems good in your eyes."*

[11]*It was on the next day that Saul set the people into three companies, and they entered the camp [of the Ammonites] at the approach of dawn, and they struck down Ammon by the time the day became hot. There were survivors but they scattered; there did not remain of them two [men] together.* [12]*The people then said to Samuel, "Who is it that said, 'Will Saul reign over us?' Give the men over and we will put them to death!"*

Saul establishes his authority

[13]*But Saul said to them, "Let no man be put to death this day, for today HASHEM has wrought salvation in Israel."*

[14]*Then Samuel said to the people, "Come and let us go to Gilgal, and let us renew the kingdom there."* [15]*So all the people went to Gilgal: there they made Saul king before HASHEM in Gilgal, and there they slaughtered feast peace-offerings before HASHEM; and there Saul, as well as all the men of Israel, rejoiced exceedingly.*

Samuel rallies the people

12 **SAMUEL'S ADMONITION** 12:1-25

[1]*Then Samuel said to all of Israel, "Behold! I have hearkened to your voice, to everything that you have said to me, and I have crowned a king over you.* [2]*And now, behold! — the king goes before you, but I have become old and gray.*

---

the loyalty of the people was solidified and they wanted to eradicate his erstwhile opponents, who had sarcastically ridiculed him.

13. **לֹא־יוּמַת אִישׁ בַּיּוֹם הַזֶּה** — *"Let no man be put to death this day . . ."* Saul did not wish to mar the joy of God's salvation by putting anyone to death (*Metzudos*). The implication is that in other circumstances, Saul would not hesitate to invoke his royal prerogative, as indeed he does later in this Book.

Since the death penalty for rebellion against the king is at his discretion, Saul had the legal right to pardon the offenders, however the Sages criticize him for doing so: "Because Saul renounced his honor his reign did not endure" (*Yoma* 22b). It is ironic that Saul, who was chosen in great measure because of his humility, eventually lost his throne because he displayed humility when strength was called for. God's challenge to man is that he must control his nature. As king, Saul had to remain humble, yet overcome this commendable instinct in order to bring the nation to higher degrees of obedience to God and the Torah (*Behold a People*).

14. **וּנְחַדֵּשׁ שָׁם הַמְּלוּכָה** — *And let us renew the kingdom there.* Saul's original coronation had been marred by opposition and lack of respect for his ability to lead. Now that he had united the nation and led it to victory, Samuel seized the opportunity to reestablish the monarchy before the entire nation (*Rashi*). Samuel chose Gilgal as the site of this momentous assembly because it was a holy place, the site where Joshua established the Tabernacle and the Ark (*Joshua* 5:9-10), after the people crossed the Jordan (*Radak*). Based on the phrase *before HASHEM,* in the next verse, *Abarbanel* suggests that Samuel may even have had the Ark brought to Gilgal for this occasion.

Another facet of Gilgal's uniqueness was that it faced the place where the waters of the Jordan parted before the Ark, allowing the nation to cross into the Land, and it was at Gilgal where the twelve stones from the riverbed were erected to memorialize the miraculous crossing (ibid. 4:19-24). Furthermore, Joshua had circumcised the men at Gilgal, which in itself was a miraculous event, because God had protected the incapacitated nation from attack by the Canaanites until the fighting men were able to recover. Thus, Gilgal remained a reminder of God's omnipotence and love of Israel, when they were loyal to His will (*R' Mendel Hirsch*).

15. The verse uses the expression *before HASHEM* twice, to emphasize that this ceremony was intended to strengthen the nation's dedication to God, and that this is the primary mission of a Jewish king. *Feast peace-offerings* tend to unify people, because the owners will invite guests to eat their portions with them; the people brought these offerings to demonstrate that the dissension of the first coronation was gone and the people were united behind Saul.

12.

A new era. In convening the new assembly of all the people to crown Saul again, with a united nation behind him and with a universal attitude of confidence and good feeling, Samuel again admonished the people for their improper request and he demonstrated to them in an indisputable way that they must still depend on God's mercy and help. Although Saul would now take over Samuel's role as temporal leader of the nation, Samuel would still reprove both king and subjects whenever needed, which would be the pattern of the prophets until the destruction of the First Temple. First, he won their acknowledgment that his own tenure had been totally free of even a breath of personal gain.

1-5. The people's total trust in Samuel. Any leader, especially a moral one, needs the trust of the people, and must

ג וּבָנַי הִנָּם אִתְּכֶם וַאֲנִי הִתְהַלַּכְתִּי לִפְנֵיכֶם מִנְּעֻרַי עַד־הַיּוֹם הַזֶּה׃ הִנְנִי עֲנוּ בִי נֶגֶד
יְהוָה וְנֶגֶד מְשִׁיחוֹ אֶת־שׁוֹר ׀ מִי לָקַחְתִּי וַחֲמוֹר מִי לָקַחְתִּי וְאֶת־מִי עָשַׁקְתִּי
ד אֶת־מִי רַצּוֹתִי וּמִיַּד־מִי לָקַחְתִּי כֹפֶר וְאַעְלִים עֵינַי בּוֹ וְאָשִׁיב לָכֶם׃ וַיֹּאמְרוּ
ה לֹא עֲשַׁקְתָּנוּ וְלֹא רַצּוֹתָנוּ וְלֹא־לָקַחְתָּ מִיַּד־אִישׁ מְאוּמָה׃ וַיֹּאמֶר אֲלֵיהֶם עֵד
יְהוָה בָּכֶם וְעֵד מְשִׁיחוֹ הַיּוֹם הַזֶּה כִּי לֹא מְצָאתֶם בְּיָדִי מְאוּמָה וַיֹּאמֶר
ו עֵד׃ וַיֹּאמֶר שְׁמוּאֵל אֶל־הָעָם יְהוָה אֲשֶׁר עָשָׂה אֶת־מֹשֶׁה וְאֶת־אַהֲרֹן
ז וַאֲשֶׁר הֶעֱלָה אֶת־אֲבֹתֵיכֶם מֵאֶרֶץ מִצְרָיִם׃ וְעַתָּה הִתְיַצְּבוּ וְאִשָּׁפְטָה אִתְּכֶם
ח לִפְנֵי יְהוָה אֵת כָּל־צִדְקוֹת יְהוָה אֲשֶׁר־עָשָׂה אִתְּכֶם וְאֶת־אֲבֹתֵיכֶם׃ כַּאֲשֶׁר־בָּא
יַעֲקֹב מִצְרָיִם וַיִּזְעֲקוּ אֲבֹתֵיכֶם אֶל־יְהוָה וַיִּשְׁלַח יְהוָה אֶת־מֹשֶׁה וְאֶת־אַהֲרֹן
ט וַיּוֹצִיאוּ אֶת־אֲבֹתֵיכֶם מִמִּצְרַיִם וַיֹּשִׁבוּם בַּמָּקוֹם הַזֶּה׃ וַיִּשְׁכְּחוּ אֶת־יְהוָה
אֱלֹהֵיהֶם וַיִּמְכֹּר אֹתָם בְּיַד סִיסְרָא שַׂר־צְבָא חָצוֹר וּבְיַד־פְּלִשְׁתִּים וּבְיַד מֶלֶךְ
י מוֹאָב וַיִּלָּחֲמוּ בָּם׃ וַיִּזְעֲקוּ אֶל־יְהוָה ויאמר [וַיֹּאמְרוּ ק] חָטָאנוּ כִּי עָזַבְנוּ אֶת־
יְהוָה וַנַּעֲבֹד אֶת־הַבְּעָלִים וְאֶת־הָעַשְׁתָּרוֹת וְעַתָּה הַצִּילֵנוּ מִיַּד אֹיְבֵינוּ וְנַעַבְדֶךָּ׃

רש"י

(ג) את שור מי לקחתי. לעבודתי: **וחמור מי לקחתי.** כשהייתי הולך מעיר לעיר לשפוט אותם על עסקי צרכיהם, הייתי הולך על החמור שלי, והיה לי ליטול משלהם: **את מי רצותי.** כל לשון מרוצה הסמוך לעושק, לשון עשוק ורצוץ (דברים כח, לג) הוא, חומס דלים ורוצץ: **ואעלים עיני בו.** כדי להעלים עיני מן המשפט בשביל הממון: **ואשיב לכם.** כל מה שתאמרו: **(ה) ויאמר עד.** בת קול יוצאת ואומרת, עד, וזה אחד משלשה מקומות שהופיעה רוח הקודש בבית דין של מטה, כדאיתא במסכת מכות (כג, ב): **(ו) אשר עשה את משה ואת אהרן.** להיות נכונים לשליחותו, להוציא אבותיכם ממצרים: **(ז) ואשפטה אתכם.** אתוכח עמכם:

רד"ק

ובני הנם אתכם. לאשר תצטרכו להם בדברי התורות והדינין שקבלו ממני: **(ג) לקחתי.** כלומר למלאכתי: **ואת מי עשקתי.** בממון: **את מי רצותי.** בגופו, וכן עשוק ורצוץ (דברים כח, לג), ויונתן תרגם יַת מַאן עַשְׁקִית וְיַת מַאן אֲנַסִית. ורבותינו זכרונם לברכה דרשו עָשַׁקְתִּי באונס רַצּוֹתִי ברצון, כלומר כי אפילו ברצונו לא לקח ממונו, ולדבריהם יהיה רַצּוֹתִי מן רצון אף על פי שאינו משרשו: **כפר.** להטות הדין: **ואעלים עיני בו.** אם יבוש לומר בפני, אעלים עיני שלא אסתכל בו, ויאמר לכם ואשיב, כן פירש אדוני אבי זכרונו לברכה, ויונתן פירש לענין הדין, וכן תרגם וּמִיַּד מַאן קַבִּילִית מָמוֹן לשקר וּכְבֵשִׁית עֵינַי מִנֵּיהּ בְּדִינָא וַאֲתֵיב לְכוֹן: **(ה) וַיֹּאמֶר עֵד.** כל ישראל כאחד אמרו עד, לפיכך אמר וַיֹּאמֶר בלשון יחיד, ורבותינו זכרונם לברכה אמרו (מכות כג, ב) כי בת קול יצאה ואמרה עד, אמר להם הקדוש ברוך הוא אתם מעידים עליו על מה שבגלוי ואני מעיד עליו על מה שבסתר, וזהו אחד משלשה מקומות שהופיע רוח הקדש בבית דין שלמטה: **(ו) אשר עשה את משה ואת אהרן.** אשר הגדילם ולמדם, וכן וְאֶת הַנֶּפֶשׁ אֲשֶׁר עָשׂוּ בְחָרָן (בראשית יב, ה) ויונתן תרגם דִּי עֲבַד גְּבוּרָן עַל יְדֵי מֹשֶׁה וְאַהֲרֹן, וטעם הפסוק הזה על אשר הקדים עֵד ה׳ (פסוק ה), כלומר אשר עשה את משה ואת אהרן לגאולתכם ועל ידם העלה את אבותיכם מארץ מצרים, הוא יהיה עד ביני וביניכם: **(ז) ואשפטה אתכם.** כלומר אהיה נשפט עמכם לפני ה׳ ביניכם ובין ה׳, כי הוא עשה עם אבותיכם ועמכם צדקות ואתם עשיתם רעות: **(ח) כאשר בא יעקב מצרים ויזעקו.** דרך קצרה דבר, כי כאשר בא יעקב מצרים לא זעקו ולא היה להם במה לזעוק, אלא כאשר בא יעקב מצרים והאריכו הימים לבניו ולבני בניו שם, ויקם מלך חדש על מצרים וגזר על ישראל גזירות וצעקו אל ה׳: **וישיבום במקום הזה.** והנה משה ואהרן מתו מעבר לירדן ואיך הושיבו אותם במקום הזה, אלא שהוכיחו אותם ולמדום ללכת דרך ה׳ ולפיכך נכנסו לארץ, והרי הם כאילו הושיבום במקום הזה: **(י) ויאמרו חטאנו.** ויאמר כתיב וקרי וַיֹּאמְרוּ, והכתיב על דרך כלל והקרי על דרך פרט:

מצודת דוד

ואני התהלכתי. רצה לומר, ועוד הלא הייתי מתהלך לפניכם מעיר לעיר לשפוט אתכם, ולא יום ולא יומיים, כי אם מנעורי עד היום הזה, ואם כן כולכם מכירים ויודעים אותי, אשר לא כן אנכי הולך בתחבולות וערמומית: **(ג) הנני.** רצה לומר, בעוד שאני פה, ענו בי נגד ה׳ ונגד המלך הנמשח מה׳: **לקחתי כפר.** פדיון על פשעו: **ואעלים עיני בו.** ובעבור הכופר העלמתי עיני מבלי לענשו עונש הראוי: **ואשיב לכם.** רצה לומר, וכאשר תענו בי דבר מה בעודי פה, הנה אשיב לכם על דבריכם: **(ד) מאומה.** שום דבר מה: **(ה) עד ה׳.** ה׳ יהיה לעד, וגם משיחו יהיה לעד, אשר לא מצאתם בידי שום דבר שאינו הגון: **ויאמר עד.** רצה לומר, כל אחד אמר, כן הדבר, ה׳ יהיה עד, וכן משיחו יהיה עד. או שאול לבד אמר, אני אהיה עד: **(ו) ויאמר שמואל.** אחר שאמרו שלא מצאו בידו מאומה, חזר לדבר דבריו להוכיחם: **ה׳ אשר עשה.** רצה לומר הלא כולכם ידעתם מעשה ה׳ אשר עשה עם משה ועם אהרן, רצה לומר, הנפלאות שעשה על ידם ועמהם: **ואשר העלה וכו׳.** על ידי הנפלאות ההם העלה ממצרים: **(ז) ועתה.** רצה לומר, הואיל וידעתם, עמדו ואתוכח עמכם על כל צדקות ה׳ וכו׳, רצה לומר, נצחון הויכוח יהיה עם הצדקות: **(ח) כאשר בא.** רצה לומר, וזה הויכוח שעם הצדקות, שהנה כאשר בא יעקב למצרים, היה סוף הדבר שזעקו אבותיכם אל ה׳ מקושי השעבוד, ושלח את משה וכו׳, ולא היה להם אז מלך ללחום מלחמתם: **(ט) וישכחו.** ובבואם לארץ שכחו את ה׳, ומסרם ביד העובדי גלילים: **וילחמו בם.** רצה לומר, כי מתחלה לחמו בישראל, ולאחר זמן מסרם ה׳ בידם: **(י) ויזעקו.** התפללו לה׳, אבל לא שאלו להם מלך ללחום מלחמתם:

מצודת ציון

(ג) ענו. העידו, כמו לֹא תַעֲנֶה (שמות כ, יג): **שור מי.** שור של מי, **עשקתי.** מלשון עושק וגזל: **רצותי.** ענין שבירת הגוף, וכן עָשׁוּק וְרָצוּץ (דברים כח, לג): **כפר.** פדיון: **(ו) את משה.** עם משה, רצה לומר על ידו: **(ז) ואשפטה.** אתוכח, כמו הֲתִשְׁפֹּט אֹתָם (יחזקאל כ, ד): **(ח) וישיבום.** מלשון ישיבה: **(ט) וימכר.** מסרם, וכאלו מכרם

As for my sons — here they are with you. And as for me, I have walked before you from my youth until this day. [3]*Here I am; testify about me in the presence of* HASHEM *and in the presence of His anointed: Whose ox have I taken? Whose donkey have I taken? Whom have I robbed? Whom have I coerced? From whose hand have I taken redemption-money that I should avert my eyes from him? And I shall make restitution to you."*

The people assert their faith in Samuel

[4]*And they said, "You have not robbed us; you have not coerced us; and you have not taken anything from any person's hand."*

[5]*So he said to them, "*HASHEM *is your witness, and His anointed one is a witness this day, that you have not found anything in my hand." And they said as one, "A witness!"*

Samuel reviews God's historic kindness

[6]*Samuel then said to the people, "[It is]* HASHEM *Who produced Moses and Aaron, and Who brought your forefathers up from the land of Egypt.* [7]*And now, stand erect, and I shall enter into judgment with you before* HASHEM, *concerning all the righteous deeds of* HASHEM *that He has done with you and with your forefathers.* [8]*When Jacob came to Egypt and your forefathers cried out to* HASHEM, HASHEM *sent Moses and Aaron, and they brought your forefathers out of Egypt, and settled them in this place.* [9]*But they forgot* HASHEM, *their God, so He delivered them into the hand of Sisera, general of the army of Hazor, and into the hand of the Philistines, and into the hand of the king of Moab; and they battled them.* [10]*Then they cried out to* HASHEM, *and said, 'We have sinned! For we have forsaken* HASHEM, *and we have worshiped the Baalim and the Ashtaroth; but now, rescue us from the hand of our enemies, and we will worship You.'*

---

be ready to give an account of his actions. In relinquishing his authority, Samuel emphasized his personal probity. It may be that this was also important for the success of his future role, for by asserting his own moral authority and then chastising the people, he meant to stiffen their resolve to remain loyal to God.

1. As Samuel had told them before, their demand for a king was an ungrateful rejection of both Samuel and God (8:7). Here he will admonish them again, but first he points out that he has derived no personal benefit from his lifelong service — to the contrary, his hard work has made him old before his time; he was only fifty years old (*Abarbanel, Malbim*).

2. וּבָנַי הִנָּם אִתְּכֶם — *As for my sons —here they are with you.* Samuel included his sons in the accounting. Just as he did not receive personal benefit from his position, neither did his sons. Despite the people's complaints about them, they are *with the people*, not wealthy aristocrats (*Malbim*). Samuel was challenging the people to back up their charges against his sons.

Alternatively, since Samuel was about to rebuke the nation for having demanded a king, he first wanted to prove that he had no self-serving motives. He began by saying that he was *old and gray*, and therefore had no royal ambitions of his own. As for his still youthful sons, *they are with you,* i.e., they, like the rest of the people, are pledged to the king's service and accepting of his leadership (*Metzudos*).

3-4. אֶת־שׁוֹר מִי לָקַחְתִּי — *Whose ox have I taken*. Samuel echoed Moses' challenge to the followers of Korah, Samuel's ancestor (*Numbers* 16:15). In refuting Korah's argument that Moses had usurped authority, Moses asked the people to back up such a charge. Had he ever taken anything from anyone? Samuel asked the same question and in both cases the answer was the same: the integrity of both leaders was beyond doubt. Samuel asked whether he had ever used anyone else's ox to plow his field or whether he had ever taken a donkey for transportation (*Rashi*). Samuel would have been justified in doing so, because he was entitled to reimbursement for his services. At the very least, he would have had a right to an animal to ride on his rounds from city to city to judge and teach.

5. וַיֹּאמֶר עֵד — *And they said as one, "A witness!"* The singular verb implies that the entire assembly replied in unison [that they accept God and Saul as witnesses to Samuel's integrity]. Alternatively, a Heavenly voice called out this statement. God said that while the people could testify that Samuel took nothing overtly, God would testify that Samuel had done no wrong secretly (*Radak*).

6-12. Samuel reprimands the people. Having elicited their admission that he was innocent of any wrongdoing, Samuel turned the tables, and showed them how *they* were hardly faultless. God had showered the Jewish people with kindness since the time of Abraham, yet they were so ungrateful that they spurned Him and His prophet!

8-12. Samuel reviewed Jewish history, from Jacob's descent to Egypt until Saul's recent victory over Nahash. He stressed that salvation came from God alone, but Jewish downfall always results from Jewish sin, never from God's indifference or antagonism, or from the strength of their enemies. Samuel emphasized that *your forefathers cried out to* HASHEM — they did not ask for a king. Why, therefore, did you think that only a king could save you?!

יא וַיִּשְׁלַח יהוה אֶת־יְרֻבַּעַל וְאֶת־בְּדָן וְאֶת־יִפְתָּח וְאֶת־שְׁמוּאֵל וַיַּצֵּל אֶתְכֶם מִיַּד
יב אֹיְבֵיכֶם מִסָּבִיב וַתֵּשְׁבוּ בֶּטַח: וַתִּרְאוּ כִּי נָחָשׁ מֶלֶךְ בְּנֵי־עַמּוֹן בָּא עֲלֵיכֶם וַתֹּאמְרוּ
יג לִי לֹא כִּי־מֶלֶךְ יִמְלֹךְ עָלֵינוּ וַיהוָה אֱלֹהֵיכֶם מַלְכְּכֶם: וְעַתָּה הִנֵּה הַמֶּלֶךְ אֲשֶׁר
יד בְּחַרְתֶּם אֲשֶׁר שְׁאֶלְתֶּם וְהִנֵּה נָתַן יהוה עֲלֵיכֶם מֶלֶךְ: אִם־תִּירְאוּ אֶת־יהוה
וַעֲבַדְתֶּם אֹתוֹ וּשְׁמַעְתֶּם בְּקֹלוֹ וְלֹא תַמְרוּ אֶת־פִּי יהוה וִהְיִתֶם גַּם־אַתֶּם וְגַם־
טו הַמֶּלֶךְ אֲשֶׁר־מָלַךְ עֲלֵיכֶם אַחַר יהוה אֱלֹהֵיכֶם: וְאִם־לֹא תִשְׁמְעוּ בְּקוֹל יהוה
טז וּמְרִיתֶם אֶת־פִּי יהוה וְהָיְתָה יַד־יהוה בָּכֶם וּבַאֲבֹתֵיכֶם: גַּם־עַתָּה הִתְיַצְּבוּ וּרְאוּ
יז אֶת־הַדָּבָר הַגָּדוֹל הַזֶּה אֲשֶׁר יהוה עֹשֶׂה לְעֵינֵיכֶם: הֲלוֹא קְצִיר־חִטִּים הַיּוֹם
אֶקְרָא אֶל־יהוה וְיִתֵּן קֹלוֹת וּמָטָר וּדְעוּ וּרְאוּ כִּי־רָעַתְכֶם רַבָּה אֲשֶׁר עֲשִׂיתֶם
יח בְּעֵינֵי יהוה לִשְׁאוֹל לָכֶם מֶלֶךְ: וַיִּקְרָא שְׁמוּאֵל אֶל־יהוה וַיִּתֵּן יהוה
יט קֹלֹת וּמָטָר בַּיּוֹם הַהוּא וַיִּירָא כָל־הָעָם מְאֹד אֶת־יהוה וְאֶת־שְׁמוּאֵל: וַיֹּאמְרוּ
כָל־הָעָם אֶל־שְׁמוּאֵל הִתְפַּלֵּל בְּעַד־עֲבָדֶיךָ אֶל־יהוה אֱלֹהֶיךָ וְאַל־נָמוּת כִּי־

רש"י

(יא) ירבעל. זה גדעון: **בדן.** זה שמשון, שמשבט דן בא: **ואת יפתח.** הרי שלשה קלי עולם, עם שלשה חמורי עולם, משה ואהרן ושמואל, לומר לך, הקל בדורו, כחמור בדורו, כל בית דין המתמנה על הדור, צריך לילך אחריו כאלו הוא אביר שבאבירים: **(יד) והיתם גם אתם.** ותתקיימו לאורך ימים גם אתם גם המלך: **(טו) והיתה יד ה' בכם ובאבותיכם.** כלומר והיתה בכם אחר שהיתה באבותיכם. ורבותינו אמרו (יבמות סג, ב), בכם ובאבותיכם, חטוטי שכבי, והיא מכת בזיון על המתים: **(טז) התיצבו וראו וגו'.** וכשם שעל ידי תפלתי אני יכול לשנות את העתים, כך אם פגעה בכם מלחמה, היה כח בתפלתי לעמוד על האויב, ולא הייתם צריכים לשאול מלך בחיי, ואף על פי שאני זקן: **(יז) הלוא קציר חטים היום.** והגשמים סימן קללה, וקשה בעיני הקדוש ברוך הוא להביא פורענות הנס, אף על פי כן יש בי כח, ואקרא אל ה' ויתן קולות ומטר: **ודעו וראו.** כי לא הייתם צריכים לשאול מלך ולזלזל בי:

רד"ק

(יא) ירבעל. הוא גדעון: **ואת בדן.** הוא שמשון וכן תרגם יונתן, ופירוש בדן בן דן כי מן משפחת הדני היה, ואף על פי שהיה אחר יפתח הקדימו ליפתח לפי שהיה גדול ממנו: **ואת שמואל.** ואותי היה לומר אלא כי כן מנהג הלשון במקומות, כמו נְשֵׁי לֶמֶךְ (בראשית ד, כג) וְאֶל מֹשֶׁה אָמַר עֲלֵה אֶל ה' (שמות כד, א), ובדרש (מדרש תהלים צ, ד) אמר רבי אלעזר משום רבי יוסי בן זמרא אף שמואל רבן של נביאים מתנבא ולא היה יודע מה היה מתנבא, שנאמר וַיִּשְׁלַח ה' אֶת יְרֻבַּעַל וְאֶת בְּדָן וְאֶת יִפְתָּח וְאֶת שְׁמוּאֵל, אותי לא אמר אלא ושמואל לפי שלא היה יודע מה היה מתנבא: **(יג) אשר בחרתם אשר שאלתם.** האל"ף בסגול, וכן הֲלֹא שְׁאֶלְתֶּם עוֹבְרֵי דָרֶךְ (איוב כא, כט): **נתן ה' עליכם מלך.** פירוש להושיעכם: **(יד) אם תיראו את ה'. (טו) ובאבותיכם.** כמו ובמלככם, כי האדון לעם כמו האב לבן, וכן אמר וַיְשִׂימֵנִי לְאָב לְפַרְעֹה (בראשית מה, ח), ויונתן תרגם כְּמָא דַהֲוַת בַּאֲבָהַתְכוֹן, ורבותינו זכרונם לברכה פירשו חטוטי דשכיבי, דאמר מר בעון חיים מתים נחטטים, כלומר אם תמרו את פי ה' תהיה יד ה' בכם וגם באבותיכם הממרים שמתו, שיוציאום מקברותיהם לבזיון: **(טז) את הדבר הגדול הזה.** מה דבר גדול היה המטר בעת הקציר פעמים רבות יהיה זה, פירש אדוני אבי זכרונו לברכה כי בארץ ישראל לא היה יורד מטר כלל כל ימי קציר, וזהו שאמר הכתוב הַנֹּתֵן גֶּשֶׁם יוֹרֶה וּמַלְקוֹשׁ בְּעִתּוֹ שְׁבֻעוֹת חֻקּוֹת קָצִיר יִשְׁמָר לָנוּ (ירמיהו ה, כד), וכך אמר בבני רצפה בת איה מִתְּחִלַּת קָצִיר עַד נִתַּךְ מַיִם עֲלֵיהֶם (לקמן־ב כא, י), ואמרו רבותינו זכרונם לברכה (ירושלמי סנהדרין ו, ז) (משבעה) [משׁשה] עשר בניסן עד שבעה עשר במרחשון שהוא עת המטר, ולפי שהיה מטר בקציר חדוש גדול אצלם פחדו מאד ואמרו הִתְפַּלֵּל בְּעַד עֲבָדֶיךָ אֶל ה' אֱלֹהֶיךָ וְאַל נָמוּת (לקמן פסוק יט) ובדברי רבותינו זכרונם לברכה (תענית יב, ב) יצא ניסן וירדו גשמים סימן קללה שנאמר הֲלוֹא קְצִיר חִטִּים הַיּוֹם וגו' (פסוק יז) ועשה כל זה שמואל להודיעם כי רע בעיני ה' היה מה ששאלו מלך, ואף על פי שהם מאמינים לשמואל היה בהם בני בליעל שהיה לבם נקפם בדברי שמואל, כמו שעשו בהמליכו את שאול, ואמרו מַה יֹּשִׁעֵנוּ זֶה (לעיל י, כז), ואף על פי שאמר להם (שם פסוק כד) כי על פי ה' נתנו להם וראו כי נלכד באורים ותומים או בגורל על ידי קלפי, לפיכך עשה להם שמואל אות שיראו כלם ולא יוכלו להכחישו, לפיכך אמר וַיִּירָא כָל הָעָם מְאֹד אֶת ה' וְאֶת שְׁמוּאֵל (לקמן פסוק יט):

מצודת דוד

(יא) וישלח ה' את ירבעל וכו'. עם כי לא היו מולכים בישראל, הציל ה' אתכם על ידיהם, מיד אויביכם היושבים מסביב: **(יב) ותראו.** רצה לומר, אבל אתם כאשר ראיתם שבא עליכם מלחמה, אמרתם לי לא נהיה כאבותינו אשר היה השופט יוצא לפניהם במלחמה, כי אם מלך ימלוך עלינו והוא ילחום מלחמותינו: **וה' וכו'.** אבל ה' הוא מלככם, והוא הלוחם מלחמותיכם עם השופט אשר יהיה, ואם כן הסכלתם עשו בשאלת המלך, כי הלא אמרתם שלא מצאתם בידי מאומה, והלא ראיתם שאין מעצור לה' להושיע ביד השופט, ומבלי מלך: **(יג) ועתה הנה המלך.** אבל עתה מה שעבר אין, כי הלא המלך הנה הוא מולך ועומד: **אשר בחרתם.** רצה לומר, הלא זהו המלך אשר בעבור התשועה שעשה בחרתם בו, אחר אשר שאלתם על המלך והקדוש ברוך הוא הסכים על ידכם והמליכו, חזרתם ובחרתם בו מעצמיכם, ואם כן אחר כל זאת שוב אין להשיב, ומלוך ימלוך: **(יד) אם תיראו.** רצה לומר, אך אם תיראו את ה' וכו', אז כולכם תהיו אחר ה', כי הוא ילך לפניכם למלחמה, ואתם תלכו אחריו: **(טו) יד ה'.** מכת יד ה': **ובאבותיכם.** ובמלכיכם, כי כל שר ומושל נקרא בלשון אב, וכן וַיְשִׂימֵנִי לְאָב לְפַרְעֹה (בראשית מה, ח): **(טז) גם עתה.** רצה לומר, ואם תשיבו לומר, אם שאלת המלך רעה היתה בעיני ה', למה הסכים על ידינו, על זה אשיב לכם, גם עתה אחר שהסכים, הִתְיַצְּבוּ וּרְאוּ וכו', ומזה תשכילו לדעת דרכי ה', אשר ימלא שאלת השואל אף אם היא רעה בעיני ה', וגם אם לשואלה לא לטובה יחשב: **(יז) הלא קציר חטים היום.** ואם כן עתה המטר לקללה תחשב, ואף רעה היא בעיני ה', להביא הקללה בעולם על לא דבר: **אקרא וכו'.** ועם כל זאת כאשר אקרא אל ה' על המטר, ישמע קולי ויתן קולות רעמים ומטר, כי כן ימלא שאלת המבקש, הטובה היא אם רעה: **ודעו.** ובזה דעו שרבה רעתכם וכאשר אמרתי, ואף שהסכים המקום עמכם, כי כן מעשה ה', אבל האמת הוא שעשיתם הרע לעצמכם, וגם רעה היא בעיני ה': **(יח) ויקרא שמואל.** על המטר כאשר אמר: **את ה'.** בעבור חטא שאלת המלך: **ואת שמואל.** על שהמליכו מלך בחייו, וכאלו מאסו בו:

מצודת ציון

(יא) ירבעל. זה גדעון: **בדן.** בן דן, זה שמשון מבני דן: **(יד) תמרו.** מלשון מרי ומרד: **(יז) רבה.** גדולה:

Unjustified fear

[11]So HASHEM sent Jerubaal and Bedan and Jephthah and Samuel, and He rescued you from the hand of your enemies from all around, and you dwelt in security. [12]But when you saw that Nahash, king of the Children of Ammon, came upon you, you said to me, 'No, but a king shall reign over us!' But HASHEM, your God, is your King!

[13]"And now, here is the king whom you have chosen, whom you have requested; and behold, HASHEM has set a king over you. [14]If you will fear HASHEM and worship Him and hearken to His voice and not rebel against the word of HASHEM, then you and the king who reigns over you will remain [following] after HASHEM, your God. [15]But if you do not hearken to the voice of HASHEM, and you rebel against the word of HASHEM, then the hand of HASHEM shall be against you and against your fathers.

A Divine warning

[16]"Even now, stand erect and see this great thing that HASHEM will do before your eyes. [17]Is today not the wheat harvest season? I shall call to HASHEM and He will set forth thunder and rain; then you will recognize and see that your wickedness is great, that which you have perpetrated before the eyes of HASHEM, in requesting a king for yourselves."

[18]Then Samuel called to HASHEM, and HASHEM set forth thunder and rain on that day; and all the people greatly feared HASHEM and Samuel. [19]All the people then said to Samuel, "Pray on behalf of your servants to HASHEM, your God, that we not die; for

---

11. *Jerubaal* is Gideon (*Judges* Chs. 6-9), and *Bedan* is a contraction of *ben Dan*, or son of Dan, referring to Samson, who was from the tribe of Dan (ibid. Chs 13-19). Samuel mentioned Moses, Aaron, and himself, all of whom were very great leaders. In contradistinction to them, he mentioned three judges who were of far-lower stature: Gideon, Samson, and Jephthah. This teaches that whoever the national leader is, his generation must respect him as if he were the equal of those three all-time great leaders and prophets (*Rosh Hashanah* 25b). The leaders are chosen by Divine Providence, but whoever they are, they are suited to their generation. Samuel spoke about himself in third person — *and Samuel* — because he was speaking the words of prophecy without realizing it (*Radak*).

12. Samuel's sequence is difficult. He states that they asked for a king after being imperiled by King Nahash of Ammon — but their request (Ch. 10) came before the danger of Nahash (Ch.11). *Abarbanel* explains that this verse is a new criticism of Israel. After their initial demand and Samuel's chastisement, Nahash came upon the defenseless people of Jabesh. The nation should have realized that this was a Divine message that they had overreached and that they should follow the historic precedent of repentance, and then God would save them, as He had always done. Instead, Samuel implies that even after the dire threat of Nahash, they reiterated their insistence that they needed a king, as if to say that they would rather not repent and rely on a king to fight for them than repent and rely on God.

13-15. Conditions for the king's success. Samuel made clear that God's agreement to give them a king did not mean that the king or the people could exercise independent power. Israel remained the nation of God, and its success was conditioned on obedience to Him, king or no king.

13. Samuel introduced a new element in his description of Saul: not only was he the one whom God had appointed in response to their request, they, too, had *chosen* him, since everyone had rallied to him after his victory over Ammon.

15. וּבַאֲבֹתֵיכֶם — *And against your fathers*. The graves of your parents will be desecrated. Alternatively, the verse can be rendered: *the Land of HASHEM will be against you, just as it was against your fathers* (*Rashi; Targum*). According to *Radak*, as heads of the nation, the kings are referred to figuratively as the people's *fathers* (*Radak*).

16-19. Samuel proves his point. To demonstrate to the people that they were still subject to God, Samuel called for Divine intervention.

16. אֶת־הַדָּבָר הַגָּדוֹל הַזֶּה —*This great thing*. The wheat harvest is in the summer, when it does not rain in *Eretz Yisrael*. Samuel told the people that he would pray for rain, which would not only be an unusual occurrence, but would also cause great damage, because the wheat crop was drying in the field and rain would damage or ruin it.

17-18. Samuel showed that the request for a king was unnecessary and unjustified. Clearly, God responds to prayer, as He would now respond to Samuel's prayer for rain. If so, why did Israel need a king? They could have asked Samuel to pray for them — likewise the gates of prayer are open to everyone; every Jew can pray and if he is worthy, God will respond. Conversely, if the people are not worthy, kings cannot help them.

Abarbanel explains that Samuel's miracle was intended to address an unasked question that he knew was in the minds of many of the people: If it was wrong for them to ask for a king, why did God accede to their request? Samuel answered that sometimes a person can ask for something that is bad for him and God will grant it. As proof, Samuel cried out for rain in the summer, when it is harmful, and God made it happen.

19. The people acknowledged that their request for a king was a new sin, in addition to all the national sins of the past,

כ יָסַפְנוּ עַל־כָּל־חַטֹּאתֵינוּ רָעָה לִשְׁאֹל לָנוּ מֶלֶךְ׃ וַיֹּאמֶר שְׁמוּאֵל
אֶל־הָעָם אַל־תִּירָאוּ אַתֶּם עֲשִׂיתֶם אֵת כָּל־הָרָעָה הַזֹּאת אַךְ אַל־תָּסוּרוּ מֵאַחֲרֵי
כא יהוה וַעֲבַדְתֶּם אֶת־יהוה בְּכָל־לְבַבְכֶם׃ וְלֹא תָּסוּרוּ כִּי ׀ אַחֲרֵי הַתֹּהוּ אֲשֶׁר לֹא־
כב יוֹעִילוּ וְלֹא יַצִּילוּ כִּי־תֹהוּ הֵמָּה׃ כִּי לֹא־יִטֹּשׁ יהוה אֶת־עַמּוֹ בַּעֲבוּר שְׁמוֹ הַגָּדוֹל
כג כִּי הוֹאִיל יהוה לַעֲשׂוֹת אֶתְכֶם לוֹ לְעָם׃ גַּם אָנֹכִי חָלִילָה לִּי מֵחֲטֹא לַיהוה
כד מֵחֲדֹל לְהִתְפַּלֵּל בַּעַדְכֶם וְהוֹרֵיתִי אֶתְכֶם בְּדֶרֶךְ הַטּוֹבָה וְהַיְשָׁרָה׃ אַךְ ׀ יְראוּ אֶת־
כה יהוה וַעֲבַדְתֶּם אֹתוֹ בֶּאֱמֶת בְּכָל־לְבַבְכֶם כִּי רְאוּ אֵת אֲשֶׁר־הִגְדִּל עִמָּכֶם׃ וְאִם־
הָרֵעַ תָּרֵעוּ גַּם־אַתֶּם גַּם־מַלְכְּכֶם תִּסָּפוּ׃

יג א-ב בֶּן־שָׁנָה שָׁאוּל בְּמָלְכוֹ וּשְׁתֵּי שָׁנִים מָלַךְ עַל־יִשְׂרָאֵל׃ וַיִּבְחַר־לוֹ שָׁאוּל שְׁלֹשֶׁת
אֲלָפִים מִיִּשְׂרָאֵל וַיִּהְיוּ עִם־שָׁאוּל אַלְפַּיִם בְּמִכְמָשׂ וּבְהַר בֵּית־אֵל וְאֶלֶף הָיוּ עִם־
ג יוֹנָתָן בְּגִבְעַת בִּנְיָמִין וְיֶתֶר הָעָם שִׁלַּח אִישׁ לְאֹהָלָיו׃ וַיַּךְ יוֹנָתָן אֵת נְצִיב פְּלִשְׁתִּים
אֲשֶׁר בְּגֶבַע וַיִּשְׁמְעוּ פְּלִשְׁתִּים וְשָׁאוּל תָּקַע בַּשּׁוֹפָר בְּכָל־הָאָרֶץ לֵאמֹר

רש"י

(כב) **בעבור שמו הגדול.** אשר יצא שמו עליכם שהוא מושיעכם, ולמען לא יתמעט שם גדלו: **הואיל ה'.** נשבע, כמו וַיֹּאֶל שָׁאוּל אֶת הָעָם (לקמן יד, כד): (כג) **גם אנכי חלילה לי.** מאחר שתעשו אתם את שלכם לשוב אל ה', גם אנכי חלילה לי מחדול מהתפלל בעדכם (א) **בן שנה שאול במלכו.** אמרו רבותינו זכרונם לברכה (יומא כב, ב), כבן שנה, שלא טעם טעם חטא. ויש לפתור, בן שנה שאול במלכו, בשנה ראשונה שהומלך בה, והוא מלך שתי שנים על ישראל, ובשנה ראשונה, מיד, וַיִּבְחַר לוֹ שָׁאוּל שְׁלֹשֶׁת אֲלָפִים: (ג) **את נציב פלשתים.** סרדיוט שהיה להם על ישראל, והושיבוהו בגבעת בנימין:

רד"ק

(כ) **אתם עשיתם את כל הרעה הזאת.** לשאול לכם מלך, אבל אל תיראו אם לא תסורו מאחרי ה', ויונתן תרגם אֵת כָּל הָרָעָה הַזֹּאת על המטר, שתרגם כן אַתּוּן גְּרַמְתּוּן יַת כָּל בִּישְׁתָּא הָדָא, ובמקצת נסחאות אַתּוּן עֲבַדְתּוּן: (כא) **ולא תסורו כי אחרי התהו.** פירוש ולא תסורו מאחרי ה', כי אם תסורו מאחריו ותסורו אחרי התוהו, והם האלילים אשר לא יועילו ולא יצילו אתכם כי תוהו המה, או פירוש ולא תסורו אחרי התוהו כי הם אשר לא יועילו ולא יצילו: (כב) **כי לא יטש.** כי אף על פי שאתם חוטאים לפניו לא יטוש אתכם בעבור שמו הגדול, כלומר כי כבר נשמע בגוים כי רצה בכם להיותכם לו לעם סגולה, ואם לא יסבול אתכם ויגמולכם כחטאתיכם וישחיתכם, הרי כאילו נתמעט שמו בגוים ויאמרו לא יכול להצילם, וכן אמר משה וְאָמְרוּ הַגּוֹיִם אֲשֶׁר שָׁמְעוּ אֶת שִׁמְעֲךָ לֵאמֹר מִבִּלְתִּי יְכֹלֶת ה' וגו' (במדבר יד, טו-טז), וכן אמר יהושע וּמַה תַּעֲשֶׂה לְשִׁמְךָ הַגָּדוֹל (יהושע ז, ט): (כג) **מחטא לה'.** כי אחר שאתם שבים לה' ומתודים על חטאתיכם אהיה חוטא אם לא אתפלל בעדכם: (כד) **יראו את ה'.** האלף אינה נקראת: **הגדל עמכם.** הגדיל עמכם לעשות טובות, או פירושו שהגדיל שנתן קולות ומטר ביום קציר, והדין עליכם שתראו ממנו כי אשר יחפוץ יעשה בכם לטובה או לרעה כפי מעשיכם ולא תחשבו כי אין רואה ומשגיח במעשיכם: (כה) **תרעו.** אם תריעו מעלליכם: **גם אתם גם מלככם.** האחד לרבות על חבירו, וכן גַּם צֹאנְכֶם גַּם בְּקַרְכֶם (שמות יב, לב), ואמר מַלְכְּכֶם שאם לא יוכיח אותם הוא יהיה נענש עליהם: (א) **בן שנה שאול במלכו.** פירוש אז כשהיו הדברים האלה (כ)שדבר שמואל בחידוש המלוכה, שנה היה לו מתחלת מלכותו, ושתי שנים מלך אחר כן, או בין הכל לא מלך אלא שתי שנים כדברי בעל סדר עולם (פרק יג), ויונתן תרגם בֶּן שָׁנָה, כְּבַר שְׁנָה דְלֵית בֵּיה חוֹבִין כֵּן שָׁאוּל כַּד מְלַךְ, וכן פירשו רבותינו זכרונם לברכה (יומא כב, ב), ועוד בדרש (מדרש שמואל יז, א) כי כשמלך נמחלו עונותיו עד אותו היום, ואמרו שלשה נמחלו להם עונותיהם חתן חכם ונשיא, נשיא מניין דכתיב בֶּן שָׁנָה שָׁאוּל בְּמָלְכוֹ וכי בן שנה היה, אלא מה תינוק בן יומו נקי מעון כך היה שאול במלכו נקי מעונותיו ביום שמלך: (ב) **ויבחר לו שאול.** בעודנו בגלגל והיו שם כל ישראל בחדוש המלוכה, בחר לו מהם שלשת אלפים שיהיו עמו במכמש אלפים ועם יהונתן אלף, ויתר העם שלח, ובמסרה מן ריש ספרא עד נֶפֶשׁ יְהוֹנָתָן (לקמן יח, א) איתקרי יונתן בר מן שני יהונתן וַיֹּאמֶר יְהוֹנָתָן אֶל הַנַּעַר (לקמן יד, ו) וַיֹּאמֶר יְהוֹנָתָן הִנֵּה (שם פסוק ח) ומן נֶפֶשׁ יְהוֹנָתָן עד סופו יהונתן: (ג) **את נציב פלשתים.** כבר פירשתיו (לעיל י, ה) ויונתן הרגו כדי למרוד בפלשתים: **אשר בגבע.** גבע אינו גִּבְעַת בִּנְיָמִן (לקמן פסוק טו) כי שני מקומות היו, וכן כתוב בספר יהושע (פרק יח, כד-כח): **ושאול תקע.** צוה לתקוע בכל הארץ, כמו וַיִּבֶן שְׁלֹמֹה אֶת הַבַּיִת (מלכים־א ו, יד), כי שאול לא יוצא מהגלגל:

מצודת דוד

(יט) **על כל חטאתינו.** על החטאים אשר עשינו מאז, הוספנו עוד לעשות הרע בשאלת המלך: (כ) **אתם עשיתם.** רצה לומר, הלא אתם כבר עשיתם ואין להשיב, אך אל תסורו מה', ויכופר העון: (כא) **ולא תסורו וכו'.** לא תסורו מה' ללכת אחרי עבודת גילולים, כי ההליכה ההיא היא ההליכה אחרי התוהו וכו', שאין בהם ממש: (כב) **כי לא יטש ה'.** נתן טעם למה לא ייראו ממה שעשו, ואמר, כִּי לֹא יִטֹּשׁ ה' אֶת עַמּוֹ בַּעֲבוּר שְׁמוֹ הַגָּדוֹל שלא יחולל: **כי הואיל.** רצה לומר, כבר נשמע אשר רצה בכם להיות לו לעם סגולה, ואם יטוש אתכם אף כשתטיבו דרככם מהיום והלאה, יאמרו אז מבלי יכולת עזבם: (כג) **גם אנכי.** רצה לומר, כמו שהמקום יכפר העון הזה, כן גם אנכי אמחול על עלבוני, כי חלילה לי מחטוא לה' להיות אכזרי מלמחול ולחדול מלהתפלל בעדכם, כי באמת אתפלל כאשר אמרתם, אף אלמד אתכם בדרך הטובה: (כד) **אך יראו וכו'.** כי אז תועיל תפלתי: **אשר הגדל עמכם.** אשר הגדיל חסדו עמכם, למחול העון הזה: (כה) **גם אתם וכו'.** רצה לומר, לא תועיל תפלתי, והמלך לא יושיעכם, ואתם לא תעזורוהו, וכולכם תספו: (א) **בן שנה.** רצה לומר, כשנמלך, כלתה שנה מזמן משיחתו, או מוסב למקרא שלאחריו, לומר, בשנה הראשונה בחר לו שלשת אלפים וכו': (ב) **ויהיו עם שאול.** להיות נכונים לשמשו בעת הצורך: **במכמש וכו'.** מהם ישבו במכמש, ומהם בהר בית אל:

מצודת ציון

(כא) **התהו.** הוא דבר שאין בו ממש, כמו וְהָאָרֶץ הָיְתָה תֹהוּ (בראשית א, ב): **יועילו.** מלשון תועלת: (כב) **יטש.** יעזוב: **הואיל.** רצה, כמו וַיּוֹאֶל מֹשֶׁה (שמות ב, כא): (כג) **חלילה.** חולין וגנאי: **והוריתי.** אלמד, כמו יוֹרֶה דֵעָה (ישעיהו כח, ט): (כה) **תספו.** ענין כליון, כמו אָסֹף אֲסִיפֵם (ירמיהו ח, יג): (ב) **ויתר העם.** מותר העם: (ג) **נציב.** ממונה העומד על ישראל [לגבות המס]:

we have added evil upon all of our sins, to request a king for ourselves."

Samuel reassures the people

[20]Samuel said to the people, "Fear not. You have done all this evil — but do not turn away from following HASHEM, rather serve HASHEM with all your heart. [21]Do not turn away for [that would be to] pursue futilities that cannot avail and cannot rescue, for they are futile. [22]For HASHEM shall not forsake His people for the sake of His great Name; for HASHEM has sworn to make you for a people unto Him. [23]And I, also — far be it from me to sin against HASHEM and refrain from praying on your behalf; rather I shall instruct you in the good and proper path. [24]Only fear HASHEM and serve Him faithfully, with all your hearts, for look at how much He has done for you. [25]But if you act wickedly, both you and your king will perish."

13

WAR WITH THE PHILISTINES 13:1-14:52

[1]It was in the first year of Saul's reign (he reigned over Israel for two years) [2]that Saul chose three thousand [troops] from Israel — two thousand were with Saul at Michmas and at Mount Beth-el, and one thousand were with Jonathan at Gibeath-benjamin — and the rest of the people he sent off, each man to his tent.

[3]Jonathan slew the Philistine commissioner in Geba, and the Philistines heard [about it]. Saul had the shofar blown throughout the land, announcing, "Let the

and now they feared that this accumulation of sin might cause their deaths.

20-25. Samuel reassures the people. Samuel comforted the people, saying that they would not die nor be harmed, provided that they and their kings remained faithful to God. God had chosen Israel as His people and He would not forsake them. Nor would Samuel refrain from praying for their welfare, and this assurance applies to all the prophets and leaders of the future: all would intercede and pray on Israel's behalf.

21. **הַתֹּהוּ אֲשֶׁר לֹא־יוֹעִילוּ** — *Futilities that cannot avail.* Samuel warned Israel not to worship idols (*Metzudos*).

22. **בַּעֲבוּר שְׁמוֹ הַגָּדוֹל** — *For the sake of His great Name.* Though Israel may sin, God will not forsake them because that would be a desecration of His Name, lest it be said that he is not capable of saving His Chosen People (*Metzudos*). Moses, too, pleaded with God not to let harm befall Israel, lest His Name be desecrated (*Exodus* 32:12, *Numbers* 14:16).

23-25. Samuel assured the people that he would continue to pray for them; not to do so would be a sin (*Rashi*), even though they slighted him by asking for a king. The Talmud derives from Samuel's promise that anyone in a position to pray for someone else but refrains from doing so is a sinner (*Berachos* 12b).

13.

ⓢ Saul prepares for war with the Philistines. Saul had been a passive, reluctant candidate for the monarchy, but once he assumed the throne he accepted his responsibility to lead and defend the nation. Although the Philistine threat had been relieved under Samuel's leadership (ch. 7), it had not been removed; the aggressive Philistines still controlled part of the country and kept strict controls on the population. Now Saul, with the help of his son Jonathan, was determined to expel them once and for all.

ⓢ Chronology of Saul's reign. According to the Sages (*Seder Olam; Temurah* 14b-15a, *Rashi, Zevachim* 118b), Samuel was the sole judge for ten years; then he shared the leadership with Saul for one year after the anointment; and then Saul reigned alone for two years. [Some commentators wonder how Saul could have crowded so much activity into only two years (see *Ralbag* and *Abarbanel*).] There is a slight difference of opinion between *Seder Olam* and the Talmud. According to the former, the war against Nahash took place during the year of shared leadership, and according to the Talmud, as explained by *Rashi*, it took place during Saul's two years. See *Parshiyos b'Sifrei HaNeviim* for a full discussion.

1-5. The stage is set for war.

1. **בֶּן שָׁנָה שָׁאוּל בְּמָלְכוֹ** — *It was in the first year of Saul's reign.* The following events took place during the first year of Saul's reign (see above). The literal meaning of the verse is *Saul was one year old when he reigned*, which obviously must be taken figuratively. *Targum Yonasan* explains that the verse refers to Saul's righteousness: he was as free of sin as a one-year-old infant (*Rashi*).

2. Saul did not plan to attack the Philistines at this time, which is why he dismissed most of his army. However, since security dictates that king and country not remain defenseless, Saul selected three thousand men for his standing army, and discharged the rest of the force that had defeated Ammon (*Malbim*). This is similar to current practice in many countries, which have a small permanent force and larger numbers of reserves, which are called up in case of hostilities.

3. Jonathan wished to provoke a battle with the Philistines, who would be sure to retaliate after the assassination of their governor. That the Philistines had a force in Geba — which is in the province of Benjamin, far from the Mediterranean coast where the Philistines lived — shows the extent of their penetration *into Eretz Yisrael.*

וְשָׁאוּל תָּקַע בַּשּׁוֹפָר —*Saul had the shofar blown.* Knowing that

ד יִשְׁמְעוּ הָעִבְרִים: וְכָל־יִשְׂרָאֵ֗ל שָׁמְעוּ֙ לֵאמֹ֔ר הִכָּ֤ה שָׁאוּל֙ אֶת־נְצִ֣יב פְּלִשְׁתִּ֔ים
ה וְגַם־נִבְאַ֥שׁ יִשְׂרָאֵ֖ל בַּפְּלִשְׁתִּ֑ים וַיִּצָּעֲק֥וּ הָעָ֛ם אַחֲרֵ֥י שָׁא֖וּל הַגִּלְגָּֽל: וּפְלִשְׁתִּ֞ים
נֶאֶסְפ֣וּ ׀ לְהִלָּחֵ֣ם עִם־יִשְׂרָאֵ֗ל שְׁלֹשִׁ֨ים אֶ֜לֶף רֶ֗כֶב וְשֵׁ֤שֶׁת אֲלָפִים֙ פָּֽרָשִׁ֔ים וְעָ֕ם
כַּח֖וֹל אֲשֶׁ֣ר עַל־שְׂפַת־הַיָּ֑ם לָרֹ֑ב וַֽיַּעֲלוּ֙ וַיַּחֲנ֣וּ בְמִכְמָ֔שׂ קִדְמַ֖ת בֵּ֥ית אָֽוֶן:
ו וְאִ֨ישׁ יִשְׂרָאֵ֤ל רָאוּ֙ כִּ֣י צַר־ל֔וֹ כִּ֥י נִגַּ֖שׂ הָעָ֑ם וַיִּֽתְחַבְּא֣וּ הָעָ֗ם בַּמְּעָר֤וֹת וּבַֽחֲוָחִים֙
ז וּבַסְּלָעִ֔ים וּבַצְּרִחִ֖ים וּבַבֹּרֽוֹת: וְעִבְרִ֗ים עָֽבְרוּ֙ אֶת־הַיַּרְדֵּ֔ן אֶ֥רֶץ גָּ֖ד וְגִלְעָ֑ד
ח וְשָׁאוּל֙ עוֹדֶ֣נּוּ בַגִּלְגָּ֔ל וְכָל־הָעָ֖ם חָרְד֥וּ אַחֲרָֽיו: °וייחל [°וַיּ֣וֹחֶל ק׳] ׀ שִׁבְעַ֣ת יָמִ֗ים
ט לַמּוֹעֵד֙ אֲשֶׁ֣ר שְׁמוּאֵ֔ל וְלֹא־בָ֥א שְׁמוּאֵ֖ל הַגִּלְגָּ֑ל וַיָּ֥פֶץ הָעָ֖ם מֵעָלָֽיו: וַיֹּ֣אמֶר
י שָׁא֔וּל הַגִּ֣שׁוּ אֵלַ֔י הָעֹלָ֖ה וְהַשְּׁלָמִ֑ים וַיַּ֖עַל הָעֹלָֽה: וַיְהִ֗י כְּכַלֹּתוֹ֙ לְהַעֲל֣וֹת הָעֹלָ֔ה
יא וְהִנֵּ֥ה שְׁמוּאֵ֖ל בָּ֑א וַיֵּצֵ֥א שָׁא֛וּל לִקְרָאת֖וֹ לְבָרֲכֽוֹ: וַיֹּ֥אמֶר שְׁמוּאֵ֖ל מֶ֣ה עָשִׂ֑יתָ וַיֹּ֣אמֶר
שָׁא֡וּל כִּֽי־רָאִ֣יתִי כִֽי־נָפַ֣ץ הָעָם֩ מֵעָלַ֨י וְאַתָּ֜ה לֹא־בָ֨אתָ֙ לְמוֹעֵ֣ד הַיָּמִ֔ים וּפְלִשְׁתִּ֖ים
יב נֶאֱסָפִ֥ים מִכְמָֽשׂ: וָאֹמַ֗ר עַ֠תָּה יֵרְד֨וּ פְלִשְׁתִּ֤ים אֵלַי֙ הַגִּלְגָּ֔ל וּפְנֵ֥י יְהוָ֖ה לֹ֣א חִלִּ֑יתִי

רש״י

ישמעו העברים. שמרדנו בפלשתים, וישמרו מהם: **(ד) וגם נבאש ישראל.** נבאש ריחם בפלשתים, לשון שנאה: **אחרי שאול הגלגל.** הוא שאמר לו שמואל וְיָרַדְתָּ לְפָנַי הַגִּלְגָּל (לעיל י, ח): **(ה) קדמת בית און.** במזרח בית און: **(ו) ובחוחים.** מקום קבוצת חוחים, שפינ״י בלע״ז: **ובצרחים.** פלייסי״ן בלע״ז: **ובברות.** גומות: **(ז) עברו את הירדן ארץ גד.** לברוח מפני פלשתים, שהפלשתים היו בארץ כנען בעבר הירדן ימה: **חרדו אחריו.** מהרו ללכת אחריו: **(ח) ויוחל.** המתין: **למועד אשר שמואל.** הרי זה מקרא חסר תיבה אחת, למועד אשר שם שמואל, או למועד אשר לשמואל, ודוגמא לו וּשְׁנֵי אֲנָשִׁים שָׂרֵי גְדוּדִים הָיוּ בֶן שָׁאוּל (שמואל־ב ד, ב), היה לו לכתוב לבן שאול, אף כאן אשר לשמואל, שאמר לו שִׁבְעַת יָמִים תּוֹחֵל עַד בּוֹאִי אֵלֶיךָ (לעיל י, ח): **(ט) הגשו אלי העלה.** זר מותר להקריב בבמה: **(יא) מה עשית.** הלא אמרתי לך הנני יורד אליך להעלות העולה, אני אעלה אותה, ולא אתה: **למועד הימים.** בתחלת היום:

רד״ק

ישמעו העברים. כדי שישמעו וישמרו מפלשתים ועוד שיצאו למלחמה, כי ידע כי כאשר ישמעו פלשתים שנהרג נציבם יאספו להלחם עם ישראל: **(ד) הכה שאול.** כן חשבו השומעים כי שאול הכהו או צוה יהונתן להכותו: **נבאש.** נתעב, כמו שמתעב האדם הדבר המבאיש: **אחרי שאול הגלגל.** כי שם היה עדיין מזמן חדוש המלוכה: **(ו) כי נגש העם.** נדחק בעבור שבא להם הדבר פתאום: **ובחוחים.** במצודות כמו שתרגם יונתן וּבִמְצָדָתָא: **ובצרחים.** במקומות הגבוהים כמו ויבואו אל צריח: **(ז) ועברים עברו.** מקצתם התחבאו ומקצתם עברו את הירדן וברחו שם והשאר חרדו אחרי שאול. וחרדו עניינו התנועעו, כמו וַיֶּחֶרְדוּ זִקְנֵי הָעִיר לִקְרָאתוֹ (לקמן טז, ד), ואמר אֶרֶץ גָּד וְגִלְעָד ולא זכר ארץ ראובן אולי הם הקרובים לירדן: **(ח) וייחל.** כן כתיב וקרי וַיּוֹחֶל, והכתיב כמו וַיָּחֶל עוֹד שִׁבְעַת יָמִים (בראשית ח, י), והקרי ויוחל מבניין הפעיל והענין אחד: **למועד אשר שמואל.** חסר, ורצה לומר למועד אשר אמר שמואל, וכן תרגם יונתן לִזְמְנָא דַאֲמַר לֵיהּ שְׁמוּאֵל: **ויפץ העם מעליו.** פועל עומד, וכן ויפץ העם בכל ארץ מצרים (שמות ה, יב): **(ט) הגשו אלי העלה.** כי שמואל אמר לו שהוא יבא אליו שם לסוף שבעת ימים להעלות עולות לזבוח זבחי שלמים, ואמר לו שִׁבְעַת יָמִים תּוֹחֵל עַד בּוֹאִי אֵלֶיךָ (לעיל י, ח), וכאשר ראה שאול כי לא בא ביום השביעי בבקר להעלות העולה, וכבר הכין העולה והשלמים כמו שאמר לו שמואל, אמר שאול שיגישו אליו העולה והשלמים כי הוא יעלה אותם, וחטא בזה כי היה לו להוחיל כל היום עד הערב, כי הוא בזמנו בא בו ביום כמו שנאמר וַיְהִי כְּכַלֹּתוֹ (להלן פסוק י), אבל בהקריבו קרבן והוא זר לא חטא בזה, כי היתר הבמות היה אז וזר מקריב בבמת יחיד: **(י) לברכו.** לתת לו שלום, כמו כִּי תִמְצָא אִישׁ לֹא תְבָרְכֶנּוּ (מלכים־ב ד, כט), וכן תרגם יונתן לְמִשְׁאַל בִּשְׁלָמֵיהּ: **(יא) מה עשית.** ידע בדרך נבואה כי העלה העולה: **(יב) לא חליתי.** על ידי העולות היתה תפלתם ברוב:

מצודת דוד

(ג) **ישמעו העברים.** רצה לומר, בכדי שישאלו מה זה קול השופר, ידעו על ידי זה להיות נשמרים מן הפלשתים: **(ד) הכה שאול.** אף שיונתן הכהו, יחשב לשאול, כי הוא המלך וכל דבר יקרא על שמו: **נבאש ישראל.** נמאס ישראל בעיני פלשתים, כדרך שממאסין בדבר הנבאש: **ויצעקו.** נאספו אחרי שאול ללכת הגלגל: **(ה) קדמת.** למזרחה של בית און: **(ו) כי נגש העם.** נלחצו מפלשתים: **ויתחבאו.** החביאו את עצמן: **(ז) ועברים עברו.** אמר בלשון הנופל על הלשון, והוא מדרך צחות, ורצה לומר, קצתם מישראל עברו הירדן וברחו לארץ גד וגלעד: **עודנו בגלגל.** ולא ירד עדיין לקראת המלחמה: **וכל העם.** אשר לא נתחבאו ולא ברחו, חרדו ללכת אחריו למלחמה: **(ח) ויוחל.** המתין שבעת ימים מעת בואו אל הגלגל: **למועד אשר שמואל.** כמו למועד אשר אמר שמואל, רצה לומר, להזמן שקבע לו שמואל מאז משחו למלך, כמו שכתוב למעלה (י, ח): **ויפץ העם.** נתפזרו והלכו ממנו: **(י) לברכו.** לתת לו שלום, כן תרגם יונתן: **(יא) מה עשית.** כי הלא אמרתי לך שתוחיל עד בואי, ואני אעלה העולה: **למועד הימים.** לזמן הימים שקבעת: **(יב) עתה ירדו.** הואיל ונאספו, בודאי ירדו ובעל כרחי אלחם עמהם עד לא חליתי פני ה׳ בעת הבאת הקרבן:

מצודת ציון

(ד) ויצעקו. ענין אסיפה הבאה בצעקת המאסף: **(ו) צר.** מלשון צרה: **נגש.** נדחק ונלחץ, כמו נִגַּשׂ וְהוּא נַעֲנֶה (ישעיהו נג, ז): **ובחוחים.** בין הקוצים, כמו כְּשׁוֹשַׁנָּה בֵּין הַחוֹחִים (שיר השירים ב, ב): **ובצרחים.** מגדלים גבוהים, וכן צְרִיחַ בֵּית אֵל (שופטים ט, מו): **(ז) עודנו.** מלשון עוד: **חרדו.** מהרו בחרדה, כמו וַיֶּחֶרְדוּ זִקְנֵי הָעִיר לִקְרָאתוֹ (לקמן טז, ד): **(ח) ויוחל.** ענין המתנה, כמו וַיָּחֶל עוֹד (בראשית ח, י): **(יב) חליתי.** התפללתי, כמו וַיְחַל מֹשֶׁה (שמות לב, יא):

---

the Philistines would take action, Saul sounded the shofar to warn his people to be on guard (*Rashi*), and to let the Jews decide whether they wanted to join him and fight or to flee for their safety (*Ralbag*).

Hebrews hear." [4]*All Israel heard [the announcement], saying, "Saul has slain the Philistine commissioner, and Israel has become despicable in the eyes of the Philistines," and the people were summoned to Saul at Gilgal.* [5]*The Philistines gathered to wage war against Israel, with thirty thousand chariots, six thousand cavalry, and foot-soldiers as numerous as the sand of the seashore. They went up and encamped at Michmas, east of Beth-aven.* [6]*The men of Israel saw that they were in trouble, for the people were hard pressed; and the people hid in caves and in fortresses and in rocks and in towers and in pits.* [7]*Some Hebrews even crossed the Jordan to the land of Gad and Gilead. Saul was still in Gilgal, and all the people [who remained] hurried after him.* [8]*He waited seven days, for the time set by Samuel; but Samuel did not arrive at Gilgal, so the people began to disband from him.* [9]*So Saul said, "Bring me the burnt-offering and the peace-offering!" and he offered up the burnt-offering.* [10]*It was just as he finished offering up the burnt-offering when behold! Samuel arrived, and Saul went forth to greet him.*

Israel is terror-stricken and fails to heed Samuel

[11]*Samuel said, "What have you done?"*

Saul said, "Because I saw that the people were disbanding from me and you had not arrived by the arranged day, and that the Philistines were gathering at Michmas, [12]*and I thought, 'Now the Philistines will descend upon me to Gilgal and I have not supplicated*

יִשְׁמְעוּ הָעִבְרִים — *Let the Hebrews hear.* The unusual term *Hebrews* is found three times in this narrative, here, verse 7, and 14:21. They were Jews who sided with the Philistines out of fear (*Rashi*, 14:21), or they lived in Philistia and were forced to join the Philistine army (*Radak* ibid.). The Philistines referred to them, perhaps contemptuously, as Hebrews, rather than as Israelites. Though they were allied with the Philistines, for whatever reason, Saul felt responsible for their safety and wanted them warned, since they were the most convenient targets for Philistine wrath. They escaped from the Philistines, but were afraid to join the battle against them. Instead, they fled across the Jordan (v. 7).

4-5. The perception was that either Saul had done it or that Jonathan had acted on his father's instructions (*Radak*). Meanwhile, the Philistines mobilized a huge, intimidating army, intending not only to get revenge, but to impose a more humiliating regime than ever on their weaker neighbor.

6-10. The wait and the fear. Here for the first time we learn that Samuel's instruction to Saul (10:8) referred to the prepar-ations for this battle. Saul and his men were to wait seven days until Samuel arrived to bring an offering to God. Meanwhile most of the terrified populace hid or fled. Saul's army waited for Samuel, but when he did not appear, many of the soldiers grew desperate and began to desert Saul. Perhaps they felt that Saul had reverted to his earlier timidity or that he realized that the Philistine army was too overwhelming for his forces.

7. אֶרֶץ גָּד וְגִלְעָד — *To the land of Gad and Gilead.* This area of Trans-Jordan was directly across the Jordan from Gilead.

9-10. As it emerges from the narrative, Samuel's command to wait for a full seven days was a test of Saul's obedience and strength. Had Samuel arrived earlier and told the people that the time of the offering was not yet at hand, they would surely have remained calm, because they had faith in God's prophet. The test was whether Saul would have the moral strength to obey even as he saw his already outnumbered army melting away. Evaluating his military plight and the ebbing morale of his army, Saul decided to bring the offering himself. The decision to set aside Samuel's command was not easy for him; but he felt compelled by circumstances to do so, as he said to Samuel (v. 12): *I fortified myself* before bringing the offering.

That Saul, an Israelite, performed the service was not a sin, as *Rashi* explains, for a non-Kohen is permitted to bring an offering on a private altar [*bamah*], and such altars were permitted after the destruction of the Tabernacle at Shiloh.

Samuel arrived before Saul had time to offer the peace-offering. Thus, it was a matter of only minutes that cost Saul his throne.

11-15. Samuel condemns Saul's error. Saul's action was un-derstandable and he articulated his reasoning to Samuel: He feared that the Philistines might attack before he had a chance to pray for God's help, and thus his army and even nation would be endangered. Nevertheless, he was held accountable for not obeying the explicit command of God's prophet. Had Saul confessed his mistake instead of rationalizing, he might not have lost his throne (*Sefer Chochmah u'Mussar* Ch. 139). King David also sinned, but when the prophet Nathan confronted him, he immediately confessed and was forgiven (*II Samuel* 12:13). Nothing stands in the way of repentance.

11-12. Samuel exclaimed, *"What have you done?"* This was not so much a question as an expression of shock that Saul could have ignored the command of the one who had anointed him as king. Saul gave a rational explanation for his conduct, but Samuel was not satisfied.

12. וּפְנֵי ה' לֹא חִלִּיתִי — *And I have not supplicated before Hashem.* Saul's faith in God is amazing. He was sure the Philistines were about to attack, and his troops were deserting

יג וָאֶתְאַפַּק וָאַעֲלֶה הָעֹלָה׃ וַיֹּאמֶר שְׁמוּאֵל אֶל־שָׁאוּל נִסְכָּלְתָּ לֹא שָׁמַרְתָּ
אֶת־מִצְוַת יהוה אֱלֹהֶיךָ אֲשֶׁר צִוָּךְ כִּי עַתָּה הֵכִין יהוה אֶת־מַמְלַכְתְּךָ אֶל־יִשְׂרָאֵל
יד עַד־עוֹלָם׃ וְעַתָּה מַמְלַכְתְּךָ לֹא־תָקוּם בִּקֵּשׁ יהוה לוֹ אִישׁ כִּלְבָבוֹ וַיְצַוֵּהוּ יהוה
טו לְנָגִיד עַל־עַמּוֹ כִּי לֹא שָׁמַרְתָּ אֵת אֲשֶׁר־צִוְּךָ יהוה׃ וַיָּקָם שְׁמוּאֵל וַיַּעַל
מִן־הַגִּלְגָּל גִּבְעַת בִּנְיָמִן וַיִּפְקֹד שָׁאוּל אֶת־הָעָם הַנִּמְצְאִים עִמּוֹ כְּשֵׁשׁ מֵאוֹת אִישׁ׃
טז וְשָׁאוּל וְיוֹנָתָן בְּנוֹ וְהָעָם הַנִּמְצָא עִמָּם יֹשְׁבִים בְּגֶבַע בִּנְיָמִן וּפְלִשְׁתִּים חָנוּ
יז בְמִכְמָשׂ׃ וַיֵּצֵא הַמַּשְׁחִית מִמַּחֲנֵה פְלִשְׁתִּים שְׁלֹשָׁה רָאשִׁים הָרֹאשׁ אֶחָד יִפְנֶה
יח אֶל־דֶּרֶךְ עָפְרָה אֶל־אֶרֶץ שׁוּעָל׃ וְהָרֹאשׁ אֶחָד יִפְנֶה דֶּרֶךְ בֵּית חֹרוֹן וְהָרֹאשׁ אֶחָד
יט יִפְנֶה דֶּרֶךְ הַגְּבוּל הַנִּשְׁקָף עַל־גֵּי הַצְּבֹעִים הַמִּדְבָּרָה׃ וְחָרָשׁ לֹא יִמָּצֵא
בְּכֹל אֶרֶץ יִשְׂרָאֵל כִּי־אמר [אָמְרוּ ק] פְלִשְׁתִּים פֶּן יַעֲשׂוּ הָעִבְרִים חֶרֶב אוֹ חֲנִית׃
כ וַיֵּרְדוּ כָל־יִשְׂרָאֵל הַפְּלִשְׁתִּים לִלְטוֹשׁ אִישׁ אֶת־מַחֲרַשְׁתּוֹ וְאֶת־אֵתוֹ וְאֶת־קַרְדֻּמּוֹ

רש״י

(יב) ואתאפק. נתחזקתי על רצוני, שהיה לבי אומר להמתין לך, על כרחי העמדתי את לבי ואעלה העולה: **(יג) כי עתה.** לפני עשותך זאת: **הכין ה׳ את ממלכתך... עד עולם.** שכשפוסקין לו גדולה לאדם, פוסקין לו ולדורותיו (מגילה יג, ב): **(יד) ועתה ממלכתך לא תקום.** שכן אמר משה בתורה וּלְבִלְתִּי סוּר מִן הַמִּצְוָה יָמִין וּשְׂמֹאול לְמַעַן יַאֲרִיךְ יָמִים וגו׳ (דברים יז, כ), הא אם סר, לא יאריך ימים, ואם תאמר לא על מצות נביא נאמר, אלא על מצות התורה, הרי כבר נאמר לִשְׁמֹר אֶת כָּל דִּבְרֵי הַתּוֹרָה הַזֹּאת (שם פסוק יט), ואחר כך, לְבִלְתִּי רוּם לְבָבוֹ וּלְבִלְתִּי סוּר מִן הַמִּצְוָה, אפילו ממצות נביא: **(טו) הנמצאים עמו.** כי העם נפוצו מעליו, ואלו נשתיירו: **(יח) גי הצבעים.** שמצויין בו הצבועים, הוא ששנינו (בבא קמא טז, א), רבי מאיר אומר, אף הצבוע. ותרגם יונתן, אַפְעַיָא. וכן פירשו רבותינו זכרונם לברכה (בבא קמא טז, א), צבוע זה אפעה, מין שרץ רע ומזיק: **(יט) וחרש לא ימצא.** לא היה מצוי בתחלת מלכות שאול, כי הפלשתים המושלים בישראל, העבירו כל חרשי ברזל מישראל, פן יעשו כלי זיין להלחם: **(כ) וירדו כל ישראל הפלשתים.** וכשהיו ישראל צריכין לחרשי ברזל ללטוש אתים וקרדומות ומחרישות, היו זקוקים לירד אל ארץ פלשתים: **מחרשתו.** סו״ק בלע״ז: **אתו.** קולטר״א בלע״ז: **קרדמו.** בשגו״ר בלע״ז:

רד״ק

ואתאפק. התחזקתי ועברתי על רצוני ועל מצותך, כי כל לשון התאפקות לחזק לבו לעבור על רצונו: **(יג) נסכלת.** כי כבר ראית מה שאמרתי לך ולישראל הכל מתקיים, ועתה כי לא האמנת שאבא בזמני כפרת בי ובנבואתי ולא שמרת את מצות ה׳ אלהיך אשר צוך על ידי שאני אמרתי לך ולישראל בשמו וְלֹא תַמְרוּ אֶת פִּי ה׳ (לעיל יב, יד), והנה אתה מרית את פיו כי מה שאני אומר פיו ודברו הוא, ואני אמרתי לך שתוחל לי להעלות העולות, וכאשר לא עשית כן ופחדת כדבריך הנה מרית את פי ה׳ וסלקת בטחונו מלבך, כי חשבת שלא תושע אתה וישראל אם תוחיל עוד: **אל ישראל.** כמו על ישראל, וכן וַיַּמְלִכֵהוּ אֶל הַגִּלְעָד (לקמן־ב ב, ט): **(יד) בקש ה׳ לו איש כלבבו.** ברוח נבואה אמר לו זה, אבל לא ידע שמואל עדיין מי הוא: **(טו) ויקם שמואל.** ושאול עמו, וכאשר היה בגבע בנימן ופקד העם הנמצאים עמו לא היו עמו אלא כשש מאות איש כי נפץ העם מעליו: **(יז) ויצא המשחית.** בני חיל הגבורים אוחזי חרבות ורמחים בידם כי הם המשחיתים: **אל ארץ שועל.** תרגם יונתן לְאַרְעָא דָרוֹמָא כמו שתרגם בְּאֶרֶץ שַׁעֲלִים (לעיל ט, ד) גם כן בארעא דרומא: **(יח) על גי הצבעים.** כתרגומו לְחֵילַת אַפְעַיָא, וכן בדברי רבותינו זכרונם לברכה (בבא קמא טז, א) רבי מאיר אומר אף הצבוע, ואמרו צבוע זה אפה, ופירוש אפה אפעה כי כן מנהגם להסתיר אותיות הגרון, ונקרא האפעה צבוע לפי שעשוי בגוונים ובמיני הצבעים: **(יט) וחרש לא ימצא.** יש לתמוה איך לא היו חרשי ברזל בישראל רבים, ויש לפרש לפי שפלשתים משלו בישראל שנים רבות כי אף בימי שמשון מושיע ישראל אמרו הֲלֹא יָדַעְתָּ כִּי מֹשְׁלִים בָּנוּ פְּלִשְׁתִּים (שופטים טו, יא), ואף על פי שבימי שמואל נכנעו פלשתים ושבו הערים אשר לקחו פלשתים מישראל לישראל, אף על פי כן מעט אשר זקן שמואל תחת ממשלתם היו, והיו להם נציבים בארץ ישראל אף בימי שמואל כמו שכתוב (לעיל י, ה), ובעת משלם והיתה ידם תקיפה עליהם הורידו פלשתים כל חרשי ברזל מן העברים לארץ פלשתים, ולא השאירו בארץ ישראל חרש ברזל אף לתקן כלי אומנות וכלי חרישה, כי אמרו פלשתים פן יעשו העברים חרב או חנית וימרדו בנו, מנהג כל ישראל בימים ההם לרדת ארץ פלשתים לתקן כלי אומנות וכלי חרישה, ואפשר כי היו בארץ ישראל חרבות ורמחים וחניתות מאותם אשר נעשו קודם הזמן ההוא אבל מעטים היו, ובמלחמה הזאת לא נמצא חרב וחנית ביד השש מאות אשר נשארו עם שאול וביד האלף אשר עם יהונתן, כמו שאמר אֲשֶׁר אֶת שָׁאוּל וְאֶת יוֹנָתָן (פסוק כב), ובלתי כלי זיין לא יתכן להם אבל היו בידם קשתות ומקלי יד וקלעים, ורוב הגבורים ואנשי חיל באותו הזמן בחצים ובאבנים היתה מלחמתם

מצודת דוד

ואתאפק. לזה התחזקתי לעבור על רצוני ולבל המתן עוד, ואעלה העולה לחלות את פני ה׳ בעת העלותי, עד לא ירדו פלשתים: **(יג) נסכלת.** עשית סכלות במה שלא המתנת כל היום עד בואי: **את מצות ה׳.** כי דבר ה׳ היא, ולא מאלי אמרתי: **כי עתה.** אם משמר היית מצות ה׳, אז עתה בזה הזכות היה ה׳ מכין מלכותך עד עולם: **(יד) ועתה.** הואיל ולא שמרת, לא תתקיים ממלכתך: **בקש ה׳ לו.** בעשותך זאת, בקש ה׳ לו איש העושה כלבבו ושומר מצותיו: **ויצוהו ה׳.** גזר עליו שהוא יהיה לנגיד: **(טו) ויקם שמואל.** ושאול היה נמשך אחריו: **הנמצאים עמו.** מאותן שלא נפוצו מעליו: **(טז) ישבים.** היו מתעכבים בגבע: **(יז) המשחית.** הם אחוזי חרב מלומדי מלחמה המשחיתים בעם: **(יח) הנשקף.** גבול ההוא היה נראה להעומד על גי הצבועים: **המדברה.** מוסב על הדרך, לומר שהדרך יפנה המדברה: **(יט) פן יעשו וכו׳.** ולזה לא הניחו להיות בהם חרש ברזל: **(כ) וירדו.** רצה לומר, ומאז כשהיו צריכים ללטוש דבר מה, היו יורדים אל ארץ פלשתים, ללטוש שם אצל החרש:

מצודת ציון

ואתאפק. ואתחזק, כמו וְלֹא יָכֹל יוֹסֵף לְהִתְאַפֵּק (בראשית מה, א): **(יג) נסכלת.** מלשון סכלות וטפשות: **(יז) ראשים.** חלקים: **(יח) הנשקף.** ענין הבטה, כמו בְּעַד הַחַלּוֹן נִשְׁקְפָה (שופטים ה, כח): **גי.** עמק: **הצבעים.** בה היו צבועים, ואמרו רבותינו זכרונם לברכה (בבא קמא טז, א) שהוא אפעה, והוא בעל גוונים מחולפים כמנין ימות החמה, ולזה קרוי צבוע: **(יט) וחרש.** אומן ברזל: **(כ) ללטוש.** לחדד, כמו לֹטֵשׁ כָּל חֹרֵשׁ (בראשית ד, כב): **מחרשתו.** כלי המחרישה: **אתו.** שם כלי עשויה לחפור בו, כמו וְכִתְּתוּ חַרְבוֹתָם לְאִתִּים (ישעיהו ב, ד). ובדברי רבותינו זכרונם לברכה (עירובין עז, ב, ועוד) קרויה, מרא: **קרדמו.** גרזן, כמו אֶת הַקַּרְדֻּמּוֹת (שופטים ט, מח):

before HASHEM,' so I fortified myself and offered up the burnt-offering."

Samuel admonishes Saul severely

[13]Samuel said to Saul, "You have acted foolishly! You did not keep the commandment of HASHEM, your God, that He commanded you. [Until] now HASHEM would have established your kingdom over Israel forever, [14]but now your kingdom shall not endure. HASHEM has sought a man after His own heart and HASHEM appointed him as ruler over His people, because you have not observed that which HASHEM has commanded you." *[15]Then Samuel arose and went up from Gilgal to Gibeath-benjamin.*

Saul mobilizes his outnumbered, poorly armed soldiers

Saul counted the people who were [still] found with him: about six hundred men. [16]Saul and his son Jonathan and the people who were found with them were staying in Geba-benjamin, while the Philistines were encamped at Michmas. [17]A raiding party went forth from the Philistine camp in three companies — one company turned toward the road to Ophrah, to the land of Shual; [18]one company turned toward the road to Beth-horon; and one company turned toward the road of the border, which overlooks the Valley of the Zeboim, toward the desert.

[19]Now there was no smith to be found anywhere in the entire Land of Israel, for the Philistines said, "Lest the Hebrews produce a sword or spear." [20](So all the Israelites would have to go down to the Philistines, each man to sharpen his plow and his spade, his axe

רד"ק

כמו שנאמר בספור גבורי דוד מַיְמִינִים וּמַשְׂמִאלִים בָּאֲבָנִים... בַּקָּשֶׁת (דברי הימים־א יב, ב) ונאמר במלחמת מואב וַיָּסֹבּוּ הַקַּלָּעִים וַיַּכּוּהָ (מלכים־ב ג, כה) ונאמר בדוד וְקַלְעוֹ בְיָדוֹ (לקמן יז, מ), ואף על פי כן חסרון גדול היה אצלם כשלא היו נמצאים אצלם חרבות וחניתות, והיה הספור הנה כי לא נמצא חרב וחנית ביד כל העם כי אם ביד שאול ויהונתן, להודיע כי לא בחרב וחנית יושיע ה׳ ולה׳ לבדו התשועה, כי ישראל היו בלא חרב וחנית ולא היו אלא אלף ושש מאות איש, ופלשתים היו שלשים אלף רכב וששת אלפים פרשים ועם כחול הים, והיתה תשועה גדולה ביום ההוא עד כי נסו פלשתים מפני ישראל והכום ישראל מכה גדולה: **כי אמר**. כן כתיב וקרי אמרו, והכתיב על דרך כלל והקרי על דרך פרט: (כ) **וירדו כל ישראל הפלשתים**. פירוש ארץ פלשתים, וכן תרגם יונתן לְאַרְעָא פְלִשְׁתָּאֵי: **ללטוש**. לחדד: **מחרשתו**. הוא כלי ברזל שחורשין בו ויונתן תרגם פְּרָשֵׁיהּ וכן תרגם בְּמַלְמַד הַבָּקָר (שופטים ג, לא) בפרשיה דתורא: **אתו**. הוא הכלי שחופרין בו, ויונתן תרגם סִיכַת פַּדָּנֵיהּ רצה לומר יתד השוורים והוא יתד ברזל, אולי היה להם יתד שמכניסין בעול לחבר שני השוורים יחד לפיכך תרגם פַּדָּנֵיהּ, כי פדנא דתורי הנזכר בגמרא (בבא קמא צו, ב) פירושו צמד בקר, וכן תרגם צֶמֶד בָּקָר (לעיל יא, ז) פַּדַּן דְּתוֹרֵי, וגם אותו הכלי צריך לחדדו בראשו האחד, ושמעתי כי בלשון ישמעאל קורין למחרישה סכא: **קרדמו**. הוא הכלי שחוטבין בו העצום, ותרגם יונתן כּוּלְבֵיהּ, ובבראשית רבה (פרשה לח, י) וְנָבְלָה שָׁם שְׂפָתָם (בראשית א, ז) משפתם אעשה נבלה, הוה אמר חד לחבריה אייתי לי כולב חד ומייתי ליה מגרופי הוה מחי ליה ופצע מוחיה, ויש מפרשים כולב צבת כי כן נקרא בלשון ערבי כולא"ב, ויש שקוראים התרגום כולכי בכ"ף גם האחרונה וכן נמצא במקצת הנוסחאות:

him — but he would not do battle before offering his supplications to God through the offering.

13. Samuel replied that logic is insufficient to violate the command of God. Saul's logic was "foolish" because logic cannot change reality, and the word of God is the highest form of reality.

עַד־עוֹלָם — *Forever.* This would seem to contradict Jacob's blessing to Judah that kingship would remain forever with his tribe. Had Saul not forfeited his role, he and his descendants might have had a limited, subservient share of monarchy, or have been viceroys under the Davidic kings (*Ramban, Genesis* 49:10). Alternatively, the term עַד עוֹלָם may be rendered *for a long time,* though not permanently (*Ralbag*).

14. Saul's justification was logical, but not adequate for a king. A Jewish leader must be strong enough to resist public opinion and, most of all, he must obey the word of God as conveyed by His prophet.

מַמְלַכְתְּךָ לֹא־תָקוּם — *Your kingdom shall not endure.* Saul was not actually stripped of his kingship at that time; he was merely informed that it would not last.

בִּקֵּשׁ ה׳ לוֹ אִישׁ כִּלְבָבוֹ — *HASHEM has sought a man after His own heart.* Samuel knew that God had chosen Saul's successor, but he did not know as yet who it was (*Radak*).

15. וַיָּקָם שְׁמוּאֵל — *Then Samuel arose.* This in itself was a stinging rebuke: Samuel stood up and left, as if he had no further reason to remain with Saul, nor did Samuel offer the peace-offering.

Left unsaid is that Saul accompanied Samuel to Gibeath-benjamin, as the next verse indicates. By this time, the vast majority of Saul's army had deserted. He was left with only six hundred virtually unarmed men, while the Philistines had fifty times as many chariots, ten times as many cavalry, and countless foot soldiers (v. 5).

16-23. The battle nears, with Saul's army hopelessly overmatched. The Philistines began probing sorties, the prelude to an all-out attack. Meanwhile, Saul's tiny force was not only outnumbered, but they were lacking swords and spears. It is a testimony to Saul's personal greatness that despite Samuel's rebuke and the desertions of his troops, he did not lose heart and continued to carry out his responsibility to defend his people. Saul continued this trait to the very end of his tragic life (see Ch. 31).

19. וְחָרָשׁ לֹא יִמָּצֵא — *Now there was no smith to be found.* It seems strange that the land could be so denuded of such necessary artisans, especially since Samuel had subdued

כא וְאֶת מַחֲרַשְׁתּוֹ׃ וְהָיְתָה הַפְּצִירָה פִים לַמַּחֲרֵשֹׁת וְלָאֵתִים וְלִשְׁלֹשׁ קִלְּשׁוֹן
כב וּלְהַקַּרְדֻּמִּים וּלְהַצִּיב הַדָּרְבָן׃ וְהָיָה בְּיוֹם מִלְחֶמֶת וְלֹא נִמְצָא חֶרֶב וַחֲנִית בְּיַד
כג כָּל־הָעָם אֲשֶׁר אֶת־שָׁאוּל וְאֶת־יוֹנָתָן וַתִּמָּצֵא לְשָׁאוּל וּלְיוֹנָתָן בְּנוֹ׃ וַיֵּצֵא
יד א מַצַּב פְּלִשְׁתִּים אֶל־מַעֲבַר מִכְמָשׂ׃ וַיְהִי הַיּוֹם וַיֹּאמֶר יוֹנָתָן
בֶן־שָׁאוּל אֶל־הַנַּעַר נֹשֵׂא כֵלָיו לְכָה וְנַעְבְּרָה אֶל־מַצַּב פְּלִשְׁתִּים אֲשֶׁר
ב מֵעֵבֶר הַלָּז וּלְאָבִיו לֹא הִגִּיד׃ וְשָׁאוּל יוֹשֵׁב בִּקְצֵה הַגִּבְעָה תַּחַת הָרִמּוֹן
ג אֲשֶׁר בְּמִגְרוֹן וְהָעָם אֲשֶׁר עִמּוֹ כְּשֵׁשׁ מֵאוֹת אִישׁ׃ וַאֲחִיָּה בֶן־אֲחִטוּב אֲחִי
אִיכָבוֹד ׀ בֶּן־פִּינְחָס בֶּן־עֵלִי כֹּהֵן יְהוָה בְּשִׁלֹה נֹשֵׂא אֵפוֹד וְהָעָם לֹא יָדַע כִּי
ד הָלַךְ יוֹנָתָן׃ וּבֵין הַמַּעְבְּרוֹת אֲשֶׁר בִּקֵּשׁ יוֹנָתָן לַעֲבֹר עַל־מַצַּב פְּלִשְׁתִּים

רש״י

מחרשתו. פישוייר״א בלע״ז: **(כא) והיתה הפצירה פים למחרשת.** והיתה להם לאותם שהיה להם טורח לרדת אל הפלשתים ללטוש, היתה הפצירה פים לימ״א בלע״ז, שיש לה הפצר פיות, כלומר פיות וחידודים הרבה, היתה להם לחדד המחרשת והאתים: **ולשלש קלשון.** מזלג עשוי כמין עתר, שקורין פורק״א, ולו שלש שינים: **ולהציב הדרבן.** לחדדו בראש לנועצו ולהציבו בתוך המרדע: **(כב) ותמצא לשאול.** על ידי נס: **(כג) מצב פלשתים.** דרך אנשי צבא לעשות מהם מצב ומשחית, הם הפושטים ורצים אחר השלל אל העיר, שקורין גנבי״ל בלע״ז: **מצב.** הם נציבים לשמור שלא יצאו מן העיר משחיתים בהם: **אל מעבר מכמש.** הפלשתים היו חונים במכמש, ומכמש בהר, וישראל בעיר ששמה גבע. וגבע היתה בראש ההר, ושני הרים היו זה כנגד זה, והגיא ביניהם, כמו שאמור בענין. ומצב פלשתים נגש אל עבר מכמש שאצל גבע, אל הגיא שביניהם: **(א) מעבר הלז.** כל הלז ולזה שבמקרא, אינו לשון הזה, אלא לשון דבר שכנגדו, והוא מראהו באצבע, ובלע״ז אינו לשון ליס״ט בלע״ז, אלא ליי״ל בלע״ז: **מעבר הלז.** גי שני ההרים: **(ב) בקצה הגבעה.** בסוף הגבעה: **(ג) נשא אפוד.** אורים ותומים: **(ד) ובין המעברות אשר בקש יונתן לעבר.** כן היה עשוי, שן הסלע היה מהעבר מזה לבין המעברות מזה, ושן הסלע לבין המעברות מזה. הגיא הוא קרוי בין המעברות, והיה לו סלע מכאן, וסלע מכאן, זה בעברו מזה, וזה בעברו מזה, והגיא בין שני העברים, אותו הגיא בקש יונתן לעבור:

רד״ק

מחרשתו. כלי אומנות מן חָרַשׁ עֵצִים (ישעיהו מד, יג) חָרַשׁ אֶבֶן (שמות כח, יא), ויונתן תרגם עוּשְׁפֵּיא, וכן תרגם לַמַּחֲרֵשֹׁת (פסוק כא), לְעוּשְׁפַיָּא, ובמשנת מסכת כלים (פרק יג, ג) קרדום שנטל עשפו טמא מפני בית בקועו נטל בקועו טמא מפני עשופו נשבר מקופו טהור, נראה מדעת המתרגם כי גם מחרשתו הוא כלי המחרישה שחורשים בו שעושין הגדודים בארץ והוא החרישה ותרגם עוּשְׁפֵּיא לפי שהוא דומה לצד החד של הקורדום, כי לקורדום שני פיות האחד חד והאחד רחב והרחב בוקעים בו עצים ברוב והוא הנקרא במשנה בית בקועו, והצד החד שלו בו בוקעים גם כן לפעמים והוא הנקרא במשנה עושפו והוא דומה למחרישה בחדודו, לפיכך אמרו במשנת מסכת ביצה (פרק ד, ג) אין מבקיעין לא בקרדום ולא במגל, ואמרו בגמרא (דף לא, ב) לא בקרדום לא שנו אלא בנקבת שלו והוא הצד הרחב שבוקעין בו ברוב לפיכך אין מבקעין בו ביום טוב שנראה כמלאכת חול, אבל בזכרות שלו מותר והוא הצד החד שלו לפי שאין דרך לבקוע בו ברוב, ופירוש מקופו הנזכר במשנה הוא נקב הקרדום שנכנסת בו יד הקרדום, ופירושו כמו נקב המחט שנקרא קופא: **(כא) הפצירה פים.** שתי מילות, ופירוש פצירה, רבה, מלשון וַיִּפְצַר בּוֹ (בראשית לג, יא) שהוא רבוי דברים ותחנונים, ופירוש פים, פיות, רצה לומר רבת פיות כלומר שיש לה חדודים הרבה, והוא הנקרא בלשון התרגום שופינא ובלע״ז לימ״א ומחדדין בה כל כלי ברזל, ואומר כי בפציר הפים היו מחדדים כליהם מי שלא היה לו פנאי לרדת בארץ פלשתים ללטוש הכלי: **ולשלש קלשון.** הוא כלי ברזל יש לו שינים ומסלקין בו הזבל והתבן ושם הכלי קלשון, ובאמור לשלש קלשון כאילו אמר קלשון שלש השינים, וקורין לו בלע״ז פורק״א, ויונתן תרגם מצילת קַצריא דִי לָהּ תְּלַת שִׁנַּיִן, וקצרא הוא תרגום כובס ורצה לומר כי אותו הכלי הוא שיש לו שינים ומותחין בו הכובסין הבגדים אחר כביסתן: **ולהקרדמים.** נכתבה בו ה״א הידיעה עם למ״ד השימוש כמשפטו שלא כמנהג, כי אם מעטים נמצאים כמוהו כמו לְהַגְּדוּד אֲשֶׁר בָּא אֵלָיו (דברי הימים־ב כה, י) לְהָעָם הַזֶּה (שם י, ז) והדומים להם: **ולהציב הדרבן.** כולו קמץ לבן נפתלי ולבן אשר הבי״ת בפתח והדלי״ת לשניהם מעמדת בגעיא, ופירוש הַדָּרְבָן הוא מחט המלמד, כי העץ נקרא מלמד והמחט התחוב בתוכו שדוקר בו הבקר נקרא דרבן, כמו שאמרו במשנה (כלים ט, ו) מלמד שבלע את הדרבן, ופירוש לְהַצִּיב לסדרו בראשו ולהעמידו בתוך המלמד, ויונתן תרגם וּלְאַנְצָבָא זָקֳתָ: **(כב) והיה ביום מלחמת.** מוכרת כמו משמרת כי יבא זה המשקל סמוך ומוכרת, ופירוש והיה כן היה בכל יום שהיו עורכים מלחמה אלה עם אלה לא נמצא חרב וחנית ביד כל העם אלא ביד שאול וליהונתן ועל הדרך הזה תרגם יונתן וַהֲוָה בְּיוֹמָא דִקְרָבָא לָא מִשְׁתְּכַח חַרְבָּא, ובדרש (במדבר רבה י, א) מהו ותמצא לשאול ויהונתן, אף בידם לא היה אלא שהמלאך המציאה להם: **(כג) ויצא מצב פלשתים.** פירוש

מצודת דוד

(כא) והיתה וכו׳. רצה לומר, ומי שלא רצה לרדת לפלשתים, היה לוטש בעצמו את המחרשות וכו׳, עם הכלי הקרויה פְּצִירָה פִּים, העשויה בהרבה פיות וחריצים, ונוח ללטוש בה: **(כב) והיה ביום מלחמת.** בעת שנלחמו עם פלשתים: **ולא נמצא חרב.** כי לא היה בישראל חרש ברזל לעשותם: **ותמצא.** אבל לשאול וליונתן, להם לבדם נמצא חרב וחנית: **(כג) אל מעבר מכמש.** מהעבר מזה, להתקרב אל הגבעה מקום שאול ויונתן. **(א) נשא כליו.** כלי מלחמתו: **ונעברה.** נתקרב אל המצב העומד בהעבר הפונה אלינו: **(ב) אשר במגרון.** שם מקום בקצה הגבעה: **והעם.** רצה לומר, העם אשר היו כשש מאות איש, גם המה שמה ישבו עמו: **(ג) אחי איכבוד.** אחיטוב היה אחי איכבוד: **כהן ה׳ בשלה.** חוזר על עלי, שהיה הכהן גדול בהיות שם המשכן: **נשא אפוד.** הוא כולל גם לחושן עם האורים ותומים, ועל אחיה חוזר: **(ד) ובין המעברות.** כי פלשתים חנו במכמש בהר, וישראל חנו למולם בגבעה, והגי שביניהם קרוי בין המעברות, שהוא בין מעבר וצד מחנה פלשתים, ובין מעבר מחנה ישראל, ואמר וּבֵין הַמַּעְבְּרוֹת, רצה לומר, הגיא אשר בקש יונתן לעבור בו להתקרב למחנה פלשתים, היה בו שן הסלע מעבר גבעה, ושן הסלע מעבר וצד מכמש:

מצודת ציון

מחרשתו. כלי אומנות, כמו חָרַשׁ עֵצִים (ישעיהו מד, יג): **(כא) הפצירה.** ענין רבוי, כמו וַיִּפְצַר בָּם, שהוא מרבית דברי פתוי (בראשית יט, ג): **פים.** פיות, ורצה לומר חריצים וחדודים: **למחרשות.** הם כלי אומנות: **ולשלש קלשון.** שם כלי ברזל, עשויה לסלק בה הזבל, והיא בעלת שלש שינים, וכאלו אמר קלשון בעלת שלש: **ולהציב הדרבן.** רצה לומר לחדד הדרבן, להציבו ביושר בתוך מלמד הבקר, והוא המקל שמלמד בו הבקר לחרישה, והמחט שבראשו קרוי דרבן, וכן דִּבְרֵי חֲכָמִים כַּדָּרְבֹנוֹת (קהלת יב, יא): **(כג) מצב.** תרגם יונתן, אִסְטַרְטִיג, וכמו כן תרגם על נְצִיב פְּלִשְׁתִּים (לעיל פסוקים ג־ד), והוא ענין פקידות ושלטנות: **אל מעבר.** אל צד: **(א) הלז.** הזה, כמו מָה הַצִּיּוּן הַלָּז (מלכים־ב כג, יז): **(ד) המעברות.** מלשון עבר וצד: **על מצב.** כמו אל מצב:

and his hoe. [21]*There was a multigrooved file that they used to [sharpen] hoes, spades, three-pronged pitchforks, and axes, and for setting the peg of an ox-goad.)* [22]*Thus it was on the day of war that there was not to be found sword or spear in the possession of any of the people who were with Saul and Jonathan; but they could be found with Saul and Jonathan his son.* [23]*A Philistine garrison went forth towards the Michmas Pass.*

14

Jonathan's secret foray

[1]*It happened one day that Jonathan son of Saul said to the attendant who bore his armor, "Come, let us cross over to the Philistine garrison that is on the other side," but he did not tell his father.*

[2]*Saul was staying at the outskirts of Gibeah, under the pomegranate tree that is in Migron, along with the people who were with him, about six hundred men,* [3]*and Ahijah, son of Ichabod's brother Ahitub, son of Phinehas, son of Eli the Kohen of HASHEM at Shiloh, who wore the Ephod. The people did not know that Jonathan had gone.*

[4]*Between the passes that Jonathan wanted to cross to the Philistine garrison there*

רד"ק

שרי החיל, וכן תרגם יונתן אִסְטַרְטִיג, וכן תרגם נְצִיב (לעיל פסוק ד) נְצִיבִים (לקמן־ב ח, ו), ופירושו שרים, ובבראשית רבה (פרשה ג, ו) וַיַּבְדֵּל אֱלֹהִים בֵּין הָאוֹר וּבֵין הַחֹשֶׁךְ (בראשית א, ד) רבי יוחנן וריש לקיש משל למלך שהיו לו שני אסטרטיגין אחד שליט ביום ואחד בלילה, ויצא זה המצב כי כלם חנו במכמש ונפרד זה המצב ממחנה פלשתים ובא לו אל מעבר אחר ממכמש להתקרב אל הגבעה אשר היו שם שאול ויהונתן: **(ב) כשש מאות איש.** הלא אמר זה וַיִּפְקֹד שָׁאוּל אֶת הָעָם הַנִּמְצְאִים עִמּוֹ כְּשֵׁשׁ מֵאוֹת אִישׁ (לעיל פרק יג, טו), אם כן למה חזר ואמר עוד, אלא להודיע כי לא נוספו בהם עוד, ואף על פי שהיה להם להלחם עם הפלשתים אשר חנו שם כנגדם להלחם הושיעם האל: **(ג) אחי אי כבוד.** לפי שנזכר איכבוד (לעיל ד, כא) ולא נזכר אחיטוב לפיכך אמר אחי אי כבוד, או בעבור שנקרא שמו כן על גלות הארון (שם), והיה אביו אז עם הארון במחנה ונכשלו ישראל בעון הכהנים ובעונם, אבל במלחמה הזאת שהיה אחיה נושא אפוד והיה טוב לפני ה׳, היה הדבר בהפך והיתה תשועה גדולה בישראל: **כהן ה׳ בשלה.** על עלי אמר שהיה כהן ה׳ בשילה, ואחיה זה היה שם במחנה עם ארון האלהים נושא אפוד, והוא כלל החושן והאורים והתומים כי בהם שאלו הַגִּישָׁה אֲרוֹן הָאֱלֹהִים (לקמן פסוק יח) נִקְרְבָה הֲלֹם אֶל הָאֱלֹהִים (לקמן פסוק לו), ולפיכך היה ספור זה הנה להודיע כי עדיין לא החלה קללת עלי שהרי מבני בניו היה נושא אפוד, כי לא חלה הקללה ההיא עד שהוקם צדוק כהן גדול (מלכים־א ב, לה) כמו שפירשתי (לעיל ב, לה): **והעם לא ידע.** פירוש העם אשר עם יהונתן, כי מן הנראה כי שני ראשים היו ישראל למלחמה הזאת, האחד שאול עם העם אשר עמדו עמו, ויונתן נפרד עם נושא כליו מן העם אשר אתו בלא דעתם, לפיכך אמר וְהָעָם לֹא יָדַע, כי אילו ידע היו הולכים עמו:

the Philistines and retaken the cities they had conquered. During the Philistines' long domination, which began before Samson's time, they had indeed subjugated large portions of the country. Samuel reversed this situation, but when he became old, they reasserted themselves and, with clever strategy, purged the country of smiths who could have forged weapons. That is why the Jews were reduced to begging the Philistines to sharpen and repair simple farming tools. The Jews, however, did have bows and slings, which were important weapons in those days (*Radak*).

22. וַתִּמָּצֵא לְשָׁאוּל וּלְיוֹנָתָן בְּנוֹ — *But they could be found with Saul and Jonathan his son.* These weapons were provided miraculously (*Rashi*), either by an angel or by God Himself (*Midrash Shmuel* 17). Saul deserved this miracle because he was careful always to have a knife for kosher slaughter, so that his soldiers would have kosher meat (*Vayikra Rabbah* 25:8).

14.

⇐§ Jonathan's miracle. With the help of only his attendant, Jonathan son of Saul brought about an astounding victory over the massive Philistine army. Through this undeniable miracle, Scripture teaches that God, not weapons, grants salvation (*Ralbag*). By implication, this also explains why Samuel could not accept Saul's logical explanation for violating the prophet's command. Saul was right in strategic terms, but God's wisdom transcends logic.

1-7. Jonathan's initiative. Jonathan, whose daring assassination of the Philistine commissioner precipitated the imminent attack, once again went off on his own. He acted because he was convinced that nothing stands in God's way if He wishes to save Israel (*Metzudos*). He did not tell his father because his faith in God was so great that he was confident he would succeed (*Chomas Anach*); or because he did not intend to attack, only to scout the fringes of the Philistine camp (*Malbim*).

2. Even though it has already been said that Saul had six hundred men (13:15), it is repeated to say that no new people came to join him, even though he was now preparing for battle (*Radak*). Or it may be repeated to emphasize the extent of the miracle.

3. Saul had instructed that the Kohen Gadol wearing his eight vestments be brought to the battlefield. One of those vestments was the *Ephod,* which included the *Urim v'Tumim,* which could reveal the will of God, in response to the Kohen Gadol's questions. Ahijah, the Kohen Gadol, was a great-grandson of Eli; the curse against his family had not yet gone into effect.

Radak suggests that Scripture chose to mention Ichabod, whose name memorialized the catastrophe (4:21), to show the contrast between the events of the past and those of the present. When God wished to help Israel, no odds were too great, but when He did not wish to do so, even when victory seemed to be in their grasp as in the time of Eli, the Philistines won a sweeping victory and captured the Ark.

וְהָעָם לֹא יָדַע — *The people did not know.* Had Jonathan's men known that he was going, they would have joined him (*Radak; Ralbag*).

שֵׁן־הַסֶּלַע מֵהָעֵבֶר מִזֶּה וְשֵׁן־הַסֶּלַע מֵהָעֵבֶר מִזֶּה וְשֵׁם הָאֶחָד בּוֹצֵץ וְשֵׁם
ה הָאֶחָד סֶנֶּה׃ הַשֵּׁן הָאֶחָד מָצוּק מִצָּפוֹן מוּל מִכְמָשׂ וְהָאֶחָד מִנֶּגֶב מוּל
ו גָּבַע׃ וַיֹּאמֶר יְהוֹנָתָן אֶל־הַנַּעַר ׀ נֹשֵׂא כֵלָיו לְכָה וְנַעְבְּרָה אֶל־
מַצַּב הָעֲרֵלִים הָאֵלֶּה אוּלַי יַעֲשֶׂה יהוה לָנוּ כִּי אֵין לַיהוה מַעְצוֹר לְהוֹשִׁיעַ
ז בְּרַב אוֹ בִמְעָט׃ וַיֹּאמֶר לוֹ נֹשֵׂא כֵלָיו עֲשֵׂה כָּל־אֲשֶׁר בִּלְבָבֶךָ נְטֵה לָּךְ הִנְנִי
ח עִמְּךָ כִּלְבָבֶךָ׃ וַיֹּאמֶר יְהוֹנָתָן הִנֵּה אֲנַחְנוּ עֹבְרִים אֶל־
ט הָאֲנָשִׁים וְנִגְלֵינוּ אֲלֵיהֶם׃ אִם־כֹּה יֹאמְרוּ אֵלֵינוּ דֹּמּוּ עַד־הַגִּיעֵנוּ אֲלֵיכֶם
י וְעָמַדְנוּ תַחְתֵּינוּ וְלֹא נַעֲלֶה אֲלֵיהֶם׃ וְאִם־כֹּה יֹאמְרוּ עֲלוּ עָלֵינוּ וְעָלִינוּ כִּי־
יא נְתָנָם יהוה בְּיָדֵנוּ וְזֶה־לָּנוּ הָאוֹת׃ וַיִּגָּלוּ שְׁנֵיהֶם אֶל־מַצַּב פְּלִשְׁתִּים וַיֹּאמְרוּ
יב פְלִשְׁתִּים הִנֵּה עִבְרִים יֹצְאִים מִן־הַחֹרִים אֲשֶׁר הִתְחַבְּאוּ־שָׁם׃ וַיַּעֲנוּ אַנְשֵׁי
הַמַּצָּבָה אֶת־יוֹנָתָן ׀ וְאֶת־נֹשֵׂא כֵלָיו וַיֹּאמְרוּ עֲלוּ אֵלֵינוּ וְנוֹדִיעָה אֶתְכֶם
דָּבָר וַיֹּאמֶר יוֹנָתָן אֶל־נֹשֵׂא כֵלָיו עֲלֵה אַחֲרַי כִּי־נְתָנָם יהוה בְּיַד

רש״י

שן הסלע. שם שן האחד בוצץ, ושם השני סֶנֶה: **(ה) מצוק מצפון.** משופע ועולה מצד צפון אל מכמש: **מול גבע.** שממנה יצא יהונתן: **(ט) דמו.** המתינו, כמו שֶׁמֶשׁ בְּגִבְעוֹן דּוֹם (יהושע י, יב); וכן דּוֹם לַה׳ (תהלים לז, ז), אם כה יאמרו, דומו ונעלה אליכם, שעתם מצלחת ולבם רם עליהם: **(י) ואם כה יאמרו עלו עלינו.** פחד הקדוש ברוך הוא בלבם, ויראים לזוז ממקומם: **(יב) ויענו.** לשון הרמת קול:

רד״ק

(ד) ושם האחד בוצץ ושם האחד סנה. כן היה שמם לא נודע אצלינו ענין השמות, אלא שיונתן תרגם בוצץ מַשְׁרוּעִיתָא מקום חלקלק מדברי רבותינו זכרונם לברכה (בבא קמא כט, א) בשרעתא דנהרא, ותרגומו כַּחֲלַקְלַקּוֹת בָּאֲפֵלָה (ירמיהו כג, יב) במשרעא בְּקִבְלָה, ותרגם סנה מַדְרוֹכִיתָא פירוש מקום דרוך: **(ה) מצוק מצפון.** מעמד מצד צפון כנגד הפלשתים שהיו במכמש, והאחד מצד דרום כנגד ישראל שהיה בגבע, ויונתן עבר בין שני הסלעים האלה, ויונתן תרגם מָצוּק מִסְתַּכְיָא, ותרגום מִצְפָּה (בראשית לא, מט) סָכוּתָא: **(ט) דמו עד הגיענו.** המתינו, וזה שאמר יהונתן לאות ולסימן אמר, כמו שאמר וְזֶה לָּנוּ הָאוֹת (פסוק י), כי אם יאמרו עלו עלינו פיהם הכשילם כי אנחנו נעלה והם ירדו, וזה אינו נחש האסור, ואם היה אסור לא היה הקדוש ברוך הוא עוזרו בהליכה ההיא, אבל הוא וכיוצא בו הוא קול דברים ישמע אדם ויחזק לבו כי הם סימן ואות על המעשה, ואל יטעה אותך מה שנמצא בדברי חכמינו זכרונם לברכה (חולין צה, ב) אמר רב כל נחש שאינו כאליעזר עבד אברהם וכיונתן בן שאול אינו נחש, כי אינו אומר שיהיה אותו נחש אסור כמו שפירשוהו רבים, כי הנה אלו המנחשים בחולדה ובעופות אינו כנחש אליעזר וכיונתן והוא היה אסור כמו שאמרו רבותינו זכרונם לברכה (סנהדרין סו, א) לֹא תְנַחֲשׁוּ (ויקרא יט, כו) אלו המנחשים בחולדה ובעופות ובכוכבים, והאומר פתו נפלה מפיו, מקלו נפל מידו, צבי הפסיקו, עורב קורא לו, שועל מימינו ונחש משמאלו, אל תתחיל בי שחרית הוא, ראש חודש הוא, מוצאי שבת הוא, הנה אלו הדברים וכיוצא בהן שנהגו בהן בעלי הדיעות הרעות וקבעום חק ומנהג עליהם וחושבים כי הם המטיבים והמריעים זה הוא שאסרה התורה, אבל אם ירצה אדם לעשות מעשה ויעשה דבר אחד לאות וסימן למעשה ההוא כדי לחזק לבו ולעורר לבו לדבר ההוא, זה הדבר מותר, כי אילו היו עושים רע בדבר הזה אליעזר ויהונתן לא היה עונה אותן הקדוש ברוך הוא כהוגן ומסייע את מעשיהם ועוזרם, והנה רב בעל המאמר הזה שאמר כל נחש שאינו כנחש אליעזר ויונתן אינו נחש, הוא בעצמו היה עושה כנחש שלהם כמו שאמר (חולין צה, ב) רב בדיק במברא, ואמר רב הוה אזיל לבי רב נחמן חתניה ואמר אי מברא אתא לאפאי יומא טבא לגו, וכן אמר שמואל הוה בדיק בינוקא, רבי יוחנן בדיק בינוקא, פירוש שהיה אומר לתינוק אמור לי פסוקך שאתה קורא בו כשהיה רוצה להתחיל שום מעשה או דרך, אבל המאמר ההוא שאמר רב כך פירושו, כל נחש וסימן שהוא אינו עושה אותו סימן לעצמו מתחילה כמו שעשה אליעזר ויהונתן אינו נחש וסימן, ואין לסמוך עליו או לחוש ממנו אם יבא מאליו, לפיכך הקשה לו למה לא אכל מההיא סעודה, מפני שהניחו כולם הבשר ויצאו לקראתו חשב זה לסימן כי הסעודה ההיא לא תהיה לברכה מפני שהניחוה, ומה סימן ונחש היה לו בזה כיון שמתחלה לא שם לבו לזה והא אמר רב כל נחש שאינו כנחש אליעזר ויהונתן אינו נחש ואין לסמוך עליו ואין לחוש ממנו, אם כן רב למה חשש בזה הדבר, ולפיכך אמרו רבותינו זכרונם לברכה בית תינוק ואשה אף על פי שאין נחש יש סימן, כלומר אף על פי שאינו נחש כנחש שסומכין עליו, יש קצת סימן בדבר לשמח לבו ולחזקו אם יהיה לטוב, ואם יהיה לרע יש לדאוג ממנו ולבקש רחמים ממנו מלפני הקדוש ברוך הוא, ופירוש בית אם בנה בית חדש ויארע לו מאורע טוב או רע סמוך לחנוך הבית, וכן אם יולד לו ילד או לקח אשה בזה הדרך, ואמרו והוא דאתחזק תלתא זמני אז ראוי לסמוך עליו, אף על פי שבא מאליו ולא עשהו סימן בתחלה, אבל הנחש שעשהו סימן מתחלה לא שאלו בו שלש פעמים אלא בפעם ראשונה לבד יש סימן, וסמכו השלש פעמים על מה שאמר יעקב אבינו יוֹסֵף אֵינֶנּוּ וְשִׁמְעוֹן אֵינֶנּוּ וְאֶת בִּנְיָמִן תִּקָּחוּ

מצודת דוד

(ה) מצוק מצפון. מקום מצבו היה מצפון הגיא מול מכמש: **מנגב.** מקום מצבו מנגב: **(ו) ויאמר וכו׳.** היא האמירה הנאמר למעלה (פסוק א), ולפי שהפסיק הענין, נאמר שוב, כאומר נחזור לענין הראשון: **אולי יעשה וכו׳.** קצר ולא אמר מה הדבר אשר יעשה, ומאליו יובן שרצה לומר דבר הצריך, והיא התשועה: **ברב.** הן ברב עם הן במעט, כי הכל שוה אצלו: **(ז) נטה לך.** לעבור אליהם: **הנני עמך.** מוכן אני ללכת עמך כרצונך: **(ח) ונגלינו.** נגלה את עצמנו אליהם, ואז נעשה בחינה: **(ט) דמו.** המתינו במקומכם עד נבוא אליכם: **ועמדנו.** אז נעמוד במקומנו, ולא נעלה להלחם: **(י) עלו עלינו.** שהלשון הזה מורה שיהיה לנו עליה והתגברות: **ועלינו.** אז נעלה להלחם, כי בודאי נתנם ה׳ בידנו, ופיהם הכשילם לדבר כן: **(יא) מן החרים.** כי חשבו שהמה מן הנחבאים במערות: **(יב) אנשי המצבה.** אנשי המושל המצב: **ונודיעה אתכם דבר.** אמרו בדרך לעג והלצה כדרך שהבריות אומרים:

מצודת ציון

שן הסלע. בולט היה כשן: **(ה) מצוק.** מוצב, וכן וַיַּצִּקוּ אֶת אֲרוֹן (שמואל־ב טו, כד): **מול.** נגד: **(ו) מעצור.** ענין מניעה, כמו עֲצָרַנִי ה׳ מִלֶּדֶת (בראשית טז, ב): **(ח) ונגלינו.** מלשון גלוי: **(ט) כה.** כן: **דמו.** המתינו, כמו שֶׁמֶשׁ בְּגִבְעוֹן דּוֹם (יהושע י, יב): **הגיענו.** מלשון הגעה: **תחתינו.** במקומינו: **(יא) החרים.** מלשון חור ונקב: **(יב) ויענו.** ענין אמירה:

was a rocky precipice on one side and a rocky precipice on the other side; one was named Bozez and the other was named Seneh. [5]One precipice jutted out on the north, facing Michmash, and the other was on the south, facing Geba.

[6]Jonathan said to the attendant, his armor-bearer, "Come, let us cross over to the garrison of these uncircumcised ones. Perhaps HASHEM will act on our behalf, for nothing prevents HASHEM from saving, whether through many or through few." [7]His armor-bearer said to him, "Do whatever is in your heart. Choose your direction; I am with you as you desire." [8]Jonathan said, "Behold! — we are crossing over to the men, and we will show ourselves to them. [9]If they say this to us, 'Halt until we reach you!' we will stay where we are and not go up to them. [10]But if they say this: 'Come up to us!' then we will go up, for HASHEM will have delivered them into our hand, and that will be our sign!"

Jonathan formulates an omen

[11]So the two of them showed themselves to the Philistine garrison, and the Philistines the said, "Look! The Hebrews are emerging from the holes where they were hiding!" [12]The men of the garrison called out to Jonathan and his armor-bearer, saying, "Come up to us! We have something to tell you!" Jonathan then said to his armor-bearer, "Come up after me, for HASHEM has delivered them into the hand of

The signal to advance

רד"ק

(בראשית מב, לו), ואלה המקרים באו לו משנולד בנימין לפיכך חשש בדבר, וכן אמר יוסף הצדיק הֲלֹא (אתם) יְדַעְתֶּם כִּי נַחֵשׁ יְנַחֵשׁ אִישׁ אֲשֶׁר כָּמֹנִי (שם מד, טו), כלומר אדם כמוני יחשב סימן רע אם יאבד ממנו הגביע אשר הוא שותה בו, לפיכך אמר הֲלוֹא זֶה אֲשֶׁר יִשְׁתֶּה אֲדֹנִי בּוֹ וְהוּא נַחֵשׁ יְנַחֵשׁ (שם שם, ה), וכן נִחַשְׁתִּי וַיְבָרְכֵנִי ה׳ בִּגְלָלֶךָ (שם ל, כז), וכן וְהָאֲנָשִׁים יְנַחֲשׁוּ (מלכים־א ב, לג) כל זה הוא לשון סימן ואות על הדבר לא נחש ולא קסם, ואמרו רבותינו זכרונם לברכה (מגילה לב, א) מכאן שמשתמשין בבת קול שנאמר וְאָזְנֶיךָ תִּשְׁמַעְנָה דָבָר מֵאַחֲרֶיךָ לֵאמֹר זֶה הַדֶּרֶךְ לְכוּ בוֹ כִּי תַאֲמִינוּ וְכִי תַשְׂמְאִילוּ (ישעיהו ל, כא) ואמרו (מגילה לב, א) קל גברא במתא וקל איתתא בדברא, ומה נחזור אחרי ספורי הגמרא וסמכי הפסוקים, והנה פסוק מפורש נעשה כמעשה יונתן על פי הנבואה, נאמר לגדעון וְשָׁמַעְתָּ מַה יְדַבֵּרוּ וְאַחַר תֶּחֱזַקְנָה יָדֶיךָ (שופטים ז, יא): **(יב) אנשי המצבה.** כמו מַצַּב פְּלִשְׁתִּים (לעיל יג, כג) שפירשנו, ויונתן תרגם אֱנָשֵׁי מַטַּרְתָּא, כלומר הנצבים סביב המחנה ששומרים המחנה:

4. *Malbim* suggests a reason why Scripture provides the apparently needless information about the names of the precipices. They were so large and prominent that they were even given names of their own.

6. הָעֲרֵלִים הָאֵלֶּה — *These uncircumcised ones*. It is noteworthy that the Philistines, more than any other nation, are regularly called *uncircumcised* (*Judges* 14:3, 15:8, *I Samuel* here, 17:26,36, 31:4, *II Samuel* 1:20). The word עָרְלָה [*orlah*], *foreskin*, meaning the flesh that is removed by circumcision, always refers to a barrier standing in the way of a beneficial result. For example, resistance to repentance is referred to as the *orlah*, or barrier, of the heart [עָרְלַת הַלֵּב], because the person's habits and desires impede him from aspiring to come closer to God. So, too, the foreskin symbolizes the barrier between man and holiness. The Philistines had seen miracles in the not-too-distant past, when they were severely punished for their treatment of the captured Ark. In the future, too, they would not learn from the momentous miracle that was about to take place in this battle, through Jonathan. Thus, they typify the "barrier," the lack of circumcision, that made them implacable enemies of God and Israel, and they earn the pejorative *uncircumcised ones*.

8-10. The omen. Jonathan proposed an omen that would show him and his attendant whether they should charge and fight or if they should retreat to their camp. Many commentators note that *Leviticus* 19:26 and *Deuteronomy* 18:10 seem to forbid such omens. See *Chullin* 95b; *Rambam, Hil. Avodas Kochavim* 11:4, et al. A full discussion is beyond the scope of this commentary, but we offer the comment of *R' Nissim* to *Chullin* 95b: Omens are forbidden if they have no logical bearing on the decision at hand; for example, walking under a ladder or a black cat crossing one's path. But if someone says that he will go somewhere only if it does not rain, that is simply an exercise of common sense. In Jonathan's case, he reasoned that if the Philistines would not advance against the intruders, that meant that they were afraid of ambush. If so, they lacked confidence, and an army that is not sure of itself is vulnerable. But if they ordered the intruders to halt and came down to investigate, it meant that they had no fear, and if so they were a powerful force.

11-19. Jonathan attacks. The omen portended exactly the result that Jonathan hoped for, for he and his armor-bearer began the rout of the Philistines.

11-12. The Philistines reacted at first by mocking the "cowardly" Jews, but this bravado gave way to caution, as they told the intruders to come forward. *Abarbanel* comments that when Jonathan heard them using the exact words that he had specified, he knew that God was behind their response and that victory was at hand.

יג יִשְׂרָאֵל: וַיַּעַל יוֹנָתָן עַל־יָדָיו וְעַל־רַגְלָיו וְנֹשֵׂא כֵלָיו אַחֲרָיו וַיִּפְּלוּ לִפְנֵי יוֹנָתָן
יד וְנֹשֵׂא כֵלָיו מְמוֹתֵת אַחֲרָיו: וַתְּהִי הַמַּכָּה הָרִאשֹׁנָה אֲשֶׁר הִכָּה יוֹנָתָן וְנֹשֵׂא
טו כֵלָיו כְּעֶשְׂרִים אִישׁ כְּבַחֲצִי מַעֲנָה צֶמֶד שָׂדֶה: וַתְּהִי חֲרָדָה בַמַּחֲנֶה בַשָּׂדֶה
וּבְכָל־הָעָם הַמַּצָּב וְהַמַּשְׁחִית חָרְדוּ גַּם־הֵמָּה וַתִּרְגַּז הָאָרֶץ וַתְּהִי לְחֶרְדַּת
טז אֱלֹהִים: וַיִּרְאוּ הַצֹּפִים לְשָׁאוּל בְּגִבְעַת בִּנְיָמִן וְהִנֵּה הֶהָמוֹן נָמוֹג וַיֵּלֶךְ
יז וַהֲלֹם: וַיֹּאמֶר שָׁאוּל לָעָם אֲשֶׁר אִתּוֹ פִּקְדוּ־נָא וּרְאוּ מִי הָלַךְ מֵעִמָּנוּ
יח וַיִּפְקְדוּ וְהִנֵּה אֵין יוֹנָתָן וְנֹשֵׂא כֵלָיו: וַיֹּאמֶר שָׁאוּל לַאֲחִיָּה הַגִּישָׁה אֲרוֹן הָאֱלֹהִים
יט כִּי־הָיָה אֲרוֹן הָאֱלֹהִים בַּיּוֹם הַהוּא וּבְנֵי יִשְׂרָאֵל: וַיְהִי עַד דִּבֶּר שָׁאוּל אֶל־הַכֹּהֵן
וְהֶהָמוֹן אֲשֶׁר בְּמַחֲנֵה פְלִשְׁתִּים וַיֵּלֶךְ הָלוֹךְ וָרָב וַיֹּאמֶר שָׁאוּל
כ אֶל־הַכֹּהֵן אֱסֹף יָדֶךָ: וַיִּזָּעֵק שָׁאוּל וְכָל־הָעָם אֲשֶׁר אִתּוֹ וַיָּבֹאוּ עַד־הַמִּלְחָמָה
כא וְהִנֵּה הָיְתָה חֶרֶב אִישׁ בְּרֵעֵהוּ מְהוּמָה גְּדוֹלָה מְאֹד: וְהָעִבְרִים הָיוּ לַפְּלִשְׁתִּים
כְּאֶתְמוֹל שִׁלְשׁוֹם אֲשֶׁר עָלוּ עִמָּם בַּמַּחֲנֶה סָבִיב וְגַם־הֵמָּה לִהְיוֹת עִם־

רש"י

(יג) **על ידיו ועל רגליו.** כלומר בכל כח ומרולה: (יד) **כבחצי מענה צמד שדה.** בתוך שיעור מדת קרקע, מלא חצי מענה של מחרישת צמד בקר החורשת בשדה: **מענה.** הוא תלם המחרישה, שקורין ריי"א בלע"ז, וגבורה גדולה היא זו, שהיו קרובים זה לזה, ונכונים לעזור זה את זה: (טז) **הצופים לשאול.** הצופים אשר היו לשאול בגבעת בנימן, צופים; איסקאגט"ש בלע"ז: **והנה ההמון.** של פלשתים, נמוג ממקומו וילך, וקרב הלום לצד ישראל: **נמוג.** כמו (נד ונע) [נָע וָנָד] (בראשית ד, יב): (יז) **פקדו.** לשון פקידה, כמו וַתִּפְקְדֶנּוּ לִבְקָרִים (איוב ז, יח): (יח) **הגישה ארון האלהים.** אורים ותומים: **כי היה ארון האלהים ביום ההוא.** המקרא חסר תיבה אחת, כי היה ארון האלהים שם ביום ההוא: (כא) **והעברים היו לפלשתים.** בעזרתם, מחמת יראה מתמול שלשום, והיום נהפכו גם המה עם חבריהם, להיות בעזרת אחיהם:

רד"ק

(יג) **על ידיו ועל רגליו.** אולי היתה המעלה קשה לעלות ברגליו לבד וסמך גם בידיו, ונראה כי דרכו אליהם היה דרך הסלע ששמו בּוֹצֵץ שתרגם יונתן מַשְׁרוּעִיתָא והיה חלקלק, לפיכך היה צריך לסמוך על ידיו ועל רגליו שלא ימעדו רגליו בדרך החלקלק, ויש מפרשים על ידיו ורגליו על דרך משל כלומר בכל כחו עלה עליהם: **ויפלו לפני יונתן.** היו נופלים לפניו ונושא כליו ממותת אחריו, וכן תרגם יונתן וּנְפָלוּ כד טעינין חרבא קֳדָם יוֹנָתָן: (יד) **כבחצי מענה צמד שדה.** הוא שיעור מהלך צמד הבקר בחרשו, ובכדי מקום שהיה חצי השיעור הזה הכה כעשרים איש, וכן תרגם יונתן כְּבֵית פַּלְגוּת מַהֲלַךְ פַּדַן דְתוֹרַיָא בְּחַקְלָא, וכ"ף כְּבַחֲצִי כ"ף השיעור וכן כ"ף כְּעֶשְׂרִים אִישׁ: **צמד שדה.** רצה לומר צמד בקר בשדה: (טו) **המצב והמשחית.** פירשנום (לעיל יג, יז), לפיכך אמר גַּם הֵמָּה כי הם אוחזי החרב והחנית: **ותרגז הארץ.** על דרך משל, כלומר רגז מחנה פלשתים: **ותהי לחרדת אלהים.** כתרגומו וַהֲוַת לְזִיעַ מִן קֳדָם ה׳, כלומר כי מהאלהים באה להם החרדה, כי הם לא היו רואים למה היו חרדים כי אין נלחם אתם כי אם יונתן ונושא כליו: (טז) **הצפים לשאול.** אשר לשאול: **ההמון.** המון מחנה פלשתים: **וילך והלם.** מן וְהָלְמָה סִיסְרָא (שופטים ה, כו), פירוש הלוך והשבר: (יז) **פקדו נא.** כמו פָּקַדְתִּי אֶתְכֶם (שמות ג, טז) והוא ענין זכירה והשגחה על הדבר: (יח) **הגישה ארון האלהים.** רצה לומר האפוד האורים והתומים שהיו עם ארון האלהים לשאול בהם על יהונתן: **ובני ישראל.** עם בני ישראל, וכן וְיוֹסֵף הָיָה בְמִצְרָיִם (שם א, ה) עם יוסף שהיה במצרים, וכאשר ראה שאול כי ההמון אשר במחנה פלשתים הולך ומתמוגג אמר לכהן אֱסֹף יָדֶךָ (פסוק יט) כי אין פנאי עתה שלא ללכת למלחמה כי רואים אנחנו כי אלהים עמנו, כי כל המון פלשתים מתמוגגים, ומה שאמר וַיֵּלֶךְ הָלוֹךְ וָרָב (שם) פירושו ורב להתמוגג ולהשבר והוא חסר וחסרונו ידוע מן הענין, וכן תרגם יונתן וְהָמוֹנָא דִי בְמַשְׁרִית פְּלִשְׁתָּאֵי אָזֵל מֵזָל וְסָגֵי תַבְרֵיהּ, ויתכן לפרש בלי חסרון ויהיה פירוש וְהֶהָמוֹן מענין מהומה ומשרשו ויהי בשקל ששון, והראייה שאמר אֲשֶׁר בְּמַחֲנֵה פְלִשְׁתִּים, ואם היה פירושו כמו שאר המון די לו בזכרו וההמון כי ההמון

מצודת דוד

(יג) **על ידיו.** על כי המקום היה משופע, לזה החזיק עצמו בידיו: **ויפלו.** אנשי המצבה נפלו חללים ולא מתו, עד כי נושא כליו השלים מיתתן: (יד) **המכה הראשנה.** כי לאחר זה כאשר רדפו ישראל אחריהם, הוסיפו עוד להכות בהם: **כבחצי מענה וכו׳.** רצה לומר, עם שהעשרים האלו היו קרובים זה לזה, כי עמדו בשיעור מרחק חצי מענה אשר יחרוש האדם בצמד בקר בהשדה, עם כל זאת לא עזרו אלו לאלו: (טו) **המצב והמשחית.** המושל ואנשי המשחית, גם המה חרדו, עם כי מדרכם להיות אמיצי לבב: **ותרגז הארץ.** אמר בלשון גוזמא והפלגה: **ותהי לחרדת אלהים.** המחנה היתה לחרדה גדולה, כי כאשר ירצה להגדיל דבר מה, סומכו למלת אל, כמו וַעֲנָפֶיהָ אַרְזֵי אֵל (תהלים פ, יא): (טז) **הצפים לשאול.** הצופים שהיו לשאול בגבעת בנימין: **ההמון.** של פלשתים, המה נמוגים והולכים ומוכים בכל פעם יותר: (יז) **פקדו.** ראו בהשגחה: (יח) **הגישה ארון האלהים.** לשאול לפניו באורים ותומים, אם נעלה עליהם: **ובני ישראל.** רצה לומר, הארון היה עם בני ישראל ובתוכם: (יט) **עד דבר.** בעוד שדבר אל הכהן לשאול באורים ותומים, היה ההמון הולך ומתרבה בדבר הנמיגה וההכאה: **אסף ידך.** הכנס ידך אל עצמך להמנע מלפתוח האורים ותומים, כי אין עוד זמן לשאול בהם: (כא) **והעברים וכו׳.** כי רבים מישראל גרו בארץ פלשתים, והיו משועבדים להם, ועלו עמהם בעל כרחם להלחם בישראל, ואמר, העברים אשר היו לעזרת פלשתים בעת אתמול שלשום אשר עלו במחנה פלשתים, גם המה חזרו להיות עם ישראל, בראותם שיד ה׳ היתה בהם:

מצודת ציון

(יד) **מענה.** הוא הקו הישר, שיחרוש החורש כשיעור הראוי, וחוזר וחורש אצלו כמידתו, עד כלותו כל השדה, כמו הֶאֱרִיכוּ לְמַעֲנִיתָם (תהלים קכט, ג): **צמד.** זוג: (טו) **ותרגז.** ענין רעדה: (טז) **הצפים.** העומדים במקום גבוה, ומשם צופים למרחוק לראות מה נעשה במלחמה: **ההמון.** העם רב: **נמוג.** ענין המסה, ורצה לומר, מוכה ומנוגע: **והלם.** ענין הכאה, כמו וְהָלְמָה סִיסְרָא (שופטים ה, כו): (יז) **פקדו.** ענין השגחה, כמו זָכְרֵנִי וּפָקְדֵנִי (ירמיהו טו, טו): (יח) **הגישה.** הקריבה: **ובני ישראל.** הוי"ו היא במקום עם, וכן וְיוֹסֵף הָיָה בְמִצְרָיִם (שמות א, ה), ורצה לומר עם יוסף: (יט) **אסף.** ענין הכנסה, כמו וַיֶּאֱסֹף רַגְלָיו (בראשית מט, לג): (כ) **ויזעק.** ענין אסיפה:

Israel!" [13]*Jonathan then climbed up on his hands and feet, with his armor-bearer behind him, and [the Philistines] fell before Jonathan, while his armor-bearer slew people behind him.* [14]*The first blow that Jonathan and his armor-bearer dealt [killed] about twenty men within about [the area of] half a furrow of a pair [of oxen plowing] in the field.* [15]*Then a great terror took hold in the camp, on the field, and among all the people; the raiding party and the garrison, too, were terrified. The very ground trembled and a God-inspired terror took hold.*

The Philistines are routed

[16]*Saul's sentries at Gibeath-benjamin saw that, behold! the multitude [of Philistines] was scattering and approaching them.* [17]*Saul said to the people who were with him, "Check and see who has gone forth from us." They checked and behold! — Jonathan and his armor-bearer were not [there].* [18]*Saul then said to Ahijah, "Bring near the Ark of God," for the Ark of God [was there] with the Children of Israel on that day.* [19]*But as Saul was speaking to the Kohen, the tumult in the Philistine camp grew greater and greater, so Saul told the Kohen, "Stay your hand!"*

[20]*Saul and the entire people with him mustered and came into the battle. And behold! every [Philistine] man's sword was turned against his colleague — a very great panic!* [21]*And the Hebrews who had sided with the Philistines from yesterday and earlier, who had come up with them in the camp all around, they, too, [joined] with the*

All Israelites join the chase

רד"ק

הוא המחנה הרב, וכן אמר למעלה וְהִנֵּה הֶהָמוֹן נָמוֹג וַיֵּלֶךְ (פסוק טז) ולא זכר מחנה, ופירוש אֱסֹף יָדֶךָ כמו וַיֶּאֱסֹף רַגְלָיו (בראשית מט, לג) כלומר שיאסוף ידיו אליו וימנע מפתח האורים והתומים ומלשאול בהם, ויונתן תרגם אסוף ידך קרב איפודא, ואם כפירושו עניינו והלא כבר אמר הַגִּישָׁה אֲרוֹן הָאֱלֹהִים ומה טעם וַיְהִי עַד דִּבֶּר שָׁאוּל אֶל הַכֹּהֵן וגו׳ ועוד מה טעם אֱסֹף יָדֶךָ, היה לו לומר פתח ידך, ועוד לא ספר הכתוב ששאל בהם אלא מיד וַיִּזָּעֵק שָׁאוּל וְכָל הָעָם (פסוק כ), אולי היתה דעת המתרגם קרב אותו אל הארון והצניעהו: **(כ) ויזעק.** ויאסף כי אסיפת העם הוא על ידי זעקה: **חרב איש ברעהו.** מפני מהומת ה׳ רבה אשר היתה במחנה היו נבהלים ומהוממים, והיו הפלשתים מכים איש את רעהו והיו חושבים להכות בישראל: **(כא) והעברים.** פירוש אותן העברים אשר היו לפלשתים כאתמול שלשום שהיו גרים בארצם, אשר עלו עמם ועל כרחם להלחם בישראל והיו במחנה סביב כלומר שלא היו שם מדעתם ולא היו שמים עצמם במחנה אלא סביב מחוץ כדי למשוך ידיהם ולהיותם נשמטים מלהלחם בישראל אם יוכלו, ועתה כשראו שישראל נצח, היו גם המה עם ישראל אשר היו עם שאול ויונתן והכו בפלשתים גם המה, ואם תאמר היאך לא חששו על בתיהם שהניחו בארץ פלשתים, לפי שראו כי מהומת ה׳ היתה רבה בפלשתים עד שהיו מכים איש את רעהו בלא ידיעה ובלא הרגשה, אמרו גם הם, בנו לא ירגישו ולא ידעו, והכו בהן:

13. The Philistines were on the high ground, making it neces-sary for Jonathan to climb up on all fours, lest he lose his foot-ing and slip (*Radak; Mahari Kara*). This fact makes the miracle all the greater, because the Philistines had every advantage, yet were unable to defeat the two lone fighters. Jonathan charged ahead, killing all the soldiers in his path, and his armor-bearer followed him, killing all who remained able to fight.

14. כְּבַחֲצִי מַעֲנָה — *About [the area of] half a furrow.* The area of the carnage was rather small, yet the twenty men concentrated there did nothing to help one another; so they were all picked off (*Metzudos*).

15. וַתִּרְגַּז הָאָרֶץ וַתְּהִי לְחֶרְדַּת אֱלֹהִים — *The very ground trembled and a God-inspired terror took hold.* God inspired such irrational and powerful terror among all the Philistine forces that the very ground seemed to tremble.

16-17. Saul sought to discover who could have so terrified the Philistines. The answer was mystifying: How could only two men have caused such an upheaval in the powerful Philistine army?

18-19. Seeing that Jonathan and his attendant were missing, Saul sought Heavenly guidance as to their whereabouts. He summoned Ahijah, the Kohen Gadol, to bring the Ark and inquire of the *Urim v'Tumim (Radak; Ralbag)*. Alternatively, he wanted to know the meaning of the confusion in the enemy camp (*Abarbanel*) and whether it was an opportune time to attack. Then, when he saw the extent of the Philistine rout, he felt that it was so obvious that now was the time to attack that it was no longer necessary to inquire, so he told Ahijah to put aside the *Urim v'Tumim* (*Metzudos*).

The Sages (*Midrash Shmuel* 24) criticize Saul for his impatience; he should have waited to hear what God wanted him to do. They consider this as an additional reason for his eventual loss of the throne (*Abarbanel*), for it was similar to the impatience that caused him to disobey Samuel's instructions to wait for him (13:10).

20-26. Saul orders uninterrupted pursuit. Saul ordered his men to pursue the demoralized Philistines, and his forces swelled as thousands of Jews who had been hiding in fear streamed to join the fray.

20. Not only were the Philistines fleeing, in their terror they slashed away at one another.

21. וְהָעִבְרִים הָיוּ לַפְּלִשְׁתִּים — *And the Hebrews who had sided with the Philistines.* These were Jews who had been forced to ally themselves with the Philistines (see comm. to 13:3). *Ralbag*, however, comments that *Hebrews* refers to all the

כב יִשְׂרָאֵל אֲשֶׁר עִם־שָׁאוּל וְיוֹנָתָן׃ וְכֹל אִישׁ יִשְׂרָאֵל הַמִּתְחַבְּאִים בְּהַר־אֶפְרַיִם
כג שָׁמְעוּ כִּי־נָסוּ פְּלִשְׁתִּים וַיַּדְבְּקוּ גַם־הֵמָּה אַחֲרֵיהֶם בַּמִּלְחָמָה׃ וַיּוֹשַׁע יְהוָה בַּיּוֹם
כד הַהוּא אֶת־יִשְׂרָאֵל וְהַמִּלְחָמָה עָבְרָה אֶת־בֵּית אָוֶן׃ וְאִישׁ־יִשְׂרָאֵל נִגַּשׂ בַּיּוֹם
הַהוּא וַיֹּאֶל שָׁאוּל אֶת־הָעָם לֵאמֹר אָרוּר הָאִישׁ אֲשֶׁר־יֹאכַל לֶחֶם עַד־
כה הָעֶרֶב וְנִקַּמְתִּי מֵאֹיְבַי וְלֹא־טָעַם כָּל־הָעָם לָחֶם׃ וְכָל־הָאָרֶץ בָּאוּ בַיָּעַר וַיְהִי
כו דְבַשׁ עַל־פְּנֵי הַשָּׂדֶה׃ וַיָּבֹא הָעָם אֶל־הַיַּעַר וְהִנֵּה הֵלֶךְ דְּבָשׁ וְאֵין־מַשִּׂיג יָדוֹ אֶל־
כז פִּיו כִּי־יָרֵא הָעָם אֶת־הַשְּׁבֻעָה׃ וְיוֹנָתָן לֹא־שָׁמַע בְּהַשְׁבִּיעַ אָבִיו אֶת־הָעָם וַיִּשְׁלַח
אֶת־קְצֵה הַמַּטֶּה אֲשֶׁר בְּיָדוֹ וַיִּטְבֹּל אוֹתָהּ בְּיַעְרַת הַדְּבָשׁ וַיָּשֶׁב יָדוֹ אֶל־פִּיו
כח °ותראנה [°וַתָּאֹרְנָה ק׳] עֵינָיו׃ וַיַּעַן אִישׁ מֵהָעָם וַיֹּאמֶר הַשְׁבֵּעַ הִשְׁבִּיעַ אָבִיךָ אֶת־
כט הָעָם לֵאמֹר אָרוּר הָאִישׁ אֲשֶׁר־יֹאכַל לֶחֶם הַיּוֹם וַיָּעַף הָעָם׃ וַיֹּאמֶר יוֹנָתָן עָכַר
ל אָבִי אֶת־הָאָרֶץ רְאוּ־נָא כִּי־אֹרוּ עֵינַי כִּי טָעַמְתִּי מְעַט דְּבַשׁ הַזֶּה׃ אַף כִּי לוּא אָכֹל
אָכַל הַיּוֹם הָעָם מִשְּׁלַל אֹיְבָיו אֲשֶׁר מָצָא כִּי־עַתָּה לֹא־רָבְתָה מַכָּה בַּפְּלִשְׁתִּים׃
לא לב וַיַּכּוּ בַּיּוֹם הַהוּא בַּפְּלִשְׁתִּים מִמִּכְמָשׂ אַיָּלֹנָה וַיָּעַף הָעָם מְאֹד׃ °ויעש [°וַיַּעַט ק׳]
הָעָם אֶל־°שלל [°הַשָּׁלָל ק׳] וַיִּקְחוּ צֹאן וּבָקָר וּבְנֵי בָקָר וַיִּשְׁחֲטוּ־אָרְצָה

רש"י

(כד) נגש ביום ההוא. היו אלים ונוגשים להלחם בפלשתים: **ויאל.** לשון אלה: **אשר יאכל לחם.** כל מאכל במשמע, כמו נַשְׁחִיתָה עֵץ בְּלַחְמוֹ (ירמיהו יא, יט): **(כה) ויהי דבש.** דבש קנים גדל בארץ ישראל: **(כו) והנה הלך דבש.** שהיה נוטף מן הקנים: **(כז) ביערת הדבש.** בקנה הדבש, כמו וַתָּשֶׂם בַּסּוּף (שמות ב, ג), דמתרגמינן, וְשַׁוְּיתֵהּ בְּיַעֲרָא. וסוף הם קנים של אגם, וכן אָכַלְתִּי יַעְרִי עִם דִּבְשִׁי (שיר השירים ה, א). ובלשון ישמעאל קורין אותו דבש סוקר"א בלע"ז, מפי רבי נתן הישמעאלי: **(כט) עכר אבי את הארץ.** בלבל את דעתם ואת ישועתם, כמים עכורים: **(ל) כי עתה לא רבתה מכה.** בתמיה: **(לב) ויעש העם.** כמו ויעט העם, לשון עיט (בראשית טו, יא): **צאן ובקר ובני בקר.** אומר אני, זה אותו וְאֶת בְּנוֹ לֹא תִשְׁחֲטוּ (ויקרא כב, כח), ולכך קראם חוטאים. ורבותינו אמרו (זבחים קכ, א) בשחיטת קדשים, שהיו מקדישים אותם שלמים, ואוכלים לפני זריקת דם, הוא שאמר, וַיֹּאכַל הָעָם עַל הַדָּם, אוכלים קדשים ועדיין דם במזרק:

רד"ק

(כב) וידבקו גם המה. כמו וידביקו, וכן וַיַּדְרְכוּ אֶת לְשׁוֹנָם (ירמיהו ט, ב) כמו וידריכו, ופירוש וַיַּדְבְּקוּ ענין השגה כמו וַיַּדְבֵּק אֹתוֹ (בראשית לא, כג) ובזה הלשון תרגומו ענין השגה, ופירושו שרדפו אחריהם עד שהשיגום במלחמה והכו בהם גם הם: **(כג) והמלחמה עברה את בית און.** כתרגומו וְעָבְדֵי קְרָבָא מְטוֹ עַד בֵּית אָוֶן. ופירוש עָבְרָה כי מבית און והלאה עברה ברדפם אחרי פלשתים: **(כד) נגש.** נדחק, וכן תרגומו אִידְחִיק, כלומר שהיו רעבים כי כבר השביע שאול את העם שלא יאכל עד הערב כדי שלא יפסיקו המלחמה: **ויאל.** וי"ו וַיֹּאֶל פירושה כמו וי"ו הֵן אַתָּה קָצַפְתָּ וַנֶּחֱטָא (ישעיהו סד, ד) שפירושו וכבר חטאנו לפיכך קצפת, וכן וַיֹּאֶל וכבר השביע שאול את העם לפיכך נגש: **אשר יאכל לחם עד הערב.** שום מאכל, רצה לומר כי לחם כולל כל מאכל, כי אפילו הדבש לא היו טועמים מפני השבועה, נראה כי על כל מאכל השביעם: **(כה) וכל הארץ.** עם הארץ, כמו וְכָל הָאָרֶץ בָּאוּ מִצְרַיְמָה (בראשית מא, נז), רצה לומר כל בני המלחמה והנאספים אליהם ודרך רדפם אחרי פלשתים באו ביער, בעצי היער עדת דבורים והדבש נוטף מהם על פני השדה, והרב רבי שלמה זכרונו לברכה כתב כי יער קנה הצוקר היה, והוא הדבש שהיה נוטף מהם, ולא ידעתי מאין היה לו זה כי יונתן תרגם בְּחוֹרְשָׁא: **(כו) הלך דבש.** כלומר הליכת דבש שהיה הולך ונגר על פני השדה, ותרגם יונתן בְּרֵיז דוּבְשָׁא ופירוש ערוגה ושורה, ובבראשית רבה (פרשה לא, ב) בֵּין שׁוּרֹתָם יַצְהִירוּ (איוב כד, יא) שהיו עושין גריריות קטנות: **ואין משיג ידו.** אין מגיע ידו עם הדבש אל פיו: **(כז) ביערת הדבש.** הוא חלת הדבש כמו שיוציאו ממנה הדבש, כמו אכלתי יערי עם דבשי, ותרגם יונתן וּקְנָא דְדוּבְשָׁא לפי שהחלות עשויה קנים קנים: **ותראנה.** כתיב וקרי וַתָּאֹרְנָה, כלומר פירוש היו חשכות וכהות מן הרעב ומן העיפות, והכתיב מן ראה והענין אחד: **(כח) ויעף העם.** ולא עברו על השבועה אף על פי שהיו עיפים ורעבים: **(ל) כי עתה לא רבתה מכה בפלשתים.** דרך תמיהה, כי בודאי אם אכלו היה להם יותר כח והיו מכים בפלשתים יותר: **(לב) ויעט העם.** כלו פתוח לפי ששרשו עטה ופירושו ויסר, או ויטה כמו וַתַּעַט אֶל הַשָּׁלָל (לקמן טו, יט) שפירושו ותסר או ותטה, וכןתרגם יונתן וְאִתְפְּנֵי עַמָּא, והכתיב הוא ויעש ופירושו לשון אסיפה כמו וַתַּעַשׂ הָאָרֶץ (בראשית מא, מז):

מצודת דוד

(כב) המתחבאים. מפחד הפלשתים, כמו שכתוב למעלה (יג, ו): **וידבקו.** יצאו ממקום מחבואם, וַיַּדְבְּקוּ וכו׳: **(כג) והמלחמה.** עם המלחמה, עברה מבית און והלאה, לרדוף אחרי פלשתים: **(כד) נגש ביום ההוא.** עם כי מתחלה נחבאו, עתה קרבו להלחם בהם: **ויאל.** השביע את העם לבל יאכלו מאומה עד הערב, למען לא יהיו טרודים במאכלם, להנקם מפלשתים: **לחם.** הוא כולל כל דבר מאכל: **(כה) וכל הארץ.** כל אנשי הארץ, הם בני ישראל: **ויהי דבש.** הקנים אשר הדבש גדל בהם: **(כו) הלך דבש.** הדבש היה זב מהקנים: **ואין משיג ידו.** עם הדבש: **(כז) וישב ידו.** עם המטה: **ותארנה עיניו.** כי חשכו בעבור הרעבון: **(כח) ויעף העם.** רצה לומר, והנה בעבור זה נעשה העם עייף ויגע: **(ל) אף כי.** רצה לומר, ומה מטעימה לבד אורו עיני, כל שכן אם אכלו אכילה גמורה, וכי עתה לא רבתה מכה בפלשתים, כי הלא על ידי האכילה היה עוד כוחם מתחזק: **(לא) ממכמש.** ממקום מעמד פלשתים רודפים עד אילון, והכו בהם:

מצודת ציון

(כב) וידבקו. רצה לומר רדפו להתקרב אליהם: **(כד) נגש.** קרב. **ויאל.** מלשון אלה ושבועה: **טעם.** הלוקח אל פיו מעט מן המאכל ואין בה לרדת חדרי בטן, יקרא טעימה: **(כה) ביער.** הקנים שגדל בהם הדבש, יקראו יער, כמו אָכַלְתִּי יַעְרִי עִם דִּבְשִׁי (שיר השירים ה, א): **(כו) הלך.** מלשון הליכה, ורצה לומר זב: **(כז) ותארנה.** מלשון אורה: **(כט) עכר.** ענין השחתה ובלבול, כמו עֲכַרְתֶּם אֹתִי (בראשית לד, ל): **ארו.** מלשון אור: **(ל) לוא.** כמו אם: **משלל.** מבזה: **רבתה.** מלשון רבוי: **(לב) ויעט.** ענין פריחה, כמו וַיָּעַט בָּהֶם (לקמן כה, יד), ורצה לומר במהירות רב:

Israelites who were with Saul and Jonathan. [22]All the men of Israel who were hiding in Mount Ephraim heard that the Philistines were running away, and they too gave chase after them in the battle.

Saul decrees a fast

[23]So HASHEM saved Israel on that day and the battle passed by Beth-aven. [24]The people of Israel were hard pressed on that day, and Saul adjured the people, saying, "Cursed be the man who shall eat food until the evening, when I shall be avenged of my enemies." So the entire people did not taste food. [25]Then all [the people of] the land came into the forest, where there was nectar on the surface of the field. [26]The people came to the forest and behold! there was an oozing of nectar, but no one put his hand to his mouth, for the people feared the oath.

Jonathan unwittingly transgresses the oath

[27]But Jonathan had not heard when his father adjured the people, so he stretched out the edge of the staff that was in his hand, and dipped it into the nectar of the cane; he then brought his hand to his mouth and his eyes lit up. [28]Then one of the people called out and said, "Your father has adjured the people saying, 'Cursed be the man who eats food today,' and the people have become weary."

[29]Jonathan said, "My father has distressed the land. See now how my eyes lit up when I tasted just a bit of this nectar; [30]surely if the people had eaten today of the spoils of their enemy that they have acquired, would there not now have been an even greater blow against the Philistines?"

[31]The people smote the Philistines on that day, from Michmas to Aijalon, and the people were very weary. [32]The people swooped down upon the spoils, and took sheep, cattle, and young cattle. They slaughtered them on the ground; and the

---

Jews. After having withdrawn and gone into hiding, they now reverted to the courageous attitude they had had when they joined Samuel to subdue the Philistines.

24. Saul's oath. The king and the Sanhedrin have the right to impose a ban or an oath on the nation, and anyone who willfully violates it may be given the death penalty. Thus Saul had the authority to promulgate the prohibition, and the people adhered to it scrupulously despite their hunger and exhaustion (see *Ramban, Leviticus* 27:29).

The people were so intent on the pursuit that Saul had them swear that they would not eat, so that they would not be distracted (*Rashi; Radak*). Seeing that this was an opportunity to destroy the Philistine threat for the foreseeable future, Saul wanted to be sure that every Jew was totally engaged in the battle.

Malbim, however, comments that Saul's intention was that the people should fast as a means of repentance, so as to be worthy of God's help.

By personalizing the battle — *when "I" shall be avenged* — Saul exemplified the concept that the king bears responsibility for the nation.

25. וַיְהִי דְבַשׁ — *Where there was nectar*, either bees' honey that was flowing from honeycombs (*Radak*), or nectar from sugar cane (*Rashi*).

26. כִּי־יָרֵא הָעָם אֶת־הַשְּׁבוּעָה — *For the people feared the oath.* Although Saul's oath specified only that it was forbidden to *eat,* the people did not even bring some honey to their mouths to taste, lest they swallow some inadvertently and violate the oath (*Rinas Yitzchak*).

27-30. Jonathan's error. Jonathan, who was responsible for the Philistine rout, joined in the pursuit and, due to his great exertion, became hungry to the point where his eyes were "dim," i.e., he felt weak.

27. וְיוֹנָתָן לֹא־שָׁמַע —*But Jonathan had not heard.* Jonathan was famished and weakened, and not knowing that it was forbidden to eat until the chase was over, he ate some of the nectar, and the infusion of energy lit up his eyes (*Radak*). Had anyone's life been threatened by hunger and exhaustion, he would have been *required* to eat, despite the oath (*Yoma* 83b), but the people, hungry though they were, were not in such danger.

29. עָכַר אָבִי אֶת־הָאָרֶץ — *My father has distressed the land.* Jonathan disagreed with his father's oath, for the nation would have won a much more decisive victory had they not been weakened by the fast (*Radak*). As it was, they had strength to pursue the Philistines only for a relatively short distance — from Michmas to Aijalon (*Abarbanel*).

Saul held that the spiritual benefit of the fast was needed to foster the victory. Jonathan felt that the fatigue factor should have been considered paramount (*Parshiyos b'Sifrei HaNeviim*).

31-35. "Eating with the blood." When the day was over and it was permitted for the people to eat, they were ravenously hungry. *Abarbanel* notes that their unacceptable behavior supported Jonathan's opinion that Saul should not have imposed the oath.

לג וַיֹּ֥אכַל הָעָ֖ם עַל־הַדָּֽם׃ וַיַּגִּ֤ידוּ לְשָׁאוּל֙ לֵאמֹ֔ר הִנֵּ֥ה הָעָ֛ם חֹטְאִ֥ים לַֽיהֹוָ֖ה לֶאֱכֹ֣ל עַל־הַדָּ֑ם וַיֹּ֣אמֶר בְּגַדְתֶּ֔ם גֹּֽלּוּ־אֵלַ֥י הַיּ֖וֹם אֶ֥בֶן גְּדוֹלָֽה׃ לד וַיֹּ֣אמֶר שָׁא֣וּל פֻּ֣צוּ בָעָ֡ם וַאֲמַרְתֶּ֣ם לָהֶ֡ם הַגִּ֣ישׁוּ אֵלַ֡י אִ֣ישׁ שׁוֹר֩וֹ וְאִ֨ישׁ שְׂיֵ֜הוּ וּשְׁחַטְתֶּ֤ם בָּזֶה֙ וַאֲכַלְתֶּ֔ם וְלֹֽא־תֶחֶטְא֥וּ לַֽיהֹוָ֖ה לֶאֱכֹ֣ל אֶל־הַדָּ֑ם וַיַּגִּ֨שׁוּ כָל־הָעָ֜ם אִ֣ישׁ שׁוֹר֧וֹ בְיָד֛וֹ הַלַּ֖יְלָה וַיִּשְׁחֲטוּ־שָֽׁם׃ לה וַיִּ֥בֶן שָׁא֛וּל מִזְבֵּ֖חַ לַֽיהֹוָ֑ה אֹת֣וֹ הֵחֵ֔ל לִבְנ֥וֹת מִזְבֵּ֖חַ לַֽיהֹוָֽה׃ לו וַיֹּ֣אמֶר שָׁא֡וּל נֵרְדָ֣ה אַחֲרֵ֣י פְלִשְׁתִּ֩ים לַ֨יְלָה וְנָבֹ֥זָה בָהֶ֣ם ׀ עַד־א֣וֹר הַבֹּ֗קֶר וְלֹֽא־נַשְׁאֵ֤ר בָּהֶם֙ אִ֔ישׁ וַיֹּ֣אמְר֔וּ כָּל־הַטּ֥וֹב בְּעֵינֶ֖יךָ עֲשֵׂ֑ה וַיֹּ֙אמֶר֙ הַכֹּהֵ֔ן נִקְרְבָ֥ה הֲלֹ֖ם אֶל־הָאֱלֹהִֽים׃ לז וַיִּשְׁאַ֤ל שָׁאוּל֙ בֵּֽאלֹהִ֔ים הַאֵרֵד֙ אַחֲרֵ֣י פְלִשְׁתִּ֔ים הֲתִתְּנֵ֖ם בְּיַ֣ד יִשְׂרָאֵ֑ל וְלֹ֥א עָנָ֖הוּ בַּיּ֥וֹם הַהֽוּא׃ לח וַיֹּ֣אמֶר שָׁא֔וּל גֹּ֚שּׁוּ הֲלֹ֔ם כֹּ֖ל פִּנּ֣וֹת הָעָ֑ם וּדְע֣וּ וּרְא֔וּ בַּמָּ֗ה הָֽיְתָ֛ה הַחַטָּ֥את הַזֹּ֖את הַיּֽוֹם׃ לט כִּ֣י חַי־יְהֹוָ֗ה הַמּוֹשִׁ֙יעַ֙ אֶת־יִשְׂרָאֵ֔ל כִּ֛י אִם־יֶשְׁנ֛וֹ בְּיוֹנָתָ֥ן בְּנִ֖י כִּ֣י מ֣וֹת יָמ֑וּת וְאֵ֥ין עֹנֵ֖הוּ מִכָּל־הָעָֽם׃ מ וַיֹּ֣אמֶר אֶל־כָּל־יִשְׂרָאֵ֗ל אַתֶּם֙ תִּֽהְיוּ֙ לְעֵ֣בֶר אֶחָ֔ד

רש״י

(לג) גלו אלי. לשון גללו: **היום.** מבעוד יום, ולמטה (פסוק לד) נאמר, וַיַּגִּשׁוּ ... אִישׁ שׁוֹרוֹ בְיָדוֹ הַלַּיְלָה, רבותינו נחלקו בדבר בסוף מסכת זבחים, יש מהן פירשו, כאן בחולין כאן בקדשים. ויש מהן פירשו, כאן (שם) בקדשים שהוקדשו ליקרב בבמת נוב גדולה, כאן בקדשים שהוקדשו ליקרב בבמה קטנה, למד על עולת יחיד שכשירה לישחט בלילה: **אבן גדולה.** עשאה במה, לזרוק עליה דם והקטר חלבים: **(לד) פצו בעם.** הכריזו במקומות הרבה, ויהיו המכריזים נפוצים בעם: **ושחטתם בזה.** כאן, במקום שחיטה. דבר אחר, סכין בדק להם: **הלילה.** בהמות של חולין נשחטו בלילה, כך מפורש בזבחים (שם): **(לה) אתו החל.** אותו המזבח, ראשון למזבחות שבנה שאול: **(לח) פנות העם.** שרי העם, אבן הפנה היא החשובה: **(מ) לעבר אחד.** להפיל גורל בין כולכם וביניכו:

רד״ק

ויאכל העם. פירוש בערב אכלו, ופירושו על הדם לפי שהיו מכינים הבשר בחפזון כי היו רעבים, היו שוחטים בארץ ולא היה הדם נגר ומתמצ׳ יפה והיה נבלע בבשר, לפיכך צוה שאול לגול אבן גדולה ולשחוט עליה כדי שיהא הדם נגר ומתמצה היטב, ואין זה פירוש לֹא תֹאכְלוּ עַל הַדָּם (ויקרא יט, כו) רק פירושו כמו שהוא חק הזובחים לשדים שאוכלים סביב הדם אחר שזבחו להם וזה דבר הלמד מענינו לֹא תְנַחֲשׁוּ וְלֹא תְעוֹנֵנוּ (שם), ורבותינו זכרונם לברכה פירשו (שם) כי היו מקדישים שלמים ואוכלים לפני זריקת הדם, ומה שכתוב אִישׁ שׁוֹרוֹ בְיָדוֹ הַלַּיְלָה וַיִּשְׁחֲטוּ שָׁם (העם) (לקמן פסוק לד), נחלקו עליו רבותינו זכרונם לברכה (זבחים קכ, א) יש אומרים כי שחיטת לילה כשירה בבמת יחיד, ויש אומרים פסול ומה שכתוב ששחטו בלילה על החולין אמר, אבל אם לא היו מקדישים היה מותר לאכול בלא זריקת דם, כי משנכנסו לארץ הותר להם בשר תאוה בכל מקום בלא זריקת דם על המזבח, זה פירשו רבותינו זכרונם לברכה כי על השלמים אמר שהיו אוכלים בלא זריקת דם, אבל אין משמעות פשטי הפסוקים אלא כמו שפירשנו, כי החטא היה מפני הדם נבלע בבשר ולא היה מתמצה מפני שהיו שוחטים ארצה: **(לג) חטאים לה׳.** בהעלם האל״ף מהקריאה כמו קֹרְאִים אֶל ה׳ וְהוּא יַעֲנֵם (תהלים צט, ו): **גלו אלי היום.** פירוש העת הזאת, כלומר מעתה שלא ישחטו עוד כמו ששחטו, וכן יוֹם צָעַקְתִּי בַלַּיְלָה נֶגְדֶּךָ (שם פח, ב) כמו עת: **(לד) פצו בעם.** לעבדיו אמר שיפוצו במחנה, ויאמרו לכל העם הרוצים לשחוט שיגישו לשאול מי שרוצה לשחוט שורו או שיו: **ושחטתם בזה.** פירוש בזה המקום על האבן, ורבותינו זכרונם לברכה פירשו (חולין יז, ב) בזה הסכין שבדק להם הסכין וסמכו מכאן לבדיקת הסכין, ובדרש עוד (ויקרא רבה כה, ח) וּשְׁחַטְתֶּם בָּזֶה, רבנן אמרי סכין ארבע עשרה אצבעות הראה להם תרין תרין, שבעה שבעה, חמשה חמשה, אמר להם בזה היו שוחטים ואוכלים, כסדר הזה היו שוחטין ואוכלין: **לאכל אל הדם.** כמו על הדם, וכן אֶל הֶהָרִים לֹא אָכָל (יחזקאל יח, ו) על ההרים: **(לה) אתו החל לבנות מזבח לה׳.** פירוש אותו המזבח היה תחלת המזבחות שבנה שאול כי מה שהקריב קרבנות בגלגל מצא שם המזבח בנוי, ובדרש (ויקרא רבה כה, ח) אֹתוֹ הֵחֵל והלא כמה מזבחות בנו ראשונים, נח בנה מזבח, אברהם בנה מזבח, יצחק בנה מזבח, יעקב בנה מזבח, משה בנה מזבח, יהושע בנה מזבח, ואת אמרת אֹתוֹ הֵחֵל לִבְנוֹת מִזְבֵּחַ, אמר רבי יודן החל במלכים, ועוד יש דרש אותו המזבח הוא החל לבנותו, כלומר הוא בעצמו נתן האבן הראשונה ואחר כך בנו הבונים המזבח עד כלותו: **(לו) ונבזה בהן.** קל הזי״ן ומשפט להדגש: **ולא נשאר.** בצרי כמו בחירק, ואחד הוא: **אל האלהים.** כתרגומו נִשְׁאַל בְּמֵימְרָא דַה׳: **(לח) פנות העם.** כתרגומו רֵישֵׁי עַמָּא ונקראו ראשי העם פנות, שהעם לעיר כמו פנה לקיר: **(מ) לעבר אחד.** בגורל שהיו כל ישראל בקלף אחד יונתן ושאול בקלף אחר:

מצודת דוד

(לב) על הדם. אמרו רבותינו זכרונם לברכה (במדבר רבה פרשה י, א) שהקדישו שלמים, ואכלו הבשר קודם זריקת הדם, והתורה אסרתה, שנאמר לֹא תֹאכְלוּ עַל הַדָּם (ויקרא יט, כו): **(לג) אבן גדולה.** לעשותה במה, לזרוק עליה את הדם: **(לד) פצו.** התפזרו בין העם: **הגישו אלי.** אל מקום הבמה, בכדי לזרוק את הדם מיד על הבמה, ואחר תאכלו: **(לה) אתו החל.** רצה לומר, עם האבן האמור למעלה (פסוק לג), התחיל בנין המזבח, וגמרה בשאר אבנים: **(לח) כל פנות העם.** כי כל שבט עמד בפנה בפני עצמה, ואמר להם שכולם מכל הפנות יגשו הלום, בכדי שכולכם תראו ותדעו, בדבר מה היתה החטאת הזאת אשר בעבורה לא ענני ה׳: **היום.** רצה לומר, בודאי זה מקרוב נעשתה, כי הלא ביום הצליחו במלחמה: **(לט) כי חי ה׳.** הריני נשבע חי ה׳ וכו׳: **אם ישנו.** החטא ההוא: **(מ) לעבר אחד.** רצה לומר, נחלק את עצמנו לשני חלקים, אתם כולכם לצד אחד, ואני ובני וכו׳, ונפיל הגורל בין שני החלקים:

מצודת ציון

(לג) בגדתם. פשעתם: **גלו.** גלגלו: **(לד) פוצו.** התפזרו, כמו וַיָּפֶץ הָעָם (שמות ה, יב): **שיהו.** שה שלו: **בזה.** במקום הזה: **(לה) אתו.** עמו: **(לו) ונבוזה.** מלשון בזה ושלל: **הלם.** לפה, כמו אַל תִּקְרַב הֲלֹם (שם ג, ה): **(לח) פנות.** מלשון פינה וזויות: **(לט) ישנו.** מלשון יש: **(מ) לעבר.** לצד:

32. וַיֹּאכַל הָעָם עַל הַדָּם — *And the people ate the blood*. There are several explanations of this cryptic phrase. All agree, however, that the people did not literally eat blood, which would have been a Biblical transgression punishable by *kares*, spiritual excision of the soul. Among the explanations are: The people sanctified animals as peace-offerings, in gratitude for the great victory. Sacrificial flesh may not be eaten before blood is placed upon the altar, but the people

people ate the blood. [33]*They told Saul, saying, "Behold! — the people are sinning to* HASHEM *by eating with the blood!"*

He said, "You have transgressed. Roll to me a large boulder today." [34]*Saul said, "Spread out among the people and say to them, 'Let each man bring to me his ox and each man his sheep, and you shall slaughter [them] here and eat them, so that you not sin unto* HASHEM *by eating with the blood.' " So each man of the people brought his ox with him that night, and they slaughtered them there.* [35]*Saul built an altar to* HASHEM*; this was the first of the altars that he built to* HASHEM*.*

Saul forestalls a sin

[36]*Saul said, "Let us go down after the Philistines at night and plunder them until the morning's light; let us not let any man of them remain."*

And [the people] answered, "Whatever is good in your eyes, do!"

The Kohen then said, "Let us approach God at this point." [37]*So Saul asked of God: "Shall I go down after the Philistines? Will You deliver them into the hand of Israel?" But He did not answer him on that day.*

God does not respond

[38]*Saul said, "Draw near to here, all you captains of the people, and find out and see through whom this sin occurred today.* [39]*For as* HASHEM*, the Savior of Israel, lives, even if the sin is found to be with my son Jonathan, he shall surely die!" But no one of all the people answered him.* [40]*He then said to all Israel, "You will be on one side*

were so hungry that they ate the flesh before sprinkling the blood (*Zevachim* 120a). So anxious were they to eat quickly that they did not allow enough time for the blood to flow from the carcass, with the result that when they ate the meat there was still blood in it (*Radak*). By saying that the people took *cattle and young cattle*, the verse implies that the people violated the prohibition against slaughtering the mother animal and its offspring on the same day (*Rashi*). The people had not taken proper slaughtering knives and in their haste and hunger, they used whatever knives were at hand (*Kli Yakar*).

33. אֶבֶן גְּדוֹלָה — *A large boulder.* Use of the boulder would rectify the sin, depending on the versions listed above. It would be used as the altar for the sprinkling of the blood (*Metzudos*); it would be the only site of slaughter, and its height would allow the blood to run off properly (*Radak*); as a central place for all the slaughtering, it would permit inspection to ascertain if animals and their own offspring were being offered (*Kli Yakar*); Saul brought his own knife (see below).

34. וּשְׁחַטְתֶּם בָּזֶה — *And you shall slaughter [them] here.* In the literal sense, Saul designated the boulder as the place of slaughter to avoid the sins that had been taking place. The Talmud renders the word בָּזֶה as *with this*, implying that Saul had a kosher knife for the slaughter and ordered that only *this* knife should be used (*Chullin* 17b). The numerical value of the word בָּזֶה is fourteen, intimating that the knife used for slaughtering animals should be at least fourteen fingerbreadths long (*Rama, Yoreh De'ah* 8:1).

35. אֹתוֹ הֵחֵל — *This was the first.* Although Saul had brought offerings previously at Gilgal (13:9), this was the first time he erected his own altar (*Radak*). Alternatively, he used the large boulder as the base of his altar, and completed it with additional, smaller stones (*Metzudos*). Thus he complied with the prohibition against using an altar made of a single stone (*Deuteronomy* 16:22).

Nighttime offerings. Since it is forbidden to slaughter offerings at night, how could Saul and the people do so now? There are two views: either the prohibition applies only to a national altar, but not a private one, or the slaughter that took place in the evening was only of non-consecrated animals (*Zevachim* 120b).

36-45. Jonathan is singled out. Earlier (v. 19) the Philistine flight had convinced Saul that there was no need to inquire of the *Urim v'Tumim*. Now, the emergency was over and he agreed to inquire whether he was permitted to continue the pursuit and completely vanquish the Philistines. The result was a shock.

37-38. וְלֹא עָנָהוּ — *But He did not answer him.* God ignored the question. To Saul this could only mean that someone had sinned on that day, during the rout of the Philistines. Whatever the sin was, it could not have been committed before the battle or God would not have performed such a great miracle (*Metzudos*). This is yet another testimony to Saul's righteousness. He had no doubt that only sin could have caused God to "snub" Israel by not responding to the request for Divine guidance.

39. Saul wished to emphasize that he would play no favorites, even if the guilty party was his own son, who had precipitated the great victory. He singled out Jonathan because the very fact that Jonathan brought about the miracle placed a greater responsibility on him to perfect himself. The closer one is to God, the more minutely his deeds are scrutinized (*Malbim*.)

40. Saul knew of two sins that had been committed that day: He had restrained Ahijah from asking God whether they should pursue the Philistines (see comm. to vs. 15-19), and the people had sinned with regard to the slaughter.

וַאֲנִי֙ וְיוֹנָתָ֣ן בְּנִ֔י נִהְיֶ֖ה לְעֵ֣בֶר אֶחָ֑ד וַיֹּאמְר֤וּ הָעָם֙ אֶל־שָׁא֔וּל הַטּ֥וֹב בְּעֵינֶ֖יךָ
מא עֲשֵֽׂה׃ וַיֹּ֣אמֶר שָׁא֗וּל אֶל־יְהוָ֛ה אֱלֹהֵ֥י יִשְׂרָאֵ֖ל הָ֣בָה תָמִ֑ים וַיִּלָּכֵ֧ד
מב יוֹנָתָ֛ן וְשָׁא֖וּל וְהָעָ֥ם יָצָֽאוּ׃ וַיֹּ֣אמֶר שָׁא֔וּל הַפִּ֕ילוּ בֵּינִ֕י וּבֵ֖ין יוֹנָתָ֣ן בְּנִ֑י וַיִּלָּכֵ֖ד יוֹנָתָֽן׃
מג וַיֹּ֤אמֶר שָׁאוּל֙ אֶל־י֣וֹנָתָ֔ן הַגִּ֥ידָה לִּ֖י מֶ֣ה עָשִׂ֑יתָה וַיַּגֶּד־ל֣וֹ יוֹנָתָ֗ן וַיֹּ֡אמֶר טָעֹם֩
מד טָעַ֜מְתִּי בִּקְצֵ֨ה הַמַּטֶּ֧ה אֲשֶׁר־בְּיָדִ֛י מְעַ֥ט דְּבַ֖שׁ הִנְנִ֥י אָמֽוּת׃ וַיֹּ֣אמֶר שָׁא֔וּל כֹּֽה־
מה יַעֲשֶׂ֥ה אֱלֹהִ֖ים וְכֹ֣ה יוֹסִ֑ף כִּֽי־מ֥וֹת תָּמ֖וּת יוֹנָתָֽן׃ וַיֹּ֨אמֶר הָעָ֜ם אֶל־שָׁא֗וּל הֲֽיוֹנָתָ֤ן
יָמוּת֙ אֲשֶׁ֣ר עָשָׂ֗ה הַיְשׁוּעָ֨ה הַגְּדוֹלָ֣ה הַזֹּאת֮ בְּיִשְׂרָאֵל֒ חָלִ֗ילָה חַי־יְהוָה֙ אִם־יִפֹּ֞ל
מִשַּׂעֲרַ֤ת רֹאשׁוֹ֙ אַ֔רְצָה כִּֽי־עִם־אֱלֹהִ֥ים עָשָׂ֖ה הַיּ֣וֹם הַזֶּ֑ה וַיִּפְדּ֥וּ הָעָ֛ם אֶת־יוֹנָתָ֖ן
מו וְלֹא־מֵֽת׃ וַיַּ֣עַל שָׁא֔וּל מֵאַחֲרֵ֖י פְּלִשְׁתִּ֑ים וּפְלִשְׁתִּ֖ים הָלְכ֥וּ לִמְקוֹמָֽם׃
מז וְשָׁא֛וּל לָכַ֥ד הַמְּלוּכָ֖ה עַל־יִשְׂרָאֵ֑ל וַיִּלָּחֶ֣ם סָבִ֣יב ׀ בְּֽכָל־אֹ֠יְבָיו בְּמוֹאָ֣ב ׀ וּבִבְנֵֽי־
מח עַמּ֨וֹן וּבֶאֱד֜וֹם וּבְמַלְכֵ֤י צוֹבָה֙ וּבַפְּלִשְׁתִּ֔ים וּבְכֹ֥ל אֲשֶׁר־יִפְנֶ֖ה יַרְשִֽׁיעַ׃ וַיַּ֣עַשׂ
מט חַ֔יִל וַיַּ֖ךְ אֶת־עֲמָלֵ֑ק וַיַּצֵּ֥ל אֶת־יִשְׂרָאֵ֖ל מִיַּ֥ד שֹׁסֵֽהוּ׃ וַיִּֽהְיוּ֙ בְּנֵ֣י
שָׁא֔וּל יוֹנָתָ֥ן וְיִשְׁוִ֖י וּמַלְכִּי־שׁ֑וּעַ וְשֵׁם֙ שְׁתֵּ֣י בְנֹתָ֔יו שֵׁ֤ם הַבְּכִירָה֙ מֵרַ֔ב וְשֵׁ֥ם הַקְּטַנָּ֖ה

רש"י

(מא) הבה תמים. תן גורל אמת: **והעם יצאו.** נקיים מן הגורל: **(מה) ויפדו העם.** התירו לו לשאול שבועתו: **(מח) ויעש חיל.** ויאסף חיל:

רד"ק

(מא) הבה תמים. גורל תמים ואמת, ויונתן תרגם אַיְתִינֵיהּ בְּקֻשׁוֹט כלומר הבה הגורל באמת: **(מב) הפילו.** פירוש הפילו הגורל, וכן תרגם יונתן רְמוֹ עַדְבִין: **(מד) כה יעשה אלהים.** רצה לומר כה יעשה לי, וכן מנהג הלשון, כלומר כך וכך יהיה לי אם לא תמות: **(מה) כי עם אלהים עשה.** כלומר טובה עשה עם אלהים ועם עמו כי הגדיל בטחונו באלהים, ומסר נפשו על עם ה׳ והלך הוא ונושא כליו להלחם במחנה פלשתים, ויונתן תרגם אֲרֵי קֳדָם ה׳ גְּלֵי דִי בְשָׁלוּ עֲבַד יוֹמָא דֵין, וטעם וַיִּפְדּוּ הָעָם אֶת יוֹנָתָן לפירוש הזה בטענתם פדו אותו שטענו עליו כי היה שוגג, אם כן מה טעם אֲשֶׁר עָשָׂה הַיְשׁוּעָה לא היה אלא מפני שהיה שוגג, אבל רצה לומר רע ומר היה אם לא היינו מוצאים עליו טענה לפדותו מן המות כי ישועה גדולה עשה בישראל, וכן פירש אדוני אבי זכרונו לברכה, ויש לשאול אחרי ששגג בזה יהונתן והכתוב מעיד עליו וְיוֹנָתָן לֹא שָׁמַע בְּהַשְׁבִּיעַ אָבִיו (לעיל פסוק כז), אם כן למה לא נענה שאול באורים ותומים, פירש הגאון רב סעדיה זכרונו לברכה בעבור הראות לעם כי שוגג היה, כי היו אומרים משוא פנים יש בדבר כי בן המלך עבר על החרם ולא נענש, ואילו היה אחר היה נענש, וכל העם לא היו יודעים כי לא היה שם יונתן בשעת השבועה, וכאשר לא נענה שאול באורים ותומים הוצרכו להפיל גורלות על מי היה החטא ונפל על יהונתן, וחקרו ודרשו ומצאו כי לא היה שם בשעת השבועה, טענו כל העם עליו כי שוגג היה ואין עליו משפט מות. ובדרש (מדרש שמואל יז, ג) וַיִּפְדּוּ הָעָם אֶת יוֹנָתָן, רבי אליעזר אומר נתנו משקלו זהב ופדאוהו, רבי יוחנן וריש לקיש, רבי יוחנן אמר וכי לחם אכל והלא דבש אכל, ריש לקיש אמר וכי לא מטעמת טעם לא כן אמר רבי אבהו משום רבי זעירא מטעמת אין בו משום אכילה ולא משום שתייה ולא משום הפסק תענית ואינה טעונה ברכה, הרי וַיִּפְדּוּ הָעָם אֶת יוֹנָתָן: **(מו) ויעל שאול מאחרי פלשתים.** כיון שלא ענהו ה׳ באורים ותומים לא רצה לרדוף אחרי פלשתים בעת הזאת, כי חשב אף על פי שנמלט יונתן בטענת עון יש בינינו על השבועה, או אחר שהלך הלילה בזה הענין שנתעסקו בו, בין כך הלכו פלשתים למקומם: **(מז) לכד המלוכה.** התחזק במלוכה והיתה בידו בלא שום פקפוק כי ראו כל ישראל כי היה מצליח במלחמותיו: **ירשיע.** יחריד ויבלבל, וכן והוא ישקיט ומי ירשיע ותרגומו יחייב: **(מח) ויעש חיל.** אסף, וכן תרגם יונתן וּכְנַשׁ מַשִׁירְיָן: **ויך את עמלק.** מה שצוה לו האל לֵךְ וְהִכִּיתָה אֶת עֲמָלֵק (לקמן טו, ג): **(מט) וישוי.** הוא אבינדב הנזכר (לקמן לא, ב) במלחמה שמתו בה שאול ובניו והוא הוא הנזכר בדברי הימים (־א ח, לג) ולא זכר איש בושת כי אלו השלשה היו יוצאים עמו במלחמה, ולפי שזכרם בענין המלחמה לא זכר איש בושת, ובדברי הימים שזכרם בענין התולדת זכרו, והוא אֶשְׁבָּעַל שזכר (שם) הוא איש בושת:

מצודת דוד

(מא) הבה תמים. שיפול הגורל בהשגחה ולא במקרה: **(מג) מה עשיתה.** מה העון שעשית: **הנני אמות.** מוכן אני למות ולא אתרעם: **(מד) כה יעשה אלהים.** הוא ענין שבועה, וגזם ולא פירש, והרי הוא כאלו אמר, כזאת וכזאת רעה יעשה לי אלהים וכו׳: **(מה) היונתן ימות.** וכי מן הראוי שימות יונתן, אשר באה על ידו תשועה גדולה: **חלילה.** חולין וגנאי הוא להמיתו: **אם יפל משערת וכו׳.** הוא ענין גוזמא ומליצה, כדרך שהבריות אומרים, ורצה לומר, שלא יעשה לו מאומה רע: **כי עם אלהים.** רצה לומר, היום הזה עשה טובה עם אלהים להושיע לעמו בסכנת נפשו, ואיך אם כן יהיה עובר על השבועה במזיד בשאט בנפש, ובודאי שוגג היה ולא ידע מהשבועה: **ויפדו העם.** בהדברים האלה פדאוהו מן המיתה, ולא הומת: **(מו) מאחרי פלשתים.** שב למקומו ולא רדפם עוד: **(מז) לכד המלוכה.** רצה לומר, התחזק בה להיות בידו מבלי פקפוק, כי נלחם באויביו והצליח, והחריד האויב: **(מח) ויצל וכו׳.** רק את ישראל הציל מידו, אבל לא החרימו, עד שאמר לו שמואל בדבר ה׳ להחרימו: **(מט) וישוי.** הוא איש בושת, כי בדברי הימים (־א ח, לג) לא זכר יִשְׁוִי, וזכר במקומו אֶשְׁבָּעַל, והוא איש בושת, וכן ירובעל נקרא גם יְרֻבֶּשֶׁת (שמואל־ב יא, כא) ואף בעת נהרגו בני שאול במלחמה (לקמן לא, ב), לא חשב ישוי, וזהו כי הוא איש בושת, ונשאר חי ומלך, ומה שלא זכר פה את אבינדב הנחשב בבני שאול אשר מתו במלחמה (שם), וגם בדברי הימים (־א ח, לג), אולי לא נולד עדיין בעת ההיא:

מצודת ציון

(מא) הבה. תנה, כמו הָבָה אֶת אִשְׁתִּי (בראשית כט, כא): **תמים.** מלשון תם, רצה לומר דבר שלם ואמת: **(מז) ירשיע.** יחריד ויבלבל, וכן וְהוּא יַשְׁקִט וּמִי יַרְשִׁיעַ (איוב לד, כט), והוא על שם שנכון ביד הרשע חרדה ובלבול: **(מח) ויעש.** ענין אסיפה, כמו וְיִשְׂרָאֵל עֹשֶׂה חָיִל (במדבר כד, יח): **חיל.** אנשי חיל: **שסהו.** ענין דריכה ורמיסה, כמו שֹׁסִים וַיָּשֹׁסּוּ (שופטים ב, יד):

and I and my son Jonathan will be on the other side [and let the lot be conducted]."

The people said to Saul, "Do what is proper in your eyes."

Jonathan's error is revealed and the people save him

[41]Saul said to HASHEM, *"God of Israel, produce a flawless [verdict]!" [The side of] Jonathan and Saul was singled out, and the people were absolved. [42]Then Saul said, "Cast [a lot] between me and my son Jonathan," and Jonathan was singled out. [43]Saul said to Jonathan, "Tell me, what have you done?" And Jonathan told him, and he said, "I did indeed taste a bit of nectar from the tip of the staff that was in my hand; I am prepared to die."*

[44]So Saul said, "So shall God do and so shall He do further [if I do not carry out my oath], for you must surely die, Jonathan."

[45]But the people said to Saul, "Shall Jonathan die, he who has achieved this great salvation for Israel? A sacrilege! — as HASHEM *lives, not a hair of his head shall fall to the ground, for he has acted for God's sake this day!" So the people redeemed Jonathan and he did not die.*

Saul consolidates his rule

[46]Saul then went back up from [chasing] after the Philistines, and the Philistines went to their place.

[47]Saul consolidated the kingdom over Israel. He waged war against all his enemies all around — with Moab and with the Children of Ammon and with Edom and with the kings of Zobah and with the Philistines; wherever he turned he inspired terror. [48]He assembled an army and struck Amalek, and he rescued Israel from the hand of its oppressor.

[49]And the sons of Saul were Jonathan, Ishvi, and Malchi-shua; and the names of his two daughters — the name of the older one [was] Merab, and the name of the younger

---

Therefore, he set up his family and the rest of the nation as the two alternatives.

42-43. Jonathan accepted the verdict, even though he could have argued that he was unaware of the ban. The *Urim v'Tumim* had singled him out and he accepted God's judgment. But since he had not known he was doing wrong — and he stopped eating as soon as he was told, even though he disagreed with his father's ban — why indeed was Jonathan deemed to have sinned? When he saw that no one else was eating, even though everyone else was as famished as he, perhaps he should have asked why. His failure to do so constituted a degree of negligence that was unacceptable in a person of his stature. This would suffice only for a Heavenly judgment, but what was the justification for Saul to carry out an execution, when the legal procedure requires foreknowledge and a warning? *Ramban* (*Leviticus* 27:29) explains that it is within the authority of the king or Sanhedrin to impose such a judgment in extraordinary circumstance for the national good (*Parshiyos b'Sifrei HaNevi'im*).

44. Fearing that his fatherly love would prevent him from carrying out the heavenly judgment, Saul took a personal oath that he would enforce the verdict (*Radak*).

45. הֲיוֹנָתָן יָמוּת — *Shall Jonathan die . . . ?* Saul did not believe that Jonathan could have been singled out if he were innocent, but the people came to his defense, saying that God would not have made him the instrument of such a great miracle if he had been a sinner (*Ramban,* ibid.).

Although Jonathan was truly innocent, the *Urim v'Tumim* implicated him so that the nation could defend him, the witnesses to his eating would establish that he was ignorant of the ban, and thus he would be publicly exonerated. Had all of this not taken place, people might well have thought that Jonathan was guilty, but Saul was showing him favoritism (*R' Saadiah Gaon*).

According to *Mahari Kara*, the intervention of the people succeeded in convincing Saul that there were grounds for Saul to go to halachic authorities to have his oath annulled.

46. וַיַּעַל שָׁאוּל מֵאַחֲרֵי פְּלִשְׁתִּים — *Saul then went back up from [chasing] after the Philistines*. Saul did not continue his pursuit because God had not sanctioned it through the *Urim v'Tumim,* which could mean that, despite the support for Jonathan, some sin remained. Or, the time needed to resolve the matter of Jonathan permitted the Philistines to escape (*Radak*).

The Philistines had lost this skirmish decisively, but they did not give up. Only about two years later, they killed Saul and Jonathan in a new battle.

47-48. Saul won great victories in the merit of his righteousness and character. He was humble and generous with his own funds, but frugal with the national treasury. He was a distinguished Torah scholar and was careful to eat only food that was ritually pure (*Bamidbar Rabbah* 11:3).

49. וְיִשְׁוִי — *Ishvi.* Most commentators agree that this is another name for Abinadav, who is mentioned in 31:2. This verse mentions only the sons who went to war with Saul, and eventually were killed in battle with him. Saul's

נ מִיכַל: וְשֵׁם אֵשֶׁת שָׁאוּל אֲחִינֹעַם בַּת־אֲחִימָעַץ וְשֵׁם שַׂר־צְבָאוֹ אֲבִינֵר בֶּן־נֵר דּוֹד
נא-נב שָׁאוּל: וְקִישׁ אֲבִי־שָׁאוּל וְנֵר אֲבִי־אַבְנֵר בֶּן־אֲבִיאֵל: וַתְּהִי הַמִּלְחָמָה
חֲזָקָה עַל־פְּלִשְׁתִּים כֹּל יְמֵי שָׁאוּל וְרָאָה שָׁאוּל כָּל־אִישׁ גִּבּוֹר וְכָל־בֶּן־חַיִל
א וַיַּאַסְפֵהוּ אֵלָיו: וַיֹּאמֶר שְׁמוּאֵל אֶל־שָׁאוּל אֹתִי שָׁלַח יהוה לִמְשָׁחֳךָ
ב לְמֶלֶךְ עַל־עַמּוֹ עַל־יִשְׂרָאֵל וְעַתָּה שְׁמַע לְקוֹל דִּבְרֵי יהוה: כֹּה אָמַר
יהוה צְבָאוֹת פָּקַדְתִּי אֵת אֲשֶׁר־עָשָׂה עֲמָלֵק לְיִשְׂרָאֵל אֲשֶׁר־שָׂם לוֹ בַּדֶּרֶךְ בַּעֲלֹתוֹ
ג מִמִּצְרָיִם: עַתָּה לֵךְ וְהִכִּיתָה אֶת־עֲמָלֵק וְהַחֲרַמְתֶּם אֶת־כָּל־אֲשֶׁר־לוֹ וְלֹא תַחְמֹל
עָלָיו וְהֵמַתָּה מֵאִישׁ עַד־אִשָּׁה מֵעֹלֵל וְעַד־יוֹנֵק מִשּׁוֹר וְעַד־שֶׂה מִגָּמָל וְעַד־
ד חֲמוֹר: וַיְשַׁמַּע שָׁאוּל אֶת־הָעָם וַיִּפְקְדֵם בַּטְּלָאִים מָאתַיִם אֶלֶף רַגְלִי וַעֲשֶׂרֶת
ה-ו אֲלָפִים אֶת־אִישׁ יְהוּדָה: וַיָּבֹא שָׁאוּל עַד־עִיר עֲמָלֵק וַיָּרֶב בַּנָּחַל: וַיֹּאמֶר שָׁאוּל

טו

HAFTARAS PARSHAS ZACHOR
Ashkenazim: 15:2-34
Sephardim: 15:1-34

רש"י

(נ) אבינר בן נר. ונר היה דוד שאול, אחיו של קיש, ושניהם בני אביאל, וגם אביאל נקרא נר, בדברי הימים (א-א ח, לג), שהיה מדליק נרות לרבים במבואות האפלים (ויקרא רבה ט, ב): **(נב) וראה שאול**. לשון הוה, כשהיה שאול רואה איש גבור חיל, היה אוספו אליו: **(א) ועתה שמע לקול דברי ה׳**. פעם אחת נסכלת, עתה הזהר בעצמך: **(ג) משור ועד שה**. שהיו בעלי כשפים, ומשנין עצמן ודומין לבהמה: **(ד) וישמע שאול**. לשון הכרזה, כמו וַיַּזְעֵק שָׁאוּל (לעיל יד, כ): **ויפקדם בטלאים**. אמר לכל אחד ואחד, שיקח טלה מצאנו של מלך, ואחר כך מנה את הטלאים, לפי שאסור למנות את ישראל, שנאמר גם לא יִסָּפֵר מֵרֹב (בראשית לב, יג): **(ה) וירב בנחל**. וילחם בנחל. ורבותינו אמרו (יומא כב, ב), על עסקי נחל רב ודן את עצמו, ומה בשביל נפש אחת אמרה תורה ערוף עגלה בנחל (דברים כא, ד), בשביל כל הנפשות האלו לא כל שכן, אם אדם חטא, בהמה מה חטאה:

רד"ק

(נא) ונר אבי אבנר בן אביאל. כבר פירשתיו למעלה (פרק ט, א): **(א) למשחך למלך**. בקמץ חטף החי"ת: **ועתה שמע**. כלומר כיון שנמשחת למלך על ישראל צריך שתעשה מה שמצוה עליך לעשות והוא מלחמת עמלק, ואמרו רבותינו זכרונם לברכה (סנהדרין כ, ב) שלש מצות נצטוו ישראל בכניסתן לארץ למנות עליהם מלך, ולהכרית זרעו של עמלק, ולבנות בית הבחירה, ועל זה המלך נאמר וְיָרֹם מֵאֲגַג מַלְכּוֹ (במדבר כד, ז): **(ב) פקדתי**. עתה אני רוצה לפקוד ולגמול על עמלק את אשר עשה לישראל: **שם לו**. מארבים וחילות בדרך, ויונתן תרגם דִּכְמַן לֵיהּ בְּאוֹרְחָא: **(ג) והחרמתם**. כמו וְאֵת כָּל הַנְּשָׁמָה הֶחֱרִים (יהושע י, מ) לשון כלייה והשחתה, וכן תרגם יונתן וּתְגַמַּר, ואדוני אבי זכרונו לברכה פירש לשון חרם וקללה, כלומר בתחלה החרימו שלא יהנה אדם מהם ואחר כך וְהֵמַתָּה: **ולא תחמל**. לפי שסופם לחמול כמו שאמר וַיַּחְמֹל שָׁאוּל וְהָעָם (לקמן פסוק ט) הזהירו וְלֹא תַחְמֹל עָלָיו שלא יהיה לו פתחון פה: **ועד חמור**. כי אם יחיו מהם שור או חמור יאמרו זה היה משלל עמלק, והרי לא נמחה זכר עמלק, והכתוב אומר תִּמְחֶה אֶת זֵכֶר עֲמָלֵק (דברים כה, יט): **(ד) וישמע**. כמו ויאסף וכן תרגם יונתן וּכְנַשׁ, כלומר אספם שיהיו נשמעים אליו ללכת למלחמה, או פירוש אספם על ידי כרוז משמע, וכן במשנה (שקלים א, א) באחד באדר משמיעים על השקלים, פירוש מכריזין: **בטלאים**. שם מקום, אף על פי שבא בה"א הידיעה ושלא כמנהג, הנה כמוהו בַּקַּרְקַר בסכות (שופטים ח, י) בַּשִּׁטִּים (במדבר כה, א), ויונתן פירשו כמו בִּזְרֹעוֹ יְקַבֵּץ טְלָאִים (ישעיה מ, יא) שתרגומו באמרי פסחיא, ואם כדבר יונתן שפסחים היו אם כן זמן פסח היה, ובנוב שהיה אהל מועד שם פקדם שהביאו פסחיהם, ועל ידי הפסחים ידע מניינם כי פסח לא היה קרב בבמת יחיד, ובדברי רבותינו זכרונם לברכה שמנה אותם בטלאים לא מן הפסחים, אלא שאמר להם שיקחו כל אנשי החיל טלאים משלו ויקח כל אחד טלה אחד, ואחר כך צוה למנות הטלאים, וסמכו על זה הפסוק ואמרו (יומא כב, ב) אסור למנות את ישראל אפילו לדבר מצוה שנאמר וַיִּפְקְדֵם בַּטְּלָאִים, אמר רבי אלעזר כל המונה את ישראל עובר בלאו שנאמר אֲשֶׁר לֹא יִמַּד וְלֹא יִסָּפֵר (הושע ב, א), ואמרו (במדבר רבה ב, יז) כל זמן שנמנו ישראל לצורך לא חסרו שלא לצורך חסרו, בימי דוד, נראה כי אפילו מנה אותם בדבר (אחד) [אחר] כיון שמנה אותם שלא לצורך הם חסרים, שאם כן למה לא לקח יואב מכל אחד שום דבר וימנה הדבר ההוא ולא יהיה בהם נגף, וכן כשמנה אותם לצורך צריך שימנה אותם בדבר (אחד) [אחר] כמו שאול שמנה אותם בטלאים, וכן במלחמה הראשונה שפקדם בבזק (לעיל יא, ח) שפירושו באבנים כמו שפירשנו (שם): **(ה) וירב בנחל**. שרשו ארב משפטו ויארב מבנין הפעיל, או מן הדגוש ומשפטו ויארב והוא הנכון מפני קמצות היו"ד, ויש לפרש ענין ריב ומצה כלומר יצא עמלק עליהם ונלחם אתם בנחל, ויונתן תרגם וְטַקֵּיס מַשְׁרְיָתֵיהּ ואגח קרבא בְּנַחְלָא ובדברי רבותינו זכרונם לברכה (יומא כב, ב) לשון דין הוא, רב ודן שאול בעצמו על עסקי נחל כלומר עגלה הערופה בנחל, אמר ומה בשביל נפש אחת אמרה תורה ערוף עגלה כל הנפשות הללו לא כל שכן, יצאתה בת קול ואמרה לו שאול אל תהי צדיק הרבה יותר מבוראך:

מצודת דוד

(נ) דוד שאול. נר היה דוד שאול: **(נא) בן אביאל**. קיש ונר, כל אחד מהם היה בן אביאל: **(נב) וראה**. כאשר ראה שאול איש גבור וכו׳, היה מאספו אליו: **(א) אתי שלח וכו׳**. רצה לומר, והנך רואה שנתקיים הדבר ודבר ה׳ בפי אמת, ולזה שמע לקול דברי ה׳ אשר אומר לך, ולא תפקפק בדברי על היותו דבר זר להחרים את כל הנמצא לעמלק: **(ב) פקדתי**. זוכר אני את אשר עשה עמלק לישראל: **אשר שם לו**. כפל הדבר במלות שונות לתוספת ביאור: **(ג) עתה וכו׳**. רצה לומר, מאז הכיתם ולא החרמתם, עתה לך והחרימם מכל ומכל:

מצודת ציון

(נב) בן חיל. הוא היודע תחבולות המלחמה: **ויאספהו**. הכניסו אליו: **(ב) פקדתי**. ענין זכרון: **שם**. מלשון שימה: **(ג) והחרמתם**. ענין כליון וכריתה: **מעולל**. הוא הרך בשנים, כמו עוּל יָמִים (ישעיהו סה, כ) והוא גדול מן היונק: **(ד) וישמע**. ענין אסיפה הבאה בשמיעת קול המאסף, וכן הַשְׁמִיעוּ אֶל בָּבֶל רַבִּים (ירמיהו נ, כט): **ויפקדם**. ענין מנין ומספר: **בטלאים**. שם מקום, כמו זִיף וָטֶלֶם וּבְעָלוֹת (יהושע טו, כד). ורבותינו זכרונם לברכה אמרו (יומא כב, ב) בטלאים ממש, לפי שאסור למנות את ישראל לגולגולת, ומנאם בטלאים, וכל אחד לקח טלה מעדר שאול, והחזירו למקום מיוחד, ומנו הטלאים וידעו מספר בני ישראל: **רגלי**. הולכי רגל, לא רוכבים: **(ה) וירב**. מלשון מריבה ומלחמה:

fourth son was Ish-boshes, who is not mentioned here because he was not a warrior (*Radak*).

15.

1-9. Saul defeats Amalek. After the conquest of *Eretz Yis-*

one [was] Michal; [50]the name of Saul's wife [was] Ahinoam daughter of Ahimaaz; the name of the leader of his army [was] Abner, son of Saul's uncle Ner; [51]and Saul's father Kish and Abner's father Ner were sons of Abiel.

[52]The war against the Philistines was intense all the days of Saul. Whenever Saul saw any mighty warrior or military stategist, he would take him to himself [into his army].

15

SAUL'S ILL-FATED VICTORY OVER AMALEK 15:1-35

A command to destroy Amalek

[1]Samuel said to Saul: "HASHEM sent me to anoint you as king over His people, over Israel, so now hear the sound of HASHEM's words. [2]So said HASHEM, Master of Legions: 'I have remembered what Amalek did to Israel — [the ambush] he emplaced against him on the way, as he went up from Egypt. [3]Now go and strike down Amalek and destroy everything he has. Have no pity on him — kill man and woman alike, infant and suckling alike, ox and sheep alike, camel and donkey alike.' "

[4]Saul had all the people summoned, and he counted them through lambs: two hundred thousand infantrymen, and the men of Judah were ten thousand. [5]Saul came to the city of Amalek, and he fought [them] in the valley. [6]Saul said

---

rael, three commandments went into effect: to appoint a king, to eradicate every vestige of Amalek, and to build the Temple (*Sanhedrin* 20b; see comm. to *Exodus* 17:8-15, and *Deuteronomy* 25:17-19).

According to *Ramban* (*Exodus* 17:16) and *Yereim* (299), the king carries the responsibility to lead the battle, and, *Radak* writes, this is why Samuel prefaced his charge to Saul by saying that God designated him as king. Now that he was king, he must lead the fight against Amalek.

Samuel's mention of the royal nature of this mission foreshadows the reason for Saul's loss of his throne, since his failure to follow through on the destruction of Amalek was a blemish on his role as king, unlike the sin of David, which was of a personal nature, with no bearing on his role as monarch. This would be analogous to a case of two court scribes, one of whom falsified official documents and the other of whom was guilty of an offense unrelated to his job. The latter will be punished, but will be allowed to continue working for the court. The first, who corrupted his office, will be disqualified from serving as a scribe (*Sefer HaIkkarim* 24:4).

1. עַל־עַמּוֹ עַל־יִשְׂרָאֵל — *Over His people, over Israel.* Although I have anointed you as their king, the nation does not belong to you, in the manner of the king's sovereignty over heathen subjects. They are God's people, and you are but His agent (*R' Mendel Hirsch*).

וְעַתָּה שְׁמַע — *So now hear.* Do not repeat your foolish mistake of substituting your judgment for the commandment given you (see 13:13); this time you must obey (*Rashi*).

2. ה׳ צְבָאוֹת — *HASHEM, Master of Legions.* Although it seems incomprehensible that the Torah, which so emphasizes compassion and kindness, should ordain the killing of a nation, this commandment is given by *Hashem*, the Name which represents the Attribute of Mercy. It is the Merciful God Who tells us that the existence of Amalek is incompatible with the task of raising mankind to spiritual heights — and therefore it is merciful to all of mankind that Amalek be removed from the world (ibid.).

In giving this commandment, Samuel spoke of God as *Master of Legions*, implying that every force and entity in the world, including Amalek, is His, and only He can ordain the disposition of His possessions.

3. Samuel explained that the commandment to destroy Amalek extended even to their livestock, because as long as people can say "this animal was taken from Amalek," the memory of that renegade nation is still alive (*Radak*).

Ralbag comments that Amalek's property had to be destroyed so that no one would accuse the Jews of fighting Amalek only to loot its belongings. It had to be clear that the goal of this war was to carry out the Divine command to rid the world of the nation whose very essence was evil, hatred of Israel, and defiance of God. By later sparing some of the choice animals for themselves, the Jews showed that there was an element of greed, rather than loyalty to God, in their hearts. In contrast, when Esther and Mordechai carried out their battle against Amalek in the time of Haman, Scripture states specifically that the Jewish people took no loot for themselves (*Esther* 9:16).

Alternatively, according to the Midrash, the Amalekites were sorcerers who could transform themselves to resemble animals, in order to avoid capture. Thus it was necessary to destroy the livestock in order to destroy Amalek (*Rashi*).

4. וַיִּפְקְדֵם בַּטְּלָאִים — *And he counted them through lambs.* Since it is forbidden to count the people directly (see *Exodus* 30:12-13), each of the men was instructed to take a lamb from Saul's own flock and then the lambs, not the people, were counted (*Rashi*). For Saul to have such huge flocks indicated very great wealth. When he counted the people previously, however, he had used pottery shards (see comm. to 11:8), implying that he did not own large flocks at that time. The Sages explain that he had become wealthy in the interim, which teaches that when one is elevated to leadership he becomes prosperous (*Yoma* 22b).

In the plain sense of the verse, *Telaim* [which is also the Hebrew word for lambs] is the name of the place where Saul counted his troops (*Radak*).

5. Homiletically the Sages interpret וַיָּרֶב, *and he fought*, to mean that Saul had an inner struggle. Knowing that the

אֶל־הַקֵּינִ֗י לְכוּ֩ סֻּ֨רוּ רְד֜וּ מִתּ֣וֹךְ עֲמָלֵקִ֗י פֶּן־אֹֽסִפְךָ֙ עִמּ֔וֹ וְאַתָּ֞ה עָשִׂ֤יתָה חֶ֙סֶד֙ עִם־כָּל־בְּנֵ֣י יִשְׂרָאֵ֔ל בַּעֲלוֹתָ֖ם מִמִּצְרָ֑יִם וַיָּ֥סַר קֵינִ֖י מִתּ֥וֹךְ עֲמָלֵֽק׃ ז וַיַּ֥ךְ שָׁא֖וּל אֶת־עֲמָלֵ֑ק מֵֽחֲוִילָה֙ בּוֹאֲךָ֣ שׁ֔וּר אֲשֶׁ֖ר עַל־פְּנֵ֥י מִצְרָֽיִם׃ ח וַיִּתְפֹּ֛שׂ אֶת־אֲגַ֥ג מֶֽלֶךְ־עֲמָלֵ֖ק חָ֑י וְאֶת־כָּל־הָעָ֖ם הֶחֱרִ֥ים לְפִי־חָֽרֶב׃ ט וַיַּחְמֹ֨ל שָׁא֜וּל וְהָעָ֗ם עַל־אֲגָג֙ וְעַל־מֵיטַ֣ב הַצֹּ֣אן וְהַבָּ֡קָר וְהַמִּשְׁנִים֩ וְעַל־הַכָּרִ֨ים וְעַל־כָּל־הַטּ֜וֹב וְלֹ֤א אָבוּ֙ הַֽחֲרִימָ֔ם וְכָל־הַמְּלָאכָ֛ה נְמִבְזָ֥ה וְנָמֵ֖ס אֹתָ֥הּ הֶחֱרִֽימוּ׃ י וַֽיְהִי֙ דְּבַר־יְהוָ֔ה אֶל־שְׁמוּאֵ֖ל לֵאמֹֽר׃ יא נִחַ֗מְתִּי כִּֽי־הִמְלַ֤כְתִּי אֶת־שָׁאוּל֙ לְמֶ֔לֶךְ כִּֽי־שָׁב֙ מֵאַחֲרַ֔י וְאֶת־דְּבָרַ֖י לֹ֣א הֵקִ֑ים וַיִּ֙חַר֙ לִשְׁמוּאֵ֔ל וַיִּזְעַ֥ק אֶל־יְהוָ֖ה כָּל־הַלָּֽיְלָה׃ יב וַיַּשְׁכֵּ֧ם שְׁמוּאֵ֛ל לִקְרַ֥את שָׁא֖וּל בַּבֹּ֑קֶר וַיֻּגַּ֨ד לִשְׁמוּאֵ֜ל לֵאמֹ֗ר בָּֽא־שָׁא֤וּל הַכַּרְמֶ֙לָה֙ וְהִנֵּ֨ה מַצִּ֥יב לוֹ֙ יָ֔ד וַיִּסֹּב֙ וַֽיַּעֲבֹ֔ר וַיֵּ֖רֶד הַגִּלְגָּֽל׃ יג וַיָּבֹ֥א שְׁמוּאֵ֖ל אֶל־שָׁא֑וּל וַיֹּ֧אמֶר ל֣וֹ שָׁא֗וּל

רש״י

(ו) **אל הקיני.** בני יתרו, שהיו יושבין במדבר יהודה בנגב ערד, שהלכו אצל יעבץ ללמוד תורה וערד הוא עמלק, הכנעני מלך ערד, עמלק היה, שנאמר יֹשֵׁב הַנֶּגֶב (במדבר כא, א), ועמלק יושב בארץ הנגב (שם יג, כט): **עם כל בני ישראל.** שנהנו מסעודתו משה ואהרן וכל זקני ישראל (שמות יח, יב), והרי מעלה עליו כאלו עשה חסד עם כל בני ישראל: (ט) **והמשנים.** אין לו דמיון, והם הבריאים. ואומר אני, לשון משנים, כמו כֶסֶף מִשְׁנֶה (בראשית מג, יב), על שם שהוא כפול בבשר ובשומן, וכן וּפַר הַשֵּׁנִי שֶׁבַע שָׁנִים (שופטים ו, כה): **נמבזה ונמס.** כמו נבזה, והמ"ם טפילה בו: (יא) **נחמתי.** מחשבה עלתה בלבי על מלכות שאול שהמלכתי: (יב) **מציב לו יד.** בונה לו מזבח הוא המזבח שנאמר באליהו וַיְרַפֵּא אֶת מִזְבַּח ה׳ הֶהָרוּס (מלכים־א יח, ל). ויונתן תרגם, והא מְתַקֵּן לֵיהּ תַּמָּן אֲתַר לְפַלְגָא בֵיהּ בִּיזְתָא:

רד״ק

(ו) **ויאמר שאול אל הקיני.** ואף על פי שראינו בכבוש הארץ כי הקיני עלו מעיר התמרים וישבו עם בני יהודה במדבר יהודה (שופטים א, טז), הלכו להם כולם או מקצתם לשבת עם העמלקי, כי יושבי אהלים היו והיו נוסעים ממקום למקום כפי שהיה מזדמן להם: **פן אספך.** שרשו אסף מבנין הפעיל, על דרך אֹבִידָה עִיר (ירמיהו מו, ח), ענינו לשון כליון: **ואתה עשיתה חסד.** בעצה שנתן יתרו למשה (שמות יח, יד־כג), ונחשב לזרעו אחריו כאילו הם עשו החסד, וזהו שאמר עם כל ישראל כמו שאמר שם (פסוק כג) וְגַם כָּל הָעָם הַזֶּה עַל מְקֹמוֹ יָבֹא בְשָׁלוֹם, ובדרש וכי עם כל בני ישראל עשה חסד, והלא לא עשה חסד אלא עם משה הדא דכתיב קִרְאֶן לוֹ וְיֹאכַל לָחֶם (שמות ב, כ), אלא ללמדך שכל העושה טובה עם אחד מגדולי ישראל מעלה עליו כאילו עשה חסד עם כל ישראל: (ז) **מחוילה בואך שור.** אולי שכנו שם עם בני ישמעאל, או לקח הארץ מידם, וכ״ף באכה פירשתי שהיא לנכח ידוע המקום: (ט) **והמשנים.** תרגם יונתן כמו הפוך והשמנים שתרגם שַׁמִּינַיָּא, ותרגם הכרים פַּטִּימַיָּא ורוצה לומר השמנים שהם שמנים מאליהם על ידי מרעיתם, והמפוטמים שהם מפוטמים על ידי אדם שמאכילם, כי כן דרך הפטם שמפטם הבהמות מכין המאכל ומשים בפי הבהמה, ויש לפרש הַמִּשְׁנִים הכבשים בני שנה והכרים גדולים משנה, ויש מפרשים הַמִּשְׁנִים שהם שניים לבטן: **וכל המלאכה.** פירוש המקנה, וכן לְרֶגֶל הַמְּלָאכָה אֲשֶׁר לְפָנַי (בראשית לג, יד) כי כל דבר שיתעסק בו האדם נקרא מלאכה ומעשה מלאכת אומנות, בין עבודת האדמה בין במקנה: **נמבזה ונמס.** בתוספת שתי אותיות וכן מַתְּלָאָה (מלאכי א, יג), ואמר נְמִבְזָה וְנָמֵס נקבה וזכר כמו רוּחַ גְּדוֹלָה וְחָזָק (מלכים־א יט, יא), והנקבה על המלאכה והזכר על הענין, וכן יֵעָשֶׂה מְלָאכָה (שמות לא, טו) והענין בזה המקום המקנה: (יא) **נחמתי.** מבנין נפעל: (יב) **מציב לו יד.** מכין לו שם מקום לחנות החיל ולחלוק הבזה, וכן תרגם יונתן מְתַקֵּין לֵיהּ תַּמָּן אֲתַר לְפַלְגָא בֵיהּ בִּזְתָא, ובדרש בונה לו מזבח שם בכרמל והוא המזבח שנאמר באליהו וַיְרַפֵּא אֶת מִזְבַּח ה׳ הֶהָרוּס (מלכים־א יח, ל): **ויסב ויעבר.** אחר שהציב לו יד בכרמל סבב ועבר לו הגלגל לזבוח שם כמו שאמר, והטעם לפי שהיה שם המזבח ואהל מועד תחילה כשבאו לארץ, ואף על פי שעתה היה בנוב היו מכבדים מקום אהל מועד בגלגל והיו זובחים שם בשעת היתר הבמות, וכן חדשו שם המלוכה וזבחו שם זבחי שלמים (לעיל יא, טו):

מצודת דוד

(ו) **לכו סרו.** הפרדו מעם עמלק, כי פן אוסיפך עמו בעת אחרימם, היות בעת כזאת אי אפשר להבחין ולהזהר: **עשיתה חסד.** על יתרו יאמר, והחסד הוא מה שיעץ להעמיד שופטים (שמות יח, יט), שהיה טובה לכל ישראל, להקל עליהם מלעמוד על משה מבקר עד ערב: (ז) **בואך.** עד אשר תבוא לשור, וכאלו מדבר מול האדם המכיר המקום: (ט) **ויחמל.** חסים היו על אגג ועל מבחר הצאן וכו׳ ועל כל דבר טוב שמצאו שם, ולא רצו להחרימם, ולא החרימו כי אם המקנה הבזויה: (יא) **כי שב מאחרי ואת דברי לא הקים.** כפל הדבר במלות שונות: **ויחר לשמואל.** דרך הדואג לכעוס על עצמו: **ויזעק.** להתפלל על שאול: (יב) **לקראת שאול.** ללכת לקראת שאול: **בבקר.** מוסב על וַיַּשְׁכֵּם: **מציב לו יד.** עושה שם לעצמו מקום לחלק הביזה, ומשם יסוב וירד הגלגל, רצה לומר, כל זה הוגד לשמואל: (יג) **אל שאול.** כשבא שאול אל הגלגל:

מצודת ציון

(ו) **הקיני.** משפחת הקיני, מבני חובב חותן משה: **אספך.** ענין כליון: (ח) **ויתפש.** ענין אחיזה: (ט) **והמשנים.** מלשון שנים, רצה לומר כפולים בבשר ושמנים, ודוגמתו כְּפוֹרֵי זָהָב מִשְׁנִים (עזרא א, י), ורצה לומר כפולים: **הכרים.** הכבשים השמנים: **ולא אבו.** ולא רצו: **וכל המלאכה.** המקנה, נקראה מלאכה, לפי שבו עבודת האדם בעל המקנה, ובו יעסוק, כמו לְרֶגֶל הַמְּלָאכָה (בראשית לג, יד): **נמבזה.** בזויה: **ונמס.** רצה לומר דבר הנשחת: (יא) **נחמתי.** ענין הפוך מחשבה: (יב) **מציב.** ענינו עשיה והעמדה: **יד.** מקום:

Torah regards every soul as precious, Saul wondered why so many people and animals should be killed. How had the Amalekite children sinned? How had the animals sinned? Upon which a Heavenly voice called out, "Do not be a greater *tzaddik* than your Creator!" i.e., only God knows what is true mercy; if He has decreed that Amalek should be exterminated, then that is the just and even the merciful thing to do (*Yoma* 22b).

6. Even when carrying out a commandment, as Saul and the nation were preparing to do, Jews must take care to protect the innocent, in this case the Kenites, who were descendants of Jethro, Moses' father-in-law. Saul interrupted

to the Kenite, "Go, withdraw, descend from among the Amalekite, lest I destroy you with them; for you acted kindlyto all the Children of Israel when they went up from Egypt." So the Kenite withdrew from among Amalek.

Amalek is conquered; King Agag is captured

[7]Saul struck down Amalek, from Havilah to the approach to Shur, which is alongside Egypt. [8]He captured Agag, king of Amalek, alive, and the entire people he destroyed by the edge of the sword. [9]Saul, as well as the people, took pity on Agag, on the best of the sheep, the cattle, the fatted bulls, the fatted sheep, and on all that was good; and they were not willing to destroy them; but the inferior and wretched livestock, that they did destroy.

Saul's weakness and God's wrath

[10]The word of HASHEM then came to Samuel, saying, [11]"I have reconsidered My having made Saul king, for he has turned away from Me and has not fulfilled My word!" Samuel was aggrieved [by this] and he cried out to HASHEM the entire night.

[12]Samuel arose early in the morning to meet Saul. (It had been told to Samuel, saying, "Saul came to the Carmel and set up for himself a place [for an altar]. He turned and descended to Gilgal.") [13]When Samuel came to Saul, Saul said to him,

---

the preparations for war to warn the Kenites to leave the area of danger.

וְאַתָּה עָשִׂיתָה חֶסֶד עִם־כָּל־בְּנֵי יִשְׂרָאֵל — *For you acted kindly to all the Children of Israel.* The kindness was Jethro's advice to Moses that he should designate leaders to help him manage the day-to-day affairs of the nation, which eased the strain on both Moses and the people (*Radak*).

According to *Midrash Shmuel*, the kindness was that Jethro took Moses into his home and family when he fled from Egypt. The Talmud (*Berachos* 63b) goes further. If Jethro, who sheltered Moses with an ulterior motive, because he hoped Moses would marry his daughter Zipporah, is shown such gratitude, surely someone who extends courtesy, hospitality and succor to a Torah scholar will be rewarded. This is a sterling lesson in the importance of gratitude. Moreover, it happened over four hundred years before the war with Amalek. One might wonder if, after several hundred years, the Kennites were still worthy of Israel's kindness, since they had chosen to settle among the Amalekites and must have felt they had something in common with Israel's archenemy. Nevertheless, Jews must never forget a favor (*Michtav MeEliyahu*).

9. Misplaced mercy. By noting that the people differentiated between the better animals and the inferior ones, this verse strongly implies that the people simply wanted the valuable loot for themselves, which contradicts the claim that they preserved these animals only for use as offerings (v. 15). This was another instance of Saul's humility and reluctance to force his will upon others (see v. 17), for it was his duty not to permit this clear deviation from Samuel's instructions. Saul substituted his own mercy for the apparent harshness of the commandment, but, as history would show, his mercy was cruelty in disguise. The Amalekite king whom he pitied lived long enough to sire an offspring, and Haman, the man who attempted genocide against the Jews, descended from King Agag (*Megillah* 12b-13a). This is proof that God's judgment is ultimately far more merciful than shortsighted human compassion.

וַיַּחְמֹל שָׁאוּל וְהָעָם — *Saul, as well as the people, took pity.* Scripture uses the word *pity* advisedly. In verse 3, Saul had been explicitly commanded *have no pity*, thus this verse makes clear where he and his people went wrong.

10-23. God rejects Saul. God informed Samuel that Saul had failed to live up to his responsibility and that he must be stripped of the throne. Sad and disappointed, Samuel carried out the mission of delivering the edict to Saul.

11. נִחַמְתִּי — *I have reconsidered.* Though this term seems to imply that when God chose Saul to be king, He was unaware that Saul would ultimately fail, but this is impossible, for God knows the future. Rather this is an instance of using human terms to describe God, as when one speaks of God's outstretched arm. *Akeidas Yitzchak* likens this feeling of regret to that of someone who plants a tree and nurtures it, knowing all along that he will eventually cut it down for lumber. He comes to love his tree and feels sadness when he cuts it down, even though he knew all along that he would do so.

Samuel prayed all night for Saul, for he loved him (*Abarbanel*).

12. הַכַּרְמֶלָה — *To the Carmel.* This may have been a city in Judah (see 25:2), which was not far from the battlefield, or it may have been Mount Carmel in the northwest of the country, site of the present-day city of Haifa (*Parshiyos b'Sifrei HaNeviim*). According to the Midrash, it was Mount Carmel where he set up this altar. Over the years it fell apart, and it was at its site that Elijah would later erect his altar (*I Kings* 18:20), which he used to restore the loyalty of the people to God (*Rashi, Radak*).

At Carmel, Saul *set up . . . a place*, either as an altar, or as headquarters to divide the Amalekite loot (*Targum Yonasan*). From there, he went to Gilgal, which had a long history as a place demonstrating God's closeness to Israel. It was in Gilgal that Samuel met Saul.

13. Saul greeted Samuel in the sincere expectation that the prophet would commend him for carrying out the Divine

יד בָּרוּךְ אַתָּה לַיהוָה הֲקִימֹתִי אֶת־דְּבַר יהוָה: וַיֹּאמֶר שְׁמוּאֵל וּמֶה קוֹל־הַצֹּאן
טו הַזֶּה בְּאָזְנָי וְקוֹל הַבָּקָר אֲשֶׁר אָנֹכִי שֹׁמֵעַ: וַיֹּאמֶר שָׁאוּל מֵעֲמָלֵקִי הֱבִיאוּם אֲשֶׁר
חָמַל הָעָם עַל־מֵיטַב הַצֹּאן וְהַבָּקָר לְמַעַן זְבֹחַ לַיהוָה אֱלֹהֶיךָ וְאֶת־הַיּוֹתֵר
טז הֶחֱרַמְנוּ: וַיֹּאמֶר שְׁמוּאֵל אֶל־שָׁאוּל הֶרֶף וְאַגִּידָה לְּךָ אֵת אֲשֶׁר
יז דִּבֶּר יהוָה אֵלַי הַלָּיְלָה ויאמרו [וַיֹּאמֶר ק] לוֹ דַּבֵּר: וַיֹּאמֶר
שְׁמוּאֵל הֲלוֹא אִם־קָטֹן אַתָּה בְּעֵינֶיךָ רֹאשׁ שִׁבְטֵי יִשְׂרָאֵל אָתָּה וַיִּמְשָׁחֲךָ
יח יהוָה לְמֶלֶךְ עַל־יִשְׂרָאֵל: וַיִּשְׁלָחֲךָ יהוָה בְּדָרֶךְ וַיֹּאמֶר לֵךְ וְהַחֲרַמְתָּה אֶת־
יט הַחַטָּאִים אֶת־עֲמָלֵק וְנִלְחַמְתָּ בוֹ עַד־כַּלּוֹתָם אֹתָם: וְלָמָּה לֹא־שָׁמַעְתָּ בְּקוֹל יהוָה
כ וַתַּעַט אֶל־הַשָּׁלָל וַתַּעַשׂ הָרַע בְּעֵינֵי יהוָה: וַיֹּאמֶר שָׁאוּל
אֶל־שְׁמוּאֵל אֲשֶׁר שָׁמַעְתִּי בְּקוֹל יהוָה וָאֵלֵךְ בַּדֶּרֶךְ אֲשֶׁר־שְׁלָחַנִי יהוָה
כא וָאָבִיא אֶת־אֲגַג מֶלֶךְ עֲמָלֵק וְאֶת־עֲמָלֵק הֶחֱרַמְתִּי: וַיִּקַּח הָעָם מֵהַשָּׁלָל צֹאן
כב וּבָקָר רֵאשִׁית הַחֵרֶם לִזְבֹּחַ לַיהוָה אֱלֹהֶיךָ בַּגִּלְגָּל: וַיֹּאמֶר
שְׁמוּאֵל הַחֵפֶץ לַיהוָה בְּעֹלוֹת וּזְבָחִים כִּשְׁמֹעַ בְּקוֹל יהוָה הִנֵּה שְׁמֹעַ מִזֶּבַח טוֹב

רש"י

(**טז) הרף.** כתרגומו, אוֹרִיךְ, פירוש המתן: **(יז) ראש שבטי ישראל אתה.** תרגם יונתן, שִׁבְטָא דְבִנְיָמִין עֲבַר בְּיַמָּא בְּרֵישׁ כָּל עַמָּא, כמה שנאמר בִּנְיָמִן צָעִיר רֹדֵם (תהלים סח, כח): **(יח) עד כלותם אתם.** העם אשר אתך יכלו אותם: **(יט) ותעט.** כמו ותעף, לשון עַיִט (בראשית טו, יא): **(כא) ראשית החרם.** מיטב החרם, וכן רֵאשִׁית דְּגָנְךָ (דברים יח, ד), כמה שנאמר בַּהֲרִימְכֶם אֶת חֶלְבּוֹ מִמֶּנּוּ (במדבר יח, ל). ויונתן תרגם, קֳדָם דְּיַחְרְמוּן: **(כב) הנה שמע.** בקולו, טוב מזבח:

רד"ק

(**טו) למען זבח.** לא חמלו עליהם להנאתם אלא למען זבוח לה' שהיה עמהם במלחמה, ואמר אֱלֹהֶיךָ לכבוד שמואל להגדיל מעלתו, כי כל מה שיגדל האדם ראוי לומר עליו אלהיו אלהיך, וכן היו הנביאים אומרים ה' אֱלֹהַי, וכן אמר בחטא הנשיא מִכָּל מִצְוֹת ה' אֱלֹהָיו (ויקרא ד, כב): **(טז) ויאמרו לו דבר.** כתיב ויאמרו רוצה לומר שאול והזקנים אשר עמו, וקרי וַיֹּאמֶר רוצה לומר שאול: **(יז) הלוא אם קטן אתה.** לפי שאמר לו שאול אֲשֶׁר חָמַל הָעָם (פסוק טו), כלומר העם חמל ולא הוא ולא רצה למנעם, אמר לו שמואל הלא אם קטן אתה בעיניך כלומר אף על פי שאתה קטן בעיניך ולא רצית להתגדל על העם ולמנעם, הלא ראש שבטי ישראל אתה ולפיכך משחך ה' למלך עליהם להנהיגם על הדרך הישרה ולמנעם מהעבירה ואיך הנחת אותם לעבור על דברי ה', לא עשו הם אלא אתה שהיה בידך למחות ולא מחית, נראה כי רצונך וחפצך היה בדבר וחמדת השלל ותעט אליו, ויונתן תרגם הפסוק כן הֲלָא מִן שַׁרְיוּתָךְ הֲוֵיתָא שַׁיִט וגו', וכן אמר בדרש (פרקי דרבי אליעזר פרק מא) כי כשעברו ישראל את הים והיו מתיראים ישראל לעבור קפץ שבטו של בנימן והתחילו לעבור, וראו שבט יהודה והתחילו לרגמם באבנים כדי שיחזרו להם וקפץ נחשון בן עמינדב ועבר עם כל שבטו ואחריו כל ישראל, וסמכו על הפסוק הזה שם בִּנְיָמִן צָעִיר רֹדֵם (תהלים סח, כח) אל תיקרי רודם אלא רד ים, וכתיב בתריה שָׂרֵי יְהוּדָה רִגְמָתָם וגו': **(יח) עד כלותם אתם.** עד כלות ישראל אותם ותהיה מ"ם כַּלּוֹתָם על הפועל, או תהיה על הפעול ותהיה מלת אתם הבאה אחריו תוספת ביאור: **(יט) ותעט.** כבר פירשנו המלה הזאת (לעיל יד, לב) שהיא כמו ותסר או ותטה: **(כ) אשר שמעתי בקול ה'.** זה אשר אמר שאול היה הפסק לדברי שמואל, כי עדיין לא השלים דבריו ולא אמר לו עדיין מה שדבר אליו ה' הלילה שאמר לו נחמתי, והוא שאמר לו שמואל בסוף הענין כי מאסת את דבר ה' וימאסך ממלך, אבל כשאמר לו שמואל וְלָמָּה לֹא שָׁמַעְתָּ (פסוק יט) הפסיק שאול את דבריו ואמר אֲשֶׁר שָׁמַעְתִּי, ופירושו כן שמעתי בקול ה', ויש לפרשו כמשמעו כמו שתתפרש מלת אשר בכל מקום שהוא טעם למה שקדם, וחוזר למה שאמר שאול תחילה הֲקִימֹתִי אֶת דְּבַר ה' (פסוק יג) אמר עוד אמת אמרתי כי הקימותי את דבר ה' אֲשֶׁר שָׁמַעְתִּי בְּקוֹל ה' וָאֵלֵךְ בַּדֶּרֶךְ אֲשֶׁר שְׁלָחַנִי: **ואביא את אגג.** כלומר, אם לא המיתיו עם האחרים לא שלחתיו לנפשו, כי הנה הביאותיו ויומת: **(כא) ראשית החרם.** פירוש ממיטב החרם, כמו רֵאשִׁית שְׁמָנִים יִמְשָׁחוּ, (עמוס ו, ו) ויונתן תרגם לשון תחלה קֳדָם דְּיַחְרְמוּן, כלומר טרם שיחרימו ויקללו שלא יהנה אדם מהשלל, לקחו העם הצאן והבקר לזבוח לה' לא לדבר אחר:

מצודת דוד

ברוך אתה לה' וכו'. רצה לומר, ה' יברך אותך, לפי שקיימתי דבר ה' אשר צויתני, והזכות הזה באה על ידך: **(יד) ומה קול.** רצה לומר, ואם קיימת דבר ה', מה הוא קול הצאן וכו', האם המה מעמלק: **(טו) מעמלקי הביאום.** רצה לומר, הן אמת מעמלק הובא, ועם כל זה אין רע, כי מה שחסו על מבחר הצאן, היה למען יזבחום לה', ולא להחזיק לעצמן, ולזה לא יכולתי למחות בידם, כי אמרו שעוד למצוה יחשב: **ואת היותר.** הדברים שאינם ראוים לזבוח, החרמנו: **(טז) הרף.** רצה לומר, עזוב דבריך וחדל מהם, וְאַגִּידָה לְךָ וכו': **(יז) אם קטן אתה בעיניך.** אף אם בעיני עצמך נחשב אתה לקטן, מכל מקום הלא אתה הראש המולך על כל שבטי ישראל, ולא זו בלבד שהם המליכו אותך, אלא שגם ה' משחך למלך, ואם כן ידך תקיפה עליהם, ומדוע אם כן לא מחית בידם: **(יח) וישלחך.** הלא ה' שלחך בדרך הזה, וציוך להחרימם: **(יט) ולמה לא שמעת.** להחרימם מכל וכל, ורצה לומר, היתכן בעבור דברי העם לא שמעת בקול ה': **ותעט אל השלל.** כי על שלא מחית בהעם, הרי הוא כאלו אתה בעצמך מהרת לקחת השלל וכו': **(כ) אשר שמעתי.** רצה לומר, לא כאשר תאמר אתה, כי אֲשֶׁר שָׁמַעְתִּי בְּקוֹל וכו': **ואביא.** רצה לומר, עם שלא הרגתיו, מכל מקום לא שלחתיו לנפשו, רק הביאותיו, והנה בידי להרגו בכל עת: **(כא) ויקח העם.** ואף מהשלל לא לקחתי אני מאומה, כי אם העם לקחו, וזה לכוונה טובה לזבוח לה': **(כב) החפץ לה'.** וכי רצון ה' בעולות, דומה הוא כרצונו לשמוע בקולו, הלא לא כן הדבר, כי הנה לשמוע בקולו, טוב בעיניו יותר מזבח, ולהקשיב דברו, טובה לפניו מחלב אילים, וכפל הדבר במלות שונות:

מצודת ציון

(טז) הרף. מלשון רפיון: **(יט) ותעט.** ענין פריחה, כמו וַיָּעַט בָּהֶם (לקמן כה, יד), ורצה לומר מהירות ההליכה: **(כא) ראשית החרם.** מיטב מדבר הנחרם, כמו וְרֵאשִׁית שְׁמָנִים יִמְשָׁחוּ (עמוס ו, ו): **(כב) החפץ.** ענין רצון:

"Blessed are you to HASHEM! I have fulfilled the word of HASHEM."

[14]Samuel said, "And what is this sound of the sheep in my ears and the sound of the cattle that I hear?"

[15]Saul said, "I have brought them from the Amalekite, for the people took pity on the best of the sheep and cattle in order to bring them as offerings to HASHEM, your God, but we have destroyed the remainder."

Samuel condemns Saul

[16]Samuel said to Saul, "Desist, and I shall tell you what HASHEM spoke to me last night."

He said to him, "Speak."

[17]Samuel said, "Is this not so? — Though you may be small in your own eyes, you are the head of the tribes of Israel; and HASHEM has anointed you to be king over Israel. [18]HASHEM sent you on the way, and He said, 'Go, destroy the sinners, Amalek, and wage war with him until you have exterminated him.' [19]Why did you not obey the voice of HASHEM? You rushed after the spoils, and you did what was evil in the eyes of HASHEM."

Saul protests but Samuel persists

[20]Saul said to Samuel, "But I did heed the voice of HASHEM, and I did walk the path on which HASHEM sent me! I brought Agag, king of Amalek, and I destroyed Amalek! [21]The people took sheep and cattle from the spoils — the best of that which was to be destroyed — in order to bring offerings to HASHEM, your God, in Gilgal."

[22]Samuel said, "Does HASHEM delight in elevation-offerings and feast-offerings as in obedience to the voice of HASHEM? Behold! — to obey is better than a choice offering,

---

command. As for his dereliction in allowing the animals to survive, Saul would explain in verse 15 why he did not consider this a violation of the command.

14. Without directly contradicting Saul's claim, Samuel asked a question that would force the king to acknowledge that he had allowed the livestock to survive.

15. לְמַעַן זְבֹחַ — *In order to bring them as offerings.* Saul argued that the use of these animals as offerings did not contravene the commandment to destroy them. The proof is that they preserved only the animals that were fit for offerings, and not the others. Here he laid the onus on his warriors — *the people took pity* — but verse 9 states that Saul, too, was party to it (*Abarbanel*).

Saul gave no justification for allowing Agag to live, nor did Samuel explicitly condemn him for it. Presumably, Saul intended to execute Agag later, and to do so publicly, to symbolize the total extermination of Amalek, so that his temporary pity on Agag was not a sin. However, as noted above, the Sages teach that Agag cohabited that night, with the result that his wife became pregnant, thus preserving the seed of Amalek. *Taama Dikra* contends that Agag's wife was not an Amalekite, and was therefore not included in the commandment to wipe out that evil nation. This would explain why she was not executed along with her husband.

16. הֶרֶף וְאַגִּידָה לְּךָ — *Desist, and I shall tell you.* This verse implies that Samuel needed permission to speak. The prophet was apprehensive about Saul's reaction to the Divine decree, and therefore begged for Saul's indulgence (*Abarbanel*).

17. אִם־קָטֹן אַתָּה בְּעֵינֶיךָ — *Though you may be small in your own eyes . . .* This is a classic motto for leaders. Humility is certainly a noble virtue, but only in its proper time and place. A leader must lead, and that requires that he exert authority over his people when they are going astray, in order to guide them in God's ways (*Sichos Mussar*).

19. No one suspected the righteous Saul of enriching himself, but he was held responsible for acquiescing to the desire of the people.

20. Saul defended himself, and certainly felt that he had done no wrong. True, Agag had not been killed in the battle, but he had not been set free; he will be executed (*Radak*), when we ascertain the mode of execution that he deserves (*Ben Yehoyada, Yoma* 22b).

22. הַחֵפֶץ לַה׳ בְּעֹלוֹת וּזְבָחִים כִּשְׁמֹעַ בְּקוֹל ה׳ — *Does HASHEM delight in burnt-offerings and feast-offerings as in obedience to the voice of HASHEM?* Samuel sternly rebukes Saul with a theme that is echoed by many of the later prophets. A multitude of offerings cannot excuse or atone for disobedience to God's command, any more than robber barons can be excused for their crimes because they contribute to charity. An offering on the altar pleases God only if it is a fulfillment of His commandment, not a violation. To the contrary, deeds such as the one defended by Saul are a rebellion against God because they are manifestations of people's desire to craft a religion tailored to their own predilections. God does not need man's generosity; He wants his obedience.

Obedience and intellect. Homiletically, *choice offerings* and *fat of rams* symbolize the intellect; it is incumbent upon a Jew to serve God with the finest human attributes — intelligence and understanding — by trying to plumb

כג לְהַקְשִׁיב מֵחֵלֶב אֵילִים׃ כִּי חַטַּאת־קֶסֶם מֶרִי וְאָוֶן וּתְרָפִים הַפְצַר יַעַן מָאַסְתָּ אֶת־דְּבַר יהוה וַיִּמְאָסְךָ מִמֶּלֶךְ׃

כד וַיֹּאמֶר שָׁאוּל אֶל־שְׁמוּאֵל חָטָאתִי כִּי־עָבַרְתִּי אֶת־פִּי־יהוה וְאֶת־דְּבָרֶיךָ כִּי יָרֵאתִי אֶת־הָעָם וָאֶשְׁמַע בְּקוֹלָם׃

כה וְעַתָּה שָׂא נָא אֶת־חַטָּאתִי וְשׁוּב עִמִּי וְאֶשְׁתַּחֲוֶה לַיהוה׃

כו וַיֹּאמֶר שְׁמוּאֵל אֶל־שָׁאוּל לֹא אָשׁוּב עִמָּךְ כִּי מָאַסְתָּה אֶת־דְּבַר יהוה וַיִּמְאָסְךָ יהוה מִהְיוֹת מֶלֶךְ עַל־יִשְׂרָאֵל׃

כז וַיִּסֹּב שְׁמוּאֵל לָלֶכֶת וַיַּחֲזֵק בִּכְנַף־מְעִילוֹ וַיִּקָּרַע׃

כח וַיֹּאמֶר אֵלָיו שְׁמוּאֵל קָרַע יהוה אֶת־מַמְלְכוּת יִשְׂרָאֵל מֵעָלֶיךָ הַיּוֹם וּנְתָנָהּ לְרֵעֲךָ הַטּוֹב מִמֶּךָּ׃

כט וְגַם נֵצַח יִשְׂרָאֵל לֹא יְשַׁקֵּר וְלֹא יִנָּחֵם כִּי לֹא אָדָם הוּא לְהִנָּחֵם׃

רש"י

להקשיב מחלב אילים. זה מוסב על הִנֵּה שְׁמֹעַ מִזֶּבַח טוֹב, ולהקשיב, מחלב אילים: **(כג) כי חטאת קסם מרי ואון ותרפים הפצר.** וכעונש של און ותרפים, כן עונש של הפצר. ויונתן תרגם, אֲרֵי כְּחוֹב גַּבְרַיָּא וכו' וּכְחוֹבֵי עַמָּא דְּטָעוּ בָּתַר טַעֲוָתָא, כֵּן חוֹבַת כָּל אֲנַשׁ דִּפְצַר וּמוֹסִיף וכו': **הפצר.** לשון תוספת, וכן וַיִּפְצַר בּוֹ (בראשית לג, יא), הרבה עליו דברים: **(כד) יראתי את העם.** דואג האדומי, שהיה חשוב ככולם: **(כז) ויחזק בכנף מעילו.** לפי פשוטו משמעו, שכשפנה שמואל ללכת מאחרי שאול, אחז שאול בכנף של שמואל, לפי שהיה שאול מבקש ממנו שישוב עד שישתחוה בגלגל שהיה שם אהל מועד. ומדרש אגדה חולקים אמוראים, יש אומרים, מעילו של שמואל קרע שאול. ויש אומרים, מעילו של שאול קרע שמואל (רות רבה ז, יב), ומסר לו סימן זה, מי שיכרות כנף מעילו, הוא ימלוך תחתיו, והוא שאמר לו שאול לדוד ביום שכרת את המעיל יָדַעְתִּי כִּי מָלֹךְ תִּמְלוֹךְ (לקמן כד, כא) (מדרש תהלים נז): **(כט) וגם נצח ישראל לא ישקר.** ואם תאמר אשוב מעוני לפניו, לא יועיל עוד ליטול את המלוכה ממי שנתנה לו, כי הקדוש ברוך הוא שהוא נצחונו של ישראל, לא ישקר מליתן הטובה לזה שאמר ליתן:

רד"ק

(כג) כי חטאת קסם מרי. חסר כ"ף הדמיון כמו לֵב שָׂמֵחַ יֵיטִב גֵּהָה (משלי יז, כב), וכן תרגם יונתן ארי כְּחוֹבֵי גַבְרַיָּא דְשָׁאֲלִין בְּקִסְמָא וגומר, כלומר כמו שחטא קסם הוא חטאה גדולה כי הוא מסיר בטחונו מהקדוש ברוך הוא ונותן בטחונו בקסם, כן הוא חטאת גדולה חטאת מרי, והוא מי שמורה פי האל ואינו עושה מה שצוהו, כי אחרי שעבר על מצותו הרי הוא כופר בו ומסיר בטחונו ממנו ואומר כי אין בידו להטיב ולהרע, לפיכך לא ייִרא ממנו לעבור על מצותו והרי הוא כעובד עבודת אלילים, וכתרפים גם כן שהוא חטאת גדולה כן הוא חטאת גדולה הפצר, והוא מי שעובר על רצון המצוה אותו כמו שפירשנו: **וימאסך.** הוי"ו כוי"ו וַיִּשָּׂא אַבְרָהָם אֶת עֵינָיו (בראשית כב, יג) וכן הוא הפירוש יען מאסת דבר ה' מאסך ממלך, רצה לומר מהיות מלך: **(כד) ואת דבריך.** שאמרת לי במצות ה', ותרגם יונתן אֲרֵי עֲבָרִית עַל מֵימְרָא דַה' וּבַסָרִית עַל פִּתְגָמָךְ: **(כז) ללכת.** בסגול באתנחתא: **ויחזק בכנף מעילו.** שאול החזיק בכנף מעיל שמואל כדי שישוב עמו, ובמדרש (רות רבה ז, יב) חולקין בו יש אומרים כי שמואל קרע במעיל שאול ורמז לו בזה כי מי שיכרות כנף מעילו הוא ימלוך אחריו, ויש אומרים כי שמואל קרע מעילו של עצמו שכן דרכן של צדיקים להיות קורעין בשעה שאין נטיעתן משובחת: **(כח) קרע ה' את ממלכות ישראל מעליך היום.** ואף על פי שאמר לו זה בגלגל כשהעלה העולה מַמְלַכְתְּךָ לֹא תָקוּם (לעיל יג, יד) ועתה אמר לו הַיּוֹם, אפשר שהחטא ההוא היה נמחל לו על ידי תשובה ומעשים טובים, וכיון ששנה בחטא אמר לו היום נקרעה הממלכה ממך, ויש לפרש עוד כי בחטא הראשון אמר לו מַמְלַכְתְּךָ לֹא תָקוּם כלומר שלא תתקיים לו ולבניו אחריו, אבל אפשר כי הוא יאריך ימים במלכותו, ועתה אמר לו כי גם הוא לא יאריך במלכותו, וזהו שאמר קָרַע ה' ... מֵעָלֶיךָ וכן אמר לו שמואל כשהעלהו באוב וַיִּקְרַע ה' אֶת הַמַּמְלָכָה מִיָּדֶךָ וגו' וְלֹא עָשִׂיתָ חֲרוֹן אַפּוֹ בַּעֲמָלֵק (לקמן כח, יז-יח), הנה כי בדבר עמלק נגמר דינו: **(כט) וגם נצח ישראל לא ישקר.** אף על פי שממלכתך לא תקום, נצח ישראל לא יסור ממקומו ולא ישקר אותו הקדוש ברוך הוא אבל יעמידהו כי לא ינחם, כלומר ולא ינחם על הטובה שדבר עליהם: **כי לא אדם הוא להנחם.** כי האדם ינחם על הטובה שיבטיח לאדם מפני כעסו עליו אם נשתנה לבבו שלא יהיה שלם לבו עמו כמו שהיה מתחילה, אבל הקדוש ברוך הוא אין בו שנוי חפץ וכיון שהבטיח את ישראל לא ישקר להם הבטחתו הטובה, אף על פי שחטאו ייסרם כפי חטאם אבל הטובה קיימת אחרי קבלם ענשם, אבל לשאול לא הבטיחו על המלוכה לעולם ואם היה שומר מצות ה' היה מאריך לו המלוכה גם כן ולבניו אחריו אם ישמרו את מצות ה', אבל לדוד שהבטיחו על המלוכה לעולם לא תסור ממנו המלוכה לעולם, אף על פי שתפסק מבניו זמן כפי עונם הטובה והמלוכה קיימת להם לעולם ותשוב להם אחרי קבלם ענשם, כמו שכתוב אֲשֶׁר בְּהַעֲוֺתוֹ וְהֹכַחְתִּיו בְּשֵׁבֶט אֲנָשִׁים וגו' וְחַסְדִּי לֹא יָסוּר מִמֶּנּוּ (לקמן-ב ז, יד-טו) ויונתן תרגם הפסוק כן וְאִם תֵּימַר אָתוּב מֵחוֹבִי וגו' כבעמוד:

מצודת דוד

(כג) כי חטאת קסם מרי. החטא שיש במעשה הקסם, הוא החטא בעצמו שיש בהממרה בדברי ה', כי כמו השואל בקסם, הסיר בטחונו מה', כן הממרה בדברו בעבור הסתת או יראת אדם, מסיר בזה בטחונו מה': **ואון ותרפים הפצר.** רצה לומר, דבר התוהו והשקר שיש בתרפים, דבר התוהו ההיא בעצמה יש בהמרבה דברים, כי כמו שאף הרבה מן התרפים תוהו המה ואת כולם ישא הרוח, כן מרבית דברים לא צודקים, לתוהו נחשבו עם רבוים, ולפי שנאמר בשאול (לקמן כח, ג) שהסיר את האובות ואת הידעונים, אמר לו, הנה נכשלת בדומה לקוסם ולעושה התרפים, כי המרי בדבר ה' מיראת העם, ידמה לקוסם, והפצר בדברים לא יועיל בם, ידמה לעושה התרפים: **יען.** לזאת יַעַן מָאַסְתָּ וכו': **(כד) ואת דבריך.** במה שאני מרבה דברים לסתור מאמריך ולומר אֲשֶׁר שָׁמַעְתִּי וכו' (פסוק כ): **כי יראתי.** ועל ידי זה חטאתי להמרות פי ה', ונמשך מזה לסתור גם דבריך: **(כה) ועתה.** הואיל ואני מודה שחטאתי גם לך, לזה מחול חטאתי וְשׁוּב עִמִּי וכו': **(כו) וימאסך ה'.** ואם ה' מאס בך, איך אשוב עמך: **(כז) ללכת.** מעם שאול: **ויחזק.** שאול אחז בכנף מעיל שמואל למנעו מללכת מעמו, ובהאחזו בו, נקרע הכנף: **(כח) קרע ה'.** הקריעה ההיא, היא לסימן שכבר קרע ה' וכו': **לרעך.** זהו דוד: **(כט) וגם נצח ישראל.** רצה לומר, כבר אבדת המלוכה כי כבר נתנה לאחר, וגם לא ישקר בהבטחתו, וגם לא ינחם לאחר זמן, כי לא אדם הוא להנחם (ורצה לומר, מפאת עצמו אין בו שינוי להנחם, אבל השינוי בא מפאת המקבל, ולזה נאמר בשאול נִחַמְתִּי כִּי הִמְלַכְתִּי וכו' (פסוק יא): **(ל) ויאמר חטאתי.** רצה לומר, אף כי חטאתי, עם כל זאת מהראוי הוא שעתה בהיותך פה תכבדני נגד כו':

מצודת ציון

להקשיב. לשמוע: **(כג) ואון.** ענין דבר תוהו ושקר, כמו הַתְּרָפִים דִּבְּרוּ אָוֶן (זכריה י, ב): **ותרפים.** הוי"ו יתירה, כמו נִרְדָּם וְרֶכֶב (תהלים עו, ז): **הפצר.** ענין רבוי הדברים, כמו וַיִּפְצַר בָּם (בראשית יט, ג): **יען.** בעבור: **(כה) שא.** ענין מחילה: **(כז) בכנף.** בקצה שפולי המעיל, כמו וַיִּכְרֹת אֶת כְּנַף הַמְּעִיל (לקמן כד, ד): **(כט) נצח.** ענין חוזק והתגברות, כמו אָבַד נִצְחִי (איכה ג, יח), ועל המקום יאמר, שהוא חוזק של ישראל: **ינחם.** ענין הפוך מחשבה:

to be attentive than the fat of rams. [23]*For rebelliousness is like the sin of sorcery, and verbosity is like the iniquity of idolatry. Because you have rejected the word of HASHEM, He has rejected you as king!"*

Saul confesses

[24]*Saul said to Samuel, "I have sinned, for I have transgressed the word of HASHEM and your word, for I feared the people and I hearkened to their voice.* [25]*But now, please forgive my sin and return with me, and I will prostrate myself to HASHEM."*

[26]*Samuel said to Saul, "I will not return with you, for you have rejected the word of HASHEM and HASHEM has rejected you from being king over Israel!"* [27]*Samuel then turned away to leave, but [Saul] grabbed the hem of his tunic, and it tore.* [28]*Samuel said to him, "HASHEM has torn the kingship of Israel from upon you this day, and has given it to your fellow who is better than you.* [29]*Moreover, the Eternal One of Israel does not lie and does not relent, for He is not a human that He should relent."*

The omen of Saul's downfall

the profundity of the Torah and its commandments. *To obey* and *to be attentive* symbolize the resolve to accept the yoke of Divine service, even if one does not understand. In chastising Saul, Samuel delivered the eternal message that, despite the importance of serving God with understanding, it must be preceded and be subservient to a firm commitment to accept the will of God whether or not it conforms to limited human intelligence (*Likutei Sichos*).

23. Just as reliance on sorcery indicates a lack of faith in God, so, too, refusal to carry out God's will as expressed betrays a lack of trust in Him and His ability to reward and punish (*Radak*). And verbose rationalizations for misbehavior are as empty as the rituals of idolatry.

Ironically, Saul was zealous in purging practitioners of sorcery from the land (see 28:9). This is why Samuel compared his false justifications to the very sin he was committed to eradicate (*Metzudos*).

יַעַן מָאַסְתָּ אֶת־דְּבַר ה' — *Because you have rejected the word of God.* The *acts* of disobedience were not what rendered Saul unfit — Agag could be executed and proper offerings could be brought. It was his spirit of rebellion, his readiness to fine-tune God's command. Such an attitude is incompatible with Jewish kingship; the outward acts were but symptoms of the inner disintegration that disqualified Saul and that filled Samuel with chagrin and despair (*David, King of Israel*).

24-31. Regret and rejection. Saul admitted that he had erred, but tried to submit mitigating circumstances. Samuel would not accept them.

24-25. Saul confessed, but still tried to justify, or at least excuse, his behavior. By saying that he had sinned against both the word of God *and* Samuel, he implied that he had not disobeyed *God's* command, but was in violation only of Samuel's too-strict interpretation of it. Given his contention that he had sinned only according to Samuel's opinion, Saul asked Samuel to forgive him, implying that God's forgiveness was not needed. Samuel rejected this in verse 26, stressing that Saul had *rejected the word of God* (*Abarbanel*). Saul also implied that he was innocent because the people had coerced him to give them leeway, and someone who is forced to sin is not held liable (ibid.).

According to the Sages, the *"people"* whom Saul feared was actually Doeg the Edomite, whose scholarship and halachic authority were such that he was considered to be equal to the entire nation (*Rashi*). Doeg ruled that Agag should not be killed (*Midrash Shmuel* 18:4).

25. וְשׁוּב עִמִּי — *And return with me.* Saul wanted Samuel to be with him when he prostrated himself to seek forgiveness and atonement (*Malbim*).

26. Samuel refused Saul's request and rejected Saul's attempt to justify himself. One must differentiate between the public and private roles of an individual. It may be that the repentance of Saul the *person* could be accepted, but he was still disqualified from being king. A king cannot permit humility or public opinion to compromise his obedience to God's will, and therefore Saul could not remain on the throne.

27. The verse does not specify who tore whose tunic. The commentators agree that the plain sense of the verse is that Saul accidentally tore it as he tried to restrain the departing Samuel. They also offer other versions: Samuel tore Saul's tunic as a sign that the man who would tear Saul's garment in the future would be his successor as king. David actually did so (24:5), and when Saul saw what David had done, he remembered Samuel's prophecy and proclaimed that David would become king (24:21). Alternatively, Samuel tore his own tunic in mourning over Saul's decline (*Rashi; Radak*).

28. Although Samuel had told Saul after his sin at Gilgal that his monarchy would not last (13:14), it was possible that the decree could have been rescinded through repentance and good deeds. Now, however, that Saul had violated a second commandment, the decree was irrevocable (*Radak*; see also comm. to 13:14).

29. נֵצַח יִשְׂרָאֵל לֹא יְשַׁקֵּר — *The Eternal One of Israel does not lie.* Once God, *the Eternal One*, has promised that the throne would go to someone else — i.e., David — He will not go back on His word. Alternatively, the term is rendered *the eternity of Israel*, referring to God's promise of eternal love and beneficence to the Jewish people. The failure of an individual leader such as Saul — or even the sin-induced exile of the nation — does not change the eternity of God's Chosen People. All the prophecies will come about; they may be delayed, but they are never annulled (*Radak*).

ל וַיֹּאמֶר חָטָאתִי עַתָּה כַּבְּדֵנִי נָא נֶגֶד־זִקְנֵי עַמִּי וְנֶגֶד יִשְׂרָאֵל וְשׁוּב עִמִּי
לא וְהִשְׁתַּחֲוֵיתִי לַיהוָה אֱלֹהֶיךָ׃ וַיָּשָׁב שְׁמוּאֵל אַחֲרֵי שָׁאוּל וַיִּשְׁתַּחוּ שָׁאוּל
לב לַיהוָה׃ וַיֹּאמֶר שְׁמוּאֵל הַגִּישׁוּ אֵלַי אֶת־אֲגַג מֶלֶךְ עֲמָלֵק וַיֵּלֶךְ
לג אֵלָיו אֲגַג מַעֲדַנֹּת וַיֹּאמֶר אֲגָג אָכֵן סָר מַר־הַמָּוֶת׃ וַיֹּאמֶר שְׁמוּאֵל כַּאֲשֶׁר שִׁכְּלָה
נָשִׁים חַרְבֶּךָ כֵּן־תִּשְׁכַּל מִנָּשִׁים אִמֶּךָ וַיְשַׁסֵּף שְׁמוּאֵל אֶת־אֲגָג לִפְנֵי יְהוָה
לד בַּגִּלְגָּל׃ וַיֵּלֶךְ שְׁמוּאֵל הָרָמָתָה וְשָׁאוּל עָלָה אֶל־בֵּיתוֹ גִּבְעַת
לה שָׁאוּל׃ וְלֹא־יָסַף שְׁמוּאֵל לִרְאוֹת אֶת־שָׁאוּל עַד־יוֹם מוֹתוֹ כִּי־הִתְאַבֵּל שְׁמוּאֵל

טז

א אֶל־שָׁאוּל וַיהוָה נִחָם כִּי־הִמְלִיךְ אֶת־שָׁאוּל עַל־יִשְׂרָאֵל׃ וַיֹּאמֶר
יְהוָה אֶל־שְׁמוּאֵל עַד־מָתַי אַתָּה מִתְאַבֵּל אֶל־שָׁאוּל וַאֲנִי מְאַסְתִּיו מִמְּלֹךְ עַל־
יִשְׂרָאֵל מַלֵּא קַרְנְךָ שֶׁמֶן וְלֵךְ אֶשְׁלָחֲךָ אֶל־יִשַׁי בֵּית־הַלַּחְמִי כִּי־רָאִיתִי בְּבָנָיו לִי
ב מֶלֶךְ׃ וַיֹּאמֶר שְׁמוּאֵל אֵיךְ אֵלֵךְ וְשָׁמַע שָׁאוּל וַהֲרָגָנִי וַיֹּאמֶר

רש"י

(לב) אגג מעדנת. יונתן תרגם, אֲגָג מְפַנְקָא: **אבן סר מר המות.** באמת ידעתי כי סר וקרב עלי מררת המות: **(לג) כאשר שכלה נשים חרבך.** להושיבם אלמנות מבעליהם, שהייתם חותכים זכרי בחורי ישראל: **וישסף.** חתכו לארבע, ואין לתיבה זו דמיון. ותרגום וישסף, וּפָשַׁח. ובגמרא שלנו (ביצה לג, ב) יש הוה מפשח ויהיב לן אלותא, כלומר בוקע: **(א) בית הלחמי.** בבית לחם, וכן דרך כל דבר ששמו בשתי תיבות, כמו, בית לחם, בית שמש, בית אל, קרית ארבע, אם בא להטיל בו ה"א, מטיל בין שתי התיבות, כגון, קִרְיַת הָאַרְבַּע (בראשית לה, כז), בֵּית הָאֱלִי (מלכים-א טז, לד), בֵּית הַלַּחְמִי:

רד"ק

(לב) אגג מעדנת. כתרגומו מְפַנְקָא, כלומר הלך אליו כמהלך המלכים בתענוג, כלומר אף על פי שהיה קרוב למיתה הלך אליו בגאוה, או פירושו הלך אליו בתענוג ובשמחה כי בחר מותו מחייו, ויש מפרשים מַעֲדַנֹּת קשורים מן הַתְקַשֵּׁר מַעֲדַנּוֹת כִּימָה (איוב לח, לא), כלומר בקשורים ובשלשלאות של ברזל שהיה בהן הלך אליו: **אכן סר מר המות.** הגיע מרירות המות ידע כי להמיתו הביאו אותו אליו: **(לג) וישסף שמואל.** כמו וַיְבַקַּע (בראשית כב, ג) כתרגומו וּפָשַׁח כמו וַיְפַשְּׁחֵנִי (איכה ג, יא), וכן בדברי רבותינו זכרונם לברכה (ביצה לג, ב) הוה מפשח ויהיב לן אלותא כלומר בוקע: **(לד) גבעת שאול.** אפשר שהיא גבעת בנימן שזכר למעלה (לעיל יג, ב) ובנה שם שאול בית מלוכה לפיכך סמכה אליו, או היתה גבעה אחרת שבנה אותה שאול: **(לה) וה' נחם.** נפעל עומד כי הוא קמוץ: **(א) מלא קרנך שמן.** אמר קַרְנְךָ לפי שהיה הקרן הזה מזומן למשוח בו מלכי בית דוד, ועל העתיד היה מזומן אותו הקרן על פי הנביאים, והיה באהל, מועד עם כלי שמן המשחה, וכן אמר כשנמשח שלמה וַיִּקַּח צָדוֹק הַכֹּהֵן אֶת קֶרֶן הַשֶּׁמֶן מִן הָאֹהֶל (מלכים-א א, לט) נראה כי שם באהל מועד היה מוכן זה הקרן עם כלי שמן המשחה, ולפיכך אמר לשמואל מַלֵּא קַרְנְךָ שֶׁמֶן כי על הנביאים היה מוטל למשוח המלכים על פי ה', ואף על פי שצדוק הכהן משח שלמה הנה היה שם עמו נתן הנביא, כמו שכתוב וּמָשַׁח אֹתוֹ צָדוֹק הַכֹּהֵן וְנָתָן הַנָּבִיא (שם שם, לד), ומשיחת המלכים ליצוק מן השמן תחלה על ראש המלך ואחר כך היה מושח ממנו כצורת נזר בין ריסי עיניו, ואחר כך הנשאר בקרן היה יוצק על ראשו (הוריות יב, א) כי מלא הקרן היה שיעור המשיחה עם היציקה: **לי מלך.** ולא אמר לישראל מלך רצה לומר לי שיהיה לעבודתי וישמע אלי לכל אשר אצונו, לא כשאול שעבר על מצותי: **(ב) עגלת בקר.** מצאנו כי אף על פי שהיה מבטיח הקדוש ברוך הוא הנביא או הצדיק אף על פי כן הוא נשמר מלכת במקום סכנה, כמו שראינו ביעקב אבינו שהבטיחו הקדוש ברוך הוא בעברו ארם נהרים ואמר לו וַהֲשִׁבֹתִיךָ אֶל הָאֲדָמָה הַזֹּאת (בראשית כח, טו), ושם גם כן נראה לו המלאך והבטיחו ואמר לו שׁוּב אֶל אֶרֶץ אֲבוֹתֶיךָ וּלְמוֹלַדְתֶּךָ וְאֶהְיֶה עִמָּךְ (שם לא, ג), וכאשר שמע כי עשו בא לקראתו וַיִּירָא יַעֲקֹב מְאֹד וַיֵּצֶר לוֹ (שם לב, ח), וכן דוד שהיה נמשח למלך על פי ה' היה בורח מפני שאול, וגם גד הנביא אמר לו לֹא תֵשֵׁב בַּמְּצוּדָה (לקמן כב, ה), וכן בדברי המלחמות היו עושין תחבולות אחר הבטחת האל יתברך כמו שעשה גדעון בדבר הכדים והלפידים (שופטים ז, טז-יח), וגם פעמים היו עושין התחבולות במצות האל כמו שכתוב ביהושע בכבוש יריחו הַקֵּיף אֶת הָעִיר (יהושע ו, ג), וכן צוה לשמואל הנביא תחבולה אף על פי שהיה הולך במצותו והטעם כי אף על פי שהקדוש ברוך הוא עושה נסים ונפלאות עם יראיו ברוב הם על מנהג העולם וכן על מנהג העולם, היה לו ליעקב לירא מפני עשו, ולדוד מפני שאול אם היה מושח מלך בחייו, והיה לו לבקש תחבולה איך אלך וזו היתה שאלתו אֵיךְ אֵלֵךְ, ואמר לו הקב"ה עֶגְלַת בָּקָר תִּקַּח בְּיָדֶךָ כי בכל מקום היו רשאין להקריב באותו זמן, כי זמן היתר הבמות היה כל זמן שהיה אהל מועד בנוב וגבעון, ולמדו רבותינו זכרונו לברכה (יבמות סח, ב) מזה הפסוק שמצוה לשנות בדברי שלום, שהרי הקדוש ברוך הוא אמר לשמואל עֶגְלַת בָּקָר תִּקַּח בְּיָדֶךָ והראה לו שאין ראוי לאדם ללכת במקום סכנה ולסמוך על הנס משום שנאמר לֹא תְנַסּוּ אֶת ה' אֱלֹהֵיכֶם (דברים ו, טז), ויש מפרשים כי הקדוש ברוך הוא אמר לו כך אני אמרתי לך שתלך בהצנע ואתה אמרת וְשָׁמַע שָׁאוּל וַהֲרָגָנִי, עתה אני אומר לך שתלך בפרהסיא ותקח עגלת בקר לעשות זבחים שלמים ביום משחך אותו למלך, וזה שאמר וְקָרָאתָ לְיִשַׁי בַּזָּבַח (פסוק ג), אמר לו לך בפרהסיא ונראה מי הורג אותך, ועל זה הדרך פירשו גם כן במדרש (תנחומא בשלח כב) מה שאמר לו הקדוש ברוך הוא למשה רבינו עֲבֹר לִפְנֵי הָעָם (הזה) (שמות יז, ה) לפי שאמר לו עוֹד מְעַט וּסְקָלֻנִי (שם פסוק ד), אמר לו הקדוש ברוך הוא עבור לפני העם ונראה מי סוקל אותך:

מצודת דוד

(לב) מעדנת. קשור בשלשלאות: **אכן.** באמת סר אלי מרירות המות: **(לג) כאשר שכלה.** כשהרגת האנשים עם בניהם, היו הנשים שכולות מבעליהן ומבניהן: **מנשים.** מעין הנשים ההן, ודומה להן תהיה אמך, שכולה ממך: **(לה) כי התאבל.** רצה לומר, לפי שעם שהיה מתאבל על שאול, עם כל זאת נחם ה' וכו' ולא חש על אבלותו, לזה נעצב מאד ולא בא עוד לפני שאול [אבל שאול בא לפני שמואל, כמו שנאמר לקמן יט (כד)]: **(א) ואני מאסתיו.** ואין מהראוי להתאבל עליו זמן מרובה: **לי מלך.** רצה לומר, שהוא יהיה מלך לי, לשמור מצותי: **(ב) ואמרת.** לבני העיר:

מצודת ציון

(לב) מעדנת. ענין קשור, כמו הַתְקַשֵּׁר מַעֲדַנּוֹת כִּימָה (איוב לח, לא): **אכן.** באמת: **(לג) שכלה.** מי שבניו מתים, קרוי שכול, כמו לָמָה אֶשְׁכַּל (בראשית כז, מה): **וישסף.** תרגומו וּפָשַׁח, והוא הבקיעה לשנים, כמו וַיְפַשְּׁחֵנִי (איכה ג, יא). ובדברי רבותינו זכרונם לברכה מאן דפשח דקלא (בבא בתרא נד, א): **(לה) יסף.** מלשון הוספה: **(א) קרנך.** כלי מה, עשוי דמות קרן: **בית הלחמי.** בית לחם:

[30]He said, "I have sinned. Now, please honor me in the presence of the elders of my people and in the presence of Israel; return with me, and I shall prostrate myself to HASHEM*, your God." [31]So Samuel returned after Saul, and Saul prostrated himself before* HASHEM*.*

Samuel executes Agag

[32]Samuel then said, "Bring me Agag, king of Amalek."

Agag went to him in chains, and Agag said, "Alas, the bitterness of death approaches."

[33]Samuel said, "Just as your sword made women childless, so shall your mother be childless among women!" And Samuel severed Agag before HASHEM *in Gilgal.*

[34]Samuel went to Ramah, and Saul went up to his home at Gibeath-shaul. [35]Samuel never again saw Saul until the day of his death, for Samuel mourned over Saul, but HASHEM *had reconsidered His making Saul king over Israel.*

16 **THE RISE OF DAVID** 16:1-23

*[1]*HASHEM *said to Samuel, "How long will you mourn over Saul, when I have rejected him from reigning over Israel? Fill your horn with oil and go forth — I shall send you to Jesse the Bethlehemite, for I have seen a king for Myself among his sons." [2]But Samuel asked, "How can I go? If Saul finds out he will kill me."*

30-31. Although Samuel had refused Saul's earlier request that the two of them come before God to symbolize Saul's repentance, here Saul asked him to spare him public humiliation [and so that the people would not denigrate him for as long as he continued to serve as king (*Mahari Kara*)]. To this request, Samuel agreed (*Malbim*). One must always show respect for the ruler, just as Moses honored Pharaoh, though he was no paragon of virtue.

32-35. The execution of Agag. It is commonly thought that distinguished people, and certainly "holy men," do not soil their hands with mundane tasks, and certainly not with the execution of criminals. That Agag should be killed was not in question, but surely the execution should be carried out by a warrior. Samuel taught otherwise. If an act is a commandment, then the prophet is no less responsible than any other Jew. Moreover, people of Samuel's stature should be the ones to set an example for others. Now, Samuel went to do what others, for whatever reason, had not brought themselves to do.

32. אָכֵן סָר מַר־הַמָּוֶת —*"Alas, the bitterness of death approaches."* Agag realized what Samuel was about to do. Alternatively, the phrase can be interpreted that when Agag saw Samuel's saintly and compassionate appearance, the captive king was sure that the prophet would show him mercy, and he exclaimed, *"The bitterness of death has turned away from me!"* (*Ralbag*).

33. לִפְנֵי ה׳ בַּגִּלְגָּל — *Before* HASHEM *in Gilgal.* It was not a barbarous act; the execution of an enemy of holiness was "before HASHEM" in His holy place.

35. Samuel never visited Saul, but Saul once went to Ramah to see Samuel (see 19:23). The same happened when Moses said that he would never take the initiative of seeing Pharaoh again, but when the Plague of the Firstborn took place, Pharaoh came running to Moses (*Ramban* to *Exodus* 10:29).

כִּי־הִתְאַבֵּל שְׁמוּאֵל אֶל־שָׁאוּל — *For Samuel mourned over Saul.* Samuel was saddened that the man he had anointed had displeased God so badly that he would be stripped of his kingship despite his remorse. So deep was his mourning that he could not bear to see Saul again (*Abarbanel*).

16.

◆§ The era of David begins. Saul is still king, but God is preparing the way for the new king who will succeed him. Samuel goes to anoint David and learns not to judge by appearances. Ironically, Saul and David are brought together and Saul loves and becomes dependent on the young man, not knowing at first that the multitalented shepherd from Bethlehem has been chosen to be the next king of Israel and the founder of the eternal dynasty that will be restored through the Messiah. At this time David was twenty-eight years old.

1-3. Samuel's new mission.

1. עַד־מָתַי אַתָּה מִתְאַבֵּל — *How long will you mourn.* There are two valid reasons to mourn: if it is for a person of towering stature, and if there no one to replace him. In this case, both reasons do not apply; the first, because God has rejected Saul, thus diminishing his stature, and the second, because now is the time to anoint his successor (*Malbim*).

A Jew must be able to subordinate his emotions to God's will. Just as Saul was wrong to take pity on Agag and the animals, thus putting his own judgment over God's, so it was time for Samuel to cease mourning over Saul's failure and prepare for the future of the nation. *Radak* notes that God spoke of לִי מֶלֶךְ, *a king for Myself*, implying that the new king, unlike Saul, would heed *all* God's commandments.

מַלֵּא קַרְנְךָ שֶׁמֶן — *Fill your horn with oil.* God referred to it as *your* horn because Samuel had personally kept it in safekeeping to anoint the first king of the Davidic dynasty. In later years the horn would be kept in the Tabernacle and Temple to anoint future kings (*Radak*).

2. וְשָׁמַע שָׁאוּל וַהֲרָגָנִי — *If Saul finds out he will kill me.* Legally Saul could regard the anointment of a competing king to be an act of rebellion, and a king has the right to execute rebels.

Samuel was surely not lacking in faith and he knew

ג יְהוָה עֶגְלַת בָּקָר תִּקַּח בְּיָדֶךָ וְאָמַרְתָּ לִזְבֹּחַ לַיהוָה בָּאתִי: וְקָרָאתָ לְיִשַׁי
בַּזָּבַח וְאָנֹכִי אוֹדִיעֲךָ אֵת אֲשֶׁר־תַּעֲשֶׂה וּמָשַׁחְתָּ לִי אֵת אֲשֶׁר־אֹמַר אֵלֶיךָ:
ד וַיַּעַשׂ שְׁמוּאֵל אֵת אֲשֶׁר דִּבֶּר יְהוָה וַיָּבֹא בֵּית לָחֶם וַיֶּחֶרְדוּ זִקְנֵי הָעִיר לִקְרָאתוֹ
ה וַיֹּאמֶר שָׁלֹם בּוֹאֶךָ: וַיֹּאמֶר ׀ שָׁלוֹם לִזְבֹּחַ לַיהוָה בָּאתִי הִתְקַדְּשׁוּ וּבָאתֶם אִתִּי
ו בַּזָּבַח וַיְקַדֵּשׁ אֶת־יִשַׁי וְאֶת־בָּנָיו וַיִּקְרָא לָהֶם לַזָּבַח: וַיְהִי בְּבוֹאָם וַיַּרְא אֶת־אֱלִיאָב
ז וַיֹּאמֶר אַךְ נֶגֶד יְהוָה מְשִׁיחוֹ: וַיֹּאמֶר יְהוָה אֶל־שְׁמוּאֵל אַל־תַּבֵּט
אֶל־מַרְאֵהוּ וְאֶל־גְּבֹהַּ קוֹמָתוֹ כִּי מְאַסְתִּיהוּ כִּי ׀ לֹא אֲשֶׁר יִרְאֶה הָאָדָם כִּי הָאָדָם
ח יִרְאֶה לַעֵינַיִם וַיהוָה יִרְאֶה לַלֵּבָב: וַיִּקְרָא יִשַׁי אֶל־אֲבִינָדָב וַיַּעֲבִרֵהוּ לִפְנֵי שְׁמוּאֵל
ט וַיֹּאמֶר גַּם־בָּזֶה לֹא־בָחַר יְהוָה: וַיַּעֲבֵר יִשַׁי שַׁמָּה וַיֹּאמֶר גַּם־בָּזֶה לֹא־בָחַר יְהוָה:

רש״י

(ד) **ויחרדו.** מהרו לצאת לקראתו: (ו) **ויאמר אך נגד ה׳ משיחו.** ויאמר בלבו, אך אמת שזה הגון הוא למלכות: (ז) **אל תבט אל מראהו.** אל יופי תארו: **כי מאסתיהו.** לפי שכעסן הוא, כמה שנאמר וַיִּחַר אַף אֱלִיאָב בְּדָוִד (לקמן יז, כח): **כי לא אשר יראה האדם.** אף על פי שקראת לעצמך רואה, שאמרת לשאול אָנֹכִי הָרֹאֶה (לעיל ט, יט), כאן אני מודיעך שאינך רואה: (ט) **ויעבר ישי שמה.** הוא שמעא (דברי הימים־א ב, יג):

רד״ק

(ג) **את אשר אמר אליך.** ולמה לא אמר לו מתחלה שימשח דוד, כדי שידעו כלם כי מה׳ הוא, ויראו כלם כי לא בחר בכל בני ישי אלא בדוד, כי בפני כל העומדים שם נאמר לו על פי הנבואה: (ד) **ויחרדו.** וינועו ויתקבצו לצאת לקראתו, וכן יֶחֶרְדוּ כְצִפּוֹר מִמִּצְרַיִם (הושע יא, יא) וְיֶחֶרְדוּ בָנִים מִיָּם (שם פסוק י), וכן תרגם יונתן לשון קבוץ וְאִתְכַּנָּשׁוּ, ויש לפרשו לשון חרדה כי תמהו על בואו, ופחדו אולי היה בעיר מי שחטא חטא גדול שיצטרך שמואל הנביא לבא העיר, וזהו שאמר שָׁלֹם בּוֹאֶךָ, והוא ענה להם שָׁלוֹם (פסוק ה) כלומר אין דבר רק שלום אל תפחדו, כי לזבוח לה׳ באתי: **ויאמר שלם בואך.** הגדול שבזקנים אמר, ואפשר שישי היה: (ה) **התקדשו.** כתרגום אִיזְדַּמְנוּ וכן וַיְקַדֵּשׁ: (ו) **בבואם.** בבית: **ויאמר אך נגד ה׳ משיחו.** פירוש אמר בלבו או בפיו, כי חשב כי זה הוא המלך שצוהו האל למשוח לפי שהיה בכור בבני ישי, ועוד כי ראהו יפה צורה וקומה כשאול, וחשב כי הקב״ה בוחר באנשים יפה קומה וצורה למלכות כדי שיהא מוראו על העם, וכן אמר בשאול הַרְאִיתֶם אֲשֶׁר בָּחַר בּוֹ ה׳ כִּי אֵין כָּמֹהוּ בְּכָל הָעָם (לעיל י, כד), וכן הוא כמו שחשב שמואל, כי בעל קומה וצורה יפה בוחר בו האל למלוכה כדי שייראו ממנו העם, ובלבד שיהיה לבו טוב וישר, ופירוש נֶגֶד ה׳ מְשִׁיחוֹ כמו נֹכַח ה׳ דַּרְכְּכֶם (שופטים יח, ו) כלומר ה׳ יהיה עמו, ויונתן תרגם תַּקִּין קֳדָם ה׳ מְשִׁיחֵיהּ, וכן תרגם נכח ה׳ אַתְקִין ה׳: (ז) **אל תבט אל מראהו.** בוחן לבות וכליות בני אדם ידע לבב אליאב כי איננו ישר, לפיכך אמר לשמואל אַל תַּבֵּט אֶל מַרְאֵהוּ, כי אף על פי שהוא יפה מראה והגון למלכות לפי מראהו, אני יודע לבבו ומאסתיהו למלכות כי איננו הגון לפי לבבו: **גבה.** שם בפלס גֹּדֶל הָעֵצָה (ירמיהו לב, יט), ויש מפרשים כי כאשר אמר נֶגֶד ה׳ מְשִׁיחוֹ (פסוק ו) על שאול בקש עוד שלא תסור המלוכה ממנו, כשראה אליאב שלא היה יפה כמוהו בקש מה׳ שלא יחליף שאול באחר, לפיכך ענה לו האל אַל תַּבֵּט אֶל מַרְאֵהוּ כי מאסתיהו ושאול הוא שהיה יפה מראה וגבה קומה: (ט) **גם בזה לא בחר ה׳.** לפי שלא אמר לו ה׳ ידע כי לא בחר בו, כי הוא אמר לו אֲשֶׁר אֹמַר אֵלֶיךָ (לעיל פסוק ג):

מצודת דוד

(ד) **ויאמר.** הגדול שבהם אמר לו, אם בואו הוא בהיות עמו השלום, או הוא בעבור העדר השלום: (ה) **ויאמר שלום.** הנה השלום עמי ואין רע, ובאתי הנה לזבוח לה׳ וכו׳: (ו) **אך נגד ה׳.** רצה לומר למלכות הוא הגון, אך שיהיה משיחו נגד ה׳, רצה לומר, שיהיה ה׳ עמו: (ז) **כי לא.** רצה לומר, איני רואה לתלות בדבר אשר רואה האדם: **יראה לעינים.** אם הנראה הוא יפה עינים, שהוא הדבר אשר יראה האדם, ואין לתלות המלוכה בדבר זה: **וה׳.** אבל ה׳ יראה ללבב, הטובה היא, ובזה הדבר תלוי:

מצודת ציון

(ג) **בזבח.** באכילת בשר הזבח: (ד) **ויחרדו.** מהרו בחרדה: (ה) **התקדשו.** ענין הזמנה, כמו קַדְּשׁוּ עָלֶיהָ מִלְחָמָה (ירמיהו ו, ד): (ט) **שמה.** הוא שמעא:

---

that God would protect him if necessary, but God does not want people to rely on miracles. Even when He assures them that they will be safe, they should seek natural means whenever possible, and this was why Samuel brought up his concern that he should find a stratagem that would avoid the need for a miracle. Even then, God's protection is indispensable, but He prefers to perform hidden, rather than open, miracles (*Radak*).

God did not reprimand Samuel for a lack of faith, since he had a right to be afraid; instead God told him how to minimize the danger (*Chovos HaLevavos, Shaar HaBitachon* 4).

Malbim postulates that there are times when one may rely on a miracle and times when one may not. If the Divine mission is one that by its very nature would require God's intervention — as when God commanded Moses and Jeremiah to prophesy to hostile kings and risk danger in order to prove that God controls nature — then one must be fearless and have full confidence that the promised miracle will happen. Here, since God did not ask Samuel to make a public display of the anointment, it was proper for him to make note of the danger, and seek to avoid it by natural means.

3-11. God chooses David. Samuel went to Bethlehem as commanded, and asked Jesse to bring his sons. They were imposing young men, and when Samuel saw them, one after the other, he was sure that he had found the qualified candidate, but each time God told him he was wrong. The key principle is *man sees what his eyes behold, but* HASHEM *sees into the heart* (v. 7).

3. God did not tell Samuel in advance who the next king would be because He wanted it to be clear to everyone present that the king was Divinely chosen (*Radak*).

4. וַיֶּחֶרְדוּ זִקְנֵי הָעִיר לִקְרָאתוֹ — *The elders of the city hurried nervously toward him.* Samuel's visit was unusual and unexpected, especially since he had stopped circulating through-

God sends Samuel to anoint Saul's successor

So HASHEM said, "Take along a heifer, and say, 'I have come to bring an offering to HASHEM.' [3]*Invite Jesse to the feast; I will then tell you what to do, and you shall anoint for Me the one whom I shall tell you."*

[4]*So Samuel did as HASHEM had spoken, and he arrived in Beth-lehem. The elders of the city hurried nervously toward him, and one of them said, "Do you come in peace?"* [5]*And he answered, "Peace. To bring an offering to HASHEM have I come. Prepare yourselves and join me at the feast." And he invited Jesse and his sons, calling them to the feast.*

[6]*And it was upon their arrival that Samuel saw Eliab; he said, "Surely, before HASHEM is His anointed one."*

Samuel seeks to identify God's anointed

[7]*But HASHEM said to Samuel, "Do not look at his appearance or at his tall stature, for I have rejected him. For it is not as man sees — man sees what his eyes behold, but HASHEM sees into the heart."* [8]*Jesse then called Abinadab and brought him before Samuel, but he said, "HASHEM has not chosen this one either."* [9]*Then Jesse brought Shammah, but [Samuel] said, "HASHEM has not chosen this one either."*

---

out the land, so the elders were afraid that Samuel might have heard about a grievous sin that was taking place in their city, a sin of which they were unaware. Therefore they greeted him with trepidation, and asked him if he had come in peace, i.e., if it was an amicable visit or if he had come to chastise them (*Radak; Abarbanel*).

When they saw Samuel coming with a heifer, they feared that perhaps a corpse had been discovered on the outskirts of the city and Samuel was coming to carry out the ritual of עֶגְלָה עֲרוּפָה, *the decapitated calf* (see *Deuteronomy* 21:1-9). Indeed, God told him to bring such an animal so that, if Saul were to hear about the visit, he would assume that that was the reason for Samuel's visit (*Malbim*).

וַיֹּאמֶר — *And one of them said.* This verb is in the singular, indicating that one elder was the spokesman for the entire delegation. *Radak* suggests that it was Jesse.

5. Presumably Jesse, as one of the great men of the land, would surely have been invited to the feast, but Samuel told him to bring his sons with him, because God had told him that one of them would be anointed.

6. When Samuel laid eyes on Eliab, he was sure that this was the man: he was tall, handsome, and impressive, and thus would command the respect of the people (*Radak*) — like Saul, whose imposing appearance was one of his virtues. It is logical to assume that Samuel's prophetic insight saw more in Eliab than merely his outward impressiveness, nevertheless he failed to see the defect that was apparent to God.

Eliab's flaw. Not long after this meeting, David came to the battlefield when a battle with the Philistines was imminent, and Eliab lashed out at him (see 17:28-29). That tendency toward anger disqualified Eliab from the throne, for the Talmud (*Pesachim* 66b) teaches that even a great man loses stature because of anger (*Behold a People*). Since the Sages find Eliab's blemish in a later event, it is clear that he had up to this point showed no sign of such baseness, and that was why Samuel was so impressed with him. It took the tenseness of the future crisis, when Israel was afraid of Goliath and his superior force to bring about the eruption of anger, but the flaw in Eliab's character was there, though it was latent.

Although God judges people only according to their present state, and does not punish or neglect them because of future shortcomings (see *Genesis* 21:17), that is true only regarding the person as an individual, but when an entire community will be dependent on someone, God may consider that person's entirety, including the seeds of events that have not yet taken place. At this stage of its history, the Jewish people needed a leader who was consistently wholesome, and Eliab was not such a person (*Michtav MeEliyahu*).

Some commentators offer an alternative translation. Eliab was a man of ordinary appearance, and when Samuel saw him, he compared him unfavorably with the very distinguished-looking Saul, saying, *God's anointed one [i.e., Saul] is already before HASHEM* — why should God want to replace Saul with a nondescript person like Eliab? To this God replied in the next verse that Samuel should not be misled by Saul's imposing appearance, for he has been rejected by God.

The great virtue of Adam, the first human being, was that he was created directly by God, and it was this characteristic that Samuel saw in Eliab, that he was God's creation. God informed Samuel that this was not enough; to be an elevated sort of person, one must also have a genuine love for his fellowman, and in this, as shown by Eliab's later anger toward David, Eliab was lacking (*Likutei Sichos*).

7. אַל־תַּבֵּט — *Do not look . . .* When Saul was chosen, his imposing appearance was important because the people had demanded a king and the candidate had to look the part. Now, however, God wanted a king who would be personally worthy, so Eliab's outward appearance made no difference (*Malbim*).

8-10. No longer did Samuel jump to an early assumption. Now, he waited for God to tell him which was the Divine

י וַיַּעֲבֵר יִשַׁי שִׁבְעַת בָּנָיו לִפְנֵי שְׁמוּאֵל וַיֹּאמֶר שְׁמוּאֵל אֶל־יִשַׁי לֹא־בָחַר יְהֹוָה בָּאֵלֶּה: יא וַיֹּאמֶר שְׁמוּאֵל אֶל־יִשַׁי הֲתַמּוּ הַנְּעָרִים וַיֹּאמֶר עוֹד שָׁאַר הַקָּטָן וְהִנֵּה רֹעֶה בַּצֹּאן וַיֹּאמֶר שְׁמוּאֵל אֶל־יִשַׁי שִׁלְחָה וְקָחֶנּוּ כִּי־לֹא נָסֹב עַד־בֹּאוֹ פֹה: יב וַיִּשְׁלַח וַיְבִיאֵהוּ וְהוּא אַדְמוֹנִי עִם־יְפֵה עֵינַיִם וְטוֹב רֹאִי וַיֹּאמֶר יְהֹוָה קוּם מְשָׁחֵהוּ כִּי־זֶה הוּא: יג וַיִּקַּח שְׁמוּאֵל אֶת־קֶרֶן הַשֶּׁמֶן וַיִּמְשַׁח אֹתוֹ בְּקֶרֶב אֶחָיו וַתִּצְלַח רוּחַ־יְהֹוָה אֶל־דָּוִד מֵהַיּוֹם הַהוּא וָמָעְלָה וַיָּקָם שְׁמוּאֵל וַיֵּלֶךְ הָרָמָתָה: יד וְרוּחַ יְהֹוָה סָרָה מֵעִם שָׁאוּל וּבִעֲתַתּוּ רוּחַ־רָעָה מֵאֵת יְהֹוָה: טו־טז וַיֹּאמְרוּ עַבְדֵי־שָׁאוּל אֵלָיו הִנֵּה־נָא רוּחַ־אֱלֹהִים רָעָה מְבַעִתֶּךָ: יֹאמַר־נָא אֲדֹנֵנוּ עֲבָדֶיךָ לְפָנֶיךָ יְבַקְשׁוּ אִישׁ יֹדֵעַ מְנַגֵּן בַּכִּנּוֹר וְהָיָה בִּהְיוֹת עָלֶיךָ רוּחַ־אֱלֹהִים רָעָה וְנִגֵּן בְּיָדוֹ וְטוֹב לָךְ: יז וַיֹּאמֶר שָׁאוּל אֶל־עֲבָדָיו רְאוּ־נָא לִי אִישׁ מֵיטִיב לְנַגֵּן וַהֲבִיאוֹתֶם אֵלָי: יח וַיַּעַן אֶחָד מֵהַנְּעָרִים וַיֹּאמֶר הִנֵּה רָאִיתִי בֵּן לְיִשַׁי בֵּית הַלַּחְמִי יֹדֵעַ נַגֵּן וְגִבּוֹר חַיִל וְאִישׁ מִלְחָמָה וּנְבוֹן דָּבָר וְאִישׁ תֹּאַר

רש"י

(יא) שאר הקטן. נשאר הקטן: **לא נסב.** לא נסב לאכול, כל מושב סעודה קרויה הסבה: **(יג) ותצלח רוח ה׳.** רוח גבורה: **(טז) עבדיך לפניך.** הנה עבדיך לפניך אשר יעשו מצוותיך: **(יח) אחד מהנערים.** מיוחד שבהם, דואג האדומי: **ידע נגן.** כל עצמו נתכוון להכניס עין רעה של שאול בדוד, שיתקנא בו:

רד"ק

(י) לא בחר ה׳ באלה. בקמ"ץ הבית, והם שנים במקרא בקמץ, זה, וְלֹא אוּכַל לָלֶכֶת בָּאֵלֶּה (לקמן יז, לט): **(יא) עוד שאר הקטן.** פועל עומד כמו נשאר, וזה לבדו מן הקל: **(יא) שלחה וקחנו.** הביאהו, כלומר קחנו על ידי שליח שיביאהו הנה: **כי לא נסב.** פירוש לאכול, כי כבר זבחו זבחי שלמים, וקדש ישי ובניו ושאר הזקנים לאכול עמו, וקודם שאכלו נמשח דוד: **(יב) עם יפה עינים.** כמו ויפה עינים, כמו תְּאֵנִים עִם בִּכּוּרִים (נחום ג, יב) כמו ובכורים: **וטוב ראי.** שם בשקל צֳרִי (מלכים־א ז, יד) חֳלִי (דברים ז, יד)וכן לא תשורנו עֵין רֹאִי (איוב ז, ח), והספור הזה להודיע כי הגון היה למלכות כי יפה תואר היה: **קום משחהו.** קום ענין זירוז, וכן קוּם עֲבֹר אֶת הַיַּרְדֵּן הַזֶּה (יהושע א, יב) קֻמוּ וְעִבְרוּ לָכֶם (דברים ב, יג) קוּם הִתְהַלֵּךְ בָּאָרֶץ (בראשית יג, יז), ורבותינו זכרונם לברכה דרשו (תנחומא וירא, ו) אמר לו הקדוש ברוך הוא משיחי עומד ואתה קדוש יושב, קוּם מְשָׁחֵהוּ: **כי זה הוא.** שיהיה מלך, או כאשר חשבת אתה, או פירושו זהו אשר אמרתי לך וּמָשַׁחְתָּ לִי אֵת אֲשֶׁר אוֹמַר אֵלֶיךָ (לעיל פסוק ג), ויש בו דרש (הוריות יא, ב) זה טעון משיחה ואין אחר טעון משיחה, וסמכו מזה כי אין מושחין בשמן המשחה אלא מלכי בית דוד בלבד: **(יג) בקרב אחיו.** לומר שנבחר מכלם: **ותצלח רוח ה׳ אל דוד.** כתרגומו וּשְׁרַת רוּחַ נְבוּאָה מִן קֳדָם ה׳ עַל דָּוִד, וכן רוּחַ ה׳ סָרָה מֵעִם שָׁאוּל (פסוק יד) תרגומו רוּחַ גְּבוּרָה מִן קֳדָם ה׳ דַּהֲוַת עִם שָׁאוּל עֲדָת מִינֵּיהּ, וזאת רוח הגבורה העירה את דוד להרוג את הארי והדוב והפלשתי (פרק יז, לו), וכן רוח הקדש נולדה בו מהיום ההוא ומעלה, ואמר השירים והמזמורים ברוח הקדש שנולדה בו, כי בכלל רוח ה׳, רוח הקדש ורוח גבורה: **(יד) ובעתתו.** בעתה אותו עד שלא היה בדעתו: **(טו) מבעתך.** דגש התי"ו לחסרון תי"ו למ"ד הפעל: **(טז) עבדיך לפניך.** לעשות מה שתצום יאמר אדונינו להם שיבקשו איש מנגן: **ידע מנגן בכנור.** יודע בחכמת הניגון שהוא מנגן בכנור, או הוא במקום מקור כלומר איש שיודע לנגן בכנור, וכן תרגם יונתן גבר דְיָדַע לְנַגְנָא בְּכִנּוֹרָא: **(יח) וגבור חיל.** שיש לו גבורת הלב לכל דבר כמו שנודעה גבורתו בדבר הארי והדוב: **ואיש מלחמה.** יודע בעניני המלחמה והורגל בה: **ונבון דבר.** כתרגומו וְסוּכְלְתָן בְּעֵצָה, כלומר לכל דבר עצה הוא נבון כמו וּנְבוֹן לָחַשׁ (ישעיהו ג, ג): **ואיש תאר.** פירוש תֹּאַר יפה, וכן אַנְשֵׁי מִדּוֹת (במדבר יג, לב) מדות גדולות, וכן תרגם יונתן וגבר שַׁפִּיר בְּרֵיוָה:

מצודת דוד

(י) שבעת בניו. בדברי הימים (־א ב, טו) לא חשב כי אם שבעה עם דוד, שנאמר, דָּוִיד הַשְּׁבִעִי. ובמדרש יש שהיה לישי עוד בן, ושמו אליהו המוזכר בין הנגידים, שנאמר לִיהוּדָה אֱלִיהוּ מֵאֲחֵי דָוִיד דוד (שם־א כז, יח), וכן נאמר וְלוֹ שְׁמֹנָה בָנִים (לקמן יז, יב) [ומה שלא חשבו בדברי הימים, יראה שהיה מאשה אחרת. וצרויה ואביגיל היו אחיות לשבעת האחים רק מן האם ולא מן האב, וכמו שנאמר אֲשֶׁר בָּא אֶל אֲבִיגַל בַּת נָחָשׁ (שמואל־ב יז, כה). ומזה יראה שהיתה בת נחש, ולא בת ישי, ובהיות כן לא היו אחיות לאליהו, לא מן האב ולא מן האם. והנה בדברי הימים (־א ב, טז) נאמר, וְאַחְיֹתֵיהֶם צְרוּיָה וַאֲבִיגָיִל, ולזה לא חשב אליהו עמהם, כי לאליהו לא היו אחיות כאמור, אולם חכמים זכרונם לברכה לא קבלו כן, כי אמרו (בבא בתרא יז, א), שנחש הוא ישי]: **(יא) התמו.** האם נשלמו: **הנערים.** בניך: **כי לא נסב.** על השלחן לאכול, עד בואו פה: **(יב) כי זה הוא.** אשר בחרתי בו: **(יד) מאת ה׳.** ולא באה לו במקרה: **(טו) רוח אלהים.** רצה לומר, רוח גדול וחזק, כי כשרוצה להגדיל דבר מה, סומכו למלת אלהים. וכן וַתְּהִי לְחֶרְדַּת אֱלֹהִים (לעיל יד, טו). או רצה לומר, רוח רעה הבאה מאלהים: **(טז) עבדיך לפניך.** רצה לומר, אתה תצוה, והלא עבדיך המה לפניך, ונכונים המה לעשות אשר תצוה, ואמור להם אשר יבקשו איש יודע חכמת הנגון ומנגן בכנור: **וטוב לך.** כי בעבור שמחת קול הזמר, תלך הרעדה: **(יז) מיטיב לנגן.** מנגן טוב ויפה: **(יח) וגבור חיל וכו׳.** המה הדברים הראוים לעומד בהיכל המלך:

מצודת ציון

(יא) התמו. מלשון תם והשלמה: **שאר.** נשאר: **נסב.** הישיבה לאכילה קרויה מסיבה, כי דרכם היה לשבת מסובים: **(יב) אדמוני.** מראהו אדום: **עם יפה עינים.** רצה לומר ויפה עינים, וכן עִם שְׁבִי סוּסֵיכֶם (עמוס ד, י): **ראי.** מראה: **קום.** הוא ענין זרוז: **(יג) ותצלח.** ועבר, כמו וַתִּצְלַח עָלָיו רוּחַ אֱלֹהִים (לעיל י, י): **רוח ה׳.** רוח גבורה מה׳: **(יד) ובעתתו.** מלשון בעתה וחרדה: **רוח רעה.** רוח מחריד ומרעיד: **(יח) ונבון דבר.** מבין כל דבר חכמה:

11. David, in his humility, volunteered to stay behind and tend the sheep so that his brothers could attend the feast. Since God had told Samuel that one of Jesse's sons would

choice, and when no such word was forthcoming, Samuel knew that each of the young men brought before him was not the anointed one (*Radak*).

[10]Jesse presented his seven sons before Samuel, but Samuel said to Jesse, "HASHEM has not chosen these." [11]Samuel said, "Are these all the boys?" And he said, "The youngest one is still left; he is tending the sheep now." So Samuel said to Jesse, "Send and bring him, for we will not sit [to dine] until he arrives here."

[12]He sent and brought him. He was ruddy, with fair eyes and a pleasing appearance. HASHEM then said, "Arise and anoint him, for this is he!" [13]Samuel took the horn of oil and anointed him from among his brothers, and the spirit of HASHEM passed over David from that day on. Then Samuel arose and went to Ramah.

Saul suffers melancholia

[14]The spirit of HASHEM departed from Saul, and he was tormented by a spirit of melancholy from HASHEM. [15]Saul's servants said to him, "Behold now! a spirit of melancholy from God torments you. [16]Let our lord tell your servants [who are] before you [that] they should seek a man who knows how to play the harp, so that when the spirit of melancholy from God is upon you, he will play [the harp] with his hand and it will be well with you." [17]So Saul said to his servants, "Seek now for me a man who plays well and bring him to me." [18]One of the young servants spoke up and said, "Behold! I have seen a son of Jesse the Beth-lehemite, who knows how to play, is a mighty man of valor and a man of war, who understands a matter, and is a handsome man;

---

be king, Samuel knew that there must be another son (*Alshich*).

12-13. David is anointed. As soon as David arrived, Samuel knew that he was in the presence of God's chosen. This would not be a temporary king like Saul; this would be the forerunner of the dynasty that would lead Israel forever. God commanded the prophet to arise and anoint David without delay (*Horayos* 11b). When Samuel picked up the horn of oil, it bubbled, as if it could not wait to drop on David's forehead. When Samuel anointed him, the oil hardened and glistened like pearls and precious stones, and the horn remained full (*Yalkut HaMachiri, Tehillim* 118).

12. David's physical appearance was becoming for a king of Israel, and would help him command the respect of the people (*Radak*). *Malbim* comments that the characteristics mentioned in the verse allude to differing aspects of David's personality. His ruddiness alludes to a warlike nature, while his eyes and general appearance suggested kindness and gentility. On his own, Samuel would not have chosen him, but God knew that David's greatness was that he would direct his aggressiveness toward good causes.

13. **בְּקֶרֶב אֶחָיו** — *From among his brothers*, i.e., David was chosen from among his brothers, all of whom were rejected (*Radak*). Alternatively, he was anointed in the presence of his brothers, because Samuel wanted the anointed to take place in the presence of a *minyan* of ten men: Jesse, David, his seven brothers, and Samuel himself (*Malbim*).

וַתִּצְלַח רוּחַ ה׳ אֶל דָּוִד — *And the spirit of HASHEM passed over David.* As soon as David was anointed, a prophetic spirit passed over him (*Targum Yonasan*), the spirit that gave him the courage to kill the lion and bear that attacked his flock (17:36), and to succeed against the "invincible" Philistine giant, Goliath (17:49). This same spirit inspired him to sing his immortal songs and praises to God (*Radak*).

14-18. Saul's melancholia. When the Divine spirit of courage came to the newly anointed David, it departed from Saul. Recognizing that his sin was gradually causing him to lose his throne, the king realized that he had fallen from the prophetic eminence that rested on him after he was anointed, and he was sinking to the level of an ordinary mortal. Saul was tormented by a deep melancholia, and fell into an abyss of gloom and despair, troubled by a sense of impending doom (*Abarbanel*).

15. This verse is yet another indication of Saul's humility. The servants of most rulers are afraid to tell their master that he is suffering from mental illness, but Saul's servants spoke to him openly of his malady.

16-17. Saul's servants suggested that the music of a *man who knows how to play* would relieve or dispel his depression. Saul agreed, but he went further and asked for someone who is very talented, who is מֵיטִיב לְנַגֵּן, *a man who plays well* (*Malbim*).

18. **וַיַּעַן אֶחָד מֵהַנְּעָרִים** — *One of the young servants spoke up.* The speaker was Doeg, one of the great scholars of the land (*Sanhedrin* 93b). His praise of David was remarkably fulsome. Saul had asked for a talented musician, but Doeg said that more was needed; the person who dispelled Saul's melancholy should be more than a harpist, he must be a superior person in every possible way. He should be a *mighty man of valor* in the spiritual sense, in addition to the plain sense of all the virtues that Doeg enumerated. On the surface, Doeg would seem to be a loyal servant who meant only the best for his master and for David, but the Talmud (ibid.) states that his motives were sinister. Subtly, he wanted to plant the seeds of jealousy so that Saul would become suspicious that David might become a threat to him, so that eventually Saul would want to destroy the upstart David (*Mahari Kara*). Doeg could not have known that David had been anointed, but he likely knew that

יט וַיהוָה עִמּוֹ: וַיִּשְׁלַח שָׁאוּל מַלְאָכִים אֶל־יִשָׁי וַיֹּאמֶר שִׁלְחָה אֵלַי אֶת־דָּוִד בִּנְךָ
כ אֲשֶׁר בַּצֹּאן: וַיִּקַּח יִשַׁי חֲמוֹר לֶחֶם וְנֹאד יַיִן וּגְדִי עִזִּים אֶחָד וַיִּשְׁלַח בְּיַד־דָּוִד בְּנוֹ
כא אֶל־שָׁאוּל: וַיָּבֹא דָוִד אֶל־שָׁאוּל וַיַּעֲמֹד לְפָנָיו וַיֶּאֱהָבֵהוּ מְאֹד וַיְהִי־לוֹ נֹשֵׂא כֵלִים:
כב-כג וַיִּשְׁלַח שָׁאוּל אֶל־יִשַׁי לֵאמֹר יַעֲמָד־נָא דָוִד לְפָנַי כִּי־מָצָא חֵן בְּעֵינָי: וְהָיָה בִּהְיוֹת
רוּחַ־אֱלֹהִים אֶל־שָׁאוּל וְלָקַח דָּוִד אֶת־הַכִּנּוֹר וְנִגֵּן בְּיָדוֹ וְרָוַח לְשָׁאוּל וְטוֹב לוֹ
יז
א וְסָרָה מֵעָלָיו רוּחַ הָרָעָה: וַיַּאַסְפוּ פְלִשְׁתִּים אֶת־מַחֲנֵיהֶם לַמִּלְחָמָה
ב וַיֵּאָסְפוּ שֹׂכֹה אֲשֶׁר לִיהוּדָה וַיַּחֲנוּ בֵּין־שׂוֹכֹה וּבֵין־עֲזֵקָה בְּאֶפֶס דַּמִּים: וְשָׁאוּל
וְאִישׁ־יִשְׂרָאֵל נֶאֶסְפוּ וַיַּחֲנוּ בְּעֵמֶק הָאֵלָה וַיַּעַרְכוּ מִלְחָמָה לִקְרַאת פְּלִשְׁתִּים:
ג וּפְלִשְׁתִּים עֹמְדִים אֶל־הָהָר מִזֶּה וְיִשְׂרָאֵל עֹמְדִים אֶל־הָהָר מִזֶּה וְהַגַּיְא בֵּינֵיהֶם:
ד וַיֵּצֵא אִישׁ־הַבֵּנַיִם מִמַּחֲנוֹת פְּלִשְׁתִּים גָּלְיָת שְׁמוֹ מִגַּת גָּבְהוֹ שֵׁשׁ אַמּוֹת וָזָרֶת:
ה וְכוֹבַע נְחֹשֶׁת עַל־רֹאשׁוֹ וְשִׁרְיוֹן קַשְׂקַשִּׂים הוּא לָבוּשׁ וּמִשְׁקַל הַשִּׁרְיוֹן חֲמֵשֶׁת־
ו אֲלָפִים שְׁקָלִים נְחֹשֶׁת: וּמִצְחַת נְחֹשֶׁת עַל־רַגְלָיו וְכִידוֹן נְחֹשֶׁת בֵּין כְּתֵפָיו:

רש״י

(א) **באפס דמים.** כך שם המקום: (ד) **איש הבנים.** גבור יוצא ממערכתו, לעמוד בין שתי המערכות: (ה) **ושריון קשקשים.** כמין קשקשות דגים עשוין מברזל, נופלים על גב השריון [ס״א נקבי השריון], קשקשת לכל נקב, (ו) **ומצחת נחשת.** כמין יד ברזל היוצא מן הכובע כנגד החוטים, שקורין בש״ל בלע״ז, והיתה מגעת לו עד רגליו: **וכידון נחשת.** תרגם יונתן, וּמְסַחֲפָא דִנְחָשָׁא נָפִיק מִן קוּלְסָא וּמְטַל בֵּין כְּתֵפוֹהִי. פירוש, כמין חנית נחשת בולטת מן הכובע, ונמשכת בין כתפיו, להגן על צוארו מן החרב:

רד״ק

וה׳ עמו. כי בכל אשר יעשה יצליח, ובכל הדברים ששבח הנער את דוד הם דברים שכל אדם שהם בו הוא הגון לעמוד בהיכל מלך, ויודע נגן אמר לפי צורך השעה: (כ) **חמור לחם ונאד יין.** חמור טעון לחם ונאד מלא יין, וכן תרגם יונתן טְעוּן חַמְרָא בלחם, ויש מפרשים חומר צבור מן חֳמָרָתָיִם (שופטים טו, טז) חֳמָרִים חֳמָרִים (שמות ח, י): (כא) **נשא כלים.** נושא כלי זיינו: (כג) **רוח אלהים אל שאול.** פירוש רוח רעה כמו שאמר למעלה רוּחַ אֱלֹהִים רָעָה (לעיל טז), וכן תרגם יונתן רוּחַ בִּישָׁא מִן קֳדָם ה׳: **ורוח לשאול.** מן הצוקה שהיה בו מרוח רעה: **וטוב לו.** פעל עבר: (א) **באפס דמים.** המ״ם דגושה והוא שם מקום, ובדברי הימים (־א יא, יג) בַּפַּס דַּמִּים נזכר במלחמות דוד, ובדרש (ירושלמי סנהדרין ב, ה) רבי יוחנן אמר בחקל סמקתא, ורבי שמואל בר נחמן אמר שמשם פסקו דמים לישראל: (ג) **עמדים אל ההר מזה.** וכבר אמר וַיַּחֲנוּ בְּעֵמֶק הָאֵלָה כל המחנה חנו בעמק האלה (לעיל פסוק ב), ועורכי המלחמה עלו אל ההר לקראת פלשתים: (ד) **ויצא איש הבנים.** לפי שהיה יוצא יום יום בין שתי המערכות נקרא איש הבנים, ויש בו דרש (סוטה מב, ב) ועוד נכתבנו (פסוק כג), ויונתן תרגם וּנְפַק גַּבְרָא מִבֵּינֵיהוֹן: (ה) **וכובע נחשת.** מלעיל וכן וְכוֹבַע יְשׁוּעָה בְּרֹאשׁוֹ (ישעיהו נט, יז) ותרגום מִגְבָּעֹת (שמות כח, מ) קוֹבְעִין, והוא אחד בכ״ף ובקו״ף, ותרגומו קוּלְסָא, ודומה לו בדברי רז״ל גדי מקולס, נקרא כן לפי כשהיו צולין הפסח היו תולין בני מעיו חוצה לו למעלה מראשו ונראה ככובע על הראש: **ושריון קשקשים.** תרגם יונתן וְשִׁרְיוֹן גַּלְבִּין בכ״ף, ויש נוסחאות כתוב בבי״ת והוא קַלְפִּין שתרגום קַשְׂקֶשֶׂת (ויקרא יא, ט) ובדברי רבותינו זכרונם לברכה (סנהדרין צה, ב) לובשי שריון קליפה, ופירוש כי כל טבעת וטבעת של שריון תלויה כמין קשקשת לסתום נקב הטבעות כדי שלא יבא חץ בתוך הטבעת: **שקלים נחשת.** שקלי נחשת כמו סיגים כסף: (ו) **ומצחת נחשת.** תרגם יונתן וּטְרַקְלִין דִּנְחַשׁ, פירוש טס של נחשת תלויה על רגליו לכסותם, והוא שם מושאל מן מצח, כי כן נושאות הנערות טס הזהב או כסף על מצחם, ואותו נקרא מצחה על דרך האמת: **וכידון נחשת.** תרגם יונתן וּמְסַחֲפָא דִנְחָשָׁא נָפִיק מִן קוּלְסָא וּמְטַל בֵּין כְּתֵפוֹהִי, ותרגום נֵטֶה בַּכִּידוֹן (יהושע ח, יח) בְּרוּמְחָא, נראה כי זה אשר היה בין כתפי גלית היה בדמות רומח, אבל היתה לו תכונה אחרת במקצת, והיה דבק עם הכובע ויורד בין כתפו עד למטה, ולפי הפסוק הכתוב למטה (פסוק מה) שאמר לו דוד לגלית אַתָּה בָּא אֵלַי בְּחֶרֶב וּבַחֲנִית וּבְכִידוֹן, נראה כי כידון זהו רומח, כמו נְטֵה בַּכִּידוֹן הוא עשוי להכות בו לא להגן, והיה נותן אותו בין שתי כתיפיו לפי שבשתי ידיו היו כלי המלחמה, בימינו החנית וכלי אחר בשמאלו ואם זה לא נזכר, וזה היה לו בין כתיפיו לאחוז בידו אחר שיטיל החנית לבעל מלחמתו:

מצודת דוד

וה׳ עמו. שהוא איש מוצלח, ובהצלחתו יועיל לך: (יט) **אשר בצאן.** אשר רועה בצאן: (כ) **חמור לחם.** חמור אחד טעון לחם: (כא) **נשא כלים.** כלי מלחמתו: (כג) **ורוח לשאול.** באה לו ההרוחה, וסרה ממנו החרדה: (ד) **איש הבנים.** על שערב לבו לגשת בין שתי המערכות, קראו איש הבנים, מלשון בין: (ה) **שקלים נחשת.** כמו שקלי נחושת, ואינם דומים לשאר שקלים: (ו) **ומצחת.** הוא מכלי מלחמה, ונעשה לכסות בו הרגלים: **וכידון.** מן הכובע יצא למטה כעין כידון, להגן צוארו ממכת חרב:

מצודת ציון

(א) **באפס דמים.** שם מקום: (ד) **הבנים.** מלשון בין: **וזרת.** רוצה לומר השעור מן האגודל עד האצבע הקטנה הקרויה זרת, וכן זֶרֶת אָרְכּוֹ (שמות כח, טז): (ה) **וכובע.** כובע בכ״ף, וקובע בקו״ף, הוא אחד, והוא כלי מגן על הראש, כמו צִנָּה וּמָגֵן וְקוֹבַע (יחזקאל כג, כד): **ושריון קשקשים.** מין מלבוש להגן ממכת חרב, עשויה טבעות טבעות מברזל, ולסתום נקבי הטבעות עשוי עליהם כעין קשקשים של דג, כמו וַיִּלְבַּשׁ צְדָקָה כַּשִּׁרְיָן (ישעיהו נט, יז): (ו) **ומצחת.** טס עשוי כעין מה שנושאות הנערות על מצחן, הקרוי מצחה: **וכידון.** הוא כעין רומח:

Samuel had rebuked Saul and that someone — perhaps even David — would be chosen as the next king. As events unfolded, Doeg was correct in his assessment of David, and he succeeded in planting poisonous seeds of suspicion in Saul's mind.

וַה׳ עִמּוֹ — *And HASHEM is with him*. The Talmud interprets this to mean that in halachic disputes, the ruling follows the opinion of David. This is a function of the Oral Law, because mere knowledge of the Written Torah is woefully insufficient to render judgment. The *Baal HaTanya* writes that

and HASHEM is with him."

David comes to soothe Saul

[19]Saul sent messengers to Jesse, and said, "Send me David your son who is with the sheep." [20]Jesse took a donkey [laden with] bread, a jug of wine, and one kid, and sent it with his son David, for Saul. [21]David came to Saul and stood before him. He loved him very much, and he became his armor-bearer. [22]Saul sent to Jesse, saying, "Let David stand before me, for he has found favor in my eyes." [23]And it happened that whenever the spirit [of melancholy] from God was upon Saul, David would take the harp and play [it] with his hand, and Saul would feel relieved and it would be well with him, and the spirit of melancholy would depart from him.

17

DAVID FACES GOLIATH 17:1-54

The Philistines invade again

[1]The Philistines assembled their camps for war, and assembled themselves at Socoh that is to Judah; they encamped between Socoh and Azekah, in Ephes-dammim. [2]So Saul and the people of Israel assembled themselves, they encamped in the Terebinth Valley, and they arranged for war against the Philistines. [3]The Philistines were standing on the mountain on one side and Israel was standing on the mountain on the other side, and the valley was between them.

[4]A champion went forth from the Philistine camps, whose name was Goliath of Gath; his height six cubits and one span. [5][He had] a copper helmet on his head, and was wearing armor of mail; the weight of the armor [was] five thousand copper shekels. [6][He had] a copper shield on his legs and a copper neck-guard between his shoulders.

---

the word אֶרֶץ, [*eretz*,] *land*, and especially *Eretz Yisrael*, alludes to the Midrashic teaching לָמָּה נִקְרָא שְׁמָהּ אֶרֶץ, שֶׁרָצְתָה לַעֲשׂוֹת רְצוֹן קוֹנָהּ, *Why is [the world] called eretz? Because it rushes to do the will of its Creator (Bereishis Rabbah* 5:8). The "will of its Creator" can be determined only through thorough knowledge of the Oral Law, which was the final point in this praise of David (*Likutei Sichos*).

19-23. David becomes Saul's comforter. Saul sent for David and a warm relationship developed between the two, until the king grew dependent on David and grew to love him dearly. What began as a brief utilitarian visit developed into a permanent residence and position in the royal court. Impressed with David's high caliber and prowess as man of war, Saul appointed him to be his armor-bearer, and whenever the melancholy seized the king, David's music was able to make it disappear.

22. יַעֲמָד נָא דָוִד לְפָנַי — *Let David stand before me.* When David was mentioned earlier, he was referred to as Jesse's son (vs. 19,20). That Jesse is not mentioned any longer implies that Saul wanted David to remain with him permanently, as if he were no longer Jesse's son (*Kli Yakar*).

17.

⌘ The Philistines and Goliath. It seems strange that after their shattering, miraculous defeat at the hands of Jonathan and Saul (see Ch. 14), the Philistines should mount a new offensive only a few months later. That they did so testifies to their aggressive nature and to the degree of their animosity toward Israel. In their new attack, the Philistines were encouraged by their champion, a fearsome warrior, whose challenges were intended to — and succeeded in — humiliating his Jewish adversaries. Goliath was a thirteen-foot giant, who challenged the Jews to settle the war by sending a single warrior to engage him in individual combat, a gauntlet that no Jew was willing to walk. The once-courageous King Saul, who had led the nation to avenge the humiliation to Jabesh-gilead (Ch. 11), and against Philistia (Ch. 14) and Amalek (Ch. 15), had been weakened by his melancholia, and Jewish morale was ebbing away. *Malbim* suggests that the Philistines learned of Saul's malady and were therefore emboldened. *Kli Yakar* comments that God brought this situation about to bring David to the fore, as the successor to Saul.

1-7. The stage is set.

1. שֹׂכֹה אֲשֶׁר לִיהוּדָה — *At Socoh that is to Judah.* So confident were the Philistines of a decisive victory that they did not hesitate to mobilize in the territory of Judah (*Malbim*).

1-3. The Israelite army encamped at the foot of one mountain and the Philistines were opposite them on another mountain, with a valley separating them.

4. אִישׁ הַבֵּנַיִם — *A champion* [lit. *the man of the middle*]. He was called the *man of the middle* because he stood between the two camps as he hurled his challenges and insults (*Radak*).

שֵׁשׁ אַמּוֹת וָזָרֶת — *Six cubits and one span.* A *cubit* (according to most definitions) is a bit under two feet, and a *span* is half a cubit. Thus Goliath was almost thirteen feet tall.

5-7. A hint of Goliath's strength can be seen in the two parts of his armor for which weights are given. Although shekels of various metals vary (*Radak* to v. 7), we may assume that they are not too different. Based on the view of *Chazon Ish* that a silver shekel is eight-tenths of an ounce, Goliath's

ז וחץ [וְעֵץ ק׳] חֲנִיתוֹ כִּמְנוֹר אֹרְגִים וְלַהֶבֶת חֲנִיתוֹ שֵׁשׁ־מֵאוֹת שְׁקָלִים בַּרְזֶל

ח וְנֹשֵׂא הַצִּנָּה הֹלֵךְ לְפָנָיו: וַיַּעֲמֹד וַיִּקְרָא אֶל־מַעַרְכֹת יִשְׂרָאֵל וַיֹּאמֶר לָהֶם לָמָּה תֵצְאוּ לַעֲרֹךְ מִלְחָמָה הֲלוֹא אָנֹכִי הַפְּלִשְׁתִּי וְאַתֶּם עֲבָדִים לְשָׁאוּל בְּרוּ־לָכֶם אִישׁ

ט וְיֵרֵד אֵלָי: אִם־יוּכַל לְהִלָּחֵם אִתִּי וְהִכָּנִי וְהָיִינוּ לָכֶם לַעֲבָדִים וְאִם־אֲנִי אוּכַל־לוֹ

י וְהִכִּיתִיו וִהְיִיתֶם לָנוּ לַעֲבָדִים וַעֲבַדְתֶּם אֹתָנוּ: וַיֹּאמֶר הַפְּלִשְׁתִּי אֲנִי חֵרַפְתִּי אֶת־

יא מַעַרְכוֹת יִשְׂרָאֵל הַיּוֹם הַזֶּה תְּנוּ־לִי אִישׁ וְנִלָּחֲמָה יָחַד: וַיִּשְׁמַע שָׁאוּל וְכָל־יִשְׂרָאֵל

יב אֶת־דִּבְרֵי הַפְּלִשְׁתִּי הָאֵלֶּה וַיֵּחַתּוּ וַיִּרְאוּ מְאֹד: וְדָוִד בֶּן־אִישׁ אֶפְרָתִי הַזֶּה מִבֵּית לֶחֶם יְהוּדָה וּשְׁמוֹ יִשַׁי וְלוֹ שְׁמֹנָה בָנִים וְהָאִישׁ בִּימֵי

יג שָׁאוּל זָקֵן בָּא בַאֲנָשִׁים: וַיֵּלְכוּ שְׁלֹשֶׁת בְּנֵי־יִשַׁי הַגְּדֹלִים הָלְכוּ אַחֲרֵי־שָׁאוּל לַמִּלְחָמָה וְשֵׁם ׀ שְׁלֹשֶׁת בָּנָיו אֲשֶׁר הָלְכוּ בַּמִּלְחָמָה אֱלִיאָב הַבְּכוֹר וּמִשְׁנֵהוּ

יד אֲבִינָדָב וְהַשְּׁלִשִׁי שַׁמָּה: וְדָוִד הוּא הַקָּטָן וּשְׁלֹשָׁה הַגְּדֹלִים הָלְכוּ אַחֲרֵי שָׁאוּל:

טו-טז וְדָוִד הֹלֵךְ וָשָׁב מֵעַל שָׁאוּל לִרְעוֹת אֶת צֹאן אָבִיו בֵּית־לָחֶם: וַיִּגַּשׁ הַפְּלִשְׁתִּי

יז הַשְׁכֵּם וְהַעֲרֵב וַיִּתְיַצֵּב אַרְבָּעִים יוֹם: וַיֹּאמֶר יִשַׁי לְדָוִד בְּנוֹ

יח קַח־נָא לְאַחֶיךָ אֵיפַת הַקָּלִיא הַזֶּה וַעֲשָׂרָה לֶחֶם הַזֶּה וְהָרֵץ הַמַּחֲנֶה לְאַחֶיךָ: וְאֵת

רש״י

(ז) **כמנור ארגים.** תרגם יונתן כְּאַכְסָן דְגַרְדָאִין, אינשובל״א בלע״ז: **שש מאות שקלים.** כל השקלים האמורים בנביאים, מנים: (ח) **למה תצאו.** כולכם לערוך מלחמה, ילחם אחד כנגדי בשביל כולכם, ובתנאי שהוא מפורש, אם יוכל להלחם אתי וגו׳: **הלוא אנכי הפלשתי.** איני לא שר מאה ולא שר אלף, אלא פלשתי כאחד מן האחרים, ואף על פי שנלחמתי להם כמה מלחמות, אני הרגתי חפני ופנחס, ושביתי את הארון, ואתם נעשיתם עבדים לשאול, ולא הושיע אתכם מימיו בגבורתו: **ברו לכם.** בררו לכם: **איש.** את שאול, וירד אלי: (יב) **אפרתי.** בית לחם יושבת בארץ אפרת: **ולו שמנה בנים.** ומה שכתוב (בדברי הימים־א ב, טו) אֹצֶם הַשִּׁשִּׁי דָּוִד הַשְּׁבִעִי ולא כתב יותר, יש לומר שאחד מת בלא בנים, ולפיכך לא כתבו שם: **באנשים.** נמנה בכנסיות החשובים: (יד) **ודוד הוא הקטן.** שהיה בבית שאול מקודם לכן לנגן לפניו: (טו) **ודוד הלך.** היה הולך ושב תמיד מאצל שאול לבית אביו: (טז) **השכם והערב.** אמרו רבותינו (סוטה מב, ב), כדי לבטל מקריאת שמע:

רד״ק

(ז) **כמנור ארגים.** תרגם יונתן כְּאַכְסָן דְגַרְדָאִין, והוא יתד האורג: **שקלים ברזל.** כמו שקלי ברזל, וכן סִיגִים כֶּסֶף (יחזקאל כב, יח), ומה שאמר למעלה שְׁקָלִים נְחֹשֶׁת (פסוק ה) והנה אמר שְׁקָלִים בַּרְזֶל, לפי שלכל המתכות יש שקלים מיוחדים וכאשר שוקלים הזהב שוקלים בשקלים המיוחדים לזהב וכן לכסף וכן לנחשת וכן לברזל, ולהבת חניתו היתה ברזל לפיכך זכר בה שקלי ברזל: (ח) **הלוא אנכי הפלשתי.** כלומר אני פלשתי אחד מן הפלשתים ויצאתי מעצמי כדי להלחם: **ואתם עבדים לשאול.** כלומר כיון שיש לכם מלך היה לכם עם מלככם לברור מכם איש להלחם עמי, ותרגום של תוספתא תרגם הפסוק כן וְקָם וְאַכְרֵיז עַל סִדְרֵי קְרָבָא דְיִשְׂרָאֵל וגו׳ כבעמוד: (יב) **ודוד בן איש אפרתי הזה.** אמר הזה לפי שזכרו למעלה שהיה מנגן לפני שאול, וזכרו הנה לספר ענינו היאך בא להלחם עם הפלשתי, כי לא היה תמיד עם שאול אלא הולך ושב לא היה נוטש הצאן מכל וכל ולא היה בזאת המלחמה, כי שלשת בני ישי היו שם במלחמה ודי הוא להם מבית ישי שהיו לו שמנה בנים אם השלשה היו במלחמה, וישי עצמו לא היה במלחמה לפי שהיה זקן בא באנשים, והיתה סבה לבא דוד במלחמה ששלחו אביו לאחיו לפקדם ולדעת ענינם, ושלח להם מה ששלח, ולפיכך היה כל הספור הזה הנה: **זקן בא באנשים.** באנשי הזקנה והחולשה שלא היה יכול לצאת ולבוא, וכן ואברהם זקן בא בימים בימי הזקנה והחולשה שהם סימן למיתה, לפיכך הוצרך לקחת אשה לבנו בחייו, ובי״ת בַאֲנָשִׁים פתוחה ואין בו ידיעה, ויונתן תרגם בָּא בַאֲנָשִׁים, מְנֵי בִּבְחִירַיָּא, ורבותינו זכרונם לברכה אמרו (ברכות נח, א) בָּא בַאֲנָשִׁים זה ישי אבי דוד שיצא באוכלוסא ונכנס

מצודת דוד

(ז) **ועץ חניתו.** הוא הבית יד, שהיתה עבה כמנור אורגים: **ולהבת.** ברזל החנית, היה משקלו שש מאות שקלי ברזל, ומשונה הוא משקלי נחושת: **הלך לפניו.** להגן בו עליו ממכת חרב וחנית: (ח) **אל מערכת.** אל החיל המסודר למלחמה: **למה תצאו.** רצה לומר, למה תצאו כולכם למלחמה: **הלוא אנכי הפלשתי.** רצה לומר, אנכי הוא המיוחד שבהם, אחד מהשרים, ואתם הלא עבדים, ועם שאין מהדרך אשר שר וגדול ילחם מול עבד נקלה, עם כל זה ברו לכם איש, וילחם בי: (ט) **להלחם אתי.** רצה לומר, להתגבר בהלחמו אתי: **והיינו.** כולנו נהיה לכם לעבדים, בעבור הנצחון האחד לאחד: **ועבדתם אתנו.** כאומר הלא אתם עבדים לשאול, וכשאנצח תהיו עבדים לנו, ואין לכם בזה נפקא מינה גדולה כל כך: (י) **אני חרפתי.** כאומר איך לא תבושו, הלא אני מחרף את ישראל לומר שאין עמכם גבורה, ואתם תחרישון, ועד מתי, תְּנוּ לִי אִישׁ וכו׳: (יב) **אפרתי.** בית לחם יושבת בארץ אפרת: **הזה.** רצה לומר, הניכר והידוע לכל: **בא באנשים.** לרוב זקנותו לא בא בעצמו במלחמה, רק בא בשלחו במקומו אנשים, ורבותינו זכרונם לברכה אמרו (ברכות נח, א) שהיה בא במחברת אנשים אשר הלכו אחריו לגודל חשיבתו: (יג) **הלכו אחרי שאול.** לרוב חשיבותם הלכו ליד המלך: (יד) **ודוד הוא הקטן.** ולזה לא הלך הוא, והגדולים הלכו: (טו) **הלך ושב.** לא ישב בקבע בבית שאול, כי אם היה הולך ושב וכו׳: (טז) **ויתיצב.** עמד בין המערכות, ודבר דבריו בבוקר ובערב, עד נשלמו ארבעים יום טרם בוא דוד:

מצודת ציון

(ז) **כמנור ארגים.** הוא עץ עב ועגול, שהאורג כורך עליו חוטי השתי, ובמשנה קרויה כובד (שבת קיג, א). ותרגומו, כְּאַכְסָן דְגַרְדָאִין, וכמו כן תרגם על הַיְתַד הָאֶרֶג (שופטים טז, יד), אַכְסַן דְגַרְדָאִין: **ולהבת.** כן יקרא ברזל החנית, על שם שמבהיק להב כשהוא מלוטש, וכן לַהַב חֲנִית (איוב לט, כג): **הצנה.** הוא כעין מגן, וכן מָאתַיִם צִנָּה (מלכים־א י, טז): (ח) **מערכת.** מלשון עריכה וסדור: **ברו.** בררו ובחרו: (ט) **יוכל.** מלשון יכולת והתחזקות: (יא) **ויחתו.** ענין פחד ושבר: (יג) **ומשנהו.** השני לו: (יז) **איפת.** שם מדה: **איפת הקליא.** קמח הקליות, כמו וְלֶחֶם וְקָלִי (ויקרא כג, יד), והוא קמח משבלים צלוים: **והרץ.** לך במרוצה ומהר:

Goliath humiliates Israel with a challenge

[7]The shaft of his spear was like a weavers' beam and the blade of his spear [weighed] six hundred iron shekels. The shield-bearer walked before him. [8]He stood and called out to the battalions of Israel and said to them, "Why are you going forth to wage war? Am I not the Philistine, while you are the servants of Saul? Choose yourselves a man and let him come down to me! [9]If he can fight me and kill me, we will be slaves to you; and if I defeat him and kill him, you will be slaves to us and serve us." [10]Then the Philistine said, "I have disgraced the battalions of Israel this day, [saying,] 'Give me a man and we will fight together.' " [11]Saul and all Israel heard these words of the Philistine, and they were terrified and greatly afraid.

[12]David was the son of a certain Ephrathite man from Bethlehem [in] Judah; his name was Jesse and he had eight sons. In the days of Saul, the man was old, and would come among the elders. [13]Jesse's three oldest sons left home and followed Saul to war. The names of his three sons who went to war were Eliab, the firstborn; the second to him, Abinadab; and the third, Shammah. [14]But David was the youngest; just the three oldest followed Saul. [15]David would travel back and forth from Saul's presence to tend his father's flocks in Bethlehem.

[16]The Philistine would approach [the Israelite camp] early morning and evening; he presented himself for forty days.

David brings provisions for his brothers

[17]Jesse said to his son David, "Please take this ephah of toasted grain and these ten loaves of bread for your brothers and hurry to the camp to your brothers, [18]and

רד"ק

באוכלוסא: **(יג) וילכו.** ואחר כך אמר הָלְכוּ, רצה לומר אותם שהיו רגילים ללכת אחרי שאול: **והשלישי שמה.** הוא שמעה הנזכר בזה הספר יוֹנָדָב בֶּן שִׁמְעָה אֲחִי דָוִד (לקמן־ב יג, ג), וכן בספר דברי הימים (־א ב, יג) וְשִׁמְעָא הַשְּׁלִישִׁי: **(טז) השכם והערב.** בקר וערב כדי להבהילם, ובדרש (סוטה מב, ב) כדי לבטל מהם קריאת שמע שחרית וערבית: **ויתיצב ארבעים יום.** התיצב לפני מחנה ישראל לחרפם, ובדרש (שם) ארבעים יום כנגד ארבעים יום שנתנה בהם תורה, כלומר שלא היה להם כח לישראל על גלית אלא עד סוף ארבעים, כי בסוף ארבעים יום שירד משה מן ההר קבלו התורה, ובדרש אחר (מדרש שמואל פרשה כ) ארבעים פסיעות הלכה ערפה עם חמותה נעמי, ובזכותה נתלה לבנה ארבעים יום, ואמרו (סוטה מב, ב) כי הרפה אם גלית זו היא ערפה: **(יז) איפת הקליא הזה.** בא על דרך בעלי הה"א והאל"ף בשקל נביא נשיא והאלף בו תמורת הה"א למ"ד הפעל, וכמוהו ואל תתן עלינו דם נקיא (יונה א, יד): **ועשרה לחם.** תרגם יונתן וְעַסְרָא טוּלְמִין דְלַחְמָא הָדֵין, פירוש חלות לחם: **והרץ המחנה לאחיך.** אמר לו שיוליך הדברים האלה במרוצה לאחיו:

armor weighed two hundred-fifty pounds and the blade of his spear weighed thirty pounds.

8-11. Goliath taunts Israel. Fearless and arrogant, Goliath taunts the Jewish army, publicly shaming Saul as a coward for not coming out to fight him. He calls himself *the Philistine*, not a mere officer, but the one who slew Hofni and Phinehas and captured the Ark of God (*Targum Yonasan; Mahari Kara*). Confident that no one is a match for him, Goliath challenges Israel's army to settle the war in a man-to-man duel; he will represent all of Philistia and let one Jew represent all of *Eretz Yisrael* in a winner-take-all fight to the death.

11. וַיֵּחַתּוּ וַיִּרְאוּ מְאֹד — *[Saul and all Israel] were terrified and greatly afraid.* Before this, when the spirit of God rested upon Saul, he would go to battle valiantly, terrorizing large enemy forces (see 14:47), but now that God had removed His spirit from Saul, one Philistine hero was enough to cower him into impotence (*Midrash Shmuel* 17).

12-27. David is sent to the camp. Despite Saul's desire to have David with him as his steady minstrel, David still went back home regularly to help tend the family's flocks, and he was away from Saul's camp while Goliath was displaying his contempt and insolence (*Metzudos*). Unaware of the giant's challenges, Jesse sent David to the camp with provisions for the three of his brothers who had joined Saul's army, and to report back on their welfare. It was then that David learned of the challenge and the royal reward awaiting anyone who could defeat Goliath.

12. We have been introduced to Jesse and his family in earlier chapters, but it is common in Scripture to recapitulate when the narrative returns to previously mentioned people or events. Since David is about to become central to the narrative, his origins are repeated.

אֶפְרָתִי הַזֶּה — *A certain Ephrathite.* Ephrath was the area of Judah where Bethlehem was located (*Rashi*).

16. הַשְׁכֵּם וְהַעֲרֵב — *Early morning and evening.* Goliath timed his taunts for the times when the Jewish troops would recite the *Shema*, morning and evening. He wanted to interfere with these prayers, because one who recites the *Shema* merits protection from his enemies (*Sotah* 42a).

18. לְשַׂר הָאֶלֶף — *To the captain of the thousand*, i.e., the thousand-man unit to which Jesse himself belonged. The Jewish people were organized in groups of a thousand, and each of them had a leader. Jesse, too, was part of such a group, although he was too old to go to war (*Rashi*).

עֲשֶׂרֶת חֲרִיצֵי הֶחָלָב הָאֵלֶּה תָּבִיא לְשַׂר הָאָלֶף וְאֶת־אַחֶיךָ תִּפְקֹד לְשָׁלוֹם וְאֶת־
יט עֲרֻבָּתָם תִּקָּח׃ וְשָׁאוּל וְהֵמָּה וְכָל־אִישׁ יִשְׂרָאֵל בְּעֵמֶק הָאֵלָה נִלְחָמִים עִם־
כ פְּלִשְׁתִּים׃ וַיַּשְׁכֵּם דָּוִד בַּבֹּקֶר וַיִּטֹּשׁ אֶת־הַצֹּאן עַל־שֹׁמֵר וַיִּשָּׂא וַיֵּלֶךְ כַּאֲשֶׁר
כא צִוָּהוּ יִשָׁי וַיָּבֹא הַמַּעְגָּלָה וְהַחַיִל הַיֹּצֵא אֶל־הַמַּעֲרָכָה וְהֵרֵעוּ בַּמִּלְחָמָה׃ וַתַּעֲרֹךְ
כב יִשְׂרָאֵל וּפְלִשְׁתִּים מַעֲרָכָה לִקְרַאת מַעֲרָכָה׃ וַיִּטֹּשׁ דָּוִד אֶת־הַכֵּלִים מֵעָלָיו עַל־יַד
כג שׁוֹמֵר הַכֵּלִים וַיָּרָץ הַמַּעֲרָכָה וַיָּבֹא וַיִּשְׁאַל לְאֶחָיו לְשָׁלוֹם׃ וְהוּא ׀ מְדַבֵּר עִמָּם וְהִנֵּה
אִישׁ הַבֵּנַיִם עוֹלֶה גָּלְיָת הַפְּלִשְׁתִּי שְׁמוֹ מִגַּת ממערות [מִמַּעַרְכוֹת ק׳] פְּלִשְׁתִּים
כד וַיְדַבֵּר כַּדְּבָרִים הָאֵלֶּה וַיִּשְׁמַע דָּוִד׃ וְכֹל אִישׁ יִשְׂרָאֵל בִּרְאוֹתָם אֶת־הָאִישׁ וַיָּנֻסוּ
כה מִפָּנָיו וַיִּירְאוּ מְאֹד׃ וַיֹּאמֶר ׀ אִישׁ יִשְׂרָאֵל הַרְּאִיתֶם הָאִישׁ הָעֹלֶה הַזֶּה כִּי לְחָרֵף
אֶת־יִשְׂרָאֵל עֹלֶה וְהָיָה הָאִישׁ אֲשֶׁר־יַכֶּנּוּ יַעְשְׁרֶנּוּ הַמֶּלֶךְ ׀ עֹשֶׁר גָּדוֹל וְאֶת־בִּתּוֹ
כו יִתֶּן־לוֹ וְאֵת בֵּית אָבִיו יַעֲשֶׂה חָפְשִׁי בְּיִשְׂרָאֵל׃ וַיֹּאמֶר דָּוִד
אֶל־הָאֲנָשִׁים הָעֹמְדִים עִמּוֹ לֵאמֹר מַה־יֵּעָשֶׂה לָאִישׁ אֲשֶׁר יַכֶּה אֶת־הַפְּלִשְׁתִּי
הַלָּז וְהֵסִיר חֶרְפָּה מֵעַל יִשְׂרָאֵל כִּי מִי הַפְּלִשְׁתִּי הֶעָרֵל הַזֶּה כִּי חֵרֵף מַעַרְכוֹת
כז אֱלֹהִים חַיִּים׃ וַיֹּאמֶר לוֹ הָעָם כַּדָּבָר הַזֶּה לֵאמֹר כֹּה יֵעָשֶׂה לָאִישׁ אֲשֶׁר יַכֶּנּוּ׃

רש"י

(יח) **חריצי החלב.** (תרגום), גּוּבְנִין דַּחֲלָבָא: **לשר האלף.** אני אומר, לשר של אותו אלף שאחיו ממנו, שלכל השבטים היו שרי אלפים לפי אלפיהם, ואני שמעתי, לשר האלף זה יהונתן, שאמר עליו וְאֶלֶף הָיוּ עִם יוֹנָתָן בְּגִבְעַת בִּנְיָמִין (לעיל יג, ב): **ואת ערבתם תקח.** ואת ערובת השלמם ושלומם, תקח באזניך ולבבך, ותגיד לי. וכן תרגם יונתן, וְיָת טֵיבֵיהוֹן תַּיְיתֵי: **ערבתם.** לשון הלוה, כמו עֲרֹב עַבְדְּךָ לְטוֹב (תהלים קיט, קכב), גרנטי"ש בלע"ז. ורבותינו אמרו (שבת נו, א), גט כריתות יקח מאתם ויביא לנשותיהם, להפריד עירוב שביניו לבינה: **(כ) המעגלה.** סביבות המחנה עושים מעגל, והיוצא חוץ, לפנים או לאחור, מתחייב. לפנים, שמא ירוצו עליו בני מערכות האויבים, לאחור, מבקש הוא לנוס: **(כא) ותערך ישראל.** מערכת ישראל: **(כב) שומר הכלים.** של בני הגלה: **(כג) ממערות פלשתים.** כתיב, רבותינו דרשו (סוטה מב, ב), מאה בני אדם הערו בערפה אמו, כשפירשה מאחרי רות ונעמי חמותה: **(כה) יעשה חפשי.** מדברים האמורים במשפטי המלוכה:

רד"ק

(יח) **חריצי החלב.** כתרגומו גוּבְנִין דַּחֲלָבָא: **לשר האלף.** פירוש שר האלף שישי נמנה בו: **ואת ערבתם תקח.** המשכונות ששמו על הוצאותם כי כן מנהג אנשי החיל לפי שאין מעות מצויות במלחמה, וישי נתן לדוד מעות שיוציא בהם משכונותיהם ויונתן תרגם וְיָת טֵיבֵיהוֹן תַּיְיתֵי כלומר עניינם תקח ותלמד ותגד לי, ודעת רבותינו זכרונם לברכה שיקח מהם גיטין לנשותיהם טרם המלחמה, אמרו (כתובות ט, ב) עֲרֻבָּתָם דברים המעורבים בינו לבינה, כלומר הקדושין והנשואין שביניהם והגט מסלק אותם: **(כ) המעגלה.** לפי שהמחנה הוא בסבוב לפיכך קורא אותו מעגל, ויונתן תרגם לִכְרַקּוֹמָא, וכן תרגם אונקלוס וּבָנִית מָצוֹר (דברים כ, כ) וְתִבְנֵה כַּרְקוֹמִין, וכן בדברי רבותינו זכרונם לברכה (גיטין כח, ב) עיר שכבשה כרקום, ובנין המצור הוא שבונין סביב המחנה בפסין ובשלשלאות שלא יצא אדם חוץ למחנה אלא במצות שרי החיל, ואמרו (ירושלמי כתובות ב, ט) איזהו כרקום כל שזגין ושלשלאות וכלבים מקיפין, והענין הזה להבהיל העיר או המחנה האחר כמו שכתוב וְהֵרֵעוּ בַּמִּלְחָמָה: **(כא) ותערך ישראל.** עדת ישראל: **(כב) שומר הכלים.** שהיה שומר כלי אנשי המחנה בגדיהם ואשר עמהם: **(כג) ממערות פלשתים.** כן הוא כתיב, וקרי מִמַּעַרְכוֹת, והקרי מבואר והכתיב פירושו ממחנות פלשתים מהמישורים שהיו חונים שם, כי מערה הוא לשון מישור כמו מִמַּעֲרֵה גָבַע (שופטים כ, לג) שתרגם יונתן מְמֵישַׁר גִּבְעֲתָא, והנה הכתיב והקרי קרובים וזה וזה יכשר, ויונתן תרגם על דרך הכתיב ממשריית קרבא דפלשתאי, ודעת הדרש (סוטה מב, ב) בכתוב ובאיש הַבֵּנַיִם רחוקה, שדרשו כי נקרא איש הבינים שהיה מכמה אנשים, וכן דרשו ממערת פלשתים ממאה ערלות שהערו באמו, ומהם אמרו בר מאה פפין וחד נגא פירוש בן מאה אנשים וכלב אחד שבאו על אמו, שכן אמר לדוד הֲכֶלֶב אָנֹכִי (להלן פסוק מג) ואמרו כי אמו היתה ערפה כלת נעמי והרפה כמו ערפה, אבל מה שאמרו כתיב הרפה וקרינן ערפה זה לא מצאנו, וסברת אומרי הדרש הזה כי אשה מתעברת מאנשים רבים, ויש מפרשים (תנחומא וישב, א) כי אהליבמה (בראשית לו, ב) בת ענה בן צבעון שנתעברה אמה מהאב ומהבן, ויש חולקין עליהם בזה ואומרים אין אשה מתעברת משני אנשים כאחת, ויש מתרצים שתי הסברות כי משנסרח הזרע אין מתעברת משני אנשים, עד שלא נסרח הזרע אשה מתעברת משני

מצודת דוד

(יח) **לשר האלף.** מה שאחיו היו נמנים בו: **תפקד לשלום.** תשגיח לדעת שלומם: **ואת ערבתם.** את משכונם אשר משכנו לצורך פרנסתם, תפדם מיד הממשכנן, ותקחם עמך: **(יט) והמה.** שלשת בני ישי: **נלחמים.** מוכנים המה להלחם: **(כ) ויטש.** עזב הצאן על שומר אחד, לשמרם עד בואו: **וישא.** את איפת הקליא וכו׳: **המעגלה.** היא המחנה, שדרכה לחנות בעגול, כי טוב הוא להיות נשמר מהאויב מסביב: **והחיל היצא.** ואז החיל היה יוצא אל המערכה, הוא מקום המלחמה, ובעת יצאם הריעו: **(כא) ותערך.** סדרו וערכו מערכתם ישראל ופלשתים, זה מול זה: **(כב) ויטש.** עזב והניח הכלים אשר עמו, ביד שומר הכלים של הבאים למלחמה: **וירץ המערכה.** אל אחיו שהלכו כבר אל המערכה: **(כג) ממערכות פלשתים.** חוזר על מלת עוֹלֶה: **(כה) הראיתם.** בראותם עולה, אמרו אלו לאלו בלשון שאלה, האם אתם נותנים לב להתבונן מעשה האיש העולה הזה, כי עולה לחרף וכו׳: **יעשה חפשי.** מבלי לעבוד עבודת המלך: **(כו) מה יעשה לאיש.** אף שכבר שמע, חזר ושאל, להכניס בדברים ולומר שהוא ילך: **כי מי.** במה נחשב הוא לחרף מערכות עם ה׳: **(כז) כדבר הזה.** האמור למעלה:

מצודת ציון

(יח) **חריצי החלב.** תרגום יונתן, גוּבְנִין דַּחֲלָבָא, ואולי יקראו כן על שדרך הגבינה לחתכו במדה בעת עשותו, והוא מלשון אִם חֲרוּצִים יָמָיו (איוב יד, ה): **תפקד.** ענין השגחה, כמו פִּקְדוּ נָא וּרְאוּ (לעיל יד, יז): **ערבתם.** ענין משכון, כמו מָה הָעֵרָבוֹן (בראשית לח, יח): **(כ) ויטש.** ועזב: **(כה) הראיתם.** בה"א השאלה: **חפשי.** בני חורין: **(כו) הלז.** הזה:

bring these ten cheeses to the captain of the thousand. Inquire after the welfare of your brothers, and obtain a report of their welfare."

[19]Saul, they, and all the men of Israel were in the Terebinth Valley, fighting with the Philistines. [20]David arose early in the morning, left the sheep with a watchman, and set out as Jesse had commanded him. He came to the encirclement, and the army was going forth to the battle line, shouting battle cries. [21]Israel and the Philistines deployed, battalion facing battalion. [22]David left the baggage that was upon him with the keeper of the baggage and ran to the line. When he arrived he inquired after the welfare of his brothers.

David sees Israel's fear of Goliath

[23]As he was speaking to them, behold — the champion went forth from the Philistine battalions, Goliath the Philistine of Gath was his name, and spoke the [above] words, and David heard. [24]All the men of Israel, when they saw the man, fled from him, and they were very frightened. [25]The men of Israel were saying, "Have you seen this man who goes forth? He goes forth to disgrace Israel! The king will enrich whoever kills him with great wealth and give his daughter to him [in marriage], and he will free his father's family [from royal service] in Israel."

He implies his readiness to fight

[26]David spoke to the men standing with him, saying, "What will be done for the man who slays this Philistine and removes disgrace from Israel? For who is this uncircumcised Philistine, that he disgraces the battalions of the Living God?" [27]So the people told him regarding this matter, saying, "Such and such shall be done for the man who kills him."

רד"ק

אנשים: (כה) **הראיתם.** בדגש הרי"ש לחזק קריאתה מפני ה"א התמיהה אשר עליה, אף על פי שאין מנהג הרי"ש להדגש ברוב: **יעשרנו המלך.** משפטו יעשירנו כי מבניין הפעיל הוא, וכן רבת תעשרנה כמו תעשירנה: **יעשה חפשי.** חפשי ממשפט המלוכה, ויונתן תרגם יַעֲבֵד רַבְרְבִין בְּיִשְׂרָאֵל אולי כן היה דעתו כמו שפירשנו, או רצה לומר חָפְשִׁי כמו אַשְׁרֵיךְ אֶרֶץ שֶׁמַּלְכֵּךְ בֶּן חוֹרִים (קהלת י, יז) חֹרֶיהָ וְאֵין שָׁם מְלוּכָה יִקְרָאוּ (ישעיהו לד, יב) שעניינם השרים הגדולים הנכבדים על השרים האחרים, ורצה לומר יַעֲשֶׂה שישים בית אביו להיות מגדולי המלכות לכל דבר:

וְאֶת עֲרֻבָּתָם תִּקָּח — *And obtain a report of their welfare.* The translation follows *Targum Yonasan* and *Rashi*. Others render *redeem their pledges*, since soldiers often had to pawn some of their belongings to purchase needed provisions.

20. The Israelite army was preparing to go to battle, apparently ignoring Goliath's challenges for a one-on-one duel, because no one was willing to fight Goliath as he had demanded.

22. When David arrived at the battlefield, his brothers had already left their camp and were deploying for the impending battle. He left the provisions with the quartermaster in charge of supplies and went toward the valley to find his brothers. It was then that he was introduced to the dismaying spectacle of Goliath's taunts and Israel's fear to respond. The men of Israel described Goliath as הָאִישׁ הָעֹלֶה הַזֶּה, *this man who goes forth* (v. 25), literally *this man who ascends*, which implies that Goliath had become so emboldened by the Jewish cowardice that he was actually leaving the valley and climbing the mountain where the Jewish forces were quartered. This made the fearful lack of response even more revolting to David (*Malbim*).

26. מַה יֵּעָשֶׂה לָאִישׁ — *What will be done for the man.* As mentioned in the previous verse, David already knew the answer to this question. He feigned ignorance in order to engage the men in conversation so that he could tell them he was ready to fight Goliath (*Metzudos*).

David sought a way to help bring about Samuel's prophecy that he would become king. He felt that it would be easier for him to rise to power if he were the king's son-in-law (*Ralbag*).

כִּי מִי הַפְּלִשְׁתִּי הֶעָרֵל הַזֶּה — *For who is this uncircumcised Philistine . . .* David said these words contemptuously, "What right does this thug have to insult the people of God?!" With this declaration David cut through the verbiage of Goliath and the silence of Israel, and went to the core of the confrontation. This was not merely a matter of tactics, as one side sought the advantage over the other; its significance was timeless and universal, for it was a challenge to Israel's faith in God. When David would win his astounding victory over the arrogant and overpowering giant, it would not simply be a matter of the weak underdog defeating the brutal mighty warrior. It would be a victory of God over those who deny His sovereignty (*David, King of Israel*).

27-28. Eliab's anger. Eliab understood that David wanted to fight Goliath, and he "knew" that David was being unrealistic, that he had no hope of winning such a battle. Thus Eliab was not only criticizing David, he was also trying to save his life. [This would explain why Eliab, who, according

כח וַיִּשְׁמַ֤ע אֱלִיאָב֙ אָחִ֣יו הַגָּד֔וֹל בְּדַבְּר֖וֹ אֶל־הָאֲנָשִׁ֑ים וַיִּֽחַר־אַ֨ף אֱלִיאָ֜ב בְּדָוִ֗ד וַיֹּ֣אמֶר ׀ לָמָּה־זֶּ֣ה יָרַ֗דְתָּ וְעַל־מִ֨י נָטַ֜שְׁתָּ מְעַ֨ט הַצֹּ֤אן הָהֵ֙נָּה֙ בַּמִּדְבָּ֔ר אֲנִ֧י יָדַ֣עְתִּי אֶת־זְדֹנְךָ֗ וְאֵת֙ רֹ֣עַ לְבָבֶ֔ךָ כִּ֗י לְמַ֛עַן רְא֥וֹת הַמִּלְחָמָ֖ה יָרָֽדְתָּ׃ כט וַיֹּ֣אמֶר דָּוִ֔ד מֶ֥ה עָשִׂ֖יתִי עָ֑תָּה הֲל֖וֹא דָּבָ֥ר הֽוּא׃ ל וַיִּסֹּ֤ב מֵֽאֶצְלוֹ֙ אֶל־מ֣וּל אַחֵ֔ר וַיֹּ֖אמֶר כַּדָּבָ֣ר הַזֶּ֑ה וַיְשִׁבֻ֤הוּ הָעָם֙ דָּבָ֔ר כַּדָּבָ֖ר הָרִאשֽׁוֹן׃ לא וַיִּשָּֽׁמְעוּ֙ הַדְּבָרִ֔ים אֲשֶׁ֖ר דִּבֶּ֣ר דָּוִ֑ד וַיַּגִּ֥דוּ לִפְנֵי־שָׁא֖וּל וַיִּקָּחֵֽהוּ׃ לב וַיֹּ֤אמֶר דָּוִד֙ אֶל־שָׁא֔וּל אַל־יִפֹּ֥ל לֵב־אָדָ֖ם עָלָ֑יו עַבְדְּךָ֣ יֵלֵ֔ךְ וְנִלְחַ֖ם עִם־הַפְּלִשְׁתִּ֥י הַזֶּֽה׃ לג וַיֹּ֨אמֶר שָׁא֜וּל אֶל־דָּוִ֗ד לֹ֤א תוּכַל֙ לָלֶ֙כֶת֙ אֶל־הַפְּלִשְׁתִּ֣י הַזֶּ֔ה לְהִלָּחֵ֖ם עִמּ֑וֹ כִּֽי־נַ֣עַר אַ֔תָּה וְה֛וּא אִ֥ישׁ מִלְחָמָ֖ה מִנְּעֻרָֽיו׃ לד וַיֹּ֤אמֶר דָּוִד֙ אֶל־שָׁא֔וּל רֹעֶ֨ה הָיָ֜ה עַבְדְּךָ֛ לְאָבִ֖יו בַּצֹּ֑אן וּבָ֤א הָֽאֲרִי֙ וְאֶת־הַדּ֔וֹב וְנָשָׂ֥א °שֶׂ֖ה מֵהָעֵֽדֶר׃ לה וְיָצָ֧אתִי אַחֲרָ֛יו וְהִכִּתִ֖יו וְהִצַּ֣לְתִּי מִפִּ֑יו וַיָּ֣קָם עָלַ֔י וְהֶחֱזַ֙קְתִּי֙ בִּזְקָנ֔וֹ וְהִכִּתִ֖יו וַהֲמִיתִּֽיו׃ לו גַּ֧ם אֶֽת־הָאֲרִ֛י גַּם־הַדּ֖וֹב הִכָּ֣ה עַבְדֶּ֑ךָ וְֽהָיָה֩ הַפְּלִשְׁתִּ֨י הֶעָרֵ֤ל הַזֶּה֙ כְּאַחַ֣ד מֵהֶ֔ם כִּ֣י חֵרֵ֔ף מַעַרְכֹ֖ת אֱלֹהִ֥ים חַיִּֽים׃ לז וַיֹּאמֶר֮ דָּוִד֒ יְהוָ֗ה אֲשֶׁ֨ר הִצִּלַ֜נִי מִיַּ֤ד הָֽאֲרִי֙ וּמִיַּ֣ד הַדֹּ֔ב ה֥וּא יַצִּילֵ֖נִי מִיַּ֣ד הַפְּלִשְׁתִּ֣י הַזֶּ֑ה וַיֹּ֨אמֶר שָׁא֤וּל אֶל־דָּוִד֙ לֵ֔ךְ וַיהוָ֖ה יִהְיֶ֥ה עִמָּֽךְ׃ לח וַיַּלְבֵּ֨שׁ שָׁא֤וּל אֶת־דָּוִד֙ מַדָּ֔יו וְנָתַ֛ן ק֥וֹבַע נְחֹ֖שֶׁת עַל־רֹאשׁ֑וֹ וַיַּלְבֵּ֥שׁ אֹת֖וֹ

°נ״א זֶה

רש״י

(לד) ובא הארי ואת הדוב. (תרגום), וְאָתָא אַרְיָא וְאַף דוּבָּא: **(לו) גם את הארי גם הדוב.** הרי אלו רבוין, ארי ושני גוריו, ודוב ושני ילדיו: **(לז) ה׳ אשר הצלני מיד הארי.** יודע אני שלא לחנם נזדמן לי הדבר ההוא, אלא שלעתיד אני בא לידי כיולא בה לתשועת ישראל, ואסמוך עליה ואלא. וזה אחד משני לדיקים שנתן להם רמז, וחשו להשכיל לדבר, דוד ומרדכי, שנאמר וּבְכָל יוֹם וָיוֹם מָרְדֳּכַי מִתְהַלֵּךְ לִפְנֵי חֲצַר וגו׳ (אסתר ב, יא), אמר, לא לחנם עלתה בלדקת זו שנתפסה במשכב הערל הזה, אלא שעתידה היא לעמוד לישראל ביום לרה: **(לח) את דוד מדיו.** נהפכו להיות כמדת דוד משנמשח בשמן המשחה, אף שהיו של שאול שהיה גבוה מכל העם מִשִּׁכְמוֹ וָמַעְלָה (לעיל ט, ב), וכיון שראה שאול כן, הכניס בו עין הרע, והרגיש דוד בדבר:

רד״ק

(כח) ויחר אף אליאב. כי הבין כי רצון דוד היה להלחם עם הפלשתי, והיה רחוק בעיניו שינצל מידו אם ילחם עמו, לפיכך חרה אפו בו: **את זדנך.** תרגם יונתן יַת בַּקְרָנוּתָךְ, הבי״ת כמו פ״א עניינם הפקר וקלות דעת, כלומר שאתה מפקיר עצמך לצאת ולעזוב הצאן, וכן תרגם יונתן פוֹחֲזִים (צפניה ג, ד) בקרין והוא כמו פקרין בפ״א, וכן במשנה (פאה ו, א) הבקר לעניים הבקר כמו הפקר בפ״א: **(כט) הלוא דבר הוא.** כתרגומו הֲלָא פִּתְגָם הוּא דַאֲמָרִית, כלומר אם דברתי לא עשיתי דבר ואין רצוני לעשות אף על פי שאני מדבר: **(ל) אל מול אחר.** פירוש אל מול אדם אחר שהיה מול זה המקום: **(לב) אל יפל לב אדם עליו.** פירוש על עצמו, או פירוש עָלָיו על גלית, כלומר לא יפחד אדם בעבורו כי אני אלחם עמו: **(לד) ואת הדוב.** פירוש ועם הדוב בא הארי, כלומר עם כל זה הכיתי הארי והדוב ובקצת נוסחאות מהתרגום ואת הדוב וְאַף דוּבָּא: **(לה) והחזקתי בזקנו.** תרגם יונתן וַאֲחָדִית בְּלוֹעֵיהּ, רצה לומר כשאחז בזקן הארי לא אחז בשער הזקן לבד אלא הזקן עם הלחי התחתון: **והכתיו והמיתיו.** ביו״ד עם הדגש וכבר כתבנו הדומים לו בספר מכלל: **(לו) גם את הארי גם הדוב.** כל אחד לרבות על חבירו וכן גַּם צֹאנְכֶם גַּם בְּקַרְכֶם (שמות יב, לב), ובדרש אילו אמר ארי ודוב הייתי אומר אלו שתי חיות רעות בלבד הכה, וכשהוא אומר גַּם אֶת הָאֲרִי גַּם (את) הַדּוֹב הרי כאן שלשה רבויין מלמד שהיו שם חמש חיות רעות, כיצד ארי ושני גורותיו והדוב וגורו: **(לח) ונתן קובע נחשת על ראשו.** בקו״ף ומלעיל, ויש ספרים שכתוב בכ״ף והיא שגגת הסופרים, והמסרה מעידה עליו שהוא בקו״ף, וכן הוא המסרה עליו לית כותיה בקו״ף ואמר צִנָּה וּמָגֵן וְקוֹבַע (יחזקאל כג, כד) והוא מלרע ותרויהון מלאים, ושאר קריאה כובע בכ״ף כלם בר אילין תרין בקו״ף:

מצודת דוד

(כח) למה זה ירדת. עדיין לא הגיד לו שאביו שלחו הנה: **במדבר.** במקום גדודי חיות ולסטים: **למען ראות.** להתענג בראיית המלחמה: **(כט) מה עשיתי עתה.** כאומר אם דרכך לכעוס עלי בעשותי דבר רע בעיניך, מה זה כעסת עתה, הלא עתה לא עשיתי מאומה, ורק דברים בעלמא דברתי: **(ל) כדבר הזה.** מה יעשה לאיש וכו׳: **(לא) אשר דבר דוד.** לבזות גבורת הפלשתי באמרו מִי הַפְּלִשְׁתִּי וכו׳ (פסוק כו), והרי הוא כאומר שהוא ילחם בו: **(לב) אל יפל.** לא יחרד לב אדם בעבור הפלשתי: **(לג) כי נער אתה.** ועדיין אינך יודע טכסיסי מלחמה, והוא רגיל במלחמה מנעוריו: **(לד) ואת הדוב.** ועם הדוב, שניהם יחד: **(לו) גם הדוב.** הבא עם הארי: **והיה הפלשתי.** כאומר אבטח בה׳ שיהיה סוף הפלשתי כאחד מהם, על אשר חרף וכו׳: **(לז) הוא יצילני.** אם לא אוכל להמית אותו:

מצודת ציון

(כח) נטשת. עזבת: **במדבר.** מקום המרעה היה סמוך אל המדבר. גם מקום מרעה נקרא מדבר וכן נְאוֹת מִדְבָּר (ירמיה ט, ט): **(לד) ואת הדוב.** ועם הדוב: **(לה) והחזקתי.** ואחזתי: **(לח) מדיו.** מלבושיו, כמו וּמַדָּיו קְרֻעִים (לעיל ד, יב):

to *Malbim* (see comm. to 16:13), witnessed David's anointment, berated him so disrespectfully.] In his sharp criticism of David, Eliab made his point by referring to the family flocks: just as David was irresponsible in neglecting his duties at home, so his ambition to fight Goliath was symptomatic of the same irresponsibility (*Radak*).

Since Eliab was unaware that Jesse had sent David to the front, it might be understandable that he was annoyed at the seeming neglect of the sheep. Nevertheless, his display of rage was the character flaw that had disqualified him from consideration for the kingship (see 16:6).

David deflected Eliab's accusation without responding

[28]Eliab, [his] older brother, heard as he was talking to the men, and Eliab became angry with David, and said, "Why did you come down [here]? And with whom did you leave those few sheep in the wilderness? I am aware of your willfulness and your evil thoughts, that you have come down here in order to watch the fighting!" [29]David replied, "What have I done now? Was it not mere talk?" [30]He then turned away from him toward someone else, and said the same thing to him; and the people answered him as before.

David volunteers to Saul, expressing faith in God

[31]The words David was saying became heard; people related [them] to Saul, and he summoned [David]. [32]David said to Saul, "Let no man lose heart because of him. Your servant will go forth and fight this Philistine!" [33]But Saul said to David, "You cannot go forth to this Philistine to fight with him, for you are a lad, while he is a warrior from his youth."

[34]David said to Saul, "Your servant was a shepherd for his father among the flocks; the lion and the bear would come and carry off a sheep from the flock, [35]and I would go after it, strike it down, and rescue [the sheep] from its mouth. If it would attack me I would grab onto its beard and strike it and kill it. [36]Your servant has slain even lion and bear; and this uncircumcised Philistine shall be like one of them, for he has disgraced the battalions of the Living God!" [37]Then David said, "HASHEM Who rescued me from the hand of the lion and from the hand of the bear, He will rescue me from this Philistine!"

David refuses armor

So Saul said to David, "Go, and may HASHEM be with you!" [38]Saul dressed David with his own battle garments; he put a copper helmet on his head and dressed him in

---

directly. It was mere talk; he had done nothing.

30-37. David's faith reaches the king. David circulated around the camp, repeating his amazement that Goliath was permitted to proclaim his blasphemy unchallenged. Although he had not said explicitly that he was ready to fight Goliath, Saul understood what he meant, and had him summoned.

32. David referred to the *heart* to allude to his reason for not fearing Goliath. Goliath's power is in the brawn of his body, but not in the *heart*, which symbolizes a person's faith in God. As long as a Jew's heart is firmly in tune with God, he need not fear the Goliaths of the world (*Malbim*).

33. לֹא תוּכַל לָלֶכֶת אֶל הַפְּלִשְׁתִּי הַזֶּה — *You cannot go forth to this Philistine*. Quite logically, Saul "knew" that the young shepherd was no match for the mighty warrior, and urged him not to pursue his "fantasy," but this was exactly the attitude that David opposed. David sensed that Saul's awareness of God had dimmed, otherwise how could he have permitted Goliath to carry on for so long and even discourage a Jew who was ready to silence him? Saul thought only of Goliath's strength, but if he had been as aware of the Divine as he had been before, he would have been the first to silence Goliath. Seeing Saul's new outlook, David responded in the next verse by telling of his own feats of strength and fighting spirit (*David, King of Israel*).

34. שֶׂה — *A sheep*. The word is spelled זֶה, *this*, and read שֶׂה, *sheep*. David wanted always to remember the miracle that enabled him to kill a lion and a bear at the same time, so he made himself a garment from the sheep's skin. The word *this* indicates that David pointed to the sheepskin when he told Saul the story (*Vilna Gaon*).

36. כִּי חֵרֵף מַעַרְכֹת אֱלֹהִים חַיִּים — *For he has disgraced the battalions of the Living God*! Even if my physical prowess are not enough, I will have God's help against this warrior who dared desecrate God's Name (*Malbim*).

David must emphasize that his victory will be a direct result of God's help, lest the Jews think that his skill and cleverness enable him to prevail. His mission was not to dispose of Goliath, but to sanctify the Name (*David, King of Israel*).

The Name *Elokim* alludes to God's mastery over nature, thus David meant to say that the God of nature is not intimidated by physical strength.

37. David was one of two righteous people whom God showed a portent of greatness; both passed the test of correctly interpreting the sign. David recognized that God had enabled him to kill the lion and bear as a portent that he would one day slay another "beast" — Goliath — for the benefit of Israel, and said so to Saul. The other person who recognized a portent was Mordechai, the guardian of Queeen Esther. He knew that the virtuous Esther had been thrust into Ahasuerus's palace for the future benefit of Israel (*Rashi*).

37. לֵךְ וה׳ יִהְיֶה עִמָּךְ — *Go, and may Hashem be with you.* David had aroused a flicker of Saul's earlier faith in God.

38-47. David resolves to sanctify the Name. David went out to face the invincible giant, not only with total faith in God, but in such a way that his victory would clearly prove the greatness of God.

לט שִׁרְיֹנוֹ וַיַּחְגֹּר דָּוִד אֶת־חַרְבּוֹ מֵעַל לְמַדָּיו וַיֹּאֶל לָלֶכֶת כִּי לֹא־נִסָּה וַיֹּאמֶר דָּוִד
אֶל־שָׁאוּל לֹא־אוּכַל לָלֶכֶת בָּאֵלֶּה כִּי לֹא נִסִּיתִי וַיְסִרֵם דָּוִד מֵעָלָיו׃ מ וַיִּקַּח מַקְלוֹ
בְּיָדוֹ וַיִּבְחַר־לוֹ חֲמִשָּׁה חַלֻּקֵי אֲבָנִים ׀ מִן־הַנַּחַל וַיָּשֶׂם אֹתָם בִּכְלִי הָרֹעִים אֲשֶׁר־
לוֹ וּבַיַּלְקוּט וְקַלְעוֹ בְיָדוֹ וַיִּגַּשׁ אֶל־הַפְּלִשְׁתִּי׃ מא וַיֵּלֶךְ הַפְּלִשְׁתִּי הֹלֵךְ וְקָרֵב אֶל־דָּוִד
וְהָאִישׁ נֹשֵׂא הַצִּנָּה לְפָנָיו׃ מב וַיַּבֵּט הַפְּלִשְׁתִּי וַיִּרְאֶה אֶת־דָּוִד וַיִּבְזֵהוּ כִּי־הָיָה נַעַר
וְאַדְמֹנִי עִם־יְפֵה מַרְאֶה׃ מג וַיֹּאמֶר הַפְּלִשְׁתִּי אֶל־דָּוִד הֲכֶלֶב אָנֹכִי כִּי־אַתָּה בָא־אֵלַי
בַּמַּקְלוֹת וַיְקַלֵּל הַפְּלִשְׁתִּי אֶת־דָּוִד בֵּאלֹהָיו׃ מד וַיֹּאמֶר הַפְּלִשְׁתִּי אֶל־דָּוִד לְכָה אֵלַי
וְאֶתְּנָה אֶת־בְּשָׂרְךָ לְעוֹף הַשָּׁמַיִם וּלְבֶהֱמַת הַשָּׂדֶה׃ מה וַיֹּאמֶר דָּוִד
אֶל הַפְּלִשְׁתִּי אַתָּה בָּא אֵלַי בְּחֶרֶב וּבַחֲנִית וּבְכִידוֹן וְאָנֹכִי בָא־אֵלֶיךָ
בְּשֵׁם יהוה צְבָאוֹת אֱלֹהֵי מַעַרְכוֹת יִשְׂרָאֵל אֲשֶׁר חֵרַפְתָּ׃ מו הַיּוֹם הַזֶּה יְסַגֶּרְךָ
יהוה בְּיָדִי וְהִכִּיתִךָ וַהֲסִרֹתִי אֶת־רֹאשְׁךָ מֵעָלֶיךָ וְנָתַתִּי פֶּגֶר מַחֲנֵה פְלִשְׁתִּים הַיּוֹם
הַזֶּה לְעוֹף הַשָּׁמַיִם וּלְחַיַּת הָאָרֶץ וְיֵדְעוּ כָּל־הָאָרֶץ כִּי יֵשׁ אֱלֹהִים
לְיִשְׂרָאֵל׃ מז וְיֵדְעוּ כָּל־הַקָּהָל הַזֶּה כִּי־לֹא בְּחֶרֶב וּבַחֲנִית יְהוֹשִׁיעַ יהוה כִּי לַיהוה
מח הַמִּלְחָמָה וְנָתַן אֶתְכֶם בְּיָדֵנוּ׃ וְהָיָה כִּי־קָם הַפְּלִשְׁתִּי וַיֵּלֶךְ וַיִּקְרַב לִקְרַאת דָּוִד

רש"י

(לט) ויאל ללכת. תרגם יונתן, וְלָא אֲבָה לְמֵיזַל. יש תיבות משמשות לשון וחילופו, כמו מְסָעֵף פֻּארָה (ישעיהו י, לג); וְשֶׁרְשְׁךָ מֵאֶרֶץ חַיִּים (תהלים נב, ז): **כי לא נסה.** (תרגום), אֲרֵי לָא אֲלִיף: **כי לא נסיתי.** (תרגום), אֲרֵי לֵית בְּהוֹן נִיסָא, אין שבחו של נס בכך. לשון אחר, וַיֹּאֶל לָלֶכֶת, רצה ללכת ולנסות, וכאשר ראה שהיו כבדים עליו, הסירם: **(מ) חלקי אבנים.** אבנים דקות וחלקות: **ובילקוט.** (תרגום) וּבְתַרְמִילֵיהּ: **(מד) ולבהמת השדה.** אין דרך לבהמות לאכול אדם, אמר דוד, כבר נטרפה דעתו של זה, שלי הוא, בא דוד ואמר לו, וְנָתַתִּי פֶּגֶר מַחֲנֵה פְּלִשְׁתִּים וגו׳ וּלְחַיַּת הָאָרֶץ (לקמן פסוק מו):

רד"ק

(לט) ויאל ללכת. תרגם יונתן וְלָא אֲבָה לְמֵיזַל אֲרֵי לָא אֲלִיף, ויש לפרשו כמשמעו כי רצה ללכת בהם ולא יכול כי לא נסה ללכת בבכלי המלחמה כאלה, וכן אמר לֹא אוּכַל לָלֶכֶת בָּאֵלֶּה כִּי לֹא נִסִּיתִי, ויונתן תרגם כִּי לֹא נִסִּיתִי, אֲרֵי לֵית בְּהוֹן נִסָּא, כלומר לא יכירו הנס שיעשה לי האל אם אלך בבכלי המלחמה, ודרך דרש הוא פירושו ואין להוציאו ממשמעו: **ללכת באלה.** בקמץ הבית, והם שנים במסרה בקמץ הבית זה ואשר כתבנו למעלה (פרק טז, י) לֹא בָחַר ה׳ בָּאֵלֶּה: **(מ) חמשה חלקי אבנים.** אבנים חלוקים רצה לומר ראוים לקלע, וכן תרגם יונתן שְׁעִיעֵי אַבְנַיָּא, ובדרש (מדרש שמואל כא, א) למה חמשה אחד לשמו של הקדוש ברוך הוא ואחד לשמו של אהרן ושלשה לשלשה האבות, אמר הקב״ה וכי לא לפני חירף וגדף עלי לפרע ממנו, אמר אהרן וכי לא גואל הדם אני עלי לפרע ממנו, אמרו אבות וכי לא עלינו לפרע ממנו שחירף וגידף מערכות אלהים חיים ובקש לעקור בנינו ולעקור תורתם שהיא מחייתם, ופירוש אהרן שהיה גואל הדם דם של חפני ופנחס שהיו כהנים שהרגם גלית כמו שכתוב בתרגומו של תוספתא הכתוב למעלה (פסוק ח), ובדרש עוד (מדרש שמואל כא, א) חמשה חלוקי אבנים מלמד שנתקנא דוד על גלית על חמשה, שבזה וגידף וחרף חמשה חומשי תורה ושמו של הקדוש ברוך הוא וזכרם של שלשה איתני עולם שהם אברהם יצחק ויעקב: **ובילקוט.** כלי שמשים בו הקלע האבנים שלוקט לתת בכף הקלע לפיכך נקרא ילקוט, ויונתן תרגם וּבְתַרְמִילֵיהּ והוא כלי עור או בגד שנושאין בו הולכי דרכים מזונות הדרך וקורין לו בערבי תעלאק״ה ומה שאמר בכלי הרועים ובילקוט ובאחד מהם די לו לתת בו חמשה אבני קלע, אפשר שלקט יותר אבנים ששם בכלי האחר והחמשה שבחר שם בכלי האחר: **(מב) ואדמוני עם יפה מראה.** כבר פירשנו (טז, ו) שהוא כמו ויפה, והנה לא בזה אותו בעבור כי ראה אותו שהיה נער אלא למה בזה אותו בעבור שהיה אדמוני עם יפה מראה, לפי שחשב בלבו כי לא יתכן שיהיה איש מלחמה כי מי שהוא רגיל לצאת למלחמה לא יעמוד בו יופיו מפני היגיעה והטורח, והיותו בחוץ בעתות המלחמה לקרח ולמטר ולשרב: **(מד) לכה אלי.** לפי שהיה הפלשתי כבד ללכת מפני כובד כלי ברזל והנחשת אשר עליו, וזהו שאמר הוֹלֵךְ וְקָרֵב אֶל דָּוִד (לעיל פסוק מא) כלומר מעט מעט מפני המשא אשר עליו, וכאשר ראהו בלא שריון ובלא כלי מלחמה אמר לו שיבא אליו, ובדרש (ויקרא רבה כא, ב) ואבא אליך אין כתוב כאן אלא לְכָה אֵלַי מכאן שהארץ אחזתו ולא יכול לזוז ממקומו: **ולבהמת השדה.** כמו ולחית השדה כי החיות אוכלות בשר לא הבהמות, וחיה בכלל בהמה כמו זֹאת הַבְּהֵמָה אֲשֶׁר תֹּאכֵלוּ (דברים יד, ד) ואמרו אחריו אַיָּל וּצְבִי וְיַחְמוּר, וכן וּלְבֶהֱמַת הָאָרֶץ וְאֵין מַחֲרִיד (שם כח, כו) שהוא אומר על החיות האוכלות בשר, וכן כָּל בֶּהֱמַת הָאָרֶץ עָלָיו תֶּחֱרָף (ישעיהו יח, ו), ובדרש (מדרש שמואל כא, ג) כיון שראה דוד שדבריו מקולקלין שאמר וּלְבֶהֱמַת [בשדה] (הארץ) אמר וכי אית בעיר אכול בשר אמר הדין דידי הוא אמר (פסוק מו) הַיּוֹם הַזֶּה יְסַגֶּרְךָ יי בְּיָדִי וגו׳ עד לְעוֹף הַשָּׁמַיִם ולבהמת הארץ אין כתיב כאן אלא וּלְחַיַּת הָאָרֶץ, אמר יש אלהים בישראל עביד דידי ודידהון:

מצודת דוד

(לט) ויאל ללכת. רצה ללכת בכלי מלחמה: **כי לא נסה.** אלא שלא נסה, רצה לומר, לא בחן מעולם ללכת בכלי מלחמה, ולזה אמר לֹא אוּכַל וכו׳: **(מ) ויקח מקלו.** להטעות את הפלשתי, לחשוב שיגש אליו להכותו עם המקל, ולא יהיה נשמר מן הקלע: **ויבחר לו.** הטובים והנאותים לקלעותם: **ובילקוט.** הכלי שם בהילקוט, למען לא ירגש בהאבנים: **(מב) כי היה נער וכו׳.** המורה אשר לא נסה במלחמה, לפי מעט השנים ומהתענג: **(מג) הכלב אנכי.** וכי כלב אנכי: **באלהיו.** באמרו אלהי פלשתים יהרגך, וכדומה: **(מה) בא אלי בחרב.** רצה לומר, כל בטחונך בחרב וכו׳: **בשם ה׳.** במבטח שם ה׳: **אשר חרפת.** חוזר הוא על מַעַרְכוֹת יִשְׂרָאֵל: **(מו) ונתתי פגר.** כי כשאמיתך, ינוסו כולם ויפלו חללים: **(מז) כי לא בחרב.** כי הלא אינם בידי: **כי לה׳ המלחמה.** על ה׳ להלחם על שחרפת עמו, ובידו לתת אתכם בידנו מבלי חרב:

מצודת ציון

(לט) ויאל. ורצה, כמו וַיּוֹאֶל מֹשֶׁה (שמות ב, כא): **כי לא נסה.** אלא לא נסה, והוא מלשון נסיון ובחינה: **(מ) חלקי אבנים.** אבנים חלקים, הניח לקלעותם ולזורקם: **ובילקוט.** הוא כעין שק עשוי מעור, ישים בו הרועה חפציו ומה שלוקט בדרך מהלכו, ולזה יקרא ילקוט: **וקלעו.** הוא הדבר אשר יזרוק בו האבן: **(מב) עם יפה מראה.** כמו ויפה מראה: **(מו) יסגרך.** ענין מסירה, כמו לְהַסְגִּיר לֶאֱדוֹם (עמוס א, ו): **פגר.** כן יקרא גוף המת: **(מז) יהושיע.** מלשון תשועה:

armor. [39]*David then girded his sword over his battle garments. But he was unwilling to go forth [that way], for he was not accustomed [to it], so David said to Saul, "I cannot walk with these, for I am not accustomed [to them]," and David removed them from on himself.* [40]*He took his staff in his hand and picked out five smooth stones from the brook and put them in his shepherd's bag and in the knapsack, and his slingshot was in his hand. Then he approached the Philistine.*

With his faith, David confronts Goliath

[41]*The Philistine walked, going closer and closer to David, and the man bearing his shield was before him.* [42]*The Philistine peered and saw David, and he derided him, for he was a youth, ruddy and handsome.* [43]*The Philistine said to David, "Am I a dog that you come after me with sticks?" and the Philistine cursed David by his gods.* [44]*Then the Philistine said to David, "Come to me, so that I may offer your flesh to the fowl of the heavens and to the beast of the field!"*

[45]*David said to the Philistine, "You come to me with a sword, a spear, and a javelin — but I come to you with the Name of* Hashem*, Master of Legions, the God of the battalions of Israel that you have ridiculed.* [46]*On this day* Hashem *will deliver you into my hand. I shall smite you and I will remove your head from upon you; and I shall offer the carcass of the Philistine camp this day to the fowl of the heavens and to the beast of earth! Then the whole earth will know that there is a God in Israel,* [47]*and all this assembly will know that not through sword and spear does* Hashem *grant salvation; for unto* Hashem *is the battle, and He shall deliver you into our hands!"*

[48]*It happened that when the Philistine arose and moved closer toward David that*

---

39. לא אוכל לָלֶכֶת בָּאֵלֶּה — *I cannot walk with these.* In the plain sense of the verse, David took off the armor because it was heavy and constricting. The Sages offer deeper reasons, however.

David had full faith that God would help him, but if he faced Goliath as a well-armed warrior, the magnitude of miracle would be obscured (*Targum Yonasan*).

Although Saul was head and shoulders taller than anyone else in the camp (10:23), his armor fit David exactly, a miracle that indicated to Saul that the young shepherd was Divinely groomed for the throne. Saul felt a pang of jealous anger, and David, seeing the expression on Saul's face, quickly removed the armor, saying that he was unsuited for it (*Vayikra Rabbah* 26:10).

40. וַיִּקַּח מַקְלוֹ — *He took his staff.* Seeing this, Goliath thought that David intended to thrash him with the stick, and he was not on guard against the slingshot (*Metzudos*).

חֲמִשָּׁה חַלֻּקֵי אֲבָנִים — *Five smooth stones,* i.e., stones suitable for aiming with the sling. According to *Midrash Shmuel* (21), there was a special symbolism in David's choice of five. David was marching forward with the goal of avenging the honor of five: God, whose Name Goliath was profaning; Aaron, whose descendants Hophni and Phinehas were murdered by Goliath; and the three Patriarchs — Abraham, Isaac, and Jacob — whose offspring Goliath was humiliating.

42. Although David was a man of 28, his still handsome, youthful appearance made it obvious that he was not a trained and experienced man of war.

44. וּלְבֶהֱמַת הַשָּׂדֶה — *And to the beast of the field.* This Hebrew term usually refers to farm animals, which do not eat meat or human flesh. If so, Goliath was speaking nonsense and was clearly confused. This was a sign to David that God was with him and would help him win a resounding victory. Thus emboldened, David made the confident proclamation of the next three verses (*Rashi*).

45-47. David declared that his victory over Goliath would send three messages: (a) David had gone unarmed to show that the only weapon he needed was the power of God. (b) Not only Goliath, but the entire Philistine army would fall, and this would show the entire world, not only Jews, *that there is a God in Israel,* Who protects it from its enemies. (c) Finally, Israel would see that God does more than merely work His will through the normal process of enabling His Jewish army to prevail on the battlefield. He works His will even through an unarmed shepherd, who can defeat a mighty fighting force if God is with him (*Malbim*).

47. כִּי־לֹא בְּחֶרֶב וּבַחֲנִית יְהוֹשִׁיעַ ה' — *That not through sword and spear does* Hashem *grant salvation.* Someone whose faith is total and whose thoughts are with God alone, without wavering, like David, is above nature and needs no weapons (*Ramban* to *Job* 36:7).

48-54. The triumph of David and Israel. The infuriated Goliath advanced toward his impudent foe, only to be struck dead with a single pebble from David's slingshot. Thereupon the entire Philistine force became demoralized and fled in terror, pursued by the newly energized Israelites.

48. In verse 44, Goliath had challenged David to come to him. Now he reversed himself and, encumbered by his mas-

מט וַיְמַהֵר דָּוִד וַיָּרׇץ הַמַּעֲרָכָה לִקְרַאת הַפְּלִשְׁתִּי: וַיִּשְׁלַח דָּוִד אֶת־יָדוֹ אֶל־הַכֶּלִי וַיִּקַּח מִשָּׁם אֶבֶן וַיְקַלַּע וַיַּךְ אֶת־הַפְּלִשְׁתִּי אֶל־מִצְחוֹ וַתִּטְבַּע הָאֶבֶן בְּמִצְחוֹ וַיִּפֹּל עַל־פָּנָיו אָרְצָה: נ וַיֶּחֱזַק דָּוִד מִן־הַפְּלִשְׁתִּי בַּקֶּלַע וּבָאֶבֶן וַיַּךְ אֶת־הַפְּלִשְׁתִּי וַיְמִיתֵהוּ וְחֶרֶב אֵין בְּיַד־דָּוִד: נא וַיָּרׇץ דָּוִד וַיַּעֲמֹד אֶל־הַפְּלִשְׁתִּי וַיִּקַּח אֶת־חַרְבּוֹ וַיִּשְׁלְפָהּ מִתַּעְרָהּ וַיְמֹתְתֵהוּ וַיִּכְרׇת־בָּהּ אֶת־רֹאשׁוֹ וַיִּרְאוּ הַפְּלִשְׁתִּים כִּי־מֵת גִּבּוֹרָם וַיָּנֻסוּ: נב וַיָּקֻמוּ אַנְשֵׁי יִשְׂרָאֵל וִיהוּדָה וַיָּרִעוּ וַיִּרְדְּפוּ אֶת־הַפְּלִשְׁתִּים עַד־בּוֹאֲךָ גַיְא וְעַד שַׁעֲרֵי עֶקְרוֹן וַיִּפְּלוּ חַלְלֵי פְלִשְׁתִּים בְּדֶרֶךְ שַׁעֲרַיִם וְעַד־גַּת וְעַד־עֶקְרוֹן: נג וַיָּשֻׁבוּ בְּנֵי יִשְׂרָאֵל מִדְּלֹק אַחֲרֵי פְלִשְׁתִּים וַיָּשֹׁסּוּ אֶת־מַחֲנֵיהֶם: נד וַיִּקַּח דָּוִד אֶת־רֹאשׁ הַפְּלִשְׁתִּי וַיְבִאֵהוּ יְרוּשָׁלָ͏ִם וְאֶת־כֵּלָיו שָׂם בְּאׇהֳלוֹ: נה וְכִרְאוֹת שָׁאוּל אֶת־דָּוִד יֹצֵא לִקְרַאת הַפְּלִשְׁתִּי אָמַר אֶל־אַבְנֵר שַׂר הַצָּבָא בֶּן־מִי־זֶה הַנַּעַר אַבְנֵר וַיֹּאמֶר אַבְנֵר חֵי־נַפְשְׁךָ

רש״י

(מט) **ויפל על פניו.** לא היה לו לפול אלא לאחוריו, שהרי על מצחו הוכה, אלא כדי שלא יצטער דוד לילך ולחתוך את ראשו, שנשתכר דוד עכשיו שתים עשרה אמות וזרתים, שקומתו שש אמות וזרת, נשתכר מלא קומה לאחוריו, ומלא קומה לפניו (במדרש תהלים פרק יח, מא): (נג) **מדלק.** מרדוף, כמו דָלַקְתָּ אַחֲרָי (בראשית לא, לו): (נה) **בן מי זה הנער.** אמרו רבותינו וכי לא היה מכירו, והלא כתיב וַיֶּאֱהָבֵהוּ מְאֹד וַיְהִי לוֹ נֹשֵׂא כֵלִים (לעיל טז, כא), אלא ראהו מתנהג בטכסיסי מלכות, אמר שאול, אם בא ממשפחת פרץ, מלך יהיה, שהמלך פורץ גדר לעשות לו דרך ואין ממחין בידו, ואם ממשפחת זרח בא, חשוב יהיה. אמר לו דואג, עד שאתה שואל אם בא ממשפחה שיהא הוא הגון למלכות אם לאו, שאל אם ראוי לבא בקהל אם לאו, שהרי מרות המואביה בא. אמר לו אבנר, שנינו עמוני ולא עמונית. אמר לו דואג, אם כן ממזר ולא ממזרת. אמר לו, כאן נאמר עַל דְּבַר אֲשֶׁר לֹא קִדְּמוּ אֶתְכֶם בַּלֶּחֶם וּבַמַּיִם, (דברים כג, ה), ואין דרך אשה בכך. אמר לו, היה להם לקדם אנשים לקראת אנשים, ונשים לקראת נשים. נשתתק אבנר, אמר לו שאול:

רד״ק

(מח) **והיה כי קם הפלשתי.** ענין זירוז כמו קוּם עֲבֹר (יהושע א, ב) קוּם הִתְהַלֵּךְ (בראשית יג, יז), הנה אומר לו מתחילה לְכָה אֵלַי (לעיל פסוק מד) ועתה כאשר שמע דברי דוד בערה חמתו בו ונזדרז ללכת אליו, וַיֵּלֶךְ וַיִּקְרַב כמו שפירשנו (פסוק מד) שהיה כבד בכלים שעליו והלך מעט מעט וקרב לקראת דוד: (מט) **אל מצחו.** כמו על מצחו, כמו וַיַּמְלִכֵהוּ אֶל הַגִּלְעָד (לקמן־ב ב, ט) אֶל הֶהָרִים לֹא אָכָל (יחזקאל יח, ו), יש שואלין היאך טבעה האבן במצחו והלא קובע נחשת שהיה על ראשו מכסה מצחו ואי אפשר שלא היה על מצחו מגן שהרי על כל גופו היה לו דבר מגין, ואומרים כי כאשר אמר וְאֶתְּנָה אֶת בְּשָׂרְךָ לְעוֹף הַשָּׁמַיִם (פסוק מד) הביט כלפי מעלה בזכרו עוף השמים ונשמט מה שהיה על מצחו לאחור, ואז קלע דוד והכהו על מצחו, וזהו דרך דרש, ואחרי אשר היתה מלחמת דוד עם הפלשתי סבה מאת ה׳ והכתוב אומר שהכה את הפלשתי אל מצחו אין לשאול איך היה כי לא יבצר מהאל סבה, ואפשר כי האבן עברה המגן אשר על מצחו וטבעה במצחו, וכן אמר בדרש (מדרש תהלים עח, יא) כיון שהשליך דוד את האבן בברזל שעל מצחו נטבעה במצחו וזה אחד מן הדברים שהשליט הקדוש ברוך הוא את הרך בקשה, או אפשר שהיה מקום מועט מגולה במקומו ובאותו המקום האבן נזדמנה ברצון האל: **ויפל על פניו.** כמשפט המוכה שלא יוכל לעמוד בעצמו נפל על פניו ארצה, ובדרש (ויקרא רבה י, ז) למה וַיִּפֹּל עַל פָּנָיו כדי שיטמון אותו הפה שחרף וגדף בעפר שנאמר טָמְנֵם בֶּעָפָר יָחַד וגו׳ (איוב מ, יג), דבר אחר שהיה דגון אלהיו חקוק לו על לבו לקיים מה שנאמר וְנָתַתִּי אֶת פִּגְרֵיכֶם עַל פִּגְרֵי גִּלּוּלֵיכֶם (ויקרא כו, ל): (נ) **בקלע ובאבן.** כשהיה רחוק ממנו בקלע כשקרב אליו באבן יד בלא קלע: (נא) **ויעמד אל הפלשתי.** כמו על הפלשתי, וכן וַיַּמְלִכֵהוּ אֶל הַגִּלְעָד (שמואל־ב ב, ט), אֶל הֶהָרִים לֹא אָכָל (יחזקאל יח, ו): **וימתתהו.** וכבר המיתו, קודם שעמד עליו המיתהו באבנים כמו שאמר וְחֶרֶב אֵין בְּיַד דָּוִד (פסוק נ), וכשעמד עליו לקח חרבו וכרת בה ראשו: (נד) **ויבאהו ירושלם.** אחר שהביאהו לפני שאול כמו שכתוב וְרֹאשׁ הַפְּלִשְׁתִּי בְּיָדוֹ (פסוק נז), ואחר כך הביאהו בידו בערי ישראל לבשר הנשים והטף ואותם שלא היו במלחמה עד שהביאו עד ירושלים, ואדוני אבי זכרונם לברכה כתב כי נוב עיר הכהנים כנה ירושלים כי שם היתה חרב הפלשתי כמו שמפורש (לקמן כא, י): **שם באהלו.** כלי הפלשתי שם באהלו כלומר הביאם דוד לביתו בית לחם, כי ימצא אהל במקום בית כמו אִישׁ לְאֹהָלָיו (לעיל יג, ב) לְאֹהָלֶיךָ יִשְׂרָאֵל (מלכים־א יב, טז) וברוב יאמר למשכן היריעות אהל, ובמחנה הזה לא היה לדוד אהל כי לא בא שם אלא בשליחות אביו, אם כן בְּאׇהֳלוֹ רצה לומר בביתו, ועל שאר הכלים אמר לא על החרב, כי שם החרב באהל מועד בנוב כמו שכתוב (למעלה) לוּטָה בַשִּׂמְלָה (לקמן כא, י) והיתה שם לזכרון הנס הגדול הזה, והיה כל הבא אל אהל מועד לנוב לזבוח או להתפלל היה רואה אותה וזוכר הנס, ומודה לאל יתברך ומישר לבבו אליו ומגדיל בטחונו בו: (נה) **בן מי זה הנער.** פירש אדוני אבי זכרונו לברכה כי כאשר ראה שאול את דוד יוצא לקראת הפלשתי בלא פחד שאל לאבנר בֶּן מִי זֶה הַנַּעַר, כלומר תדע אם ישי אביו היה גבור חיל שנבטח על גבורת הבן, כי אם הוא גבור בן גבור יוסיף אומץ, ואבנר לא ידע, כי ישי היה זקן בימים ההם כמו שאמר וְהָאִישׁ בִּימֵי שָׁאוּל זָקֵן בָּא בַאֲנָשִׁים (לעיל פסוק יב), והדרש כי גם על אביו היה יודע כי גבור היה כמו שאמר (יבמות עו) זה ישי אבי דוד שיוצא באוכלוסא, ונכנס באוכלוסא, אלא שאול שאל אם מפרץ הוא או מזרח לפי שראה טכסיסי מלכות בו דכתיב וַיַּלְבֵּשׁ שָׁאוּל אֶת דָּוִד מַדָּיו (פסוק לח)

מצודת דוד

(מח) **וירץ המערכה.** כלפי מערכת פלשתים: (מט) **אל הכלי.** כלי הרועים אשר שם האבנים בה: **במצחו.** נכנסה בכובע הנחושת ונקבה ונטבעה במצחו: (נ) **ויחזק.** נתגבר על הפלשתי המזויין ולא היה בידו כי אם הקלע והאבן: **וחרב אין ביד דוד.** לכרות בה ראש הפלשתי: (נא) **אל הפלשתי.** סמוך לו, כי בעת קלעו באבן, עמד ממרחק: **את חרבו.** של הפלשתי: **וימתתהו.** וכבר המיתו בהקלע, ועתה כרת ראשו בחרבו: (נב) **וירעו.** תרועת שמחה ונצחון: (נג) **וישסו.** רמסו ובזזו כל אשר היה במקום שעמד שם מחנה פלשתים: (נד) **ויבאהו ירושלם.** לבשר את העם: (נה) **וכראות שאול.** מאז בא להלחם עם הפלשתי: **בן מי זה הנער.** מפני הרוח רעה שכח שם אביו: **חי נפשך.** הריני נשבע בחי נפשך אם ידעתי:

מצודת ציון

(מט) **ויקלע.** זרק האבן בכלי הקלע: **ותטבע.** מלשון טביעה: (נא) **וישלפה.** הוציאה, כמו וְלֹא שָׁלַף הַנַּעַר חַרְבּוֹ (שופטים ח, כ): **מתערה.** הוא תיק החרב, כמו הָשַׁב אֶל תַּעְרָהּ (יחזקאל כא, לה): (נב) **וירעו.** מלשון תרועה: **עד בואך גיא.** עד אשר תבוא לגיא, וכאלו מדבר עם מי שמכיר המקום: (נג) **מדלק.** מרדוף, כמו כִּי דָלַקְתָּ אַחֲרָי (בראשית לא, לו): **וישסו.** רמסו, או בזזו:

David fells the giant and the Philistines flee

David hurried and ran to the line, toward the Philistine. [49]*David stretched his hand into the sack. He took a stone from there and slung it, and struck the Philistine in the forehead. The stone penetrated his forehead, and he fell upon his face, upon the ground.* [50]*Thus David overpowered the Philistine with the slingshot and stone, he smote the Philistine and killed him; there was no sword in David's hand.* [51]*David ran and stood by the Philistine; he took [Goliath's] sword and drew it from its sheath, having already killed him, and he cut off his head with it. The Philistines saw that their hero was dead, and they ran away.* [52]*The men of Israel and Judah rose up, and shouted exultantly, and pursued the Philistines up to the approach to the valley and to the gates of Ekron. Philistine corpses were strewn along the Shaaraim Road, until Gath and Ekron.* [53]*Then the Children of Israel returned from pursuing Philistines and plundered their camp.* [54]*David took the head of the Philistine, and [eventually] brought it to Jerusalem, and his weapons he put in his tent.*

SAUL, DAVID'S JEALOUS FATHER-IN-LAW
17:55-19:24

[55]*When Saul had seen David going forth toward the Philistine, he said to Abner, the minister of the army, "Abner, whose son is this lad?" And Abner replied, "By your life,*

רד"ק

ואמרו (יבמות עו, ב) מדיו כמדתו וכתוב בשאול משכמו ומעלה גבוה מכל העם (לעיל י, כג) לפיכך שאל עליו אם מפרץ הוא או מזרח, אם מפרץ הוא יהיה מלך שהמלך פורץ לו דרך ועושה כרצונו, אם מזרח הוא יהיה אדם חשוב לשון אזרח אבל לא יהיה מלך, אמר לו דואג עד שאתה שואל עליו אם הגון למלכות אם לאו שאל עליו אם ראוי לבא בקהל אם לא דקא אתי מרות המואביה, אמר לו אבנר עמוני ולא עמונית מואבי ולא מואביה מאי טעמא דטעמיה כתיב ביה על דבר אשר לא קדמו אתכם איש דרכו לקדם ואין דרכה של אשה לקדם, ואם תאמר היה להם לקדם אנשים לקראת אנשים ונשים לקראת נשים הא כתיב כָּל כְּבוּדָּה בַת מֶלֶךְ פְּנִימָה (תהלים מה, יד) וכתיב וַיֹּאמְרוּ אֵלָיו אַיֵּה שָׂרָה אִשְׁתֶּךָ וַיֹּאמֶר הִנֵּה בָאֹהֶל (בראשית יח, ט):

sive armor, pulled himself to his feet and advanced toward David, so incensed was he by David's declaration of faith (*Radak*).

49. Goliath's helmet protected his head and he surely wore something to protect his face and forehead. Apparently there was a tiny exposed part of his forehead, where the helmet met the armor, and it was that small area that David was able to hit. That he was so accurate from a great distance was remarkable if not miraculous.

וַיִּפֹּל עַל פָּנָיו אָרְצָה — *And he fell upon his face, upon the ground.* Normally, someone who suffers a mortal blow to the forehead would fall backward, not forward, but *Yalkut Shimoni* explains that an angel pushed Goliath forward. Among the reasons for this: (a) God wanted to shorten the distance the righteous David would have to walk to reach Goliath's head. [This saved David only a few strides, but it was meant to symbolize that God is concerned with every aspect of a *tzaddik's* needs.] (b) Goliath had insulted and defamed God and Israel — let the mouth that had hurled blasphemy now bite the dust!

50-51. Verse 50 exclaims, as it were, at the extent of the miracle — that David had been able to strike a mortal blow against such a mighty warrior with only a sling and pebbles!

52-54. The Philistine debacle was so overwhelming that the Jews pursued them all the way back to their cities of Ekron and Gath, after which they went back to the battlefield and plundered the valuables that the Philistines had left behind in their frantic flight. David, however, did not take part in the plunder. He brought Goliath's head to Saul and then toured *Eretz Yisrael* with it (18:6), so that the people could see for themselves how God had helped them. Finally he brought it to Jerusalem (*Abarbanel*).

54. וְאֶת כֵּלָיו שָׂם בְּאָהֳלוֹ — *And his weapons he put in his tent.* David kept Goliath's weapons in his home in Bethlehem, as mementos of the miracle. Goliath's sword, however, was placed in the Tabernacle at Nob (21:10), to commemorate the great salvation (*Radak*).

55-58. Saul's apprehension. Gratified though he is at the miracle, King Saul senses that David is a threat to his throne.

55. בֶּן מִי זֶה הַנַּעַר אַבְנֵר — *Abner, whose son is this lad?* On the surface, Saul's question seems incomprehensible, since he knew very well that David was a son of Jesse (see 16:21-22). Perhaps the simplest answer is that of *Metzudos*, that Saul's depression caused him to forget about Jesse. Several other answers are offered: When David refused to wear Saul's armor, the king was sure that he would not be able to fight Goliath and the one who was *going forth toward the Philistine*, whom he could not recognize from such a great distance, must have been someone else. Therefore he asked Abner who it was (*Mahari Kara*).

Seeing that David was approaching Goliath fearlessly, Saul assumed that he must come from a family tradition of brave warriors, and he asked if the elderly Jesse had been such a warrior when he was young. Abner also did not know. (*Radak*).

A king is too busy to know all the details of every one of his courtiers. Since he had promised his daughter to whoever defeated Goliath (v. 25), Saul wanted information about the candidate's family and status (*Ralbag*).

The Talmud (*Yevamos* 77b) describes this as a major and

נו-נז הַמֶּ֖לֶךְ אִם־יָדָֽעְתִּי׃ וַיֹּ֖אמֶר הַמֶּ֑לֶךְ שְׁאַ֣ל אַתָּ֔ה בֶּן־מִי־זֶ֖ה הָעָֽלֶם׃ וּכְשׁ֣וּב דָּוִ֗ד
מֵהַכּוֹת֙ אֶת־הַפְּלִשְׁתִּ֔י וַיִּקַּ֤ח אֹתוֹ֙ אַבְנֵ֔ר וַיְבִאֵ֖הוּ לִפְנֵ֣י שָׁא֑וּל וְרֹ֥אשׁ הַפְּלִשְׁתִּ֖י בְּיָדֽוֹ׃

יח נח-א וַיֹּ֤אמֶר אֵלָיו֙ שָׁא֔וּל בֶּן־מִ֥י אַתָּ֖ה הַנָּ֑עַר וַיֹּ֣אמֶר דָּוִ֔ד בֶּן־עַבְדְּךָ֥ יִשַׁ֖י בֵּ֥ית הַלַּחְמִֽי׃ וַיְהִ֗י
כְּכַלֹּתוֹ֙ לְדַבֵּ֣ר אֶל־שָׁא֔וּל וְנֶ֙פֶשׁ֙ יְה֣וֹנָתָ֔ן נִקְשְׁרָ֖ה בְּנֶ֣פֶשׁ דָּוִ֑ד °ויאהבו [°וַיֶּאֱהָבֵ֥הוּ ק׳]
ב-ג יְהוֹנָתָ֖ן כְּנַפְשֽׁוֹ׃ וַיִּקָּחֵ֥הוּ שָׁא֖וּל בַּיּ֣וֹם הַה֑וּא וְלֹ֣א נְתָנ֔וֹ לָשׁ֖וּב בֵּ֥ית אָבִֽיו׃ וַיִּכְרֹ֧ת
ד יְהוֹנָתָ֛ן וְדָוִ֖ד בְּרִ֑ית בְּאַהֲבָת֥וֹ אֹת֖וֹ כְּנַפְשֽׁוֹ׃ וַיִּתְפַּשֵּׁ֣ט יְהוֹנָתָ֗ן אֶת־הַמְּעִיל֙ אֲשֶׁ֣ר עָלָ֔יו
ה וַֽיִּתְּנֵ֖הוּ לְדָוִ֑ד וּמַדָּ֕יו וְעַד־חַרְבּ֥וֹ וְעַד־קַשְׁתּ֖וֹ וְעַד־חֲגֹרֽוֹ׃ וַיֵּצֵ֨א דָוִ֜ד בְּכֹ֨ל אֲשֶׁ֨ר
יִשְׁלָחֶ֤נּוּ שָׁאוּל֙ יַשְׂכִּ֔יל וַיְשִׂמֵ֣הוּ שָׁא֔וּל עַ֖ל אַנְשֵׁ֣י הַמִּלְחָמָ֑ה וַיִּיטַב֙ בְּעֵינֵ֣י כָל־הָעָ֔ם
ו וְגַ֕ם בְּעֵינֵ֖י עַבְדֵ֥י שָׁאֽוּל׃ וַיְהִ֣י בְּבוֹאָ֗ם בְּשׁ֤וּב דָּוִד֙ מֵהַכּ֣וֹת אֶת־הַפְּלִשְׁתִּ֔י
וַתֵּצֶ֨אנָה הַנָּשִׁ֜ים מִכָּל־עָרֵ֤י יִשְׂרָאֵל֙ °לשור [°לָשִׁ֣יר ק׳] וְהַמְּחֹל֔וֹת לִקְרַ֖את שָׁא֣וּל
ז הַמֶּ֑לֶךְ בְּתֻפִּ֥ים בְּשִׂמְחָ֖ה וּבְשָׁלִשִֽׁים׃ וַֽתַּעֲנֶ֛ינָה הַנָּשִׁ֥ים הַֽמְשַׂחֲק֖וֹת וַתֹּאמַ֑רְןָ הִכָּ֤ה
ח שָׁאוּל֙ °באלפו [°בַּאֲלָפָ֔יו ק׳] וְדָוִ֖ד בְּרִבְבֹתָֽיו׃ וַיִּ֨חַר לְשָׁא֜וּל מְאֹ֗ד וַיֵּ֤רַע בְּעֵינָיו֙ הַדָּבָ֣ר

רש״י

(נו) שאל אתה בן מי זה העלם. למעלה (פסוק נה) כתיב הַנַּעַר, וכאן כתב הָעָלֶם, אמר לו, הלכה זו נתעלמה ממך, לא ושאל בבית המדרש, כדאיתא ביבמות (עו ב): **(ו) ובשלשים.** תרגם יונתן, וּבְגַלְגְּלִין. מין כלי זמר:

רד״ק

(נח) בן עבדך ישי בית הלחמי. פי׳ בן גבור אני כי אבי נקרא בית הלחמי לשני דברים, על שם מקומו בית לחם ועל שם שהיה איש מלחמה: **(א) ונפש יהונתן.** המסרה מן ריש ספרא עד הכא יונתן בר מן שנים לְכָה וְנַעְבְּרָה אֶל מַצַּב הָעֲרֵלִים (יד, ו) וַיֹּאמֶר יְהוֹנָתָן (שם), ומן הכא עד סוף ספרא יהונתן: **(ד) ויתפשט יהונתן את המעיל.** פירוש מן המעיל, כמו הֵם יָצְאוּ אֶת הָעִיר (בראשית מד, ד) כי אין בנין התפעל יוצא, ואמר בלשון התפעל כי ברצון גדול ובאהבה רבה התפשט בגדיו ונתנם לו: **(ה) וגם בעיני עבדי שאול.** הרבוי הזה רצה לומר שלא קנאו בו עבדי שאול, אף על פי שנתן לו מעלה עליהם: **(ו) ויהי בבואם.** בבי״ת וכן בְּשׁוּב, ופירוש בבוא ישראל מהמלחמה בשוב דוד מהכות הפלשתי: **לשור.** כתיב בוי״ו וקרי ביו״ד והם שני בנינים והענין אחד: **והמחלות.** פירוש והמחולות בידם, ויונתן תרגם לְשַׁבָּחָא בְּחִנְגַּיָא: **ובשלשים.** כלי נגון שיש לו שלשת יתרים, ויונתן תרגם וּבְצֶלְצְלִין: **(ז) ותענינה.** כמו וַתַּעַן לָהֶם מִרְיָם (שמות טו, כא): **הכה שאול באלפיו.** האלפים והרבבות של פלשתים, כלומר שאול הכה באלפים בפלשתים ודוד מכה בהם רבבות, או פירושו עם אלפיו ועם רבבותיו, כלומר כשמכה שאול בפלשתים מכה הוא לבדו כאילו עמו אלפים, ודוד לבדו מכה בפלשתים מכה גדולה כאלו עמו רבבות:

מצודת דוד

(א) לדבר. הוא הדבר שאמר שהוא בן ישי: **ונפש.** רצה לומר, ואז בשמוע יהונתן שגם הוא בן אדם גדול, נקשרה נפשו בנפש דוד: **(ב) ולא נתנו לשוב.** כאשר היה דרכו מאז שהיה הולך ושב: **(ג) באהבתו.** בעבור שהיה אוהב אותו כנפשו: **(ה) ויצא דוד.** מאז והלאה יצא במלחמה: **על אנשי המלחמה.** לראש ולשר על אנשי המלחמה: **עבדי שאול.** הם שרי המלחמה, ועם שהיה מאומנותם, לא נתקנאו בו: **(ו) בבואם.** כשבאו אנשי המלחמה אל ארצם: **והמחלות.** רצה לומר, והמחולות בידם: **בתפים.** כמו ובתופים: **(ז) באלפיו.** בהרבה אלפים של פלשתים:

מצודת ציון

(נו) העלם. הנער, כמו וְאִם כֹּה אֹמַר לָעֶלֶם (לקמן כ, כב): **(א) נקשרה.** מרוב האהבה, כאלו נפשו קשורה בנפשו ונתחברת בה, והוא מלשון מליצה, וכן וְנַפְשׁוֹ קְשׁוּרָה בְנַפְשׁוֹ (בראשית מד, ל): **(ב) נתנו.** ענין עזיבה, כמו וְלֹא נָתַן סִיחֹן (במדבר כא, כג): **(ד) ויתפשט.** ענין הסרת המלבוש: **המעיל.** שם מלבוש חשוב: **ומדיו.** יתר המלבושים: **ועד חרבו.** ואפילו חרבו: **(ה) ישכיל.** יצליח, כי המצליח נראה הוא כעושה בהשכל: **(ו) לשיר.** לשורר: **והמחלות.** שם כלי שיר, כמו בְּתֻפִּים וּבִמְחֹלֹת (שמות טו, כ): **ובשלשים.** כלי שיר בעלת שלשת יתרים: **(ז) ותענינה.** ענין הרמת קול, כמו וְעָנוּ הַלְוִיִּם וגו׳ קוֹל רָם (דברים כז, יד): **המשחקות.** המשמחות: **ברבבתיו.** רבבה הוא עשרת אלפים:

far-reaching discussion of David's genealogy. Saul had already suspected that David might be a pretender to his throne (see comm. to v. 39), and now that he saw David emerging as a great and brave leader, his fear was kindled further. Knowing that Jewish monarchy would eventually emerge from Judah's son Peretz, Saul wanted to know if David was a descendant of Peretz, in which case he would be a threat to Saul, or if he descended from Zerach, in which case he would merely be a distinguished leader, but no more. This was the question to which Abner had no answer. [In fact, David descended from Peretz and when Saul became aware of this, it aroused his jealousy and subsequent hatred of the young shepherd.]

Doeg, the head of a court, responded that there was a more serious question: David was also a descendant of Ruth (*Ruth* 4:22), a Moabite convert, and Moabites are forbidden to marry Jews (*Deuteronomy* 23:4). Abner countered that the prohibition applies only to Moabite *males*, not Moabite women, and this position was accepted as the definitive halachah.

18.

Saul's hatred and Jonathan's love. In this chapter, two opposing emotions take root: After his initial display of affection, Saul's melancholy causes his jealousy of David to degenerate into hatred and finally into attempts to kill him. In contrast, Saul's son Jonathan comes to love David and the two develop a relationship that has forever become

O king, I do not know." [56]*So the king instructed him, "You ask whose son this youth is."* [57]*So when David returned from smiting the Philistine, Abner took him and brought him before Saul, while the head of the Philistine was [still] in his hand.* [58]*Saul said to him, "Whose son are you, young man?" David replied, "The son of your servant Jesse, the Bethlehemite."*

Saul inquires about David

18

David and Jonathan become friends

[1]*It was after [David] finished speaking to Saul that Jonathan's soul became attached to David's soul, and Jonathan loved him as himself.* [2]*Saul conscripted him that day and did not permit him to return to his father's home.* [3]*And Jonathan sealed a covenant with David, for he loved him like himself.* [4]*And Jonathan took off the robe he was wearing and gave it to David; also his battle garments, down to his sword, his bow, and his belt.* [5]*David went forth, and in whatever Saul would send him to do he would be successful. Saul appointed him over the warriors, and it was good in the eyes of all the people and also in the eyes of Saul's servants.*

Saul becomes morbidly jealous

[6]*It happened that when [the troops] came [back] — when David returned from slaying the Philistine — that the women from all the towns of Israel came out to sing with timbrels to greet King Saul, with drums, with gladness, and with cymbals.* [7]*The rejoicing women called out, and said, "Saul has slain his thousands, and David his tens of thousands."* [8]*Saul grew very angry, and this matter was disturbing*

---

the epitome of loyal friendship. The Mishnah (*Avos* 5:19) teaches that affection based on an ulterior motive will end when the cause is gone, but pure, unselfish affection — like that of David and Jonathan — will endure. *Rambam* explains that friendship based on material self-interest will last only as long as it remains profitable to the parties, but love based on Godly considerations will endure, because spirituality is eternal. Such was the love of David and Jonathan, who became fast friends even though each knew that the other was his obstacle to ascending the throne.

Alshich notes that when the prophet speaks of their friendship, the letter *hei* is added to Jonathan's name (יְהוֹנָתָן, as in v. 1 and 19:1). That letter alludes to God's Four-letter Name, a sanctity that is evoked by the unselfish friendship of these two prototypical friends. In other contexts, the *hei* is omitted from the name. This shows how much value God attaches to unselfish concern for others. [The *hei* was also added when Jonathan risked his life in his foray against the Philistines, an undertaking that turned the tide of the battle (14:6,8). There, too, the *hei* seems to symbolize self-sacrifice that led to extraordinary achievement.]

1-5. David wins the esteem of both Saul and Jonathan. Not only the people and Jonathan admired David, even Saul was impressed enough to want David to remain at his side. Saul appointed David to lead the troops, and despite his youth and lack of military experience, even they admired him.

1. כְּכַלֹּתוֹ לְדַבֵּר אֶל שָׁאוּל — *After [David] finished speaking to Saul.* The first thing that impressed Jonathan about David was that after his victory over Goliath, when Saul asked about his family (17:58), David said nothing about himself. Modestly, he merely identified himself as the son of Jesse (*Me'am Loez*).

וְנֶפֶשׁ יְהוֹנָתָן — *Jonathan's soul.* The verse reveals the source of the friendship. David and Jonathan were "soul brothers"; their attraction was not based on love of pleasure or any ulterior motives (*Abarbanel*).

3-4. Jonathan made a covenant purely out of love, not to protect himself (*Malbim*), and signified it by taking his robe and battle gear, which were most important to him as a warrior, and giving them to David.

3. בְּרִית — *A covenant*, i.e., an irrevocable commitment to one another. Just as the covenant between God and Israel remains in force even if the people sin grievously, so, too, David and Jonathan committed themselves to one another no matter what.

5. יַשְׂכִּיל — *He would be successful.* The root of the word is שֵׂכֶל, *intellect, discernment*. It implies that David's success derived from his ability to analyze a situation and know what the outcome of an action would be (*Sefer HaYashar*).

6-11. Saul's jealousy is aroused. Samuel had told Saul that his reign would not endure, but he had not told Saul who his successor would be. The king had become vaguely suspicious of David before (see comm. 17:39), and now all signs began increasingly to point to David as the future king. The last straw was the public display of greater esteem for David than Saul. From that day on, Saul observed David carefully, looking for further confirmation that David was indeed his enemy (*David, King of Israel*).

6. לָשִׁיר — *To sing. Targum Yonasan* renders לְשַׁבָּחָא, *to praise*, implying that the women did not actually sing — for it is forbidden for men to listen to the singing voices of women — but rather *recited* songs of praise, to musical accompaniment (*Rinas Yisrael*).

Netziv submits that the song had many stanzas, and the

ט הַזֶּה וַיֹּאמֶר נָתְנוּ לְדָוִד רְבָבוֹת וְלִי נָתְנוּ הָאֲלָפִים וְעוֹד לוֹ אַךְ הַמְּלוּכָה: וַיְהִי
י שָׁאוּל °עון [°עוֹיֵן ק] אֶת־דָּוִד מֵהַיּוֹם הַהוּא וָהָלְאָה: וַיְהִי מִמָּחֳרָת וַתִּצְלַח
רוּחַ אֱלֹהִים ׀ רָעָה ׀ אֶל־שָׁאוּל וַיִּתְנַבֵּא בְתוֹךְ־הַבַּיִת וְדָוִד מְנַגֵּן בְּיָדוֹ כְּיוֹם ׀ בְּיוֹם
יא וְהַחֲנִית בְּיַד־שָׁאוּל: וַיָּטֶל שָׁאוּל אֶת־הַחֲנִית וַיֹּאמֶר אַכֶּה בְדָוִד וּבַקִּיר וַיִּסֹּב דָּוִד
יב־יג מִפָּנָיו פַּעֲמָיִם: וַיִּרָא שָׁאוּל מִלִּפְנֵי דָוִד כִּי־הָיָה יהוה עִמּוֹ וּמֵעִם שָׁאוּל סָר: וַיְסִרֵהוּ
יד שָׁאוּל מֵעִמּוֹ וַיְשִׂמֵהוּ לוֹ שַׂר־אָלֶף וַיֵּצֵא וַיָּבֹא לִפְנֵי הָעָם: וַיְהִי דָוִד
טו לְכָל־דְּרָכָו מַשְׂכִּיל וַיהוה עִמּוֹ: וַיַּרְא שָׁאוּל אֲשֶׁר־הוּא מַשְׂכִּיל מְאֹד וַיָּגָר מִפָּנָיו:
טז־יז וְכָל־יִשְׂרָאֵל וִיהוּדָה אֹהֵב אֶת־דָּוִד כִּי־הוּא יוֹצֵא וָבָא לִפְנֵיהֶם: וַיֹּאמֶר
שָׁאוּל אֶל־דָּוִד הִנֵּה בִתִּי הַגְּדוֹלָה מֵרַב אֹתָהּ אֶתֶּן־לְךָ לְאִשָּׁה אַךְ הֱיֵה־לִּי לְבֶן־
חַיִל וְהִלָּחֵם מִלְחֲמוֹת יהוה וְשָׁאוּל אָמַר אַל־תְּהִי יָדִי בּוֹ וּתְהִי־בוֹ יַד־
יח פְּלִשְׁתִּים: וַיֹּאמֶר דָּוִד אֶל־שָׁאוּל מִי אָנֹכִי וּמִי חַיַּי מִשְׁפַּחַת אָבִי בְּיִשְׂרָאֵל
יט כִּי־אֶהְיֶה חָתָן לַמֶּלֶךְ: וַיְהִי בְּעֵת תֵּת אֶת־מֵרַב בַּת־שָׁאוּל לְדָוִד וְהִיא נִתְּנָה
כ לְעַדְרִיאֵל הַמְּחֹלָתִי לְאִשָּׁה: וַתֶּאֱהַב מִיכַל בַּת־שָׁאוּל אֶת־דָּוִד וַיַּגִּדוּ לְשָׁאוּל

רש"י

(ח) ועוד לו. ועוד לו מה הוא נחסר שצריך להוסיף לו: **אך המלוכה.** אינו צריך עוד אלא למלכות: **(ט) עוין.** עין רעה: **(י) ויתנבא.** (תרגום), וְאִשְׁתַּטִי, נביא ושוטה מדברים דברי רמזים שאינם ניכרים: **(יא) אכה בדוד ובקיר.** מכה אחת אכה, שיכנס החנית בדוד ובקיר: **(יד) משכיל.** מצליח: **(יז) ושאול אמר.** בלבו: **אל תהי ידי בו.** פן אענש: **ותהי בו יד פלשתים.** לכך אמר לו וְהִלָּחֵם מִלְחֲמוֹת ה׳: **(יט) בעת תת.** כשהגיע זמן שקבעו לתתה לו, ובעוד שהיו מתעסקים לתתה לו, נתגלגל הדבר ונתנה לעדריאל:

רד"ק

(ח) ועוד לו אך המלוכה. ועוד מה נשאר שיתנו לו אלא המלוכה, כלומר לא נשאר דבר גדולה שלא נתנו לו בדבריהם אלא שלא קראוהו מלך, ועל זה הדרך הוא התרגום וּמִכְּעַן לָא אִשְׁתָּאַר לֵיהּ עוֹד אֱלָהֵין מַלְכוּתָא: **(ט) ויהי שאול עוין את דוד.** כתוב בוי״ו וקרי ביו״ד ושניהם אחד, ופירושו מביטו בעין רעה ותרגומו כָּמִין: **(י) ותצלח.** ותעבור כמו וְצָלְחוּ (את) הַיַּרְדֵּן (שמואל־ב יט, יח) ותרגומו וּשְׁרַת: **ויתנבא.** כתרגומו אִישְׁתַּטִּי, כלומר היה מדבר דברי שטות: **(יא) בדוד ובקיר.** שיעברנו החנית וינעץ בקיר, ותרגומו וְאַבְרְזִינֵיהּ בְּכוּתְלָא, מן ברזא בדברי רבותינו זכרונם לברכה דאישתקיל ברזא (עבודה זרה נט, ב) כל דלהדי ברזא שפירושו נקב החנית: **(יב) ויירא שאול.** ביו״ד אותן לבדו, ויו״ד השרש נפלה מן המכתב: **(יג) מעמו.** שלא יהיה תמיד עמו בבית כמו שהיה, אלא שיהיה יוצא ובא לפני העם: **(יד) לכל דרכיו.** כמו בכל דרכיו, וכמוהו יָשַׁבְתָּ לְכִסֵּא (תהלים ט, ה) לִפְנֵיכֶם לֶחָרֶב (ויקרא כו, ח): **משכיל.** כתרגומו מַצְלַח: **(יח) ומי חיי.** מה חיי חשובים, כי האדם הנכבד חייו חשובים ויקרים אבל הנבזה אין חיים חשובים, ובאמרו מי כי בחיים הוא החיות והדבר שיאמר בעבורה מי, כי לא יאמר מי אלא על חי מדבר: **משפחת אבי בישראל.** פירוש ומי משפחת אבי בישראל ומי שזכר עומד במקום שנים, ויונתן תרגם בְּרַם זַרְעִית אַבָּא בְּיִשְׂרָאֵל, כלומר אין דבר גדולה בי אלא שמשפחת אבי מהידועות אשר בישראל: **(יט) בעת תת.** כתרגומו בְּעִידָּן דִּי מְטָא לְמִיתַּן יַת מֵירַב לְדָוִד, כלומר כשהגיע הזמן שנתן לו שאול שיתננה לו נתגלגל הדבר ונתנה לעדריאל, ודוד לא היו לו קדושין בה:

מצודת דוד

(ח) נתנו לדוד. רצה לומר, בהשיר אמרו על דוד שהכה רבבות וכו׳, ועוד מה נשאר לתת לו, ואך המלוכה לבדה נשארה, כאומר הנה על פי הדברים האלה קרוב הוא למלוך: **(י) כיום ביום.** כמו שרגיל בכל יום ויום, כאשר באה עליו רוח רעה: **(יא) אכה בדוד ובקיר.** רצה לומר, הכאה חזקה, עד אשר תחליף גוף דוד ותכנס עוד בהקיר: **פעמים.** שתי פעמים הטיל החנית, ונזדמן הדבר שהיה דוד מסבב ונוטה מפניו, ולא הכהו: **(יב) כי היה ה׳ עמו.** שהסב מפניו פעמים מבלי כוונה: **(יג) שר אלף.** למען יתמיד במלחמה, ואולי יהרג: **ויצא ויבא.** רצה לומר, הוא היה מנהיגם: **(יז) ושאול אמר וכו׳.** רצה לומר, לא לאהבתו אמר לתת לו בתו, רק חשב שעל ידי זה יפול ביד פלשתים, וידו אל תהי בו: **(יח) מי אנכי.** כאומר הלא אני שפל אנשים: **ומי חיי.** רצה לומר, מה חיי חשובים, כי הנכבד, חייו חשובים ויקרים, אבל הנבזה אין חייו חשובים כלום: **משפחת.** ומי שאמר עומד במקום שנים, וכאלו אמר, ומי משפחת אבי, הלא היא דלה וצעירה: **כי אהיה.** שאהיה ראוי והגון להיות חתן המלך, וכאומר הלא בוודאי דבר גדול הוא אלי, וכל אשר תאמר אעשה בעבור זה: **(יט) ויהי בעת תת.** כאשר הגיעה העת שקבע לתת את מרב לדוד, והיא נתנה על ידי עצמה לעדריאל, וקבלה ממנו קדושין בלא דעת אביה:

מצודת ציון

(ח) נתנו. ענינו האמירה על הדבר, וכן אַל תִּתֵּן אֶת אֲמָתְךָ (לעיל א, טז): **(ט) עוין.** מלשון עין, ומלשון עיון, ורוצה לומר תמיד היה מעיין ומחשב בו בעין רעה: **(י) ותצלח.** ועברה: **ויתנבא.** תרגם יונתן, וְאִשְׁתַּטִי, רוצה לומר היה מדבר דברי שטות, ואמר לשון נבואה, כי הנביא והשוטה מדברים דברי רמזים, זה לנבואתו וזה לשטותו: **(יא) ויטל.** השליך, כמו וַיָּטִלוּ אֶת הַכֵּלִים (יונה א, ה): **ובקיר.** בכותל: **(יד) לכל דרכיו.** בכל דרכיו, הלמ״ד במקום בי״ת, כמו לִפְנֵיכֶם לֶחָרֶב (ויקרא כו, ז): **משכיל.** מצליח: **(טו) ויגר.** פחד, כמו וַיָּגָר מוֹאָב (במדבר כב, ג):

repeated refrain was "*Saul has slain his thousands, and David his tens of thousands.*"

9. Once Saul became convinced that David was his competitor for the throne — and perhaps a potential usurper — *he eyed him with suspicion*, looking for an opportunity to send him on a mission that would result in his death or even to kill him personally. He arrived at a plan. Saul knew that his melancholy would strike again sooner or later and that David would be summoned to play for him. During those times, David's guard would be down and Saul

in his eyes. He said, "They have attributed to David tens of thousands, while to me they have attributed thousands! He is lacking only the kingship." [9]*And Saul eyed David with suspicion from that day on.*

[10]*It happened the next day that a spirit of melancholy from God came upon Saul and he raved incoherently in the house. David was playing [the harp] with his hand as [he did] every day, and the spear was in Saul's hand.* [11]*Then Saul hurled the spear, saying [to himself], "I will thrust it through David into the wall." But David eluded him twice.*

[12]*Saul feared David, for HASHEM was with him, but He had turned away from Saul.* [13]*So Saul removed him from his presence and made him captain of a thousand, and he came and went before the people.* [14]*David was successful in all his ways, and HASHEM was with him.* [15]*Saul saw that he was very successful, and he was intimidated by him.* [16]*All of Israel and Judah loved David, for he came and went before them.*

Saul plots against David

[17]*Saul said to David, "Here is my older daughter, Merab; I shall give her to you for a wife, but you must be a warrior for me and fight the wars of HASHEM." Saul said [to himself], "Let my hand not be against him; let the hand of the Philistines be against him."* [18]*David said to Saul, "Who am I and what is my life, [or] my father's family in Israel that I should become a son-in-law to the king?"* [19]*But it happened that when the time came to give Merab daughter of Saul to David, she was given [instead] to Adriel the Meholathite as a wife.*

[20]*But Michal daughter of Saul loved David. They told [this] to Saul and it was*

---

would be able to strike at him (*Ralbag*).

10. The word וַיִּתְנַבֵּא, usually translated *and he prophesied*, is used here to described Saul's "raving" because both a prophet and a madman express ideas that are unintelligible to those around them (*Rashi*). According to *Abarbanel*, Saul prophesied in the sense that he thought about the future evil, when, he was now convinced, David would wrest the throne from him.

11. As David played, concentrating on his harp and not observing Saul, the king threw his spear, as if in target practice aiming for a place on the wall, so that when it hit David, it would appear to have been an accident. God caused the unsuspecting David to turn away at that very moment, so that the spear went harmlessly into the wall. Not realizing that the weapon had been aimed at him, David continued to play, and Saul tried again, with the same result (*Malbim*).

12-16. A new tactic. Realizing that David, who was in point-blank range, could only have been saved by Divine intervention, Saul became even more frightened of his "adversary." He devised a new plan. He would appoint David to lead a combat battalion, where he would be exposed to enemy attack and, Saul hoped, would be killed in combat. The plan backfired. There had been no battles and David received even more adulation as his duties brought him into greater contact with the people, with the result that Saul, seeing that God was with David, felt intensified forebodings that David would displace him.

17-29. A new plan: marriage with a condition. Saul took David as a son-in-law, but on the condition that he initiate combat with the Philistines, thus exposing himself to mortal danger.

17. וְשָׁאוּל אָמַר אַל תְּהִי יָדִי בּוֹ — *Saul said [to himself], "Let my hand not be against him".* God uses people against themselves in order to carry out His design for the world. Joseph's brothers wanted to condemn him to a life of slavery, but they were instrumental in making him viceroy of Egypt. Saul wanted to thrust David into life-threatening frays, but he was responsible for making David more popular than ever (*Ikkarim*).

18. Saul had promised his daughter to whoever could defeat Goliath, but he had not intended to give Merab, his elder daughter, which would have been a very great honor for David. Now that he was offering her, he felt justified in demanding something in return — something that would be very likely to cause David's death. He asked that David take aggressive action against the Philistines, which would result in dangerous battle (*Malbim*).

18. Genuinely humble, David considered himself unworthy of such an honor; he had not fought Goliath for reward.

19. וַיְהִי בְּעֵת — *But it happened that when the time came.* Saul apparently insisted that the marriage take place, but his plan was foiled. At the time when the nuptials were to take place, it was learned that, without Saul's knowledge, Merab had previously accepted an offer of betrothal from Adriel (*Metzudos*), thereby invalidating Saul's agreement with David (*Radak*).

20-23. Merab's marriage to Adriel thwarted Saul's plan only temporarily, because Michal welcomed the opportunity to become David's bride, and Saul, as implied by verse 21, was sure that she would remain loyal to her father and encourage David to embark on forays against the Philistines. Afraid that David might be suspicious that Saul was not

כא וַיִּשַׁר הַדָּבָר בְּעֵינָיו: וַיֹּאמֶר שָׁאוּל אֶתְּנֶנָּה לּוֹ וּתְהִי־לוֹ לְמוֹקֵשׁ וּתְהִי־בוֹ יַד־פְּלִשְׁתִּים
כב וַיֹּאמֶר שָׁאוּל אֶל־דָּוִד בִּשְׁתַּיִם תִּתְחַתֵּן בִּי הַיּוֹם: וַיְצַו שָׁאוּל אֶת־עֲבָדָו דַּבְּרוּ אֶל־
דָּוִד בַּלָּט לֵאמֹר הִנֵּה חָפֵץ בְּךָ הַמֶּלֶךְ וְכָל־עֲבָדָיו אֲהֵבוּךָ וְעַתָּה הִתְחַתֵּן בַּמֶּלֶךְ:
כג וַיְדַבְּרוּ עַבְדֵי שָׁאוּל בְּאָזְנֵי דָוִד אֶת־הַדְּבָרִים הָאֵלֶּה וַיֹּאמֶר דָּוִד הַנְקַלָּה בְעֵינֵיכֶם
כד הִתְחַתֵּן בַּמֶּלֶךְ וְאָנֹכִי אִישׁ־רָשׁ וְנִקְלֶה: וַיַּגִּדוּ עַבְדֵי שָׁאוּל לוֹ לֵאמֹר כַּדְּבָרִים הָאֵלֶּה
כה דִּבֶּר דָּוִד: וַיֹּאמֶר שָׁאוּל כֹּה־תֹאמְרוּ לְדָוִד אֵין־חֵפֶץ לַמֶּלֶךְ בְּמֹהַר כִּי
בְּמֵאָה עָרְלוֹת פְּלִשְׁתִּים לְהִנָּקֵם בְּאֹיְבֵי הַמֶּלֶךְ וְשָׁאוּל חָשַׁב לְהַפִּיל אֶת־דָּוִד בְּיַד־
כו פְּלִשְׁתִּים: וַיַּגִּדוּ עֲבָדָיו לְדָוִד אֶת־הַדְּבָרִים הָאֵלֶּה וַיִּשַׁר הַדָּבָר בְּעֵינֵי דָוִד לְהִתְחַתֵּן
כז בַּמֶּלֶךְ וְלֹא מָלְאוּ הַיָּמִים: וַיָּקָם דָּוִד וַיֵּלֶךְ | הוּא וַאֲנָשָׁיו וַיַּךְ בַּפְּלִשְׁתִּים מָאתַיִם אִישׁ
וַיָּבֵא דָוִד אֶת־עָרְלֹתֵיהֶם וַיְמַלְאוּם לַמֶּלֶךְ לְהִתְחַתֵּן בַּמֶּלֶךְ וַיִּתֶּן־לוֹ שָׁאוּל אֶת־
כח מִיכַל בִּתּוֹ לְאִשָּׁה: וַיַּרְא שָׁאוּל וַיֵּדַע כִּי יְהוָה עִם־דָּוִד וּמִיכַל בַּת־שָׁאוּל אֲהֵבַתְהוּ:
כט-ל וַיֹּאסֶף שָׁאוּל לֵרֹא מִפְּנֵי דָוִד עוֹד וַיְהִי שָׁאוּל אֹיֵב אֶת־דָּוִד כָּל־הַיָּמִים: וַיֵּצְאוּ
שָׂרֵי פְלִשְׁתִּים וַיְהִי | מִדֵּי צֵאתָם שָׂכַל דָּוִד מִכֹּל עַבְדֵי שָׁאוּל וַיִּיקַר שְׁמוֹ
יט א מְאֹד: וַיְדַבֵּר שָׁאוּל אֶל־יוֹנָתָן בְּנוֹ וְאֶל־כָּל־עֲבָדָיו לְהָמִית אֶת־דָּוִד

רש"י

(כא) **בשתים תתחתן בי.** שתי בנות יש לי, באחת מהן תתחתן בי. וכן תרגם יונתן, בַּחֲדָא מִתַּרְתֵּין. כיוצא בו שָׁלֹשׁ אָנֹכִי נוֹטֵל עָלֶיךָ (שמואל־ב כד, יב). אחת משלש, כמו שמפורש שם, בחר לך אחת מהם: (כו) **ולא מלאו הימים.** לא המתין עד מלאת הימים שקבע לו להביא את מאה הערלות: (כז) **ויקם דוד וילך הוא ואנשיו וגו' וימלאום.** פרישנטי"ר בלע"ז: (כט) **לרא.** ליראה: (ל) **ויצאו שרי פלשתים.** לצאת בגדודים לשלול שלל בישראל:

רד"ק

(כא) **בשתים תתחתן בי.** כתרגומו בַּחֲדָא מִן תרתי, וכן וַיִּקָּבֵר בְּעָרֵי גִלְעָד (שופטים יב, ז) ופירוש אף על פי שדברתי לך בשתי בנותי ולא נזדמן הדבר שתהיה לך הראשונה, אחת מהן תהיה לך האחרת באמת היום ובאותה תתחתן בי היום, ונראה כי דוד משך ידו מהמעשה לפי שהתל בו בראשונה, לפיכך הוצרך שאול לצוות את עבדיו שידברו אל דוד: (כב) **בלט.** כלומר בסתר כתרגומו בְּרָז כדי שיראה כי דברי שאול אמת ולא דברי התול ושקר, ויש מרבותינו זכרונם לברכה שאמרו (סנהדרין יט, ב) כי שתיהן היו לדוד לנשים, ואחר מיתת מירב נשא מיכל, ועדריאל בעבירה נשא את מירב, ומהם אמרו, כי קדושי טעות היו לו לדוד במירב ובהיתר נשאה עדריאל: (כג) **הנקלה.** בא לשון נקבה על התחתן שהוא מקור, וכן הֲלוֹא זֹאת תַּעֲשֶׂה לָּךְ עָזְבֵךְ אֶת ה' אֱלֹהָיִךְ (ירמיהו ב, יז): **רש ונקלה.** תרגומו מִסְכֵּן וְהֶדְיוֹט, רש שאין לי שאוכל לתת מהר הראוי לבת מלך, לפיכך אמר שאול לעבדיו כה תאמרו לדוד אין חפץ למלך במהר כי אם במאה ערלות פלשתים: **ונקלה.** שאיני כדאי לקחת בת המלך: (כו) **וישר הדבר.** ביו"ד אית"ן לבד ויו"ד השרש נפלה מהמכתב: **ולא מלאו הימים.** הזמן שנתן לו שיביא לו מאה הערלות, לא הגיע הזמן עד שקם והלך והביא לו מאתים: (כז) **וימלאום למלך.** קל הלמ"ד וענין וַיְמַלְאוּם, עבדיו הביאום לו, כי דוד לא הביאם לפני המלך אך שלחם ביד עבדי שאול או ביד אנשי דוד, כמשפט המהר שמשלח אותו אדם ביד אחר, ופירוש וַיְמַלְאוּם השלימום, כלומר כל המאתים הביאו לפניו: (כח) **ומיכל בת שאול אהבתהו.** לפיכך הוסיף לירא מפניו לשני דברים, האחד שראה כי ה' עמו ועוד שמיכל בתו אהבתו ולא יוכל לגרום לו מיתה על ידה, ואפילו הוא ידבר על מיתתו בביתו מיכל בתו תגלה לו: (כט) **לרא.** נעלמה היו"ד פ"א הפועל מהמכתב לפיכך הלמ"ד בצרי: (ל) **מדי צאתם.** בכל זמן צאתם, וכן מִדֵּי עֲלוֹתָהּ בְּבֵית ה' (לעיל א, ז) מִדֵּי חֹדֶשׁ בְּחָדְשׁוֹ (ישעיהו סו, כג) מִדֵּי דַבְּרִי בּוֹ (ירמיהו לא, יט) והדומים להם: **שכל דוד.** הצליח: **וייקר שמו.** היה יקר בעיני כל השומעים שמעו, ובדרש (מדרש שמואל כב, ב) וַיִּיקַר שְׁמוֹ בהלכה, כיון ששמעו פלשתים שנשא דוד אשה וַיֵּצְאוּ שָׂרֵי פְּלִשְׁתִּים, אמרו כתוב בתורתם כִּי יִקַּח אִישׁ אִשָּׁה חֲדָשָׁה לֹא יֵצֵא בַּצָּבָא (דברים כד, ה) נלך ונלחם עמהם, ולא היו יודעים כי דוד חכם היה ודורש במה דברים אמורים במלחמת רשות אבל במלחמת מצוה הכל יוצאין אפילו חתן מחדרו וכלה מחופתם:

מצודת דוד

(כ) **וישר הדבר בעיניו.** בחשבו שעל ידי זה תהי בו יד פלשתים: (כא) **ויאמר שאול וכו'.** כן אמר בלבו: **ותהי לו למוקש.** כי על ידי כן ילחם בפלשתים: **בשתים תתחתן בי.** רצה לומר, באחת משתי בנותי, או אתן לך את מרב בעל כרחה, או את מיכל ברצונה: (כב) **דברו אל דוד.** על כי דוד לא ענהו, בחשבו כי מהתל בו כאשר התל בו עם מרב, בחשבו שמדעת אביה קבלה קדושין מאחר, ולזה צוה שאול את עבדיו לדבר בו. **הנה חפץ בך המלך.** רצה לומר, במה שמרב נשאת לאחר, לא תחשוב שהיה מדעת המלך, לא כן הוא, כי הוא חפץ בך. אף לא תחשוב שעבדי המלך מתקנאים בך, והם אשר מאסו אותך בעיני מרב, ותחוש פן ימאסוך גם בעיני מיכל, גם זה לא הוא, כי כל עבדי המלך אהבוך, ומרב מאסה בך מעצמה, אבל הואיל ומיכל אוהבת אותך, התחתן במלך: (כג) **הנקלה.** דבר קל הוא בעיניכם להתחתן במלך, הלא אין להתחתן בו כי אם אחד מנכבדי העם, ובהרבות מוהר, אבל אנכי איש רש ואין כל, ואף נקלה ולא מכובד, ומדוע יחפוץ בי המלך, אין זאת: (כה) **במאה ערלות.** חפצו במאה ערלות פלשתים, לבזותם להנקם מאויביו: **ושאול חשב.** רצה לומר, אבל באמת, לבבו לא כן יחשוב, כי אם חשב להפילו ביד פלשתים: (כו) **וישר הדבר.** להביא הערלות ולהתחתן במלך: **ולא מלאו הימים.** היות נתן לו זמן להביאם, ודוד מהר להביאם עד לא נשלם הימים: (כז) **וימלאום.** השלים את כל המאתים, עם שלא אמר כי אם מאה: (כח) **וירא שאול.** טוב הצלחתו: **אהבתהו.** ותגלה אליו משטמת אביה לו, ויהיה נשמר: (כט) **ויאסף.** ובעבור זה הוסיף לפחד מפני דוד: (ל) **ויצאו.** לפשוט בארץ ישראל לשלול שלל, ובכל עת צאתם, הצליח דוד להכות בהם יותר מכל עבדי שאול, ונעשה בזה מכובד בעיני כל. (א) **להמית את דוד.** בערמה ובשגגה היוצאת מבלי דעת שבדבר המלך נעשה: **חפץ בדוד.** בהצלחתו ובטובתו:

מצודת ציון

(כב) **בלט.** בחשאי, כמו וַתָּבוֹא אֵלָיו בַּלָּאט (שופטים ד, כא): (כג) **הנקלה.** מלשון קל: **רש.** עני: **ונקלה.** הוא הפוך המכובד: (כה) **במהר.** מתן הבתולות נקרא מוהר, כמו כְּמֹהַר הַבְּתוּלֹת (שמות כב, טז): (כו) **מלאו.** נשלמו: (כט) **ויאסף.** כמו ויוסף בוי"ו: **לרא.** מלשון מורא ופחד: (ל) **מדי.** בכל זמן, וכן מִדֵּי עֲלֹתָהּ (לעיל א, ז): **שכל.** הצליח: **וייקר.** מלשון יקר ומכובד:

proper in his eyes. [21]*Saul thought, "I will give her to him and she will be a snare to him, and the hand of the Philistines will act against him." So Saul said to David, "Through [one of] my two [daughters] you will become my son-in-law today."* [22]*Saul then commanded his servants, "Speak to David in secret, saying, 'Behold, the king desires you, and all his servants like you, so become now the king's son-in-law.' "* [23]*So Saul's servants spoke these words in David's ears. And David said, "Is it trivial in your eyes to become a son-in-law to the king? I am a poor and simple person!"*

[24]*Saul's servants told him saying, "David spoke these words."* [25]*Saul said, "So shall you say to David: 'The king desires no dowry, only one hundred Philistine foreskins to avenge the enemies of the king.' " Saul intended to have David fall at the hands of the Philistines.*

David marries Michal

[26]*His servants told these words to David, and the proposal was proper in David's eyes, to become the king's son-in-law. The days had not yet expired,* [27]*when David arose and went — he and his men — and slew two hundred Philistine men. David brought their foreskins and sent them all to the king in order to become the king's son-in-law. Then Saul gave him his daughter Michal for a wife.* [28]*Saul saw and understood that* HASHEM *was with David, and that Michal, Saul's daughter, loved him.* [29]*So Saul continued to fear David even more; and Saul harbored enmity toward David all the days.*

[30]*The officers of the Philistines would venture forth — and whenever they ventured forth, David was more successful than all the other servants of Saul, and his reputation became very outstanding.*

19

[1]*Saul spoke to Jonathan his son and to all his servants about killing David, but*

sincere and that it was he who had broken his word by giving Merab to another man, Saul assured David that he wanted him as a son-in-law, no matter which daughter he would marry. But, seeing the fiasco of his intended engagement to Merab, David seemed to have lost interest, so Saul sent his servants to lend their own encouragement (*Radak*).

23. **הֲנְקַלָּה בְעֵינֵיכֶם** — *Is it trivial in your eyes . . . ?* David was now willing in principle to marry Michal, but he argued that a princess deserves a large dowry, and David is *a poor and simple person*, who lacks the resources to provide a proper dowry (*Radak*).

25. David's response seemed to play into Saul's hands. The king disavowed any interest in a dowry, instead all he wanted was proof of successful attacks against the Philistine enemy. For David to comply with this request would surely put him in the utmost peril.

26. **וְלֹא מָלְאוּ הַיָּמִים** — *The days had not yet expired.* This implies that Saul had given David a deadline for bringing the hundred foreskins. This was calculated to force David to act quickly and without much caution, thus increasing the danger. David did not delay; even before the deadline approached, he went to carry out the mission.

27. David brought twice as many foreskins as Saul had requested, and sent them to Saul with the royal emissaries. This demonstrated yet again that God was with David.

28. **וּמִיכַל בַּת שָׁאוּל אֲהֵבַתְהוּ** — *And that Michal, Saul's daughter, loved him.* This was a double blow to Saul. Not only was God with David — as Saul had already seen — but Michal loved him, thus ending Saul's hope of using her to carry out his plots against David (*Radak*). Indeed, as *Mahari Kara* points out, Michal frustrated Saul's plans by saving David's life (19:12).

30. Knowing that a newlywed is excused from combat for a year (*Deuteronomy* 24:5), the Philistines were sure that they need not fear the prowess of Israel's greatest and most successful warrior, since David would spend a year at home. They were wrong. Only from a מִלְחֶמֶת רְשׁוּת, *an optional war*, is a newlywed exempt, but the battles against the Philistines were a מִלְחֶמֶת מִצְוָה, *obligatory war*, because the wars of occupation, begun under Joshua, had still not been completed. Although over three hundred years had elapsed, the Philistines were still in the Land (*Midrash Shmuel*).

19.

1-8. Jonathan convinces his father not to harm David. Having failed in his previous attempts to kill David, Saul tries to enlist Jonathan and the rest of the royal court to cooperate in his conspiracy. Jonathan intercedes successfully on David's behalf — and there is a reconciliation.

1. Saul tried to incite his retinue against David, so that one of them would sooner or later kill him without Saul's direct involvement (*Abarbanel*).

ב וִיהוֹנָתָן בֶּן־שָׁאוּל חָפֵץ בְּדָוִד מְאֹד׃ וַיַּגֵּד יְהוֹנָתָן לְדָוִד לֵאמֹר מְבַקֵּשׁ שָׁאוּל אָבִי
ג לַהֲמִיתֶךָ וְעַתָּה הִשָּׁמֶר־נָא בַבֹּקֶר וְיָשַׁבְתָּ בַסֵּתֶר וְנַחְבֵּאתָ׃ וַאֲנִי אֵצֵא וְעָמַדְתִּי לְיַד־
אָבִי בַּשָּׂדֶה אֲשֶׁר אַתָּה שָׁם וַאֲנִי אֲדַבֵּר בְּךָ אֶל־אָבִי וְרָאִיתִי מָה וְהִגַּדְתִּי
ד לָךְ׃ וַיְדַבֵּר יְהוֹנָתָן בְּדָוִד טוֹב אֶל־שָׁאוּל אָבִיו וַיֹּאמֶר אֵלָיו אַל־
ה יֶחֱטָא הַמֶּלֶךְ בְּעַבְדּוֹ בְדָוִד כִּי לוֹא חָטָא לָךְ וְכִי מַעֲשָׂיו טוֹב־לְךָ מְאֹד׃ וַיָּשֶׂם
אֶת־נַפְשׁוֹ בְכַפּוֹ וַיַּךְ אֶת־הַפְּלִשְׁתִּי וַיַּעַשׂ יהוה תְּשׁוּעָה גְדוֹלָה לְכָל־יִשְׂרָאֵל רָאִיתָ
ו וַתִּשְׂמָח וְלָמָּה תֶחֱטָא בְּדָם נָקִי לְהָמִית אֶת־דָּוִד חִנָּם׃ וַיִּשְׁמַע שָׁאוּל בְּקוֹל יְהוֹנָתָן
ז וַיִּשָּׁבַע שָׁאוּל חַי־יהוה אִם־יוּמָת׃ וַיִּקְרָא יְהוֹנָתָן לְדָוִד וַיַּגֶּד־לוֹ יְהוֹנָתָן אֵת כָּל־
הַדְּבָרִים הָאֵלֶּה וַיָּבֵא יְהוֹנָתָן אֶת־דָּוִד אֶל־שָׁאוּל וַיְהִי לְפָנָיו כְּאֶתְמוֹל
ח שִׁלְשׁוֹם׃ וַתּוֹסֶף הַמִּלְחָמָה לִהְיוֹת וַיֵּצֵא דָוִד וַיִּלָּחֶם
ט בַּפְּלִשְׁתִּים וַיַּךְ בָּהֶם מַכָּה גְדוֹלָה וַיָּנֻסוּ מִפָּנָיו׃ וַתְּהִי רוּחַ יהוה ׀ רָעָה אֶל־שָׁאוּל
י וְהוּא בְּבֵיתוֹ יוֹשֵׁב וַחֲנִיתוֹ בְּיָדוֹ וְדָוִד מְנַגֵּן בְּיָד׃ וַיְבַקֵּשׁ שָׁאוּל לְהַכּוֹת בַּחֲנִית בְּדָוִד
וּבַקִּיר וַיִּפְטַר מִפְּנֵי שָׁאוּל וַיַּךְ אֶת־הַחֲנִית בַּקִּיר וְדָוִד נָס וַיִּמָּלֵט בַּלַּיְלָה
יא הוּא׃ וַיִּשְׁלַח שָׁאוּל מַלְאָכִים אֶל־בֵּית דָּוִד לְשָׁמְרוֹ וְלַהֲמִיתוֹ
בַּבֹּקֶר וַתַּגֵּד לְדָוִד מִיכַל אִשְׁתּוֹ לֵאמֹר אִם־אֵינְךָ מְמַלֵּט אֶת־נַפְשְׁךָ הַלַּיְלָה מָחָר
יב־יג אַתָּה מוּמָת׃ וַתֹּרֶד מִיכַל אֶת־דָּוִד בְּעַד הַחַלּוֹן וַיֵּלֶךְ וַיִּבְרַח וַיִּמָּלֵט׃ וַתִּקַּח מִיכַל

רש״י

(ג) **ליד אבי.** סמוך אצלו, אייגשיי״ש בלע״ז: (יג) **ותקח מיכל.** כדי שלא יבינו שברח וירדפו אחריו:

רד״ק

(ג) **ליד אבי.** למקום אבי, כלומר למקום שיוצא תמיד, או פירושו ליד ממש והוא כמו אֲשֶׁר לַמֶּלֶךְ נִשְׁעָן עַל יָדוֹ (מלכים־ב ז, ב) ותרגם יונתן וְאֵקוּם לְוָת אַבָּא, ופירוש בַּשָּׂדֶה אֲשֶׁר אַתָּה שָׁם כי היה רגיל לצאת שם שאול ביום לאותו השדה, לפיכך צוה יהונתן את דוד שיחבא באותו השדה כדי שישמע הדברים הטובים שידבר הוא לאביו בעבורו, ומה שאמר וְהִגַּדְתִּי לָךְ אם יהיה שלא תשמע דברינו אני אגיד לך מה שיענה אותי: (ה) **וישם את נפשו בכפו.** תרגומו וּמְסַר יַת נַפְשֵׁיהּ כְּעַל גַּב לְאִתְקְטָלָא: (י) **בדוד ובקיר.** פירשתיו (לעיל יח, יא): **ויפטר.** נסתלק מלפניו ונשמר מהחנית והכה בקיר: **ויך את החנית בקיר.** תקעו בקיר: **נס וימלט.** פירוש נס באותה שעה לביתו ונמלט בלילה ההוא, כמו שאמר (פסוק יא) כי הגידה לו אשתו מיכל כי אביה רוצה להמיתו בלילה: (יא) **לשמרו ולהמיתו.** לשמרו שלא יצא מן הבית ויברח ולהמיתו בבקר, כי לא היה ממית אותו הלילה בפני בתו, אלא חשב שיביאוהו אליו בבקר וימיתוהו: (יב) **בעד החלון.** כי דרך הפתח לא יוכל לצאת מפני השומרים, והיה לבית חלון מצד אחר שלא ראו אותו השומרים כשהורידתהו מן החלון, ובדרש (מדרש תהלים נט, ד) והיאך ברח דוד, רבי אבו ורבי אבין, רבי אבו אמר שני שערים היו לו לבית של דוד אחד גדול ואחד קטן ושמרו אותו מן השער הגדול ויצא לו מן השער הקטן, ורבי אבין אמר שער אחד לבד היה לו ועמדו להם על השער מה עשתה מיכל שלשלה דוד בעד החלון:

מצודת דוד

(ב) **השמר נא בבקר.** רצה לומר, זכור אמרי למחר בבוקר, ותשב בסתר ותחביא עצמך: (ג) **ליד אבי.** למקום אבי, בסמוך לו: **בשדה וכו׳.** היות דרכו היה לטייל בבוקר, בהשדה ההיא אשר צוה יונתן את דוד להחביא עצמו שם: **בך.** בעבורך: **וראיתי מה.** רצה לומר, מה ישיב לי, ואגיד לך מיד בהיותך קרוב אלי נחבא בהשדה ההיא: (ד) **בדוד טוב.** בעבור דוד דבר טוב, ללמד עליו זכות: **אל יחטא.** במיתת דוד: **וכי מעשיו.** לא די שלא חטא לך, כי אפילו מעשיו טוב לך: (ה) **בכפו.** הוא ענין משל, ורצה לומר, כמו המשים דבר מה בכפו, קרוב לאבדו מיד בפתוח הכף, כן הוא סכן נפשו להיות קרוב להאבד, ועל ידו עשה ה׳ תשועה לישראל: (י) **בדוד ובקיר.** זרק החנית בכח, עד אשר תחליף גוף דוד ותנעץ עוד בקיר, וכשנפטר מפניו, נעצה החנית בהקיר, כי נפטר מפניו אחר שיצאה החנית מתחת יד שאול: **בלילה הוא.** לא נס מיד מבית המלך, רק חזר לביתו, ונס משם בלילה קודם הבוקר: (יא) **לשמרו.** לבל יברח בלילה, ולהביאו אליו בבוקר לעמוד לפניו כמאז, בכדי להמיתו בתחבולה בהטלת חנית וכדומה, כי היה בוש בדבר להמיתו לעיני העם על לא חמס בכפו, ולזה ערום יערים כאלו עושה שלא מדעת: (יב) **בעד החלון.** והשומרים שמרו בהפתח שמצד האחר:

מצודת ציון

(ב) **ונחבאת.** תשב במחבואה: (י) **ויפטר.** ענין השלוח ממקומו, וכן כִּי לֹא פָטַר יְהוֹיָדָע (דברי הימים־ב כג, ח): (יב) **בעד החלון.** דרך החלון:

2-3. Jonathan told David to seclude himself in the field where he, Jonathan, and Saul would be walking the next morning, so that David could overhear their conversation and know where he stood. In the event David could not hear, Jonathan would tell him what had been said (*Radak*).

4-5. In the plain sense of the passage, Jonathan tactfully portrayed David not only as innocent of any crime, but as someone who had been of benefit to Saul, and whose death at Saul's hands would be reckoned as a sin.

Malbim suggests a different approach to Jonathan's strategy. Noting that the verse states that Jonathan spoke בְּדָוִד, *of David, Malbim* notes that the prefix בְּ always has the connotation that something negative is being said. Thus, Jonathan ingratiated himself to his father by disparaging

Jonathan makes peace between Saul and David

Jonathan son of Saul liked David very much. [2]So Jonathan told David, saying, "My father Saul is trying to kill you, so now be cautious tomorrow morning and stay in the secret place, and hide yourself. [3]I will go out and stand near my father in the field where you will be, and I will speak to my father about you. I will see what happens and tell you."

[4]So Jonathan spoke favorably of David to his father Saul, saying to him, "Let the king not sin against his servant David, for he has not sinned against you, and because his deeds are very good for you. [5]He put his life in his hand and slew the Philistine and HASHEM *granted a great salvation to all of Israel; you saw [it] and rejoiced — so why should you sin with innocent blood, to kill David for no reason?"*

[6]Saul listened to Jonathan's voice, and Saul swore, "As HASHEM *lives, he shall not die." [7]So Jonathan called David, and Jonathan told him all these things. Jonathan brought David to Saul and he was before him as he had been yesterday and before.*

[8]And there was war again, and David went forth and fought against the Philistines. He smote them a great blow, and they ran from him.

[9]Then HASHEM*'s spirit of melancholy befell Saul, while he was sitting in his house with his spear in his hand and David was playing [the harp] with his hand. [10]Saul tried to thrust the spear through David and the wall, but he slipped away from Saul and the spear hit the wall.*

David ran away and escaped that night.

Saul sets an ambush but Michal saves David

[11]Saul sent messengers to David's house to keep watch over him and kill him in the morning. His wife Michal told David, saying, "If you do not [act to] escape with your life tonight, you will be killed tomorrow." [12]So Michal lowered David through the window, and he left; he fled and escaped. [13]Michal took the man-

David — comments that would be *good to the king* — perhaps by saying that David was an impetuous and hot-headed person who rushed headlong into danger without prudent concern for his personal safety. On the other hand, Jonathan continued, David's foolhardiness rebounded to Saul's benefit, for he was able to win victories for Saul and his people. Why, then, should he be killed?

6-7. Jonathan was so successful in achieving a reconciliation that Saul even swore that he would not harm David. Indeed, although Saul later went back on his word, the verse makes clear that he did so only when a new melancholy overtook him (v. 9).

8. As often happens, events bring a mixture of good and bad. The reconciliation that brought David out of hiding enables him to fight the Philistines and win a great victory, but this reawakened Saul's jealousy.

9-17. Michal saves David. Once again Saul perceived David as the enemy and tried openly to kill him.

10. **וַיִּפְטַר מִפְּנֵי שָׁאוּל** — *But he slipped away from Saul.* David's escape was a great miracle, for he had been concentrating on playing soothing music for Saul (*Ralbag*). Only after the spear was in flight did David realize that he was the target and quickly moved out of its path (*Malbim*). Unlike the last time Saul had thrown his spear (18:10-11), David now realized that Saul was trying to kill him and fled.

וַיִּמָּלֵט בַּלַּיְלָה הוּא — *And escaped that night.* This phrase refers to the following chain of events, when Michal arranged for David's escape (*Radak*).

11. **וְלַהֲמִיתוֹ בַּבֹּקֶר** — *And kill him in the morning.* To spare his daughter Michal from seeing her husband murdered before her own eyes, Saul ordered his men to guard the house and take David into custody in the morning. David would then be brought to him to be killed (*Radak*). Saul feared that unless he was there to see the death sentence carried out, David would find some way to convince the soldiers to free him. The king also wanted to avoid a public outcry against the killing of an "innocent man," so he would have had him killed in secret or in such a way that it could be blamed on Saul's periodic illness. Or perhaps Saul would have had him handed over to the Philistines (*Ralbag*).

During this night of danger, David composed Psalm 59, in which he prayed that God would save him from the treachery of his pursuers, and he expressed his profound faith in God's protection (*Meiri*).

Noticing that the house was being guarded, Michal warned David that he must escape before dawn.

12. Saul's soldiers were watching the front door, not knowing that Michal was aware of their presence.

וַתֹּרֶד מִיכַל — *So Michal lowered.* She did it herself, without help from the servants, so that no one would know of David's escape (*Kli Yakar*).

אֶת־הַתְּרָפִים וַתָּשֶׂם אֶל־הַמִּטָּה וְאֵת כְּבִיר הָעִזִּים שָׂמָה מְרַאֲשֹׁתָיו וַתְּכַס
יד בַּבָּגֶד: וַיִּשְׁלַח שָׁאוּל מַלְאָכִים לָקַחַת אֶת־דָּוִד וַתֹּאמֶר חֹלֶה
טו הוּא: וַיִּשְׁלַח שָׁאוּל אֶת־הַמַּלְאָכִים לִרְאוֹת אֶת־דָּוִד לֵאמֹר
טז הַעֲלוּ אֹתוֹ בַמִּטָּה אֵלַי לַהֲמִתוֹ: וַיָּבֹאוּ הַמַּלְאָכִים וְהִנֵּה הַתְּרָפִים אֶל־הַמִּטָּה
יז וּכְבִיר הָעִזִּים מְרַאֲשֹׁתָיו: וַיֹּאמֶר שָׁאוּל אֶל־מִיכַל לָמָּה
כָּכָה רִמִּיתִנִי וַתְּשַׁלְּחִי אֶת־אֹיְבִי וַיִּמָּלֵט וַתֹּאמֶר מִיכַל אֶל־שָׁאוּל הוּא־אָמַר אֵלַי
יח שַׁלְּחֵנִי לָמָה אֲמִיתֵךְ: וְדָוִד בָּרַח וַיִּמָּלֵט וַיָּבֹא אֶל־שְׁמוּאֵל הָרָמָתָה וַיַּגֶּד־לוֹ אֵת
יט כָּל־אֲשֶׁר עָשָׂה־לוֹ שָׁאוּל וַיֵּלֶךְ הוּא וּשְׁמוּאֵל וַיֵּשְׁבוּ °בנוית [°בְּנָיוֹת ק]: וַיֻּגַּד
כ לְשָׁאוּל לֵאמֹר הִנֵּה דָוִד °בנוית [°בְּנָיוֹת ק] בָּרָמָה: וַיִּשְׁלַח שָׁאוּל מַלְאָכִים לָקַחַת
אֶת־דָּוִד וַיַּרְא אֶת־לַהֲקַת הַנְּבִיאִים נִבְּאִים וּשְׁמוּאֵל עֹמֵד נִצָּב עֲלֵיהֶם וַתְּהִי עַל־
כא מַלְאֲכֵי שָׁאוּל רוּחַ אֱלֹהִים וַיִּתְנַבְּאוּ גַּם־הֵמָּה: וַיַּגִּדוּ לְשָׁאוּל וַיִּשְׁלַח מַלְאָכִים
אֲחֵרִים וַיִּתְנַבְּאוּ גַּם־הֵמָּה וַיֹּסֶף שָׁאוּל וַיִּשְׁלַח מַלְאָכִים שְׁלִשִׁים וַיִּתְנַבְּאוּ
כב גַּם־הֵמָּה: וַיֵּלֶךְ גַּם־הוּא הָרָמָתָה וַיָּבֹא עַד־בּוֹר הַגָּדוֹל אֲשֶׁר בַּשֶּׂכוּ וַיִּשְׁאַל
כג וַיֹּאמֶר אֵיפֹה שְׁמוּאֵל וְדָוִד וַיֹּאמֶר הִנֵּה °בנוית [°בְּנָיוֹת ק] בָּרָמָה: וַיֵּלֶךְ שָׁם אֶל־

רש״י

את התרפים. עשויים בדמות גוף אדם: **כביר העזים.** עור מופשט של כחמת, פלוי״ל בלע״ז: **שמה מראשתיו.** לפי שאין לתרפים שער, וזה דומה לשער אדם: **(יז) הוא אמר אלי וגו׳.** אתה מסרתני ביד לסטים אחד, שלף חרבו עלי עד ששלחתיו: **(יט) בניות.** (תרגום), בְּבֵית אוּלְפָנָא: **(כ) להקת.** (תרגום), סִיעַת:

רד״ק

(יג) את התרפים. תרגומו צלמניא והם עשויים בדמות גוף האדם, לפיכך שמה אותם במטה שידמה דוד שוכב שם, ובמקום ראשו שמה כביר העזים שידמה כשער ראש האדם, ופירוש כביר עזים כר עשוי משער העזים, ויונתן תרגם נודא דעזיא, וכן אמר במדרש (מדרש תהלים נט, ד) ונתנה נוד יין תחת דוד על המטה, רצה לומר נוד מעור העזים והיה השער למעלה לפיכך שמה אותו במקום ראשו, וענין התרפים יש מפרשים כי הם עבודת גילולים כמו התרפים אשר ללבן שגנבתם רחל (בראשית לא, יט) ולבן עובד עבודת גילולים היה כמו שאמר לה למה גנבת את אלהי (שם שם, ל) וחלילה חלילה שהיה בבית דוד עבודת גילולים, ויש אומרים שהוא כלי הנחשת העשוי לדעת חלקי השעות ויראו בהם העתידות במשפט המזלות, וזה יתכן בדבר לבן, אבל בדבר מיכל הוא קשה לפרש למה שמה אותם במטה מקום דוד ואותו הכלי אינו בתכונה הזאת, והחכם רבי אברהם אבן עזרא זכרו לברכה כתב כי התרפים הם על צורת בן אדם והיא עשויה לקבל כח עליונים, והעד שהתרפים כן התרפים ששמה מיכל במטה עד שחשבו שומרי הבית שהם דוד: **(טז) אל המטה.** כמו על המטה וכן אֶל הֶהָרִים לֹא אָכָל (יחזקאל יח, ו): **(יח) וישבו בניות.** נכתב הוי״ו קודם היו״ד ובקרי היו״ד קודם הוי״ו, והכתיב והקרי שוים בענין תהיה היו״ד קודם הוי״ו או הוי״ו קודם היו״ד אחד הוא, והוא מלשון נוה והיה המקום הזה הנקרא ניות בעיר הנקראת רמה, לפיכך אמר בְּנָיוֹת בָּרָמָה (פסוק יט) מִנָּיוֹת בָּרָמָה (פרק כ, א) כלומר אשר ברמה, או היה זה המקום חוץ לעיר הנקראת רמה קרוב לה בגבולה ואמר ברמה כמו וַיְהִי בִּהְיוֹת יְהוֹשֻׁעַ בִּירִיחוֹ (יהושע ה, יג) וזה הנכון, לפיכך אמר וַיֵּלֶךְ הוּא וּשְׁמוּאֵל וַיֵּשְׁבוּ בְּנָיוֹת, והיה זה המקום מקום לבני הנביאים שהיו יושבים שם ולומדים לפני שמואל, וכן תרגם יונתן בֵּית אוּלְפָנָא ורבותינו זכרונם לברכה אמרו (זבחים נד, ב) מה עניין ניות אצל רמה אלא שהיו יושבין ברמה ועוסקין בנויו של עולם, כלומר בבית המקדש, כלומר באיזה מקום יהיה: **(כ) וירא.** הגדול שבמלאכי שאול או כל אחד ואחד ממלאכי שאול: **להקת.** כמו הפוך קהלת, ותרגומו סִיעַת סַפְרַיָּא רצה לומר תלמידי חכמים, כי תלמידי חכמים נקראו סופרים (שיר השירים רבה א, ב): **נבאים.** תרגומו מְשַׁבְּחִין, כלומר היו אומרים שירות ותשבחות לאל ברוח הקדש, ואפשר שהיו מתנבאין נבואות עתידות קרובות בזמנם: **עמד נצב עליהם.** עומד, שהיה עומד על רגליו: **נצב.** מלמד אותם, כמו הנצב על הקוצרים (רות ב, ה) וממונה עליהם להורותם מה יעשו, וכן נצב על

מצודת דוד

(יג) שמה מראשתיו. עם כי כסתה הראש, חששה פן ימששו ממעל וידעו כי תרפים הם כי אין בהם שער, ולזה שמה מראשותיו נאד מעור העזים והשער ממעל, להטעות את הבאים למשש, ועשתה עוד התחבולות ההם, למען לא ירדפו אחריו, ובהתמהמהם יתרחק למלט נפשו: **ותכס.** כסתה את הראש ממעל, כאלו עשתה לשמרו מן הצנה וכדומה, ולמען לא יראו שתרפים הוא: **(יד) וישלח.** בבוקר שלח אחריו לעמוד לפניו כמאז: **(טו) לראות את דוד לאמר.** רצה לומר, שיאמרו שהולכים לבקרו ולראותו, כי שאול חשב שעושה עצמו כחולה לבל יבוא אליו, ולזה אמר הַעֲלוּ וכו׳, כאומר הלא תראו שאיננו חולה, ולזה העלו אותו להמיתו לעיני העם, כי מעתה הוא חייב מיתה על שהתל בי: **(יז) למה ככה רמיתני.** וחוזר ומפרש כי שלחת את אויבי, ואמרת חולה הוא, למען ימלט בעוד התמהמהנו, ולמה הרבית לרמות אותי כל כך: **הוא אמר אלי.** ולא מעצמי שלחתיו, כי הוא אמר אלי שלחני למה אמיתך בעבור זה, והייתי אם כן אנוסה בדבר, וכדי שלא יחרה לך אמרתי חולה הוא, להסתיר הדבר, ובהאריך הזמן תנוח החימה: **(יח) בניות.** שם מקום ברמה, הוכן למושב בני נביאים: **(כ) וירא.** כל אחד מן המלאכים: **ושמואל עמד.** ובאה עליהם שפע הנבואה באמצעות שמואל: **ותהי.** באמצעות הנביאים כולם, באה שפע הנבואה גם על המלאכים, ולא חששו מעתה לדברי שאול:

מצודת ציון

(יג) התרפים. הם העשויים בצורת אדם, מהם לעבודת כוכבים, ומהם לצורת אדם ידוע, והנשים היו עושות על צורת בעליהן, להסתכל בתארו מרוב האהבה: **כביר העזים.** תרגום יונתן, נוֹדָא דְעִיזָא: **מראשתיו.** מלשון ראש: **(טו) לראות.** רוצה לומר לבקרו, וכן תרגומו, לְמִסְעַד, וכמו כן תרגם על לִרְאוֹת אֶת יוֹרָם וגו׳ כִּי חֹלֶה הוּא (מלכים־ב ח, כט), אבל בכל מקום מתרגם לְמֶחֱזֵי: **(טז) אל המטה.** כמו על המטה, וכן אֶל הֶהָרִים לֹא אָכָל (יחזקאל יח, ו): **(כ) להקת.** קבוצת, והוא הפוך ממלת קהלת, וכמו כבש כשב: **נצב עליהם.** רוצה לומר ממונה עליהם להורותם דרכי הנבואה, כמו הַנִּצָּב עַל הַקּוֹצְרִים (רות ב, ה):

nequins and placed them in the bed, and she put a goat-skin at its head and covered it with a cloth.

[14]Saul sent agents to take David, but she said, "He is ill."

[15]Then Saul sent the agents again to inquire after David, telling them, "Bring him up to me in the bed, to have him killed." [16]The agents came and behold! — the mannequins were in the bed and a goat-skin at its head!

[17]Saul asked Michal, "Why did you deceive me this way? You sent away my enemy so that he escaped." And Michal replied, "He said to me, 'Let me go or I will kill you.' "

David flees to Samuel and God protects him

[18]David fled and escaped, and came to Samuel at Ramah. He told him all that Saul had done to him, so he and Samuel went and stayed at Naioth. [19]It was told to Saul, saying, "Behold! David is in Naioth, in Ramah." [20]Saul sent messengers to arrest David. [When they arrived] they saw a group of prophets prophesying with Samuel standing erect, overseeing them, and a spirit of God came upon Saul's messengers and they, too, prophesied. [21]People told Saul and he sent other messengers, but they, too, prophesied. Saul persisted and sent a third group of messengers, but they, too, prophesied. [22]So he went to Ramah himself, arriving at the cistern in Secu. He inquired and said, "Where are Samuel and David?" Someone said, "They are in Naioth, in Ramah." [23]He went there, to

רד"ק

עבדי שאול (לקמן כב, ט) גדול וממונה עליהם וכן תרגם יונתן קָאֵים מַלִיף עַלַוֵיהוֹן: **(כב) בשכו.** שם מקום, ובא בידיעה שלא כמנהג, וכמוה בַּקַּרְקֹר (שופטים ח, י) בסכות: **(כג) וילך שם.** ובדרך היתה רוח אלהים וילך הלוך ויתנבא עד בואו בניות:

13. **וַתִּקַּח מִיכַל אֶת הַתְּרָפִים** — *Michal took the mannequins.* It was common for a woman to make mannequins resembling her husband to remind her of him when he was away. Michal now took the mannequins to make it appear that David was sick in bed (*Abarbanel*).

15. **לִרְאוֹת אֶת דָּוִד** — *To inquire after David.* Saul ordered them to see if David was really ill. He did not believe Michal's story, and if David was truly healthy and trying to deceive the king, then he was guilty of a capital offense against the king and could be executed legally. If he were ill, he would still be in Saul's hands and could easily be disposed of (*Metzudos*).

17. Saul was furious; his own daughter had conspired to help his enemy escape. Technically, she was guilty of rebellion, a capital offense, if the king so decided. To save herself, she said that she had no choice but to help David.

18-24. David seeks Samuel's help. Although Saul's enmity had nothing to do with Samuel's anointment of David, it was natural for him to seek Samuel's prophetic advice and help.

18. **וַיֵּלֶךְ הוּא וּשְׁמוּאֵל** — *So he and Samuel went.* Samuel showed honor to the future king by letting him lead the way (*Abarbanel*).

וַיֵּשְׁבוּ בְּנָיוֹת — *And stayed in Naioth.* Naioth was a district in or near Ramah where the בְּנֵי הַנְּבִיאִים, *disciples of the prophets*, would assemble to study under Samuel (*Radak*).

The Talmud (*Zevachim* 54b) relates Naioth to the word נוי, *beauty*, a reference to the Holy Temple, the most spiritually beautiful place on earth. Accordingly the phrase would be rendered *they dwelled on the topic of the beautiful place*, i.e., Samuel and David discussed the location of the future Temple and derived from Scriptural exegesis that it would be on the Temple Mount in Jerusalem.

20-24. David was saved not by force of arms, but by force of holiness. A spirit of holiness enveloped the group of young prophets and everyone who came into their proximity, even Saul's soldiers, who surely were not disciples of Samuel or the other prophets of the period. Saul, as well, was swept into the prophetic spirit, and when people are immersed in such holiness, they cannot harm innocent people.

20. **וַיִּתְנַבְּאוּ גַּם הֵמָּה** — *And they, too, prophesied.* What was their prophecy? According to *Radak*, they sang prophetically inspired songs of praise to God, or they foretold events that would occur in the near future.

Abarbanel comments that they prophesied that David would become king. When Saul's agents heard this, and were themselves inspired with the same prophetic spirit, they desisted from trying to apprehend David — how could they dare harm the anointed of God?

22-23. Saul decided that he could not trust his soldiers to bring back David, so he went himself. He, too, began to prophesy, but there was a difference between him and the soldiers. They did not rise to the level of prophecy until they encountered Samuel and the company of prophets. Saul, however, began to prophesy as soon as he turned in Samuel's direction. The king was a very great man in his own right, and he had prophesied before this, so that he was more prone to the spirit of holiness.

נוית [נָיוֹת ק׳] בָּרָמָה וַתְּהִי עָלָיו גַּם־הוּא רוּחַ אֱלֹהִים וַיֵּלֶךְ הָלוֹךְ וַיִּתְנַבֵּא עַד־
כד בֹּאוֹ בנוית [בְּנָיוֹת ק׳] בָּרָמָה: וַיִּפְשַׁט גַּם־הוּא בְּגָדָיו וַיִּתְנַבֵּא גַם־הוּא לִפְנֵי
שְׁמוּאֵל וַיִּפֹּל עָרֹם כָּל־הַיּוֹם הַהוּא וְכָל־הַלָּיְלָה עַל־כֵּן יֹאמְרוּ הֲגַם שָׁאוּל
כ א בַּנְּבִאִים: וַיִּבְרַח דָּוִד מנוות [מִנָּיוֹת ק׳] בָּרָמָה וַיָּבֹא וַיֹּאמֶר ׀ לִפְנֵי
ב יְהוֹנָתָן מֶה עָשִׂיתִי מֶה־עֲוֺנִי וּמֶה־חַטָּאתִי לִפְנֵי אָבִיךָ כִּי מְבַקֵּשׁ אֶת־נַפְשִׁי: וַיֹּאמֶר
לוֹ חָלִילָה לֹא תָמוּת הִנֵּה לו־עשה [לֹא־יַעֲשֶׂה ק׳] אָבִי דָּבָר גָּדוֹל אוֹ דָּבָר קָטֹן
ג וְלֹא יִגְלֶה אֶת־אָזְנִי וּמַדּוּעַ יַסְתִּיר אָבִי מִמֶּנִּי אֶת־הַדָּבָר הַזֶּה אֵין זֹאת: וַיִּשָּׁבַע עוֹד
דָּוִד וַיֹּאמֶר יָדֹעַ יָדַע אָבִיךָ כִּי־מָצָאתִי חֵן בְּעֵינֶיךָ וַיֹּאמֶר אַל־יֵדַע־זֹאת יְהוֹנָתָן
ד פֶּן־יֵעָצֵב וְאוּלָם חַי־יהוה וְחֵי נַפְשֶׁךָ כִּי כְפֶשַׂע בֵּינִי וּבֵין הַמָּוֶת: וַיֹּאמֶר יְהוֹנָתָן
ה אֶל־דָּוִד מַה־תֹּאמַר נַפְשְׁךָ וְאֶעֱשֶׂה־לָּךְ: וַיֹּאמֶר דָּוִד אֶל־יְהוֹנָתָן
הִנֵּה־חֹדֶשׁ מָחָר וְאָנֹכִי יָשֹׁב־אֵשֵׁב עִם־הַמֶּלֶךְ לֶאֱכוֹל וְשִׁלַּחְתַּנִי וְנִסְתַּרְתִּי בַשָּׂדֶה
ו עַד הָעֶרֶב הַשְּׁלִשִׁית: אִם־פָּקֹד יִפְקְדֵנִי אָבִיךָ וְאָמַרְתָּ נִשְׁאֹל נִשְׁאַל מִמֶּנִּי דָוִד

רש״י

(כד) ויפשט גם הוא בגדיו. בגדי מלכות, ללבוש בגדי התלמידים: **ויפל ערם.** וּנְפַל בִּרְשַׁן תרגם יונתן, ונפל ערטילאי. ובסס רבי מנחם ששמע מפי ערבי אחד, ברשן בלשון ערבי, משוגע: **(ג) כפשע.** כפסיעה אחת נפטרתי מפניו, והכה בחנית בקיר (לעיל יט, י), באותה פסיעה נצלתי מן המות: **(ה) הנה חדש מחר.** קידוש הלבנה, וכל אוכלי שולחן המלך אין נמנע איש מלבא ביום טוב אל הלחם: **ואנכי ישב אשב עם המלך לאכול.** לשון הווה הוא, ואנכי רגיל לישב עם המלך תמיד לאכול סמוך לו: **ושלחתני.** מעתה, ונסתרתי עד הערב של יום שלישי, ולא אהיה עם האוכלים, ויפקד מושבי, ויתמה המלך עלי, או מחר או למחרתו: **(ו) נשאל נשאל.** רשות שאל ממני:

רד״ק

(כד) ויפשט גם הוא בגדיו. מלמד שהנביאים האחרים פשטו בגדיהם כי גם הוא לרבות, וענין זה כי בבא הנבואה על האדם יתבטלו הרגשותיו ויפול האדם, כמו שאומר בבלעם נופל וגלוי עינים (במדבר כד, ד) ואמר בדניאל (י, ט) וַאֲנִי הָיִיתִי נִרְדָּם עַל פָּנַי וּפָנַי אָרְצָה, ופעמים יקרה שיפשט בגדיו מפני רוב בטול הרגשותיו ומחשבותיו הנפשיות וישאר בכח השכל לבדו: **ויפל ערם.** תרגם וּנְפַל בִּרְשַׁן ולא מצאתי לו חבר ויש נוסחאות כתיב ביישן: **על כן יאמרו הגם שאול בנביאים.** כמו שאמר למעלה עַל כֵּן הָיְתָה לְמָשָׁל (לעיל י, יב) ושם פרשנוהו: **(א) ויברח דוד.** בעוד שהיה מתנבא שאול ברח לו: **(ב) ויאמר לו חלילה.** יש לשאול היאך היה מבטיחו יהונתן על שקר ואיך אמר לו וְלֹא יִגְלֶה אֶת אָזְנִי, והלא לעיני כל היה רדפו ומבקש את נפשו, אלא היה חושב יהונתן שלא היה בלב אביו להמיתו אחר שנשבע לו ואמר חַי ה׳ אִם יוּמָת (לעיל יט, ו), ומה שהיה מטיל לו החנית אחרי השבועה ומה ששלח לביתו לשמרו ולהמיתו ומה שהלך אחריו עד ניות ברמה להמיתו, היה חושב יהונתן כי מפני רוח רעה שהיתה מבעתת אותו היה רוצה להמיתו בעוד שהיתה בו הרוח הרעה, כי לא היתה לו רוח רעה אלא לעתים כמו שאמר וְהָיָה בִּהְיוֹת (עָלֶיךָ) רוּחַ אֱלֹהִים (רָעָה) אֶל שָׁאוּל (לעיל טז, כג, ועיין שם פסוק טז), וכן לא ראינו שהיה רוצה להמיתו אחר השבועה אלא בהיות עליו רוח רעה, לפיכך היה מבטיחו יהונתן כי היה יכול להשמר ממנו בהיות עליו רוח הרעה ואף על פי שהיה לו לנגן לפניו בעת ההוא אף על פי כן היה יכול להשמר ממנו שלא יעמוד למולו, ושאול היה בלבו להמיתו גם בלא עת רוח רעה אלא שלא היה מראה זה מפני השבועה שנשבע ליהונתן, או כדי שלא יעצב יהונתן כמו שאמר (לדוד) [לו דוד] (פסוק ג) והגידו לדוד מעבדי שאול האוהבים אותו כי בלב שאול להמיתו כי גלה להם והסתיר מיהונתן, לפיכך נשבע דוד ואמר חַי ה׳ וְחֵי נַפְשְׁךָ כִּי כְפֶשַׂע בֵּינִי וּבֵין הַמָּוֶת (שם), ונראה כי החזירו יהונתן לפני אביו אחר מעשה ניות והיה בשלחן אביו כיום ביום כמו שאומר וְאָנֹכִי יָשֹׁב אֵשֵׁב עִם הַמֶּלֶךְ לֶאֱכוֹל (פסוק ה), כלומר מנהגי לשבת עמו בשלחנו יום ביום, ואף על פי כן היה ירא דוד ואמר ליהונתן כי בזה יבחן הדבר, אם יפקדהו כשלא יהיה שם ויאמר טוב שלום לעבדך כלומר כי שקר דברו לי המדברים אז היטב לבבו אלי, ופירוש כְּפֶשַׂע דבר מועט כמו פסיעה והוא צעד הרגלים, וכן תרגם יונתן אֲרֵי כִּפְסְעָא חֲדָא בֵּינָא וּבֵין מוֹתָא, ובדרש בפסיעה אחת שנפטרתי מפניו נצלתי כמו שנאמר וַיִּפְטַר (דוד) מִפְּנֵי

מצודת דוד

(כג) ותהי עליו. עודו בדרך: **(כד) ויפשט.** פשט בגדי מלכות, להתדמות להנביאים במלבושיהם ובל יתגאה עליהם: **ויפל.** נפל על פניו ארצה, וכמו שנאמר בדניאל (י, ט), וַאֲנִי הָיִיתִי נִרְדָּם עַל פָּנַי וּפָנַי אָרְצָה: **ערם.** רצה לומר, מן בגדי מלכות: **על כן יאמרו וכו׳.** כי בפעם הראשון שניבא בעת המלכו, לא נתחזק עדיין המשל בפי הבריות לומר הגם שאול בנביאים, וכשניבא שנית, אז התחזק המשל לומר על כל הבא למעלה שלא הורגל בו, הֲגַם שָׁאוּל בַּנְּבִיאִים. **(א) ויברח.** בעוד שאול מתנבא, ברח ובא לביתו: **(ב) חלילה.** חולין הוא לאבי לעבור על השבועה אשר נשבע לבל ימיתך, וחשב יהונתן שכל מה שעשה אביו לא היתה מדעת שלימה, כי אם מרוח רעה הבאה עליו: **ומדוע יסתיר.** אם דרכו לגלות לפני מצפון לבו, מדוע יסתיר הדבר הזה, אם כן בודאי אין זאת אמת: **(ג) וישבע עוד דוד ויאמר.** רצה לומר, מתחלה אמר הנה מה שלא גלה לך, הוא בעבור שיודע הוא אשר מצאתי חן בעיניך, ולזה מסתיר ממך לבל תעצב, וחזר ונשבע ואולם חי ה׳ וכו׳, כי כשיעור פסיעה אחת היה ביני ובין המות, כי לולא נטיתי מפניו בעת שהטיל החנית, היה ממית אותי, וכאומר יהיה איך שיהיה, אם בדעת אם מבלי דעת, מכל מקום אני תמיד בסכנה: **(ד) מה תאמר נפשך.** לפי שהחכמה נתונה בנפש המשכלת, אמר לו מה תאמר נפשך: **(ה) חדש מחר.** רצה לומר, ראש חדש, והיה מדרך כל אוכלי שלחן המלך, לבוא בו אל השולחן ולא יעדרו, אבל בשאר הימים היה מי מהם לפעמים נמנע מלבוא: **ואנכי וכו׳.** דרכי לשבת עם המלך לאכול על שולחנו: **ושלחתני.** רצה לומר, לזאת העצה היעוצה, שהיום תשלחני להסתר היום ומחר, ומחרתו עד הערב עד עת תוכל להודיעני אחר הסעודה: **(ו) אם פקד.** אם יזכור בי לשאול עלי, אז תשיב לומר שנשאל ממני ללכת לעירו על הזבח הקבוע לבני משפחתו בכל שנה [וחשב כי בזולת ראש חדש לא ישאל עליו, כי אין הדבר קבע לבוא בכל יום, ואף בראש חדש לבד, לא ישאל, בחשבו שמקרה הוא, וכאשר היה באמת שחדל לשאול בראש חדש, אולם כשלא יבוא בראש חודש וגם ביום שלאחריו, אז קרוב הדבר שישאל עליו]:

מצודת ציון

(כב) איפה. כמו איה פה: **(ג) ואולם.** ואבל: **כפשע.** מלשון פסיעה וצעדה: **(ו) פקד.** ענין זכרון והשגחה, כמו וַה׳ פָּקַד אֶת שָׂרָה (בראשית כא, א): **נשאל.** מלשון שאלה ובקשה:

Naioth in Ramah, and the spirit of God came upon him, as well; and he kept on prophesying until he arrived at Naioth in Ramah. [24]He too removed his [royal] raiment and he, too, prophesied before Samuel; he fell unclothed that entire day and night. Therefore there people say, "Is Saul also among the prophets!"

20

JONATHAN'S ALLEGIANCE TO DAVID
20:1-42

David pleads his case with Jonathan

[1]Then David fled from Naioth in Ramah. He came and said before Jonathan, "What have I done? What is my iniquity and my sin before your father, that he seeks my life?" [2]He said to him, "It would be a sacrilege; you shall not die! Behold, my father does not do a major thing or a minor thing without revealing it to me, so why should my father conceal this matter from me? It is not so!" [3]But David swore to him again, and said, "Your father knows very well I have found favor in your eyes, so he said [to himself], 'Jonathan should not know about this, lest he be saddened.' However, as HASHEM *lives, and by your life, there is but a footstep between me and death."*

[4]Jonathan said to David, "Whatever your soul shall say I shall do for you."

A plan to test Saul's intention

[5]David said to Jonathan, "Behold, tomorrow is the New Moon, when I would usually sit with the king to eat. Grant me leave and I will hide in the field until the third evening [of the month]. [6]If your father notices my absence, you shall say to him, 'David asked

רד"ק

שָׁאוּל (לעיל יט, י): **(ה) הנה חדש מחר.** יום ראשון מהחדש וכיון שמנהגי לאכול בשלחנו יפקדני, כל שכן שהוא יום ראש חדש ובאים כל האוכלים בשלחן אחד כמו ביום טוב: **עד הערב השלישית.** פירוש עד עת ערב של יום שלישי ואומר השלישית לשון נקבה על העת, וכן תרגם יונתן עַד עִידַן רַמְשָׁא דְיוֹמָא תְלִיתָאָה: **(ו) זבח הימים.** היה מנהגם לעשות זבחי שלמים בני המשפחה יום בשנה, וכן נאמר באלקנה לִזְבֹּחַ אֶת זֶבַח הַיָּמִים (לעיל ב, יט):

24. Saul removed his royal raiment, and donned the garments of Samuel's students (*Rashi*). When one feels the spirit of God upon himself, he does not want to be encumbered with physical garments (*Malbim*), thus the verse states that the king *too* removed his garb, implying that his soldiers removed their uniforms and donned garments appropriate to their new spiritual status.

According to *R' Tzadok HaKohen*, the term is figurative. When one receives the spirit of prophecy, the body — the "garment" of the soul — ceases to impede the soaring of the soul (*Tzidkas HaTzaddik*).

הֲגַם שָׁאוּל בַּנְּבִאִים — *"Is Saul also among the prophets!"* This was not said in a derogatory manner, because the people would surely not speak disparagingly of their king. Rather, they exclaimed admiringly about his elevated status. Knowing that Saul had not been a disciple of the prophets up to then, they had no doubt that his sudden ability to prophesy for an extended period of time was a Divine gift to elevate the spiritual level of his kingship. His soldiers, on the other hand, prophesied only briefly, when they came into Samuel's proximity. This very same expression had been used before (10:11-12), but now that Saul prophesied for a second time, it became part of common usage (*Malbim*).

20.

The die is cast. The friendship of David and Jonathan survives Saul's enmity. Now they meet to devise a plan to determine the extent of the king's hatred of David, and the result confirms their worst fears.

1-10. David and Jonathan meet. After escaping Saul's most recent attempt on his life David seeks out his dearest friend and asks for his help.

1. וַיִּבְרַח דָּוִד — *Then David fled.* While Saul was still in his prophetic trance in Naioth, David escaped (*Radak*), and sought out Jonathan. David begged Jonathan to be honest with him: Had he committed some crime or sin that had ignited Saul's anger? Was he indeed guilty of something that justified Saul's attempts to kill him? (*Malbim*).

2-3. Although Saul had thrown his spear at David more than once, had sent troops to apprehend him from his home, and had pursued him to Naioth with the avowed intention of killing him, Jonathan insisted — against this evidence — that Saul would have told him if he wanted to put David to death. Jonathan was convinced that Saul could not have violated his oath not to harm David (19:6). Since Saul had not said anything to Jonathan, it could only be that his attempts on David's life were the product of his melancholy, and David could be vigilant at such times. Even when he was playing his harp to calm the depressed king, David could be careful not to leave himself exposed.

In response to this, David swore to Jonathan that he knew from trusted sources in Saul's court that even in his most lucid moments the king was indeed determined to kill him. [Apparently, David had to swear in order to make Jonathan believe something so negative about his father.] As to Jonathan's conviction that Saul would not have concealed such a decision from him, David explained very simply that Saul knew of their friendship and would not want to hurt his son — but that there was not the slightest doubt that David had barely been saved from certain death (*Radak*).

4. מַה תֹּאמַר נַפְשְׁךָ — *Whatever your soul shall say.* "Soul" refers to wisdom. Whatever plan David suggests to test Saul's true intention is acceptable to Jonathan (*Abarbanel*).

5-7. David devised a way to discover Saul's feelings. It was customary for him to dine at the king's Rosh Chodesh

ז לָר֫וּץ בֵּֽית־לֶ֫חֶם עִירוֹ כִּי זֶבַח הַיָּמִים שָׁם לְכָל־הַמִּשְׁפָּחָה׃ אִם־כֹּה יֹאמַר טוֹב
ח שָׁלוֹם לְעַבְדֶּךָ וְאִם־חָרֹה יֶחֱרֶה לוֹ דַּע כִּי־כָלְתָה הָרָעָה מֵעִמּוֹ׃ וְעָשִׂיתָ חֶסֶד עַל־
עַבְדֶּךָ כִּי בִּבְרִית יהוה הֵבֵאתָ אֶת־עַבְדְּךָ עִמָּךְ וְאִם־יֶשׁ־בִּי עָוֹן הֲמִיתֵנִי אַתָּה
ט וְעַד־אָבִיךָ לָמָּה־זֶּה תְבִיאֵנִי׃ וַיֹּאמֶר יְהוֹנָתָן חָלִילָה לָּךְ כִּי ׀ אִם־יָדֹעַ
י אֵדַע כִּי־כָלְתָה הָרָעָה מֵעִם אָבִי לָבוֹא עָלֶיךָ וְלֹא אֹתָהּ אַגִּיד לָךְ׃ וַיֹּאמֶר
יא דָּוִד אֶל־יְהוֹנָתָן מִי יַגִּיד לִי אוֹ מַה־יַּעַנְךָ אָבִיךָ קָשָׁה׃ וַיֹּאמֶר יְהוֹנָתָן אֶל־דָּוִד לְכָה
יב וְנֵצֵא הַשָּׂדֶה וַיֵּצְאוּ שְׁנֵיהֶם הַשָּׂדֶה׃ וַיֹּאמֶר יְהוֹנָתָן אֶל־דָּוִד יהוה אֱלֹהֵי
יִשְׂרָאֵל כִּי־אֶחְקֹר אֶת־אָבִי כָּעֵת ׀ מָחָר הַשְּׁלִשִׁית וְהִנֵּה־טוֹב אֶל־דָּוִד וְלֹא־אָז
יג אֶשְׁלַח אֵלֶיךָ וְגָלִיתִי אֶת־אָזְנֶךָ׃ כֹּה־יַעֲשֶׂה יהוה לִיהוֹנָתָן וְכֹה יֹסִיף כִּי־יֵיטִב אֶל־
אָבִי אֶת־הָרָעָה עָלֶיךָ וְגָלִיתִי אֶת־אָזְנֶךָ וְשִׁלַּחְתִּיךָ וְהָלַכְתָּ לְשָׁלוֹם וִיהִי יהוה
יד עִמָּךְ כַּאֲשֶׁר הָיָה עִם־אָבִי׃ וְלֹא אִם־עוֹדֶנִּי חָי וְלֹא־תַעֲשֶׂה עִמָּדִי חֶסֶד יהוה וְלֹא
טו אָמוּת׃ וְלֹא־תַכְרִית אֶת־חַסְדְּךָ מֵעִם בֵּיתִי עַד־עוֹלָם וְלֹא בְּהַכְרִת יהוה אֶת־

רש"י

זבח הימים. משנה לשנה בזמן הזה: **(ז) אם כה יאמר טוב.** שלא יחרה לו: **שלום לעבדך.** אין בלבו להרגני: **ואם חרה יחרה.** זהו שאהא לו מצוי להרגני: **כלתה הרעה מעמו.** סוף דבר מחשבה רעה לו עלי: **(ח) ועשית חסד.** לשלחני: **(ט) חלילה לך.** כזאת לחשדני שאדע בו שכלתה מעמו הרעה ולא אגיד לך: **(י) מי יגיד לי.** במקום שאסתר שם: **(יב) ה' אלהי ישראל.** לשון שבועה: **השלשית.** בימי מחר, זהו יום שלישי כשעה של עכשיו, כי מחר חדש, ושמא לא יתמה מחר אבי, אבל יתמה ביום השלישי: **(יג) כה יעשה.** לי הקדוש ברוך הוא, כי אחקור את אבי ואמצא שהוא טוב אליך, אם לא אשלח על ידי שליח וגליתי אזנך, כי הטובה אני יכול לגלות, ואם ייטיב אל אבי להרע לך, אותה לא אגלה, פן יודע לאבי מקום שאתה שם, וגליתי אני בעצמי את אזנך: **(יד) ולא אם עודני חי.** לשון בקשה הוא, כמו וְלֹא יֻתַּן נָא לְעַבְדְּךָ (מלכים־ב ה, יז): ואינו זז ממשמעו, ולא תעשה לי טובה בעודני חי, שתעשה עמי חסד ה' בטרם אמות, ומהו החסד, שלא תכרית את חסדך מעם ביתי, בזאת תכרות לי ברית בחיי: **(טו) ולא בהכרת ה'.** וגם לא תסיר חסדך מה', כי אף בבא הפורענות על בית אבי, שידעתי שיכרית המקום את אויביך:

רד"ק

(ח) ועשית חסד על עבדך. כמו עם עבדך וכן תרגם יונתן, וכן וַיָּבֹאוּ הָאֲנָשִׁים עַל הַנָּשִׁים (שמות לה, כב) נָחָה אֲרָם עַל אֶפְרָיִם (ישעיהו ז, ב): **(ט) חלילה לך.** פירוש חלילה לך מלחשדני בזה שאדע הרעה ולא אותה אגיד לך: **(י) מי יגיד לי.** פירוש אם טוב יענך או אם יענך קשה ומסוף הפסוק למדנו חסרון ראשיתו, וכמוהו נָגִיד חֲסַר תְּבוּנוֹת וגו' (משלי כח, טז) ופירוש מה כמו אם, או פירושו (הקשה) [אקשה] שיענך מה תהיה אם להמיתני או לגרשני, ויונתן תרגם או דִילְמָא, ופירוש קָשָׁה אמירה קשה, וכן וְעָשִׁיר יַעֲנֶה עַזּוֹת (שם יח, כג): **(יב) ה' אלהי ישראל.** שבועה: **כעת מחר השלשית.** מחר כעת הזאת אחקרנו וּשְׁלִשִׁית על העת כלומר כעת הזאת של יום השלישי כי מחר יאמר בקרוב וברחוק, ויונתן תרגם בְּעִידָנָא הָדֵין מְחַר אוֹ בְּיוֹמָא תְלִיתָאָה: **ולא אז אשלח אליך.** בתמיהה: **(יג) כי ייטב אל אבי.** אם ייטב ויישר בעיניו להביא את הרעה אליך וגליתי את אזנך: **ויהי ה' עמך כאשר היה עם אבי.** בדבר המלוכה יהיה עמך שתצליח על אויביך כמו שהיה עמו: **(יד) ולא אם עודני חי.** לא אשאל ממך אם עודני חי כשתמלוך כי אינני ירא שלא תעשה חסד ה' עמדי: **ולא אמות.** כי ידעתי כי חסד תעשה עמדי, ומה שאמר חֶסֶד ה' כי בברית ה' באו שניהם כשכרתו ברית כמו שאומר וַיִּכְרֹת יְהוֹנָתָן וְדָוִד בְּרִית (פסוק ח), ואמר לו דוד כִּי בִּבְרִית ה' הֵבֵאתָ אֶת עַבְדְּךָ (לעיל יח, ג), וזהו ברית ה' שאמרו בכרתם ברית ה' עד ביני ובינך, אבל זה הדבר אני שואל ממך שלא תכרית חסדך מביתי עד עולם: **(טו) ולא בהכרת.** כלומר אפילו בהכרית ה' את אויבי דוד מעל פני האדמה עד שלא ישאר איש מהם, לא תכרית ביתי אף על פי שמשפחת אבי מכלל אויבי דוד:

מצודת דוד

(ז) טוב. רצה לומר, טוב עשית מה שנתת לו רשות ללכת: **שלום לעבדך.** אז תדע כי שלום לי, ואינו רוצה להמיתני: **דע כי כלתה.** רצה לומר, סוף דעתו להמיתני, ולזה חרה לו על מה שלא אהיה מצוי אצלו לשלוח בי יד: **(ח) ועשית חסד.** לגלות אזני מה נהיה: **כי בברית.** לזאת מהראוי שתעשה עמדי חסד: **ואם יש בי עון.** רצה לומר, ואם לאחר זמן מצאת בי עון, ובעבורו תפר הברית: **תביאני.** כי אם לא תגלה אזני, אבוא שוב לפני אביך, ותהיה אתה הגורם: **(ט) חלילה לך.** חולין הוא לך מלהיות נמצא בך עון שבעבורו יופר הברית. **עד אשר אם אדע וכו'.** רצה לומר לא נמצא בך עון שבעבורה אעלים ממך דברי אבי: **(י) מי יגיד לי.** רצה לומר, על ידי מי תגיד לי: **או מה.** רצה לומר, מה יענך טוב, או מה יענך קשה, ומסוף המקרא למדנו חסרון ראשיתו: **(יא) השדה.** כי אין להמתיק סוד כי אם בשדה, בכדי שלא יהיה נשמע למי: **(יב) ה' אלהי ישראל.** רצה לומר, הריני נשבע בה' וכו': **כעת מחר.** בעת הזאת ביום מחר השלישית, והוא יום שאחר ראש חדש: **והנה טוב.** כשתהיה ההודעה טובה: **ולא אז וכו'.** וכי לא אז אשלח אליך לבשרך טובה, בתמיה: **(יג) כה יעשה וכו'.** הוא ענין שבועה, וגזם ולא אמר, והרי הוא כאלו אמר, טובה כזאת יעשה לי וכן יוסיף וכו': **כי ייטב.** כאשר יהיה ישרו טוב בעיני אבי להרע לך, עם כי יקשה בעיני לבשרך רעה, עם כל זה אגלה אזנך, כי ההליכה מפה, לטובה תחשב, כי תלך בשלום מבלי פחד, וסוף הדבר יהיה כי מלוך תמלוך, וזהו וִיהִי ה' עִמָּךְ וכו': **(יד) ולא אם עודני חי.** רצה לומר, לא אשאל ממך דבר אם אהיה עדיין חי כשתמלוך, ולתוספת ביאור אמר וְלֹא תַעֲשֶׂה וכו', ורצה לומר, ולא אשאל אשר תעשה עמדי חסד בעבור ברית ה' אשר בינינו בעוד שלא אמות, והרי הוא כאומר מובטחני שתקיים הברית מבלי שאלה ובקשה: **(טו) ולא תכרית.** אף לא אשאל שלא תכרית למנוע ולבטל חסדך מעם ביתי: **ולא בהכרית.** אף לא אשאל שתשמור הברית בעת יכרית ה' את אויביו, והם בית שאול שיוכרתו כולם בסבת הגבעונים, ואמר גם לא אשאל לפרט שתחמול אז על זרעי, כי הברית כולל הכל, וידעתי כי שמור תשמור:

מצודת ציון

לרוץ. לילך במרוצה ומהר: **הימים.** השנה, כמו יָמִים תִּהְיֶה גְאֻלָּתוֹ (ויקרא כה, כט): **(ז) כה.** כן: **כלתה.** ענין סוף וגמר: **(י) יענך.** ישיבך: **קשה.** תשובה קשה: **(יב) אחקר.** מלשון חקירה ודרישה: **(טו) ולא תכרית.** רצה לומר לא תמנע:

me to let him run to his hometown Bethlehem, for there is an annual feast-offering there for the entire family.' [7]*If he says thus, 'Good!' then it is well for your servant. But if he gets very angry, then know that the evil [decree] has become final with him.* [8]*Do this favor for your servant, for you have brought your servant into a covenant of* HASHEM *with you. If I am guilty of an iniquity, kill me yourself; why bring me to your father?"*

[9]*Jonathan said, "Far be it from you! For if I knew that the evil [decree] has become final with my father, would I not tell it to you?"*

[10]*David then said to Jonathan, "Who will tell me [if your father answers favorably] or if your father answers you harshly?"*

Jonathan's pledge and plea

[11]*So Jonathan said to David, "Come, let us go out to the field," and they both went out to the field.* [12]*Jonathan said to David, "[I swear by]* HASHEM *the God of Israel that I will probe my father at this time on the third day from now, and behold, if it is good for David will I not then send for you and reveal it to you?* [13]*Such shall* HASHEM *do to Jonathan and such shall He do further — if it pleases my father to harm you I will reveal it to you, and I will send you away that you may go to peace; and may* HASHEM *bewith you as He was with my father.* [14]*I need not [ask anything of you] if I will still be alive [when you become king], for would you not do with me the kindness of* HASHEM*, so that I will not die?* [15]*But do not cut off your kindness from my descendants forever, not even when* HASHEM *cuts each of*

---

banquet, so it would be noticed if he were missing. If Saul said nothing, the question would remain open. But if he asked why David was not there, Jonathan would make an excuse for him. If Saul accepted it, then he would seem not to be angry and vindictive, but if his anger flared over so trivial a matter, it would mean that he indeed hated David, and that he could regard David's unauthorized absence as an act of rebellion that was enough to justify the death penalty by royal fiat (*Abarbanel*), or that he wanted David to be close at hand, so that he could be killed (*Rashi*).

8-9. David suggested that Jonathan might know of some crime for which David deserved to die, but was reluctant to say so. If David was truly guilty of treason against Saul, then he had sinned against Jonathan as well, by seeking to deprive him of his rightful succession to the throne. And if so, he preferred to be killed by Jonathan (*Alshich*)

9. חָלִילָה לָּךְ — *"Far be it from you . . ."* i.e., how could you accuse me of withholding such information from you!

10. David goes back to his original proposal, that Saul be tested at the Rosh Chodesh banquet — but how will David know how the king reacted?

11-23. Jonathan's pledge and plan. Jonathan promises that he will be frank with David, for good or for bad. Then, he outlines his plan to reveal his father's feelings without jeopardizing David's safety.

11. To be sure that no one could overhear them, Jonathan took David out to the field. That they were speaking in itself was not dangerous, because everyone knew they were dear friends, but now that they were outlining their plan, they had to be very careful not to jeopardize David's safety by being overheard.

12. Jonathan made an oath with God as his witness that he would carry out the proposal to determine his father's intentions. If the news was good, meaning that David was safe, Jonathan would inform him by messenger, but if the news was bad, meaning that David had to keep his whereabouts secret, Jonathan would convey the information personally (*Rashi*).

כָּעֵת מָחָר הַשְּׁלִשִׁית — *On the third day from now.* The day they spoke was day one; the first day of Rosh Chodesh was day two; and on day three Jonathan would test Saul's attitude. The first day of Rosh Chodesh would not be opportune, since Saul would probably not react if David missed the first banquet, but he would surely inquire if David was absent on two consecutive days.

13. וִיהִי ה׳ עִמָּךְ — *And may* HASHEM *be with you . . .* "May God grant you success and victory as He did with my father at the beginning of his reign" (*Radak*).

Here Jonathan displays his nobility of character. Though he knows that David, his rival, will ascend to the throne that would have been his, he blesses him with absolute sincerity and untainted friendship. Though Jonathan will never wear the crown of kingship, he goes through history with the crown of a good name, which the Sages describe as the greatest of all crowns (*R' Mendel Hirsch*).

14-15. Jonathan knew that as king David would maintain their friendship and he had no need to ask for any personal favors, but he was concerned for his children should he predecease David. On their behalf he asked that David should show them kindness (*Radak*). David kept his promise. When he was compelled to allow Saul's offspring to be killed, he spared Jonathan's son, Mephibosheth (*II Samuel* 21:6-7).

טז אֹיְבֵי דָוִד אִישׁ מֵעַל פְּנֵי הָאֲדָמָה: וַיִּכְרֹת יְהוֹנָתָן עִם־בֵּית דָּוִד וּבִקֵּשׁ יהוה מִיַּד
יז אֹיְבֵי דָוִד: וַיּוֹסֶף יְהוֹנָתָן לְהַשְׁבִּיעַ אֶת־דָּוִד בְּאַהֲבָתוֹ אֹתוֹ כִּי־אַהֲבַת נַפְשׁוֹ
יח אֲהֵבוֹ: וַיֹּאמֶר־לוֹ יְהוֹנָתָן מָחָר חֹדֶשׁ וְנִפְקַדְתָּ כִּי יִפָּקֵד מוֹשָׁבֶךָ:
יט וְשִׁלַּשְׁתָּ תֵּרֵד מְאֹד וּבָאתָ אֶל־הַמָּקוֹם אֲשֶׁר־נִסְתַּרְתָּ שָּׁם בְּיוֹם הַמַּעֲשֶׂה וְיָשַׁבְתָּ
כ־כא אֵצֶל הָאֶבֶן הָאָזֶל: וַאֲנִי שְׁלֹשֶׁת הַחִצִּים צִדָּה אוֹרֶה לְשַׁלַּח־לִי לְמַטָּרָה: וְהִנֵּה
אֶשְׁלַח אֶת־הַנַּעַר לֵךְ מְצָא אֶת־הַחִצִּים אִם־אָמֹר אֹמַר לַנַּעַר הִנֵּה הַחִצִּים ׀ מִמְּךָ
כב וָהֵנָּה קָחֶנּוּ ׀ וָבֹאָה כִּי־שָׁלוֹם לְךָ וְאֵין דָּבָר חַי־יהוה: וְאִם־כֹּה אֹמַר לָעֶלֶם הִנֵּה

HAFTARAS EREV ROSH CHODESH 20:18-42

רש"י

(טז) ובקש ה'. את הברית הזאת: **מיד איבי דוד.** כנה הכתוב, ופירושו, בקש הקדוש ברוך הוא את הטון מיד דוד, כשעבר על הברית ואמר למפיבשת אַתָּה וְצִיבָא תַּחְלְקוּ אֶת הַשָּׂדֶה (שמואל־ב יט, ל), יצאתה בת קול ואמרה, רחבעם וירבעם יחלקו את המלכות (שבת נו, ב). וכן תרגם יונתן, וְאִתְפְּרַע לֵיהּ ה' מִיַּד סַנְאֵי דָוִד: **(יח) מחר חדש.** ודרך כל אוכלי שולחן המלך לבא ביום מועד אל השולחן: **ונפקדת.** אבי יפקדך וישאל היכן אתה: **כי יפקד מושבך.** שיהיה מושבך חסר, שאתה יושב בו. וכן תרגם יונתן, וְתִתְבְּעֵי אֲרֵי יְהֵי מְרַוַּח בֵּית אַסְחָרוּתָךְ: **ונפקדת.** לשון זכרון: **כי יפקד.** לשון חסרון: **(יט) ושלשת.** שלשת ימים, ואז תרד מאד, כלומר לכשתגיע היום השלישי, תרד במקום סתר ותתחבא הרבה, כי אז יבקשוך, ובאת אל המקום הסתר הזה אשר אתה נסתר בו היום, שהוא יום מעשה מלאכה. וכן תרגם יונתן, בְּיוֹמָא דְחוֹלָא, שאותו היום נסתר, כמה שנאמר (פסוק כד), וַיִּסָּתֵר דָּוִד בַּשָּׂדֶה, מיד וַיְהִי הַחֹדֶשׁ, מחר: **האבן האזל.** אבן שהיתה אות להולכי דרכים: **האזל.** הולכי הדרך, וכן תרגם יונתן, אֶבֶן אָתָא, אבן האות: **(כ) צדה אורה.** לא מפיק ה"א, ופתרון לדה כמו לצד, כל תיבה שצריכה למ"ד בתחלתה, הטיל לה ה"א בסופה, בצד אותה אבן, אורה חצים למטרה, כדי שלא יבין הנער, וזה סימן יהיה לך לנחש אם אתה צריך לברוח: **(כא) והנה אשלח וגו'.** ודרך המבקש חץ הירוי, הולך עד מקום שרואה שהחץ הולך, ואינו יכול לכוין יפה, פעמים שהוא מתפשה והחץ להלן ממנו, ופעמים שהוא הולך להלן מן החץ ומתפשה, והניחוש הזה יהיה לך: **אם אמר אמר לנער וגו' קחנו ובאה.** לא אתה בעצמך ממקום מחבואך, וקחנו ובוא אלי, כי אין לך לירא, כי שלום לך, הקדוש ברוך הוא חפץ שתהא כאן ולא תירא, ואפילו שמעתי מחשבת רעה:

רד"ק

(טז) ויכרת יהונתן עם בית דוד. אחר שבקש יהונתן מאת דוד שיהיה בריתו עם ביתו כרת גם הוא ברית להיות בריתו עם בית דוד גם כן, והם נשיו ובניו ובית אביו גם כן כי כל זמן שתמשך מלכות אביו שיהיה בריתו עם בית דוד לשמרם בכל כחו, ועוד הוסיף יהונתן ואמר וּבִקֵּשׁ ה' מִיַּד אֹיְבֵי דָוִד אם ישקר בברית: **מיד איבי דוד.** כנוי הוא כי מיד דוד, רצה לומר שאם יפר הברית ה' יבקש מידו, ועוד הוסיף להשביעו בכח האהבה שהיה אוהב אותו: **(יח) ונפקדת.** ונזכרת כי יזכרך אבי כשיחסר ממושבך יושב: **יפקד.** ענין חסרון כמו וְלֹא נִפְקַד מִמֶּנּוּ אִישׁ (במדבר לא, מט), ותרגם יונתן וְתִתְבְּעֵי אֲרֵי יְהֵי מְרַוַּח בֵּית אַסְחָרוּתָךְ: **(יט) ושלשת תרד מאד.** תהיה נסתר שלשה ימים כמו שאמרתי וְנִסְתַּרְתִּי בַשָּׂדֶה עַד הָעֶרֶב הַשְּׁלִשִׁית ותרד מאד בעמק במקום הסתר ההוא באותו מקום שנסתרת ביום המעשה (לעיל יט, ב), והוא אותו יום שהיה מעשה השבועה (שם פסוק ו) שנשבע שאול ליהונתן שלא יומת דוד שהיה שם נסתר דוד בשדה, ויונתן תרגם וּבִתְלָתוּת יוֹמַיָא תִּתְבָּעֵי לַחֲדָא כלומר ביום החדש ומחרתו תפקד שישאל עליך אבי, אבל ביום השלישי ידעתי שתבוקש מאד כי יחשוב אבי שברחת אם לא תהיה בשלחנו שלשה ימים סמוכים, ומה שתרגם תרד תִּתְבָּעֵי רצה לומר תרד מאד ותהיה פחות ונקל בעיניו להמיתך אם בלבו להמיתך כי ימצא לך זאת העילה ויאמר כי בן מות אתה שברחת מלפניו, ואז אכיר אם בלבו להמיתך לפי הדברים שידבר אז כי אז תהיה לו טענה לדבר עליך, ותרגם ביום המעשה בְּיוֹמָא דְחוֹלָא כלומר ביום חול שעושין בו מלאכה לפי שהיה נסתר עתה ביום ראש חדש, כי נראה שהיה מנהגם שלא לעשות מלאכה בראש חדש כמו שהוא מנהג הנשים היום, ואפשר כי מפני קרבן ראש חדש היו רבים פנויים ממלאכתם ובאים להשתחוות לפני ה', וכן נראה בנבואת יחזקאל לעתיד (מו, א-ג): **האבן האזל.** תרגם יונתן אֶבֶן אָתָא אולי היתה אות וסימן עוברי דרכים: **(כ) שלשת החצים.** בא בידיעה אף על פי שלא זכרם בפסוק, נראה כי יהונתן אמר לדוד כי שלשת החצים יורה לסימן שלשת הימים שיהיה נסתר בשדה לפיכך אמר והחצים לידיעה: **צדה אורה.** הה"א רפה ומשפטה במפיק וכמוהו רבים ופירושו לצד האבן אורה החצים להיות לי האבן למטרה לשלוח שם לי הנער ללקט החצים, והדבר שאומר לנער יהיה לך סימן אם הנה אם הלאה, כי שמה לא אוכל לדבר עמך פנים בפנים אם במקום ההוא רואים: **(כא) קחנו.** קח הנער ובא עמו, ואדוני אבי זכרונו לברכה פירש קח זה הסימן ובא: **ואין דבר חי ה'.** ואין דבר רע וכן תרגם יונתן וְלֵית מִידַּעַם, כי נשבע לו חי ה' להבטיחו שלא יצוה לו לבא אם לא ידע באמת כי אין בדעת אביו להמיתו ולעשות עמו רעה:

מצודת דוד

(טז) עם בית דוד. לעשות חסד עם ביתו, בעוד היותו נרדף משאול: **ובקש.** זה מדברי יונתן שאמר ה' יבקש מאויבי דוד לשלם גמול, ואף ממני, אם אהיה לו לאויב למנוע החסד מביתו: **(יז) באהבתו אתו.** רצה לומר, לא הוסיף להשביעו, בעבור כי חשש פן לא יקיים דוד את הברית שמאז, אולם מה שהוסיף להשביעו, הוא על כי אהב אותו כנפשו, והיה מתענג בהזכיר כי מלוך ימלוך ויהיה לאל ידו לעשות חסד: **(יח) ויאמר לו יהונתן.** עתה חזר להשיב על מה ששאלו דוד מי יגיד לו, ואמר לו מחר ראש חדש, ותהיה נזכר כאשר יחסר מקום מושבך מאין יושב בה, ורצה לומר, על ידי שמחר ראש חדש תהיה בודאי נזכר, אם למחר אם למחרתו, וכמו שכתוב למעלה: **(יט) ושלשת.** כל שלשת הימים, והם היום ומחר ומחרתו, תרד מאד להיות נסתר בהעמק, במקום שנסתרת שם ביום המעשה, והוא היום שהיה בו מעשה השבועה, אשר נשבע שאול ליהונתן לבל המית את דוד, כי גם אז היה נסתר במקום ההוא: **(כ) שלשת החצים.** האחד לירות ראשון, והשני אחריו, אם להרחיקו אם להקריבו כפי הסימן האמור בענין, ואולי לא יכוין בהשני, לקח עוד אחד, ובו יכוין לפי הסימן הנרצה: **צדה אורה.** אשליך לצד האבן ההוא, כאלו אני מורה למטרה: **(כא) והנה אשלח.** לאחר זה אשלח הנער אשר עמדי למצוא החצים: **אם אמר אמר.** רצה לומר, הסימן הזה יהיה בידך, אם אומר לנער הנה החצים ממך והנה, רצה לומר קרובים אלי ממך, ועברת מהם ולהלאה, כי כשירצה לעשות זה הסימן, יזרוק שוב חץ להיות קרוב אליו מן הנער: **קחנו.** אז אתה קח החץ ובוא: **חי ה'.** נשבע לו שבאם יאמר כזאת, בודאי שלום לו ואין דבר רע, ועם כל זה לא רצה לקרות לו, שלא יודע שבעצתו נסתר:

מצודת ציון

(יח) ונפקדת. ענין זכרון: **יפקד.** ענינו חסרון, כמו וְלֹא נִפְקַד מִמֶּנּוּ אִישׁ (במדבר לא, מט): **(יט) האזל.** ענין הלוך, כמו אָזְלוּ מַיִם מִנִּי יָם, (איוב יד, יא), ורצה לומר סימן להולכי אורח: **(כ) צדה.** מלשון צד: **אורה.** אשליך, כמו יָרָה בַיָּם (שמות טו, ד): **למטרה.** הוא הדבר אשר המורים מכוונים להשליך בו, כמו כַּמַּטָּרָא לַחֵץ (איכה ג, יב): **(כא) והנה.** להצד הזה: **(כב) לעלם.** לנער, כמו בֶּן מִי זֶה הָעָלֶם (לעיל יז, נו):

16. Jonathan made the same promise he had asked of David: as long as Saul remained king, Jonathan would do everything possible to protect David's family from Saul (*Radak*).

David's enemies from the face of the earth." [16]*Jonathan also sealed [a covenant] regarding David's household, and added, "May* HASHEM *exact punishment from the enemies of David."* [17]*Jonathan again adjured David because of his love for him, for he loved him as he loved himself.*

The signal

[18]*Jonathan said to him, "Tomorrow is the New Moon, and you will be missed because your seat will be empty.* [19]*For three days you are to remain far down and come to the place where you hid on the day of the incident, and stay near the marker stone.* [20]*I will shoot three arrows in that direction as if I were shooting at a target.* [21]*Behold, I will then send the lad [saying], 'Go find the arrows.' If I say to the lad, 'Behold, the arrows are on this side of you!' then you yourself may take [the lad] and return, for it is well with you and there is no concern, as* HASHEM *lives.* [22]*But if I say this to the boy: 'Behold,*

According to *Rashi*, however, this was part of the oath that Jonathan placed upon David, that God should punish his posterity if he violated the pledge regarding Jonathan's children. If so, the term *enemies of David* is a euphemism for David himself.

According to *Mahari Kara*, Jonathan invoked God's judgment against the enemies who were pursuing him, a judgment that took place when Saul and his general, Abner, were killed. Though Jonathan was surely not David's enemy, he, too, was killed with his father, because the innocent often suffer along with the guilty.

17. Jonathan did not doubt David's word, but his love for David was so great that he wanted the cherished covenant of friendship to be repeated (*Metzudos*).

18. יִפָּקֵד מוֹשָׁבֶךָ — *Your seat will be empty.* In the plain sense, David's absence will be noticed because no one will be seated in David's assigned seat.

Homiletically, a person's seat symbolizes not only his physical presence, but also the benefit of the spiritual aura he brings to the place. Thus, Jonathan was saying that the entire assemblage would be poorer for David's absence (*Kli Yakar*).

King David is symbolized by the moon and Rosh Chodesh, the New Moon, which is why the verse דָּוִד מֶלֶךְ יִשְׂרָאֵל חַי וְקַיָּם, *David, King of Israel, is alive and enduring,* is included in *Kiddush Levanah*, The Sanctification of the Moon. Just as the moon waxes and wanes, so David had his moments of ascendancy and his times of travail (*Tiferes Shlomo*).

It is axiomatic in Chassidic thought that the more a person concentrates on himself, the less he is capable of assimilating Divine knowledge and spirituality. Homiletically, this is alluded to in this verse. Jonathan told David that to the extent that his *seat will be empty*, i.e., he would not be consumed with his own self-importance, he *will be missed,* which can also be rendered *you will be remembered* by God. In other words, a person cannot be a proper receptacle for Godliness unless he "makes place" for it by removing the impediments of "self." Thus Jonathan said that the next day was the New Moon, because the New Moon symbolizes the reunification of the sun and the moon, which represents God's wisdom reaching man. Just as the moon becomes totally dark — in effect, disappears — before it can once again reflect the light of the sun, so man must negate himself in order to be worthy of receiving the flow of God's holiness (*Likutei Sichos*).

19. בְּיוֹם הַמַּעֲשֶׂה — *On the day of the incident,* i.e., the day Saul expressed his wish to kill David. At that time, Jonathan convinced Saul to swear that he would not do so [see 19:1-6]. Alternatively, the phrase can be rendered *the day of work*, referring to the day before Rosh Chodesh, when David and Jonathan were in the field. The day before Rosh Chodesh was referred to as the day when work *was* permitted, because it was their custom not to work on Rosh Chodesh, so that everyone could participate in the offering at the Tabernacle (*Radak*).

According to *Pirkei d'Rabbi Eliezer*, Rosh Chodesh was a day of rest only for women, as their reward for not participating in the sin of the Golden Calf (*Avudraham*).

20. שְׁלֹשֶׁת הַחִצִּים — *Three arrows.* Jonathan chose to use three arrows to represent the three days that David would be in hiding (*Radak*).

Alternatively, *Likutei Sichos* comments that the three arrows may symbolize the three pillars of the universe: Torah, service of God, and kind deeds (*Avos* 1:3). This may explain why the text of the verse seems to imply that when Jonathan actually went out to the field to signal David, he did not shoot all three arrows. He may have meant to symbolize that the time for David to reign — when he and his dynasty would be the foundation of the universe — had not yet come.

Scripture often uses a sharp arrow as a metaphor for evil speech, which harms its victims from afar. Jonathan's arrows symbolized the tragic result of the slanders that had poisoned Saul against David. The number three alludes to the Talmudic teaching (*Arachin* 15b) that evil speech kills three people: the speaker, the listener, and the victim (*Malbim*).

21. If the arrows were past the lad, it would symbolize that David, too, should be at a distance from Saul. If the arrows were close, it would be a signal that he could feel safe to come close (*Mahari Kara*).

קָחֶנּוּ וָבֹאָה — *Take [the lad] and return.* If it were safe for David to come back, he should take the lad as his escort, which is befitting for a son-in-law of the king and the hero of the nation.

Alternatively, take this sign as an indication that you can come back safely (*Radak*).

כג הַחִצִּים מִמְּךָ וָהָלְאָה לֵךְ כִּי שִׁלַּחֲךָ יהוה: וְהַדָּבָר אֲשֶׁר דִּבַּרְנוּ אֲנִי וָאָתָּה הִנֵּה
כד יהוה בֵּינִי וּבֵינְךָ עַד־עוֹלָם: וַיִּסָּתֵר דָּוִד בַּשָּׂדֶה וַיְהִי הַחֹדֶשׁ וַיֵּשֶׁב הַמֶּלֶךְ °עַל־
כה [°אֶל־ ק׳] הַלֶּחֶם לֶאֱכוֹל: וַיֵּשֶׁב הַמֶּלֶךְ עַל־מוֹשָׁבוֹ כְּפַעַם ׀ בְּפַעַם אֶל־מוֹשַׁב הַקִּיר
כו וַיָּקָם יְהוֹנָתָן וַיֵּשֶׁב אַבְנֵר מִצַּד שָׁאוּל וַיִּפָּקֵד מְקוֹם דָּוִד: וְלֹא־דִבֶּר שָׁאוּל מְאוּמָה
כז בַּיּוֹם הַהוּא כִּי אָמַר מִקְרֶה הוּא בִּלְתִּי טָהוֹר הוּא כִּי־לֹא טָהוֹר: וַיְהִי
מִמָּחֳרַת הַחֹדֶשׁ הַשֵּׁנִי וַיִּפָּקֵד מְקוֹם דָּוִד וַיֹּאמֶר שָׁאוּל אֶל־יְהוֹנָתָן בְּנוֹ מַדּוּעַ
כח לֹא־בָא בֶן־יִשַׁי גַּם־תְּמוֹל גַּם־הַיּוֹם אֶל־הַלָּחֶם: וַיַּעַן יְהוֹנָתָן אֶת־שָׁאוּל נִשְׁאֹל
כט נִשְׁאַל דָּוִד מֵעִמָּדִי עַד־בֵּית לָחֶם: וַיֹּאמֶר שַׁלְּחֵנִי נָא כִּי זֶבַח מִשְׁפָּחָה לָנוּ בָּעִיר
וְהוּא צִוָּה־לִי אָחִי וְעַתָּה אִם־מָצָאתִי חֵן בְּעֵינֶיךָ אִמָּלְטָה נָּא וְאֶרְאֶה אֶת־
ל אֶחָי עַל־כֵּן לֹא־בָא אֶל־שֻׁלְחַן הַמֶּלֶךְ: וַיִּחַר־אַף שָׁאוּל בִּיהוֹנָתָן
וַיֹּאמֶר לוֹ בֶּן־נַעֲוַת הַמַּרְדּוּת הֲלוֹא יָדַעְתִּי כִּי־בֹחֵר אַתָּה לְבֶן־יִשַׁי לְבָשְׁתְּךָ

רש"י

(כב) ואם כה אמר וגו' לך כי שלחך. הקדוש ברוך הוא אומר לך לברוח ולהמלט: **(כג) והדבר אשר דברנו.** ברית שכרתנו יחד: **הנה ה' ביני ובינך.** עד על אותו דבר: **(כה) אל מושב הקיר.** בראש המטה אצל הקיר: **ויקם יהונתן.** עמד ממקומו, לפי שאין דרך הבן להיות מיסב אצל אביו, שדרכן היה לאכול מסובין על המטות, והיה דוד מיסב בין יהונתן ובין שאול, עכשיו שלא בא דוד, לא היסב יהונתן, עד שיסב אבנר מצד שאול, ואחר כך ישב יהונתן מצד אבנר. ואם תאמר לא ישב כלל, הרי הוא אומר וַיָּקָם יְהוֹנָתָן מֵעִם הַשֻּׁלְחָן (פסוק לד), מכלל שיסב: **(כו) מקרה הוא.** קרי ראה: **בלתי טהור הוא.** ועדיין לא טבל לקריו, שאלו טבל לקריו, אין צריך הערב שמש לחולין: **כי לא טהור.** זו היא נתינת טעם לדבר, לפי שאינו טהור, לפיכך לא בא, שלא יטמא את הסעודה: **(כז) ממחרת החדש.** ממחרת חידוש הלבנה: **השני.** ביום שני לחדש: **(כט) והוא צוה לי אחי.** גדול הבית צוה לי שאהיה שם, והוא אחי אליאב: **אמלטה.** אשקמולי"ר בלע"ז, אלך יום אחד ואבוא: **(ל) נעות המרדות.** לשון נע, אשה נעה ונדה, יולאנית, כאשר תאמר זעוה מן זע, כן תאמר נעוה מן נע, והוי"ו מן הדיבוק, שהוא דבוק למרדות: **המרדות.** שהיא ראויה לרדות וליסר. דבר אחר, כשחטפו בני בנימין מבנות שילה שילאו לחול בכרמים (שופטים כא, כא), היה שאול ביישן ולא רצה לחטוף, עד שבאתה היא עצמה והטיחה פניה ורדפה אחריו: **נעות.** על שם הכרמים, והיא גת, כמו נטוה ארחתו (עבודה זרה עד, ב). יטופון נַעֲוָהִי בַּחֲמַר (תרגום פרשת ויחי פסוק חַכְלִילִי עֵינַיִם (בראשית מט, יב), ולא מן השם:

רד"ק

(כב) כי שלחך ה'. כתרגומו אֲרֵי שֵׁיזְבִינָךְ ה'. כלומר תלך לך כי ה' שלחך ונמלטת מחרב אבי: **(כג) עד עולם.** לקיים הברית עד עולם: **(כד) וישב המלך על הלחם.** כתיב על וקרי אל ושניהם נכונים בענין: **(כה) וישב המלך על מושבו.** תרגומו וְאַסְחַר מַלְכָּא עַל שְׁוִויֵהּ פירוש על מטתו כי מנהג היה בימים ההם לאכול במסבה במטות, וכן מצאנו בדברי רבותינו זכרונם לברכה כי גם בימיהם היה מנהג, ומה שאמר וַיָּקָם יְהוֹנָתָן פירושו אחר שישב מצד אביו והושיב אבנר מצד אביו, כי לא רצה להיות סמוך לאביו שאם יקצוף עליו על דבר דוד לא יהיה סמוך לו להכותו, והנה נפקד מקום דוד שלא היה בו יושב: **(כו) כי אמר מקרה הוא בלתי טהור הוא כי לא טהור.** פירושו אמר שאול מקרה קרה לו שלא בא כלומר היה לו דבר להתעסק בו זולתי כי טהור הוא, או לא טהור מקרה לילה לפיכך לא בא, ופירוש בִּלְתִּי זולתי כמו בִּלְתִּי כָּלֵב בֶּן יְפֻנֶּה (במדבר לב, יב) והיו נשמרים מלאכול הטמא והטהור יחדו אפילו בחולין, או שמא היו שם זבחי שלמים שעשה המלך השלמים ביום החדש, גם יתכן לפרש כי אין מדרך מוסר לבא טמא לשלחן המלך, ויונתן תרגם אֲרֵי אֲמַר דִּילְמָא עִירוּעַ הוּא לֵיהּ וְלָא דְּכֵי הוּא אוֹ דִילְמָא לְאוֹרַח אֲזַל וַאֲנַחְנָא לָא זַמְנִינֵהִי, פירוש מִקְרֶה הוא לשון קרי מן מִקְרֵה לָיְלָה (דברים כג, יא) וּבִלְתִּי כמו לֹא מִן בַּל קְרָב אֵלֶיךָ (תהלים לב, ט), ופירוש כִּי לֹא טָהוֹר שלא הניח בעבור שלא טהור הוא אלא שהלך בדרך קרוב ואנחנו לא זמננו אותו שיהיה מוכן לבא היום אל השלחן, כי כל האוכלים על שלחן המלך לא היו תמידים בכל יום: **(כז) ממחרת החדש השני.** רצה לומר ממחרת ראש חודש שהוא שני לחדש ויונתן תרגם בְּיוֹמָא דְבַתְרוֹהִי דְהוּא עִיבּוּר יַרְחָא תִּנְיָינָא: **(כח) נשאל נשאל.** מקור שלם מבנין נפעל: **מעמדי.** כלומר ממני לקח רשות בלכתו לבית לחם ולא הלך בלא רשות, ולשון נפעל בזה העניין רוצה לומר ששאל דוד עצמו מעמדי כדי ללכת עד בית לחם והנה הוא נשאל בעצמו, וכן נִשְׁאַלְתִּי מִן הַמֶּלֶךְ

מצודת דוד

(כב) ממך והלאה. להלן ממקום עמדך, כי כשירצה לעשות זה הסימן, יזרוק שוב חץ להיות רחוק מהראשון, וכאשר עשה באמת: **לך.** אז לך לדרכך וברח לך: **כי שלחך ה'.** רצה לומר, ההליכה תהיה לך לטובה, ומה' היא: **(כג) והדבר.** כאומר ואם תלך לך, זכור תזכור הדבר אשר דברנו, והוא דברי הברית שכרתנו: **הנה ה'.** רצה לומר, אין בינינו עד, ואך הנה העד יהיה ה' וכו': **(כה) על מושבו.** על המקום המיוחד לו לשבת בה, והוא במקום המושב שאצל הקיר: **ויקם יהונתן.** כי סדר הישיבה היה, אשר ישב דוד סמוך להמלך, ואחריו יהונתן, ואחריו אבנר, וישב עתה המלך במקומו, ויהונתן במקומו, ואבנר במקומו, וכשלא בא דוד, נשאר יהונתן יושב סמוך לאביו מבלי אמצעי, ואין מדרך הבן להסב אצל אביו, לזה קם יהונתן ממקומו לשבת במקום אבנר, והוא ישב במקום יהונתן מצד שאול, להיות הוא אמצעי בין שאול ליהונתן בנו. (ולא ישב אבנר במקום דוד ולהשאיר יהונתן במקומו, כי חשב פן יבוא עוד דוד וישב במקומו, ואף כי יהונתן ידע שלא יבוא, מכל מקום עשה עצמו בתחילה כלא יודע, עם שאמר בסוף שנשאל ממנו וכו', ומטעם זה ישב מתחילה במקומו, כאלו לא ידע): **ויפקד.** נחסר היה המקום מן היושב: **(כו) ולא דבר.** לא שאל מדוע לא בא דוד, כי חשב מקרה קרה לו שלא בא, ואותו מקרה בלתי טהור הוא, רצה לומר, שראה קרי ולזה לא בא, כי לא טהור הוא עדיין, כי לא טבל לקריו, ואין מהראוי לאכול בשלחן המלך הטמא והטהור יחדו: **(כז) ממחרת החדש השני.** רצה לומר, ממחרת ראש חדש, שהוא שני לחדש: **גם תמול.** כי חשב, אם היה מקרה, היה לו לבוא היום חלופו, עם שאין הדבר קבוע בכל יום מימות החול: **(כח) נשאל נשאל.** ממני שאל רשות ללכת עד בית לחם: **(כט) שלחני.** תן לי רשות ללכת: **זבח משפחה.** אותו היום היו בני משפחתו זובחים בעירו זבחי שלמים: **והוא צוה לי.** לבוא על הזבח, וחוזר ומפרש מי היה המצוה, ואמר אחי אליאב הבכור הוא היה המצוה: **אמלטה נא.** מעבודת המלך: **ואראה את אחי.** בשמחת הזבח: **על כן לא בא.** כי נתתי לו רשות ללכת, והלך לו: **(ל) בן נעות המרדות.** רצה לומר, כאשר אמך היא נפשעת בדבר המרידה למרוד בי, כן אתה בנה דומה לה לפשוע בדבר המרד:

מצודת ציון

(כה) ויפקד. מענין חסרון: **(כו) מאומה.** כלל לא: **בלתי.** ענינו כמו בל ולא: **(כט) אמלטה.** ענין הצלה והשמטה מדבר מה: **(ל) נעות.** מלשון עון ופשע: **המרדות.** מלשון מרד: **לבן ישי.** כמו בבן ישי, ובא הלמ"ד במקום הבי"ת, וכן יָשַׁבְתָּ לְכִסֵּא (תהלים ט, ה), ומשפטו, בכסא:

the arrows are beyond you!' then go, for [this is a signal that] HASHEM has sent you away. [23]*But this matter of which we have spoken, I and you — behold, HASHEM remains [witness] between me and you forever."*

An uneventful day

[24]*David concealed himself in the field. It was the New Moon and the king sat at the meal to eat.* [25]*The king sat at his seat as at other times, at the seat by the wall; Jonathan stood up and Abner sat at Saul's side, and David's place was empty.* [26]*Saul said nothing on that day, for he thought, "It is a coincidence; he must not be pure, for he has not been cleansed."*

[27]*It was the day after the New Moon, the second [day of the month], and David's place was empty. So Saul said to Jonathan, his son, "Why did the son of Jesse not come to the meal either yesterday or today?"*

[28]*Jonathan answered Saul, "David asked me for permission to go to Bethlehem.* [29]*He said, 'Please grant me leave, for we have a family feast-offering in the city, and he — my brother — summoned me; so now, if I have found favor in your eyes, please let me be excused that I may see my brothers.' That is why he did not come to the king's table."*

Saul reveals his hatred

[30]*Saul's anger flared up at Jonathan, and he said to him, "Son of a pervertedly rebellious woman! Do I not know that you choose the son of Jesse, to your own shame*

רד"ק

(נחמיה יג, ו): **(כט) זבח משפחה לנו.** כבר פירשתיו (לעיל ט, יב): **והוא צוה לי אחי.** פירוש אחי צוה לי ללכת שמה, והוא אליאב הבכור שחייב לכבדו ולשמוע למצותיו, ונראה כי כן היה דרכם באותם הימים להיות האח הקטן נשמע למצות האח הגדול כמו שנזכר למעלה בענין וַיִּחַר אַף אֱלִיאָב (לעיל יז, כח): **אמלטה נא.** אמלטה מעבודת המלך מעט ואלך לראות את אחי: **(ל) בן נעות המרדות.** בן סמוך לנעות כי הוא נקוד סגול, ונעות אמר על אמו שרשו עוה תאמר הנפעל נעות לזכר ונעוה לנקבה ובסמוך נעות והוא סמוך אל המרדות, כלומר מאמך היה לך זה שהיא מורדת ברצוני וכמו כן אתה מורד במה שאני רוצה ואוהב מה שאני שונא, ויונתן תרגם בַּר סַרְבָנְתָא דְמַרְדוּתָא קַשְׁיָא פירש נעות שם: **לבן ישי.** הלמד כמו הָרְגוּ לְאַבְנֵר (לקמן־ב ג, ל), או היא במקום בי"ת כלומר לפניכם לחרב:

23. Jonathan reiterates that the friendship between him and David will endure forever, no matter what Saul wants to do.

24-34. The king's intention is revealed. Jonathan carries out his plan to test his father's feelings toward David, and the results were even worse than he had feared.

25. וַיִּפָּקֵד מְקוֹם דָּוִד — *And David's seat was empty.* Although Jonathan was the crown prince, he did not sit next to Saul because in those days people ate while reclining on sofas and it is disrespectful for a son to recline next to his father. The normal protocol, therefore, was for David to sit at Saul's right, and Jonathan to sit next to David. Since David would not be at the banquet, Jonathan stood aside until Abner took the vacant seat next to the king, and then Jonathan sat next to Abner (*Rashi*). Alternatively, Jonathan did not want to sit next to Saul, lest the king become enraged at David's absence and lash out at Jonathan (*Radak*).

26. בִּלְתִּי טָהוֹר הוּא — *He must not be pure.* Saul attributed David's absence to an unexpected happening that had made him ritually impure. Since it was the custom of such righteous people to maintain themselves in a state of ritual purity as much as possible, Saul assumed that David had not been able to immerse himself in time for the banquet (*Rashi*).

The verse could have said simply טָמֵא הוּא, *he must be impure*, without the excess verbiage. This is one of the Scriptural proofs that, even though it is desirable not to be unnecessarily verbose, a person should accustom himself to avoid unrefined or negative expressions, even if it means he must use extra words (*Pesachim* 3a).

27-29. Since David was absent again, it was very unlikely that he was still impure or had become impure two days in a row, so Saul inquired about his whereabouts. Although David was his son-in-law, Saul did not use his name. Contemptuously, Saul referred to him as *the son of Jesse*, as if to say that he has no merits of his own, and is worthy of recognition only because of his father (*Pesikta Rabbasi*). Jonathan defended David, explaining that he had asked for permission to attend a family affair in Bethlehem.

Alternatively, Saul was alluding to the contrast between His own son and David. "David is absent because he is a *son of Jesse*; he loves his father so much that he insults me by going to visit him without even showing me the courtesy of taking leave. But you, Jonathan, are disloyal to *your* father, by showing such devotion to my enemy." To this Jonathan replied that David had asked him for permission since his older brother had summoned him and a person must respect his older brother (*Kli Yakar*).

27. The chassidic master *R' Mendel of Kossov* interpreted the verse homiletically, as a universal question and answer. Jews ask, Why has the Messiah — *the son of Jesse* — not yet come? The answer is *because of the meal*, i.e., because Jews are preoccupied with their physical and material concerns.

30. Jonathan's defense of David infuriated Saul, and he lashed out violently, both verbally and physically. For the first time he said explicitly that David deserves the death penalty, a statement that shocked and frightened Jonathan and that necessitated David becoming a fugitive for the rest of Saul's reign.

בֶּן נַעֲוַת הַמַּרְדּוּת — *Son of a pervertedly rebellious woman.*

לא וּלְבֹשֶׁת עֶרְוַת אִמֶּךָ׃ כִּי כָל־הַיָּמִים אֲשֶׁר בֶּן־יִשַׁי חַי עַל־הָאֲדָמָה לֹא תִכּוֹן אַתָּה
לב וּמַלְכוּתֶךָ וְעַתָּה שְׁלַח וְקַח אֹתוֹ אֵלַי כִּי בֶן־מָוֶת הוּא׃ וַיַּעַן יְהוֹנָתָן
לג אֶת־שָׁאוּל אָבִיו וַיֹּאמֶר אֵלָיו לָמָּה יוּמַת מֶה עָשָׂה׃ וַיָּטֶל שָׁאוּל אֶת־הַחֲנִית עָלָיו
לד לְהַכֹּתוֹ וַיֵּדַע יְהוֹנָתָן כִּי־כָלָה הִיא מֵעִם אָבִיו לְהָמִית אֶת־דָּוִד׃ וַיָּקָם
יְהוֹנָתָן מֵעִם הַשֻּׁלְחָן בָּחֳרִי־אָף וְלֹא־אָכַל בְּיוֹם־הַחֹדֶשׁ הַשֵּׁנִי לֶחֶם כִּי נֶעְצַב
לה אֶל־דָּוִד כִּי הִכְלִמוֹ אָבִיו׃ וַיְהִי בַבֹּקֶר וַיֵּצֵא יְהוֹנָתָן הַשָּׂדֶה לְמוֹעֵד דָּוִד
לו וְנַעַר קָטֹן עִמּוֹ׃ וַיֹּאמֶר לְנַעֲרוֹ רֻץ מְצָא־נָא אֶת־הַחִצִּים אֲשֶׁר אָנֹכִי מוֹרֶה הַנַּעַר
לז רָץ וְהוּא־יָרָה הַחֵצִי לְהַעֲבִרוֹ׃ וַיָּבֹא הַנַּעַר עַד־מְקוֹם הַחֵצִי אֲשֶׁר יָרָה יְהוֹנָתָן
לח וַיִּקְרָא יְהוֹנָתָן אַחֲרֵי הַנַּעַר וַיֹּאמֶר הֲלוֹא הַחֵצִי מִמְּךָ וָהָלְאָה׃ וַיִּקְרָא יְהוֹנָתָן
אַחֲרֵי הַנַּעַר מְהֵרָה חוּשָׁה אַל־תַּעֲמֹד וַיְלַקֵּט נַעַר יְהוֹנָתָן אֶת־ החצי [הַחִצִּים ק׳]
לט וַיָּבֹא אֶל־אֲדֹנָיו׃ וְהַנַּעַר לֹא־יָדַע מְאוּמָה אַךְ יְהוֹנָתָן וְדָוִד יָדְעוּ אֶת־הַדָּבָר׃
מ־מא וַיִּתֵּן יְהוֹנָתָן אֶת־כֵּלָיו אֶל־הַנַּעַר אֲשֶׁר־לוֹ וַיֹּאמֶר לוֹ לֵךְ הָבֵיא הָעִיר׃ הַנַּעַר בָּא
וְדָוִד קָם מֵאֵצֶל הַנֶּגֶב וַיִּפֹּל לְאַפָּיו אַרְצָה וַיִּשְׁתַּחוּ שָׁלֹשׁ פְּעָמִים וַיִּשְׁקוּ ׀ אִישׁ אֶת־

רש"י

(לד) נעצב אל דוד. בשביל דוד: **כי הכלמו אביו.** בשביל דוד: **(לה) למועד דוד.** למועד אשר קבע לו דוד: **(לו) להעברו.** החצי עבר את הנער: **(מא) מאצל הנגב.** (תרגום), מִסְּטַר אֶבֶן אָתָא דְלָקֳבֵיל דָרוֹמָא: **עד דוד הגדיל.** הרבה לבכות: **(מב) לך לשלום.** והשבועה אשר נשבענו, ה׳ יהיה עד עליה עד עולם:

רד"ק

לבשתך ולבשת ערות אמך. עתה יאמרו השומעים שאתה אוהב אדם שאני שונא כי אינך בני, ויהיה זה בשתך ובושת ערות אמך שיאמרו שזנתה: **(לג) כי כלה.** כלומר נגמר הדבר בלב אבי להמית את דוד: **(לד) מעם השלחן.** כמו מעם ברכיו: **ביום החדש השני.** תרגומו ביום עִבּוּר יַרְחָא תִּנְיָנָא: **כי נעצב.** נפעל עבר כי הוא פתוח: **כי הכלמו אביו.** כלומר על שני דברים לא אכל לחם, כי נעצב בעבור דוד ובעבור שהכלימו אביו בדבור ובמעשה: **(לה) למועד דוד.** כתרגומו לִזְמְנָא דַאֲמַר לֵיהּ דָּוִד, והוא יום השלישי להסתרו בשדה, ואף על פי שהוא אמר לו בערב והוא הלך אליו בבקר לא היה צריך להמתין עד הערב כי כבר ראה לב אביו: **(לו) להעברו.** ירה החצי בכח להעבירו המטרה והיא האבן האזל, ועשה זה כדי שיוכל לומר החצי ממך והלאה כי שמא יבא אדם בין כך ולא יוכל להתחבר עם דוד וישמע דוד הסימן, וכאשר ראה כי לא בא אדם שם אמר לנער שימהר ויבא העיר כדי שיוכל להתחבר עם דוד ולדבר עמו פנים בפנים: **(לח) וילקט נער יהונתן את החצי.** החצי כתיב וקרי הַחִצִּים, הכתיב הוא לשון יחיד כי נראה שחץ לבד ירה כמו שאמר הֲלֹא הַחֵצִי (פסוק לז), וקרי החצים להודיע כי חצים שלשה ירה כמו שאמר שְׁלֹשֶׁת הַחִצִּים צִדָּה אוֹרֶה (פסוק כ): **(מ) את כליו.** קשתו וחציו: **(מא) קם מאצל הנגב.** כי שמע שאמר לנער שיבא העיר וידע כי אין שם אדם אחר, ולפיכך אמר לנער שילך לו כדי שידבר עמו וקם ממקום הסתר, ופירושו מֵאֵצֶל הַנֶּגֶב כתרגומו קָם מִסְּטַר אֶבֶן אָתָא דְלָקֳבֵיל דָרוֹמָא, כלומר כי דוד היה נסתר אצל האבן לצד דרומה של אבן כמו שאמר וְיָשַׁבְתָּ אֵצֶל הָאֶבֶן הָאָזֶל (פסוק יט), ויונתן שם למטרה האבן לצד צפונה שלא יראה הנע׳ את דוד בלקטו החצים: **עד דוד הגדיל.** לבכות יותר מיהונתן: **(מב) אשר נשבענו.** וזכור אשר נשבענו שנינו אנחנו והכפל לחזק הענין, וכן וּפָנִיתִי אֲנִי (קהלת ב, יא) וְרָאִיתִי אָנִי (שם שם יג) והדומי׳ להם שכתבנו בספר מכלל מבנין פועל הדגוש:

מצודת דוד

הלוא ידעתי. מאז ידעתי שאתה בוחר בבן ישי להיות מולך, וזה לבשתך ולבושת הגלות דופי אמך, כי הלא יאמרו הבריות, אין זה כי אם זנתה אמו והוא אינו בן שאול, ולזה יאהב לשונאי שאול: **(לא) כי כל הימים.** רצה לומר, כי אם לא בחרת בו שימלוך הוא, לא היית מצילו מידי, כי כל ימי חייו לא תתקיים, לא אתה ולא המלכות: **ועתה שלח.** הואיל ואתה נתת לו רשות ללכת, עליך להשיבו, כי הוא בן מות, ואמיתנו: **(לב) מה עשה.** אם ה׳ המליכו, מה עשה הוא: **(לג) כי כלה היא.** רצה לומר, סוף גמר דעת אביו הוא להמיתו: **(לד) ביום החדש השני.** רצה לומר, ביום השני להחדש: **אל דוד.** בראותו כי כלתה אליו הרעה: **כי הכלמו.** ובעבור כי הכלימו אביו שקראו בן נעות המרדות, והטיל עליו החנית: **(לה) ויהי בבקר.** ביום השלישי מהחדש, ולא ביום השני כאשר קבעו, כי חשב פן ירגיש מי בדבר, ולזה הלך בבוקר שאז הדרך לעשות טיול ולירות בחצים, ובעל כרחו ישב שם דוד עד בואו: **למועד דוד.** אל המקום המיועד, אשר דוד נועד להסתר בה: **(לו) הנער רץ.** אחר שירה החץ הראשון, רץ הנער אחריו, ובעודו רץ, ירה השני להעביר אותו להלאה מהחץ הראשון: **(לז) עד מקום החצי.** אשר ירה בראשונה: **הלוא החצי.** אשר יריתי באחרונה, הלא היא ממך והלאה: **(לח) מהרה חושה.** רוץ מהר אחר השניה, ולא תעמוד במקום הראשונה: **את החצים.** הראשונה והשניה: **(לט) לא ידע מאומה.** מהסימן הנעשה בירית אלו החצים: **(מ) את כליו.** הקשת והחצים: **(מא) הנער בא.** רצה לומר, הלך לבוא העירה: **ודוד קם.** היות מתחלה היו שם אנשים, ולא היה יכול לדבר עם דוד פנים אל פנים וכאשר חשש מזה מאז, ולכך עשה הסימן עם החצים, וכאשר גמר הסימן, הלכו להם האנשים, ושלח גם הוא את הנער, וכאשר שמע דוד בשלחו את הנער, הבין בדבר שאין שם איש, וקם ממקומו והלך אליו: **מאצל הנגב.** מצד הדרומי של אבן האזל, ויהונתן ירה החצים מול צד הצפוני: **לאפיו.** על פניו: **את רעהו.** עם רעהו, על כי היה קשה להם הפרידה: **עד דוד הגדיל.** הרבה לבכות יותר מיהונתן: **(מב) אשר נשבענו.** כאומר זכור תזכור אשר נשבענו ואמרנו, ה׳ יהיה לעד ביני ובינך וכו׳

מצודת ציון

ערות. ענינו הגלות הדופי, כמו עֶרְוַת דָּבָר (דברים כד, א): **(לא) תכון.** מלשון הכנה וקיום: **בן מות.** איש מות: **(לג) ויטל.** השליך: **(לה) למועד.** מקום המיועד וקבוע, וכאשר יאמר על זמן קבוע, כמו כן יאמר על מקום קבוע, וכן וּבֵית מוֹעֵד לְכָל חָי (איוב ל, כג): **(לו) מורה.** מלשון יריה והשלכה: **(לז) אחרי הנער.** רצה לומר אל הנער כשהוא אחריו: **(לח) חושה.** גם הוא ענין מהירות, כמו חוּשָׁה לְעֶזְרָתִי (תהלים לח, כג), וכפל הדבר במלות שונות: **(מא) הגדיל.** מלשון גודל ורבוי:

and the shame of your mother's nakedness? [31]*For all the days that the son of Jesse is alive on the earth, you and your kingdom will not be established! And now send and bring him to me, for he is deserving of death!"*

[32]*But Jonathan spoke up to his father Saul, and said to him, "Why should he die? What has he done?"*

[33]*Saul hurled his spear at him to strike him. Jonathan then realized that his father had decided to kill David.* [34]*Jonathan arose from the table enraged; he did not partake of food on that second day of the month, for he was saddened over David, and because his father had humiliated him.*

The dear friends' emotional parting

[35]*It happened the next morning that Jonathan went out to the field for the meeting with David, and a young attendant was with him.* [36]*He said to his attendant, "Please run and find the arrows that I shoot." The attendant ran, and he shot the arrow to go beyond him.* [37]*The attendant arrived at the place of the arrow that Jonathan had shot, and Jonathan called out after the attendant and said, "Is not the arrow beyond you?"* [38]*Jonathan then called out after the attendant, "Quickly, hurry, do not stand still!" Jonathan's attendant gathered the arrows and came to his master.* [39]*The attendant knew nothing; only Jonathan and David understood the matter.* [40]*Jonathan gave his equipment to his attendant and said to him, "Go, bring it to the city."*

[41]*The attendant went and David stood up from near the south [side of the stone], and he fell on his face to the ground and prostrated himself three times. Each man kissed the*

Apparently, Saul's wife was an independent-minded and rebellious person, whose behavior carried over to her son (*Radak*). Indeed, the Midrash states that when the surviving men of Benjamin were encouraged to take wives for themselves (*Judges* 20:20-22), Saul was too shy to do so, and his wife took the initiative in selecting him to be her husband. Saul seized on this "lack of shame" on her part to characterize Jonathan's behavior in the matter of David (*Rashi*).

According to *Malbim*, Saul's epithet referred to Jonathan, not the queen, as in בֶּן עִיר, *a city person.* Thus Saul criticized Jonathan as *a perverted and rebellious son*, because it is understandable that a slave might rebel against his master, but how can a son rebel against his father by befriending a pretender to the throne!

וּלְבֹשֶׁת עֶרְוַת אִמֶּךָ — *And the shame of your mother's nakedness.* People seeing you support my enemy will assume that you were born of an adulterous relationship, and are not really my son (*Radak*).

33. וַיָּטֶל שָׁאוּל...לְהַכֹּתוֹ — *Saul hurled . . . to strike him.* The Talmud (*Arachin* 16b) implies that Saul wanted to strike Jonathan, but not kill him. In the plain sense of the verse, the commentators interpret that Saul was so enraged that he actually tried to kill his own son (*Abarbanel*). Apparently Saul felt that just as David was a rebel and thus worthy of the death penalty, so was Jonathan as a party to the conspiracy.

Up to now Jonathan felt that Saul's pursuit of David was induced by his melancholy, an illness for which he could not be blamed. Now, however, Saul was entirely rational during his heated argument with Jonathan, so it was now clear that David was in mortal danger at all times (*Kli Yakar*).

Although Saul had sworn not to kill David, and surely would not violate his oath if he were rational, perhaps he went to a court and had his oath nullified, once he became convinced that David was a traitor.

34. Jonathan was so affected by Saul's outburst that he could not remain at the table. Apparently — even according to *Abarbanel* that his father had actually tried to kill him — Jonathan did not run for his life, for he did not expect Saul to follow up on his intention. He was *enraged* and *saddened*, but not afraid.

According to *Ralbag*, the verse lists Jonathan's motivations in order: his chief concern was for David; only secondarily was he concerned over his personal humiliation.

⁂ Jonathan signals David to leave. Dejectedly, Jonathan went to the field to signal David, as he had promised three days earlier. In addition to shooting the arrows over the head of his servant, Jonathan shouted a message to his servant, but it was clearly meant for David: *"Quickly, hurry, do not stand still!"* which let David know the gravity of the danger.

40. לֵךְ הָבֵיא הָעִיר — *Go, bring it to the city.* Originally, David and Jonathan agreed on the signal of the arrows, because they expected too many people to be there for them to meet in person. As it developed, only Jonathan's servant was there, so all Jonathan had to do was dismiss him and the two friends could safely make their emotional farewell.

41-42. Jonathan's words exemplify the nobility of his character. He said not a word about his father's conduct; tale bearing was not necessary to his mission of saving David's life. David, for his part, showed his gratitude and respect for the man who was not only his dearest friend, but also his

מב רֵעֵ֙הוּ֙ וַיִּבְכּוּ֙ אִ֣ישׁ אֶת־רֵעֵ֔הוּ עַד־דָּוִ֖ד הִגְדִּֽיל׃ וַיֹּ֧אמֶר יְהוֹנָתָ֛ן לְדָוִ֖ד לֵ֣ךְ לְשָׁל֑וֹם אֲשֶׁ֙ר נִשְׁבַּ֜עְנוּ שְׁנֵ֣ינוּ אֲנַ֗חְנוּ בְּשֵׁ֤ם יהוה֙ לֵאמֹ֔ר יהוה֙ יִהְיֶ֣ה ׀ בֵּינִ֣י וּבֵינֶ֔ךָ וּבֵ֥ין זַרְעִ֛י וּבֵ֥ין זַרְעֲךָ֖ עַד־עוֹלָֽם׃

כא

א וַיָּ֖קָם וַיֵּלַ֑ךְ וִיהוֹנָתָ֖ן בָּ֥א הָעִֽיר׃ ב וַיָּבֹ֤א דָוִד֙ נֹ֔בֶה אֶל־אֲחִימֶ֖לֶךְ הַכֹּהֵ֑ן וַיֶּחֱרַ֨ד אֲחִימֶ֜לֶךְ לִקְרַ֣את דָּוִ֗ד וַיֹּ֤אמֶר לוֹ֙ מַדּ֤וּעַ אַתָּה֙ לְבַדֶּ֔ךָ וְאִ֖ישׁ אֵ֥ין אִתָּֽךְ׃ ג וַיֹּ֨אמֶר דָּוִ֜ד לַאֲחִימֶ֣לֶךְ הַכֹּהֵ֗ן הַמֶּ֜לֶךְ צִוַּ֣נִי דָבָר֮ וַיֹּ֣אמֶר אֵלַי֒ אִ֣ישׁ אַל־יֵ֤דַע מְא֙וּמָה֙ אֶת־הַדָּבָ֛ר אֲשֶׁר־אָנֹכִ֥י שֹׁלֵֽחֲךָ֖ וַאֲשֶׁ֣ר צִוִּיתִ֑ךָ וְאֶת־הַנְּעָרִ֣ים יוֹדַ֔עְתִּי אֶל־מְק֥וֹם פְּלֹנִ֖י אַלְמוֹנִֽי׃ ד וְעַתָּ֗ה מַה־יֵּ֧שׁ תַּֽחַת־יָדְךָ֛ חֲמִשָּׁה־לֶ֖חֶם תְּנָ֣ה בְיָדִ֑י א֖וֹ הַנִּמְצָֽא׃ ה וַיַּ֨עַן הַכֹּהֵ֤ן אֶת־דָּוִד֙ וַיֹּ֔אמֶר אֵין־לֶ֥חֶם חֹ֖ל אֶל־תַּ֣חַת יָדִ֑י כִּֽי־אִם־לֶ֤חֶם קֹ֙דֶשׁ֙ יֵ֔שׁ אִם־נִשְׁמְר֥וּ הַנְּעָרִ֖ים אַ֥ךְ מֵאִשָּֽׁה׃ ו וַיַּ֩עַן֩ דָּוִ֨ד אֶת־הַכֹּהֵ֜ן וַיֹּ֣אמֶר ל֗וֹ כִּ֣י אִם־אִשָּׁ֤ה עֲצֻֽרָה־לָ֙נוּ֙ כִּתְמ֣וֹל שִׁלְשֹׁ֔ם בְּצֵאתִ֕י וַיִּהְי֥וּ כְלֵֽי־הַנְּעָרִ֖ים קֹ֑דֶשׁ וְהוּא֙ דֶּ֣רֶךְ חֹ֔ל וְאַ֕ף כִּ֥י הַיּ֖וֹם יִקְדַּ֥שׁ

רש"י

(ג) **ואת הנערים יודעתי.** לשון טורח, הנערים אשר יאותו עמי, הטרחתים לרוץ לפני אל מקום פלוני אלמוני: **יודעתי.** כמו וַיֹּדַע בָּהֶם אֵת אַנְשֵׁי סֻכּוֹת (שופטים ח, טז): **פלני אלמוני.** אלמון מאין שם, שאיני חפץ להזכיר, כי דבר סתר הוא: **פלני.** כמו כי יִפָּלֵא, (דברים יז, ח), (תרגם) יִתְכַּסֵּה: (ד) **או הנמצא.** אם אין חמשה, תן לי מה שנמצא בידך: (ה) **אך מאשה.** בקושי אני מאכילן לזרים, אך זה אי אפשר שאכילנו לטמאים: (ו) **עצרה לנו.** עצורה ממנו: **ויהיו כלי הנערים קדש.** טהורים: **והוא דרך חל.** והלחם משנסתלק מעל השולחן והקטירו הבזיכין, קרוב הוא להיות חולין, שיצא מידי מעילה משיהיה לו שעת היתר לכהנים:

רד"ק

(ב) **נבה.** אל נוב והה"א נוספת לפיכך הטעם מלעיל: **ויחרד.** הגידו לו שהיה בא דוד וחרד ויצא לקראתו, והוא לשון תנועה כמו וַיֶּחֶרְדוּ זִקְנֵי הָעִיר לִקְרָאתוֹ (לעיל טז, ד) יֶחֶרְדוּ כְצִפּוֹר מִמִּצְרַיִם (הושע יא, יא), ויתכן לפרשו כמשמעו ענין חרדה ופחד לפי שהיה בא לבדו פחד וחרד לקראתו מה היה הענין בואו לבדו, וכן תרגם יונתן וְאִיתְבְּעִית: (ג) **יודעתי.** כמו הודעתי, או הוא מן הדומה למרובע ופירוש הודעתי אותם שילכו לפני ואמצא אותם במקום פלוני, ופירוש פְּלֹנִי אַלְמוֹנִי מקום מכוסה ונסתר פלוני מן כי יפלא ממך דבר אלמוני מן אלם כלומר מקום שלא ידובר בו, ותרגומו וְיַת עוּלֵימַיָּא שְׁלָחִית קֳדָמַי לְאֲתַר כַּסִּי וְטָמִיר: (ה) **לחם קדש.** פירש אדוני אבי ז"ל לחמי תודה, שיוכל זר לאוכלו בטהרה: **אם נשמרו הנערים.** דרך כבוד רצה לומר אם נשמרת, וכמוהו וְיָרְדוּ כָל עֲבָדֶיךָ אֵלֶּה אֵלַי (שמות יא, ח): (ו) **כי אם אשה עצרה לנו.** אפילו היתה אשה עצורה עמנו כתמול שלשום בצאתי טהרנו עצמנו: **ויהיו כלי הנערים.** כלומר בגדיהם קדש: **והוא דרך חל.** כלומר אף על פי שיצאנו דרך חול שלא היינו סבורים שהיינו צריכים ללחם קדש, אף על פי כן טהרנו עצמנו כדרך בני אדם שדעתם לצאת לדרך: **ואף כי היום יקדש בכלי.** פירוש כל שכן היום שיהיה עמנו לחם קדש שנשמר בו ונזהר שיהיה בקדושתו בכלי:

מצודת דוד

(א) **ויקם וילך.** על דוד יאמר: (ב) **ויחרד.** מיהר בחרדה ללכת לקראתו: **מדוע אתה לבדך.** שאין מהראוי לשר וגדול ללכת יחידי: (ג) **אשר וכו'.** רצה לומר, לא מה שהמלך שלחני, ולא מדבר השליחות אשר צוני, ולזה באתי הנה יחידי: **ואת הנערים.** המשרתים שלי, הודעתי אותם ללכת אל מקום פלוני אלמוני, רצה לומר, הנסתר והמכוסה ואין לגלותה, ושמה ימתינו עד בואי: (ד) **ועתה.** הואיל ומהלכי היא בסוד, אין להמציא לי לחם מזולת, לזאת מה יש מהלחם תחת ידך, אם חמשה תנה בידי: **או הנמצא.** רצה לומר, ואם אין חמשה בידך, תן הנמצא ואם פחות מחמשה: (ה) **לחם קדש.** לחם הפנים היו, וכבר נסתלקו מהשלחן והוקטרו הבזיכין: **אם נשמרו הנערים.** הם הנערים שאמר דוד ששלחם אל מקום פלוני אלמוני, וחשב שהאמת אתו ולהם יביא הלחם: **אך מאשה.** כאלו אמר אך אם נשמרו הנערים מאשה, רצה לומר, מטומאת קרי, ואף שהלחם ההוא אסור לזרים, מכל מקום רצה להאכילם מחמת גודל הרעבון, אולם דוקא לטהורים: (ו) **כי אם אשה עצרה לנו.** רצה לומר, לא כמו שתחשוב אתה שאין אנו נשמרים מאשה, לא כן היא, כי אם אשה מנועה מאתנו מן כעת תמול השלישי בזמן צאתי מביתי, ואף בגדי הנערים המה טהורים וראוים לקודש, כי טהרו אותם: **והוא דרך חל.** והלחם ההוא משנסתלק מעל השלחן וקרבו הבזיכין, קרוב הוא להיות חולין, כי יצא מידי מעילה משיש בו היתר לכהנים: **ואף כי היום וכו'.** רצה לומר, ואפילו אם היום היתה תחילת קדושתו על השלחן, ועדיין יש בו מעילה, עם כל זאת מותר לי לאכלם, כי אחזו בולמוס, והוא חולי הרעבון, והכל מותר משום פקוח נפש, כן פירשו רבתינו במנחות (צה, ב):

מצודת ציון

(ב) **נבה.** היא נוב, והה"א בסופה, במקום למ"ד בתחילתה: (ג) **יודעתי.** כמו הודעתי: **פלני.** מלשון פלא ומכוסה: **אלמוני.** מלשון, אלם, ורצה לומר אין לגלות המקום ולאומרה, כאלם לא יפתח פיו, וכן אֶל מְקוֹם פְּלֹנִי אַלְמֹנִי תַּחֲנֹתִי (מלכים־ב ו, ח): (ד) **תחת ידך.** רוצה לומר ברשותך: (ה) **חל.** חולין: (ו) **עצרה.** מנועה, כמו וְעָצַר אֶת הַשָּׁמַיִם (דברים יא, יז): **לנו.** רצה לומר מעמנו: **כתמול שלשם.** רצה לומר כתמול השלישי שלפני היום: **דרך חל.** רוצה לומר ענין חולין:

prince. They reaffirmed their vow of loyalty and parted, surely with the hope that they would meet again without fear. It was not to be.

21.

1-10. The Sanctuary at Nob. After the Tabernacle at Shiloh was destroyed by the Philistines, a stone sanctuary was erected in Nob, in the province of Benjamin. It contained the original Copper Altar of Moses, but the Holy Ark was still in Kiriath-Jearim, where it remained for twenty years after its return by the Philistines (7:2). During the years when the Sanctuary was at Nob, it was permitted for individuals to bring personal offerings at private altars, but the communal offerings, such as the daily *tamid*, could be brought only at

other and they wept with one another, until David [wept] greatly. [42]Jonathan said to David, "Go to peace. What the two of us have sworn in the Name of HASHEM — saying, 'HASHEM shall be [a witness] between me and you, and between my offspring and your offspring' — shall be forever!"

21 **SAUL'S WAR AGAINST DAVID** 21:1-24:23

[1][David] arose and left, and Jonathan came back to the city. [2]David came to Nob, to Ahimelech the Kohen. Ahimelech hurried to greet David, and said to him, "Why are you alone, with no one accompanying you?"

A hungry David requests food

[3]David said to Ahimelech the Kohen, "The king ordered me on a mission, and told me, 'No man may know anything about the matter for which I have sent you and commanded you.' Thus, I informed my attendants to be at a certain secret place. [4]And now, what do you have available? Five loaves of bread? Give them — or whatever there is — into my hand."

[5]The Kohen answered David, saying, "I have no ordinary bread available; there is only sacred bread, provided that your attendants have kept themselves from women."

[6]David answered the Kohen, and said to him, "Women have been withheld from us yesterday and the day before; [moreover], when I left, the garments of the attendants were pure, even though this is a mundane mission — surely today it will remain

---

Nob (see *ArtScroll* Mishnah *Zevachim* 14:6-7). In his flight from Saul, David now came to Nob where he was helped by the Kohanim, whom he told that he was on a mission for King Saul.

2. וַיָּבֹא דָוִד נֹבֶה — *David came to Nob.* David went there to pray and seek God's guidance (*Abarbanel*).

2-3. Ahimelech, the Kohen Gadol, was taken aback when he saw David alone, since a man of his stature and authority would normally travel with escorts. David replied that he was on a secret mission and was to rendezvous with his attendants at his destination. The secrecy of the mission explained why David was alone and why he had left the palace without food.

Noting that David's lack of food resulted in a great national tragedy (Ch. 22), the Talmudic sage Rav observes that if Jonathan had had the foresight to supply David with but two loaves of bread, the entire catastrophic chain of events would not have happened (*Sanhedrin* 104a).

4. David was ravenously hungry since he had not eaten since he went into hiding to await Jonathan's signal in the field. Therefore, he made his request with urgency. *Metzudos* comments that David's mention of the secrecy of his mission explained why he needed Ahimelech to provide the bread; he could not reveal himself to the public.

5-7. אֵין לֶחֶם חֹל אֶל תַּחַת יָדִי — *I have no ordinary bread available.* The town of Nob was inhabited exclusively by Kohanim, whose staple food was *terumah*, the priestly gift that is permitted only to Kohanim; a non-Kohen who eats it is liable to מִיתָה בִּידֵי שָׁמַיִם, *death through the hand of Heaven.* The only other bread in the city was sacred, either the לֶחֶם הַפָּנִים, *show-bread*, which is placed on the שֻׁלְחָן, *Table*, in the holy area of the Sanctuary every Sabbath (*Leviticus* 24:5-9), or the לַחְמֵי תוֹדָה, the forty loaves that are brought with *todah* [thanksgiving] offerings. David told Ahimelech that he was so famished that it was a matter of life and death for him to eat, so that he would be permitted to eat even sacred bread. Ahimelech's dilemma was to decide which sacred bread to give him. The worst choice was *terumah* because of the stringency of the prohibition.

Radak cites the comment of his father (*R' Moshe Kimchi*) that Ahimelech gave David breads from *todah* [thanksgiving] offerings, since non-Kohanim are allowed to eat them, provided they are ritually pure. *Radak* himself comments that, as implied by verse 7, Ahimelech gave him the previous week's *lechem hapanim* [show-bread], after its sacrificial service had been completed. However, he first received David's assurance that it would be eaten in a state of ritual purity.

5. אִם נִשְׁמְרוּ הַנְּעָרִים אַךְ מֵאִשָּׁה — *Provided that your attendants have kept themselves from women.* Cohabitation would render them impure and forbidden to eat sacred bread (*Leviticus* 15:18).

Although Ahimelech spoke of David's attendants, he really meant David himself, as well, but as a matter of respect and delicacy, he did not mention David directly. David understood; although he assured Ahimelech regarding his attendants, he meant that he, too, was pure (*Ralbag*).

6. David assured Ahimelech that even though the nature of his mission did not require ritual purity, his attendants had immersed even their clothing and surely themselves (*Radak*).

ז בַּכֶּלִי: וַיִּתֶּן־לוֹ הַכֹּהֵן קֹדֶשׁ כִּי לֹא־הָיָה שָׁם לֶחֶם כִּי־אִם־לֶחֶם הַפָּנִים הַמּוּסָרִים
ח מִלִּפְנֵי יהוה לָשׂוּם לֶחֶם חֹם בְּיוֹם הִלָּקְחוֹ: וְשָׁם אִישׁ מֵעַבְדֵי שָׁאוּל בַּיּוֹם הַהוּא
ט נֶעְצָר לִפְנֵי יהוה וּשְׁמוֹ דֹּאֵג הָאֲדֹמִי אַבִּיר הָרֹעִים אֲשֶׁר לְשָׁאוּל: וַיֹּאמֶר דָּוִד
לַאֲחִימֶלֶךְ וְאִין יֶשׁ־פֹּה תַחַת־יָדְךָ חֲנִית אוֹ־חָרֶב כִּי גַם־חַרְבִּי וְגַם־כֵּלַי לֹא־
י לָקַחְתִּי בְיָדִי כִּי־הָיָה דְבַר־הַמֶּלֶךְ נָחוּץ: וַיֹּאמֶר הַכֹּהֵן חֶרֶב גָּלְיָת הַפְּלִשְׁתִּי
אֲשֶׁר־הִכִּיתָ ׀ בְּעֵמֶק הָאֵלָה הִנֵּה־הִיא לוּטָה בַשִּׂמְלָה אַחֲרֵי הָאֵפוֹד אִם־אֹתָהּ
תִּקַּח־לְךָ קָח כִּי אֵין אַחֶרֶת זוּלָתָהּ בָּזֶה וַיֹּאמֶר דָּוִד אֵין כָּמוֹהָ תְּנֶנָּה לִּי:

רש״י

ואף כי היום יקדש בכלי. ואפילו אם היום היתה תחלת קדושתו על השלחן, הייתי זקוק ליטלו משם ולהאכילנו, שאחזו בולמוס ומסוכן הוא, כך מפורש במנחות צה, ב: **(ז) לשום לחם חם.** אחר, ביום הלקח זה. ורבותינו אמרו (יומא כא, א), חם ביום הלקחו, חם ביום סלוקו, חם כיום סדורו: **(ח) נעצר לפני ה׳.** עוצר עצמו לפני אהל מועד, לעסוק בתורה: **אביר הרעים.** אב בית דין: **(ט) ואין יש פה.** ואם יש פה: **נחוץ.** בבהילות: **(י) לוטה.** כרוכה, וכן וַיָּלֶט פָּנָיו בְּאַדַּרְתּוֹ (מלכים־א יט, יג): **אחרי האפוד.** אחר ששאלו באורים ותומים, אמר לו כן. וכן תרגם יונתן, בָּתַר דְּשָׁאִיל לֵיהּ בְּאֵפוֹדָא:

רד״ק

(ז) ויתן לו הכהן קדש. לחם קדש כלומר לחמי תודה, כי לא היה שם לחם אחר אלא לחם הפנים המוסרים מלפני ה׳ ואותו אסור לזרים, לפיכך נתן לו לחמי תודה כי לא היה שם לחם חולין כך פירוש אדוני אבי זכרונו לברכה, ורבותינו זכרונם לברכה פירשו (מנחות צה, ב) כי לחם הפנים נתן לו, ופירשו וְהוּא דֶּרֶךְ חֹל על לחם הפנים, כי אחר הקטרת בזיכים היה כמו שאמר הַמּוּסָרִים מִלִּפְנֵי ה׳, ואין מעילה בלחם הפנים אחר הקטרת בזיכים, ופירוש וְאַף כִּי הַיּוֹם יִקְדַּשׁ בַּכֶּלִי (פסוק ו), אין צריך לומר זה שנוכל לאכלו כי רעבים אנחנו ומסוכנים, אלא אפילו זה שהושם עתה על השלחן שהוא קדוש בכלי שהשלחן מקדשו ויש בו מעילה, אף על פי כן נוכל לאכלו מאחר שאין לך לחם אחר שתתן לנו ואנחנו רעבים ומסוכנים, ואמרו שאחזו לדוד חולי הנקרא בולמוס מחמת רעב ואין לך דבר שעומד בפני פיקוח נפש אלא עבודת אלילים וגלוי עריות ושפיכות דמים: **לשום לחם חם.** חום תואר בפלס מָעוֹז לַתֹּם דֶּרֶךְ ה׳ (משלי י, כט) ופירושו כי בעת שהיו לוקחים אותו מעל השלחן היו משימין עליו האחר חם כמו שאמרו (שבת קלג, ב) טפחו של זה בצד טפחו של זה שנאמר לֶחֶם פָּנִים לְפָנַי תָּמִיד (שמות כה, ל) שלא יהא שלחן בלא לחם, ופירוש בְּיוֹם הִלָּקְחוֹ בעת הלקחו, כמו בְּיוֹם הַכֹּתִי כָל בְּכוֹר (במדבר ג, יג) יוֹם צָעַקְתִּי בַלַּיְלָה נֶגְדֶּךָ (תהלים פח, ב), לפיכך אמר לשום כלומר היו מוסרים הראשונים לָשׂוּם במקומם אלו החדשים, ומה שאמר לָשׂוּם לֶחֶם חֹם יש לשאול איך היה חם ביום סדורו והלא לחם הפנים לא היתה אפייתו דוחה שבת ומערב שבת היו אופין אותו ומסדרין אותו בשבת כמו שכתוב בְּיוֹם הַשַּׁבָּת יַעַרְכֶנּוּ (ויקרא כד, ח), ועוד היאך נתן לו לחם הפנים ולחם הפנים ביום השבת שהיו מסלקין אותו היה נחלק בין משמר היוצא ומשמר הנכנס והיו אוכלין אותו, ודוד בודאי לא היה בא בדרך בשבת, ואם תאמר מפני סכנת נפשות היה בא בדרך בשבת עד שתמה עליו אחימלך ואמר לו מַדּוּעַ אַתָּה לְבַדֶּךָ (פסוק ב), היה לו לתמוה יותר איך היה בא בשבת, ועוד יש לשאול אם עם אחימלך לא היה לחם חול לא היה בכל העיר לחם חול שישאל דוד מאחד מבני העיר עד שהוצרך אחימלך לתת לו לחם קדש, ואם תאמר לא רצה דוד לגלות עצמו בעיר ובסתר בא אל אחימלך היה לו לאחימלך לבקש לחם חול מאחד מבני העיר להאכיל לישראל, וכי היו חוקרים לאחימלך בעבור מי מבקש אותו, ותשובת אלו השאלות כי נוב עיר הכהנים, היתה כלה כהנים לפיכך נקראת עיר הכהנים, ולפיכך צוה שאול להרוג כל העיר כי לא היה לו קצף אלא על הכהנים בעבור אחימלך, וכיון שהיתה כלה כהנים ולא היה ישראל זר שוכן ביניהם היו כל העיר אוכלי תרומה והתרומה היא לזרים בעון מיתה, והמסוכן מחמת רעב מאכילין אותו דבר האסור אם אין לנו מותר, ומשני דברים האסורין מאכילין אותו הקל לפיכך נתן לו אחימלך לחם הפנים המוסרים מלפני ה׳ שאין בהם מעילה אחר הקטרת בזיכי לבונה, ודוד בודאי בחול בא אל אחימלך, ואם תאמר כיון שבא בחול היאך היה לאחימלך לחם הפנים המוסרים מלפני ה׳ והלא כבר נאכל בשבת שעברה בין שני המשמרות, אפשר שמצא דוד ממנו שלא היה נאכל כלו כי שתים עשרה חלות היו שהיו נחלקות לכמה כהנים והיה מגיע לכל אחד דבר מועט כזית או יותר מעט עד שאמרו (יומא לט, א) כי הכהנים הצנועים היו מושכין את ידיהם והגרגרנים חולקין ואוכלין, ואחר שהצנועים מושכין את ידיהם ממנו ולא היו אוכלים היה נשאר ממנו פעמים אחר השבת, והנשאר שמצא דוד נתן לו אחימלך, ואם תאמר כי מה שהצנועים היו מניחין היו האחרים אוכלין, אפשר שהיו אוכלים חלקם וחלק הצנועים וכן פירשו (קידושין נג, א) חולקין חוטפין, ואפשר שהיה חלק הצנועים מונח, וכן אמרו מעשה באחד שחטף חלקו וחלק חבירו והיו קורין אותו בן חמצן נראה כי רובן לא היו עושין כן, והנכון לומר עוד כי חלק אחימלך נשאר כי כהן גדול היה חולק עם המשמרות בחלות שנאמר וְהָיְתָה לְאַהֲרֹן וּלְבָנָיו (ויקרא כד, ט) מחצה לאהרן ומחצה לבניו ומה שאמר לָשׂוּם לֶחֶם חֹם בְּיוֹם הִלָּקְחוֹ מצאנו מחלוקת בין רבותינו זכרונם לברכה (מנחות צה, ב) אם היו חלות אלה נאפות בשבת או בחול כי רבי יהודה אומר כי בשבת היו נאפות ולדבריו פשוט הוא כי חם היה הלחם בעת סדורו, ולדברי חכמים שאומרים כי לא היתה אפייתו דוחה את השבת ומערב שבת היה נאפה אפשר שהיה חם בעת סדורו למחר כי בערב שבת היו אופין אותו ומחר בבקר אחר הקרבת המוספין היו מסדרין אותו, ואפשר שהלילה היה בתנור ולא היו מוציאין אותו מן התנור עד שעת סדורו והיה חם עדיין, אולי היו סותמים פי התנור כדי שישאר בחמותו עד מחר, ומרבותינו זכרונם לברכה שאמרו (שם צו, ב) כי במעשה נס היה הלחם חם כל זמן שיהיה בשלחן שאמרו אמר רבי יהושע בן לוי נס גדול נעשה בלחם הפנים סלוקו חם כסדורו שנאמר לָשׂוּם לֶחֶם חֹם בְּיוֹם הִלָּקְחוֹ, ואמרו רבותינו זכרונם לברכה

מצודת דוד

(ז) ויתן וכו׳ קדש וכו׳. נתן לו לחם הפנים, כי לא היה לו לחם אחר כי אם אלו: **המוסרים.** אשר נסתלקו מן השלחן, לשום במקומם לחם חם, בעת הלקח את אלו שהיו מונחים על השלחן כל השבוע [ואף שהלחם המסודר בשבת היה נאפה מערב שבת, מכל מקום היה מונח במקום שישמור חומו]: **(ח) נעצר.** מעוכב שם, להתבודד בעבודת ה׳: **אביר הרעים.** גדול וממונה על רועי מקנה המלך: **(ט) ואין.** בלשון שאלה אמר לו, האם אין יש פה חרב לתתה לי: **כי היה וכו׳ נחוץ.** ובעבור המהירות לא לקחתי מה עמדי: **(י) אחרי האפוד.** מונחת אחרי האפוד, ויונתן תרגם, בָּתַר דְּשָׁאִיל לֵיהּ בְּאֵפוֹדָא. רצה לומר, מתחלה שאל לו באורים ותומים, ואחרי זה אמר לו הדברים האלה: **אם אתה.** אם תרצה לקחתה, קח אותה: **אין כמוה.** רצה לומר, טובה היא לי מכל החרבות:

מצודת ציון

(ז) המוסרים. מלשון הסרה: **(ח) נעצר.** מעוכב, כמו נַעְצְרָה נָּא אוֹתָךְ (שופטים יג, טו): **האדמי.** שהיה גר באדום, אבל היה ישראל מלידה: **אביר.** ענין חוזק, כמו אֲבִיר יַעֲקֹב (בראשית מט, כד), ורצה לומר גדול וחשוב: **(ט) ואין.** בחיר״ק כמו בציר״י, וכן בן נון (שמות לג, יא) שהוא בחיר״ק, כמו אִי כָבוֹד (לעיל ד, כא): **פה.** כאן: **כלי.** תרגום יונתן, מָנֵי: **נחוץ.** ענין מהירות רב, וכן תרגום יונתן, בִּבְהִילוּ: **(י) לוטה.** מכורך ומעוטף, כמו וַיָּלֶט פָּנָיו בְּאַדַּרְתּוֹ (מלכים־א יט, יג): **בשמלה.** בבגד: **האפוד.** הוא שם כולל גם לחושן: **זולתה.** חוץ ממנה: **בזה.** במקום הזה:

The Kohen gives David both sacred bread and Goliath's sword

sacred in a [proper] vessel." [7]*So the Kohen gave him sacred food, for there was no other bread there except for the show-bread that was being removed from before* HASHEM, *in order to place hot bread on the day it is taken off.*

[8]*Now there on that day was one of Saul's servants, who lingered before* HASHEM. *His name was Doeg the Edomite; he was the chief of Saul's shepherds.*

[9]*David then said to Ahimelech, "Perhaps you have here under your hand a spear or a sword, for I did not take my sword and my weapons with me, since the king's mission was urgent."*

[10]*The Kohen said, "The sword of Goliath, whom you slew in the Terebinth Valley, is wrapped up in a cloth behind the Ephod; if you want to take it, take it, for there is none other here except for it."*

And David said, "There is none like it; give it to me."

רד"ק

(סנהדרין קג, ב) גדולה לגימה ששגגתה עולה זדון, שאלמלא הלוהו יהונתן לדוד שתי ככרות לחם לא נהרגה נוב עיר הכהנים ולא נטרד דואג האדומי ולא נהרג שאול ושלשת בניו: **(ח) נעצר לפני ה׳**. נראה כי בא שם לזבוח עם אנשים אחרים, והלכו חביריו והוא נשאר אחריהם להתפלל או לזבוח עוד לפיכך אמר נעצר, ורבותינו זכרונם לברכה פירשו (סנהדרין צג, ב) עוצר עצמו לפני אהל מועד לעסוק בתורה, ופירשו אַבִּיר הָרֹעִים שהיה אב בית דין וזהו דרך דרש: **דאג האדמי**. גר בארץ אדום לפיכך קראו אדומי וכן אוּרִיָּה הַחִתִּי (שמואל־ב יא, ג) יֶתֶר הַיִּשְׁמְעֵאלִי (דברי הימים־א ב, יז) אִתַּי הַגִּתִּי (לקמן־ב טו, יט) מיוחסים על שם מקומם שהיו גרים בהם: **אביר הרעים**. אביר הוא אחד במוכר׳ ובסמוך לפי שהוא דגוש על משקל כביר אביר יעקב הוא קל ממשקל שריד לפיכך נשתנה בסמיכות, ופירוש גדול רועי המקנה אשר לשאול וממונה עליהם: **(ט) ואין**. בחירק כמו ואין בצרי והוא דרך שאלה כלומר אין יש תחת ידך חרב או חנית שתתן לי, וכמוהו חירק וצרי ניר ונר בין ובין ריש ורש חין וחן, ויונתן תרגם ואִילו אִית הָכָא: **תחת ידך**. ברשותך וכמוהו רבים: **כלי**. כתרגומו מָנַי: **נחוץ**. ענינו לפי מקומו מהיר ואין לו חבר, וכן תרגם יונתן בִּבְהִילוּ: **(י) לוטה בשמלה**. מן וַיָּלֶט פָּנָיו (מלכים־א יט, יג) פְּנֵי הַלּוֹט הַלּוֹט (ישעיהו כה, ז) ופירוש כרוכה בשמלה, וכן הוא תרגומו מְכַרְכָא בְּשׁוֹשִׁיפָא: **אחרי האפוד**. שהיתה תלויה אחרי המקום שהיה מונח האפוד והחשן, או יהיה פירושו האפוד שלא היה אפוד החשן אלא אפוד בד, והוא לבוש שהיו לובשים הכהנים ועבדי ה׳ כמו שאמר (לקמן כב, יח) שמנים וחמשה איש נושאי אפוד בד, וכתיב ודוד חגור אפוד בד (שמואל־ב ו, יד), וזו החרב היתה תלויה אחרי אלה הבגדים, וזהו הנכון, ויונתן תרגם בָּתַר דְּשָׁאִיל לֵיהּ בְּאֵפוֹדָא, כלומר אחר ששאל לו באפוד החשן את דרכו, ואחר כן אמר לו שיקח זו החרב כי כן אמר לו דואג וַיִּשְׁאַל לוֹ בַּה׳ (לקמן כב, י), וכן שאול אמר לו לאחימלך וְשָׁאוֹל לוֹ בֵּאלֹהִים (שם פסוק יג) ולא כחש לו אחימלך אבל אמר הַיּוֹם הַחִלֹּתִי לִשְׁאָול לוֹ בֵאלֹהִים (שם טו), ונכון הוא בעיני פירושו אבל אינו דרך פשט הפסוק לפי מקומו, שאמר אַחֲרֵי הָאֵפוֹד בין לוּטָה בַשִּׂמְלָה ובין אֹתָהּ תִּקַּח לְךָ: **אם אתה תקח לך קח**. אם אותה תרצה לקחת קח כי אין אחרת זולתה: **בזה**. פירוש בזה המקום: **אין כמוה**. והלא אחימלך היה יודע שאין כמוה למה אמר לו אִם אֹתָהּ תִּקַּח לְךָ, לפי שהיתה באהל מועד לזכרון הנס כמו שפירשתי לא היה ברצון אחימלך להוציאה משם אם היתה שם אחרת, אבל כיון שלא היתה שם אחרת לא היה יכול למנעה מדוד, כי הוא לקחה מהפלשתי והוא שם אותה שם באהל מועד, ובידו יש לקחתה ולהחזירה כאשר ירצה:

7. New show-bread is baked every Friday and placed on the Table every Sabbath, and then the previous week's bread is divided among the Kohanim. Some of that bread had not yet been eaten when David arrived at Nob, and Ahimelech offered it to David (*Radak*). According to *Radak*'s father, the sense of the verse is that Ahimelech gave David sacred thanksgiving loaves, *because* the only other bread was the show-bread, which the Kohen Gadol did not wish to give to a non-Kohen.

8. At the Sanctuary in Nob was a man who was so highly regarded that Ahimelech spoke freely in his presence, which turned out to be a mistake with tragic consequences. The man was Doeg, a prominent Jew who was called *the Edomite*, because he lived across the border in the territory of Edom. Doeg had come to Nob with a group of people to bring offerings, and after his friends left, he *lingered before Hashem* to bring more offerings (*Radak*) or to study Torah (*Rashi*) undisturbed in that sacred place.

אַבִּיר הָרֹעִים — *The chief of . . . shepherds.* This may be meant literally (*Radak*), or, according to many commentators, this term is a figurative description for Doeg's standing as a major leader. He was the head of the Sanhedrin, and as such was the chief of the nation's spiritual shepherds (*Midrash Tehillim* 52). Alternatively, as indicated in 22:9, Doeg administered the officials who were in charge of public affairs (*Abarbanel*).

10. David had fled without food or arms, and now, after having eaten, he realized that it would be dangerous for him to continue without some means of protecting himself. Although Nob was hardly a place where one would expect to find an arsenal, David asked Ahimelech for a sword or a spear. The only weapon available was Goliath's sword, the one David used to kill the Philistine giant. It had been kept in Nob as a memento of the miracle, and Ahimelech was reluctant to release it, but under the circumstances he offered it to David (*Radak*).

אַחֲרֵי הָאֵפוֹד — *Behind the Ephod.* The sword was kept behind the place where the Kohen Gadol's *Ephod* was hung. Alternatively, this *ephod* was not part of the priestly raiment, but a ceremonial garment worn by distinguished people, such as the Kohanim of Nob [see 22:18] (*Radak*).

According to *Targum*, the *Ephod* was the priestly garment to which the *Urim v'Tumim* was attached. Thus, Ahimelech inquired whether God authorized him to help David [see 22:10], and he was told to do so (*Rashi*).

יא־יב וַיָּקָם דָּוִד וַיִּבְרַח בַּיּוֹם־הַהוּא מִפְּנֵי שָׁאוּל וַיָּבֹא אֶל־אָכִישׁ מֶלֶךְ גַּת: וַיֹּאמְרוּ עַבְדֵי אָכִישׁ אֵלָיו הֲלוֹא־זֶה דָוִד מֶלֶךְ הָאָרֶץ הֲלוֹא לָזֶה יַעֲנוּ בַמְּחֹלוֹת לֵאמֹר הִכָּה

יג שָׁאוּל °באלפו [°בַּאֲלָפָיו ק׳] וְדָוִד° ברבבתו [°בְּרִבְבֹתָיו ק׳]: וַיָּשֶׂם דָּוִד אֶת־הַדְּבָרִים

יד הָאֵלֶּה בִּלְבָבוֹ וַיִּרָא מְאֹד מִפְּנֵי אָכִישׁ מֶלֶךְ־גַּת: וַיְשַׁנּוֹ אֶת־טַעְמוֹ בְּעֵינֵיהֶם

טו וַיִּתְהֹלֵל בְּיָדָם °ויתו [°וַיְתָיו ק׳] עַל־דַּלְתוֹת הַשַּׁעַר וַיּוֹרֶד רִירוֹ אֶל זְקָנוֹ: וַיֹּאמֶר

טז אָכִישׁ אֶל־עֲבָדָיו הִנֵּה תִרְאוּ אִישׁ מִשְׁתַּגֵּעַ לָמָּה תָּבִיאוּ אֹתוֹ אֵלָי: חֲסַר מְשֻׁגָּעִים

כב א אָנִי כִּי־הֲבֵאתֶם אֶת־זֶה לְהִשְׁתַּגֵּעַ עָלָי הֲזֶה יָבוֹא אֶל־בֵּיתִי: וַיֵּלֶךְ דָּוִד מִשָּׁם וַיִּמָּלֵט אֶל־מְעָרַת עֲדֻלָּם וַיִּשְׁמְעוּ אֶחָיו וְכָל־בֵּית אָבִיו וַיֵּרְדוּ אֵלָיו שָׁמָּה:

ב וַיִּתְקַבְּצוּ אֵלָיו כָּל־אִישׁ מָצוֹק וְכָל־אִישׁ אֲשֶׁר־לוֹ נֹשֶׁא וְכָל־אִישׁ מַר־נֶפֶשׁ וַיְהִי

ג עֲלֵיהֶם לְשָׂר וַיִּהְיוּ עִמּוֹ כְּאַרְבַּע מֵאוֹת אִישׁ: וַיֵּלֶךְ דָּוִד מִשָּׁם מִצְפֵּה מוֹאָב וַיֹּאמֶר ׀ אֶל־מֶלֶךְ מוֹאָב יֵצֵא־נָא אָבִי וְאִמִּי אִתְּכֶם עַד אֲשֶׁר אֵדַע מַה־יַּעֲשֶׂה־לִּי אֱלֹהִים:

רש״י

(יב) הלוא זה דוד מלך הארץ. אמרו לו לאכיש, תנאי היה בינינו אם יוכל להלחם אתי והכני והיינו לכם לעבדים (לעיל יז, ט), אין לך אלא שתרד מכסאך, ויהיה מלך הארץ הזאת: **(יד) את טעמו.** את דבריו: **ויתהלל.** נשתטה: **ויתו.** ויכתוב: **רירו.** רוקו, דבר הנוטף קרוי ריר, וכן בְּרִיר חַלָּמוּת (איוב ו, ו); וכן רָר בְּשָׂרוֹ (ויקרא טו, ג): **(טז) הזה יבא אל ביתי.** לשון תמיהה, ולכך נקוד חטף פתח, ורפי:

רד״ק

(יא) מפני שאול. והלא תמול ברח, אלא רצה לומר כי היום ההוא ברח לו מארץ ישראל ובא לו אל אכיש שלא ימצאהו שאול וזהו מִפְּנֵי שָׁאוּל: **ויבא אל אכיש.** ובספר תהלים (תהלים לד, א) קראו אֲבִימֶלֶךְ, ושני שמות היו לו וכמוהו רבים, או אבימלך שם כנוי לכל מלכי פלשתים כמו פרעה מלך מצרים, וכן מצאנוהו קרוי אבימלך בימי אברהם (בראשית כ, ב) ובימי יצחק (שם כו, א): **(יג) ויירא.** ביו״ד איתיין לבד, ויו״ד השרש נגרעה מן המכתב ויירא מפניו שלא יהרגהו כי הוא הרג גבורם וכמה מהם: **(יד) וישנו את טעמו.** שינה את דברו ודעתו בעיניהם כדי שיתנכר להם ולא יחשבו עליו שהוא דוד, או כדי להראות עצמו שוטה בעיניהם ולא יחושו עליו ויגרשוהו מהיכל המלך וילך לו, ופירוש טעמו הוא מִטַּעַם הַמֶּלֶךְ (יונה ג, ז) וּבָרוּךְ טַעְמֵךְ (לקמן כה, לג) ותרגום יונתן וְשַׁנִּי יַת מדעי׳, וי״ו וַיְשַׁנּוֹ כנוי קודם זכר הפעול וכמוהו וַתִּרְאֵהוּ אֶת הַיֶּלֶד (שמות ב, ו) וַיַּכּוּ הָאֶחָד אֶת הָאֶחָד (לקמן־ב יד, ו), ופירוש בְּעֵינֵיהֶם כמו לפניהם: **ויתהלל בידם.** עשה מעשה סכלות והוללות, ופירוש בְּיָדָם לפניהם כלומר בעוד שהיה בין ידיהם שהיו סובבים אותו ומביטים אליו וזה מעשה הוללות שהיה עושה: **ויתו על דלתות השער.** שהיה כותב בדלתות השער או משרט שריטות, כי השריטה גם כן נקראה תו, וכן תרגום יונתן וּמְסָרֵט עַל דָּשֵׁי תַרְעָא: **ויורד רירו אל זקנו.** הוא ריר הרוק היוצא מהפה: **(טז) חסר משגעים אני.** בתמיהה, וכי הייתי חסר משוגעים וצריך אליהם כי זה הבאתם אלי, ובדרש (מדרש תהלים לד, א) כי אשתו של אכיש ובתו היו משוגעות וצועקות ומשטות מבפנים ודוד צועק ומשטה מבחוץ, אמר להם אכיש וכי יודעים אתם בי שחסר משוגעים אני: **(ב) כל איש מצוק.** מענין צוקה והוא תואר או שם: **וכל איש אשר לו נשא.** האל״ף במקום ה״א ופירושו כל איש אשר היה בורח מפני המלוים אותו, והיו מתקבצים אל דוד: **וכל איש מר נפש.** שהיה רש כמו וְיַיִן לְמָרֵי נָפֶשׁ יִשְׁתֶּה וְיִשְׁכַּח רִישׁוֹ (משלי לא, ו־ז) או אִישׁ מָצוֹק רצה לומר צרות אחרות, והיה יוצא מביתו להתרוח ולשכח צרותיו, וכן תרגם יונתן כָּל גְּבַר מָעִיק רוּחַ: **(ג) יצא נא אבי ואמי אתכם.** יצא ממערת עדולם וישב אתכם, אבל אחיו היו הולכים עמו, כי ברחו אביו ואמו מפני שאול כי היה שונא אותם מפני דוד והיו מתיראים שלא יהרגם, לפיכך הלכו אל דוד:

מצודת דוד

(יא) ביום ההוא. כי בעוד היותו בארץ ישראל, עדיין היה ברשות שאול, וכאלו לא ברח: **(יב) מלך הארץ.** רצה לומר, חשוב כמלך, על היותו יוצא ובא במלחמה לפני העם: **הלוא לזה יענו.** רצה לומר הלא עליו היה השבח לומר במחולות לאמר, הִכָּה וכו׳ וְדָוִד בְּרִבְבֹתָיו: **(יד) וישנו את טעמו.** שינה את דבריו לפניהם, ועשה מעשה סכלות בהיותו בידם, ועשה סימנים ושריטות על הדלתות והוריד וכו׳, וכל זה עשה למען יחשבו שאין זה דוד: **(טו) הנה תראו.** הלא ראיתם שהוא איש משוגע, ודוד הלא הוא משכיל, אם כן אין זה דוד, ולמה תביאון אלי: **(טז) חסר משגעים.** אמרו במדרש (מדרש תהלים לד, א) שהיתה אשתו ובתו משוגעות, ולזה אמר וכי חסר וכו׳, רצה לומר, וכי אין די לי במשוגעים אשר בביתי, עד שהבאתם גם את זה להשתגע אצלי: **הזה וכו׳.** ועוד, האם זה שהוא בתכלית השגעון, וכי ראוי הוא לבוא אל ביתי, עם כי לפעמים יתענגו השרים בשמוע דברי משוגע, אולם לא מדברי מי שהוא בתכלית השגעון: **(א) וישמעו אחיו.** כי ברח דוד, ופחדו לנפשם פן יתנקם בהם שאול, ולזה ירדו אל דוד: **(ב) כל איש מצוק וכו׳.** ולא היה יכול לשבת בארצו ובמקומו: **(ג) יצא נא.** מן המערה לשבת אתכם: **מה יעשה לי אלהים.** באיזה מקום אמצא מנוח, כי אז ישבו עמדי:

מצודת ציון

(יב) יענו. ענין הרמת קול, כמו וְעָנוּ הַלְוִיִּם וגו׳ קוֹל רָם (דברים כז, יד): **במחלות.** שם כלי זמר: **(יד) וישנו.** מלשון השתנות וחלוף: **טעמו.** ענין דבור החכמה, כמו וְטַעַם זְקֵנִים יִקָּח (איוב יב, כ): **ויתהלל.** ענין סכלות, כמו וְשֹׁפְטִים יְהוֹלֵל (שם פסוק יז): **ויתו.** ענין רושם ושריטה, כמו וְהִתְוִיתָ תָּו (יחזקאל ט, ד): **רירו.** רוקו, כמו בְּרִיר חַלָּמוּת (איוב ו, ו): **(טו) משתגע.** מראה בעצמו ענין שגעון: **(ב) מצוק.** ענין צרה, כמו צַר וּמָצוֹק מְצָאוּנִי (תהלים קיט, קמג), ורוצה לומר מי שיש לו מצוקה מאויביו: **נשא.** ענין הלואה, כמו יְנַקֵּשׁ נוֹשֶׁה (שם קט, יא), ורוצה לומר מי שיש אצלו הלואה מאחרים: **מר נפש.** עני ורש, כמו שכתוב וְיַיִן לְמָרֵי נָפֶשׁ יִשְׁתֶּה וְיִשְׁכַּח רִישׁוֹ (משלי לא, ו־ז):

11-16. David flees to Philistia It is a measure of David's desperation that he not only had to leave the Jewish-controlled part of the country, he fled to the Philistine city of Gath, home of the slain Goliath, the land of Israel's mortal enemies. There, he faced new danger and was able to save himself through a clever stratagem.

11. אָכִישׁ מֶלֶךְ גַּת — *Achish, king of Gath. In Psalms* (34:1), Achish is referred to as Abimelech, which was the title given to all Philistine kings (*Radak*).

[11]*David arose and fled from Saul on that day, and he came to Achish, king of Gath.* [12]*The servants of Achish said to him, "Is this not David, the king of the land? Is it not of him that they sing with the timbrels, saying, 'Saul has slain his thousands, and David his tens of thousands'?"*

[13]*David took this matter to heart and was greatly afraid of Achish, king of Gath.* [14]*So he changed his demeanor in their eyes and feigned madness while in their presence; he scribbled on the doors of the gateway and let his saliva drip into his beard.* [15]*Achish said to his servants, "Behold — you see the man is mad; why do you bring him to me?* [16]*Do I lack madmen that you have brought this one to carry on madly before me? Should this person enter my house?"*

22

David's flight

The beleaguered gather around David

[1]*David went from there and escaped to the cave of Adullam. His brothers and all his father's house heard about this, and went down to him there.* [2]*They gathered to him — every man in distress, every man with a creditor, and every man embittered of spirit — and he became their leader. With him were about four hundred men.*

[3]*David went from there to Mizpeh of Moab, and he said to the king of Moab, "Let my father and mother come out here and be with you until I know what God will do with*

12-13. David saw quickly that Gath was hardly a place of refuge; to the contrary, his defeat of Goliath, the champion of Gath, made him a despised public enemy.

14. David saved his life by feigning madness. Either his behavior convinced Achish that this madman could not be the David who was famed for his wisdom and tactical shrewdness, or he decided that David had gone mad and there was no point in killing him or even allowing him to remain on the premises, so they drove David away (*Radak*). Apparently, even the ancient Philistines understood that someone too mentally unfit to stand trial should not be punished.

According to *Midrash Shocher Tov,* David had once said to God, "All that You created is beautiful and the most beautiful of all is wisdom. But I cannot understand the value of madness. What satisfaction can You derive from a lunatic who rips his clothing, is chased by children, and is mocked by all?"

God answered, "David, someday you will need the madness that you now criticize — you will even pray that I give you the gift of madness." Now, in the court of Achish, David saw that madness, too, has its place.

16. חֲסַר מְשֻׁגָּעִים אָנִי — *Do I lack madmen.* Why have you brought me such a person? According to the Midrash, Achish's queen and two of his daughters were insane and circulated through the palace shouting and wailing. Achish had had enough and could not tolerate the antics of yet another deranged person (*Radak*).

David's ruse succeeded. Achish drove the "madman" from his palace.

Although this narrative describes only David's tactic to escape, in *Psalms* 34, which is David's rapturous song of thanks to God upon gaining his freedom, David records his prayers while he was still a prisoner: *I sought out Hashem and He answered me . . . This poor man called and Hashem heard.* Clearly, David's primary reliance was not on tactics, but on the One Who alone has the power to make tactics succeed.

22.

Knowing that Saul's pursuit would be relentless, David, the fugitive, went into hiding, and an entourage of loyal and troubled people gathered around him. Meanwhile Saul's obsession with David led him to commit an unthinkable atrocity.

1-5. David becomes a wanderer. Knowing that his life was in danger, David went into hiding, along with four hundred men who saw him as a kindred spirit. His family, too, joined him, because Saul could accuse them of conspiring with David to commit treason. David realized, however, that his elderly parents were especially in danger since they were not physically able to flee with him from refuge to refuge.

1. מְעָרַת עֲדֻלָּם — *The cave of Adullam.* Adullam was a town in the province of Judah (*Joshua* 15:35).

3. יֵצֵא נָא אָבִי וְאִמִּי אִתְּכֶם — *Let my father and mother come out here to be with you.* David felt that his parents and the rest of his family would be safe with the king of Moab, because Jesse was a descendant of Ruth, who had been a Moabite princess (*Tosafos Rid*). He was wrong: As long as David *was in the fortress*, neighboring Moab, the king remained the gracious host — perhaps fearing David's vengeance if he harmed the family — but as soon as David left the fortress, the king betrayed him and murdered David's family, with the exception of one brother, who had been away and was protected by the king of Ammon (*Bamidbar Rabbah* 14:2; *Rashi, II Samuel* 10:2).

עַד אֲשֶׁר אֵדַע מַה יַּעֲשֶׂה לִי אֱלֹהִים — *Until I know what God will do with me.* Even speaking with heathen kings, David did not fail to mention his firm belief that only God determines the outcome of events. As he stated, *I will speaks of Your testimonies before kings, and not be ashamed (Psalms* 119:46).

ד־ה וַיַּנְחֵם אֶת־פְּנֵי מֶלֶךְ מוֹאָב וַיֵּשְׁבוּ עִמּוֹ כָּל־יְמֵי הֱיוֹת־דָּוִד בַּמְּצוּדָה׃ וַיֹּאמֶר גָּד הַנָּבִיא אֶל־דָּוִד לֹא תֵשֵׁב בַּמְּצוּדָה לֵךְ וּבָאתָ־לְּךָ אֶרֶץ יְהוּדָה וַיֵּלֶךְ דָּוִד וַיָּבֹא יַעַר חָרֶת׃ ו וַיִּשְׁמַע שָׁאוּל כִּי נוֹדַע דָּוִד וַאֲנָשִׁים אֲשֶׁר אִתּוֹ וְשָׁאוּל יוֹשֵׁב בַּגִּבְעָה תַּחַת־הָאֶשֶׁל בָּרָמָה וַחֲנִיתוֹ בְיָדוֹ וְכָל־עֲבָדָיו נִצָּבִים עָלָיו׃ ז וַיֹּאמֶר שָׁאוּל לַעֲבָדָיו הַנִּצָּבִים עָלָיו שִׁמְעוּ־נָא בְּנֵי יְמִינִי גַּם־לְכֻלְּכֶם יִתֵּן בֶּן־יִשַׁי שָׂדוֹת וּכְרָמִים לְכֻלְּכֶם יָשִׂים שָׂרֵי אֲלָפִים וְשָׂרֵי מֵאוֹת׃ ח כִּי קְשַׁרְתֶּם כֻּלְּכֶם עָלַי וְאֵין־גֹּלֶה אֶת־אָזְנִי בִּכְרָת־בְּנִי עִם־בֶּן־יִשַׁי וְאֵין־חֹלֶה מִכֶּם עָלַי וְגֹלֶה אֶת־אָזְנִי כִּי הֵקִים בְּנִי אֶת־עַבְדִּי עָלַי לְאֹרֵב כַּיּוֹם הַזֶּה׃ ט וַיַּעַן דֹּאֵג הָאֲדֹמִי וְהוּא נִצָּב עַל־עַבְדֵי־שָׁאוּל וַיֹּאמַר רָאִיתִי אֶת־בֶּן־יִשַׁי בָּא נֹבֶה אֶל־אֲחִימֶלֶךְ בֶּן־אֲחִטוּב׃ י־יא וַיִּשְׁאַל־לוֹ בַּיהוָה וְצֵידָה נָתַן לוֹ וְאֵת חֶרֶב גָּלְיָת הַפְּלִשְׁתִּי נָתַן לוֹ׃ וַיִּשְׁלַח הַמֶּלֶךְ לִקְרֹא אֶת־אֲחִימֶלֶךְ בֶּן־אֲחִיטוּב הַכֹּהֵן וְאֵת כָּל־בֵּית אָבִיו הַכֹּהֲנִים אֲשֶׁר בְּנֹב וַיָּבֹאוּ כֻלָּם אֶל־הַמֶּלֶךְ׃ יב וַיֹּאמֶר שָׁאוּל שְׁמַע־נָא בֶּן־אֲחִיטוּב וַיֹּאמֶר הִנְנִי אֲדֹנִי׃ יג וַיֹּאמֶר °אלו [°אֵלָיו ק] שָׁאוּל לָמָּה קְשַׁרְתֶּם עָלַי אַתָּה וּבֶן־יִשָׁי בְּתִתְּךָ לוֹ לֶחֶם וְחֶרֶב וְשָׁאוֹל לוֹ בֵּאלֹהִים לָקוּם אֵלַי לְאֹרֵב כַּיּוֹם הַזֶּה׃ יד וַיַּעַן

רש"י

(ד) **וישבו עמו כל ימי היות דוד במצודה.** סמוך למואב, וכשילא דוד משם ליער חרת, הרג מלך מואב את אביו ואת אמו ואחיו, חוץ מאחד שבהם שהחייהו נחש העמוני, והוא החסד שאמר דוד כַּאֲשֶׁר עָשָׂה אָבִיו עִמָּדִי חֶסֶד (שמואל־ב י, ב), כדאיתא במדרש רבי תנחומא (וירא כה, כ): (ו) **כי נודע דוד.** כי התכוון להשמר ממנו: **תחת האשל ברמה.** אחת שהיתה בגבול בנימין. ורבותינו אמרו (תענית ה, ב), היא היתה רמה של שמואל, ושני מקומות הן, וכן מדרשו, ושאול יושב בגבעה, בזכות האשל הגדול אשר ברמה, שהיה מתפלל עליו: (יג) **ושאול לו באלהים.** עשיתו מלך, שאין נשאלין באורים ותומים להדיוט (מדרש תהלים נב):

רד"ק

(ד) **וינחם.** מענין נָחִיתָ בְחַסְדְּךָ (שמות טו, יג) כלומר הנחם והביאם לפניו, ויונתן פירשו כמו וינחם שתרגם וְאַשְׁרִינוּן: **במצודה.** תרגומו מִטְמַר בְּמְצַדְיָא: (ה) **ובאת לך ארץ יהודה.** על פי ה' אמר לו כי שם יהיה נשמר מן שאול, וכן היה כי בעוד שהיה שם לא בקשו עד שהלך אל קעילה, והטעם לפי שבארץ יהודה היו אוהבים אותו ואם היה קם שאול לבקשו היו מגידים לו והוא נמלט ממקום למקום, ואף על פי שקעילה מארץ יהודה היתה רחוקה ממיודעיו וממשפחתו, ואף על פי כן על פי ה' הלך שם גם כן: **יער חרת.** חרת היה שם המקום, וכן תרגם יונתן חוּרְשָׁא דְחָרֶת, ובדרש (מדרש תהלים כג, ו) שהיה מנוגב אותו המקום כחרת הזו ובזכות דוד הרטיבו הקדוש ברוך הוא, פירוש חָרֶת כמו חרותא בידי שמים (חולין נד, א) שפירושו יבשה: (ו) **כי נודע דוד.** כי נתפרסם דוד, כלומר נודע הדבר שהיו עמו אנשים עד ששמע שאול והיה הספור הזה הנה מפני הדבר שאמר שאול לעבדיו, כי עד עתה לא ידע שאול כי התקבצו אל דוד אנשים, וכאשר שמע כי עמו כארבע מאות איש אמר בלבו זה מרד הוא שמרד בי ודעתו לארוב ולהלחם עלי או לחלוק עלי המלכות, וזהו שאמר כִּי הֵקִים בְּנִי אֶת עַבְדִּי עָלַי לְאֹרֵב (פסוק ח), ואמר לְכֻלְּכֶם יָשִׂים שָׂרֵי אֲלָפִים (פסוק ז) כלומר בחיל שהוא מקבץ עלי או בהיותו מלך כאשר הוא חושב: **האשל.** כמו העץ, וכן וַיִּטַּע אֶשֶׁל (בראשית כא, לג): **ברמה.** מקום היה בגבעת שאול והיה גבוה ונקרא רמה, ואין זה רמת שמואל (לעיל ז, יז) כי הוא בגבעה היה, ולדברי בעל הדרש (תענית ה, ב) הוא רמת שמואל שאמר, וכי מה ענין גבעה אצל רמה, אלא שאול יושב בגבעה במלכות בזכות האשל הגדול אשר ברמה והוא שמואל שהיה מתפלל עליו: (ז) **בני ימיני.** כלומר עליכם היה לחוש עלי כי אתם משבטי וממשפחתי: (ח) **קשרתם.** מרדתם כי הקשר הוא המרד והוא בהתחבר לב זה עם זה: **בכרת בני.** בכרת ברית: **בן ישי.** לא זכר שמו דרך בזיון: (ט) **נצב על עבדי שאול.** כלומר בראשם היה נצב כי גדול שבעבדי שאול הנצבים עליו היה, ושמוש זה בדבר והפכו, כי [ה]נִּצָּבִים עָלָיו (פסוק ז) רצה לומר נצבים לפניו וסמוך לו לעשות מה שיצוה אותם, וְנִצָּב עַל עַבְדֵי שָׁאוּל רצה לומר כמשמעו שהיה להם לראש וממונה עליהם, וכן תרגם יונתן וְהוּא מְמַנָּא עַל עַבְדֵי שָׁאוּל, והוא כמו הַנִּצָּב עַל הַקּוֹצְרִים (רות ב, ה): **בן אחטוב.** לא זכר שמו דרך בזיון: (יג) **ושאול לו באלהים.** להגיד לו דרכו והוא בורח מפני, ומדרשו (מדרש תהלים נב, ה) עשיתו מלך שאין נשאלין באורים ותומים אלא למלך ולאב בית דין ולמי שצורך צבור בו (יומא עא, ב):

מצודת דוד

(ד) **וינחם.** דוד הביאם לפני המלך: **במצודה.** שהיה סמוך אל מואב: (ו) **כי נודע דוד.** כי עד הנה היה נחבא ולא ראהו איש: **תחת האשל ברמה.** מקום גבוה היה בגבעה, ובה עמד אשל: (ז) **בני ימיני.** כי רוב עבדיו היו מבני שבטו: **גם לכלכם.** רצה לומר, וכי אפשר שיתן שדות לכולכם, וכי מאין לו כל כך שדות, ומאין לו רבוי עם כל כך שיעשה את כולכם לשרים: (ח) **כי קשרתם.** כולכם עשיתם עלי קשר, כאלו הבטיח טובה לכולכם: **בכרת בני.** בעת שכרת בני ברית עמו, כי אם גליתם אזני מאז, הייתי נשמר שלא יבוא לכל זה: **ואין חלה.** אין אחד מכם שיחלה ויכאב לבו בעבורי: **וגלה.** כפל דבריו, וכדרך המדבר מכאב לב: **כי הקים.** רוצה לומר, על ידי שלא גליתם אזני, נגמר הדבר והקימו לאורב: **כיום הזה.** שנראה עתה בחוש שאורב עלי ומאסף אליו אנשים: (ט) **והוא נצב.** עמד סמוך לעבדי שאול, בעת שאמר להם הדברים האלה: (י) **בה'.** באורים ותומים: (יג) **בתתך.** במה שנתת לו לחם וכו', נראה שקשרתם עלי להקימו לאורב:

מצודת ציון

(ד) **וינחם.** וינהגם, כמו וְלֹא נָחָם אֱלֹהִים (שמות יג, יז): **במצודה.** ענין מקום משומר, או מגדל, או סלע, או מערה, כמו יְבִאֻהוּ בַּמְּצָדוֹת (יחזקאל יט, ט): (ו) **האשל.** האילן, כמו וַיִּטַּע אֶשֶׁל (בראשית כא, לג): (ח) **קשרתם.** ענין אגודת אנשים בבור עצת מרד: (י) **וצידה.** מזון:

---

5. At the behest of God, Gad the prophet advised David to seek refuge in Judah, where the people knew him and would help shield him. Indeed David was safe there until he went to Ke'ilah, which, although it too was part of

me." [4]*So he escorted them to the king of Moab and they stayed with him all the days that David was in the fortress.* [5]*Gad the Prophet said to David, "Do not stay in the fortress; go and get yourself to the land of Judah." So David went and arrived at the forest of Hereth.*

Saul appeals for loyalty

[6]*Saul heard that David and the men with him had been discovered. Saul was sitting in Gibeah under the tamarisk tree in Ramah with his spear in his hand, with all his servants standing about him.* [7]*Saul said to his servants who were standing about him, "Listen now, [fellow] Benjamites. Is the son of Jesse going to give you all fields and vineyards, is he going to make you all captains of thousands and captains of hundreds,* [8]*that you have all organized against me and no one revealed to me that my son covenanted with the son of Jesse; and that none among you is distressed for me or reveals to me that my son has incited my servant to rise up and ambush me, [as clearly] as this day?"*

Doeg's treachery

[9]*Then Doeg the Edomite, who was appointed over Saul's servants, spoke up and said, "I saw the son of Jesse come to Nob, to Ahimelech son of Ahitub.* [10]*He inquired of* HASHEM *for him and gave him provisions, and he gave him the sword of Goliath the Philistine."*

Saul accuses Ahimelech

[11]*So the king sent for Ahimelech son of Ahitub the Kohen and all his father's house, the Kohanim of Nob, and they all came to the king.* [12]*Saul said, "Listen now, son of Ahitub!" And he said, "Here I am, my lord."* [13]*Saul said to him, "Why did you organize against me — you and the son of Jesse — by giving him food and a sword, and inquiring of God for him, so that he could arise and ambush me, [as clearly] as this day?"*

Judah, was near the border and far from David's friends (*Radak*). Gad's advice also symbolized that David's monarchy would begin with the tribe of Judah, where he reigned for seven years before he was recognized by the rest of the nation (*Abarbanel*).

6-8. Saul's emotional plaint. Learning that David had found refuge in Judah and that he had an army of four hundred men with him, Saul was convinced that this was the beginning of an armed rebellion against him (*Radak*). He lashed out at his loyalists, accusing them of, in effect, being part of the conspiracy, going so far as to say that Jonathan had incited David to rebel.

See the power of jealousy! Saul was the one who had pursued and tried to kill David — yet he accused David of being *his* enemy (*Me'am Loez*).

6. בְּגִבְעָה...בָּרָמָה — *In Gibeah . . . in Ramah.* Saul was in his ancestral home in Gibeah, in a section of the town known as Ramah. This is not the Ramah where Samuel lived, for that was in the province of Ephraim.

The Sages expound midrashically that the reason Saul had been able to maintain his reign, which was headquartered *in Gibeah,* was because of the prayers of Samuel, who is described here as the great, stately *tamarisk tree,* who resided *in Ramah* (*Rashi*).

7-8. Bitterly and mournfully, Saul accused his courtiers of complicity in David's purported rebellion. They were his fellow tribesmen, but not only did they feel no compassion for their embattled, victimized king, if they had had even a shred of loyalty they would have warned him that Jonathan was the leader of the conspiracy.

Saul's hatred of David had expanded to include even Jonathan, whose very name had become anathema to the king; instead of mentioning him by name, Saul referred to him contemptuously as *my son.* By speaking of Jonathan as he did, Saul implied that Jonathan was worthy of the death penalty as a rebel. This was a further rationale for Saul's angry attempt to kill Jonathan when he defended David at the Rosh Chodesh banquet (20:33).

9-19. Doeg's treachery. In a brazen show of "compassion" for Saul, and undoubtedly to curry favor with the troubled king, Doeg slandered the righteous Kohen Gadol Ahimelech with a vicious half-truth. Since Doeg had overheard the conversation at Nob, he knew that Ahimelech had given food and Goliath's sword to David as an act of loyalty to King Saul, because Ahimelech had no doubt that David was acting on the king's behalf (21:8-9). Yet Doeg reported the incident in such a way as to implicate Ahimelech and his fellow Kohanim as knowingly helping a fugitive traitor.

At this point, *Yalkut Shimoni* (131) comments that Doeg behaved like an *Edomite,* the nation that descended from Esau, and harbored his evil character traits and bloodthirsty hatred for Israel throughout history.

10. וַיִּשְׁאַל לוֹ בַּה' — *He inquired of* HASHEM *for him.* Ahimelech inquired of the *Urim v'Tumim* on David's behalf, and helped him after receiving a positive response. [According to *Ralbag* (21:3) and *Radak* (here), Ahimelech asked whether David would succeed.] This was Doeg's most inflammatory charge, because the law is that a Kohen Gadol may make such an inquiry only for a king, not an ordinary citizen (*Rashi*). Thus, Doeg was in effect accusing Ahimelech of recognizing David as the legal king — an act of treason and exactly the behavior that so incensed Saul.

12-13. שְׁמַע נָא בֶּן אֲחִיטוּב — *Listen now, son of Ahitub!* By his

אֲחִימֶלֶךְ אֶת־הַמֶּלֶךְ וַיֹּאמַר וּמִי בְכָל־עֲבָדֶיךָ כְּדָוִד נֶאֱמָן וַחֲתַן הַמֶּלֶךְ וְסָר אֶל־
טו מִשְׁמַעְתֶּךָ וְנִכְבָּד בְּבֵיתֶךָ: הַיּוֹם הַחִלֹּתִי °לשאול־ [°לִשְׁאָל־ ק׳] לוֹ בֵאלֹהִים
חָלִילָה לִּי אַל־יָשֵׂם הַמֶּלֶךְ בְּעַבְדּוֹ דָבָר בְּכָל־בֵּית אָבִי כִּי לֹא־יָדַע עַבְדְּךָ בְּכָל־
טז זֹאת דָּבָר קָטֹן אוֹ גָדוֹל: וַיֹּאמֶר הַמֶּלֶךְ מוֹת תָּמוּת אֲחִימֶלֶךְ אַתָּה וְכָל־בֵּית אָבִיךָ:
יז וַיֹּאמֶר הַמֶּלֶךְ לָרָצִים הַנִּצָּבִים עָלָיו סֹבּוּ וְהָמִיתוּ ׀ כֹּהֲנֵי יְהוָה כִּי גַם־יָדָם עִם־דָּוִד
וְכִי יָדְעוּ כִּי־בֹרֵחַ הוּא וְלֹא גָלוּ אֶת־°אזנו [°אָזְנִי ק׳] וְלֹא־אָבוּ עַבְדֵי הַמֶּלֶךְ לִשְׁלֹחַ
יח אֶת־יָדָם לִפְגֹעַ בְּכֹהֲנֵי יְהוָה: וַיֹּאמֶר הַמֶּלֶךְ °לדויג [°לְדוֹאֵג ק׳]
סֹב אַתָּה וּפְגַע בַּכֹּהֲנִים וַיִּסֹּב °דויג [°דּוֹאֵג ק׳] הָאֲדֹמִי וַיִּפְגַּע־הוּא בַּכֹּהֲנִים וַיָּמֶת ׀
יט בַּיּוֹם הַהוּא שְׁמֹנִים וַחֲמִשָּׁה אִישׁ נֹשֵׂא אֵפוֹד בָּד: וְאֵת נֹב עִיר־הַכֹּהֲנִים הִכָּה לְפִי־
כ חֶרֶב מֵאִישׁ וְעַד־אִשָּׁה מֵעוֹלֵל וְעַד־יוֹנֵק וְשׁוֹר וַחֲמוֹר וָשֶׂה לְפִי־חָרֶב: וַיִּמָּלֵט בֵּן־
כא אֶחָד לַאֲחִימֶלֶךְ בֶּן־אֲחִטוּב וּשְׁמוֹ אֶבְיָתָר וַיִּבְרַח אַחֲרֵי דָוִד: וַיַּגֵּד אֶבְיָתָר לְדָוִד כִּי
כב הָרַג שָׁאוּל אֵת כֹּהֲנֵי יְהוָה: וַיֹּאמֶר דָּוִד לְאֶבְיָתָר יָדַעְתִּי בַּיּוֹם הַהוּא כִּי־שָׁם
°דויג [°דּוֹאֵג ק׳] הָאֲדֹמִי כִּי־הַגֵּד יַגִּיד לְשָׁאוּל אָנֹכִי סַבֹּתִי בְּכָל־נֶפֶשׁ בֵּית אָבִיךָ:

רש״י

(יד) **וסר אל משמעתך.** כמו (בראשית יט, ג), וַיָּסֻרוּ אֵלָיו, וקרב למושך ואל שמע דבריך, וכי היה לי להבין שאינו הולך בשליחותך: (טו) **היום החלתי לשאל לו.** בתמיה, זה ימים רבים שצורך הצבור בו, שמיכהו מוליא ומביא את ישראל, ומאז אני שואל לו באלהים: **חלילה לי.** מעשות דבר זה למרד ומעל: (יז) **לרצים הנצבים עליו.** אבנר ועמשא היו: **ולא אבו.** דרשו אכין ורקין כָּל אִישׁ אֲשֶׁר יַמְרֶה אֶת פִּיךָ וגו׳ (יהושע א, יח), יכול אפילו לדבר עבירה תלמוד לומר רַק (שם): (יח) **לדויג.** נשתנה שמו, אמר לו נתפסת כדג, אתה הלשנת עליהם, אתה הרוג אותם: (כב) **אנכי סבתי.** סבבתי הדבר עד שבא לידי כך:

רד״ק

(יד) **וסר אל משמעתך.** אל עבודתך, כלומר שהיה נשמע לכל מצותיך וכן וּבְנֵי עַמּוֹן מִשְׁמַעְתָּם (ישעיהו יא, יד): (טו) **היום החלותי לשאול לו באלהים.** יש מפרשים בתמיהה, היום החילותי לשאול בעבורו חלילה, שהייתי יודע כי הוא בורח, כי כמה פעמים שאלתי לו שהיה הולך במצותיך, ויש לפרשו בלא תמיהה כלומר למה אתה מאשימני לפי ששאלתי לו באלהים, וזה הוא היום הראשון ולא הייתי יודע כי קשה הוא בעיניך וכי בורח הוא, חלילה לי שאם הייתי יודע לא הייתי עושה, ומעתה לא אעשה עוד אחר שקשה בעיניך ובורח הוא מפניך, כי לא הייתי יודע כל זה אבל הייתי חושב אותו מתחילה נאמן ביתך: **בכל בית אבי.** ולא כל בית אבי: **אל ישם המלך.** דבר אשם אמר זה לפי ששלח שאול לקרא גם כן כל בית אביו: (יז) **ולא אבו.** דרשו (סנהדרין מט, א) כי אבנר ועמשא היו ולא אבו לפגוע בכהני ה׳, כי דרשו אכין ורקין מיעוטין מה שכתוב בְּכָל אִישׁ אֲשֶׁר יַמְרֶה אֶת פִּיךָ... יוּמָת (יהושע א, יח) יכול אפילו לדבר עבירה תלמוד לומר רַק חֲזַק וֶאֱמָץ (שם), ולדעת הדרש הזה יהיה פירוש וַיֹּאמֶר הַמֶּלֶךְ לָרָצִים ולנצבים עליו כי אבנר ועמשא לא היו רצים אלא שרים: (יח) **לדויג.** כתיב וקרי לְדוֹאֵג כי היה נקרא דויג ודואג כמו שאומר וַיִּסֹּב דוֹיֵג ולא קרי דואג, ויש ספרים שגם הוא קרי דואג, והקרי הוא לפי שברוב היו קוראים אותו דואג, ומדרשו (ירושלמי סנהדרין י, ב) כי לכך כתוב דויג אמר לו שאול נתפשת כדג אתה הלשנת עליהם אתה הרוג אותם, ונראה כי בשעת המעשה קראו הכתוב דויג לגריעות שמו: **נשא אפוד בד.** כתרגומו דְּכַשְׁרִין לְמִילְבַּשׁ אֵפוֹד דְבוּץ, נראה לפירושו כי הוא הרג יותר משמונים וחמשה אבל השמונים וחמשה היו ראויין ללבוש אפוד, בד כי נראה כי הגדולים בעובדי ה׳ היו לובשים זה המלבוש, וכן דוד המלך לבשו ביום שהעלה הארון (שמואל־ב ו, יד), וביום זה שחרבה נוב הביאו המשכן לגבעון: (יט) **מאיש ועד אשה.** דרשו בו (יומא כב, ב) בדבר עמלק כתיב וַיַּחְמֹל שָׁאוּל וְהָעָם... עַל מֵיטַב הַצֹּאן וגו׳ (לעיל טו, ט) יצאתה בת קול ואמרה לו אַל תְּהִי צַדִּיק הַרְבֵּה (קהלת ז, טז) ובנוב עיר הכהנים כתיב מֵעוֹלֵל וְעַד יוֹנֵק וְשׁוֹר וַחֲמוֹר וָשֶׂה לְפִי חָרֶב, יצאתה בת קול ואמרה לו אל תרשע הרבה, יש לתמוה כי בכל אשר הזכיר הכתוב עונות שאול לא ראינו שהזכיר עון נוב עיר הכהנים, ואפילו כשקראם בית הַדָּמִים (שמואל־ב כא, א) לא אמר אלא על אשר המית את הגבעונים ולא אמר הכהנים, ונראה כי חייבים היו הכהנים ולא נגלה בכתוב עונם זולתי עון בית עלי, ואף על פי כן נענש שאול על דמם שנפל בחרב פלשתים הוא ובניו, ואמרו רבותינו זכרונם לברכה (סנהדרין קג, ב) גדולה לגימה שמרחקת הקרובים ומקרבת את הרחוקים ומעלמת עין מן הרשעים ומשרה שכינתו על נביאי הבעל ושגגתה עולה זדון, מרחקת את הקרובים מעמון ומואב (דברים כג, ה), מקרבת את הרחוקים מיתרו דכתיב קִרְאֶן לוֹ וְיֹאכַל לָחֶם (שמות ב, כ), מעלמת עין מן הרשעים ממיכה משרה שכינתו על נביאי הבעל מעדוא הנביא דכתיב וַיְהִי הֵם יֹשְׁבִים אֶל הַשֻּׁלְחָן וגו׳ (מלכים־א יג, כ), ושגגתה עולה זדון שאלמלא הלוהו יהונתן לדוד שתי ככרות לחם לא נהרג נוב עיר הכהנים ולא נטרד דואג האדומי ולא נהרג שאול ושלשת בניו:

מצודת דוד

(יד) **ומי בכל עבדיך.** רצה לומר, לא במרד עשיתי זאת, כי אמרתי שהולך הוא בדבר המלך, כי מי מכל עבדיך עבד נאמן כדוד: **וסר.** ומאז היה סר להיות נשמע לך, לכל אשר תצונו: (טו) **היום החלתי.** וכי היום היה ההתחלה לשאיל לו באלהים, הלא מאז שאלתי לו, בהיות כי הוא היה המוציא והמביא: **חלילה לי.** לעשות זאת במרד ובמעל: **דבר.** רצה לומר, דבר אשמה: **בכל.** כמו ובכל בית אבי: **בכל זאת.** במה שמרד דוד בך: (יז) **גם ידם.** רצה לומר, גם עצתם: (יח) **נשא אפוד.** כל אחד מהם היה נושא אפוד, והוא מלבוש מכובד, ילבשו אותו עובדי ה׳, וכמו שנאמר בשמואל נַעַר חָגוּר אֵפוֹד בָּד (לעיל ב, יח): (כב) **ביום ההוא.** בהיותי בנוב, ידעתי אז שדואג שם והוא יגיד לשאול: **אנכי סבתי.** היה מתאונן ואומר, אני סבבתי המיתה לכולכם, ועל ידי באה התקלה:

מצודת ציון

(ז) **לרצים.** הרצים רגלי, לפני מרכבתו: **עליו.** אצלו, לשמשו: **סבו.** סובו מפה ללכת להמיתם: **ולא אבו.** ולא רצו: **לפגע.** ענין מכת מות, כמו גַּשׁ פְּגַע בּוֹ (שמואל־ב א, טו):

peremptory manner and by addressing Ahimelech by his father's name, Saul signaled his great anger, leading up to his grave charge in verse 13, which was not only an accusation but a death sentence.

[14]Ahimelech answered the king, and said, "Who among all your servants is as trustworthy as David? He is the king's son-in-law, obeys your bidding, and is honored in your household. [15]Did I begin today to inquire for him of God? It would be sacrilegious for me [to betray the king]! Let the king not accuse his servant or my father's entire household of anything, for your servant did not know anything small or great about all of this."

The annihilation of Nob's Kohanim

[16]But the king said, "You must die, Ahimelech, you and all your father's house!"

[17]The king then said to the footmen who stood about him, "Surround and kill the Kohanim of HASHEM, because their hand is also with David, and because they knew that he was fleeing and did not inform me." But the servants of the king were not willing to send forth their hand to slay the Kohanim of HASHEM. [18]So the king said to Doeg, "You circle around and slay the Kohanim!" Doeg the Edomite circled around and he killed the Kohanim; on that day he killed eighty-five men, wearers of linen robes. [19]And Nob, the city of Kohanim, he killed by the blade of the sword: man and woman alike; child and suckling alike; ox, donkey and sheep.

David shelters the lone survivor

[20]One son of Ahimelech son of Ahitub — his name was Abiathar — escaped, and he fled to David. [21]Abiathar told David that Saul had massacred the Kohanim of HASHEM. [22]David said to Abiathar, "I knew on that day that Doeg the Edomite was there and that he would certainly inform Saul. I am responsible for every life of your father's house!

14-15. Ahimelech responded with shocked innocence. How could he even suspect that the beloved and respected David, Saul's own son-in-law, was anything other than the king's loyal servant and emissary? Moreover, Ahimelech had often inquired at David's request, since he represented the king.

15. בְּכָל זֹאת דָּבָר קָטֹן אוֹ גָדוֹל — *Anything small or great about all this,* i.e., Ahimelech knew nothing about friction between Saul and David.

16. מוֹת תָּמוּת אֲחִימֶלֶךְ — *You must die, Ahimelech.* A king has the right to supersede the judicial process to put down a rebellion. Convinced as he was that Ahimelech and his followers were conspiring against him, Saul ordered the mass execution of all the Kohanim of Nob, an event that brought about the end of the Sanctuary at Nob; after this catastrophe, the Tabernacle was moved to Gibeon, where it remained until Solomon built the Temple.

The mass execution of all these innocent Kohanim was one of the darkest chapters in the history of the nation up to that point, and it was a heinous blot on Saul's reign. Doeg, whose slander was the cause of the tragedy, is forever recorded in the scroll of infamy as one of four commoners whose deeds caused them to lose any share in the World to Come (*Tanchuma, Metzora*).

17. According to the Sages, Saul issued his order to Abner and Amassa, the commanders of his army, but they and the other servants refused, because there is no duty to obey the king if his order is sinful. Virtually all of Saul's leading followers were convinced that Ahimelech and the Kohanim were innocent.

18. וַיֹּאמֶר הַמֶּלֶךְ לְדוֹאֵג — *So the king said to Doeg.* After everyone else refused to carry out his order, Saul turned to Doeg, as if to say, "You made the accusation — act on it!"

Doeg was both a vicious slanderer and a mass murderer — he destroyed with his tongue and with his sword. That he was able to murder so many people single-handedly shows how powerful he was physically (*Yalkut Shimoni* 131). He was excluded from any share in the World to Come (*Sanhedrin* 90a). The unusual spelling of his name in this verse — דויג — alludes to his crime. The middle letters, וי, spell the word *woe, alas,* expressing God's anguish that such a great scholar could have degenerated so abysmally.

19. Saul ordered the merciless extermination of every living being in Nob, in sharp contrast to his compassion for Agag and the choice livestock of Amalek (15:9). To such behavior the Sages apply the verses אַל תְּהִי צַדִּיק הַרְבֵּה, *Do not be overly righteous,* and אַל תִּרְשַׁע הַרְבֵּה, *Do not be overly wicked* (*Koheles* 7:16,17). Saul misused his mercy by saving the wicked, and he misused his harshness — a trait that is sometimes necessary — by killing the righteous (*Yoma* 22a). One who is merciful to wicked people will be cruel to good people.

20-23. Abiathar, the sole survivor. The only survivor of the holy city was Abiathar, a son of Ahimelech, who fled to David and later became Kohen Gadol.

22. David accepted responsibility for the fate of Nob, because he should have realized that Doeg would inform on him. In fairness to David, it is obvious that he could not have expected that such an august personality as Doeg could be so dishonest or that Saul could be so rash and cruel. Nevertheless David's remorse set an example for how careful people should be regarding where they speak and what they say, and how one should never excuse his behavior on the grounds that others were at fault. In Psalm 52, David used Doeg as the eternal example of the effects of slander and the unforgivable evil of those who relish it.

כב

כג שְׁבָה אִתִּי אַל־תִּירָא כִּי אֲשֶׁר־יְבַקֵּשׁ אֶת־נַפְשִׁי יְבַקֵּשׁ אֶת־נַפְשֶׁךָ כִּֽי־מִשְׁמֶרֶת אַתָּה עִמָּדִי׃

כג

א וַיַּגִּדוּ לְדָוִד לֵאמֹר הִנֵּה פְלִשְׁתִּים נִלְחָמִים בִּקְעִילָה וְהֵמָּה שֹׁסִים אֶת־הַגֳּרָנוֹת׃ ב וַיִּשְׁאַל דָּוִד בַּיהוָה לֵאמֹר הַאֵלֵךְ וְהִכֵּיתִי בַּפְּלִשְׁתִּים הָאֵלֶּה וַיֹּאמֶר יְהוָה אֶל־דָּוִד לֵךְ וְהִכִּיתָ בַפְּלִשְׁתִּים וְהוֹשַׁעְתָּ אֶת־קְעִילָה׃ ג וַיֹּאמְרוּ אַנְשֵׁי דָוִד אֵלָיו הִנֵּה אֲנַחְנוּ פֹה בִּיהוּדָה יְרֵאִים וְאַף כִּֽי־נֵלֵךְ קְעִלָה אֶל־מַעַרְכוֹת פְּלִשְׁתִּים׃ ד וַיּוֹסֶף עוֹד דָּוִד לִשְׁאֹל בַּיהוָה וַיַּעֲנֵהוּ יְהוָה וַיֹּאמֶר קוּם רֵד קְעִילָה כִּֽי־אֲנִי נֹתֵן אֶת־פְּלִשְׁתִּים בְּיָדֶךָ׃ ה וַיֵּלֶךְ דָּוִד ואנשו [וַאֲנָשָׁיו ק׳] קְעִילָה וַיִּלָּחֶם בַּפְּלִשְׁתִּים וַיִּנְהַג אֶת־מִקְנֵיהֶם וַיַּךְ בָּהֶם מַכָּה גְדוֹלָה וַיֹּשַׁע דָּוִד אֵת יֹשְׁבֵי קְעִילָה׃ ו וַיְהִי בִּבְרֹחַ אֶבְיָתָר בֶּן־אֲחִימֶלֶךְ אֶל־דָּוִד קְעִילָה אֵפוֹד יָרַד בְּיָדוֹ׃ ז וַיֻּגַּד לְשָׁאוּל כִּי־בָא דָוִד קְעִילָה וַיֹּאמֶר שָׁאוּל נִכַּר אֹתוֹ אֱלֹהִים בְּיָדִי כִּי נִסְגַּר לָבוֹא בְּעִיר דְּלָתַיִם וּבְרִיחַ׃

רש"י

(כג) **כי אשר יבקש את נפשי.** אדם אחד רודף שנינו, במקום שאמלט שם אני, תמלט אתה, כי במשמרתי תהיה תמיד, כך תרגם יונתן, אֲרֵי מַאן דְּבָעֵי לְמִיקְטְלִי בָּעֵי לְמִקְטְלָךְ, ויש עוד לפרש; כי את אשר יאהבני יאהבך, ואשר ישמור את נפשי ישמור את נפשך, ויש דוגמא במקרא אַנְשֵׁי דָמִים יִשְׂנְאוּ תָם וִישָׁרִים יְבַקְשׁוּ נַפְשׁוֹ (משלי כט, י), הרי כאן בקשת נפש לטובה: (ז) **נכר אתו אלהים בידי.** הסגיר, וכן אַל תֵּרֶא בְיוֹם אָחִיךָ בְּיוֹם נָכְרוֹ (עובדיה א, יב). וממשקל החזקים הוא, כמו אִבַּד וְשִׁבַּר בְּרִיחֶיהָ (איכה ב, ט). ואם בקש לדבר במשקולת הרפים, היה נקוד נִכַּר: **נסגר לבוא בעיר דלתים ובריח.** ויבטח בכך, ולא יחוש לברוח ממנו:

רד"ק

(כג) **כי אשר יבקש את נפשי יבקש את נפשך.** שאול הוא שמבקש את נפשי והוא מבקש את נפשך לכן שבה אתי: **כי משמרת אתה עמדי.** אשמור אותך כמו שאשמור את עצמי, ויש לפרשו נפשי יבקש מי שיבקש את נפשך: (א) **שסים.** בוזזים, כמו זֶה חֵלֶק שׁוֹסֵינוּ (ישעיהו יז, יד): (ב) **וישאל דוד בה'.** בסוף הענין מפרש במה שאל והוא שאמר וַיְהִי בִּבְרֹחַ אֶבְיָתָר... אֵפוֹד יָרַד בְּיָדוֹ: (ג) **ביהודה יראים.** הנה אנחנו בין בני ישראל אנחנו בסכנה מפני שאול, ונשים עצמינו יותר בסכנה בין פלשתים, ומפני דבריהם הוסיף דוד לשאול ולא מפני עצמו כי הוא בפעם הראשונה היה בוטח אלא מפני אנשיו הוסיף לשאול, וכשראו אנשיו שהבטיחו האל פעמים הלכו עמו: (ה) **וינהג את מקניהם.** איך היו מקניהם במלחמה, אלא כשהכה דוד מהם מכה גדולה רדף אחרי הנסים מהם עד ארץ פלשתים ונהג את מקניהם: (ו) **אפוד ירד בידו.** פירשו אותו כמו הוריד, וכן תרגם יונתן אחית, ואני מפרשו בודד כמשפטו ואמר ירד כלומר ירד האפוד בדרך מקרה ביד, ואף על פי שהורידו לא הורידו מדעתו אבל כשלקח כליו עמו בברחו לא השגיח מה לקח ומה הניח כאדם בורח, והיתה סבה מאת ה' והיה האפוד בדרך מקרה בין כליו, לפיכך אמר ירד ולא אמר הוריד: (ז) **נכר.** פירוש סגר ומסר, אמר מאחר שהוא בעיר דלתים ובריח לא ימלט מידי, כי משהיה סביב העיר ואצור עליה לא יוכל לברוח מן העיר כי עיר דלתים ובריח הוא, והוא לא חשב שיהיה אדם שיגיד לדוד:

מצודת דוד

(כג) **כי אשר יבקש.** הלא שאול המבקש נפשי לספותה, הוא מבקש נפשך, לזה אל תפרד מעלי ותהיה שמור עמד: (ג) **ביהודה.** עם שאנו בין אנשי שבטך, אנו מתפחדים, ומכל שכן כאשר נלך קעילה: (ד) **ויוסף וכו'.** בכדי לאמץ לב אנשיו שאל שוב: (ה) **וינהג.** נהג לעצמו, להיות לו לשלל: (ו) **קעילה.** כשבא אל דוד היה בגבול קעילה: **אפוד ירד.** לפי שנאמר למעלה (פסוק ב), וַיִּשְׁאַל דָּוִד בַּה', לזה אמר שאביתר הביא עמו האפוד, ובו שאל: (ז) **נכר.** מסר אותו אלהים בידי, אחרי שסגר בעדו לשבת בעיר דלתים ובריח, ובוטח הוא בחוזק העיר ולא יתחבא עוד, ואני אצור על העיר עד רדתה:

מצודת ציון

(א) **שסים.** בוזזים, כמו וּמְשַׂנְאֵינוּ שָׁסוּ לָמוֹ (תהלים מד, יא): (ג) **ואף כי.** הוא ענין כל שכן וקל וחומר, כמו אַף כִּי אֵשׁ אֲכָלַתְהוּ (יחזקאל טו, ה): **מערכות.** אנשי המלחמה יקראו כן, כשהם ערוכים וסדורים להלחם: (ו) **אפוד.** זה יאמר על האפוד והחושן עם האורים ותומים, וכן אֵין אֵפוֹד וּתְרָפִים (הושע ג, ד): (ז) **נכר.** מסר, וכן כִּי צוּרָם מְכָרָם (דברים לב, ל): **ובריח.** הוא כעין מטה, עשוי לסגור בו הדלתות מבפנים:

---

1. הִנֵּה פְלִשְׁתִּים נִלְחָמִים בִּקְעִילָה — *"Behold the Philistines are battling against Ke'ilah."* Ke'ilah was in the province of Judah (*Joshua* 15:44, *Mahari Kara*), near the Philistine border (*Eruvin* 45a). David felt responsible to assist Ke'ilah for two reasons. The beleaguered people were his fellow tribesmen and he felt obligated to help them. Furthermore, David felt indirectly responsible for their plight, because the Philistines would not have risked an attack on Jewish territory if Saul had not been too preoccupied with finding David to defend the country properly (*Kli Yakar*).

According to the Talmud, this Philistine incursion occurred on the Sabbath and the attackers were intent only on looting the granaries, but not on conquering the city or harming its people. Since there was no danger to human

23.

☙ Saul continues his pursuit, but David remains untainted. Saul remains relentless in his pursuit of David, and David becomes the victim of treachery on the part of people who owe their freedom, if not their lives to him. Nevertheless, David does not react in kind. Even when Saul is at his mercy, David refuses to harm the king.

1-6. *David saves Ke'ilah.* Learning what had happened to the defenseless Kohanim of Nob, David and his men realized now more than ever how precarious their situation was. Nevertheless, when they heard that the city of Ke'ilah was threatened, they felt a responsibility to come to its aid, even though they would be exposing themselves to Saul by doing so.

[23]Stay with me and fear not, for the man who seeks my life seeks your life, as well. You are safe with me."

23

David saves Ke'ilah

[1]They told David, saying, "Behold, the Philistines are battling against Ke'ilah and they are pillaging the granaries." [2]David then inquired of HASHEM, saying, "Shall I go and strike down these Philistines?" And HASHEM replied to David, "Go, strike the Philistines and save Ke'ilah." [3]But David's men said to him, "Behold, we are afraid [even] here in Judah; how much more so if we go to Ke'ilah to the Philistine lines!" [4]So David inquired again of HASHEM, and HASHEM answered him, "Arise, go down to Ke'ilah, for I am delivering the Philistines into your hand." [5]David and his men went to Ke'ilah and battled the Philistines; he led away their livestock and struck them a great blow. Thus David saved the residents of Ke'ilah.

[6]When Abiathar son of Ahimelech fled to David to Ke'ilah, he brought the Ephod with him.

[7]Saul was told that David had come to Ke'ilah, and Saul said, "God has delivered him into my hand, for he has been trapped by coming into a city of gates and bar."

---

life, it would ordinarily have been forbidden to desecrate the Sabbath to repel the invaders, but there is an exception to this rule: an attack on a border city, as Ke'ilah was, is considered a mortal danger to the country, and requires an armed response, even on the Sabbath (*Eruvin* 45a). This, too, would account for David's decision to go into battle.

2. וַיִּשְׁאַל דָּוִד בַּה׳ — *David then inquired of HASHEM.* When Abiathar escaped from the massacre at Nob, he brought the *Urim v'Tumim* with him (v.6). *Radak* (ibid.) infers that he fled in such haste that he was able to grab only a few items, and did not even realize that the *Urim v'Tumim* was among them.

Ramban (*Exodus* 28:30), however, surmises that Moses revealed the secret of the *Urim v'Tumim* to the greatest people of the age and it was passed down through the generations. Such people — and David was one of them — could make their own equivalent of the *Urim v'Tumim* and use it to receive Divine guidance. *Ibn Ezra* (ibid. 28:6) writes similarly, and finds support for this thesis in verse 6, which states that Abiathar brought אֵפוֹד, literally *an ephod,* rather than הָאֵפוֹד, *the Ephod.*

2-4. God tells David to save Ke'ilah — which was enough for David — but his men refused to agree. In verse 4, David inquires again, and this time his men accept the command.

Why did they refuse to obey at first, and why was God's second message to them more reassuring than the first? In verse 3, David's men argued quite logically that if they were in mortal danger from Saul and his troops when they were in hiding, why should they expose themselves to another danger by fighting the Philistines? Furthermore, if they came out of hiding to confront the Philistines, Saul would learn of their whereabouts.

As to God's message in verse 2, that David should go into battle, the men argued that it was not clear that God had assured him of success. Perhaps the message was merely that the only hope for Ke'ilah was for him to fight for them, but not that he was guaranteed to be victorious. They recalled the time when the *Urim v'Tumim* had been consulted, but the right question had not been asked (*Judges* 20:18-28). At that time, instead of asking *if* they should go war, they asked only who should lead them — and the results were disastrous. Now, too, David's men argued that he should ask whether they would win the battle. When the answer came that God would grant victory, they went to war without delay (*Ralbag*).

According to *Radak,* they refused at first because they were very fearful, but when David inquired a second time to reassure them, and God reiterated the message, they overcame their fear and obeyed.

5. וַיֵּלֶךְ דָּוִד וַאֲנָשָׁיו — *David and his men went.* The word וַאֲנָשָׁיו, *and his men*, is pronounced and therefore translated in the plural, but it is spelled without a *yud* [אֲנָשׁוֹ], *his man*, in the singular. This implies that instead of taking his entire fighting force, David picked only his best men to defend Ke'ilah (*Kli Yakar*).

6. אֵפוֹד — *Ephod*, i.e., the garment of the Kohen Gadol to which the *Urim v'Tumim* was attached (see *Exodus* 28:28-30).

7-12. Danger and escape. As David's men had feared, Saul learned about the campaign at Ke'ilah and seized the opportunity to attempt capture David. To make matters worse, Ke'ilah was a walled city, so it appeared that David could easily be trapped inside.

7. נִכַּר אֹתוֹ אֱלֹהִים בְּיָדִי — *God has delivered him into my hand.* Saul is convinced that God was helping him trap David, the "traitor" who was truly liable to the death penalty. Accordingly, Saul felt that everything he did was in accordance with God's will, and it is noteworthy that Saul's efforts to persecute — even to kill — David are never described as a sin; first because he was convinced that it was correct and even necessary, and second because it was caused by his melancholia, over which he apparently had no control.

בְּעִיר דְּלָתַיִם וּבְרִיחַ — *A city of gates and bar.* Since the city was walled, the only way for David to leave it was through

ח וַיְשַׁמַּע שָׁאוּל אֶת־כָּל־הָעָם לַמִּלְחָמָה לָרֶדֶת קְעִילָה לָצוּר אֶל־דָּוִד וְאֶל־אֲנָשָׁיו׃
ט וַיֵּדַע דָּוִד כִּי עָלָיו שָׁאוּל מַחֲרִישׁ הָרָעָה וַיֹּאמֶר אֶל־אֶבְיָתָר הַכֹּהֵן הַגִּישָׁה
י הָאֵפוֹד׃ וַיֹּאמֶר דָּוִד יהוה אֱלֹהֵי יִשְׂרָאֵל שָׁמֹעַ שָׁמַע עַבְדְּךָ כִּי־מְבַקֵּשׁ
יא שָׁאוּל לָבוֹא אֶל־קְעִילָה לְשַׁחֵת לָעִיר בַּעֲבוּרִי׃ הֲיַסְגִּרֻנִי בַעֲלֵי קְעִילָה בְיָדוֹ הֲיֵרֵד
שָׁאוּל כַּאֲשֶׁר שָׁמַע עַבְדֶּךָ יהוה אֱלֹהֵי יִשְׂרָאֵל הַגֶּד־נָא לְעַבְדֶּךָ וַיֹּאמֶר
יב יהוה יֵרֵד׃ וַיֹּאמֶר דָּוִד הֲיַסְגִּרוּ בַּעֲלֵי קְעִילָה אֹתִי וְאֶת־אֲנָשַׁי בְּיַד שָׁאוּל וַיֹּאמֶר
יג יהוה יַסְגִּירוּ׃ וַיָּקָם דָּוִד וַאֲנָשָׁיו כְּשֵׁשׁ־מֵאוֹת אִישׁ וַיֵּצְאוּ
מִקְּעִלָה וַיִּתְהַלְּכוּ בַּאֲשֶׁר יִתְהַלָּכוּ וּלְשָׁאוּל הֻגַּד כִּי־נִמְלַט דָּוִד מִקְּעִילָה
יד וַיֶּחְדַּל לָצֵאת׃ וַיֵּשֶׁב דָּוִד בַּמִּדְבָּר בַּמְּצָדוֹת וַיֵּשֶׁב בָּהָר בְּמִדְבַּר־זִיף וַיְבַקְשֵׁהוּ
טו שָׁאוּל כָּל־הַיָּמִים וְלֹא־נְתָנוֹ אֱלֹהִים בְּיָדוֹ׃ וַיַּרְא דָּוִד כִּי־יָצָא שָׁאוּל לְבַקֵּשׁ
טז אֶת־נַפְשׁוֹ וְדָוִד בְּמִדְבַּר־זִיף בַּחֹרְשָׁה׃ וַיָּקָם יְהוֹנָתָן בֶּן־שָׁאוּל
יז וַיֵּלֶךְ אֶל־דָּוִד חֹרְשָׁה וַיְחַזֵּק אֶת־יָדוֹ בֵּאלֹהִים׃ וַיֹּאמֶר אֵלָיו אַל־תִּירָא כִּי

רש״י

(ט) מחריש הרעה. (תרגוס), כָּמִין יָת בִּישְׁתָא: **(יא) היסגרני בעלי קעילה וגו׳.** למדנו מכאן, שהשואל שני דברים, אין משיבין לו אלא אחד, ואין משיבין לו אלא ראשון, וכאן דוד שאל שלא כסדר, שהיה לו לשאול תחילה הירד שאול, היסגרוני בידו, והשיבוהו כסדר: **(יג) באשר יתהלכו.** (תרגוס), בַּאֲתַר דְּכָשַׁר לְהַלָּכָא, במקום הראוי: **(טז) ויחזק את ידו.** חידש ברית שביניהם:

רד״ק

(ח) וישמע. כמו ויאסף, לפי שהעם נאספים על ידי כרוז משמיע, וכן במשנה משמיעין על השקלים (שקלים א, א) פירוש מכריזין: **(ט) מחריש הרעה.** עניינו חושב, כמו אַל תַּחֲרֹשׁ עַל רֵעֲךָ רָעָה (משלי ג, כט): **(יא) היסגרני.** פירוש מוסרים, מכאן למדו רבותינו זכרונם לברכה (יומא עג, א) שאין שואלין באורים ותומים שני דברים כאחד, ואם שאל אין משיבין לו אלא אחד, ואין משיבין אלא ראשון, שהרי דוד אמר היסגירוני הירד, וַיֹּאמֶר ה׳ יֵרֵד, הנה הוא שאל שני דברים לא השיבו אלא אחד, והשיבו ה׳ על הראוי להיות ראשון והוא ירד כי דוד שאל שלא כסדר, וכיון שהכיר במענה כי שלא כסדר שאל חזר ושאל כסדר הֲיַסְגִּרוּ בַּעֲלֵי קְעִילָה, אבל אם היה צורך השעה לשאול שני דברים כאחד כגון שאין שהות לעמוד, שואלין על שני דברים ומשיבין על שניהם כאחד כמו ששאל דוד אֶרְדֹּף אַחֲרֵי הַגְּדוּד הַזֶּה הַאַשִּׂגֶנּוּ וַיֹּאמֶר לוֹ רְדֹף כִּי הַשֵּׂג תַּשִּׂיג וְהַצֵּל תַּצִּיל (לקמן ל, ח): **בעלי קעילה.** אדוני העיר וגדוליה, ויונתן תרגם יָתְבֵי קְעִילָה: **(יג) באשר יתהלכו.** הלכו בדרך מקרה באיזה מקום שיזדמן להם לשבת שם, ויונתן תרגם בַּאֲתַר דְּכָשַׁר לְהַלָּכָא: **(יד) במצדות.** בסלעים הגבוהים שהיו במדבר, ופירושו לפניו וַיֵּשֶׁב בָּהָר בְּמִדְבַּר זִיף: **(טו) וירא דוד.** כי הכיר דוד כי שאול יצא לבקש את נפשו שם במדבר זיף, כי שמע כי הזיפים אמרו לו כי הוא מסתתר שם והיה בדעתו ללכת משם, ובין כך בא אליו יהונתן שם וכרתו ברית שניהם והלך יונתן ודוד יושב עדין בחורשה, וכאשר שמע כי שאול בא הלך לו למדבר מעון, והוא סמוך למדבר זיף כמו שכתובים שניהם בנחלת בני יהודה מָעוֹן כַּרְמֶל וָזִיף (יהושע טו, נה): **בחרשה.** פירוש ביער תרגום יער חורשא והה״א נוספת כי הטעם מלעיל או בחורשא שם מקום: **(טז) באלהים.** חזק ידו שלא יירא בדבר אלהים שהבטיחו על ידי הנביא כי ימלוך, וזהו שאמר כִּי לֹא תִמְצָאֲךָ יַד שָׁאוּל אָבִי (פסוק יז), וכן תרגם יונתן וּתְקֵיף יַת יְדֵיהּ בְּמֵימְרָא דַה׳:

מצודת דוד

(ט) וידע דוד. הבין מדעתו שעליו לבד מחריש הרעה, ולזה פחד פן ימסרוהו בידו: **(י) בעבורי.** בכדי לתפוש אותי: **(יא) היסגרני.** האם דעתם למסור אותי בידו: **הירד.** האם דעתו לרדת הנה: **ירד.** דעתו לרדת, ועל כי אין אורים ותומים משיבים על שני דברים כאחד, לזה השיבו לו על דבר שהיה מהראוי לשאול ראשון עליו, כי הירידה ראשון היא בזמן: **(יב) יסגירו.** דעתם להסגיר אותך בידו: **(יג) באשר יתהלכו.** רצה לומר, לא הלכו אל המקום אשר חשבו מתחילה לילך אליו וכדרך כל הארץ, כי המה לא חשבו מתחילה ללכת אל מקום ידוע, כי אם כאשר יזדמן: **(יד) וישב וכו׳.** פעם ישב במצדות, פעם בהר וכו׳: **(טו) וירא דוד.** כשראה אשר שאול יוצא לבקשו, אז ישב במדבר זיף במקום שיוכל להמלט: **(טז) ויחזק.** חזק, כמו ואמץ לבבו במשענת אלהים, באמרו אלהים עמך, מה יעשה בשר לך:

מצודת ציון

(ח) וישמע. ענין אסיפה הבאה משמיעת קול המאסף, כמו הַשְׁמִיעוּ עָלֶיהָ מַמְלְכוֹת (ירמיהו נא, כז): **לצור.** ענינו הסבוב על העיר, להצר לה ולכבשה: **(ט) מחריש.** ענין מחשבה, כמו אַל תַּחֲרֹשׁ עַל רֵעֲךָ רָעָה (משלי ג, כט): **(יא) היסגרני.** ענין מסירה, כמו לְהַסְגִּיר לֶאֱדוֹם (עמוס א, ו): **בעלי.** אדוני, כמו אִם בְּעָלָיו עִמּוֹ (שמות כב, יד): **(יג) ויחדל.** ומנע: **(יד) במצדות.** במקומות משומרים: **(טו) בחרשה.** ביער, כמו חֹרֶשׁ מֵצַל, (יחזקאל לא, ג), ורצה לומר סעיף:

---

the gates, and they could easily be barred, thus trapping David inside. Saul was sure that this was a Divine intervention to help him capture his enemy.

8. לַמִּלְחָמָה — *For war.* To assure that the nation would support his campaign, Saul proclaimed it to be a *war* against the Philistines, rather than a pursuit of the popular David (*Malbim*).

9. Recognizing the danger that he might be trapped or that the leaders of Ke'ilah might feel compelled to turn him over to Saul, David once again consulted the *Urim v'Tumim* through Abiathar: Should he remain in Ke'ilah or flee for his life?

11. הֲיַסְגִּרֻנִי בַעֲלֵי קְעִילָה בְיָדוֹ הֲיֵרֵד שָׁאוּל — *Will the inhabitants of Ke'ilah give me over into his hand? Will Saul come down here?* David asked two questions, but, in verse 12, God answered only the second one. Only when he repeated his first question did God answer it. From this sequence, the Sages derive some rules that applied to the *Urim v'Tumim.* (a) One may ask only one question at a time. (b) If two questions are asked, only the first one will be answered. (c) If the

Saul pursues David [8]*So Saul summoned all the people for war, to go down to Ke'ilah to besiege David and his men.* [9]*David learned that Saul was planning evil against him, and he said to Abiathar the Kohen, "Bring forth the Ephod."* [10]*David said, "HASHEM, God of Israel, Your servant has heard that Saul seeks to come to Ke'ilah to destroy the city on my account.* [11]*Will the inhabitants of Ke'ilah give me over into his hand? Will Saul come down here, as Your servant has heard? HASHEM, God of Israel, please tell Your servant!" And HASHEM said, "He will come down."* [12]*David then said, "Will the inhabitants of Ke'ilah give me and my men over into the hand of Saul?" And HASHEM replied, "They will give [you] over."* [13]*So David and his men — about six hundred men — arose and left Ke'ilah and went wherever they could go. When Saul was told that David had escaped from Ke'ilah, he stopped advancing.* *David eludes Saul*

[14]*David then dwelled in the wilderness in strongholds, or he dwelt in the mountain, in the Wilderness of Ziph. Saul searched for him all the days, but God did not deliver him into his hand.* [15]*David saw that Saul had gone forth to seek his life, and David was in the Wilderness of Ziph, in the forest.* [16]*Jonathan son of Saul arose and went to see David in the forest, and he encouraged him with the word of God.* [17]*He said to him, "Fear not, for* *Jonathan's secret rendezvous*

questions are not asked in the logical order, the one that logically should have come first will be answered. In this case, David *should* have asked first whether Saul would come to Ke'ilah; only then should he have asked whether the people of Ke'ilah would hand him over (*Yoma* 73a).

12. Realizing that his first question had not been answered, David understood that it was because he had asked the wrong question first (ibid.). He repeated the question and God informed him, " Although you risked your life to save them from the Philistines, the people of Ke'ilah will not risk Saul's wrath to save you from him. They will turn you over to Saul" (*Abarbanel*).

Although they succeeded in breaking out of Ke'ilah and Saul abandoned his pursuit, this did not contradict the message of the *Urim v'Tumim.* God's message was a warning that if they remained in Ke'ilah they would be trapped and fall into Saul's hands.

13-15. David goes into hiding. David and his men escaped from Ke'ilah with no particular destination in mind. Knowing that Saul would be relentless in trying to find him, David and his men wandered from place to place, at times hiding among the tall boulders and at times among the mountains of Ziph. Saul combed the area, but God protected David (*Abarbanel*). It was during these wanderings that David composed Psalm 11 (*Meiri*), in which he declares that although he has been forced to flee like a bird, he has faith that God will protect the righteous and rain punishment upon the wicked.

In his commentary to that psalm, *R' Hirsch* writes that God tests the righteous person's constancy and true joy in doing what is right. If proper living would automatically lead to immediate reward and punishment, then selfishness — and not the exercise of free will in the performance of God's will — would be the motivation for man's actions. Why should anyone not do God's will if it is obvious that he will be rewarded for it? Such a righteous man's sufferings are actually proof of God's love and interest in his moral improvement and well-being, because it means that God is testing him to prove that he is indeed acting out of faith. On the other hand, the apparently undimmed happiness of the lawless and brutal is a sign of God's disfavor. They are unworthy of Divine discipline because they are no longer capable of profiting from it.

13. When David first became a fugitive, four hundred men gathered around him (22:2). By now his troop had grown to six hundred. Knowing that Saul would come after them if he learned of their whereabouts, they went from place to place, never establishing a permanent camp.

14. In contrast to Saul's conviction that God was helping him capture David (v. 6), Scripture states that God was protecting David. Again in verse 16, God is invoked. It should be clear that all the principals in the drama, Saul, David, and Jonathan, were righteous people, whose primary goal was to do God's will. Saul's melancholia clouded his judgment, but not his inner piety.

16-18. Jonathan seeks out David. Jonathan's genuine and unselfish love for David leads him to seek out his friend in the mountainous wilderness. Presumably David had lookouts to warn him and his party if anyone sighted Saul's soldiers, but they knew they could trust Jonathan, and led him to their leader. He came to encourage David and strengthen his trust in God. Rabbi Yehudah the Prince [*Rabbeinu HaKadosh*] said that there were three truly humble people who waived their own honor for the sake of others: his own father, Rabban Shimon ben Gamliel; the Sons of Beseirah (who surrendered their leadership of the people to Hillel, when they realized that he was greater than they); and Jonathan, who subdued his own ambitions in favor of David (*Bava Metzia* 84b).

16. וַיְחַזֵּק אֶת יָדוֹ — *And he encouraged him,* by renewing the covenant between them (*Rashi*). Alternatively, Jonathan assured David that God would protect him *(Mahari Kara)*.

לֹא תִמְצָאֲךָ יַד־שָׁאוּל אָבִי וְאַתָּה תִּמְלֹךְ עַל־יִשְׂרָאֵל וְאָנֹכִי אֶהְיֶה־לְּךָ לְמִשְׁנֶה
יח וְגַם־שָׁאוּל אָבִי יֹדֵעַ כֵּן׃ וַיִּכְרְתוּ שְׁנֵיהֶם בְּרִית לִפְנֵי יהוה וַיֵּשֶׁב דָּוִד בַּחֹרְשָׁה
יט וִיהוֹנָתָן הָלַךְ לְבֵיתוֹ׃ וַיַּעֲלוּ זִפִים אֶל־שָׁאוּל הַגִּבְעָתָה לֵאמֹר הֲלוֹא דָוִד
כ מִסְתַּתֵּר עִמָּנוּ בַמְּצָדוֹת בַּחֹרְשָׁה בְּגִבְעַת הַחֲכִילָה אֲשֶׁר מִימִין הַיְשִׁימוֹן׃ וְעַתָּה
כא לְכָל־אַוַּת נַפְשְׁךָ הַמֶּלֶךְ לָרֶדֶת רֵד וְלָנוּ הַסְגִּירוֹ בְּיַד הַמֶּלֶךְ׃ וַיֹּאמֶר שָׁאוּל בְּרוּכִים
כב אַתֶּם לַיהוה כִּי חֲמַלְתֶּם עָלָי׃ לְכוּ־נָא הָכִינוּ עוֹד וּדְעוּ וּרְאוּ אֶת־מְקוֹמוֹ אֲשֶׁר תִּהְיֶה
כג רַגְלוֹ מִי רָאָהוּ שָׁם כִּי אָמַר אֵלַי עָרוֹם יַעְרִם הוּא׃ וּרְאוּ וּדְעוּ מִכֹּל הַמַּחֲבֹאִים אֲשֶׁר
יִתְחַבֵּא שָׁם וְשַׁבְתֶּם אֵלַי אֶל־נָכוֹן וְהָלַכְתִּי אִתְּכֶם וְהָיָה אִם־יֶשְׁנוֹ בָאָרֶץ וְחִפַּשְׂתִּי
כד אֹתוֹ בְּכֹל אַלְפֵי יְהוּדָה׃ וַיָּקוּמוּ וַיֵּלְכוּ זִיפָה לִפְנֵי שָׁאוּל וְדָוִד וַאֲנָשָׁיו בְּמִדְבַּר מָעוֹן
כה בָּעֲרָבָה אֶל יְמִין הַיְשִׁימוֹן׃ וַיֵּלֶךְ שָׁאוּל וַאֲנָשָׁיו לְבַקֵּשׁ וַיַּגִּדוּ לְדָוִד וַיֵּרֶד הַסֶּלַע וַיֵּשֶׁב
כו בְּמִדְבַּר מָעוֹן וַיִּשְׁמַע שָׁאוּל וַיִּרְדֹּף אַחֲרֵי־דָוִד מִדְבַּר מָעוֹן׃ וַיֵּלֶךְ שָׁאוּל מִצַּד הָהָר
מִזֶּה וְדָוִד וַאֲנָשָׁיו מִצַּד הָהָר מִזֶּה וַיְהִי דָוִד נֶחְפָּז לָלֶכֶת מִפְּנֵי שָׁאוּל וְשָׁאוּל וַאֲנָשָׁיו

רש״י

(כ) **ולנו הסגירו.** ועלינו להסגירו: (כב) **כי אמר אלי.** מי שאמר: **ערום יערם הוא.** מתנהג הוא בערמה, היום כאן, ולמחר במקום אחר, כדי שלא יודע מקומו: (כג) **אל נכון.** על דבר מכוון ואמת: (כד) **לפני שאול.** שהיה שאול עתיד לילך אחריהם, והם הלכו לפניו לחפש אל נכון:

רד״ק

(יז) **אהיה לך למשנה.** אני מבקש ממך שאהיה אני משנה לך כשתמלוך: **ידע כן.** שתמלוך והיו יודעין זה מפי השמועה שנמשח דוד למלך: (יח) **לפני ה׳.** אורים ותומים שהיו שם עם אביתר הכהן, או פירוש שהאל יתברך יהיה עד בין שניהם: **לביתו.** תרגום יונתן לאורחיה: (יט) **ויעלו זפים.** וכבר עלו הזיפים ואמרו לשאול, וזהו שאמר וַיַּרְא דָוִד כמו שאמרנו למעלה (פסוק טו): (כב) **הכינו עוד.** חפשו וראו היטב שתדעו מקומו בכוון: **כי אמר אלי.** בעוד שהיה עמי היה אומר לי כשהייתי שואלו איך היה מכה בפלשתים כל כך ואיך היה נשמר מהם, והיה אומר לי כי ערום יערים הוא ובערמות ובתחבולות היה בא עליהם שלא היו נשמרים ממנו, כן עתה הוא עושה מראה עצמו במקום זה כדי שנבקש אותו שם ומחר יהיה במקום אחר, לפיכך דעו כל המקומות אשר דרכו להתחבא שם, ויש מפרשים כי אמר אלי האומר כמו ויאמר ליוסף, רצה לומר אמר אלי המגיד כי עתה ערום יערים הוא, וכן תרגם יונתן אֲרֵי אָמְרִין לִי דְעָרִים וְנָפִיק הוּא: (כג) **אל נכון.** דבר נכון וברור: **בכל אלפי יהודה.** לפי שלא היה דוד בא אלא בארץ יהודה לפי שהיו מחפין עליו, אבל שאר השבטים אם היה בא ביניהם היו מוסרין אותו לשאול, ומה שאמר אַלְפֵי רצה לומר אכריח כל שרי אלפים שביהודה שהיו ידם עמי לחפשו היטב כל אחד באלף שלו: (כד) **וילכו זיפה לפני שאול.** אלה הזיפים הבאים אל שאול הלכו אל זיף לפני שילך שם שאול הלכו הם לחפש המקום שהיה שם דוד באמת ושבו אל שאול, והכתוב לא ספר התשובה אבל אחר שאמר וַיֵּלֶךְ שָׁאוּל וַאֲנָשָׁיו (פסוק כה) ידענו כי הזיפים שבו אליו טרם לכתו: (כה) **וירד הסלע.** נראה שעמק היה בין הערבה שהיה שם דוד ובין הסלע, ואמר וירד כלומר ירד העמק לעלות הסלע, ועל הדרך הזה נאמר וַיַּעֲלוּ אֹתָם עֵמֶק עָכוֹר (יהושע ז, כד) כמו שפירשתיו במקומו, ומה שכתוב עוד וַיֵּשֶׁב בְּמִדְבַּר מָעוֹן להודיע כי לא היה לו פנאי לברוח ממדבר מעון ועלה לסלע הזה שהיה במדבר להשתגב בו מפני שאול: (כו) **מצד ההר מזה.** זהו הסלע: **נחפז ללכת.** היה טרוד ומהיר ללכת ולברוח מפני שאול ולא יכול כי שאול ואנשיו סבבוהו, כי אף על פי שאמר שאול מִצַּד הָהָר מִזֶּה, כיון שראו כי רצה לברוח סבבו הם הסלע ולא היה להם אלא לתפשם כשבא המלאך אל שאול בסבת נורא עלילות, ובדרש (מדרש תהלים יח, ז) נֶחְפָּז לָלֶכֶת, זה שאמר דוד אֲנִי אָמַרְתִּי בְחָפְזִי כָּל הָאָדָם כֹּזֵב (תהלים קטז, יא) כיון שראה דוד עצמו מצומצם ביד שאול ואנשיו אמר על חנם משח אותי שמואל ואמר לי כי משחך ה׳ למלך (לעיל י, א) היכן היא אותה הבטחה שאמר לי, ומנין שכך אמר שנאמר אני אמרתי בחפזי כל האדם כוזב אפילו שמואל, היכן היא אותה הבטחה שאמר לי, אמר לו הקדוש ברוך הוא אני מעיד עליו שנאמן שמואל, שנאמר וידע כל ישראל מדן ועד באר שבע כי נאמן שמואל לנביא ואתה קראת לשמואל כוזב, מיד וּמַלְאָךְ בָּא אֶל שָׁאוּל לֵאמֹר מַהֲרָה וְלֵכָה וגו׳ (פסוק כז) אמר רבי יודן מלאך שליח היה אמר לו רבי פנחס וכי השליח יועץ הוא, שהיה אומר מַהֲרָה וְלֵכָה, אלא מלאך מן השמים היה שנאמר יִשְׁלַח מִשָּׁמַיִם וְיוֹשִׁיעֵנִי (תהלים נז, ד):

מצודת דוד

(יח) **לפני ה׳.** לפני האורים והתומים, כי הברית שמאז לא היה לפני ה׳: (יט) **מסתתר.** מתחבא אצלינו בהמצדות העומדות בחורשה, שהיא בגבעת החכילה אשר היא מימין הישימון: (כ) **לכל אות וכו׳.** רצה לומר, באיזה אופן שתרצה לרדת אלינו רד, ועלינו למסרו בידך: (כא) **ברכים.** ה׳ יברך אתכם בעבור ההודעה: (כב) **הכינו עוד.** היו נכונים לראות מקום מהלכו, כי מי ראהו שם, הלא דבריכם מאומד ומשמועה: **כי אמר אלי.** עודו סר למשמעתי, אמר לי שבערמה ובתחבולות יעשה מלחמה, ולזאת מאוד מהצורך לחקור ולחפש אחריו: (כג) **אם ישנו בארץ.** כאשר לא נמצא אותו בכל מחבואיו, אם כן ודאי יהיה בארץ בין אנשי שבטו, ואז אחפש אותו בכל אלפי יהודה, רצה לומר, אכריח את כל שרי אלפי יהודה, שכל אחד יחפש אחריו בין אנשיו: (כד) **ויקומו וילכו.** לחקור ולחפש טרם בוא שאול: **בערבה.** במישור אשר מימין הישימון: (כה) **וילך שאול.** אחר שחזרו הזיפים והגידו לו מכל מחבואיו: **וירד הסלע.** ירד מהסלע אשר ישב בה, לשבת במדבר, מקום נוח להשמט אנה ואנה: (כו) **נחפז ללכת.** היה ממהר לברוח, ושאול ואנשיו סבבום לחפשם:

מצודת ציון

(יז) **למשנה.** שני למלכות: (כ) **אות.** ענין רצון ותשוקה, כמו אִוָּהּ לְמוֹשָׁב לוֹ (תהלים קלב, יג): (כב) **הכינו.** מלשון הכנה: **ערם יערם.** מלשון ערמה: (כג) **המחבאים.** מלשון מחבואה ומסתור: **אל נכון.** כמו בנכון, וכן וְאֶל הָאָרֹן (שמות כה, כא), ומשפטו, ובהארון, ונָכוֹן, רצה לומר דבר ברור ומכוון: **ישנו.** מלשון יש: **וחפשתי.** ענין חקירה: (כד) **בערבה.** תרגום יונתן, בְּמֵישְׁרָא: (כו) **נחפז.** מלשון חפזון ומהירות:

---

17. **וְאַתָּה תִּמְלֹךְ** — *And You will reign.* Apparently word had spread that Samuel had anointed David, and Jonathan concluded that Saul, too, knew this (*Radak*).

וְאָנֹכִי אֶהְיֶה לְּךָ לְמִשְׁנֶה — *And I will be second to you.* Jonathan appealed that David appoint him to be his viceroy, if he was still alive when David ascended to the throne (*Radak*).

the hand of my father Saul will not find you; you will reign over Israel and I will be second to you, and even my father Saul knows it." [18]*The two of them sealed a covenant before* HASHEM. *David stayed on in the forest, and Jonathan went to his home.*

The Ziphites betray David

[19]*Some Ziphites went up to Saul in Gibeah, saying, "David is hiding among us in the strongholds in the forest in Hachilah Hill, south of Jeshimon.* [20]*So now, however your soul desires to come down, O king, come down — and we undertake to give him over into the hand of the king."* [21]*Saul said, "Blessed are you unto* HASHEM, *for you have shown me compassion!* [22]*Go now [and] prepare further, ascertain and observe his location, where he dwells, [and] who has seen him there, for someone has told me he acts with great cunning.* [23]*Observe and ascertain all the hiding places where he conceals himself and come back to me with a precise report, and then I shall go with you. And it will be [that] if he is in the land, I will search him out from among all the thousands of Judah."*

[24]*So they arose and went back to Ziph ahead of Saul. David and his men were in the Wilderness of Maon in the Arabah, south of Jeshimon.* [25]*Saul and his men went to search, and people told David, so he descended to the Rock and stayed in the Wilderness of Maon. Saul heard and pursued David to the Wilderness of Maon.* [26]*Saul went on this side of the mountain while David and his men were on that side of the mountain; David hastened to go away from Saul, but Saul*

As has been noted, *Ramban* explains that, had Saul not forfeited his right to the throne by disobeying Samuel in the war against Amalek, the eternal king would have been from the tribe of Judah, while Saul's Benjamite family would have had a secondary role. Jonathan's request to be viceroy may be seen in this light. Rather than making a selfish request for power, he meant to safeguard his father's honor by seeking to maintaining Saul's legacy of leadership.

19-26. The Ziphites betray David. Although Ziph was in the province of Judah and the Ziphites were David's kinsmen, they betrayed him to Saul and told the king exactly where David was hiding. In Psalm 54, David expresses his faith and gratitude to God, and prays that, true to His promise to punish those who pursue slander and murder (*Rashi*), He should repay the Ziphites in kind for their treachery. David concludes with the confident promise that once God helps him, he will express his gratitude with offerings of thanksgiving.

20. Not only did they inform on David, they even volunteered to apprehend him and turn him over to his pursuers.

21. Again Saul invoked God's Name, still sure that he was doing the right and necessary thing. He expressed his gratitude for the Ziphites' compassion toward him, because he had become convinced that his own people had no pity for him in his struggle against insurrection. He was especially grateful that new allies came from the tribe of Judah, the quarter from which he least expected such loyalty.

22. מִי רָאָהוּ שָׁם — *Who has seen him there.* Saul wanted not rumors and conjectures, but firm testimony. He was ready to send a large force to capture David, but he did not want to go on a wild-goose chase.

כִּי אָמַר אֵלַי — *For someone has told me.* The translation follows *Rashi*, that an unnamed informant had told Saul of David's cunning. *Radak*, however, comments that the information had once come from David himself. Saul had asked David how he succeeded in killing so many Philistines single-handedly, to which David replied that he outwitted them by leading them to believe that he was hiding in one place, and, when they advanced upon it to capture him, he ambushed them. Therefore Saul now told his informants that David's trademark tactic is deception and if so, do not be so sure you know where he is until you are absolutely certain.

24-26. The chase begins.

24. וַיָּקוּמוּ וַיֵּלְכוּ זִיפָה לִפְנֵי שָׁאוּל — *So they arose and went back to Ziph ahead of Saul.* The Ziphites took the initiative, going ahead of Saul and his army to search for David (*Rashi*). They found him and reported to Saul, whereupon the king set out with his troops (*Radak*).

25. וַיֵּרֶד הַסֶּלַע — *He descended to the Rock.* The translation follows *Radak*. Unable to escape from Maon, David *descended* into a valley from which he climbed up the *Rock*, a high plateau where he prepared to defend himself against Saul's imminent attack. *Abarbanel* disagrees. He renders *he descended from the Rock,* i.e., David went from the Rock to the flat land of the Wilderness, where he would have more room to maneuver if he had to flee.

26. According to *Radak*, David was on one side of the Rock and Saul was on the other. According to *Abarbanel*, both were on the plain, with only a hill or mountain separating them. In either case, David saw that he was trapped and hurried to try and escape, but Saul surrounded the entire area, cutting off any possible escape routes.

וַיְהִי דָוִד נֶחְפָּז — *David hastened.* David hurried to escape from Saul's men, but it was too late; he was surrounded.

Radak cites a Midrash that David's use of the word נֶחְפָּז is

כז עֹטְרִים אֶל־דָּוִד וְאֶל־אֲנָשָׁיו לְתָפְשָׂם: וּמַלְאָךְ בָּא אֶל־שָׁאוּל לֵאמֹר מַהֲרָה וְלֵכָה
כח כִּי־פָשְׁטוּ פְלִשְׁתִּים עַל־הָאָרֶץ: וַיָּשָׁב שָׁאוּל מִרְדֹף אַחֲרֵי דָוִד וַיֵּלֶךְ לִקְרַאת

כד

א פְּלִשְׁתִּים עַל־כֵּן קָרְאוּ לַמָּקוֹם הַהוּא סֶלַע הַמַּחְלְקוֹת: וַיַּעַל דָּוִד מִשָּׁם וַיֵּשֶׁב
ב בִּמְצָדוֹת עֵין־גֶּדִי: וַיְהִי כַּאֲשֶׁר שָׁב שָׁאוּל מֵאַחֲרֵי פְּלִשְׁתִּים וַיַּגִּדוּ לוֹ לֵאמֹר
ג הִנֵּה דָוִד בְּמִדְבַּר עֵין גֶּדִי: וַיִּקַּח שָׁאוּל שְׁלֹשֶׁת אֲלָפִים אִישׁ בָּחוּר מִכָּל־
ד יִשְׂרָאֵל וַיֵּלֶךְ לְבַקֵּשׁ אֶת־דָּוִד וַאֲנָשָׁיו עַל־פְּנֵי צוּרֵי הַיְּעֵלִים: וַיָּבֹא אֶל־גִּדְרוֹת
הַצֹּאן עַל־הַדֶּרֶךְ וְשָׁם מְעָרָה וַיָּבֹא שָׁאוּל לְהָסֵךְ אֶת־רַגְלָיו וְדָוִד וַאֲנָשָׁיו בְּיַרְכְּתֵי
ה הַמְּעָרָה יֹשְׁבִים: וַיֹּאמְרוּ אַנְשֵׁי דָוִד אֵלָיו הִנֵּה הַיּוֹם אֲשֶׁר־אָמַר יהוה אֵלֶיךָ

רש"י

(כו) **עטרים.** מקיפים וסובבים מגד אל גד, כעטרה המקפת את הראש: (כז) **ומלאך בא אל שאול.** מלאך ממש, כדי להציל את דוד: (כח) **סלע המחלקות.** שהיה לבו של שאול חלוק לשתי דעות, אם לשוב להציל את ארצו מיד פלשתים, או לרדוף ולתפוש את דוד, כן תרגמו יונתן: (ג) **צורי היעלים.** סלעי היעלים: (ד) **להסך את רגליו.** להפנות לנקבים גדולים:

רד"ק

עטרים. כמו סובבים, כמו עטרה שהיא סובבת את הראש וכן כַּצִּנָּה רָצוֹן תַּעְטְרֶנּוּ (שם ה, יג): (כח) **מרדף אחרי דוד.** בחירק המ"ם שלא כמנהג: **סלע המחלקות.** לפי שנחלקו בו אלה מאלה, ותרגם יונתן כֵּיף פַּלְגוּתָא אַתְרָא דְאִתְפְּלֵיג בֵּיהּ לִבָּא מַלְכָּא דְשָׁאוּל לְמֵיזַל לְכָא וּלְכָא, כלומר נחלק לב המלך אם יתעכב עד שיתפש דוד או אם ילך אחרי פלשתים, וכן הוא אומר בדרש (מדרש תהלים יח, ז) מהו סֶלַע הַמַּחְלְקוֹת, אמר רבי שמואל בר נחמני ששם נחלקו גבורים של שאול על דוד, מהם היו אומרים עד שבן ישי בידינו לא נפנה ממנו ומהם אמרו מלחמת ישראל קודמת שבן ישי מצוי לנו בכל שעה, דבר אחר מהו סֶלַע הַמַּחְלְקוֹת שבשעה שהיה דוד ועבדיו עוברים על אותו מקום היה מתחלק מחיילותיו הוא ושש מאות איש שהיו אתו באותה שעה, והיו יורדין מעל סוסיהן ומשתטחין על פניהם ואומרין ברוך שעשה לנו נס במקום הזה: (ג) **על פני צורי היעלים.** כי היעלים בצורים ובסלעים שוכנים כמו שנאמר גם כן יַעֲלֵי סָלַע (איוב לט, א) והוא אַקּוֹ הנזכר בתורה (דברים יד, ה) ואמרו כי הוא תיש הבר, ויונתן תרגם עַל אַפֵּי שְׁקִיפֵי כֵּיפַיָּא, ולא ידעתי מה היה דעתו לתרגם יעלים כֵּיפַיָּא: (ד) **להסך את רגליו.** להשתין מים, ויונתן תרגם לְמֶיעְבַּד צָרְכֵיהּ רצה לומר להפנות הנקבים הגדולים, וכן במשנה (יומא פרק ג, ב) זה הכלל היה במקדש כל המסיך את רגליו טעון טבילה וכל המטיל מים טעון קדוש ידים ורגלים, והוא דרך כבוד והוא ענין יציקה מענין נסך ואם הם שני שרשים, או הוא לשון סכוך וכן פרשוהו רבותינו זכרונם לברכה (ברכות סה, ב), אמר רבי אלעזר מלמד שעשה עצמו כסוכה כלומר מתוך צניעות גדולה שהיתה בו היה מסכך עצמו בעת היציאה שלא יראה בשרו ערום, ורַגְלָיו דרך כבוד והוא כנוי לאבר היציאה, וכן אֶת מֵימֵי רַגְלֵיהֶם (מלכים־ב יח, כז): **בירכתי המערה.** נחבאו שם מפני שאול: (ה) **אשר אמר ה'.** אמר לו על ידי שמואל או גד או נתן הנביא שיתן אויביו בידיו ושיצלח למלוכה, אבל על שאול לא נאמר לו כי לא נפל בידו, אבל אנשי דוד אמרו לו אחר שהאל הבטיחך שיתן אויביך בידיך הנה שאול ראש אויביך והנה עתה הגיע היום כי הנה הוא בידך, ולטעם זה פירשתי שכתיב איביך וקרי אֹיִבְךָ:

מצודת דוד

(כז) **ומלאך בא.** ועד שלא תפשם, בא שליח אליו ללכת מול פלשתים: (כח) **סלע המחלקות.** על שם כי בהסלע ההוא (הוא ההר שהלך שאול מצד ההר מזה וכו' האמור למעלה, פסוק כה) נחלקו ונפרדו שאול ואנשיו, מעם דוד ואנשיו: (ג) **צורי היעלים.** סלעים גבוהים אשר היעלים מקננים בהן. וכן נאמר הֲיָדַעְתָּ עֵת לֶדֶת יַעֲלֵי סָלַע (איוב לט, א): (ה) **הנה היום.** אולי נאמר לו על ידי נביא שימסור ה' אויביו בידו, וחשבו אנשיו שעל היום הזה נאמר, ולזה אמרו הנה זהו היום וכו', ולזה לך ועשית לו וכו':

מצודת ציון

עטרים. מסובבים, כעטרה המסבבת את הראש: **לתפשם.** ענין האחיזה בחזקה: (כז) **פשטו.** התפזרו כדרך הנלחמים, וכן אַל פְּשַׁטְתֶּם הַיּוֹם (לקמן כז, י): (ג) **בחור.** כל אחד היה נבחר: (ד) **גדרות הצאן.** דיר שהצאן רובצים בה: **להסך את רגליו.** לעשות צרכיו בנקבים, כי דרך הצנועים לסכך ולכסות הרגלים, וכן אַךְ מֵסִיךְ הוּא אֶת רַגְלָיו (שופטים ג, כד): **בירכתי.** בסוף, וכן וּלְיַרְכְּתֵי הַמִּשְׁכָּן יָמָּה (שמות כו, כב):

related to his plaint (*Psalms* 116:11), *I said* בְחָפְזִי, *in my haste, "All mankind is deceitful."* According to the Midrash, David voiced that lament now when he was trapped by Saul. David felt betrayed by everyone — even by Samuel who had anointed him. Where was Samuel's promise that he would reign? God was angered at this, and said, "I have testified that Samuel is trusted by everyone and you call him deceitful?" At that point, God sent an angel to reveal David's whereabouts to Saul.

Thus, this Midrash reiterates the principle that all people are held accountable for their shortcomings; God shows no favoritism even to David, His anointed.

27-28. God intervenes. Just when David was surrounded on all sides and his plight seemed hopeless, God brought about a totally unexpected means of salvation that caused Saul to abandon the chase. This incident is recorded to show that God shelters His righteous ones and engineers ways to protect them (*Ralbag*). Apparently, David's anguish at his hopeless plight was sufficient punishment for his outburst, as recounted in the above Midrash.

27. **וּמַלְאָךְ בָּא** — *Then a messenger came.* In the plain sense of the verse, a human messenger came to tell Saul of the new development. *Rashi* cites the Midrash, which renders that God sent an *angel*, to divert Saul and thereby save David.

28. **סֶלַע הַמַּחְלְקוֹת** — *"The Rock of Divisions".* *Radak* cites several interpretations of this term. In the plain sense, it means that David and Saul became separated from one another, with Saul rushing to fight the Philistines. *Targum Yonasan* renders that it refers to Saul's inner conflict: Should he abandon the chase and go to fight the Philistines, or should he remain and capture David? *Radak* cites a Midrash that Saul's officers disputed this issue among themselves. Some argued that they should not let David slip

An unexpected rescue

and his men were surrounding David and his men, to capture them. [27]*Then a messenger came to Saul saying, "Hurry and go — for the Philistines have spread out over the land!"* [28]*So Saul returned from chasing after David, and went toward the Philistines. This is why that place is called "the Rock of Divisions."*

24

Saul resumes his pursuit

[1]*David ascended from there and dwelt in the strongholds of En-gedi.* [2]*When Saul returned from [chasing] after the Philistines, people told him, saying, "Behold, David is in the Wilderness of En-gedi."* [3]*So Saul took three thousand chosen men, from all of Israel, and went to seek David and his men over the rocks of the wild goats.* [4]*He came to sheep enclosures along the road, and there was a cave there, which Saul entered to relieve himself. David and his men were sitting at the far end of the cave.*

[5]*David's men said to him, "Behold, this is the day of which* HASHEM *said to you,*

through their fingers now that they had trapped him. Others contended that the duty to defend the nation had to come first.

Such quandaries are not uncommon. If indeed David was the existential threat that Saul considered him to be, then it would seem quite logical to let the Philistines do some small harm at the cost of achieving the more important goal of capturing the threat to the stability of the government.

24.

Reconciliation? As had happened before, Saul realizes that David is not his enemy and regrets his persecution of his fugitive son-in-law. But although they now swore oaths of friendship and loyalty to one another, David did not return to the royal compound, and in the end the reconciliation was short-lived.

1-4. Saul resumes the pursuit. After his successful defense of the land against the Philistines, Saul resumed his pursuit of David with renewed vigor and with a larger force than ever. Since Scripture says nothing about a battle with the Philistines, we may surmise that the foreign incursion was a minor one and all Saul had to do was chase the Philistines away. This is further proof that, as noted above (23:27), God created this threat as a diversion, in order to save David. *Kli Yakar* comments that it is clear from Saul's new pursuit that he did not perceive that it was God Who had deterred him from capturing David.

1. בִּמְצָדוֹת עֵין גֶּדִי — *In the strongholds of En-gedi.* As the following verses indicate, these strongholds were not man-made buildings, but high rocks that made pursuit difficult and provided hiding places for David and his men.

3-4. *Malbim* notes that in verse 3, Saul was searching for David among the high rocks that are easily accessible only to wild goats — which would be the logical places for David to hide. But verse 4 states that David was hiding in a cave along the road, hardly secluded enough to be a safe refuge. *Malbim* comments that David knew that Saul would not expect him to hide in the cave, so he tried to outsmart Saul by hiding there. That Saul entered the cave alone to relieve himself without searching it first is proof that he was certain David could not be there.

Expounding upon Saul's visit to the cave, the Talmud stresses his extreme modesty in covering his body, leaving no flesh exposed, even though he thought he was alone, with no one watching. This righteous and modest conduct convinced David that it would be wrong for him to harm such a person (*Berachos* 62b).

This incident shows how one cannot circumvent a Divine decree. Saul undertook to search a large, mountainous, boulder-strewn expanse (*Radak, Ralbag*), but it did not enter his mind to search the very cave where David was almost beside him (*Kli Yakar*).

Psalm 57, David's prayer while he was concealed in the cave, is yet another testimony to his unblemished faith in God. Speaking of his tormentors, he says, *My soul is among lions, I lie with men who are aflame; people whose teeth are spears and arrows, and whose tongue is a sharp sword* (v. 5). Yet only a few verses later he sings, *My heart is steadfast, O God, my heart is steadfast; I will sing and I will make music . . . I will thank You among the peoples, O Lord; I will sing to You among the regimes.*

3. מִכָּל יִשְׂרָאֵל — *From all of Israel.* In contrast to his previous pursuit of David (23:8), Saul did not "summon the people for war," because he already had the force with which he fought the Philistines.

By selecting his pursuers from all the tribes — even from David's tribe of Judah — Saul may have wanted to show that he had the support of the entire nation.

5-8. David saves Saul's life. It was natural for David's men to see Saul's vulnerability as a Heaven-sent opportunity to dispose of their tormentor. David, however, saw it as a test. To him it was clear that they were not permitted to harm the king. Rather they were being tested to see if they would show their king the proper deference, despite his hateful treatment of them.

David's men saw Saul as a hated enemy and it was his life or theirs. David, however, saw before him *the anointed of* HASHEM (v. 7). The mark of oil on Saul's head, this sign of Divine distinction, was all that David saw and it obscured all other features of Saul's person. To David, this Divine symbol was Saul's shining essence, the core of his reality (*David, King of Israel*).

This divergence between David and his men is commonly seen in all circumstances. One person sees a great scholar;

הִנֵּה אָנֹכִי נֹתֵן אֶת־°איביך [°אֹיִבְךָ ק׳] בְּיָדֶךָ וְעָשִׂיתָ לּוֹ כַּאֲשֶׁר יִטַב בְּעֵינֶיךָ
ו וַיָּקָם דָּוִד וַיִּכְרֹת אֶת־כְּנַף־הַמְּעִיל אֲשֶׁר־לְשָׁאוּל בַּלָּט: וַיְהִי אַחֲרֵי־כֵן וַיַּךְ
ז לֵב־דָּוִד אֹתוֹ עַל אֲשֶׁר כָּרַת אֶת־כָּנָף אֲשֶׁר לְשָׁאוּל: וַיֹּאמֶר לַאֲנָשָׁיו חָלִילָה לִּי
מֵיהוָה אִם־אֶעֱשֶׂה אֶת־הַדָּבָר הַזֶּה לַאדֹנִי לִמְשִׁיחַ יהוה לִשְׁלֹחַ יָדִי בּוֹ כִּי־
ח מְשִׁיחַ יהוה הוּא: וַיְשַׁסַּע דָּוִד אֶת־אֲנָשָׁיו בַּדְּבָרִים וְלֹא נְתָנָם לָקוּם אֶל־שָׁאוּל
ט וְשָׁאוּל קָם מֵהַמְּעָרָה וַיֵּלֶךְ בַּדָּרֶךְ: וַיָּקָם דָּוִד אַחֲרֵי־כֵן וַיֵּצֵא
°מן־המערה [°מֵהַמְּעָרָה ק׳] וַיִּקְרָא אַחֲרֵי־שָׁאוּל לֵאמֹר אֲדֹנִי הַמֶּלֶךְ וַיַּבֵּט
י שָׁאוּל אַחֲרָיו וַיִּקֹּד דָּוִד אַפַּיִם אַרְצָה וַיִּשְׁתָּחוּ: וַיֹּאמֶר דָּוִד לְשָׁאוּל לָמָּה תִשְׁמַע
יא אֶת־דִּבְרֵי אָדָם לֵאמֹר הִנֵּה דָוִד מְבַקֵּשׁ רָעָתֶךָ: הִנֵּה הַיּוֹם הַזֶּה רָאוּ עֵינֶיךָ
אֵת אֲשֶׁר־נְתָנְךָ יהוה ׀ הַיּוֹם ׀ בְּיָדִי בַּמְּעָרָה וְאָמַר לַהֲרָגְךָ וַתָּחָס עָלֶיךָ וָאֹמַר
יב לֹא־אֶשְׁלַח יָדִי בַּאדֹנִי כִּי־מְשִׁיחַ יהוה הוּא: וְאָבִי רְאֵה גַּם רְאֵה אֶת־כְּנַף

רש״י

(ו) **ויהי אחרי כן וגו׳:** (ז) **ויאמר לאנשיו חלילה.** שני מקראות הללו כתובין שלא כסדרן, אלא כיון שהתחיל לדבר בכריתת המעיל, כלה כל דבריו, ואמר שאף בכריתת המעיל נתחרט, ואחר כך חוזר לדברו הראשון, ואומר, על שאמרו לו אנשיו הִנֵּה הַיּוֹם וגו׳ (לעיל פסוק ה), השיב להם, חָלִילָה לִּי וגו׳: (ח) **וישסע.** הבדיל ודחה אותם בדברים: (י) **למה תשמע.** למה תקבל עלי לשון הרע של דואג: (יא) **ואמר להרגך ותחס עליך.** הרי כאן חסרים שתי תיבות, ואמר האומר שאהרגך, ותחס נפשי עליך, כמו וַתְּכַל דָּוִד ... לָצֵאת אֶל אַבְשָׁלוֹם (שמואל־ב יג, לט) ותכל נפש דוד: (יב) **ואבי ראה.** כלומר תן לבך על הדבר, וגם ראה העדות, אשר כנף מעילך בידי, והייתי יכול להרגך:

רד״ק

כאשר יטב בעיניך. ביו״ד איתיין לבד, ויו״ד השרש נפלה מהמכתב: **ויכרת את כנף המעיל.** דרשו רבותינו (ברכות סב, ב) כל המבזה את הבגדים לסוף אינו נהנה מהם שנאמר וְיִכַסֻּהוּ בַּבְּגָדִים וְלֹא יִחַם לוֹ (מלכים־א א, א) בעונש שכרת מעיל שאול שהיה לו זה: (ו) **ויך לב דוד אתו.** חשש בלבו שמא יחשוב ה׳ לו עון בכרתו כנף מעיל המלך, כי אף על פי שהוא היה רודפו אף על פי כן יש לו לירוא ממנו, ויונתן תרגם וְחָשׁ דָּוִד בְּלִיבֵּיהּ: (ז) **חלילה לי.** הם חשבו כי להרגו הלך אליו ובראותם כי בא וכנפו בידו אמרו לו למה לא הרגתו, אמר להם חלילה לי כי משיח ה׳ הוא: (ח) **וישסע.** סלק אותם מעליו בדברים טובים, כי הם היו רוצים לקום עליו להרגו כיון שלא הרגו כאשר חשבו הם, ובאמרו בַּדְּבָרִים בפתח הבי״ת מורה על הידיעה רצה לומר אותן דברים שזכר כי משיח ה׳ הוא וכיוצא בדברים אלו, ויונתן תרגם וַיְשַׁסַּע, וּפַיֵּיס: **בדרך.** באותו דרך שזכר, וכן וַיָּבֹא אֶל גִּדְרוֹת הַצֹּאן עַל הַדֶּרֶךְ (לעל פסוק ג): (ט) **מן המערה.** כן כתיב וקרי מֵהַמְּעָרָה והענין אחד: (יא) **ואמר להרגך.** מחלוקת בקריאת המלה הזאת לבן אשר הרי״ש מעמדת בגעיא והגי״מל בשוא ופתח, ולבן נפתלי הרי״ש חטופה, ופירוש וְאָמַר כל אחד מאנשי דוד שהיו רוצים להרגו לולי כי שסעם דוד בדברים, ועל הדרך הזה תרגם יונתן וַאֲמַרוּ אוּחֲרָנִין לְמִקְטְלָךְ וְחָסַת נַפְשִׁי עֲלָךְ, ויש נוסחאות וְחָסִית עֲלָךְ, ורבותינו זכרונם לברכה פירשו ואמרו (ברכות סב, ב) הכתוב אומר הבא להרגך השכם להרגו, אִם בַּמַּחְתֶּרֶת יִמָּצֵא הַגַּנָּב (שמות כב, א) כלומר בהיתר הייתי יכול להרגך לולי שחסה נפשי עליך: **ותחס עליך.** נפשי או עיני ורבותינו זכרונם לברכה פירשו צניעות שהיתה בך חסה עליך, כי מותר היה להרגך כי רודף אתה והבא להרגך השכם להורגו: (יב) **ואבי.** כתרגומו רבוני: **ראה.** ראה בעיניך הכנף וראה בלבך צדקתי ויושר לבבי שלא הרגתיך: **צדה.** אורב כתרגום כמין וכן ואשר לא צדה:

מצודת דוד

(ו) **ויך וכו׳.** לבו היתה מתנענעת ומכה בקרבו, כדרך החרד ומצטער, וזה בחשבו שלא עשה הטוב, והוא כמרים יד במשיח ה׳: (ז) **ויאמר לאנשיו.** האומרים אליו להרוג את שאול: **חלילה לי מה׳.** הדבר הזה הוא חולין לי מחמת מצות ה׳, וחוזר ומפרש הדבר ואמר, אִם אֶעֱשֶׂה וכו׳ לִשְׁלֹחַ יָדִי בּוֹ: **כי משיח.** והתורה הזהירה עליו: (ח) **וישסע דוד.** כי אנשיו עשו אגודה אחת להמית את שאול, ובא דוד ובקע להבדיל את האגודה באמרי פיו: (י) **את דברי אדם.** המדבר רכיל: **מבקש רעתך.** מבקש להרע לך: (יא) **ואמר להרגך.** כל אחד מאנשי, אמר להרגך, וחסה נפשי עליך, והוא מקרא קצר: (יב) **ראה גם ראה.** רצה לומר, ראה בראיה ברורה ומוחשת, אשר כנף מעילך בידי, ומזה תראה שהאמת אתי: **כי בכרתי.** במה שכרתי כנף המעיל שהיא לראיה שהיית בידי, ועם כל זה לא הרגתיך, מזה דע וראה כי מעולם לא חטאתי לך לבקש רעתך:

מצודת ציון

(ה) **כנף המעיל.** שפולי המעיל: **בלט.** בחשאי, כמו וַיְדַבְּרוּ אֶל דָּוִד בַּלָּט (לעיל יח, כב): (ח) **וישסע.** ענין בקיעה וסדיקה, כמו וַיְשַׁסְּעֵהוּ כְּשַׁסַּע הַגְּדִי (שופטים יד, ו): (ט) **ויקד.** כפף הקדקוד: **אפים.** מלשון פנים: (יב) **ואבי.** ענין גדול ושר, כמו האב על בנו. או לפי שהיה חותנו, חשבו כאב:

another sees an opponent or an opportunity for advancement. One person sees a rose; another sees thorns.

5. הִנֵּה אָנֹכִי נֹתֵן אֶת אֹיִבְךָ בְּיָדֶךָ — *Behold, I am delivering your enemy into your hand.* There is no previous mention of this prophecy, which had been conveyed to David by Samuel, Gad, or Nathan. To David's men, it was clear that the prophecy referred to Saul, and even though he had been the anointed of God, he had been displaced by David, whom Samuel had anointed after Saul lost his right to the throne. David, however, interpreted the prophecy as a reference to other, future enemies, but not to Saul. This disagreement is reflected in the word *your enemy*, which is spelled in the plural [אֹיְבֶיךָ, *your enemies*], but pronounced in the singular [אֹיִבְךָ, *your enemy*]. David's men saw Saul as *the* enemy, because he was the leader of the pursuing army, but David interpreted the prophecy as referring to the many enemies he would face when he actually assumed the throne (*Radak*).

וַיָּקָם דָּוִד — *So David arose.* David arose in response to the urging of his men and may even have intended to kill Saul; halachically he would have been permitted to do so because

David spares Saul's life

'Behold, I am delivering your enemy into your hand, and you may do to him as you please'!" So David arose and stealthily cut off a corner of Saul's robe. [6]Afterwards, however, David's conscience troubled him for having cut off the corner of Saul's [garment]. [7]He said to his men, "It would be sacrilegious before HASHEM for me to do this thing to my lord, the anointed of HASHEM, to send forth my hand against him, for he is the anointed of HASHEM!" [8]And David sundered his men with rhetoric, and did not permit them to rise up against Saul. Then Saul rose up from the cave and continued on the way.

A passionate declamation

[9]After that David arose and stepped out of the cave, calling after Saul, saying, "My lord, the king!" Saul looked behind him, and David bowed down on his face to the ground, and he prostrated himself. [10]David said to Saul, "Why do you listen to the words of someone who says, 'Behold, David seeks to harm you'? [11]Behold! This day your eyes have seen that HASHEM delivered you into my hand in the cave today, and [although] someone said to kill you, [my soul] took pity on you, and I said, 'I shall not send forth my hand against my lord, for he is the anointed of HASHEM!' [12]See now, my father, indeed, see the corner of your coat that is in my hand, for since I have cut off the corner

---

Saul was a רוֹדֵף, *pursuer*, but he decided against it for two reasons: (a) his expressed reason that Saul was God's anointed, and (b) because the future stability of the nation would be jeopardized if there was a precedent that it was permissible to assassinate the king (*Ralbag*).

וַיִּכְרֹת אֶת כְּנַף הַמְּעִיל — *[David] cut off a corner of the robe.* Unwilling to cause bodily harm to Saul, David cut off a part of his robe as proof that he could have harmed him had he wished to do so.

Saul's modesty was so great and he covered his body so completely that he was not even aware of what David was doing.

6. David was right to be troubled by what he had done. Although it was an act of great restraint on David's part that he spared the foe who was at his mercy, the Sages (*Berachos* 62b) teach it was sinful of him to disgrace a garment in this way. He was punished near the end of his life when he no longer had body heat and his garments did not warm him (*I Kings* 1:1).

7-8. Seeing that he had done nothing more than cut off a corner of Saul's garment, David's men were angry and astonished that he refused to harm Saul. They must have expressed their disagreement vehemently, because David was compelled to take such sharp issue with them that, as Scripture states figuratively, he had to "sunder them with his rhetoric." He stressed that a man who had been anointed with God's oil had to be treated with reverence.

7. לַאדֹנִי לִמְשִׁיחַ ה׳ — *To my lord, to the anointed of HASHEM.* David gave two reasons for not harming Saul. Saul was David's master and was God's anointed. Because David's men argued that he, too, had been anointed and that Saul's time had passed, David repeated that Saul was *still* the anointed one: David would be the future king, but as long as Saul sat on the throne, he was entitled to everyone's respect (*Abarbanel*).

8. This verse indicates that David and his men were in very close proximity to Saul, yet he was unaware of their presence, not only when David cut the corner of his garment, but when David and his men were discussing his fate.

9-16. David's appeal. David called after Saul and expressed his loyalty — a loyalty that he could now prove by the very fact that he had not harmed the king, though he had every opportunity to do so. If so, why did Saul still accept the libel that David was his enemy?

9. Before David presented his case, he prostrated himself to show his obedience.

10. אֶת דִּבְרֵי אָדָם — *The words of someone.* The word אָדָם, literally *man*, is singular. That *someone* was Doeg the Edomite [see 21:8, 22:9] (*Rashi*).

Tactfully, David did not blame Saul for persecuting him unjustly; he placed the responsibility on an anonymous slanderer (*Me'am Loez*), who did not have to be named, since Doeg's role in the campaign against David was well known.

11. וַתָּחָס עָלֶיךָ — *[My soul,* lit. *it] took pity on you.* The verse does not specify who took pity. Our translation follows *Rashi* and *Ralbag*, that the word implies David's own *soul*, i.e., his own merciful nature and high regard for Saul. The Sages comment that *it* was Saul's exemplary modesty in keeping himself covered when he relieved himself. This confirmed to David that Saul was righteous and should not be harmed (*Yerushalmi Succah* 5:4).

12. וְאָבִי — *My father.* David addressed him this way because Saul was his father-in-law. This is the source of the law that one must honor his in-laws (*Tur* and *Shulchan Aruch Yoreh Deah* 240:24). *Targum Yonasan* renders *my master*.

רְאֵה גַּם רְאֵה — *See . . . indeed, see.* In the plain sense, the double verb is for emphasis. Homiletically, the Sages comment that David meant to draw a contrast between himself and Saul. "*See* — I had you in my hands, but I did not harm you. In contrast, *see* that if you had me in your grasp, you

מְעִילְךָ בְּיָדִי כִּי בְּכָרְתִי אֶת־כְּנַף מְעִילְךָ וְלֹא הֲרַגְתִּיךָ דַּע וּרְאֵה כִּי אֵין בְּיָדִי
יג רָעָה וָפֶשַׁע וְלֹא־חָטָאתִי לָךְ וְאַתָּה צֹדֶה אֶת־נַפְשִׁי לְקַחְתָּהּ: יִשְׁפֹּט יהוה
יד בֵּינִי וּבֵינֶךָ וּנְקָמַנִי יהוה מִמֶּךָּ וְיָדִי לֹא תִהְיֶה־בָּךְ: כַּאֲשֶׁר יֹאמַר מְשַׁל הַקַּדְמֹנִי
טו מֵרְשָׁעִים יֵצֵא רֶשַׁע וְיָדִי לֹא תִהְיֶה־בָּךְ: אַחֲרֵי מִי יָצָא מֶלֶךְ יִשְׂרָאֵל אַחֲרֵי מִי
טז אַתָּה רֹדֵף אַחֲרֵי כֶּלֶב מֵת אַחֲרֵי פַּרְעֹשׁ אֶחָד: וְהָיָה יהוה לְדַיָּן וְשָׁפַט בֵּינִי
יז וּבֵינֶךָ וְיֵרֶא וְיָרֵב אֶת־רִיבִי וְיִשְׁפְּטֵנִי מִיָּדֶךָ: וַיְהִי | כְּכַלּוֹת דָּוִד
לְדַבֵּר אֶת־הַדְּבָרִים הָאֵלֶּה אֶל־שָׁאוּל וַיֹּאמֶר שָׁאוּל הֲקֹלְךָ זֶה בְּנִי דָוִד וַיִּשָּׂא
יח שָׁאוּל קֹלוֹ וַיֵּבְךְּ: וַיֹּאמֶר אֶל־דָּוִד צַדִּיק אַתָּה מִמֶּנִּי כִּי אַתָּה גְּמַלְתַּנִי הַטּוֹבָה וַאֲנִי
יט גְּמַלְתִּיךָ הָרָעָה: °ואת [°וְאַתָּה ק] הִגַּדְתָּ הַיּוֹם אֵת אֲשֶׁר־עָשִׂיתָה אִתִּי טוֹבָה אֵת
כ אֲשֶׁר סִגְּרַנִי יהוה בְּיָדְךָ וְלֹא הֲרַגְתָּנִי: וְכִי־יִמְצָא אִישׁ אֶת־אֹיְבוֹ וְשִׁלְּחוֹ בְּדֶרֶךְ
כא טוֹבָה וַיהוה יְשַׁלֶּמְךָ טוֹבָה תַּחַת הַיּוֹם הַזֶּה אֲשֶׁר עָשִׂיתָה לִי: וְעַתָּה הִנֵּה יָדַעְתִּי כִּי
כב מָלֹךְ תִּמְלוֹךְ וְקָמָה בְּיָדְךָ מַמְלֶכֶת יִשְׂרָאֵל: וְעַתָּה הִשָּׁבְעָה לִּי בַּיהוה אִם־תַּכְרִית
כה כג אֶת־זַרְעִי אַחֲרָי וְאִם־תַּשְׁמִיד אֶת־שְׁמִי מִבֵּית אָבִי: וַיִּשָּׁבַע דָּוִד לְשָׁאוּל וַיֵּלֶךְ
א שָׁאוּל אֶל־בֵּיתוֹ וְדָוִד וַאֲנָשָׁיו עָלוּ עַל־הַמְּצוּדָה: וַיָּמָת

רש"י

(יד) כאשר יאמר משל הקדמני. משל קדמונו של עולם, התורה, שהיא משלו של הקדוש ברוך הוא: **מרשעים יצא רשע.** הקדוש ברוך הוא מזמן לרשע, שנופל ביד רשע כיוצא בו, והיכן אמרה תורה וְהָאֱלֹהִים אִנָּה לְיָדוֹ (שמות כא, יג), כדאיתא במסכת מכות (י, ב):

רד"ק

(יד) משל הקדמוני. משל מאדם הקדמוני כי הוא סמוך, רוצה לומר המושל הראשון אשר אמר זה המשל והיה המשל בפי כל אדם אחריו, ותרגם יונתן כְּמָה דְאָמְרִין מַתְלָא דְמִלְקַדְמִין: **מרשעים יצא רשע.** מהם יצא הרשע שיכלם ויאבדם מן העולם אבל ידי לא תהיה בך כי ממקום אחר יבא לך הרע, או פירושו מרשעים יצא מעשה הרשע כלומר כמו שהם רשעים בלבם כן יעשו מעשה רשע ולבם יבחן במעשיהם, וכן אני מכיר לבך כי לא תרחם עלי אם אפול בידך אף על פי כן ידי לא תהיה בך, ורבותינו זכרונם לברכה פירשו (מכות י, ב) מְשַׁל הַקַּדְמֹנִי משל קדמונו של עולם הוא הקדוש ברוך הוא והוא מה שאמרה תורה וְהָאֱלֹהִים אִנָּה לְיָדוֹ (שמות כא, יג) כלומר ראוי היה זה למות אלא שמגלגלין זכות על ידי זכאי וחובה על ידי חייב כך, ונקמני ה׳ ממך על ידי רשע כמותך לא על ידי כי ידי לא תהיה בך: **(טו) אחרי כלב מת.** כלומר כי ככלב אני חשוב כנגדך ולא חי אפילו מת, ותרגומו חֲלַשׁ חָד וכן פַּרְעֹשׁ אֶחָד תרגומו הֶדְיוֹט חָד, כלומר דרך משל קרא עצמו כלב ופרעוש כלומר אדם פחות והדיוט, והפרעוש ידוע כי הוא השחור ממין המאכלת, ודמה עצמו לדבר קל וחלש ואמר כי פרעוש המוצאו בבגד או בבשרו רודפו כי הוא מדלג ממקום למקום, כלומר מה מעלה הוא לך ומה גבורה שאתה רודף אחרי כמו הרודף אחרי הפרעוש: **(יט) ואת הגדת.** כן כתיב וקרי וְאַתָּה ואחד הוא: **(כ) ושלחו בדרך טובה.** כי העושה זה באמת האל ישלם לו טובה כן ישלמך כלומר שכר יהיה לך מאת האל בעשותך זה: **(כא) ידעתי כי מלך תמלוך.** כי אני רואה אתה נצול מידי בכל עת ולא תמצאך ידי, ואפשר גם כן ששמע שמשחו שמואל למלך וכי שמואל אמר לו בדבר עמלק קָרַע ה׳ אֶת מַמְלְכוּת יִשְׂרָאֵל מֵעָלֶיךָ הַיּוֹם וּנְתָנָהּ לְרֵעֲךָ הַטּוֹב מִמֶּךָּ (לעיל טו, כח) לפיכך אמר וְקָמָה בְּיָדְךָ כלומר מה שלא קמה בידי, ובמדרש (מדרש תהלים נז, ג) כמו שכתבנו למעלה בפסוק ויחזק בכנף מעילו ויקרע (לעיל טו, כז), כי שמואל רמז לו שם מי שיכרות כנף מעילו הוא ימלוך תחתיו, ועתה כאשר כרת כנף מעילו ידע שזה הוא שאמר לו שמואל לפיכך אמר לו יָדַעְתִּי כִּי מָלֹךְ תִּמְלוֹךְ: **(כב) ואם תשמיד את שמי מבית אבי.** זהו אם תַּכְרִית אֶת זַרְעִי שאמר, וכפל הענין לחזק כי הבנים הם שמות האבות ובהם יזכרו, וכן וְהִכְרַתִּי לְבָבֶל שֵׁם וּשְׁאָר וגו׳ (ישעיהו יד, כב) וכן לֹא יִכָּרֵת... שְׁמוֹ מִלְּפָנָי (שם מח, יט):

מצודת דוד

(יג) ונקמני ה׳. ינקום נקמתי ממך: **(יד) כאשר יאמר.** רצה לומר, יקוים בך דברי המשל הקדום, אשר יאמר, מֵרְשָׁעִים יֵצֵא רֶשַׁע, רצה לומר, כל דבר תקלה ורשע, בא על ידי רשעים, וכן תומת אתה ביד רשעים, וידי לא תהיה בך: **(טו) אחרי מי.** רצה לומר, וכי לא די לך בשלוח אחרי מלאכים מחבלים, עד שבעצמך תרדוף אחרי, הלא אין זה כבודך שמלך ישראל ירדוף אחר ההדיוט שנחשב למולך ככלב מת, וכפרעוש הקופץ ממקום למקום: **(יט) הגדת.** רצה לומר, הראית לכל בראיה ברורה: **(כ) וכי ימצא.** רצה לומר, וכי נעשה מעולם כזאת, שימצא איש אויבו וכו׳: **וה׳.** אבל ה׳ ישלם לך גמול, ולא לחנם עשית מה שעשית: **(כא) הנה ידעתי.** בראותי הצלחתך: **וקמה בידך.** בעבור כשרון מעשיך: **(כב) אם תכרית וכו׳.** אז יהיה עליך עונש שבועה: **ואם תשמיד.** כפל הדבר במלות שונות, כי אם יוכרת זרעו, אם כן ממילא יושכח שמו:

מצודת ציון

צדה. אורב, כמו וַאֲשֶׁר לֹא צָדָה (שמות כא, יג): **(יד) הקדמני.** רוצה לומר האמור בימים הקדמונים: **(טו) פרעש.** היא כינה שחורה, הקופצת ממקום למקום: **(טז) וירב.** מלשון מריבה: **(יז) בני.** רצה לומר חמלת עלי כבן על האב. או לפי שהיה חתנו, חשבו כבן: **(יח) גמלתני.** ענין תשלומין המעשה: **(יט) סגרני.** מסרני: **(כא) וקמה.** מלשון קיום: **(כב) תשמיד.** ענין כליון:

were ready to kill me!" (*Midrash HaGadol, Shelach*).

David went on to say that his refusal to harm Saul is proof that he had no designs against the king.

13-14. If it is true that you deserve to be punished, the judgment will be rendered by God, but I, David, will never harm you, for, as the ancient proverb declares, the wicked perpetrate wickedness — but I am not such a person.

מְשַׁל הַקַּדְמֹנִי — *The ancient proverb*, i.e., the Torah, which is God's wisdom and which preceded the Creation of the universe (*Rashi*).

of your coat and have not killed you, you should know and see that there is no evil or rebellion in my hand, and that I have not sinned against you — yet you hunt my soul to take it! [13]*May* HASHEM *judge between me and you, and may* HASHEM *avenge me from you — but my hand will not act against you.* [14]*As the ancient proverb says, 'Wickedness issues from the wicked'; but my hand will not act against you.* [15]*After whom has the king of Israel gone out? Whom are you pursuing? After [someone as insignificant as] a dead dog, after a single flea!* [16]*May* HASHEM *be an arbiter, and judge between me and you; may He see and take up my grievance, and vindicate me from your hand."*

Saul's remorse

[17]*And it was when David finished speaking these words to Saul, Saul said, "Is that your voice, my son David?" — and Saul raised his voice and wept.* [18]*He said to David, "You are more righteous than I, for you have repaid me with goodness while I have repaid you with wickedness.* [19]*You have proven today that you have done [only] good with me, for* HASHEM *delivered me into your hand but you did not kill me.* [20]*Does a man find his enemy and then send him off on a good way? May* HASHEM *repay you with beneficence for what you have done to me this day.* [21]*Now behold! I know that you will certainly reign, and the kingship over Israel shall be established in your hand.* [22]*So now, swear to me by* HASHEM *that you will not annihilate my descendants after me and that you will not destroy my name from my father's house."*

[23]*David swore to Saul. Saul went to his house and David and his men ascended to the stronghold.*

According to *Malbim*, the proverb emanated from the story of Cain and Lemech. Cain killed his brother, Abel, and generations later, Cain was accidentally killed by his descendant Lemech. Both men were not righteous, so when God wanted to punish Cain for his evil deed, he engineered events so that Cain's death would come about through Lemech (see *Genesis* 4:23-24).

Rashi (*Exodus* 21:11) gives an example of this process. One person murdered intentionally and should have received the death penalty. Another person killed through carelessness, and should have gone into exile — but both escaped their punishments because their crimes were not witnessed. God causes them to come to the same inn, where they are surrounded by witnesses. The one who killed unintentionally climbs a ladder and carelessly falls onto the murderer, killing him. Thus, death comes to the one who should have been executed, and the other one will go into exile.

15. David now pursues a new tack. Even assuming that I am a bad person, it is beneath the king's dignity to chase me. David compares himself to a *dead dog,* whose stench is repulsive, and to a *flea,* which hops around, like David, the fugitive, who scurries from place to place, staying a step ahead of Saul (*Abarbanel*). Is there anything praiseworthy in catching a flea? (*Radak*).

If you had not driven me away, I would have been as loyal to you as a pet dog (*Malbim*).

17-23. Saul remorsefully accepts David's admonition. Tearfully, Saul acknowledges not only the justice of David's claim, but also that David will become king of Israel. Saul repeated virtually all of David's points and agreed that David had proven his good will and innocence.

17. בְּנִי דָוִד — *My son David.* Just as David had referred to Saul as *my father*, Saul called David *my son*. The affection was now mutual — although it was not to last.

David's example. Ordinarily, a person should do the right thing and not brag about it, not as David now seemed to be doing. But Saul realized that David's intention was not to extol himself, but to set an example that revenge was wrong. Instead people should realize that even though others had wronged them — as Saul had wronged David — they should not act in kind. Saul praised David for making this known, and declared that whenever others emulate him, it will be to David's credit (*Binah L'Ittim* #32).

21. וְעַתָּה הִנֵּה יָדַעְתִּי כִּי מָלֹךְ תִּמְלוֹךְ — *Now behold! I know that you will certainly reign.* Samuel had prophesied to Saul that the person who will tear his robe will be the future king. Now that Saul saw David holding the corner of the royal robe, he realized that David would be the legitimate king (*Rashi*).

Saul might indeed have given up his pursuit of David, but Abner, Saul's general, claimed that David's claim was a lie — that the corner of the robe had been torn off by thorns and that David had found it. Because of this instigation against David, God later permitted the otherwise righteous and important Abner to be assassinated (*Vayikra Rabbah* 26:2).

23. After this reconciliation, David did not return to his home. Apparently fearful that Saul's melancholia would return, or that his courtiers would once more turn him against David, he remained a fugitive.

שְׁמוּאֵל וַיִּקָּבְצוּ כָל־יִשְׂרָאֵל וַיִּסְפְּדוּ־לוֹ וַיִּקְבְּרֻהוּ בְּבֵיתוֹ בָּרָמָה וַיָּקָם דָּוִד וַיֵּרֶד אֶל־מִדְבַּר פָּארָן:
ב וְאִישׁ בְּמָעוֹן וּמַעֲשֵׂהוּ בַכַּרְמֶל וְהָאִישׁ גָּדוֹל מְאֹד וְלוֹ צֹאן שְׁלֹשֶׁת־אֲלָפִים וְאֶלֶף עִזִּים וַיְהִי בִּגְזֹז אֶת־צֹאנוֹ בַּכַּרְמֶל:
ג וְשֵׁם הָאִישׁ נָבָל וְשֵׁם אִשְׁתּוֹ אֲבִגָיִל וְהָאִשָּׁה טוֹבַת־שֶׂכֶל וִיפַת תֹּאַר וְהָאִישׁ קָשֶׁה וְרַע מַעֲלָלִים וְהוּא °כלבו [°כָלִבִּי ק']:
ד וַיִּשְׁמַע דָּוִד בַּמִּדְבָּר כִּי־גֹזֵז נָבָל אֶת־צֹאנוֹ:
ה וַיִּשְׁלַח דָּוִד עֲשָׂרָה נְעָרִים וַיֹּאמֶר דָּוִד לַנְּעָרִים עֲלוּ כַרְמֶלָה וּבָאתֶם אֶל־נָבָל וּשְׁאֶלְתֶּם־לוֹ בִשְׁמִי לְשָׁלוֹם:
ו וַאֲמַרְתֶּם כֹּה לֶחָי וְאַתָּה שָׁלוֹם וּבֵיתְךָ שָׁלוֹם

רש"י

(א) **ידעתי כי מלך תמלוך.** שראה אני שהקדוש ברוך הוא מליך מידי. ומדרש אגדה (מדרש תהלים כז), סימן זה מסר לו שמואל, שהקורע מעילו, ימלוך תחתיו: (ב) **ואיש במעון.** שם העיר: **ומעשהו.** מקנהו וקניינו: **גדול.** עשיר: **ויהי בגזוזאת צאנו בכרמל.** ויהי יום אחד בהגיע עת גזוז לאנו בכרמל, ודרכו היה לעשות משתה ויום טוב לגוזזי הלאן: (ג) **והוא כלבי.** מבית כלב: (ו) **כה לחי.** כה יהיה לשנה הבאה, גוזז. (כֹּה לֶחָי. כה יהיה לשנה הבאה, מזל חי וקים). (לשון אחר כֹּה לֶחָי. אמרו על טבחו ונסכו שתראו, כן ראוי לאיש חי, לאיש זריז וחשוב, כמו בֶּן אִישׁ חַי רַב פְּעָלִים (שמואל־ב כג, כ), חי ומזורז, בעל מעשים, עד כאן): **לחי.** טוב וקיים: **ואתה שלום וגו'.** כן תהיה לאורך ימים:

רד"ק

(א) **וימת שמואל.** ספר מיתת שמואל כי אפשר שמת שמואל בזה הפרק שנפרד שאול מדוד ונתקיימה נבואת שמואל בחייו, כי אף שאול הודה למלוכה לדוד, ומת שמואל שבעה חדשים לפני שאול, והארבעה חדשים ומקצת החמישי הם שישב דוד בשדה פלשתים כמו שכתוב (לקמן כז, ז) והנה מעשה אביגיל ושבת דוד בגבעת החוילה אם כן היו שני חדשים ומקצת החדש השלישי, והנה הם שבעה חדשים כי כן אמרו רבותינו זכרונם לברכה כי שבעה חדשים מת שמואל קודם שאול, ואפשר שאמרו זה לפי שהשבעה חדשים שהיה הארון בשדה פלשתים (לעיל ו, א) אינן בכלל חמשים ושתים שנה של שמואל כי זולתם אנחנו מוצאים חמישים ושתים כמו שפירשתי בפסוק (הנה) [ואני] זָקַנְתִּי וָשַׂבְתִּי (לעיל יב, ב), והנה כנגד אותם שבעה חדשים הם אלו שבעה חדשים ממיתתו של שמואל הרמתי עד מיתתו של שאול והוא תחלת מלכות דוד: **בביתו ברמה.** בביתו שהיה ברמה כמו שכתוב וּתְשֻׁבָתוֹ הָרָמָתָה כִּי שָׁם בֵּיתוֹ (לעיל ז, יז), ועוד נפרש מיתת שמואל בפסוק ושמואל מת (לקמן כח, ג) ולמה נזכר מיתת שמואל במקום הזה לדעת הדרש: (ב) **ואיש במעון.** שם עיר הנזכר בערי בני יהודה (יהושע טו, נה) כי משבט יהודה היה האיש הזה ממשפחת כלב: **ומעשהו בכרמל.** מקום שהוא עבוד בזריעה ובאילנות יקרא כרמל כמו שנאמר וְהָיָה מִדְבָּר לְכַּרְמֶל (ישעיהו לב, טו), ופירוש מַעֲשֵׂהוּ מקנהו, כי המקנה נקרא מעשה ומלאכה כמו שנאמר לְרֶגֶל הַמְּלָאכָה אֲשֶׁר לְפָנַי (בראשית לג, יד), ויתכן לפרש כרמל זה שם עיר נקרא כן בערי יהודה סמוך למעון כמו שכתוב מָעוֹן כַּרְמֶל וָזִיף וְיוּטָּה (יהושע טו, נה,) ונראה כי אלה המקומות סמוכין למדבר פארן שירד שם דוד (פסוק א) כשברח משאול אחר שנשבע לו (לעיל כד, כג), כי דוד מהמדבר שלח לנבל כמו שכתוב וַיִּשְׁמַע דָּוִד בַּמִּדְבָּר כִּי גֹזֵז נָבָל אֶת צֹאנוֹ (פסוק ד), או הלך אחריו ממדבר פארן למדבר זיף כי אלה המקומות קרובים, כמו שכתב כי הזיפים הלשינו אותו פעם אחרת משם כמו שכתוב (לקמן כו, ב): **ולו צאן.** צאן שם כולל לכבשים ולעזים וזה הוא ברוב, והנה הוא על הכבשים לבד שהרי אמר אחריו וְאֶלֶף עִזִּים, וכן בכל מקום שזוכר אותו לענין גזוז כמו וגז צאנך תתן לו (חולין קלה, א) והוא על הכבשים לבד: (ג) **ושם האיש נבל.** מה שספר הנה שם האיש וענינו שאמר וְהָאִישׁ קָשֶׁה וְרַע מַעֲלָלִים, ושם האשה וענינה שאמר וְהָאִשָּׁה טוֹבַת שֶׂכֶל, על מעשיהם העתידים כי הוא עשה מעשה רע כאיש נבל והיא עשתה בשכל ובחכמה: **טובת שכל.** כתרגומו חֲכִימַת מַדַע, ויש מפרשים שכל ענין עיון והבנה כאילו אמר טובת מראה, וכתב אדוני אבי זכרונו לברכה כי נבל זה לא היה שמו שקראו לו אבותיו, אלא מרוב גריעות היו קוראין אותו בני אדם נבל: **והוא כלבי.** היו"ד ליחס לפי שהיה ממשפחת כלב קראו כן, וכן תרגם יונתן וְהוּא מְדַבֵּית כָּלֵב, והכתיב הוא בוי"ו כלבו, ואפשר לפרש הכ"ף לשמוש כפי הכתיב רצה לומר כן היה מראה מעשיו רעים כמו שהיה לבו רע, כי יש בני אדם מעשיהם נאים ולבם רע והוא היה תוכו כברו וברו כתוכו לרעה, וגם הקרי יש לפרשו על זה הדרך כי כל אדם ששואל ממנו היה אומר עליו הוא כלבי כמו שהייתי חושב עליו כי ימנע שאלתי כן היה, ובזה הדרך אמר הכתוב על עין רעה כי כמו שער בנפשו כן הוא, ויש לפרש כלבי מענין גריעות מעשיו יחסו לכלב: (ו) **כה לחי.** כזה הטוב יהיה לך כל ימי חייך וכן תרגם יונתן כְּדֵין לְחַיָּךְ, ויש מפרשים ואמרתם כה לעשיר כמו מַה לֶּעָנִי יוֹדֵעַ לַהֲלֹךְ נֶגֶד הַחַיִּים (קהלת ו, ח), ויהיה פירושו ואמרתם זה השלום לעשיר ויהיה וי"ו וְאַתָּה שָׁלוֹם לזה הפירוש כוי"ו וַיִּשָּׂא אַבְרָהָם אֶת עֵינָיו (בראשית כב, ד):

מצודת דוד

(א) **בביתו ברמה.** בהבית שהיה לו ברמה: **וירד וכו'.** אולי דרך מדבר עין גדי היו האנשים הולכים ושבים לספוד את שמואל, ופחד פן ימצאוהו מי מאנשי שאול, ולזה הלך משם למדבר פארן, ולכך סמכו למיתת שמואל: (ב) **ומעשהו.** מקנהו, וכמו כן יקראו מלאכה, וכמו שכתבו לְרֶגֶל הַמְּלָאכָה (בראשית לג, יד), על שם שהעוסק במקנה, כל מלאכתו ומעשהו בהם, וכן יַעַן בִּטְחֵךְ בְּמַעֲשַׂיִךְ (ירמיהו מח, ז): **גדול מאד.** בעושר רב: **בגזז.** בעת גזזו צאנו, היה בכרמל: (ג) **טובת שכל.** בעלת שכל טוב: **קשה ורע מעללים.** אמיץ לב ופועל רע: **כלבי.** מבני כלב בן יפונה, והיה קרוב לדוד: (ו) **כה לחי.** רצה לומר, כן יהיה לזמן חייך, ואתה תהיה בשלום וגם ביתך וכו':

מצודת ציון

(ב) **במעון, בכרמל.** מנחלת יהודה היו, כמו שכתוב מָעוֹן כַּרְמֶל וָזִיף (יהושע טו, נה):

25.

1. The death of Samuel. It is common in Scripture that the death of a major figure is reported not when he actually died, but when his significant activity ended. Abraham's death, for example, is recorded soon after he arranged for the marriage of Isaac, even though he lived for another thirty-eight years. Here, too, Samuel's death is mentioned after Saul acknowledged that David, Samuel's anointed, would become king (24:21), as if to say that the prophet's mission had been concluded successfully (see *Radak*). He had judged the nation for thirteen years (*Radak* to 7:15), and passed away at the age of 52 (*Taanis* 5b), seven months before the death of Saul (*Radak*). Samuel was the author of the Book of Judges and most of the Book of Samuel up to this point.

1. וַיִּקָּבְצוּ כָל יִשְׂרָאֵל — *And all of Israel gathered.* Everyone who could came to Ramah to honor the man who had led them courageously and selflessly. This outpouring of regard was measure for measure: just as Samuel had traveled the length and breadth of the land to judge and serve the people (and had aged before his time because of his exertions), so the people flocked from everywhere to participate in his funeral (*Mussar HaNeviim).*

25

Samuel dies

[1]*Samuel died, and all of Israel gathered and eulogized him, and they buried him at his home in Ramah.*

NABAL AND ABIGAIL 25:1-44

David arose and descended to the Wilderness of Paran.

[2]*There was a man in Maon whose business was in Carmel. The man was very wealthy; he owned three thousand sheep and a thousand goats. [The following once] happened at the shearing of his sheep in Carmel: [3](The man's name was Nabal and his wife's name was Abigail; the woman was intelligent and beautiful, but the man was difficult and an evildoer; he was a descendant of Caleb.)*

David asks for food

[4]*David heard in the Wilderness that Nabal was shearing his sheep, [5]so David sent ten attendants, and David said to the attendants, "Go up to Carmel and approach Nabal, inquiring after his welfare, in my name. [6]And say: 'Such [success] for life! May you be at peace, and may your household be at peace,*

The nation's behavior is in sharp contrast with that of Nabal, the base and selfish landowner who is the subject of most of the chapter. While the nation grieved, Nabal was occupied with arranging for a festive celebration of a successful season. The Sages condemn Nabal for celebrating at such a somber time (*Yalkut Shimoni*). Since Nabal's celebration took place around Rosh Hashanah, this proves that even when it is permitted, and even a *mitzvah*, to eat and drink, one should moderate the festivity during a time of sadness.

וַיָּקָם דָּוִד — *David arose . . .* After attending Samuel's funeral (*Koheles Rabbah* 7), David resumed his flight. As the last verse of this chapter and the next chapter show, David's fears were justified.

David's flight may have been spurred by Samuel's death. Seeing that so many people were flocking to mourn Samuel, David may have feared that some of them would see him and report his whereabouts to Saul (*Metzudos*).

2-13. Nabal's insolence and ingratitude. Nabal was a base man who has become a symbol of selfishness and greed. His wife, on the other hand, was a great lady and one of the seven women whose prophecies are recorded in Scripture (*Megillah* 14a). Nabal was successful at amassing money, and equally adept at avoiding simple human decency. When virtually all of Israel was mourning Samuel, Nabal was planning a banquet (*Yalkut Shimoni*). The following incident took place at the time when his thousands of sheep were being shorn, traditionally a time of celebration, because it marked the conclusion of a profitable season.

2. וְאִישׁ בְּמָעוֹן וּמַעֲשֵׂהוּ בַכַּרְמֶל — *There was a man in Maon whose business was in Carmel.* The Sages explain that this apparently insignificant information is given to allude to Nabal's wickedness. When the needy in Maon asked for charity, Nabal would reply that he gave in Carmel, because that was where he earned his money. When people in Carmel asked for help, he would say that he gave in Maon, because that was where he lived (*Me'am Loez)*.

3. וְשֵׁם הָאִישׁ נָבָל — *The man's name was Nabal.* The word *nabal* means revulsion (see v. 25), and it suited his selfish nature. This may not have been his real name, but the name given him by his neighbors, because of his unsavory character (*Abarbanel*).

וְשֵׁם אִשְׁתּוֹ אֲבִגָיִל — *And his wife's name was Abigail.* Following his interpretation that Nabal's name was indicative of his character, *Abarbanel* interprets Abigail's name as being a descriptive contraction: אֲבִי גִיל, *parent of mirth*, i.e., she was distinguished by her good nature, which made her respected and beloved by all.

The verse then describes the couple. Abigail was a completely good person, both physically and mentally, but Nabal was bad, through and through.

וְהוּא כָלִבִּי — *He was a descendant of Caleb.* The contrast between Nabal's origins and his behavior is stark. Caleb was one of the great men in Jewish history [see *Numbers* Chs. 13-14], who was distinguished for his courage and loyalty. Nabal had none of his ancestor's attributes.

Ralbag and *Abarbanel* relate the word to כֶּלֶב, *dog*, and render that Nabal *was doglike*, a further reference to his base character. He was like a dog, that does not share its food even with others of its own species.

David's request. David undertook the responsibility of providing food for his hundreds of followers, which was no easy task for a fugitive band of six hundred men. Knowing of Nabal's prosperity and confident that a time of celebration would warm the heart of even such a selfish person, David sent a delegation to Nabal to request a gift of food. This was no simple request for charity, since, as David's message asserted, his men had provided Nabal's shepherds with protection at no charge and in a generous manner. David instructed his men to begin their presentation to Nabal with a display of respect and good feeling. His expectations were far too optimistic.

6. כֹּה לֶחָי — *"Such [success] for life,"* i.e., may you enjoy similar success, prosperity, and peace as long as you live.

וְאַתָּה שָׁלוֹם וּבֵיתְךָ שָׁלוֹם — *May you be at peace, and may your household be at peace.* David taught an essential lesson for a fruitful life. First there must be peace between a person and himself — *may you be at peace* — and when a person succeeds in ending the inner conflict between his better instincts and his evil inclination he can go on to bring peace and happiness to his household and even beyond, to *your household*, i.e., the entire Jewish people, because every Jew has a share in the nation. As the Sages teach: "Whoever makes peace within his household is considered as if he

ז וְכֹל אֲשֶׁר־לְךָ שָׁלוֹם: וְעַתָּה שָׁמַעְתִּי כִּי גֹזְזִים לָךְ עַתָּה הָרֹעִים אֲשֶׁר־לְךָ הָיוּ עִמָּנוּ
ח לֹא הֶכְלַמְנוּם וְלֹא־נִפְקַד לָהֶם מְאוּמָה כָּל־יְמֵי הֱיוֹתָם בַּכַּרְמֶל: שְׁאַל אֶת־נְעָרֶיךָ
וְיַגִּידוּ לָךְ וְיִמְצְאוּ הַנְּעָרִים חֵן בְּעֵינֶיךָ כִּי־עַל־יוֹם טוֹב °בנו [°בָּאנוּ ק] תְּנָה־נָּא אֵת
ט אֲשֶׁר תִּמְצָא יָדְךָ לַעֲבָדֶיךָ וּלְבִנְךָ לְדָוִד: וַיָּבֹאוּ נַעֲרֵי דָוִד וַיְדַבְּרוּ אֶל־נָבָל כְּכָל־
י הַדְּבָרִים הָאֵלֶּה בְּשֵׁם דָּוִד וַיָּנוּחוּ: וַיַּעַן נָבָל אֶת־עַבְדֵי דָוִד וַיֹּאמֶר מִי דָוִד וּמִי בֶן־
יא יִשָׁי הַיּוֹם רַבּוּ עֲבָדִים הַמִּתְפָּרְצִים אִישׁ מִפְּנֵי אֲדֹנָיו: וְלָקַחְתִּי אֶת־לַחְמִי וְאֶת־
מֵימַי וְאֵת טִבְחָתִי אֲשֶׁר טָבַחְתִּי לְגֹזְזָי וְנָתַתִּי לַאֲנָשִׁים אֲשֶׁר לֹא יָדַעְתִּי אֵי מִזֶּה
יב הֵמָּה: וַיַּהַפְכוּ נַעֲרֵי־דָוִד לְדַרְכָּם וַיָּשֻׁבוּ וַיָּבֹאוּ וַיַּגִּדוּ לוֹ כְּכֹל הַדְּבָרִים הָאֵלֶּה:
יג וַיֹּאמֶר דָּוִד לַאֲנָשָׁיו חִגְרוּ ׀ אִישׁ אֶת־חַרְבּוֹ וַיַּחְגְּרוּ אִישׁ אֶת־חַרְבּוֹ וַיַּחְגֹּר גַּם־דָּוִד
כד אֶת־חַרְבּוֹ וַיַּעֲלוּ ׀ אַחֲרֵי דָוִד כְּאַרְבַּע מֵאוֹת אִישׁ וּמָאתַיִם יָשְׁבוּ עַל־הַכֵּלִים:

רש"י

(ז) **לא הכלמנום.** אם נצרכו לנו לשום דבר, לא השיבונום ריקם: **ולא נפקד להם.** מלאכך כי שומרים היינו להם: (ח) **וימצאו הנערים.** שלי, חן בעיניך, בטובה שיגידו לך עבדיך מהם עליהם: **כי על יום טוב באנו.** על סמך משתה ויום טוב שיש לך, באנו עתה לשאול. דבר אחר, ערב ראש השנה היה, וצריכין אנו לסעודת יום טוב: (ט) **וידברו אל נבל ככל הדברים האלה בשם דוד וינוחו.** יגעים היו מטורח הדרך, ונזדרזו למצות דוד, ולא נחו עד שדברו אליו, ואחר כך ינוחו. ויונתן תרגם, וּפְסָקוּ, כלומר פסקו מלדבר עוד, עד שישמעו תשובתו: (י) **מי דוד.** מה הוא חשוב שאתן לו את שלי, הלא מרות המוצאיה בא: (יג) **ויחגר גם דוד את חרבו.** מכאן שמתחילין בדיני נפשות מן הקטנים בדין תחלה (סנהדרין לו, א): **על הכלים.** לשמור אהליהם וכליהם:

רד"ק

(ז) **לא הכלמנום.** הה"א בסגול והוא כמו בחירק, ופירושו לא עשינו להם דבר רע שיהיה להם כלימה בו, אם היו צריכים ממנו דבר לא השיבונום ריקם, ויונתן תרגם לא אנזיקנונון: **ולא נפקד להם.** ולא חסר, כמו וְלֹא נִפְקַד מִמֶּנּוּ אִישׁ (במדבר לא, מט), פירוש ולא נפקד להם מכל אשר להם והלמד כלמ"ד חדל לספור: **כל ימי היותם בכרמל.** פירוש עמנו: (ח) **כי על יום טוב בנו.** חסר אל"ף מהמכתב ונשארה במבטא, ופירוש כי מנהגם לעשות משתה ויום טוב בעת שהיו גוזזים כמו שראינו בדבר אבשלום (שמואל־ב יג, כג), וזה כִּי עַל יוֹם טוֹב בָּאנוּ, כלומר באנו אליך בעת שאתה עושה יום טוב ולא תרבה הוצאה בעבורנו, כי יום טוב אתה עושה לגוזזים אשר לך ותקנת לרוב מאכל ומשתה: (ט) **וינוחו.** תרגם יונתן ופסקו מלדבר עוד עד ששמעו תשובת נבל, ויתכן לפרשו וַיָּנוּחוּ מיגיעתם מן הדרך, וספר זה בעבור זריזותם כי לא נחו עד שידברו לו הדברים בשם דוד: (י) **המתפרצים.** לברוח ולמרוד איש מפני אדניו: (יא) **את מימי.** כלומר כל משתה שלי כתרגומו כל משתאי וכן אֶת לַחְמִי, יַת מֵיכְלִי, ויש לפרשו לחמי על הלחם המיוחד כי זכר אחר כן אֶת טִבְחָתִי שהוא שאר המאכלים, וכן יש לפרש מֵימַי כמשמעו כי המים היו יקרים במדבר: **ואת טבחתי.** תבשילי ומאכלי וכן תרגם יונתן וְיַת שֵׁירוּתִי, וכמוהו לְרַקָּחוֹת וּלְטַבָּחוֹת וּלְאֹפוֹת (לעיל ח, יג), ולטבחות מתקנות התבשיל, וכן אמר במה שהביאה לו אביגיל חָמֵשׁ צֹאן עֲשׂוּיוֹת כלומר מתוקנות ומבושלות: (יג) **ויחגר גם דוד חרבו.** אף על פי שהיה די באנשים אשר עמו, אף על פי כן מרוב כעסו חגר גם הוא את חרבו, ורבותינו זכרונם לברכה למדו מזה (סנהדרין לו, א) שדיני נפשות אין מתחילין מן הגדול, ובדין נפשות דן אותו עם חביריו והסכימו כי מורד במלכות היה וחייב מיתה, כי כבר ידעו כל ישראל כי דוד נמשח למלך ובזהו נבל וקראו עבד (לעיל פסוק י), והוא נסכם עמהם באחרונה שאם היה הוא אומר דעתו בראשונה האחרים לא היו רוצים לחלוק עליו והיו אומרים כדבריו, לפיכך לא אמר הוא דעתו אלא באחרונה זהו וַיַּחְגֹּר גַּם דָּוִד אֶת חַרְבּוֹ:

מצודת דוד

(ז) **עתה וכו'.** רצה לומר, עתה אודיע לך, שרועיך אשר היו עמנו, לא הכלמנו אותם בדברי ריב ומצה, אף לא נחסר להם מאומה, כי לא שלחנו יד בכל אשר להם: (ח) **ויגידו לך.** שאמת הדבר: **וימצאו הנערים.** על עצמם אמרו, בעבור דוד, שימצאו חן לקבלם בסבר פנים יפות: **כי על יום טוב.** דרכם היה לעשות יום טוב ומשתה ושמחה בעת גזיזת הצאן, וכן נאמר באבשלום וַיִּהְיוּ גֹזְזִים וכו' וַיִּקְרָא וכו' (שמואל־ב יג, כג), וצוה דוד לאמר לו, הלא על יום טוב באנו, ומהראוי לקבל אז את כל הבא בסבר פנים יפות: **תנה נא.** עתה תנה את אשר תמצא ידך, אם מעט ואם הרבה: **לעבדיך.** על עצמם אמרו: (ט) **וינוחו.** שבתו ונחו מדבריהם, ולא דברו עוד מאומה: (י) **מי דוד.** רצה לומר, וכי חשוב הוא כל כך ליתן לו מתן: **היום רבו.** בעת ההיא נתרבו עבדים המתחזקים כל איש מול פני אדוניו, לומר לאדונו אני גדול ממך, וכן דוד חושב עצמו לגדול ממני, עד שאתן לו מתן: (יא) **ולקחתי וכו'.** ועל מה ששאלו לעצמם, אמר, וכי אתן לאנשים אשר לא ידעתי איה המקום אשר מזה המה, ואם כן כל שכן הוא שלא אתן לכם מאומה: (יג) **על הכלים.** אצל הכלים לשמרם:

מצודת ציון

(ז) **נפקד.** נחסר: **מאומה.** כלל לא: (ח) **בנו.** כמו באנו, ותחסר האל"ף: (ט) **וינוחו.** מלשון מנוחה, רצה לומר נחו מדבריהם: (י) **המתפרצים.** ענין התחזקות, כמו מַה פָּרַצְתָּ עָלֶיךָ פָּרֶץ (בראשית לח, כט): (יא) **טבחתי.** זבחתי: **לגזזי.** להאנשים הגוזזים צאני:

made peace within all of Israel" (*Avos d'R' Nassan* ch. 25), because ideally all of Israel is like "one person with one heart" (*Be'er Moshe*).

7. הָרֹעִים אֲשֶׁר לְךָ הָיוּ עִמָּנוּ — *Now, your shepherds stayed with us.* Before asking for anything, David wanted Nabal to understand that this was not a simple request for charity, but that Nabal owed it to David and his men in return for services they had rendered him free of charge. *Mahari Kara* explains David's presentation, as if to say, "Since you are now feasting to celebrate the shearing, food is plentiful and it would not be an imposition for you to share some of it with us. Moreover, we played a part in this prosperity of yours, because we were kind to your shepherds, doing everything we could to help and protect them and the flocks. Indeed, without our help, you might not have such a success to celebrate.

"Although we ourselves were always in danger as hunted fugitives, we shielded your people and sheep from harm,

and peace be upon all that is yours! [7]*And now, I have heard that they are shearing for you. Now, your shepherds stayed with us, we did not shame them and they did not lack anything all the days they were in Carmel —* [8]*ask your attendants and they will tell you [so]. [Therefore] let my attendants find favor in your eyes, for we have come because of [your] celebration — please give whatever you can to your servants and to your son, to David.' "*

Nabal's insolent selfishness

[9]*David's attendants came and spoke in accordance with all these words to Nabal in David's name, and then rested.* [10]*Nabal replied to David's servants, and said, "Who is David and who is the son of Jesse? These days the rebellious servants have increased, each against his master!* [11]*Should I take from my bread and my water and my meat that I have slaughtered for my shearers and give them to men about whose origin I do not know?"*

[12]*David's attendants turned around to their way, and they went back, arrived and reported to him in accordance with all these words.* [13]*David said to his men, "Each man gird his sword!" Each man girded his sword, and David, too, girded his sword. About four hundred men went after David, and two hundred others stayed with the belongings.*

---

and were sensitive to their needs, never embarrassing them by refusing their frequent requests for help."

Since David sent his men to ask Nabal for food, it is obvious that they suffered from at least occasional hunger, nevertheless, not only did they not *force* shepherds and landowners to give them food — as is common in such cases — they even protected the people under their control from outside predators.

8. כִּי עַל יוֹם טוֹב בָּאנוּ — *For we have come because of [your] celebration.* We did not come to you previously, when it would have been an imposition on you; we are coming now because you are celebrating and the food you give us will not be missed (*Rashi, Mahari Kara*). Alternatively, יוֹם טוֹב can be rendered *holiday*; it was just before Rosh Hashanah, and David asked for food so that his men could observe the holiday properly (*Rashi*). Although Rosh Hashanah is the day of judgment, it is also a festive day, which is marked by food and drink.

9. וַיָּבֹאוּ...וַיְדַבְּרוּ....וַיָּנוּחוּ — *[They] came . . . spoke . . . and then rested.* Although they were exhausted from the trip, David's men did not rest until they had delivered the message to Nabal. Alternatively, *they rested from speaking*, i.e., they paused and waited for Nabal's response (*Rashi*).

10. מִי דָוִד וּמִי בֶן יִשַׁי — *Who is David and who is the son of Jesse?* Contemptuously, Nabal dismissed not only David's request, but David himself. He said, "David's arrogance is based on the two drops of oil with which Samuel anointed him. Now, where is Samuel and where are his drops of oil!" (*Yalkut Shimoni*). As a descendant of Caleb, a distinguished prince of the tribe of Judah, Nabal considered himself more qualified for the throne than David (*Yerushalmi Sanhedrin* 2:3). This resentment of Samuel's elevation of David would explain why Nabal snubbed Samuel's funeral (*Mussar HaNeviim*).

Nabal ridiculed David and his ancestry, as if to say that he was merely an upstart with no claim to support from anyone. David's notoriety was because he had rebelled against the king — like his hangers-on, who were themselves rebellious servants (*Malbim*).

13. The death penalty. Since, as noted above, Nabal knew that David had been anointed, David considered his insolence to be מְרִידָה בְּמֶלֶךְ, *rebellion against the king*, for which the king may impose the death penalty. Nevertheless, David did not *gird his sword* until his men had girded theirs, for he would not proceed unless he had their agreement that he was doing the right thing.

The Sages (*Sanhedrin* 36a) understand the discussion between David and his men as a session of David's court to decide whether or not Nabal was liable to the death penalty. From this verse, they derive that the deliberations in capital cases must begin with the least senior of the judges, because if the more eminent members of the court delivered their verdicts first, the younger members might be reluctant to dispute them (*Radak*).

Be'er Moshe gives a lengthy exposition to explain why David considered it so important to carry out the judgment with such pomp, taking personal charge of a force of four hundred men, surely many times what would have been needed to execute Nabal. At that time David and his followers were hunted and hungry, in constant danger from Saul and frequently betrayed by their fellow Jews, even by the fellow tribesmen of Judah. At such a time, why did David consider it so important to pass judgment on Nabal?

Nabal was more than an arrogant, heartless miser. He considered himself to be the one who should have been first in line to succeed Saul. Moreover, he was one of those who derided David as a descendant of Moab and therefore unqualified to be a Jewish king. Since he was very wealthy, influential, and powerful, if left unchecked, he could have influenced others to follow him, and this would have led to civil war.

יד וְלַאֲבִיגַ֙יִל֙ אֵ֣שֶׁת נָבָ֔ל הִגִּ֥יד נַֽעַר־אֶחָ֛ד מֵהַנְּעָרִ֖ים לֵאמֹ֑ר הִנֵּה֩ שָׁלַ֨ח דָּוִ֤ד מַלְאָכִים׀ מֵֽהַמִּדְבָּר֙ לְבָרֵ֣ךְ אֶת־אֲדֹנֵ֔ינוּ וַיָּ֖עַט בָּהֶֽם׃ טו וְהָ֣אֲנָשִׁ֔ים טֹבִ֥ים לָ֖נוּ מְאֹ֑ד וְלֹ֤א הָכְלַ֙מְנוּ֙ וְלֹֽא־פָקַ֣דְנוּ מְא֔וּמָה כָּל־יְמֵי֙ הִתְהַלַּ֣כְנוּ אִתָּ֔ם בִּֽהְיוֹתֵ֖נוּ בַּשָּׂדֶֽה׃ טז חוֹמָה֙ הָי֣וּ עָלֵ֔ינוּ גַּם־לַ֖יְלָה גַּם־יוֹמָ֑ם כָּל־יְמֵ֛י הֱיוֹתֵ֥נוּ עִמָּ֖ם רֹעִ֥ים הַצֹּֽאן׃ יז וְעַתָּ֗ה דְּעִ֤י וּרְאִי֙ מַֽה־תַּעֲשִׂ֔י כִּֽי־כָלְתָ֥ה הָרָעָ֛ה אֶל־אֲדֹנֵ֖ינוּ וְעַ֣ל כָּל־בֵּית֑וֹ וְהוּא֙ בֶּן־בְּלִיַּ֔עַל מִדַּבֵּ֖ר אֵלָֽיו׃ יח וַתְּמַהֵ֣ר °אבוגיל [°אֲבִיגַ֗יִל ק] וַתִּקַּ֞ח מָאתַ֣יִם לֶ֠חֶם וּשְׁנַ֨יִם נִבְלֵי־יַ֜יִן וְחָמֵ֧שׁ צֹ֣אן °עשוות [°עֲשׂוּי֗וֹת ק] וְחָמֵ֤שׁ סְאִים֙ קָלִ֔י וּמֵאָ֥ה צִמֻּקִ֖ים וּמָאתַ֣יִם דְּבֵלִ֑ים וַתָּ֖שֶׂם עַל־הַחֲמֹרִֽים׃ יט־כ וַתֹּ֤אמֶר לִנְעָרֶ֙יהָ֙ עִבְר֣וּ לְפָנַ֔י הִנְנִ֖י אַחֲרֵיכֶ֣ם בָּאָ֑ה וּלְאִישָׁ֥הּ נָבָ֖ל לֹ֥א הִגִּֽידָה׃ וְהָיָ֞ה הִ֣יא׀ רֹכֶ֣בֶת עַֽל־הַחֲמ֗וֹר וְיֹרֶ֙דֶת֙ בְּסֵ֣תֶר הָהָ֔ר וְהִנֵּ֤ה דָוִד֙ וַֽאֲנָשָׁ֔יו יֹרְדִ֖ים לִקְרָאתָ֑הּ וַתִּפְגֹּ֖שׁ אֹתָֽם׃ כא וְדָוִ֣ד אָמַ֗ר אַךְ֩ לַשֶּׁ֨קֶר שָׁמַ֜רְתִּי אֶֽת־כָּל־אֲשֶׁ֤ר לָזֶה֙ בַּמִּדְבָּ֔ר וְלֹֽא־נִפְקַ֥ד מִכָּל־אֲשֶׁר־ל֖וֹ מְא֑וּמָה וַיָּֽשֶׁב־לִ֥י רָעָ֖ה תַּ֥חַת טוֹבָֽה׃ כב כֹּֽה־יַעֲשֶׂ֧ה אֱלֹהִ֛ים לְאֹיְבֵ֥י דָוִ֖ד וְכֹ֣ה יֹסִ֑יף אִם־אַשְׁאִ֧יר מִכָּל־אֲשֶׁר־ל֛וֹ עַד־הַבֹּ֖קֶר מַשְׁתִּ֥ין בְּקִֽיר׃

רש"י

(יד) אחד מהנערים. שלה: **ויעט בהם.** אפרחינון במלין (מדרש שמואל כג, יא), לשון עיט (בראשית טו, יא): **(טו) ולא הכלמנו.** לא נכלמנו: **(יז) כי כלתה הרעה.** מאת דוד אליו: **והוא בן בליעל מדבר אליו.** ואדונינו בן בליעל, מהיות דובר אליו מה שאני אומר אליך, כי יקפוץ עלינו: **(יח) עשויות.** תרגם יונתן, תַּכְבְּרָא, ממולאות בשר דק וביצים, פשטיד"ן בלע"ז כמו ששנינו בפסחים (עד, א), (ועיין שם היטב ברש"י ד"ה רבי ישמעאל קורהו וכו', ומלוה לייש"ב), ונותן את הכרעים ובני מעיו לתוכו, רבי טרפון קורהו תכברא, מה שבתוכו לברו, כרבי עקיבא דאמר תולין תולה לו, כך היא שנוייה בתוספתא, רבי קלונימוס זכר לדיק לברכה מן רומי פרשה לנו כן: **צמקים.** ענבים יבשים: **דבלים.** עגולי דבלה, תאנים דרוסות וכבושות בכלי: **(כ) ירדים לקראתה.** גיא היה בין שני ההרים, היא יורדת מהר זה, והם יורדים מהר זה שכנגדו: **(כא) ודוד אמר.** בלבו כשאמרו לו נעריו גדופי נבל, אך לשקר שמרתי וגו': **(כב) משתין.** יונתן תרגם, יָדַע מַדָּע, משית קירות לבו. דבר אחר, אפילו כלב, שדרכו להשתין בקיר:

רד"ק

(יד) לברך את אדנינו. לתת לו שלום, כמו כִּי תִמְצָא אִישׁ לֹא תְבָרְכֶנּוּ (מלכים־ב ד, כט) וַיְבָרֶךְ יַעֲקֹב אֶת פַּרְעֹה (בראשית מז, ז): **ויעט בהם.** גער בהם, והוא מענין עיט ומשרשו כי היו"ד קמוצה, כלומר הכריחם בדבריו הרעים, וכן במדרש (ירושלמי סנהדרין ב, ג) מהו וַיָּעַט בָּהֶם אפרחינון במלין, ויונתן תרגם וְקָץ בְּהוֹן: **(יז) והוא בן בליעל מדבר אליו.** אדונינו בן בליעל מדבר אליו אם היינו מדברים אליו היה גוער בנו, לכן את דעי מה תעשי, ויתכן לפרשו על דוד כלומר דוד בן בליעל מדבר לאדונינו על הדבר הזה אלא יבא ויכלה הכל עם חילו: **(יח) וחמש צאן עשוות.** כן כתוב בשני ווי"ן וקרי עֲשׂוּיֹת ביו"ד, ואחד הוא כי אותיות אהו"י מתחלפות, ופירוש מתוקנות ומבושלות כמו וַיְמַהֵר לַעֲשׂוֹת אֹתוֹ (בראשית יח, ז), ויונתן תרגם עֲשׂוּיֹת, תַּחְבְּרָא ולא ידעתי מה הוא, ובנוסחא אחרת מצאתי תַּכְבְּרָא ופירש אותו רבינו שלמה ז"ל בשם רבי קלונימוס מרומי ממולאות בשר דק ובצים פשטיצ"ו בלע"ז, והביא לו חבר מה שאמרו רבותינו זכרונם לברכה בפסחים (עד, א) ונותן את כרעיו ואת בני מעיו לתוכו, רבי טרפון קורהו תכברא: **צמקים.** ענבים יבשים ופירוש מאה אשכולות, וכן תרגם יונתן וּמְאָה אִתְכְּלִין דְּעִנְבִין יְבֵשִׁין: **דבלים.** הדבלה הוא ככר תאנים יבשות דרוסות יחד עד שנעשית כמו ככר לחם, ופירוש מָאתַיִם מאתים ככרים מאלה הככרים, או פירוש מאתים ליטרא וכן תרגם יונתן וּמָאתַן מְנַן דְּבֵילְתָא, והמנא הוא ליטרא: **(כ) בסתר ההר.** יורדת בצד זה מן ההר שהיה מקום סתר לבאים ויורדים מצד האחד, ואמר זה בעבור כי לא ראתה היא דוד מרחוק עד שפגעה בהם וירדה מהרה מעל החמור בראותה את דוד, ויונתן תרגם בְּסֵתֶר הָהָר, בִּסְטַר טוּרָא: **(כא) לשקר.** לחנם: **וישב לי רעה.** במה שחירף אותי בדבריו: **(כב) לאיבי דוד.** כנוי הוא לדוד: **משתין בקיר.** כמו שפירשו רבותינו זכרונם לברכה (ירושלמי סנהדרין ב, ג) אפילו הכלב שדרכו להשתין בקיר, ויונתן תרגם יְדַע מַדָּע רצה לומר משית בקירות לבו, כלומר בן דעת:

מצודת דוד

(יד) ויעט בהם. בגערה הפריחם ללכת לדרכם: **(טו) והאנשים.** אנשי דוד היו טובים לנו מאד: **ולא הכלמנו.** לא היינו נכלמים על ידיהם, ולא חסרנו מאומה וכו': **(טז) חומה.** עוד היו שומרים אותנו מאחרים, כחומה הזו: **(יז) מה תעשי.** לתקן הדבר ולפייס את דוד: **כי כלתה הרעה.** נגמרה הרעה לבוא אליו: **והוא.** ונבל עצמו, הוא בן בליעל מלדבר אליו ולהוכיחו על פניו, כי יגער בי: **(יט) לנעריה.** מוליכי המנחה: **(כ) בסתר ההר.** בעמק שבין שני ההרים: **(כא) ודוד אמר.** בעת שפגשה בו, אמר דוד לאנשיו, אך לחנם שמרתי וכו': **רעה.** במה שחרפו לומר מִי דָוִד וכו': **(כב) כה יעשה.** הוא ענין שבועה, וגזום ולא אמר, וכאלו אמר כהרעה הזאת יעשה לי המקום אם אשאיר וכו', ולפי שבסוף חזר בו, לזה כינה הכתוב ואמר לאויבי דוד: **משתין בקיר.** כן יקרא הזכר, כי עושה קלוח למרחוק, ויוכל להשתין בקיר:

מצודת ציון

(יד) ויעט. ענין הפרחה, כמו וַתַּעַט אֶל הַשָּׁלָל (לעיל טו, יט): **(טו) הכלמנו.** מלשון כלימה: **פקדנו.** ענין חסרון: **(יז) בן בליעל.** איש רשע, בלי עול מקום: **(יח) נבלי.** נאדות: **עשויות.** מתוקנות ומבושלות, כמו וַיְמַהֵר לַעֲשׂוֹת אֹתוֹ (בראשית יח, ז): **קלי.** קמח משבלים צלויות, כמו וְלֶחֶם וְקָלִי (ויקרא כג, יד): **ומאה צמקים.** מאה אשכלות ענבים יבשים, וכן דְּבֵלִים וְצִמּוּקִים (דברי הימים־א יב, מא): **ומאתים דבלים.** מאתים ככר, והם תאנים מקובצות דרוסות יחד, עד שנעשים גוף אחד, כעין ככר לחם: **(כ) ותפגש.** פגעה: **(כא) לשקר.** רוצה לומר על חנם: **ולא נפקד.** לא נחסר:

14-20. Abigail is alerted. One of Abigail's servants learned of the danger and urged her to find some way to appease David. He went on to assure her that David's grievance was justified because his men had provided essential help and protection to Nabal's people and possessions, and he was therefore entitled to be paid for his services. *Chida* explains

[14]One young man from the attendants told Abigail, Nabal's wife, saying, "Behold! David sent messengers from the wilderness to greet our master and he drove them off. [15]These men were very good to us; we were not shamed, nor were we lacking anything all the days that we traveled with them, when we were in the field. [16]They were a [protective] wall over us, both by night and by day, all the days we were with them tending the sheep. [17]And now be aware and determine what to do, for the evil [decree] has been made final against our master and against his entire household, and he himself is too base a person even to talk to."

Abigail's wisdom and courage saves her undeserving husband

[18]So Abigail hurried and took two hundred breads, two containers of wine, five cooked sheep, five se'ahs of toasted grain, a hundred raisin-clusters, and two hundred cakes of pressed figs, and she put them on the donkeys. [19]She said to her attendants, "Go on ahead of me; behold, I am coming behind you." But she did not tell Nabal her husband. [20]Then it happened, as she was riding on the donkey, clandestinely descending by the covert of the mountain, behold — David and his men were descending [the other mountain] toward her, and she met them.

[21]Now David had said, "It was for naught that I guarded all of this man's possessions in the desert and there was not missing anything from all that belonged to him; yet he has repaid my kindness with evil. [22]Such shall God do to David's enemies and such shall He do further, if I leave over until morning of all that belongs to him so much as a dog!"

---

that this explains why Abigail had a right to send a generous gift to David and why he accepted it from her (see below), even though Nabal had made it plain that he wanted David to have nothing of his fortune.

18. Scripture details the many sumptuous components of Abigail's lavish gift to teach that one who is stingy in fulfilling his obligations will be forced to pay many times as much. Had Nabal sent even a much smaller gift, he would have been honored as gracious and compassionate, but because he was selfish and miserly, he was humiliated for eternity, as a symbol of selfishness and ingratitude (*Me'am Loez*).

19. עִבְרוּ לְפָנַי — *Go on ahead of me.* Following the example of Jacob, who sent his lavish gift to Esau to placate him before they met (*Genesis* 32:21), Abigail sent attendants bearing her gift ahead of her. She wanted David's anger to be dispelled before she met him and pleaded for Nabal's life (*Abarbanel*). According to *Malbim*, she was afraid that if she accompanied the entourage bearing the gift, Nabal would hear about it and try to stop her.

20. וְיֹרֶדֶת בְּסֵתֶר הָהָר — *Descending by the covert of the mountain*. The path by which she was coming down the mountain was covered by trees or rocks, so that she and David, who was descending the facing mountain toward her, were hidden from each other. Therefore their encounter was sudden and unexpected (*Radak*).

21-22. The death penalty. These verses outline David's state of mind and intention as he descended toward his unexpected rendezvous with Abigail. He was bitter at Nabal not only because, as mentioned above, he was a "rebel against the king," but because the man was a base and ungrateful person. In *Psalms* 109, David cries out against the wealthy who refuse to help the poor and those who repay good with evil, and he appeals to God to take such a person from the world, leaving his wife a widow and his children orphans. The request for such a harsh punishment illustrates the gravity of the offense; one who has the means and opportunity to help others must feel a responsibility to do so. Moreover, the psalm appeals to *God* — not a human court — to impose this extreme punishment, and it is clear that God will do so only if the sum total of the man's evil calls for it. In this case, however, David himself was prepared to impose the death penalty, because Nabal was clearly a rebel.

Maharatz Chayes explains that David was justified in extending this punishment to others in Nabal's household because they were complicit in his trangression and because the royal authority to expunge the rebellion includes the right to do away with everyone who had a part in it.

22. כֹּה יַעֲשֶׂה אֱלֹהִים לְאֹיְבֵי דָוִד — *So shall God do to David's enemies. "David's enemies"* is a euphemism for David himself. He took an oath that if he did not carry out his declared intention to punish Nabal's cruelty, the desired punishment should come upon him (*Radak*).

מַשְׁתִּין בְּקִיר — *So much as a dog*. Literally, the term means *one that urinates against a wall*, and therefore applies to a dog. *Metzudos* comments that it can also be applied to males.

Targum, cited by *Rashi* and others, renders "one whose emotions resonate against the walls of his heart," and thus the term refers to the human beings of Nabal's coterie.

כג וַתֵּרֶא אֲבִיגַיִל אֶת־דָּוִד וַתְּמַהֵר וַתֵּרֶד מֵעַל הַחֲמוֹר וַתִּפֹּל לְאַפֵּי דָוִד עַל־פָּנֶיהָ וַתִּשְׁתַּחוּ אָרֶץ׃ כד וַתִּפֹּל עַל־רַגְלָיו וַתֹּאמֶר בִּי־אֲנִי אֲדֹנִי הֶעָוֺן וּתְדַבֶּר־נָא אֲמָתְךָ בְּאָזְנֶיךָ וּשְׁמַע אֵת דִּבְרֵי אֲמָתֶךָ׃ כה אַל־נָא יָשִׂים אֲדֹנִי ׀ אֶת־לִבּוֹ אֶל־אִישׁ הַבְּלִיַּעַל הַזֶּה עַל־נָבָל כִּי כִשְׁמוֹ כֶּן־הוּא נָבָל שְׁמוֹ וּנְבָלָה עִמּוֹ וַאֲנִי אֲמָתְךָ לֹא רָאִיתִי אֶת־נַעֲרֵי אֲדֹנִי אֲשֶׁר שָׁלָחְתָּ׃ כו °וְעַתָּה אֲדֹנִי חַי־יְהוָה וְחֵי־נַפְשְׁךָ אֲשֶׁר מְנָעֲךָ יְהוָה מִבּוֹא בְדָמִים וְהוֹשֵׁעַ יָדְךָ לָךְ וְעַתָּה יִהְיוּ כְנָבָל אֹיְבֶיךָ וְהַמְבַקְשִׁים אֶל־אֲדֹנִי רָעָה׃ כז וְעַתָּה הַבְּרָכָה הַזֹּאת אֲשֶׁר־הֵבִיא שִׁפְחָתְךָ לַאדֹנִי וְנִתְּנָה לַנְּעָרִים הַמִּתְהַלְּכִים בְּרַגְלֵי אֲדֹנִי׃ כח שָׂא נָא לְפֶשַׁע אֲמָתֶךָ כִּי עָשֹׂה־יַעֲשֶׂה יְהוָה לַאדֹנִי בַּיִת נֶאֱמָן כִּי־מִלְחֲמוֹת יְהוָה אֲדֹנִי נִלְחָם וְרָעָה לֹא־תִמָּצֵא בְךָ מִיָּמֶיךָ׃ כט וַיָּקָם אָדָם לִרְדָפְךָ וּלְבַקֵּשׁ אֶת־נַפְשֶׁךָ וְהָיְתָה נֶפֶשׁ אֲדֹנִי צְרוּרָה ׀ בִּצְרוֹר הַחַיִּים אֵת יְהוָה אֱלֹהֶיךָ וְאֵת נֶפֶשׁ אֹיְבֶיךָ יְקַלְּעֶנָּה בְּתוֹךְ כַּף הַקָּלַע׃ ל וְהָיָה כִּי־יַעֲשֶׂה יְהוָה לַאדֹנִי כְּכֹל אֲשֶׁר־דִּבֶּר אֶת־הַטּוֹבָה עָלֶיךָ וְצִוְּךָ לְנָגִיד עַל־יִשְׂרָאֵל׃

°נ״א וְאַתָּה

רש״י

(כד) בי אני אדני העון. מתחלה אמרה כך, כדי שיטה אוזן לדבריה, ולסוף אמרה לו האמת, אני אמתך לא ראיתי את נערי אדני: **(כו) אשר מנעך.** שמנעך שלחתי לקראתך למנעך משפיכות דמים: **והושע ידך לך.** מלנקום אתה בעצמך את נקמתך ותענש: **יהיו כנבל איביך.** נתנבאת ברוח הקודש שלא יאריך ימים: **(כז) ונתנה לנערים.** ותנתן לנערים המתהלכים וגו׳, נתנה לשון עבר, ונִתְּנָה לשון להבא: **(כח) כי עשה יעשה ה׳ לאדני בית נאמן.** להיות מלך על ישראל, לפיכך, ורעה לא תמצא בך, לכך לא נאה לך לעשות שלא כדין, להוציא לעז על מלכותך: **(כט) כף הקלע.** חתיכת עור רחבה עשויה כמין כף באמצע הקלע, שנותן בה האבן: **(ל) והיה כי יעשה ה׳ וגו׳.** ותמלוך:

רד״ק

(כג) לאפי דוד. כמו לפני דוד: **(כד) בי אני.** כלומר אדוני העון בעצמי ואני הוא שחטאתי לפניך, כלומר חשוב כי אני חטאתי שמע דברי אמתך: **(כו) אשר מנעך.** דבק עם חי ה׳: **והושע ידך לך.** השם מנעך מבוא בדמים והושע ידך לעצמך שלא שפכה ידך דם נקי, כי לא יקרא זה מורד במלכות כאשר חשבת כי עדיין לא יצא טבעך בעולם ועדיין שאול קיים: **יהיו כנבל.** שאין בו כח להרע לך: **(כז) הברכה.** כמו המנחה, כמו קַח נָא אֶת בִּרְכָתִי (בראשית לג, יא): **אשר הביא שפחתך.** ואמר שִׁפְחָתְךָ בלי זכר הנער לפי שהיא עיקר ההבאה: **ונתנה לנערים.** דרך כבוד: **(כח) בית נאמן.** כתרגומו מַלְכוּ קְיָימָא, ודרך נבואה אמרה זה כי היא אחת משבע נביאות על דעת רבותינו זכרונם לברכה (מגילה יד, א), ויש לפרש כי היה הדבר נשמע ונודע בישראל כי דוד נמשח למלך כמו שאמרה כְּכֹל אֲשֶׁר דִּבֶּר אֶת הַטּוֹבָה עָלֶיךָ וְצִוְּךָ לְנָגִיד עַל יִשְׂרָאֵל (פסוק ל): **כי מלחמות ה׳.** תרגומו אֲרֵי קְרָבֵי עַמָּא דַה׳: **לא תמצא בך.** עתיד במקום עבר, כמו לא נמצאא ומלת מִיָּמֶיךָ יוכיח זה, וכן תרגומו לָא אִשְׁתְּכַחַת: **(כט) ויקם אדם.** שאול, וקראתו אדם ולא מלך דרך בזיון כלומר כי אין לו תקומה לפניך: **והיתה נפש אדני.** שלא יוכלו להמיתך מי שרודפין אותך ותהיה בחיים את השם, כלומר שתלך בדרכיו כל ימיך, וכן ורעה לא תמצא בך כל ימיך, וימית האל יתעלה ויתברך הרודפים אותך ויפריח נפשם כמו אבן הקלע, וכף הקלע פירוש מושב אבן הקלע שהוא עשוי כמו כף, ולדעת יונתן פירוש נפש אדוני צרורה בצרור החיים לעולם הבא שתרגם הפסוק כן וּתְהֵא נַפְשָׁא דְרִבּוֹנִי גְנִיזָה בִּגְנַז חַיֵּי עַלְמָא קֳדָם ה׳ אֱלָהָךְ וְיַת נְפַשׁ בַּעֲלֵי דְבָבָךְ יַפְרְחִינָהּ כְּמָה דְמַפְרְחִין אַבְנָא בְּקַלְעָה, וכן בדברי רבותינו זכרונם לברכה (דברים רבה פרשה י, ד) רבי אליעזר אומר נשמתן של צדיקים גנוזות תחת כסא הכבוד שנאמר בִּצְרוֹר הַחַיִּים אֵת ה׳ אֱלֹהֶיךָ, ונשמתן של רשעים מטרפות ומשוטטות מסוף העולם ועד סופו ואין להם מנוחה שנאמר יְקַלְּעֶנָּה בְּתוֹךְ כַּף הַקָּלַע:

מצודת דוד

(כג) לאפי דוד. לפני דוד: **(כד) בי אני וגו׳.** כי דוד לא היה מכירה, ולזה אמרה מה ששמעתי אשר אדוני מדבר אל עבדיו בדבר מה שקרה לו, דע אדוני העון הזה הוא בי, רוצה לומר, בביתי נעשה הדבר: **ותדבר.** ולזה תדבר אמתך, לבקש ולהתחנן על הדבר: **(כה) אל איש.** רוצה לומר, אל דברי חירופו: **ונבלה עמו.** מחזיק בנבלה, לדבר קשות וחירופים: **לא ראיתי.** בכדי לתקן הדבר ולפייסם: **(כו) חי ה׳ וגו׳.** נשבעה בה׳ ובנפשו, ואמרה, הנה רצון ה׳ למנעך מבוא בעון שפיכת דם, ושידך תושיע לך לריב ריבך, כי אם היה רצון המקום שידך תושיע לך לנקום נקמתך ולשפוך דם, לא היה הדבר נגלה אלי ללכת לפייסך, ואף המהירה והפגישה והשמיעה בדבריך לאנשיך, המה מה׳ בהשגחה: **ועתה.** הואיל וה׳ מנעך מבוא בדמים, בודאי הוא יריב ריבך ויומת בידי שמים, וכל אויביך יהיו כנבל, שיומתו בידי שמים, וכאשר אמר דוד בעצמו אל שאול יִשְׁפֹּט ה׳ וכו׳ וְיָדִי לֹא תִהְיֶה בָּךְ (לעיל כד, יג): **(כז) ועתה הברכה.** התפייס נא בעבור הברכה הזאת וכו׳: **ונתנה וכו׳.** מפני הכבוד לא אמרה ונתנה לך, כי למעלתו למעט יחשב, ואמרה ונתנה להנערים וכו׳: **(כח) שא נא וכו׳.** הקדימה לשאול מחילה, אם תכשל בלשונה לדבר מה מול כבודו: **כי עשה יעשה.** זה ראשית אמריה תאמר, הן ידעתי שה׳ יעשה לאדוני בית נאמן ומתקיים, ועד עולם לא תוסר המלוכה מביתו, לא כשאול שיוסר המלוכה מזרעו: **כי מלחמות ה׳.** כל מלחמתך המה מלחמות ה׳, לעשות נקמה בעובדי כוכבים ומזלות, אבל לא תמצא בך רעה מימיך ללחום ולהרוג אנשים מישראל כאשר עשה שאול שהרג כהני נוב, ולזה סרה משאול, ולא תוסר ממך: **(כט) ויקם אדם.** רוצה לומר, עם שקם שאול לרדפך וכו׳ ויכול היית להרגו במערה, עם כל זה לא שלחת בו יד, ורעה לא נמצא בך מימיך: **והיתה נפש אדני.** ובעבור זה תהיה נפש אדוני צרורה בצרור החיים הנצחיים הרוחניים, אחר הפרדה מן הגוף: **את ה׳.** להיות חוזרת למקום אשר ממנה חוצבה: **יקלענה.** תהיה משוטטת נעה ונדה, כהאבן הקלוע בכף הקלע, ואמרה זאת להחניפו, ולבל ישפוך דמי ישראל כמו שאול: **(ל) את הטובה וכו׳.** וחוזרת ומפרשת וְצִוְּךָ לְנָגִיד וכו׳:

מצודת ציון

(כה) ונבלה. ענין דברי גנאי וכעור, כמו נָבָל נְבָלָה יְדַבֵּר (ישעיהו לב, ו): **(כז) הברכה.** מתנה ומנחה, כמו קַח נָא אֶת בִּרְכָתִי (בראשית לג, יא): **ברגלי אדני.** רצה לומר עם מהלכו ואחריו, כמו לָעָם אֲשֶׁר בְּרַגְלָי (שופטים ח, ה): **(כח) שא.** ענין מחילה: **נאמן.** מתקיים, כמו יָתֵד בְּמָקוֹם נֶאֱמָן (ישעיהו כב, כג): **(כט) צרורה.** ענין קשירה, כמו צְרוֹר כַּסְפּוֹ (בראשית מב, לה): **יקלענה.** ענינו השלכה בהכלי העשוי כעין מקל ובראשו כעין כף, ובו יניחו האבן הנזרק, ולזה קרוי כף הקלע:

[23]When Abigail saw David she hurried and dismounted from the donkey, and fell on her face before David and prostrated herself to the ground. [24]She fell at his feet and said, "With me myself, my lord, lies the sin. Let your maidservant please speak in your ears, and hear out the words of your maidservant. [25]Let my lord not set his heart against this base man — against Nabal — for he is as his name implies — Nabal is his name and revulsion is his trait; and I, your maidservant, did not see my lord's attendants whom you sent. [26]Now, my lord, as HASHEM lives — and by your life — as HASHEM has prevented you from coming to bloodshed and from your own hand avenging you, may all your enemies and all those who wish evil upon my lord be like Nabal! [27]And now, this homage that your maidservant has brought to my lord — let it be given to the attendants who are traveling with my lord. [28]Please forgive the sin of your maidservant, for HASHEM shall certainly make for my lord an enduring house, for my lord fights the wars of HASHEM; and no blame has been found in you in your days. [29]A man has risen up to pursue you and to seek your life! May my lord's soul be bound up in the bond of life, with HASHEM, your God, and may He hurl away the soul of your enemies as one shoots a stone from a slingshot. [30]And may it be that when HASHEM performs for my lord all the beneficence of which He has spoken regarding you, and appoints you as leader over Israel,

23-31. Abigail's tact and wisdom. Abigail brought a generous gift of food for David's men. Then, to save her husband's life, she confronted David with a three-pronged argument: (1) Nabal is too unworthy a person to merit David's attention; (2) it would be unbecoming for David to stain his unblemished reputation by killing Nabal and his people; and (3) while David has been anointed, he had been designated only as the *future* king — as long as Saul is still in power, Davis is not entitled to exercise the royal prerogative of executing rebels.

24. **כִּי אֲנִי אֲדֹנִי הֶעָוֹן** — *With me myself, my lord, lies the sin.* With this untruth, Abigail tried to placate David so that she could engage him in conversation and persuade him not to carry out his threat. Once she had gained his ear, she explained that she was in fact blameless (*Rashi*). Alternatively, although Abigail had been completely unaware of David's request for food, she accepted the blame and insisted that she was responsible for refusing it.

25. In a play on words, Abigail said that the man is abominable, as his name suggests [see comm. to v. 3]. She claimed that Nabal's base nature and foul tongue were well known, and she was at fault for not maintaining oversight over him so that she could intervene in favor of David's men.

26. Given, as Abigail would contend, that David did not yet have royal authority, it was in David's merit that God let her intervene to prevent him from shedding blood. Had David had the status of king, it would not have been "bloodshed" in the legal sense for him to execute rebels, but, as she would set forth, Saul was still king.

יִהְיוּ כְנָבָל אֹיְבֶיךָ — *May all your enemies . . . be like Nabal.* For all his bravado, Nabal is powerless and cannot harm you (*Radak*); and a person of your stature should not feel embarrassed by the outburst of such an insignificant man (*Mahari Kara*). This was an implied prophecy that Nabal would not live long (*Rashi*).

27. Tactfully, Abigail said that the food should go for David's attendants, although David himself surely needed it as well.

28. Abigail apologized for her temerity in speaking so much and in criticizing his intentions, as Abraham did when he asked for God's permission to plead for the sinners of Sodom (*Genesis* 18:27,32). And she appealed that David should consider his reputation — *A good name is better than good oil (Ecclesiastes* 7:1) — and not shed blood unnecessarily.

Here she said explicitly that it was no longer a secret that David had been anointed to succeed Saul, and she emphasized that his monarchy would endure because he would fight only just wars and no ill-repute would be attached to him. If he were to kill someone unjustly, his merit would be diminished and the nation would suffer (see *Radak; Mahari Kara*).

In so saying, she contrasted David with Saul, who had killed the Kohanim of Nob.

29. **וַיָּקָם אָדָם לִרְדָפְךָ** — *A man* [i.e., Saul] *has risen up to pursue you.* Abigail referred to Saul pointedly as *a man* rather than *king*, implying that although David's reign had not begun, Saul had lost the power to oppose him (*Radak*).

וְהָיְתָה נֶפֶשׁ אֲדֹנִי צְרוּרָה בִּצְרוֹר הַחַיִּים — *May my lord's soul be bound up in the bond of life.* Your pursuers will be unable to harm you (*Radak*).

This phrase is popularly used to refer to the immortality of the soul, in accord with the translation of *Targum Yonasan*: David's soul would merit to be preserved with the other righteous souls before God in the World to Come. In contrast to David, whose soul will be preserved, that of his enemies will be cast out, as if with a slingshot (*Radak*), and they will fall into the hands of their enemies, as Saul fell in battle against the Philistines (*Mahari Kara*).

לא וְלֹא תִהְיֶה זֹאת ׀ לְךָ לְפוּקָה וּלְמִכְשׁוֹל לֵב לַאדֹנִי וְלִשְׁפָּךְ־דָּם חִנָּם וּלְהוֹשִׁיעַ אֲדֹנִי
לב לוֹ וְהֵיטִב יְהוָה לַאדֹנִי וְזָכַרְתָּ אֶת־אֲמָתֶךָ: וַיֹּאמֶר דָּוִד לַאֲבִיגַל בָּרוּךְ
לג יְהוָה אֱלֹהֵי יִשְׂרָאֵל אֲשֶׁר שְׁלָחֵךְ הַיּוֹם הַזֶּה לִקְרָאתִי: וּבָרוּךְ טַעְמֵךְ וּבְרוּכָה אָתְּ
לד אֲשֶׁר כְּלִתִנִי הַיּוֹם הַזֶּה מִבּוֹא בְדָמִים וְהֹשֵׁעַ יָדִי לִי: וְאוּלָם חַי־יְהוָה אֱלֹהֵי יִשְׂרָאֵל
אֲשֶׁר מְנָעַנִי מֵהָרַע אֹתָךְ כִּי ׀ לוּלֵי מִהַרְתְּ ותבאתי [וַתָּבֹאת ק] לִקְרָאתִי כִּי אִם־
לה נוֹתַר לְנָבָל עַד־אוֹר הַבֹּקֶר מַשְׁתִּין בְּקִיר: וַיִּקַּח דָּוִד מִיָּדָהּ אֵת אֲשֶׁר־הֵבִיאָה לוֹ
לו וְלָהּ אָמַר עֲלִי לְשָׁלוֹם לְבֵיתֵךְ רְאִי שָׁמַעְתִּי בְקוֹלֵךְ וָאֶשָּׂא פָּנָיִךְ: וַתָּבֹא אֲבִיגַיִל
אֶל־נָבָל ׀ וְהִנֵּה־לוֹ מִשְׁתֶּה בְּבֵיתוֹ כְּמִשְׁתֵּה הַמֶּלֶךְ וְלֵב נָבָל טוֹב עָלָיו וְהוּא שִׁכֹּר
לז עַד־מְאֹד וְלֹא־הִגִּידָה לּוֹ דָּבָר קָטֹן וְגָדוֹל עַד־אוֹר הַבֹּקֶר: וַיְהִי בַבֹּקֶר בְּצֵאת הַיַּיִן
מִנָּבָל וַתַּגֶּד־לוֹ אִשְׁתּוֹ אֶת־הַדְּבָרִים הָאֵלֶּה וַיָּמָת לִבּוֹ בְּקִרְבּוֹ וְהוּא הָיָה לְאָבֶן:
לח-לט וַיְהִי כַּעֲשֶׂרֶת הַיָּמִים וַיִּגֹּף יְהוָה אֶת־נָבָל וַיָּמֹת: וַיִּשְׁמַע דָּוִד כִּי מֵת נָבָל וַיֹּאמֶר
בָּרוּךְ יְהוָה אֲשֶׁר רָב אֶת־רִיב חֶרְפָּתִי מִיַּד נָבָל וְאֶת־עַבְדּוֹ חָשַׂךְ מֵרָעָה וְאֵת
רָעַת נָבָל הֵשִׁיב יְהוָה בְּרֹאשׁוֹ וַיִּשְׁלַח דָּוִד וַיְדַבֵּר בַּאֲבִיגַיִל לְקַחְתָּהּ לוֹ לְאִשָּׁה:

רש"י

(לא) ולא תהיה וגו' לפוקה. לכשלון, כמו וּפִק בִּרְכַּיִם (נחום ב, יא), שאם היית עושה זאת, לא יהיה לך פתחון פה לרדות אדם לדורות הבאים על שפיכות דמים: **ולהושיע אדני לו.** שתנקום אתה את נקמתך: **(לג) כלתני.** מנעת אותי, כמו לֹא תִכְלָא רַחֲמֶיךָ (תהלים מ, יב); לֹא יִכְלֶה מִמְּךָ (בראשית כג, ו): **והשע ידי לי.** מוסב על מבוא בדמים, מ"ם של מִבּוֹא מחוברת על וְהֹשֵׁעַ, כמו מבוא בדמים ומהושע ידי לי: **(לז) בצאת היין מנבל.** (תרגום), כַּד פָּג חַמְרָא מִנָּבָל: **וימת לבו.** שנצטער על המנחה שהובאת לדוד: **(לח) בעשרת הימים.** שבעת ימי אבלו של שמואל תלה לו הקדוש ברוך הוא, שלא יתערב אבל רשע באבלו, ואחר כך תלה שלשה ימים ומת, כענין שנאמר, וַיִּגֹּף ה' אֶת נָבָל, ואמר מר (שמות ג, טו), תלה שלשה ימים ומת, זו היא מיתת מגפה, ורבותינו אמרו (ראש השנה יח, א), אלו עשרת ימי תשובה, שהמתין לו הקדוש ברוך הוא שיחזור בתשובה, ויש אומרים, כנגד עשר לגימות שנתן נבל לעבדי דוד, שאלה לו דוד עשרה נערים והאכילן: **(לט) את ריב חרפתי.** גדופי שחרפני הַיּוֹם רַבּוּ עֲבָדִים הַמִּתְפָּרְצִים (לעיל פסוק י): **ואת עבדו חשך מרעה.** שלא הרגתיו:

רד"ק

(לא) ולא תהיה זאת לך לפוקה. זאת הנקמה שאתה רוצה להנקם בנבל: **לפוקה.** כמו וּפִיק בִּרְכַּיִם (נחום ב, יא) על ענין מכשול, ותרגומו לְיַצְפָּא: **ולמכשול לב.** כי העון מכשול הלב הוא, והכפל פוקה ומכשול לחזק כי כן דרך הכתוב ויש בו דרש (בראשית רבה לב, א) כי דוד תבע אביגיל לעבירה ואמרה לו לא תהיה זאת לך לפוקה על שפיכות דמים ולמכשול על אשת איש: **ולהושיע אדני לו.** לעצמו שלא ישפוך דם נקי: **וזכרת את אמתך.** כשייטיב ה' לאדוני ותמלוך תזכירני לטובה כי טובה עשיתי עמך שמנעתיך מדמי חנם: **(לב) לאביגל.** כתיב כמו לאביגיל כי קרוב הוא והיתה נקראת כך וכך והרבה כזה נמצא בשמות, ויש בו דרש (ירושלמי סנהדרין) כי כשאמרה וְזָכַרְתָּ אֶת אֲמָתֶךָ (פסוק לא) פקרה עצמה לו, וכיון שפקרה עצמה לו פגמה הכתוב בקריאה כי למעלה קראה אביגיל והכא אביגל: **אשר שלחך.** שנתן בלבך לצאת לקראתי: **(לג) טעמך.** עצתך ודברך הטוב, וכן תרגם יונתן וּבְרִיךְ מַדְעִיךְ: **כלתני.** מנעת אותי כמו לא יכלה ממך: **(לד) מהרע אתך.** כמו לך: **ותבאתי.** כן כתיב והקרי וַתָּבֹאת, ובמלה בכתוב שני סימני נקבה עבר ועתיד כי לשון העתיד תבא ולשון עבר באת והיה הכפל הזה במלה מורה על זריזות ביאתה, וכן בקרי משני הסימנים: **(לז) בצאת היין.** בבי"ת, ופירושו בעת שסרה שכרותו ותרגומו כַּד פָּג חַמְרָא מִנָּבָל, וכן תרגם הָסִירִי אֶת יֵינֵךְ מֵעָלָיִךְ (לעיל א, יד), הֲלָא תְפִיגִין יַת חַמְרִךְ: **וימת לבו.** שנשתתק ויהי כמת כי נצטער על המנחה שהביאה אשתו לדוד: **(לח) בעשרת הימים.** הכ"ף כ"ף האמיתות רצה לומר לעשרת הימים, וכן כְּמִשְׁלֹשׁ חֳדָשִׁים (בראשית לח, כד) רצה לומר למשלש חדשים, עשרת הימים חלה החולי הקשה ובסוף העשרה ימים נגפו האל ומת ואלו היסורין היו לו עונש עונו עם מיתתו, ויש דרש (ירושלמי ביכורים ב, א) שתלו לו עשרה ימים לתשובה, וכן אמרו לעשרת לא נאמר אלא כַּעֲשֶׂרֶת, כעשרת ימים שבין ראש השנה ליום הכפורים שמא יעשה תשובה, וזה רחוק כי הכתוב מעיד עליו כי עשרת הימים האלה היה מת לבו והיה לאבן היאך יעשה תשובה אדם כזה, ועוד דרשו (ראש השנה יח, א) כנגד עשר לגימות שנתן לעשרה נערי דוד ששלח אליו, ואני אומר כי לרעתו היו אלה העשרה ימים לא לטובתו, ועוד בדרש (מדרש שמואל כג, יג)

מצודת דוד

(לא) ולא תהיה זאת לך לפוקה. רוצה לומר, כשתמלוך, לא יזיק לך כלל דברי חרפת נבל להיות מבוזה בעבור זה בעיני העם, ואפילו למכשול לב אדוני לא יהיה, כי לא תחוש אז לדברי נבל כזה, וכאשר לא תמיתהו, תוסר מן הקלון, כי לא יאמר אז עליך שדרכך לשפוך דם חנם ולהושיע לעצמך בכח זרועך, וכאלו אמרה הן עתה עוד היותך נרדף בהרים מפני שאול, חושש אתה לחרפת נבל, אבל לא תחוש במה שיאמרו שאתה שופך דם חנם ומושיע לעצמך בכח זרועך, היות עכשיו אין מעלתך גדולה כל כך לחוש לדברים כאלה, אבל לאחר שתמלוך, נהפוך הוא. (הנה באמת בהבנת הדברים האלה, אליה וקוץ, בהקטין עתה מעלתו, ולזה שאלה בראשית אמריה, שָׂא נָא לְפֶשַׁע אֲמָתֶךָ): **והיטב ה' לאדני.** רוצה לומר, הן ידעתי כאשר ייטיב ה' לאדוני וימלוך כאות נפשו, זכור תזכור את אמתך, להחזיק לי טובה על העצה היעוצה, למנעך מבוא בדמים: **(לג) מבוא בדמים.** מבוא בעון שפיכת דם, ובתשועת ידי לעצמי: **(לד) חי ה'.** הריני נשבע חי ה' וכו' שמנע אותי מהרע לך, רצה לומר, לביתך ולכל אשר לך: **כי אם נותר וכו'.** אז יחול עלי עונש שבועה: **(לז) בצאת היין.** רצה לומר, בעת סרה השכרות: **וימת לבו.** אמר על דרך גוזמא והפלגה, על גודל החרדה מפחד דוד, כי חשב פן עם כל זה יבוא עליו: **והוא היה לאבן.** שבטלו הרגשותיו מרוב החרדה: **(לט) חשך מרעה.** לבל המיתו בידי: **ואת רעת.** את גמול רעת:

מצודת ציון

(לא) לפוקה. אף הוא ענין מכשול, כמו וּפַק בִּרְכַּיִם (נחום ב, יא): **(לג) טעמך.** דבורך ועצתך, כמו וְטַעַם זְקֵנִים יִקָּח (איוב יב, כ): **כלתני.** מנעת אותי: **(לד) ואולם.** אבל באמת: **לולי.** אם לא: **(לה) ואשא פניך.** ענין הדור פנים, למלאות השאלה: **(לו) טוב עליו.** רצה לומר שמח: **(לט) חשך.** מנע, כמו וְלֹא חָשַׂכְתָּ (בראשית כב, טז):

[31]that this not be for you a stumbling block and a moral hindrance for my lord, to have shed innocent blood for my lord to have avenged himself! And may HASHEM act beneficently toward my lord, and may you [then] remember your maidservant."

David relents and expresses admiration for Abigail

[32]David then said to Abigail, "Blessed is HASHEM, God of Israel, Who sent you this day to meet me. [33]And blessed is your advice and blessed are you, who have restrained me from coming to bloodshed and avenging myself by my own hand. [34]Truly, as HASHEM, God of Israel, lives — Who has prevented me from harming you — had you not hurried and come to meet me, by morning's light there would not have remained to Nabal as much as a dog." [35]David then accepted from her what she had brought to him. He said to her, "Go up in peace to your house. See, I have heeded your advice, and I shall show you grace."

[36]Abigail then came to Nabal and behold, he was having a feast in his house — a feast fit for the king. Nabal's heart was pleased about himself, and he was very drunk, so she did not tell him anything minor or major until the morning's light. [37]And it was in the morning, when Nabal had become sober, his wife told him of these matters, his heart [seemed to have] died within him, and he was stunned.

Nabal dies and David marries Abigail

[38]It happened after ten days that HASHEM struck Nabal and he died. [39]When David heard that Nabal had died, he said, "Blessed is HASHEM, Who has taken up the cause of my disgrace from the hand of Nabal, and has prevented His servant from wrongdoing; and HASHEM has returned Nabal's evil upon his head." Then David sent [agents] and spoke regarding Abigail to take her to himself as a wife.

רד"ק

וַיְהִי כַּעֲשֶׂרֶת הַיָּמִים וַיִּגֹּף ה׳ אֶת נָבָל והלא אין מגפה, אלא לשלשה ימים דתניא (מסכת שמחות ג, ט) המת ליום אחד הרי זו מיתה של זעף לשנים מיתה של בהלה לשלשה מיתה של מגפה, אלא שתלו לו שבעת ימי אבלו של שמואל הצדיק כדי שלא יתערב אבלו של רשע בתוך אבלו של צדיק: **(לט) חרפתי.** שחרף אותי ואמר מִי דָוִד וּמִי בֶן יִשָׁי הַיּוֹם רַבּוּ עֲבָדִים הַמִּתְפָּרְצִים אִישׁ מִפְּנֵי אֲדֹנָיו (לעיל פסוק י):

31. Abigail warned David that if he were to avenge himself against Nabal, he would forfeit the moral authority to act against bloodshed in the future (*Rashi*).

וְזָכַרְתָּ אֶת אֲמָתֶךָ — *And may you [then] remember your maidservant.* When you become king, remember that I saved you from spilling innocent blood (*Radak*). The Sages interpret this as a subtle suggestion of marriage, should Nabal die (*Megillah* 14b).

32-35. David accedes to Abigail and expresses his admiration. It is a mark of great people that they accept advice and even reproof. David accepted Abigail's arguments and acknowledged his gratitude.

32. לַאֲבִיגַל — *To Abigail.* The Sages note that her name is spelled defectively, without the second *yud*, which implies that her stature was diminished to a degree. This implies a criticism of her for suggesting marriage to David while her husband was still alive (*Radak* from *Yerushalmi Sanhedrin* 2:3).

35. וָאֶשָּׂא פָּנָיִךְ — *And I shall show you grace.* I shall continue to respect your advice in the future (*Abarbanel*); I shall not consider it disrespectful of you to have chastised me (*Malbim*).

36-38. Nabal's end. So sure was Nabal of himself that he reveled with his servants without giving a thought either to David or to Abigail's absence at his celebration. But when Abigail told him what had happened, his spirit drained out of him.

37. Nabal was distressed at his wife's generous gift to David (*Rashi*); his wickedness was so deeply ingrained that he responded not to the danger he had been in, but to the loss of a small part of his great wealth. Others comment that he was frightened at the news that David and his men had advanced against him — and the possibility that they might return.

So overcome was he that he became weak and sickly to the point that he could hardly move.

38. God waited ten days before taking Nabal's life so that the mourning period for the evil miser would not conflict with, and detract attention from, the seven-day mourning period for Samuel (*Rashi*). In the plain sense, God inflicted ten days for punishment on Nabal before taking his life (*Radak*). Some suggest that these were the Ten Days of Repentance, from Rosh Hashanah to Yom Kippur, and God gave Nabal an opportunity to repent during this auspicious time (*Rosh Hashanah* 18a).

39. David blessed God for three things: for removing the disgrace from David and his men by punishing Nabal; for preventing David from shedding blood; and for sparing Abigail and the remainder of her household (*Abarbanel*).

מ וַיָּבֹאוּ עַבְדֵי דָוִד אֶל־אֲבִיגַיִל הַכַּרְמֶלָה וַיְדַבְּרוּ אֵלֶיהָ לֵאמֹר דָּוִד שְׁלָחָנוּ אֵלַיִךְ
מא לְקַחְתֵּךְ לוֹ לְאִשָּׁה: וַתָּקָם וַתִּשְׁתַּחוּ אַפַּיִם אָרְצָה וַתֹּאמֶר הִנֵּה אֲמָתְךָ לְשִׁפְחָה
מב לִרְחֹץ רַגְלֵי עַבְדֵי אֲדֹנִי: וַתְּמַהֵר וַתָּקָם אֲבִיגַיִל וַתִּרְכַּב עַל־הַחֲמוֹר וְחָמֵשׁ
מג נַעֲרֹתֶיהָ הַהֹלְכוֹת לְרַגְלָהּ וַתֵּלֶךְ אַחֲרֵי מַלְאֲכֵי דָוִד וַתְּהִי־לוֹ לְאִשָּׁה: וְאֶת־
מד אֲחִינֹעַם לָקַח דָּוִד מִיִּזְרְעֶאל וַתִּהְיֶיןָ גַּם־שְׁתֵּיהֶן לוֹ לְנָשִׁים: וְשָׁאוּל

כו

א נָתַן אֶת־מִיכַל בִּתּוֹ אֵשֶׁת דָּוִד לְפַלְטִי בֶן־לַיִשׁ אֲשֶׁר מִגַּלִּים: וַיָּבֹאוּ הַזִּפִים אֶל־
שָׁאוּל הַגִּבְעָתָה לֵאמֹר הֲלוֹא דָוִד מִסְתַּתֵּר בְּגִבְעַת הַחֲכִילָה עַל פְּנֵי הַיְשִׁימֹן:
ב וַיָּקָם שָׁאוּל וַיֵּרֶד אֶל־מִדְבַּר־זִיף וְאִתּוֹ שְׁלֹשֶׁת־אֲלָפִים אִישׁ בְּחוּרֵי יִשְׂרָאֵל
ג לְבַקֵּשׁ אֶת־דָּוִד בְּמִדְבַּר־זִיף: וַיִּחַן שָׁאוּל בְּגִבְעַת הַחֲכִילָה אֲשֶׁר עַל־פְּנֵי הַיְשִׁימֹן
ד עַל־הַדָּרֶךְ וְדָוִד יֹשֵׁב בַּמִּדְבָּר וַיַּרְא כִּי בָא שָׁאוּל אַחֲרָיו הַמִּדְבָּרָה: וַיִּשְׁלַח
ה דָּוִד מְרַגְּלִים וַיֵּדַע כִּי־בָא שָׁאוּל אֶל־נָכוֹן: וַיָּקָם דָּוִד וַיָּבֹא אֶל־הַמָּקוֹם אֲשֶׁר
חָנָה־שָׁם שָׁאוּל וַיַּרְא דָּוִד אֶת־הַמָּקוֹם אֲשֶׁר שָׁכַב־שָׁם שָׁאוּל וְאַבְנֵר בֶּן־נֵר שַׂר־
ו צְבָאוֹ וְשָׁאוּל שֹׁכֵב בַּמַּעְגָּל וְהָעָם חֹנִים °סביבתו [°סְבִיבֹתָיו ק׳]: וַיַּעַן דָּוִד וַיֹּאמֶר
אֶל־אֲחִימֶלֶךְ הַחִתִּי וְאֶל־אֲבִישַׁי בֶּן־צְרוּיָה אֲחִי יוֹאָב לֵאמֹר מִי־יֵרֵד אִתִּי אֶל־

רד"ק

(מג) **גם שתיהן.** האחת לרבות האחרת, ואמר זה להודיע כי אלו שתיהן היו לו לנשים ולא מיכל, כי שאול נתנה לפלטי בן ליש ולפיכך אמר ושאול נתן את מיכל בתו וגו׳ (פסוק מד), ויש לשאול הרי מיכל אשת דוד היתה איך נתנה לפלטי ואיך לקחה פלטי בן ליש והיא אשת דוד, ואם תאמר כי בעבירה ובאיסור עשו הדבר איך לקחה אחרי כן דוד והנה היתה אסורה לו כיון שנבעלה ברצון לאחר בעודה אשתו, ויש מרבותינו זכרונם לברכה אמרו כי קדושי פלטי במיכל בעבירה היו, ומהם אמרו כי קדושי טעות היו לו לדוד במיכל כמו שאמר יַעְשְׁרֶנּוּ הַמֶּלֶךְ עֹשֶׁר גָּדוֹל (לעיל יז, כה) ואותו היום היה מלוה אצל שאול והמקדש במלוה אינה מקודשת, ואף על פי שהיו ערלות פלשתים לקדושין גם כן (לעיל יח, כז) חשב שאול כי דעת דוד על העושר שהיה מלוה, ודוד היה דעתו על מאתים ערלות שהרי למהר נתנם ולקדושין, ומהם אמרו כי פלטי בן ליש לא בא עליה וכל הימים שהיתה עמו חרב היה נועץ בינו לבינה שלא יגע בה ומה שאמר הָלוֹךְ וּבָכֹה אַחֲרֶיהָ (שמואל־ב ג, טז) על המצוה הזאת שהלך מידו שהיה כל כך כובש את יצרו וכל אלה הדברים רחוקים מדרך הפשט, והנכון בעיני כי גט נתן דוד למיכל כי ראינו ששנא שאול את דוד אחר שנתחתן עמו עד שברח דוד מפני שאול, וכראות שאול כי דוד היה בורח אף על פי שהיה חוזר אליו לפעמים הכריחו לתת גט לבתו שלא תשב עגונה ועשה כן, ושאול נתנה לאשה לפלטי בן ליש, ואם תאמר אם כן אסור היה לדוד להחזירה כי אסור לאדם להחזיר גרושתו אחר שנשאת לאחר או שנתארסה, ונאמר כי לא מדעתו נתן זה הגט, ואם תאמר מי הכריחו והלא הוא ברח מאת שאול, אף על פי שברח ראינו שהיה עם שאול אחר כן כמו שאמר אִם פָּקֹד יִפְקְדֵנִי אָבִיךָ (לעיל כ, ו) וכל הענין שהוא מורה כי אחר שברח היה חוזר אליו, ובעוד שהיה עמו הכריחו לתת הגט וגט המעושה בישראל שלא כדין פסול, ואם תאמר וכי לא היו יודעים בית דינו של שאול כי הגט פסול, אפשר שהיה דעתם כי בדין היה אחרי אשר היה רצון המלך, וטוב מזה עוד שנאמר כי דוד קודם שנתן הגט אמר בפני שני עדים מאוהביו ראו שאני אנוס בנתינת הגט והסתירו הדבר ונתן הגט, והנה הגט לא היה גט ופלטי בן ליש לא ידע ומיכל לא ידעה והיו סבורין כי הגט גט, ואפשר גם כן כי הגט היה מתחלתו כהוגן ועל ידי שליח שלחו דוד ואחר כן בטלו קודם שיגיע גט לידה והם לא ידעו, והנה מיכל נבעלה בטעות ולא נאסרה על דוד והיה זה כמי שנבעלה באונס כי היתה סבורה כי הגט גט כשר, כי האונס והשגגה שוין באשת איש, וכן אמר (כתובות נא, ב) וְהִוא לֹא נִתְפָּשָׂה (במדבר ה, יג) פרט לאנוסה וּמָעֲלָה בוֹ מָעַל פרט לשוגגת שמותרת לבעלה: (ב) **בחורי ישראל.** מן הקלים לפיכך נשתנתה תנועת הבי״ת לשו״א, אבל וּבַחוּרֵי יִשְׂרָאֵל הִכְרִיעַ (תהלים עח, לא) שהבי״ת בפתח הוא מהדגושים לפיכך לא נשתנתה התנועה: (ד) **אל נכון.** באמת ובברור וכן תרגם יונתן בְּקֻשְׁטָ: (ה) **במעגל.** מקום המחנה יקרא מעגל לפי שחונים שם העם בסבוב:

מצודת דוד

(מא) **לשפחה וגו׳.** כאלו אמרה אינני ראויה לו לאשה, כי אם לשפחה, לרחוץ רגלי עבדיו: (מב) **וחמש נערתיה.** היא רכבה, וגם חמש נערותיה וגו׳: (מג) **גם שתיהן.** נוסף על מיכל בת שאול שקדשה מאז: (מד) **נתן את מיכל בתו.** כי חשב קדושי דוד לקדושי טעות, ורבותינו זכרונם לברכה (סנהדרין יט, ב) נחלקו בו: (א) **ויבאו הזפים.** באו עוד הפעם: (ב) **אל מדבר זיף.** ובמדבר ההוא, היתה גבעת החכילה: (ג) **וירא.** היה נראה לו שבא, ולא ידע עדיין בבירור: (ד) **אל נכון.** כמו בנכון, רצה לומר, ידע בבירור: (ה) **ויבא.** בתחילה הלך לרגל: **סביבתיו.** סביבות שאול: (ו) **ויען דוד.** אחרי שובו אליהם:

מצודת ציון

(מא) **אפים.** על פניה: (מב) **לרגלה.** עם מהלכה ואחריה: **מלאכי.** שלוחים: (ה) **במעגל.** דרך המחנה לחנות בעגול, למען יראו מסביב כל הבא עליהם:

40-43. David marries.

40. *Me'am Loez* cites an "early Midrash" that although David sent agents to ask Abigail to marry him, and she consented, the marriage did not take place until three months after Nabal's death, as the halachah requires when a widow or divorcee remarries. The delay is to be sure that she is not pregnant from her first husband; without the waiting period, if she were to give birth within nine months, the baby's paternity would be uncertain. That there was a delay is implied by verse 39, which states that David spoke *regarding Abigail*, rather than that he sent them to complete the marriage.

[40]David's servants came to Abigail to Carmel and spoke to her saying, "David has sent us to you, to take you for himself as a wife." [41]She arose and prostrated herself to the ground and said, "Your maidservant is merely a handmaid to wash the feet of the servants of my lord."

[42]Abigail then hurried, arose and mounted the donkey, with her five maids traveling with her, and she followed David's messengers and became his wife. [43]David also married Ahinoam of Jezreel, and both of them were his wives. [44]Saul had given his daughter Michal, David's [intended] wife, to Palti son of Laish of Gallim.

26

DAVID SPARES SAUL AGAIN
26:1-25

The Ziphites reveal David's whereabouts

[1]The Ziphites came to Saul at Gibeah, saying, "Is David not hiding himself in Hachilah Hill, which faces Jeshimon?" [2]So Saul arose and went down to the Wilderness of Ziph, with three thousand choice men of Israel, to search for David in the Wilderness of Ziph. [3]Saul encamped at Hachilah Hill, which faces Jeshimon, beside the road. David was staying in the wilderness, and he saw that Saul was coming after him, toward the wilderness. [4]David sent out scouts and ascertained that Saul was definitely coming.

David and Abishai come upon the defenseless Saul

[5]David then arose and came to the place where Saul was encamped. David saw the place where Saul and Abner, the commander of his army, lay; Saul lay within the circle, with the people encamped all around him. [6]David spoke up and said to Ahimelech the Hittite and Abishai son of Zeruiah, Joab's brother, saying, "Who will go down with me to

---

41. **וַתֹּאמֶר הִנֵּה אֲמָתְךָ** — *And [she] said, "Your maidservant . . ."* Addressing David's agents as if she were speaking to him, she said humbly that she is not worthy to marry David. It would be enough for her to be married to one of David's servants and to serve him loyally.

43. **וַתִּהְיֶיןָ גַּם שְׁתֵּיהֶן לוֹ לְנָשִׁים** — *And both of them were his wives.* Only these two, Abigail and Ahinoam, were his wives, but Michal, Saul's daughter, was no longer his wife, because as the next verse states, Saul gave her in marriage to Palti (*Radak*). See comm. to the next verse.

The seemingly redundant information that the two women were David's wives is meant to teach that, despite David's high regard for Abigail, both Abigail and Ahinoam were equal in his eyes *(Me'am Loez).*

44. Michal's status. Based on his interpretation of the halachah, Saul held that the marriage of Michal and David was invalid [the basis of this halachic dispute can be found in *Sanhedrin* 19b], and therefore he ruled that it was permitted for her to marry someone else. Saul chose Palti son of Laish, but Palti disagreed with Saul's ruling, and considered Michal to be married to David. For whatever reason, Palti did not openly defy Saul, but although he and Michal went through a marriage ceremony, they did not live together as man and wife. The Sages (ibid.) portray Palti as a paragon of self-restraint and teach that he went so far as to place a sword between himself and Michal as a stark reminder that it would be a grievous sin for him and Michal to have marital relations. Later, Scripture refers to him as Paltiel, adding the suffix אֵל, *God,* intimating that God rescued him from sin: פָּלַט, *rescued,* אֵל, *by God.*

26.

David is betrayed again. The Ziphites, who revealed David's whereabouts before (23:19), did so again, telling Saul that David was hiding at Hachilah. Once again, Saul set out in pursuit, and once again David had a chance to harm Saul, but refused to do so. Once again Saul expressed his remorse and confessed that he had wronged David, but David, knowing that Saul was subject to influence of evil men, did not allow himself to be seduced into returning to the royal court.

1-7. The chase begins.

1. **וַיָּבֹאוּ הַזִּפִים אֶל שָׁאוּל** — *The Ziphites came to Saul.* Once again the Ziphites informed on David, but there is a significant difference between what they said here and what they had said on the previous occasion (23:19-20). Then they knew that Saul wanted David's head and offered to apprehend him. Now, however, probably aware that Saul had expressed remorse to David (24:17-22), they merely told Saul where David was.

4. **וַיִּשְׁלַח דָּוִד מְרַגְּלִים** — *David sent out scouts.* Although David saw a large encampment of soldiers, he was unsure of Saul's intent. His scouts verified that Saul had indeed had a change of heart and had resumed the pursuit (*Metzudos*).

5. **וְשָׁאוּל שֹׁכֵב בַּמַּעְגָּל** — *Saul lay within the circle.* The king and Abner slept in the center, surrounded by a circle of his mightiest warriors. They, in turn, were surrounded by the rest of the army (*Mahari Kara; Radak*).

6. **אֲבִישַׁי בֶּן צְרוּיָה אֲחִי יוֹאָב** — *Abishai son of Zeruiah, Joab's brother.* Zeruiah was David's sister; her husband's name is not known. The two brothers were the commanders of David's forces, with Joab the senior of the two.

שָׁאוּל אֶל־הַמַּחֲנֶה וַיֹּאמֶר אֲבִישַׁי אֲנִי אֵרֵד עִמָּךְ: **ז** וַיָּבֹא דָוִד וַאֲבִישַׁי אֶל־הָעָם לַיְלָה וְהִנֵּה שָׁאוּל שֹׁכֵב יָשֵׁן בַּמַּעְגָּל וַחֲנִיתוֹ מְעוּכָה־בָאָרֶץ מראשתו [מְרַאֲשֹׁתָיו ק׳] וְאַבְנֵר וְהָעָם שֹׁכְבִים סביבתו [סְבִיבֹתָיו ק׳]: **ח** וַיֹּאמֶר אֲבִישַׁי אֶל־דָּוִד סִגַּר אֱלֹהִים הַיּוֹם אֶת־אוֹיִבְךָ בְּיָדֶךָ וְעַתָּה אַכֶּנּוּ נָא בַּחֲנִית וּבָאָרֶץ פַּעַם אַחַת וְלֹא אֶשְׁנֶה לוֹ: **ט** וַיֹּאמֶר דָּוִד אֶל־אֲבִישַׁי אַל־תַּשְׁחִיתֵהוּ כִּי מִי שָׁלַח יָדוֹ בִּמְשִׁיחַ יהוה וְנִקָּה: **י** וַיֹּאמֶר דָּוִד חַי־יהוה כִּי אִם־יהוה יִגָּפֶנּוּ אוֹ־יוֹמוֹ יָבוֹא וָמֵת אוֹ בַמִּלְחָמָה יֵרֵד וְנִסְפָּה: **יא** חָלִילָה לִּי מֵיהוה מִשְּׁלֹחַ יָדִי בִּמְשִׁיחַ יהוה וְעַתָּה קַח־נָא אֶת־הַחֲנִית אֲשֶׁר מראשתו [מְרַאֲשֹׁתָיו ק׳] וְאֶת־צַפַּחַת הַמַּיִם וְנֵלְכָה לָּנוּ: **יב** וַיִּקַּח דָּוִד אֶת־הַחֲנִית וְאֶת־צַפַּחַת הַמַּיִם מֵרַאֲשֹׁתֵי שָׁאוּל וַיֵּלְכוּ לָהֶם וְאֵין רֹאֶה וְאֵין יוֹדֵעַ וְאֵין מֵקִיץ כִּי כֻלָּם יְשֵׁנִים כִּי תַּרְדֵּמַת יהוה נָפְלָה עֲלֵיהֶם: **יג** וַיַּעֲבֹר דָּוִד הָעֵבֶר וַיַּעֲמֹד עַל־רֹאשׁ־הָהָר מֵרָחֹק רַב הַמָּקוֹם בֵּינֵיהֶם: **יד** וַיִּקְרָא דָוִד אֶל־הָעָם וְאֶל־אַבְנֵר בֶּן־נֵר לֵאמֹר הֲלוֹא תַעֲנֶה אַבְנֵר וַיַּעַן אַבְנֵר וַיֹּאמֶר מִי אַתָּה קָרָאתָ אֶל־הַמֶּלֶךְ:

רש״י

(ז) **מעוכה.** נטולה: (י) **חי ה׳.** יש אומרים, לדוד נשבע, ויש אומרים, לאבישי נשבע, אם תהרוג את הצדיק, אני אערב דמך בדמו: **כי אם ה׳ יגפנו.** יקרב מיתתו: **או יומו יבא.** יום שזמן מיתתו בו: (יא) **צפחת.** צלוחית:

רד״ק

(ז) **מעוכה.** תקועה הוא קרוב לענין מעוך וכתות: (ח) **בחנית ובארץ.** אכנו בחנית מכה גדולה עד שאתקע החנית בארץ תחתיו, וכן תרגם יונתן אֶמְחִינֵיהּ כְּעַן בְּמוּרְנִיתָא וְאַבְרְזִינֵיהּ בְּאַרְעָא: **ולא אשנה לו.** לא אהיה צריך לשנות לו פעם אחרת כי באותה מכה אמיתנו: (י) **חי ה׳.** השבועה שלא יומת על ידי כי ה׳ יגפנו, ונשבע בעבור אבישי שלא יעבור על רצונו ויכנו, ובדרש (מדרש תהלים נח) כִּי אִם ה׳ יִגָּפֶנּוּ למה זכר שני פעמים ה׳, אמר חי ה׳ שלא תהרגנו ואם תהרגנו חי ה׳ אהרוג אותך: **כי אם ה׳ יגפנו.** בחולי טרם זמנו כמו וַיִּגֹּף ה׳ אֶת נָבָל (לעיל כה, לח) כלומר על ידי השם יומת ולא על ידי, ומיתתו תהיה קרובה באחת מהשלש, ועל קירוב מיתתו אמר כי אם לא כן מה אמר כל אדם גם כן מת באחת מהשלש אשר זכר, אלא אמר זה לאבישי להשקיטו כלומר אל תחוש עליו כי לא יאריך זמנו שימות, או ימות בחולי שיגפנו ה׳ טרם יומו שהציב לו בעת שנולד וזה יקרה לו בעונו: **או יומו יבא.** כלומר או זמנו שקצוב בעת לידתו קרוב הוא, וזה אמר דוד מלבו כי אמר בלבו כיון שמאס בו השם יתברך מהיות מלך וצוה למשחני לא יתכן שיאריך הזמן, או אפשר כי מפי שמואל אמר שימות בקרוב ואם כן יתכן לפרש חי ה׳ כי על אלה הדברים אמר חי ה׳ כי כן יהיה לו שימות בקרוב באחת מהשלשה, כי כיון שנאמר לו מפי הנבואה יכול להשבע בזה: **או במלחמה ירד ונספה.** ונספה טרם יומו הקצוב לו כי באלה שני הפנים ימות אדם טרם יומו או בחולי או בחרב, וזו המיתה בעבור עון גדול מעון מי שמת בחולי טרם יומו, ואם יש ביד האדם זכות מוסיפין לו על זמן הקצוב לו גם כן, וזה הדבר מצאנו לו מחלוקת בין רבותינו זכרונם לברכה (יבמות מט, ב) אֶת מִסְפַּר יָמֶיךָ אֲמַלֵּא (שמות כג, כו) אלו שני דורות זכה משלימין אותן לו לא זכה פוחתין לו מהם דברי רבי עקיבא, ופירוש שני דורות כמו שכתוב יְמֵי שְׁנוֹתֵינוּ בָהֶם שִׁבְעִים שָׁנָה וגו׳ (תהלים צ, י) וזהו שאמר אֲמַלֵּא אשלים אותם אליך שלא יפחתו, וחכמים אומרים זכה מוסיפים לו עליהם לא זכה פוחתין לו מהם, ופירוש מִסְפַּר יָמֶיךָ אֲמַלֵּא אעשה מלוי ותוספת עליהם, אמרו לו לרבי עקיבא הרי הוא אומר וְהֹסַפְתִּי עַל יָמֶיךָ חֲמֵשׁ עֶשְׂרֵה שָׁנָה (מלכים־ב כ, ו) אמר להם משלו הוסיפו לו: (יא) **צפחת.** פירוש צלוחית: (יב) **ויקח דוד.** אחר שאמר לאבישי קח נא נתחרט בו ולא רצה שיקרב אבישי אליו שמא לא יוכל לכבוש את יצרו ויכנו, לפיכך הלך דוד בעצמו ולקח החנית והצפחת: **מראשתי שאול.** המ״ם הוא לשמוש לפיכך היא נקודה בצירי אבל מ״ם מְרַאֲשֹׁתָיו (פסוק יא) בשוא והיא נוספת ואינה לשמוש: **ואין ראה.** לא היה בכל המחנה אדם שהיה עד ורואה בקחתו הצפחת והחנית: **ואין יודע.** אין מרגיש בבואו: **ואין מקיץ.** שלא הקיץ אחד מהם לקול לכתם וקחתם ולקול דבריהם שהיו מדברים ביניהם: **כי תרדמת ה׳.** הסמיכות הוא לאחד משני פנים או פירושו תרדמה גדולה כי הדבר שרוצה להגדילו סומך אותו לאל יתברך, כמו מַאְפֵּלְיָה (ירמיהו ב, לא) שַׁלְהֶבֶתְיָה (שיר השירים ח, ו) כְּהַרְרֵי אֵל (תהלים לו, ז) עִיר גְּדוֹלָה לֵאלֹהִים (יונה ג, ג) וַתְּהִי לְחֶרְדַּת אֱלֹהִים (לעיל יד, טו), או פירושו להודיע כי התרדמה היתה סבה מאת האל כדי שלא ירגישו בדוד ובאבישי בקחתם הצפחת והחנית: (יד) **הלוא תענה אבנר.** אחר שקרא אל העם ואל אבנר ולא היו עונים אותו קרא עוד אל אבנר בשם ואמר הֲלֹא תַעֲנֶה אַבְנֵר, ובדרש (מדרש תהלים נח) אמר לו דוד מה יש לך לענות אבנר הרי אמרת על המערה אילו היה עושה מאומה היינו נכנסין לשם ומחתכין אותו אבר אבר, או שמא אימר בסירה הוקרע החנית וצפחת מה יש לך לענות הלא תענה אבנר, לא היה לך לענות דבר ונעשה כאלם הדא הוא דכתיב הַאֻמְנָם אֵלֶם צֶדֶק תְּדַבֵּרוּן (תהלים נח, ב):

מצודת דוד

(ח) **ובארץ.** עד שתנעץ החנית גם בארץ: **פעם אחת.** את זה אעשה בפעם אחת, ולא אצטרך להכותו מכה שניה: (ט) **ונקה.** ויהיה נקי מעונש, בתמיה: (י) **חי ה׳.** חזר לישבע ואמר, חי ה׳ שלא יאריך עוד ימים רבים, כי או ה׳ יגפנו בלא יומו, או מהר יבוא יומו וימות במיתה טבעית, או ימות במלחמה: (יא) **חלילה לי.** עם שגם אני משיח ה׳ כמותו, מכל מקום חלילה גם לי מחמת מצות ה׳, משלוח ידי וכו׳: (יב) **ויקח דוד.** חזר דוד לקחתו בעצמו, כי לא האמין לאבישי פן יכה עמו נפש שאול: **ואין ראה וכו׳.** בעבור השינה לא היה מי רואה אותם, ואף לא ידעו בהרגשת השמע מקול ההולך והדבור, ולא היה מי מהם מקיץ מן השינה במשך הזמן ההוא, כי מה׳ נפלה עליהם תרדמה, ולא היה הדבר בדרך הטבע: (יג) **העבר.** מעבר המים שהיה שם: **על ראש ההר.** להשמיע קולו למרחוק: **רב המקום.** כי פחד לנפשו שלא יתפשוהו: (יד) **הלוא תענה אבנר.** רצה לומר, עליך להשיב על דברי: **מי אתה.** רצה לומר, איך מלאך לבך לקרא בקול על המלך, להקיצו משנתו:

מצודת ציון

(ז) **מעוכה.** נעוצה, וקרוב הוא מלשון וּמָעוּךְ וְכָתוּת (ויקרא כב, כד): **מראשתיו.** סמוך לראשו: (ח) **סגר.** ענין מסירה, כמו לְהַסְגִּיר לֶאֱדוֹם (עמוס א, ו): **אשנה.** מלשון שנים: (י) **ונספה.** ענין כליון, כמו עַתָּה אֶסָּפֶה (לקמן כז, א): (יא) **צפחת.** צלוחית, כמו וְצַפַּחַת הַשֶּׁמֶן (מלכים־א יז, יד): (יב) **מקיץ.** ענין הערה מהשינה: **תרדמת.** שינה עמוקה. וכן מַה לְּךָ נִרְדָּם (יונה א, ו): (יד) **אל המלך.** כמו על המלך:

Saul, to the camp?" And Abishai said, "I will go down with you." [7]*So David and Abishai came to [Saul's] people at night, and behold — Saul lay asleep in the circle, his spear plunged into the ground by his head, and Abner and the people lay all around him!*

David saves Saul again

[8]*Abishai said to David, "God has delivered your enemy into your hand this day! Now let me strike him with the spear, [driving it] into the ground with a single thrust — I will not need [to strike] a second time!"* [9]*But David said to Abishai, "Do not destroy him, for who can send forth his hand against the anointed one of* HASHEM *and be absolved?"* [10]*David said, "As* HASHEM *lives,* HASHEM *will strike him with illness, or his day will come and he will die, or he will go forth into battle and perish.* [11]*It would be sacrilegious before* HASHEM *for me to send forth my hand against* HASHEM*'s anointed one. Now, please take the spear that is near Saul's head and the flask of water, and let us go."*

[12]*So David took the spear and the flask of water from near Saul's head and they left. No one saw, no one knew, and no one awoke, for they were all asleep, for a deep sleep from* HASHEM *had fallen upon them.*

David proves his loyalty to Saul

[13]*David then crossed the ford and stood on a mountaintop from afar; there was considerable distance between them.* [14]*And David called out to the people and to Abner son of Ner, saying, "Won't you answer, Abner?" So Abner answered and said, "Who are you that you shout at the king!"*

וַיֹּאמֶר אֲבִישַׁי — *Abishai said . . .* David wanted to undertake an extremely dangerous mission, for if he had been discovered infiltrating Saul's camp, he would have had to contend with a force of three thousand men. Either Ahimelech was afraid to go, or David wanted only one man to come with him and Abishai answered first.

7. Verse 6 refers to Saul's soldiers as a "*camp*," while this verse speaks of them as [Saul's] "*people.*" *Malbim* comments that at first Saul's men were a disciplined, organized army "camp," as exemplified by the appointment of sentries who patrolled the area while their comrades slept. Later, however, the sentries went to sleep, so that it was no longer a "camp," but simply a group of poorly organized "people" (*Malbim*).

This explains why David so forcefully berated Abner, Saul's general, for failing to protect his master (vs. 15-16).

8-12. David saves Saul's life again. Once more Saul is at David's mercy. This time, having seen that there was no realistic hope of a reconciliation with the king, David might have been more receptive to Abishai's urging to kill his nemesis, but it did not happen.

David said three times, including an oath, that it is forbidden to harm Saul. After refusing to hurt Saul, David's Evil Inclination argued, "But if Saul had caught you, he would not have spared your life," so David reiterated that it was forbidden to do so. Or, he may have been emphasizing that if Abishai were to impulsively kill Saul, that David would in turn kill him (*Tanchuma, Behaalos'cha*).

8. **סִגַּר אֱלֹהִים הַיּוֹם אֶת אוֹיִבְךָ בְּיָדְךָ** — *God has delivered your enemy into your hand this day.* Abishai's words are almost identical with the plea of David's men at the cave in En-gedi (24:5), with a slight but significant difference. There, David's men expected *him* to slay Saul; here Abishai wanted to strike the blow, for he well-remembered David's refusal to harm Saul. But David would not permit this either. Only God may punish His anointed (*David, King of Israel*).

10. **כִּי אִם ה׳ יִגָּפֶנּוּ** — *HASHEM will strike him with illness.* David meant to placate Abishai, saying that it was surely God's plan that Saul would not live long, since Samuel had told him that he had lost his right to the throne. How that would happen was for God to decide, not for David or Abishai (*Radak*).

12. **וַיִּקַּח דָּוִד אֶת הַחֲנִית** — *So David took the spear.* Originally he had instructed Abishai to take the spear, but he thought better of it, fearing that Abishai might not be able to restrain himself from plunging the spear into Saul (*Radak*).

תַּרְדֵּמַת ה׳ — *A deep sleep from HASHEM.* This means either that the sleep was so deep that it seemed as if it had been imposed by God, or that it was truly miraculous that three thousand soldiers slept so soundly that no one heard the two trespassers who penetrated to the very core of the camp (*Radak*).

13-16. David admonishes Abner. After escaping to safety, David called out to Abner, the commander of Saul's army, to chastise him for leaving the king unprotected. David wanted to show that he had had the opportunity to assassinate Saul but had not done so, thus proving yet again that he was not an enemy.

14. When David shouted loud enough to wake Abner, he obviously awakened Saul, as well. Thus Abner admonished him for disturbing Saul's sleep.

טו וַיֹּאמֶר דָּוִד אֶל־אַבְנֵר הֲלוֹא־אִישׁ אַתָּה וּמִי כָמוֹךָ בְּיִשְׂרָאֵל וְלָמָּה לֹא שָׁמַרְתָּ
טז אֶל־אֲדֹנֶיךָ הַמֶּלֶךְ כִּי־בָא אַחַד הָעָם לְהַשְׁחִית אֶת־הַמֶּלֶךְ אֲדֹנֶיךָ: לֹא־טוֹב
הַדָּבָר הַזֶּה אֲשֶׁר עָשִׂיתָ חַי־יהוה כִּי בְנֵי־מָוֶת אַתֶּם אֲשֶׁר לֹא־שְׁמַרְתֶּם עַל־
אֲדֹנֵיכֶם עַל־מְשִׁיחַ יהוה וְעַתָּה רְאֵה | אֵי־חֲנִית הַמֶּלֶךְ וְאֶת־צַפַּחַת הַמַּיִם
יז אֲשֶׁר °מראשתו [°מְרַאֲשֹׁתָיו ק׳]: וַיַּכֵּר שָׁאוּל אֶת־קוֹל דָּוִד וַיֹּאמֶר הֲקוֹלְךָ זֶה
יח בְּנִי דָוִד וַיֹּאמֶר דָּוִד קוֹלִי אֲדֹנִי הַמֶּלֶךְ: וַיֹּאמֶר לָמָּה זֶּה אֲדֹנִי רֹדֵף אַחֲרֵי עַבְדּוֹ
יט כִּי מֶה עָשִׂיתִי וּמַה־בְּיָדִי רָעָה: וְעַתָּה יִשְׁמַע־נָא אֲדֹנִי הַמֶּלֶךְ אֵת דִּבְרֵי עַבְדּוֹ
אִם־יהוה הֱסִיתְךָ בִי יָרַח מִנְחָה וְאִם | בְּנֵי הָאָדָם אֲרוּרִים הֵם לִפְנֵי יהוה
כ כִּי־גֵרְשׁוּנִי הַיּוֹם מֵהִסְתַּפֵּחַ בְּנַחֲלַת יהוה לֵאמֹר לֵךְ עֲבֹד אֱלֹהִים אֲחֵרִים: וְעַתָּה
אַל־יִפֹּל דָּמִי אַרְצָה מִנֶּגֶד פְּנֵי יהוה כִּי־יָצָא מֶלֶךְ יִשְׂרָאֵל לְבַקֵּשׁ אֶת־פַּרְעֹשׁ
כא אֶחָד כַּאֲשֶׁר יִרְדֹּף הַקֹּרֵא בֶּהָרִים: וַיֹּאמֶר שָׁאוּל חָטָאתִי שׁוּב בְּנִי־דָוִד כִּי
לֹא־אָרַע לְךָ עוֹד תַּחַת אֲשֶׁר יָקְרָה נַפְשִׁי בְּעֵינֶיךָ הַיּוֹם הַזֶּה הִנֵּה הִסְכַּלְתִּי

רש״י

(יט) הסיתך בי. לשנאתי, כל הסתה לשון שומה, אמיטמינ״ט בלע״ז: **ירח מנחה.** יקבל ברחמים תפלתי, להסיב חמתך ממני: **כי גרשוני.** מארץ ישראל: **לך עבד אלהים אחרים.** היולא מארץ ישראל לחוץ לארץ בזמן הבית, כאלו עובד עבודת גילולים (כתובות קי, ב). ויונתן תרגם, אֱזֵיל דָּוִד בֵּינֵי עַמְמַיָּא פַּלְחֵי טַעֲוָתָא: **(כ) הקרא.** עוף ששמו קורא, ובלע״ז פרדי״ז, וכן קֹרֵא דָגַר וְלֹא יָלָד (ירמיהו יז, יא), ומרדף אחר קני שאר עופות, ויושב על ביציהם:

רד״ק

מי אתה קראת אל המלך. כמו על המלך, כלומר שלא יראת לקרוא במקום שהמלך ישן לא חששת שתעירהו משנתו בקראך בקול כי הוא לא היה קורא אל המלך כי אם אל אבנר, וכן וַיַּךְ אֶת הַפְּלִשְׁתִּי אֶל מִצְחוֹ (לעיל יז, מט) כמו על מצחו, אֶל הֶהָרִים לֹא אָכָל (יחזקאל יח, ו) כמו על ההרים, ובענין הזה יונתן תרגם מַאן דֵּין דְּקָרֵי בְּרֵישׁ מַלְכָּא: **(טו) הלוא איש אתה.** איש גדול, וכן גִּדְעוֹן בֶּן יוֹאָשׁ אִישׁ יִשְׂרָאֵל (שופטים ז, יד) גדול ישראל, וכן כֻּלָּם אֲנָשִׁים (במדבר יג, ג) אנשים גדולים, ותרגם יונתן גְּבַר גִּיבַּר אַתְּ: **שמרת אל אדניך.** כמו על אדוניך, וכן אמר אחר כן עַל אֲדוֹנֵיכֶם (פסוק טז), וכן תרגם יונתן עַל רִיבּוֹנָךְ, וכמוהו אֶל הֶהָרִים לֹא אָכָל אל ההרים לא אכל (יחזקאל יח, ו) כמו על ההרים: **(יט) הסיתך בי.** שם בלבך להרע לי בעוני, ויונתן תרגם אִם מִן קֳדָם ה׳ אִיתְגָּרִית בִּי, ורבותינו זכרונם לברכה דרשו (ברכות סב, ב) כי בעון שאמר לשון הסתה על הבורא יתברך חטא בהסתה וַיָּסֶת אֶת־דָּוִד בָּהֶם (שמואל־ב כד, א): **ירח מנחה.** כלומר אקריב לפניו מנחה שיריחה וירצה בה לכפר עוני ולהסיר שנאתך ממני: **מהסתפח.** מלגור והדבק בנחלת ה׳: **לך עבד אלהים אחרים.** כאלו אומר לו לך עבוד אלהים אחרים כי מגרשים אותי מנחלת ה׳ לגור בין העובדי כוכבים, אף על פי שעדיין לא יצא מארץ יהודה ידע כי יצטרך לצאת כי לא יוכל לברוח מפני שאול אחר זה והוא בארץ יהודה וישראל, וגם הצטרך לו לצאת כשהלך אל אכיש מלך גת (לעיל כא, יא) וגם כן הלך למצפה מואב (לעיל כב, ג) והניח אביו ואמו לפני מלך מואב וישבו שם אף על פי שהוא ואנשיו היה הולך ושב בארץ יהודה, ויונתן תרגם לְמֵימַר אִיזֵיל דָּוִד בֵּינֵי עַמְמַיָּא פַּלְחֵי טַעֲוָתָא: **(כ) אל יפל דמי ארצה.** שיעמד דמי נגד ה׳ תמיד לנקום נקמתי כאילו נשפך דמי כי בכל יום אני בסכנת דמי: **כאשר ירדף הקרא בהרים.** כאשר ירדוף הרודף את הקורא, והקורא הוא עוף הנקרא בלעז פירדיז״י ויונתן תרגם ירדוף כמו ירדף מנפעל או כמו שתירגם יתרדף מהתפעל שתרגם כְּמָא דְמִתְרַדֵּיף קוֹרִיאָה בְּטוּרַיָּא:

מצודת דוד

(טו) הלוא איש אתה. רצה לומר, הלא אתה גדול וחשוב, ומי כמוך בחשיבות, ולפי גודל המעלה תגדל האשמה: **כי בא.** פן יבוא, וכאשר באמת בא אבישי ורצה להשחיתו: **(טז) כי בני מות אתם.** בעבור כבוד אבנר, חזר לדבר אל כולם ולפסוק עליהם המיתה: **ראה אי חנית.** רצה לומר, ואם תאמר שמרתם, איה החנית, מי לקחו: **אשר מראשתיו.** אשר היו מראשותיו: **(יט) אם ה׳ וגו׳.** אם הדבר מה׳ ומצד העונש, אקריב מנחה לה׳, ויהי רצון שיקבל לריח ניחוח, וירף ממני: **ואם בני האדם.** הם הסיתו אותך עלי, כי הבחירה חפשית באדם באין מעצור: **ארורים הם.** בני האדם האלו: **מהסתפח.** מלהיות מאוסף בארץ ישראל, היות עד הנה חשבתי, כאשר ראה המלך שנמסר בידי במערה ולא הרגתיו, יחדול עוד מדלוק אחרי, אבל עתה שעם כל זה רודף אחרי, בעל כרחי ארחיק נדוד מארץ ישראל: **לאמר.** כאלו יאמרו אלי לֵךְ עֲבֹד וכו׳, כי גורשים אותי מבין ישראל, ללכת בין פלשתים. ויונתן תרגם, אֱזֵיל דָּוִד בֵּינֵי עַמְמַיָּא פַּלְחֵי טַעֲוָתָא: **(כ) אל יפל דמי.** רצה לומר, מה שאני תמיד בסכנה וכאלו דמי נשפך, הדם ההוא לא יפול ארצה מנגד פני ה׳, כנגדו תעמוד לבקש נקם: **כאשר ירדף.** רצה לומר, המלך מתמיד ומתענג לבקש פרעוש הקופץ ממקום למקום, כאשר מלך מהמלכים מתענג לרדוף בהרים אחר הקורא, והוא שם עוף אשר יתענגו המלכים לרדוף אחריו ולצודו, ורצה לומר, רודף הוא אחר הדיוט, כאלו אחר שר גדול וחשוב: **(כא) שוב.** חזור לביתי, כי לא אעשה לך עוד רעה, בעבור כי חשובה ויקרה נפשי בעיניך: **הנה הסכלתי.** במה שאני רודפך עשיתי סכלות, על כי ראיתי שה׳ עמך, ואף הרביתי לשגות לרדפך על לא דבר:

מצודת ציון

(טו) איש. רצה לומר גדול וחשוב, כמו כֻּלָּם אֲנָשִׁים (במדבר יג, ג): **אל אדניך.** על אדוניך: **(טז) בני מות.** אנשי מות, רצה לומר חייבי מיתה: **אי חנית.** איה החנית: **ואת צפחת.** ועם צפחת: **(יט) הסיתך.** מלשון הסתה ופתוי: **ירח.** מלשון ריח: **מנחה.** רצה לומר תשורה וקרבן: **מהסתפח.** ענין הקבוץ והדבוק, ואסיפת דבר אל דבר, כמו סְפָחֵנִי נָא (לעיל ב, לו): **(כ) פרעש.** היא כינה שחורה: **הקרא.** שם עוף, כמו קֹרֵא דָגָר (ירמיהו יז, יא): **(כא) יקרה.** ענין חשיבות: **הסכלתי.** מלשון סכלות וטפשות:

15. David responded that his call to Abner concerned the king's safety, which is more important than his sleep. And as Saul's commanding general, Abner could not shirk responsibility for his underlings' failure to patrol the camp properly.

16. David broadened his reprimand to the entire army. They had no right to blame their laxity on Abner; they too had been derelict.

[15]*David said to Abner, "Are you not a great man? Who is your equal in Israel? So why did you not guard your lord, the king? For someone from among the people came to assassinate the king, your master!* [16]*This thing that you have done is not proper! As* HASHEM *lives, you all deserve to die for you have not watched over your master, over the anointed one of* HASHEM*. Now, look — where are the king's spear and the flask of water that were near his head?"*

[17]*Saul recognized David's voice and said, "Is that your voice, my son David?" David replied, "It is my voice, my lord, the king."* [18]*And he said [further], "Why is this, my lord pursuing his servant? For what have I done and what evil is in my hand?* [19]*And now, let my lord the king listen to the words of his servant: If it is* HASHEM *Who has incited you against me, then He will be appeased with an offering — but if it is men, may they be cursed before* HASHEM*, for they have driven me away this day from attaching myself to the heritage of* HASHEM*, [as if] to say, 'Go worship the gods of others!'* [20]*And now, let my blood not be cast to the ground, away from* HASHEM*'s attention, for the king of Israel has gone to seek out a single flea as one hunts the partridge in the mountains."*

Saul pleads for reconciliation

[21]*Saul then said, "I have sinned! Come back, my son David, for I will no longer cause you harm, because my life has been precious in your eyes this day. Behold, I have been foolish*

17-20. David's final plea to Saul. Though he remained humble and respectful, David permitted his anger to show. And he added the new note that Saul's relentless pursuit was forcing him to leave *Eretz Yisrael*, a statement that showed he would no longer trust Saul's protestations of regret.

19. אִם ה׳ הֱסִיתְךָ בִי — *If it is* HASHEM *Who has incited you against me.* If your persecution of me is God's will, as a punishment for my sins, then I will forget and bring an offering to seek His forgiveness (*Metzudos*).

The Sages (*Berachos* 62b) fault David for this disrespectful reference to God as an "inciter," and teach that he was later punished when God allowed Satan to "incite" him to perform a census through a head count, a means that the Torah forbids, and which caused the nation to be stricken with a plague (see *II Samuel* Ch. 24).

כִּי גֵרְשׁוּנִי הַיּוֹם — *For they have driven me away this day.* As seen in the next chapter, David had concluded that he could no longer remain in *Eretz Yisrael*, and he was about to leave the land until the danger was over. Even though Saul was about to assure him that he wanted him to come back and resume their earlier relationship of trust and love, David was convinced that he could only await further attempts to capture him as long as he remained in the land. But in leaving the Holy Land, he would not be suffering merely the anguish of homelessness and exile, he would also be leaving נַחֲלַת ה׳, the *heritage of* HASHEM, the place where God's Presence and holiness were manifest. For a man of David's holiness, that was too much to bear — he could not forgive the slanderers who were forcing him to leave the sanctity of the Land.

לֵךְ עֲבֹד אֱלֹהִים אֲחֵרִים — *"Go worship the gods of others."* The Sages teach that to leave the holiness of the Land is tantamount to worshiping idols (*Kesubos* 110b); thus it was as if David's enemies were pushing him into the arms of idols.

Although Saul had forced him to flee, away from family, friends, and familiar surroundings, David makes no mention of the grief this caused him. These considerations all paled before the one overwhelming aspect of his exile — that he was being forced out of *Eretz Yisrael*, for every fiber of his being was linked to the *Shechinah* that resided in the Land (*David, King of Israel*).

20. אַל יִפֹּל דָּמִי אַרְצָה — *Let my blood not be cast to the ground.* The idiom means that God should remain cognizant of David's plight and take vengeance against those responsible for it. *Blood* symbolizes his life, which is in constant danger. For his blood to be *cast to the ground* would mean that God is unconcerned with his suffering and chooses to let it go unnoticed (*Radak*).

According to *Malbim*, David prayed that he not be killed in his impending exile.

לְבַקֵּשׁ אֶת פַּרְעֹשׁ אֶחָד — *To seek out a single flea.* Likening himself to a flea, David is astonished that the king of Israel could hunt him as if he were an elusive, tempting partridge (*Metzudos*).

21-25. Their last dialogue. The last words between the king and his successor are remarkably poignant. Saul regrets his deeds and promises to change, but David cannot trust him. He repeats his respect for Saul, but prays that he, David, will be accorded the same loyalty that he displayed to his king. Saul blesses him and the two turn their backs on one another for the last time.

21. This is the first time Saul admitted that he had sinned. He did not do so on the two occasions when Samuel admonished him for disobeying prophetic instructions, by not waiting for the prophet before bringing an offering (13:13) or by sparing King Agag and the animals of Amalek (15:16). Even when David spared his life previously, Saul did not confess to having sinned. Now, however, when David spared his life a second time, Saul realized and acknowledged that he had done wrong (*Me'am Loez*).

כב וָאֶשְׁגֶּה הַרְבֵּה מְאֹד: וַיַּעַן דָּוִד וַיֹּאמֶר הִנֵּה °החנית [°חֲנִית ק׳] הַמֶּלֶךְ וְיַעֲבֹר אֶחָד
כג מֵהַנְּעָרִים וְיִקָּחֶהָ: וַיהוָה יָשִׁיב לָאִישׁ אֶת־צִדְקָתוֹ וְאֶת־אֱמֻנָתוֹ אֲשֶׁר נְתָנְךָ יהוה ׀
כד הַיּוֹם בְּיָד וְלֹא אָבִיתִי לִשְׁלֹחַ יָדִי בִּמְשִׁיחַ יהוה: וְהִנֵּה כַּאֲשֶׁר גָּדְלָה נַפְשְׁךָ הַיּוֹם
כה הַזֶּה בְּעֵינָי כֵּן תִּגְדַּל נַפְשִׁי בְּעֵינֵי יהוה וְיַצִּלֵנִי מִכָּל־צָרָה: וַיֹּאמֶר שָׁאוּל אֶל־דָּוִד
בָּרוּךְ אַתָּה בְּנִי דָוִד גַּם עָשֹׂה תַעֲשֶׂה וְגַם יָכֹל תּוּכָל וַיֵּלֶךְ דָּוִד לְדַרְכּוֹ וְשָׁאוּל שָׁב

כז

א לִמְקוֹמוֹ: וַיֹּאמֶר דָּוִד אֶל־לִבּוֹ עַתָּה אֶסָּפֶה יוֹם־אֶחָד בְּיַד־שָׁאוּל אֵין־לִי
טוֹב כִּי הִמָּלֵט אִמָּלֵט ׀ אֶל־אֶרֶץ פְּלִשְׁתִּים וְנוֹאַשׁ מִמֶּנִּי שָׁאוּל לְבַקְשֵׁנִי עוֹד בְּכָל־
ב גְּבוּל יִשְׂרָאֵל וְנִמְלַטְתִּי מִיָּדוֹ: וַיָּקָם דָּוִד וַיַּעֲבֹר הוּא וְשֵׁשׁ־מֵאוֹת אִישׁ אֲשֶׁר עִמּוֹ
ג אֶל־אָכִישׁ בֶּן־מָעוֹךְ מֶלֶךְ גַּת: וַיֵּשֶׁב דָּוִד עִם־אָכִישׁ בְּגַת הוּא וַאֲנָשָׁיו אִישׁ וּבֵיתוֹ
ד דָּוִד וּשְׁתֵּי נָשָׁיו אֲחִינֹעַם הַיִּזְרְעֵאלִית וַאֲבִיגַיִל אֵשֶׁת־נָבָל הַכַּרְמְלִית: וַיֻּגַּד
ה לְשָׁאוּל כִּי־בָרַח דָּוִד גַּת וְלֹא־°יוסף [°יָסַף ק׳] עוֹד לְבַקְשׁוֹ: וַיֹּאמֶר דָּוִד
אֶל־אָכִישׁ אִם־נָא מָצָאתִי חֵן בְּעֵינֶיךָ יִתְּנוּ־לִי מָקוֹם בְּאַחַת עָרֵי הַשָּׂדֶה וְאֵשְׁבָה
ו שָׁם וְלָמָּה יֵשֵׁב עַבְדְּךָ בְּעִיר הַמַּמְלָכָה עִמָּךְ: וַיִּתֶּן־לוֹ אָכִישׁ בַּיּוֹם הַהוּא אֶת־צִקְלָג
ז לָכֵן הָיְתָה צִקְלַג לְמַלְכֵי יְהוּדָה עַד הַיּוֹם הַזֶּה: וַיְהִי מִסְפַּר הַיָּמִים
ח אֲשֶׁר־יָשַׁב דָּוִד בִּשְׂדֵה פְלִשְׁתִּים יָמִים וְאַרְבָּעָה חֳדָשִׁים: וַיַּעַל דָּוִד וַאֲנָשָׁיו

רש״י

(כג) **ישיב לאיש.** לכל צדיק וצדיק: (א) **עתה אספה יום אחד.** שמא יארוב ויבא עלי פתאום: (ה) **ולמה ישב עבדך וגו׳.** ואהיה לך למשא: (ז) **ימים וארבעה חדשים.** מיעוט ימים שנים, ואי אפשר לפרש ימים זה שנה, שהרי לא הלך דוד אלא אכיש עד שמת שמואל, ושאול לא מלך אחר מיתת שמואל אלא ארבעה חדשים, כמו ששנינו בסדר עולם. וגם ממנין שנותיו של עלי (לעיל ד, יח), ועשרים שנה שהיה הארון בקרית יערים (פרק ז, ב), הרי ששים שנה, לא מהם חמשים ושתים של שמואל (מועד קטן כח, א), ושנה אחת לעיבורו עם ארבעה חדשים הללו, ושבע שנים שמלך דוד בחברון קודם שהביא את הארון מקרית יערים, נמלא שלא מלך שאול אחר מיתת שמואל, יותר מארבעה חדשים: (ח) **ויעל דוד.** לשון הוה, הוא תמיד היה רגיל בכך:

רד״ק

(כב) **הנה החנית.** כתיב וקרי חנית והענין אחד: (כג) **וה׳ ישיב לאיש.** לאיש שעושה כמו שעשיתי צדקה ואמונה: **אשר נתנך ה׳ היום ביד.** כמו בידי וכן תרגם יונתן וכן עָזִּי וְזִמְרָת יָהּ (שמות טו, ב) כמו וזמרתי, ויתכן לפרש ביד סמוך ואף על פי שהוא קמוץ והנסמך חסר, ופירושו ביד אחד מאנשי ולא אביתי אני שישלח ידו בך: (א) **אספה.** לשון כליון: **ונואש:** לשון יאוש: (ב) **אל אכיש בן מעוך מלך גת.** יש לשאול היאך הלך אליו והוא היה כבר בסכנה עמו עד שהתפלל ונמלט משם (לעיל כא, יד), ויש לפרש כי בפעם ההיא היה דוד לבדו והתנכר שם וכשראה שהכירוהו פחד, אבל עתה בא בשש מאות איש וקודם שנכנס לגת שלח לאכיש כי התבאש בשאול ובעמו ואם ירצה ישב עמו הוא ואנשיו ויעזרוהו להלחם בישראל, והודיע עצמו כי הוא דוד ואכיש קבלו בשלום וישב עמו: (ה) **ולמה ישב עבדך.** פירוש פן אהיה עליך למשא, ודעת דוד היה כדי שלא ירגישו בו בפשטו על המקומות ושיהיה לו ולאנשיו עיר להם לבדם: (ו) **למלכי יהודה.** אף על פי שאנו רואים כי בעת כיבוש הארץ היתה צקלג לבני יהודה (יהושע טו, לא) אפשר כי על שם סופו נכתבה שם, או אפשר שכבשוה אז ואחרי כן לקחוה פלשתים מידם, ומיום שישב בה דוד נשארה לו על כן היתה למלכי יהודה מהיום ההוא ומעלה, לפיכך אמר לְמַלְכֵי יְהוּדָה ולא אמר ליהודה: (ז) **ימים וארבעה חדשים.** לא יתכן לפרש ימים זה שנה שהרי שאול לא מלך אלא שתי שנים וכל הענינים שהיו לדוד עם שאול אי אפשר שבשמנה חדשים היו, ועוד כי דוד לא ירד בשדה פלשתים אלא אחר מיתת שמואל ומיתת שמואל לא קדמה למיתת שאול אלא שבעה חדשים, לפיכך אנו מפרשים ימים כמשמעו ורוצה לומר ארבעה חדשים וקצת ימים מהחדש החמישי, וכן תרגם יונתן יוֹמִין וְאַרְבְּעָה יַרְחִין, ובקצת נוסחאות יש עִידָן בְּעִידָן וְאַרְבְּעָה יַרְחִין רצה לומר שנה וארבעה חדשים:

מצודת דוד

(כב) **ויעבר.** כי עם כל זה, לא האמין לשאול ולהשיב בעצמו: (כג) **איש.** לכל איש ישיב צדקתו, וכלל עצמו בתפלתו על הרבים: (כד) **גדלה נפשך.** יקרה נפשך: (כה) **ברוך אתה.** רצה לומר, רואה אנכי שאתה ברוך, וגם עשה תעשה מעשים נפלאים, וגם תצליח בהם: (א) **עתה אספה.** כי אחר שכרת כנף המעיל, חשב שלא יוסיף עוד לרדוף אחריו כאשר בתחלה, אבל אחר שראה שעל כל זה רודפו, וחשש עוד כי פן בעבור שרואה טוב הצלחתו, ישכיל עוד לבוא פתאום ויהיה נספה ביום אחד, רצה לומר, מבלי דעת טרם בואו: **לבקשני עוד.** כאשר בקשני עד הנה בכל גבול ישראל: (ב) **אל אכיש.** אף שמבראשונה פחד ממנו והתהולל בידם ונמלט (לעיל כב, א), אבל כאשר בא ושש מאות איש עמו, ואף נודע שנבאש בשאול, השלים עמו אכיש לשבת אצלו, ולהיות סר למשמעתו: (ה) **ערי השדה.** מבלי חומה סביב, כי חשב פן לא יאמין בו אכיש לתת לו עיר בצורה, כי פן ישגב בחוזק העיר וימרוד בו: **בעיר הממלכה עמך.** כי אהיה למשא לך, כי יתייקרו המזונות בעבור אנשי: (ו) **ויתן לו וכו׳ את צקלג.** אף שבספר יהושע (טו, לא) נאמר שהיתה מנחלת יהודה, אולי לאחר זה לקחוה הפלשתים מידם: **למלכי יהודה.** כי אכיש נתנה לדוד, ולא החזירה לכל בני השבט:

מצודת ציון

ואשגה. מלשון משגה ושגגה: (כג) **ביד.** רצה לומר בידי: **ולא אביתי.** ולא רציתי: (כה) **יכל תוכל.** מלשון יכולת: (א) **אספה.** ענין כליון: **ונואש.** מלשון יאוש, כמו לֹא אָמַרְתְּ נוֹאָשׁ (ישעיהו נז, י): (ז) **ימים.** שנה:

---

22. וַיַּעֲבֹר אֶחָד מֵהַנְּעָרִים וְיִקָּחֶהָ — *Let one of the attendants cross over and take it.* Despite Saul's contrition and appeal for reconciliation, David did not feel that he could trust the king enough to deliver the spear himself (*Metzudos*).

and have very greatly erred." [22]*David then spoke up and said, "Here is the spear of the king; let one of the attendants cross over and take it.* [23]*May* HASHEM *repay every man his righteousness and his faithfulness; for* HASHEM *delivered you into [my] hand today, but I had no desire to send forth my hand against the anointed one of* HASHEM. [24]*Behold, just as your life was important to me this day, so may my life be important in the eyes of* HASHEM, *and may He save me from all misfortune."*

[25]*Saul then said to David, "Blessed are you, my son David. May you accomplish much and may you be very successful." Then David went on his way and Saul returned to his place.*

27

DAVID IN THE "SERVICES" OF ACHISH
27:1-28:2

In desperation, David goes to Philistia

[1]*David said to himself, "Now I may well perish one day at the hand of Saul. There is nothing better for me than to escape to the land of the Philistines; then Saul will despair of searching for me again anywhere in the borders of Israel, and I will have escaped from his hand."* [2]*So David arose and crossed over, with the six hundred men who were with him, to Achish son of Maoch, king of Gath.* [3]*David dwelt with Achish in Gath, he and his men, each man with his household; David with his two wives, Ahinoam of Jezreel and Abigail, the [former] wife of Nabal, the Carmelite.* [4]*It was told to Saul that David had fled to Gath, so he no longer searched for him.*

David convinces Achish that he hates the Israelites ...

[5]*David said to Achish, "If I have found favor in your eyes, let them give me a place in one of the towns of the countryside that I may settle there. Why should your servant dwell in the royal city with you?"* [6]*So Achish gave him Ziklag on that day; this is why Ziklag belongs to the kings of Judah to this day.* [7]*The number of days that David dwelled in the Philistine countryside was four months and two days.* [8]*David and his men*

Apparently David returned only the spear, but not the flask of water. The spear actually belonged to Saul and it is forbidden for anyone to use the king's personal articles (see *Sanhedrin* 22a). The flask of water, however, was not Saul's, so David did not return it (*Rinas Yitzchak*).

23. By saying that God would repay him for his righteousness, David tactfully implies that Saul would not reward him for having saved the king's life (*Malbim*).

24. David's hoped-for reward was that God should protect him from all enemies, as he had protected Saul from Abishai (*Abarbanel*).

25. גַּם עָשֹׂה תַעֲשֶׂה — *May you accomplish much.* You will one day be king of Israel (*Targum Yonasan*).

27.

David goes into exile. As he intimated in 26:19, David felt compelled to leave *Eretz Yisrael*, because it was clear to him that he had no hope of safety in the Land. Although Saul had expressed remorse to David and assured him that he would no longer be a fugitive, David could not accept his word. He had heard it before. Instead, David found refuge with one of the Philistine rulers, and convinced him that he had turned against his fellow Jews because of Saul's persecution.

1-4. David goes to Philistia. Once again, David went to Achish, king of Gath. His first excursion to Gath had nearly been a disaster and David escaped as quickly as he could (see 21:11-13). This time David felt more secure because he was backed by his six hundred men. Furthermore, as implied in verse 10, Achish had become convinced that David had turned against his fellow Jews and could be trusted to be loyal to his Philistine hosts (*Radak*).

4. By telling us that Saul stopped searching for David only because he had left *Eretz Yisrael*, this verse confirms that David was right not to trust Saul's assurances.

5-12. David convinces — and deceives — Achish. David convinces Achish to give him a village for himself and his men, but the Philistine ruler does not realize that David plans to use this independence, if afforded, in order to raid the enemies of Israel.

5. וְלָמָּה יֵשֵׁב עַבְדְּךָ בְּעִיר הַמַּמְלָכָה עִמָּךְ — *Why should your servant dwell in the royal city with you?* David's pretext was that he did not wish to be a burden on Achish in the capital, where he would not have his own sources of livelihood. In his own town far from the royal city, David would live off the land as a marauder. Achish thought that David would raid his Jewish "enemies," but David's true intention was to pillage Israel's historic persecutors from his headquarters in the countryside, away from the vigilance of Achish's people.

6. וַיִּתֶּן לוֹ אָכִישׁ ... אֶת צִקְלַג — *So Achish gave him Ziklag* Ziklag had originally belonged to Judah (*Joshua* 15:31) and, apparently, had been conquered by the Philistines. Now that it was given as a personal gift to David, it became the property of *the kings of Judah*, rather than of the tribe as a whole (*Radak*).

וַיִּפְשְׁטוּ אֶל־הַגְּשׁוּרִי °והגרזי [°וְהַגִּזְרִי ק] וְהָעֲמָלֵקִי כִּי הֵנָּה יֹשְׁבוֹת הָאָרֶץ אֲשֶׁר מֵעוֹלָם בּוֹאֲךָ שׁוּרָה וְעַד־אֶרֶץ מִצְרָיִם:
ט וְהִכָּה דָוִד אֶת־הָאָרֶץ וְלֹא יְחַיֶּה אִישׁ וְאִשָּׁה וְלָקַח צֹאן וּבָקָר וַחֲמֹרִים וּגְמַלִּים וּבְגָדִים וַיָּשָׁב וַיָּבֹא אֶל־אָכִישׁ:
י וַיֹּאמֶר אָכִישׁ אַל־פְּשַׁטְתֶּם הַיּוֹם וַיֹּאמֶר דָּוִד עַל־נֶגֶב יְהוּדָה וְעַל־נֶגֶב הַיְּרַחְמְאֵלִי וְאֶל־נֶגֶב הַקֵּינִי:
יא וְאִישׁ וְאִשָּׁה לֹא־יְחַיֶּה דָוִד לְהָבִיא גַת לֵאמֹר פֶּן־יַגִּדוּ עָלֵינוּ לֵאמֹר כֹּה־עָשָׂה דָוִד וְכֹה מִשְׁפָּטוֹ כָּל־הַיָּמִים אֲשֶׁר יָשַׁב בִּשְׂדֵה פְלִשְׁתִּים:
יב וַיַּאֲמֵן אָכִישׁ בְּדָוִד לֵאמֹר הַבְאֵשׁ הִבְאִישׁ בְּעַמּוֹ בְיִשְׂרָאֵל וְהָיָה לִי לְעֶבֶד עוֹלָם:

כח

א וַיְהִי בַּיָּמִים הָהֵם וַיִּקְבְּצוּ פְלִשְׁתִּים אֶת־מַחֲנֵיהֶם לַצָּבָא לְהִלָּחֵם בְּיִשְׂרָאֵל וַיֹּאמֶר אָכִישׁ אֶל־דָּוִד יָדֹעַ תֵּדַע כִּי אִתִּי תֵּצֵא בַמַּחֲנֶה אַתָּה וַאֲנָשֶׁיךָ:
ב וַיֹּאמֶר דָּוִד אֶל־אָכִישׁ לָכֵן אַתָּה תֵדַע אֵת אֲשֶׁר־יַעֲשֶׂה עַבְדֶּךָ וַיֹּאמֶר אָכִישׁ אֶל־דָּוִד לָכֵן שֹׁמֵר לְרֹאשִׁי אֲשִׂימְךָ כָּל־הַיָּמִים:
ג וּשְׁמוּאֵל מֵת וַיִּסְפְּדוּ־לוֹ כָּל־יִשְׂרָאֵל וַיִּקְבְּרֻהוּ בָרָמָה וּבְעִירוֹ וְשָׁאוּל הֵסִיר הָאֹבוֹת וְאֶת־הַיִּדְּעֹנִים מֵהָאָרֶץ:
ד וַיִּקָּבְצוּ פְלִשְׁתִּים וַיָּבֹאוּ וַיַּחֲנוּ בְשׁוּנֵם וַיִּקְבֹּץ שָׁאוּל אֶת־

רש"י

בואך שורה. (תרגוס), מן מַטְלָנָא דְחַגְרָא: **(י) אל פשטתם.** למ"ד מתחלפת בנו"ן, כמו (ויעש) לו נִשְׁכָּה בספר עזרא (נחמיה יג, ז), כמו לשכה: **(ג) ושמואל מת.** הרי כבר נאמר וימת שמואל, אלא לפי שבא לדבר בשאול שהולרך לדרוש בבעלת אוב, פתח ואמר ושמואל מת, שאילו היה קיים, ממנו היה שאול דורש, ושאול הסיר האובות, והולרך לבקש אשה בעלת אוב: **ויספדו לו כל ישראל ויקברהו ברמה ובעירו.** (תרגום), וּסְפָדוּ עֲלוֹהִי כָּל יִשְׂרָאֵל וּקְבָרוּהִי בְרָמְתָא וּסְפָדוּ עֲלוֹהִי אֱנָשׁ בְּקִרְתֵּיהּ. וּבְעִירוֹ מוסב על וַיִּסְפְּדוּ לוֹ, ספדוהו ברמה כשקברוהו, וספדוהו איש בעירו:

רד"ק

(ח) כי הנה ישבות הארץ אשר מעולם. פירוש כי אותן משפחות שזכר היו יושבות באותה הארץ מקדם לבטח עד בואכה שורה ועד ארץ מצרים, ולפיכך לא היו נשמרים כי לא היתה להם מלחמה עם אדם, ודוד בא עליהם והכה הארץ ושלל שלל רב ולא היה נודע מי היה עושה להם זאת הרעה כי לא יחיה איש ואשה: **(י) אל פשטתם היום.** כמו אן, פירוש כי חיילות פושטים ורצים בארץ לשלול שלל ולבוז בז, כמו לִשְׁכָּה (נחמיה יג, ה) ונִשְׁכָּה (נחמיה יג, ז), וכן תרגם יונתן לאן אתנגדתון יומא דין, והחכם רבי יונה פירשו בחלוף עי"ן לאל"ף ויהיה מי מסתתר עמו, כלומר על מי פשטתם, והחכם רבינו אברהם אבן עזרא פירש כמשמעו והוא דרך שאלה לא פשטתם היום, והם השיבו כן פשטנו במקום פלוני ופלוני: **על נגב יהודה.** פעם היו אומרים על נגב יהודה פעמים על נגב הירחמאלי פעמים על נגב הקני, וירחמאלי היא משפחה משבט יהודה והיא משפחת ירחמאל בן חצרות, וכן זוכר אותה בשלוח דוד להם מהשלל וְלַאֲשֶׁר בְּעָרֵי הַיְּרַחְמְאֵלִי וְלַאֲשֶׁר בְּעָרֵי הַקֵּינִי (לקמן ל, כט) נראה כי סמוכות היו ערי אלו המשפחות אלו לאלו, והקני הוא משפחת יתרו שנתגיירו וישבו בתוך בני יהודה כמו שכתוב בספר שופטים (פרק א, טז), ופירוש דרום כתרגומו: **(יב) הבאיש בעמו.** כיון שהוא פושט עליהם תמיד נראה כי נתגרה בעמו שלא ישלים עמהם עוד ומאס בהם כמו שמואס אדם דבר הנבאש: **(ג) ושמואל מת.** אף על פי שספר מיתתו למעלה (פרק כה, א) ספר גם כן הנה מפני המעשה שעשה שאול שדרש בבעלה אוב בעבורו, ואילו היה הוא חי לא היה דורש כי אם מאתו כי כבר הוא ביער האובות והידעונים, ואף על פי כן נחשב לו דרישת האוב לעון גדול כמו שאומר עליו בדברי הימים (א י, יג) וַיָּמָת שָׁאוּל בְּמַעֲלוֹ וגו' וְגַם לִשְׁאוֹל בָּאוֹב לִדְרוֹשׁ, ורבותינו זכרונם לברכה דרשו בו כן (מדרש שמואל כג, ח) כתיב וַיָּמָת שְׁמוּאֵל (לעיל כה, א) וכתיב וּשְׁמוּאֵל מֵת אמר רבי יוסי ושמואל מת מיתת ודאי וַיָּמָת שְׁמוּאֵל אין הדברים אמורים אלא לענין נבל שנאמר וַיָּמָת שְׁמוּאֵל וכתיב בתריה וְאִישׁ בְּמָעוֹן וגו' (שם פסוק ב) אמר ר' שמואל בר נחמני הכל סופדין וטופחין במיתת שמואל וזה הרשע עושה לו מרזחים, רוצה לומר שמחות: **ויקברהו ברמה ובעירו.** לפי שהיו שתי רמות כמו שאמר מן הָרָמָתַיִם (לעיל א, א) לפיכך אמר וּבְעִירוֹ כלומר באותה רמה שהיתה עירו, או פירוש וּבְעִירוֹ כי בתוך העיר קברוהו לא חוץ לעיר, וכן כתיב למעלה בביתו ברמה (לעיל כה, א) ויונתן תרגם וּסְפָדוּ עֲלוֹהִי אֱנָשׁ בְּקִרְתֵּיהּ כלומר ספדו לו כל ישראל שבאו לקברו ספדו לו שם ברמה, ואותם שלא באו ספדו לו כל אחד בעירו כי בכל ערי ישראל ספדו לו בשכר שהיה מחזר בכל המקומות לשפטם:

מצודת דוד

(ח) כי הנה וכו'. רצה לומר, לפי שהיו מעולם מיושבי הארץ ההיא, ולא באה עליהם מלחמה לטרדם ממנה, לזה לא היו נשמרים, ועשה בהם דוד כרצונו: **(י) ויאמר אכיש.** וכשהיה אכיש אומר לו, וכי לא פשטתם היום ולא עשיתם מאומה מלחמה: **ויאמר דוד.** והיה דוד משיב, כן פשטנו גם היום, פעם אמר לו על נגב יהודה, ופעם אמר לו על נגב הירחמאלי וכו', למען יחשוב שהבאיש בעמו: **(יא) ואיש וכו'.** מאנשי הגשורי וכו': **לאמר.** כי אמר פן יגידו לאמר שעליהם פושטים, לא על בני עמו: **(יב) ויאמן.** חשב שהאמת עם דוד, שהבאיש בעמו: **(ב) לכן.** הואיל והאמנת בי, תדע מהגבורות אשר אעשה: **לכן.** בעבור הגבורות אשר תעשה, אשימך שומר לראשי, ולכבוד יחשב הדבר: **(ג) ושמואל מת.** לפי שבא לומר בענין שבקש שאול בעלת אוב, לזה אמר ושמואל מת, כי אם היה חי, היה שואל בו: **ובעירו.** בתוך העיר ולא חוצה לה, וכמו שכתוב למעלה בְּבֵיתוֹ בָּרָמָה (כה, א): **ושאול הסיר.** כי אם לא הסיר, לא היה צריך לחפש אחר בעלת אוב, כי רבות היו:

מצודת ציון

(ח) ויפשטו. התפזרו כדרך הנלחמים: **בואך שורה.** עד אשר תבוא לשור, וכאלו ידבר עם מי שמכיר המקום: **(י) אל.** ענינו לא: **פשטתם.** נתפזרתם, להלחם לשלול שלל: **נגב יהודה.** בדרומה של יהודה: **הירחמאלי.** שם משפחה מבני יהודה: **הקיני.** מבני חובב חותן משה, שהיו מתחברים לישראל וגרו בנחלת יהודה: **(יא) משפטו.** מנהגו, כמו וּמִשְׁפַּט הַכֹּהֲנִים (לעיל ב, יג): **(יב) הבאיש.** רצה לומר מאס בהם כבדבר הנבאש, כמו נִבְאַשׁ יִשְׂרָאֵל בַּפְּלִשְׁתִּים (לעיל יג, ד): **(א) לצבא.** ענין קבוץ חיל: **(ג) האובות ואת הידענים.** שמות מיני קסם:

---

8. According to *Radak,* as understood by *Abarbanel,* David's victims were under the domination of the Philistines and they had lived securely at peace for many years, so that they were not warriors and thus easy prey to David. *Malbim*

... but David carries out raids on the Israelites' enemies

would go up and spread out against the Geshurite and the Gizrite and the Amalekite, for they were the original inhabitants of the land, from where you approach Shur until the land of Egypt. [9]David would smite the land, and would not leave a man or woman alive; he would take sheep and cattle and donkeys and camels and clothing, and would return and come to Achish. [10]Achish would ask, "Where did you raid today?" And David would say, "Against the south of Judah," or "against the south of the Jerahmeelite," or "against the south of the Kenite." [11]And David would not leave alive any man or woman to bring back [captive] to Gath, saying [to himself], "Lest they inform about us, saying, 'This is what David did and this has been his practice all the days that he has been dwelling in the Philistine countryside.' " [12]And Achish believed David, thinking, "He has really come to abhor his people Israel, and he will be my servant always."

28

Achish drafts David

[1]It happened in those days that the Philistines mobilized their camps to the army, to fight against Israel, and Achish said to David, "Know that you will go forth with me to the camp — you and your men." [2]David replied to Achish, "Therefore you shall see what your servant will do!" Achish then said to David, "Therefore I will appoint you as my permanent bodyguard."

SAUL SEEKS A NECROMANCER
28:3-25

[3]Samuel had died and all Israel eulogized him and buried him in Ramah, in his hometown. Saul had banished the necromancers and the Yidoni-diviners from the Land.

[4]The Philistines mobilized, they came and encamped at Shunem, and Saul mobilized

adds that they were Canaanite peoples and therefore subject to the commandment that they should be driven from the land and annihilated if they resisted (*Deuteronomy* 20:16-18).

Abarbanel differs. He contends that if these peoples were under the Philistines' control, or allied with them, it is inconceivable that David would have been so disloyal to Achish, who had given him shelter and support, as to attack his subjects. Furthermore, if David was marauding in land that was under Achish's control, the king surely would have heard about it and retaliated against David. Therefore *Abarbanel* comments that these peoples were enemies of Achish, so that David was not harming the interests of Achish by attacking them, and there was no danger that any survivors would dare come to Philistia to protest what David was doing.

9. וְלֹא יְחַיֶּה אִישׁ וְאִשָּׁה — *And would not leave a man or woman alive.* According to *Radak,* this is literal; David did not leave witnesses who could report him to Achish.

Abarbanel, however, comments that David did not take captives to be his servants, as was customary in warfare, because he wanted Achish to think that he was attacking the people of Judah (v. 10), a ruse that would have been impossible if he had brought back non-Jewish prisoners.

10. Achish was either curious or he wanted to confirm his belief that David had indeed turned against the Jewish people. He heard — and believed — with satisfaction that David was habitually attacking Judah. Jerahmeel was a Judean family, and the Kenites were the descendants of Jethro, who were given land in *Eretz Yisrael.*

12. Achish grew more and more trusting of David and was convinced that the Jewish fugitive and his men would be allies of the Philistines in their planned attack against Israel.

28.

This chapter sets the stage for a fateful event that would bring the end of Saul's reign and the beginning of the era of David. It begins with a new Philistine assault, which posed a dilemma for both David and Saul.

1-2. David's unintended success. So thoroughly had David convinced Achish of both his loyalty to the Philistines and his animosity toward his erstwhile countrymen, that Achish offered David a high position in the planned invasion of Israel.

וַיְהִי בַּיָּמִים הָהֵם — *It happened in those days,* i.e., in the days after the death of Samuel and the alliance with David and his six hundred men. The removal of the Jews' spiritual and military protection convinced the Philistines that they could defeat their mortal enemy (*Kli Yakar).*

2. לָכֵן אַתָּה תֵדַע אֵת אֲשֶׁר יַעֲשֶׂה עַבְדֶּךָ — *Therefore you shall see what your servant will do.* David was in a quandary. He certainly would not fight against his fellow Jews, but it would would have been suicidal to openly defy Achish. His answer was purposely ambiguous, but it satisfied Achish, who heard what he wanted to hear and appointed David as his personal bodyguard.

3-14. Saul seeks guidance. Saul was at a loss. How should he respond to the Philistine attack? Would God be with him? He sought guidance, but without success. Finally he did something that is not only bizarre, but is expressly forbidden by the Torah.

3. וּשְׁמוּאֵל מֵת — *Samuel had died.* This verse sets the stage for the ensuing episode. Had Samuel been alive, Saul would have gone to him for guidance [even though Samuel had told him that he would lose his throne] and the events of this chapter would not have occurred (*Malbim*).

וְשָׁאוּל הֵסִיר — *Saul had banished.* Necromancy and *Yidoni*-divination (see below) are forms of magic that are explicitly

ה כָּל־יִשְׂרָאֵל וַיַּחֲנוּ בַּגִּלְבֹּעַ: וַיַּרְא שָׁאוּל אֶת־מַחֲנֵה פְלִשְׁתִּים וַיִּרָא וַיֶּחֱרַד לִבּוֹ
ו מְאֹד: וַיִּשְׁאַל שָׁאוּל בַּיהוָה וְלֹא עָנָהוּ יהוָה גַּם בַּחֲלֹמוֹת גַּם בָּאוּרִים גַּם בַּנְּבִיאִם:
ז וַיֹּאמֶר שָׁאוּל לַעֲבָדָיו בַּקְּשׁוּ־לִי אֵשֶׁת בַּעֲלַת־אוֹב וְאֵלְכָה אֵלֶיהָ וְאֶדְרְשָׁה־בָּהּ
ח וַיֹּאמְרוּ עֲבָדָיו אֵלָיו הִנֵּה אֵשֶׁת בַּעֲלַת־אוֹב בְּעֵין דּוֹר: וַיִּתְחַפֵּשׂ שָׁאוּל וַיִּלְבַּשׁ
בְּגָדִים אֲחֵרִים וַיֵּלֶךְ הוּא וּשְׁנֵי אֲנָשִׁים עִמּוֹ וַיָּבֹאוּ אֶל־הָאִשָּׁה לָיְלָה וַיֹּאמֶר
ט °קסומי־ [°קָסֳמִי־ ק׳] נָא לִי בָּאוֹב וְהַעֲלִי לִי אֵת אֲשֶׁר־אֹמַר אֵלָיִךְ: וַתֹּאמֶר הָאִשָּׁה
אֵלָיו הִנֵּה אַתָּה יָדַעְתָּ אֵת אֲשֶׁר־עָשָׂה שָׁאוּל אֲשֶׁר הִכְרִית אֶת־הָאֹבוֹת וְאֶת־
י הַיִּדְּעֹנִי מִן־הָאָרֶץ וְלָמָה אַתָּה מִתְנַקֵּשׁ בְּנַפְשִׁי לַהֲמִיתֵנִי: וַיִּשָּׁבַע לָהּ שָׁאוּל בַּיהוָה
יא לֵאמֹר חַי־יהוָה אִם־יִקְּרֵךְ עָוֺן בַּדָּבָר הַזֶּה: וַתֹּאמֶר הָאִשָּׁה אֶת־מִי אַעֲלֶה־לָּךְ
יב וַיֹּאמֶר אֶת־שְׁמוּאֵל הַעֲלִי־לִי: וַתֵּרֶא הָאִשָּׁה אֶת־שְׁמוּאֵל וַתִּזְעַק בְּקוֹל גָּדוֹל

רש״י

(ו) גם באורים. לפי שהרג נוב עיר הכהנים, לא נענה: **(ח) ויתחפש שאול.** שינה בגדיו, וכן הִתְחַפֵּשׂ וָבָא בַמִּלְחָמָה (מלכים־א כב, ל); וכן בְּרָב כֹּחַ יִתְחַפֵּשׂ לְבוּשִׁי (איוב ל, יח), וכן תרגם יונתן, וְאִשְׁתַּנֵּי שָׁאוּל. **ויבאו אל האשה לילה.** יום היה, אלא מתוך צרתם היה דומה להם לילה, כך דרש רבי תנחומא (פרשת אמור ב): **(ט) מתנקש.** מבקש תקלה: **(יב) ותזעק בקול גדול.** שראתהו עולה שלא כדרך העולים, שהמעלה בזכורו, עולים רגליהם למעלה, וזה עולה ראשו למעלה, בשביל כבודו של שאול (תנחומא שם):

רד״ק

(ו) וישאל שאול בה׳ ולא ענהו. ובדברי הימים (־א י, יד) אמר וְלֹא דָרַשׁ בַּה׳, אלא כיון שדרש באוב אחר כן כאילו לא דרש בה׳ שהרי השוה דרישתו באוב בדרישתו בה׳, ומה שאמר וַיִּשְׁאַל שָׁאוּל ה׳, מפרש אחר כן במה שאל ואמר בַּחֲלֹמוֹת גַּם בָּאוּרִים גַּם בַּנְּבִיאִים וכל גם וגם לרבות האחד על חבירו, כמו גַּם אַתָּה גַּם בִּנְךָ גַּם בֶּן בְּנֶךָ (שופטים ח, כב), ופירוש בחלומות באנשים שעושין שאלת חלום, ומה שאמר באורים והם לא היו אצלו שהרי היו עם אביתר שהיה עם דוד אפשר ששלח שם אנשים לשאול בהם על המלחמה הזאת, ופירוש בנביאים תלמידי שמואל הנביא כמו שכתוב לַהֲקַת הַנְּבִיאִים נִבְּאִים וגו׳ (לעיל יט, כ): **(ז) בקשו לי אשת בעלת אוב.** אשת במוכרת כמו אֵשֶׁת יְפַת תֹּאַר (דברים כא, יא) נפל אשת (תהלים נח, ט), ואמר אשה ולא איש לפי שמעשה הזה וכיוצא בו נמצא בנשים יותר מבאנשים לפי שהן קלות הדעת, ולטעם הזה אמר הכתוב מְכַשֵּׁפָה לֹא תְחַיֶּה (שמות כב, יז): **הנה אשת בעלת אוב בעין דור.** אמרו במדרש (פרקי דרבי אליעזר לב) זו אשת צפניה אמו של אבנר: **(ח) ויתחפש.** השתנה שהפשיט בגדי מלכות שהיה לובש ולבש בגדים אחרים כדי שלא תכירהו האשה: **ושני אנשים עמו.** אמרו בדרש (ויקרא רבה כו, ז) זה אבנר ועמשא: **ויבאו אל האשה לילה.** גם זה כדי שלא תכירהו לפיכך בא בלילה, ובדרש (שם שם) יום היה אלא מתוך צרתם היה דומה להם לילה: **קסמי.** משפטו על המנהג קסמי בשקל מלכי עלינו ונהפך הקמץ חטף לעי״ן הפועל ופ״א הפעל בקמץ רחב לתפארת המלה, והקסם הוא כלל לכל המעשים ההם הנעשים בלאט לפיכך אמר קָסֳמִי ופירש אחר כן בָּאוֹב וכן וּקְסָמִים בְּיָדָם (במדבר כב, ז) בִּלְעָם בֶּן בְּעוֹר הַקּוֹסֵם (יהושע יג, כב) כמו מִקְסַם חָלָק (יחזקאל יב, כד) והדומים להם, ולפעמים הוא פרט לקצת המעשים ההם כמו וְלֹא קֶסֶם בְּיִשְׂרָאֵל (במדבר כג, כג) קֹסֵם קְסָמִים מְעוֹנֵן וּמְנַחֵשׁ (דברים יח, י) כי כל אחת מלאכה אחת בפני עצמה היא: **(ט) מתנקש בנפשי.** בעצמי להמיתני משתדל לתת מוקש בנפשי להמיתני: **(י) אם יקרך עון.** דגש הקו״ף לתפארת הקריאה:

מצודת דוד

(ה) וירא ויחרד. לפי שהיו פלשתים עם רב: **(ו) בה׳.** רצה לומר, בנביאים ואורים ותומים, וביודעים שאלת חלום: **ולא ענהו.** בכל מה ששאל, גם בחלומות גם באורים וכו׳ [ואף שהאורים היו עם אביתר שהלך עם דוד, אפשר לומר ששלח אליו אנשים לשאול בו]: **(ז) אשת בעלת אוב.** לפי שמצויה יותר בנשים, וכן נאמר בתורה מְכַשֵּׁפָה לֹא תְחַיֶּה (שמות כב, יז): **(ח) קסמי נא לי.** עשי בעבורי קסם במעשה אוב, והוא העליית המת, ונשאלין בו: **(ט) מתנקש בנפשי.** להיות מתה על ידי שאול: **(י) חי ה׳.** הריני נשבע, חי ה׳ אם יקרה לך עונש בדבר זה: **(יב) ותרא האשה.** אמרו רבותינו זכרונם לברכה (מדרש תנחומא אמור ב), המעלה, רואהו ואינו שומע קולו, והנשאל, שומע קולו ואינו רואהו:

מצודת ציון

(ח) ויתחפש. ענין חליפות והשתנות הכסות באחר, כמו הִתְחַפֵּשׂ וָבֹא בַמִּלְחָמָה (מלכים־א כב, ל): **קסמי.** הוא שם כולל לכל מיני הקסם: **(ט) מתנקש.** רצה לומר מסיר המוקש והצרה שעליך, להשאיר בי: **(י) יקרך.** מלשון מקרה: **עון.** ענין עונש, וכן וַאֲנַחְנוּ עֲוֹנֹתֵיהֶם סָבָלְנוּ (איכה ה, ז):

forbidden by the Torah (*Leviticus* 19:31; *Deuteronomy* 18:11). There was no need for Saul to banish them during Samuel's lifetime because people directed their inquiries to the prophet, but with his death and the lack of a clear-cut successor, some people began using these forbidden means to inquire about the future. Thus Saul acted decisively and banished them from the country (ibid.). The effectiveness of his ban can be seen in verse 9.

A *necromancer* [אֹבוֹת] brings up the spirit of the deceased and it nestles under his armpit, from which its voice is heard. A *Yidoni*-diviner places the bone of an animal in his mouth, from which a voice emanates (*Rashi, Sanhedrin* 65a). *Rambam* holds that these "voices" were not real but were produced by deception. Most commentators, however, maintain that the practitioners of these ancient occult arts — like the magicians of Pharaoh, with whom Moses contended — had the ability to communicate with the dead and engage in supernatural activity.

5. וַיִּרָא וַיֶּחֱרַד לִבּוֹ מְאֹד — *He was afraid and his heart trembled greatly.* The Saul of old overwhelmed and terrified his foes (14:47), but the Saul who had sinned and been chastised by Samuel was a broken, frightened man (*Abarbanel*).

6. וַיִּשְׁאַל שָׁאוּל בַּה׳ — *Saul inquired of Hashem ...* Saul tried by every means he knew to receive God's guidance, but God had rejected him and ignored his inquiries. The *Urim v'Tu-*

all Israel and they encamped at Gilboa. [5]*When Saul saw the Philistine camp he was afraid and his heart trembled greatly.* [6]*Saul inquired of HASHEM, but HASHEM did not answer him; neither in a dream, nor through the Urim [v'Tumim], nor through the prophets.* [7]*So Saul said to his servants, "Seek out a woman who practices necromancy, and I will go to her and inquire through her." His servants said to him, "Behold, there is a woman who practices necromancy in En-dor."*

[8]*So Saul disguised himself; he donned different clothing, and he went, [taking] two men with him. They came to the woman at night, and he said to her, "Please divine for me through necromancy, and raise up whomever I shall tell you."* [9]*But the woman said to him, "Behold, you surely know what Saul has done — that he has eliminated the necromancers and the Yidoni-diviner from the land — so why do you seek to entrap me, to have me killed?"* [10]*Saul then swore to her by HASHEM, saying, "As HASHEM lives, this thing will not be held against you as an iniquity."*

She raises up the soul of Samuel

[11]*The woman asked, "Whom shall I raise up for you?" And he said, "Raise up Samuel for me."* [12]*The woman then saw Samuel, and she screamed in a loud voice.*

---

mim would not answer him because he had ordered the execution of the Kohanim of Nob. This was a measure-for-measure punishment (*Rashi*). Although the *Urim v'Tumim* was in the possession of Abiathar, who was a member of David's camp, it may be that Saul sent messengers to David and Abiathar to inquire on his behalf (*Radak*).

Although our verse states explicitly that Saul *did* inquire of God, he is condemned as one *who did not seek out HASHEM* (*I Chronicles* 10:14), because his later recourse to a necromancer (v. 8) showed that to him all means of inquiry were of equal validity, meaning that his inquiry to the *Urim v'Tumim* lacked real substance. One who recognizes the paramount status of a direct message from God would not have gone to a necromancer (*Radak*).

Abarbanel notes that here Saul is said to have *inquired*, but in *Chronicles* he is faulted for not *seeking out* God. The difference in terminology indicates where he fell short. Saul *did* inquire, but if God does not answer, one must *seek Him out*, by repenting and attempting to make oneself deserving of His mercy. That Saul did not do.

⌐§ Saul resorts to necromancy. It is inconceivable that Saul would ignore the Torah's clear prohibition against necromancy — especially after he himself had banned the practice — unless he felt that the Halachah permitted him to do so. A king is permitted to act in an extralegal manner to deal with exceptional circumstances (הוֹרָאַת שָׁעָה). In this case, Saul was at war with the Philistines and countless Jewish lives depended on his conduct of the battle. The *Urim v'Tumim* had not responded, prophets had had no vision, and God had not communicated via a dream. In desperation, Saul turned to necromancy as a last resort (*Teshuvas Radvaz* 1:485). Nevertheless, Saul's resort to the occult is the only reason explicitly listed in *I Chronicles* 10:23 to account for Saul's loss of the throne, even though Samuel had long since told Saul that he was no longer fit to be king. This indicates that the underlying flaw in Saul's character is indicated in this "erosion of the inner nobility upon which the outer trappings of royalty must be based" (see ArtScroll comm. to *Chronicles*).

Maharal explains why the Torah forbids the raising up of a soul, but does not forbid inquiries to angels. When a person dies, his attachment to this world is severed and it is forbidden for a necromancer to bring him back to this world, thus overriding what God has done. But angels are frequently sent to earth on Divine missions, so that contact with them is not unnatural.

For whether or not necromancy has any validity, see below.

8. וַיִּתְחַפֵּשׂ שָׁאוּל — *So Saul disguised himself.* In a play on the word, the Midrash interprets it as if it were spelled with a *shin*: וַיִּתְחַפֵּשׁ, *and [Saul] freed himself*, i.e., Saul "freed himself" from the kingship. By seeking the intervention of a necromancer, he disqualified himself from the leadership of Israel; Jews place their trust in God, not sorcery.

In order not to be recognized, Saul disguised himself, went with a small escort [his two generals Abner and Amassa], and under cover of darkness (*Malbim*). It may also be that he took the men with him to avoid being in seclusion with a woman.

10. The Midrash likens Saul's oath to that of a woman who swears by the life of her husband at the very moment she is being disloyal to him.

The necromancer expressed fear of a death penalty, but Saul reassured her by saying that what she would do for him was not even a sin. He meant to tell her that the king himself would have regarded the act as completely justified. Indeed, when Samuel's soul was brought up, Saul said that he resorted to necromancy because there was no other way for him to know how to respond to the Philistine threat (*Aleh Yonah*).

11. Her fears having been calmed, the necromancer asked whose soul she should bring up.

12. Why did she scream when she saw Samuel? Why did that vision make her realize that her "client" was Saul? The Sages teach that normally the spirit brought up by a necro-

יג וַתֹּ֨אמֶר הָאִשָּׁ֜ה אֶל־שָׁא֗וּל לֵאמֹ֛ר לָ֥מָּה רִמִּיתָ֖נִי וְאַתָּ֥ה שָׁאֽוּל׃ וַיֹּ֨אמֶר לָ֥הּ הַמֶּ֛לֶךְ אַל־תִּֽירְאִ֖י כִּ֣י מָ֣ה רָאִ֑ית וַתֹּ֤אמֶר הָֽאִשָּׁה֙ אֶל־שָׁא֔וּל אֱלֹהִ֥ים רָאִ֖יתִי עֹלִ֥ים מִן־הָאָֽרֶץ׃ יד וַיֹּ֤אמֶר לָהּ֙ מַה־תָּ֣אֳר֔וֹ וַתֹּ֗אמֶר אִ֤ישׁ זָקֵן֙ עֹלֶ֔ה וְה֖וּא עֹטֶ֣ה מְעִ֑יל וַיֵּ֤דַע שָׁאוּל֙ כִּֽי־שְׁמוּאֵ֣ל ה֔וּא וַיִּקֹּ֥ד אַפַּ֛יִם אַ֖רְצָה וַיִּשְׁתָּֽחוּ׃ טו וַיֹּ֤אמֶר שְׁמוּאֵל֙ אֶל־שָׁא֔וּל לָ֥מָּה הִרְגַּזְתַּ֖נִי לְהַעֲל֣וֹת אֹתִ֑י וַיֹּ֣אמֶר שָׁ֠אוּל צַר־לִ֨י מְאֹ֜ד וּפְלִשְׁתִּ֣ים ׀ נִלְחָמִ֣ים בִּ֗י וֵֽאלֹהִים֙ סָ֣ר מֵֽעָלַ֔י וְלֹֽא־עָנָ֣נִי ע֗וֹד גַּ֤ם בְּיַֽד־הַנְּבִאִם֙ גַּם־בַּ֣חֲלֹמ֔וֹת וָֽאֶקְרָאֶ֣ה לְךָ֔ לְהוֹדִיעֵ֖נִי מָ֥ה אֶעֱשֶֽׂה׃ טז וַיֹּ֣אמֶר שְׁמוּאֵ֔ל וְלָ֖מָּה תִּשְׁאָלֵ֑נִי וַיהוָ֛ה סָ֥ר מֵעָלֶ֖יךָ וַיְהִ֥י עָרֶֽךָ׃ יז וַיַּ֤עַשׂ יהוה֙ ל֔וֹ כַּאֲשֶׁ֖ר דִּבֶּ֣ר בְּיָדִ֑י וַיִּקְרַ֨ע יהוָ֤ה אֶת־הַמַּמְלָכָה֙ מִיָּדֶ֔ךָ וַֽיִּתְּנָ֖הּ לְרֵעֲךָ֥ לְדָוִֽד׃ יח כַּאֲשֶׁר֙ לֹא־שָׁמַ֙עְתָּ֙ בְּק֣וֹל יהוָ֔ה וְלֹא־עָשִׂ֥יתָ חֲרוֹן־אַפּ֖וֹ בַּעֲמָלֵ֑ק עַל־כֵּן֙ הַדָּבָ֣ר הַזֶּ֔ה עָֽשָׂה־לְךָ֥ יהוָ֖ה הַיּ֥וֹם הַזֶּֽה׃ יט וְיִתֵּ֣ן יְ֠הֹוָה גַּ֣ם אֶת־יִשְׂרָאֵ֤ל עִמְּךָ֙ בְּיַד־פְּלִשְׁתִּ֔ים

רש״י

(יג) אלהים ראיתי עלים מן הארץ. מלאכים שנים, משה ושמואל, שנתיירא שמואל שמא אני מתבקש בדין, והעלה משה עמו (כדאיתא בחגיגה ד, ב): **(יד) מה תארו.** שלשה דברים נאמרו באוב, המעלה אותו, רואהו ואינו שומע קולו, והנשאל לו, שומעו ואינו רואהו, ולפיכך שאל מה תארו, ואחר, לא רואהו ולא שומעו (תנחומא שם): **והוא עטה מעיל.** שהיה רגיל ללבוש מעיל, שנאמר וּמְעִיל קָטֹן תַּעֲשֶׂה לּוֹ אִמּוֹ (לעיל ב, יט), ובמעילו נקבר, וכן עלה, וכן לעתיד לבא יעמדו בלבושיהם (תנחומא שם): **(טו) הרגזתני.** החרדתני: **גם ביד הנביאם גם בחלמות.** אבל באורים ותומים לא אמר לו, ואף על פי ששאל בהם כמו שאמור למעלה (פסוק ו), שהיה בוש ממנו על שהרג נוב עיר הכהנים: **ואקראה לך.** לשון ואזעק אחריך, כמו נִקְרֹא נִקְרֵיתִי בְּהַר הַגִּלְבֹּעַ (שמואל־ב א, ו); וכמו וְשָׁם נִקְרָא אִישׁ בְּלִיַּעַל (שם כ, א), הוצרכתי להיות נקרא אליך, שתודיעני מה אעשה: **(טז) ולמה תשאלני.** הרי שאלת מן הנביאים החיים: **ויהי ערך.** (תרגום), וַהֲוָה בְּסַעֲדֵיהּ דְּגַבְרָא דְּאַתְּ בְּעֵיל דְּבָבֵיהּ: **ערך.** לשון שונא. וכמה יש במקרא, וּמָלְאוּ פְנֵי תֵבֵל עָרִים (ישעיהו יד, כא); וְהִשְׁמַדְתִּי עָרֶיךָ (מיכה ה, יג). חֶלְמָא לְשָׂנְאָךְ וּפִשְׁרֵהּ לְעָרָךְ (דניאל ד, טז): **(יז) לרעך לדוד.** ובחייו לא הזכיר לו שמו, אלא וּנְתָנָהּ לְרֵעֲךָ הַטּוֹב מִמֶּךָּ (לעיל טו, כח), לפי שהיה ירא ממנו שלא יהרגנו, לפי שמשחו למלכות (תנחומא שם):

רד״ק

(יב) ואתה שאול. היאך הכירה אותו, אמרו (ויקרא רבה כו, ז) ראתה דבר משונה שלא ראתה מימיה כי כל העולים באוב עולים רגליהם מלמעלה וראשם למטה, כיון שראתה אותו עולה בראשו מלמעלה ידעה שלא היה זה אלא לכבוד מלכות לפיכך אמרה וְאַתָּה שָׁאוּל, ולפיכך זעקה כי יראה שבא לנסותה ולהרוג אותה לפיכך אמר לה שאול אל תיראי (פסוק יג) כלומר ממה שאת יראה אַל תִּירְאִי כי לא אמיתך כי כבר נשבעתי לך אבל מה ראית שהכרת שאני שאול, ותאמר האשה אֱלֹהִים רָאִיתִי עֹלִים מִן הָאָרֶץ (שם), ראיתי אדם גדול עולה מן הארץ רגליו כלפי הארץ מה שאינו מנהג העולים, לפיכך ידעתי כי שאול המלך אתה ולכבודך עלה כן: **(יג) אלהים.** גדול, כמו אֱלֹהִים לֹא תְקַלֵּל (שמות כב, כז) ורבוי עולים כרבוי אלהים לכבוד, ובדרש מדרש תנחומא אמור, ד) נפשו של משה העלה עמו לבקש רחמים על ישראל לפיכך אמר עולים, והקדוש ברוך הוא אמר אם יַעֲמֹד מֹשֶׁה וּשְׁמוּאֵל לְפָנַי אֵין נַפְשִׁי אֶל הָעָם הַזֶּה (ירמיהו טו, א), ויונתן תרגם מַלְאָכָא דַה׳ חֲזֵיתִי דְסָלֵיק מִן אַרְעָא: **(יד) כי שמואל הוא.** לפי שמנהגו היה שהיה עוטה מעיל: **(טו) הרגזתני.** ממנוחתי: **להעלות אתי.** ממנוחתי. ובדרש (חגיגה ד, ב) לשון פחד ורעדה הוא פחדתי מיום הדין, הייתי סבור שיום הדין הוא וקורין אותי לדין: **גם ביד הנביאם גם בחלמות.** ולא אמר באורים כמו שאמר למעלה הכתוב (פסוק ו) כי באורים שאל, אמרו בדרש (ברכות יב, ב) כי בוש לומר לפני שמואל באורים לפי שהרג נוב עיר הכהנים: **ואקראה לך.** בה״א נוספת כמנהג כמו אֶשְׁמְעָה (תהלים פה, ט) אֶשְׁמְרָה (תהלים לט, ב), אבל להיות למ״ד הפעל בסגול אינו כמנהג ובא כמוהו יְדַשְּׁנֶה סֶלָה (תהלים כ, ד): **(טז) ויהי ערך.** שונאיך, וכן וְהִשְׁמַדְתִּי עָרֶיךָ (מיכה ה, יג), ויונתן תרגם הפסוק כן וּמֵימְרָא דַה׳ רָחֵיק יָתָךְ וַהֲוָה בְּסַעֲדֵיהּ דְּגַבְרָא דְּאַתְּ בְּעֵיל דְּבָבֵיהּ: **(יז) ויעש ה׳ לו.** לדעת התרגום לו לדוד, ולפי הפשט לו כמו לך כי כן דרך המקרא לדבר לנכח ושלא לנכח בענין אחד: **(יח) על כן הדבר הזה.** כבר פירש למעלה בפסוק קָרַע ה׳ אֶת מַמְלְכוּת יִשְׂרָאֵל מֵעָלֶיךָ הַיּוֹם (לעיל טו, כח):

מצודת דוד

למה רמיתני. מבלי הגיד לי שאתה שאול, ובעבור כי דרך העולים לעלות ברגליהם כלפי מעלה, וזה עלה בראשו כלפי מעלה, ידעה בזה שהוא שאול, ובעבור כבוד המלכות עלה בראשו כלפי מעלה (שם): **(יג) אל תיראי.** מכל מקום אל תיראי ואם אני שאול: **כי מה ראית.** כי אם אמרי מה ראית: **אלהים.** רוצה לומר, אדם גדול, וכן אֱלֹהִים לֹא תְקַלֵּל (שמות כב, כז): **עלים.** לפי שאמרה אֱלֹהִים בלשון רבים כי כן יאמר בדרך לשון כבוד על ענין אדנות, לזה אמרה גם עֹלִים בלשון רבים, וכן הָאֱלֹהִים הָאַדִּירִים הָאֵלֶּה וכו׳ הַמַּכִּים (לעיל ד, ח): **(יד) מה תארו.** לשתדע אשר הוא אדם גדול: **והוא עטה מעיל.** והוא מלבוש המיוחד לאדם גדול וחשוב: **(טו) הרגזתני.** החרדתני ממקום מנוחתי, להעלות אותי פה: **גם ביד הנביאם.** אמרו רבותינו זכרונם לברכה (ברכות יב, ב) שלא אמר גם באורים, לפי שנתבייש להזכיר האורים לפני שמואל, על שהרג כהני נוב השואלים באורים: **(טז) ולמה תשאלני וכו׳.** רצה לומר, מה היא השאלה, הלא בעצמך תאמר שה׳ סר ממך: **ויהי ערך.** ומעתה הוא בעזר שונאך, והוא דוד: **(יז) לו.** לערך שזכר, והוא דוד: **(יח) כאשר וכו׳.** רצה לומר, כאשר עשית אתה לבלי שמוע בקול ה׳, על כן וכו׳ עשה לך ה׳ וכו׳: **הדבר הזה.** שבאו עליך פלשתים, וה׳ לא ענך:

מצודת ציון

(יד) עטה. מעוטף, כמו עֹטֶה אוֹר כַּשַּׂלְמָה (תהלים קד, ב): **ויקד.** כפה הקדקוד: **אפים.** על פניו: **(טו) הרגזתני.** ענין תנועת החרדה ממקום המנוחה, כמו הַמַּרְגִּיז אֶרֶץ מִמְּקוֹמָהּ (איוב ט, ו): **(טז) ערך.** אויביך, כמו נָשׂוּא לַשָּׁוְא עָרֶיךָ (תהלים קלט, כ):

mancer would rise feet first, but in this case, Samuel's head appeared first, surprising and frightening the woman (*Rashi*). She knew that this head-first vision happened only when a king requested the vision, so that the anonymous man who had engaged her services must be Saul — and if so, she feared that he had entrapped her as part of his drive to rid the land of necromancers (*Mahari Kara*).

According to *Radbaz (Responsa* 3:642), the spiritual con-

The woman said to Saul, "Why did you deceive me? You are Saul!" [13]*The king then said to her, "Fear not. What did you see?" The woman said to Saul, "I saw a great man ascending from the earth."* [14]*He then said to her, "What does he look like?" She said, "An elderly man is ascending, and he is garbed in a cloak." Saul realized that it was Samuel, and he bowed down upon his face to the ground and prostrated himself.*

[15]*Samuel said to Saul, "Why did you disturb me, to raise me up?" Saul replied, "I am in great distress, and the Philistines are at war against me; God has turned away from me and does not answer me anymore, neither through the hand of the prophets nor in dreams — so I called upon you to inform me what I should do."*

Samuel delivers a dire prediction

[16]*Samuel then said, "But why do you ask me, since* Hashem *has turned away from you and has sided with your adversary,* [17]*and* Hashem *has done for him as He spoke through me, for* Hashem *has torn the kingship from your hand and given it to your fellow, to David?* [18]*Because you did not obey the word of* Hashem *and did not carry out His wrath against Amalek, therefore* Hashem *has done this thing to you this day.* [19]*And* Hashem *will deliver Israel with you into the hand of the Philistines;*

---

tamination of necromancy could have no effect on the sacred soul or physical remains of Samuel. It was God Who brought up Samuel's soul in order to convey a message to Saul, and this is why the spirit emerged head first.

According to *Abarbanel*, she was sure that the figure who had risen from the ground was Samuel, because he was the one she had summoned, and when Samuel appeared, he bowed to Saul. This indicated to the necromancer that her visitor could only be the king, since Samuel would not have bowed to a commoner.

14. **מַה תָּאֳרוֹ** — *"What does he look like?"* Saul's question indicated that he could not see Samuel, but she could. The Sages explain that necromancers could see, but not hear, the one they brought up; by contrast, the person who was consulting the necromancer (in this case, Saul) could hear but not see, and outsiders could neither hear nor see (*Rashi*).

☙ What is the power of a necromancer? *Radak* (to v. 24) cites three primary versions of what took place here and, in general, as to whether necromancy has any power or validity. (1) *Rambam* and the *gaon* Rav Shmuel bar Chafni maintain that necromancy is a hoax and its practitioners carry out an elaborate deception. The necromancer knew all along that her client was Saul and merely pretended to be shocked. She knew that God had condemned Saul to lose his throne and that he would be going into battle. With that knowledge she merely surmised that he would die. She hid an accomplice who spoke in a quiet, mysterious voice, convincing the gullible Saul that she had raised Samuel's spirit from the dead.

(2) The *geonim* Rav Hai and Rav Saadia hold that by and large necromancers have no power, but in this case, God — not the necromancer — raised Samuel's spirit in order to convey His message to Saul.

(3) *Radak*, however, and most commentators, do not accept the above opinions. The narrative and the Talmud clearly state that necromancers have occult powers, and they cannot be contradicted merely because such phenomena are not within the realm of our experience. It is true that such powers no longer exist, but neither has prophecy existed since the early years of the Second Temple. Just as this does not mean that prophecy never existed, neither does it mean that necromancy was a hoax.

15-19. Samuel answers Saul. According to the first view above that necromancy is a complete hoax, the woman's "prophecy" was based on common knowledge, that Samuel had long since told Saul that he would not retain the throne and that the king would be going to battle the next day against the Philistines.

15. **לָמָּה הִרְגַּזְתַּנִי** — *Why did you disturb me?* The Talmud renders *Why have you made me tremble?* Samuel was terrified that his day of judgment had arrived and that he was being summoned to the Heavenly Court. If the great prophet Samuel was afraid of judgment, how much more so should ordinary people be! (*Chagigah* 4b).

גַּם בְּיַד הַנְּבִיאִם גַּם בַּחֲלֹמוֹת — *Neither through the hand of the prophets nor in dreams.* Saul was ashamed to say that he had also consulted the *Urim v'Tumim*, because he knew that Samuel would have rebuked him for doing so, saying that the killer of the Kohanim of Nob did not deserve to be answered by the *Urim v'Tumim*. Because Saul felt shame, he was punished only in this world — by being killed in battle — but he merited his share in the World to Come (*Berachos* 12b).

16. **וַיְהִי עָרֶךָ** — *And has sided with your adversary*, i.e., God has given His support to David, *your adversary* (*Targum*).

17. As God prophesied to me, He has taken the kingship from you and given it to David.

לְרֵעֲךָ לְדָוִד — *To your fellow, to David.* During his lifetime, Samuel never said openly that David would be king, because he had legitimate cause to fear that Saul would kill him if he were to learn that the prophet had anointed David. Now, after his death, Samuel had nothing to fear (*Rashi*). Samuel's fear during his lifetime illustrates the rule that one may not rely on a miracle to insure his safety.

כ וּמָחָר אַתָּה וּבָנֶיךָ עִמִּי גַּם אֶת־מַחֲנֵה יִשְׂרָאֵל יִתֵּן יהוה בְּיַד פְּלִשְׁתִּים: וַיְמַהֵר שָׁאוּל וַיִּפֹּל מְלֹא־קוֹמָתוֹ אַרְצָה וַיִּרָא מְאֹד מִדִּבְרֵי שְׁמוּאֵל גַּם־כֹּחַ לֹא־הָיָה בוֹ כִּי
כא לֹא אָכַל לֶחֶם כָּל־הַיּוֹם וְכָל־הַלָּיְלָה: וַתָּבוֹא הָאִשָּׁה אֶל־שָׁאוּל וַתֵּרֶא כִּי־נִבְהַל מְאֹד וַתֹּאמֶר אֵלָיו הִנֵּה שָׁמְעָה שִׁפְחָתְךָ בְּקוֹלֶךָ וָאָשִׂים נַפְשִׁי בְּכַפִּי וָאֶשְׁמַע אֶת־
כב דְּבָרֶיךָ אֲשֶׁר דִּבַּרְתָּ אֵלָי: וְעַתָּה שְׁמַע־נָא גַם־אַתָּה בְּקוֹל שִׁפְחָתֶךָ וְאָשִׂמָה לְפָנֶיךָ
כג פַּת־לֶחֶם וֶאֱכוֹל וִיהִי בְךָ כֹּחַ כִּי תֵלֵךְ בַּדָּרֶךְ: וַיְמָאֵן וַיֹּאמֶר לֹא אֹכַל וַיִּפְרְצוּ־בוֹ
כד עֲבָדָיו וְגַם־הָאִשָּׁה וַיִּשְׁמַע לְקֹלָם וַיָּקָם מֵהָאָרֶץ וַיֵּשֶׁב אֶל־הַמִּטָּה: וְלָאִשָּׁה עֵגֶל־
כה מַרְבֵּק בַּבַּיִת וַתְּמַהֵר וַתִּזְבָּחֵהוּ וַתִּקַּח־קֶמַח וַתָּלָשׁ וַתֹּפֵהוּ מַצּוֹת: וַתַּגֵּשׁ לִפְנֵי־שָׁאוּל

כט

א וְלִפְנֵי עֲבָדָיו וַיֹּאכֵלוּ וַיָּקֻמוּ וַיֵּלְכוּ בַּלַּיְלָה הַהוּא: וַיִּקְבְּצוּ פְלִשְׁתִּים אֶת־כָּל־
ב מַחֲנֵיהֶם אֲפֵקָה וְיִשְׂרָאֵל חֹנִים בַּעַיִן אֲשֶׁר בְּיִזְרְעֶאל: וְסַרְנֵי פְלִשְׁתִּים עֹבְרִים

רש"י

(יט) אתה ובניך עמי. במחיצתי: **(כד) עגל מרבק.** (תרגום), עֵגֶל פַּטִּים:

רד"ק

(יט) אתה ובניך עמי. שתהיו מתים כמו שאני מת, ודרשו בו (ברכות יב, ב) עמי במחיצתי בשכר שתרד למלחמה על מנת למות ולא תברח יכופר לך עון נוב עיר הכהנים ותהיה עמי במחיצת הצדיקים, וכן דרשו (שם) בשכר שנתבייש במעשה נוב ולא זכר אורים נתכפר לו אותו מעשה, וסמכו זה עוד לפסוק לְמַעַן תִּזְכְּרִי וָבֹשְׁתְּ... בְּכַפְּרִי לָךְ וגו׳ (יחזקאל טז, סג) שכל העושה דבר ומתבייש בו מוחלין לו, ולפי הפשט אף על פי ששמואל אמר לו שימות לא יתכן שהיה בורח ויניח עמו במלחמה, ועל כל פנים היה לו לירד במלחמה אם למות אם לחיים: **(כ) וימהר שאול.** מהר להשתחות כנגד שמואל כלומר כנגד הקול שהיה שומע כי הוא לא היה רואהו כמו שעתידים אנו לפרש: **וירא מאד.** ביו״ד איתיין לבד ויו״ד השרש נעלמת מהמכתב: **גם כח לא היה בו.** לקום מן הארץ אחר שנפל ארצה מְלֹא קוֹמָתוֹ מהפחד שהיה לו שהפחידו שמואל והכניס בלבו מדבריו של שמואל, ומפני שלא אכל לחם כל היום ההוא וכל הלילה ולא היה בו כח וגם לא רצה שיקימוהו מן הארץ לרוב דאגתו: **(כא) ואשים נפשי בכפי.** כי הייתי יראה ממך שלא תהרגני כמו שהכרת האובות והידעונים מן הארץ, וכן תרגם יונתן וּמְסָרִית נַפְשִׁי כְּעַל גַּב לְאִתְקְטָלָא, ויש מפרשים כי עושה המעשה ההוא הוא בסכנה: **(כג) ויפרצו בו עבדיו.** כמו ויפצרו כמו וַיִּפְצַר בָּם מְאֹד (בראשית יט, ג): **אל המטה.** כמו על המטה, כמו אֶל הֶהָרִים לֹא אָכָל (יחזקאל יח, ו), רצה לומר על ההרים לא אכל ורבים כמוהו: **(כד) עגל מרבק.** עגל מפוטם והמקום שמפטמין אותו שם יקרא מרבק, וכן תרגם יונתן עֵגֶל פַּטִּים ודומה לו בדברי רבותינו זכרונם לברכה (פסחים כו, א) הכניסה לרבקה ודשה: **ותפהו מצות.** האל״ף נעלמת מהמכתב ואמר זה להודיע כי מיהרה לאפייתו ולא המתינה לו עד שיחמץ להאכילו מהרה לפי שראתה אותו נבהל מאד, ואני רואה לפרש הנה מעשה האוב לפי מה שנמצא כתוב, אמרו רבותינו זכרונם לברכה (סנהדרין סה, ב) בעל אוב זה המדבר מבין הפרקים ומבין אצילי ידיו, ידעוני זה המניח עצם חיה ששמה ידוע בפיו ומדברים דברים העתידים, ופירוש מבין הפרקים שמשמיע קול נמוך מבין פרקי איבריו ומתחת שחיו על ידי מעשים שעושה שמקיש בזרועותיו, ויש אומרים אף מקטיר קטרת לשד והשד הוא העונה והמדבר, ואמרו עוד בעל אוב אחד המעלה בזכורו ואחד הנשאל בגלגלת, ופירוש המעלה בזכורו שמדמה שמעלה המת ומדבר ומשמיע קול מתחת הארץ מעל פי הקבר כדרך ששמע שאול קולו של שמואל, והקול נמוך מאד כמו שכתוב וְהָיָה כְּאוֹב מֵאֶרֶץ קוֹלֵךְ (ישעיהו כט, ד), הנשאל בגלגלת גם הוא יקרא אוב, ופירושו שיש עמו גלגלת של אבן שוהם או של זכוכית זכה ועושה מעשים עד שידמה שיוצא קול נמוך מאד וידמה לו באותו הקול שואל ומשיב כן פירשו רבותינו זכרונם לברכה, והרב החכם הגדול רמב״ם זכרונו לברכה פירש במעשה אוב בהקשת זרועותיו שאמר שאוחז שרביט של הדס בידו ומניפו, והוא מדבר בלאט בדברים ידועים אצלם אחרי אשר הקטיר קטורת ידוע אצלם, עד שישמע השואל כאילו אחד מדבר עמו ומשיבו על מה שהוא שואל בדברים מתחת לארץ בקול נמוך מאד, וכאילו אינו נכר באוזן אלא במחשבה מרגיש בו, ופירש מעשה גלגלת שלוקח גלגלת המת ומקטיר לה קטרת ומנחש בה עד שישמע כאלו קול יוצא מתחת שחיו שפל עד מאד ומשיבו, ועוד אמרו רבותינו זכרונם לברכה שלשה דברים נאמרו במעלה זכורו, המעלה רואהו ואינו שומעו ומי שצריך לו שומעו ואינו רואהו מי שאינו צריך לו לא שומעו ולא רואהו, כך שמואל אשה שהעלתהו ראתהו ולא שמעתהו שאול שהיה צריך לו שמעו ולא ראהו ואבנר ועמשא שלא נצטרכו לו לא שמעוהו ולא ראוהו, וראינו מחלוקת בין הגאונים בדבר הזה וכלם נשתוו כי מעשה האוב הבל ותוהו ודברי כזב והתול, אבל יש מהם אומרים כי לא דבר שמואל עם שאול וחס ושלום לא עלה שמואל מקברו ולא דבר, אבל האשה עשתה הכל ברמאות כי מיד הכירה כי שאול הוא, אך להראות לו כי מצד החכמה הכירה ומצאה דבר זה אמרה לָמָּה רִמִּיתָנִי וְאַתָּה שָׁאוּל (פסוק יב), ודרך בעלת אוב להביא בן אדם שמדבר מתוך מחבואו בלשון נמוך, וכאשר בא שאול לדרוש מאתה וראתה אותו נבהל וידעה כי למחר יהיה יוצא למלחמה וכל ישראל היו בפחד גדול וידעה מה שעשה שאול שהרג כהני ה׳, שמה בפי המגיד הדברים הנאמרים בפרשה, ומה שאמר וַיֹּאמֶר שְׁמוּאֵל אֶל שָׁאוּל (פסוק טו) על מחשבת שאול כי היה חושב כי שמואל היה המדבר אליו, ומה שאמר וְלֹא עָשִׂיתָ חֲרוֹן אַפּוֹ בַּעֲמָלֵק (פסוק יח) ידוע היה דבר זה כי מאותה שעה אמר לו שמואל וַיִּמְאָסְךָ מִהְיוֹת מֶלֶךְ (לעיל טו, כו) ומה שאמר לְרֵעֲךָ (שם פסוק כח) לדוד ידוע היה זה בכל ישראל כי דוד נמשח למלך, ומה שאמר מָחָר אַתָּה וּבָנֶיךָ עִמִּי (פסוק יט) מדרך סברא אמר זה, זהו פירש רב שמואל בן חפני הגאון זכרונו לברכה ואמר אף על פי שמשמעות דברי החכמים זכרונם לברכה בגמרא כי אמת היה שהחיתה האשה את שמואל לא יקובלו הדברים במקום שיש מכחישים

מצודת דוד

(יט) עמי. בקבר כמוני, ורבותינו זכרונם לברכה (שם) אמרו עמי במחיצתי: **מחנה ישראל.** רצה לומר, ערי תחנותם, כמו שכתוב בענין שעזבו את הערים, ובאו פלשתים וישבו בהן: **(כ) ויפל וכו׳.** להשתחוות לשמואל: **גם כח.** מלבד מה שהיה מתבהל מדברי שמואל, עוד הלך ממנו כחו גם בעבור מניעת האכילה: **(כא) הנה שמעה וכו׳.** לקסום באוב: **ואשים נפשי בכפי.** רצה לומר, כמו האוחז דבר מה בכפו, נוחה היא לפול כאשר יפתח כפו, כן הפקרתי נפשי וסכנתי בעצמי לעבור אזהרת המלך, כי בעת הקסם לא ידעה עדיין שהוא שאול: **(כב) כי תלך בדרך.** אם כן מהצורך לחזור אחר הכח: **(כד) ותפהו מצות.** לבל יתעכב עד החימוץ. **(ב) וסרני וכו׳.** הסרנים עברו עם מחניהם מאה מאה לבד, עד תשלום האלף, וכן כל אלף בפני עצמו:

מצודת ציון

(כ) מלא קומתו. רוצה לומר כל קומתו: **(כג) ויפרצו.** הוא הפוך מן וַיִּפְצַר בָּם (בראשית יט, ג), וענינו רבוי הדברים: **(כד) מרבק.** מפוטם במרבק, והוא המקום יפטמו בו עגלים, כמו וַעֲגָלִים מִתּוֹךְ מַרְבֵּק (עמוס ו, ד): **ותלש.** מלשון לישה: **ותפהו.** מלשון אפיה: **(כה) ותגש.** והקריבה: **(א) בעין.** בעין המים, והוא מעין: **(ב) וסרני.** ענין שררה:

tomorrow you and your sons will be with me, and also the Israelite camp will HASHEM *deliver into the hand of the Philistines."*

Saul is devastated by the news

[20]*Saul quickly fell his full height to the ground and he was exceedingly frightened by Samuel's words; also he had no strength for he had not eaten any food all the day and all the night.* [21]*The woman came over to Saul and saw that he was greatly terrified, and she said to him, "Behold, your maidservant heeded your voice and I put my life in my hand, and I listened to your words that you spoke to me.* [22]*Now you, too, listen to the voice of your maidservant. I will place before you a piece of bread so that you may eat, so that you may have strength when you go on your way."* [23]*But he refused, and said, "I shall not eat." His servants, and also the woman, urged him strongly, and he listened to their voice. He arose from the ground and sat on the bed.* [24]*The woman had a fattened calf in her house, she hurried and slaughtered it; and she took flour and kneaded it and baked it into matzos.* [25]*She set it before Saul and before his servants and they ate; and they arose and left that night.*

29

THE PHILISTINES DISMISS DAVID
29:1-11

[1]*The Philistines mobilized their entire army to Aphek, and Israel was encamped by the spring that is in Jezreel.* [2]*The governors of the Philistines were passing by*

רד"ק

להם מן השכל, אבל רב סעדיה ורב האי, הגאונים זכרונם לברכה אמרו אמת הוא כי רחוק הוא שתדע האשה העתידות וכן שתחיה היא את המת בחכמת האוב, אך הבורא יתברך החיה את שמואל כדי לספר לשאול את כל הקורות העתידות לבא עליו, והיא האשה אשר לא ידעה בכל אלה נבהלה כמו שנאמר וַתִּזְעַק בְּקוֹל גָּדוֹל (פסוק יב) ואשר אמרה האשה אֶת מִי אַעֲלֶה לָּךְ (פסוק יא) דברי התולים הם כי דעתה היה לעשות כמנהגה אלה דבריהם, ויש לתמוה לדברי הגאונים האלה אם הקדוש ברוך הוא החיה את שמואל כדי לספר לשאול הקורות הבאות עליו למה לא אמר לו על ידי חלומות או על ידי אורים או על ידי הנביאים אלא על ידי אשה בעלת אוב, ועוד איך היה נעלם משאול שהיה חכם ומלך אשר היו עמו כמה חכמים גדולים אם ענין אוב נעשה על ידי אדם מדבר מתוך מחבואו ומי יאמר שיטעה הוא בזה ואין זה הדעת מקבלו והנכון הוא מה שפירשנו:

19. **וּמָחָר אַתָּה וּבָנֶיךָ עִמִּי** — *Tomorrow you and your sons will be with me.* Samuel foretold frightening events to Saul, that Israel would be defeated and that the king and his sons — three of them — would be killed in the next day's battle. Nevertheless, despite Samuel's harsh rebuke of Saul, his words contained a comforting note, for, the Sages teach, Samuel implied that Saul would be עִמִּי בְּמְחִיצָתִי, *"with me in my enclosure,"* i.e., Saul and his sons would be with Samuel in *Gan Eden*. Saul asked if there was any escape for him. Samuel told him that if he fled from the fray, he would save his life, but if he fought for his people and died, he would merit the World to Come (*Vayikra Rabbah* 26). In his darkest moment, Saul is still righteous enough to be bracketed with Samuel, being worthy of Samuel's company in the World to Come.

20-25. Saul is devastated. The ordeal of Samuel's rebuke and prediction combined with his hunger had an overwhelming negative effect on Saul.

20. **מְלֹא קוֹמָתוֹ** — *His full height.* Saul hastened to show his respect for Samuel by bowing to the source of the voice (since the object of a necromancy revelation hears a voice, but does not see anyone). The grave import of Samuel's message plus his weakness because he had been fasting caused him to lie prone on the ground (*Radak*).

21-22. The necromancer argues that Saul owes her his gratitude, for having called up Samuel, even though she was afraid at the time of Saul's retribution. Therefore she appeals that he obey her, urging that he eat so that he will have the strength to go on his way.

23. Saul refused to eat while his people were in danger, but his servants and the necromancer prevailed on him (*Me'am Loez*).

25. **וַיָּקֻמוּ וַיֵּלְכוּ** — *And they arose and left.* Here Saul showed his great heroism. He knew from Samuel that he would die in battle, but nevertheless he advanced to the front to fight on behalf of his people (*Abarbanel*).

29.

David is banished from the Philistine army. David and his men had gone to the battlefield with his protector Achish, but the other Philistine rulers would have none of it. To them, David was a Jewish hero who could not be trusted to fight against his people. They were right, for David had no intention of harming his brethren; he intended to capitalize on Achish's trust to find ways to help his fellow Jews stealthily (*Ralbag*). The opposition of the other Philistine leaders saved David from the dilemma of how he could be part of the Philistine army yet try to help its enemy.

1. **אֲפֵקָה** — *To Aphek.* The day before, the Philistines had encamped in Shunem (28:4). Now they advanced closer to the Jewish camp, poised for battle (*Malbim*).

2. The five governors of the Philistines divided their army into formations of hundreds and thousands, each under its own commander. Now they all marched toward the front (*Malbim*).

ג לְמֵאוֹת וְלַאֲלָפִים וְדָוִד וַאֲנָשָׁיו עֹבְרִים בָּאַחֲרֹנָה עִם־אָכִישׁ: וַיֹּאמְרוּ שָׂרֵי פְלִשְׁתִּים מָה הָעִבְרִים הָאֵלֶּה וַיֹּאמֶר אָכִישׁ אֶל־שָׂרֵי פְלִשְׁתִּים הֲלוֹא־זֶה דָוִד עֶבֶד ׀ שָׁאוּל מֶלֶךְ־יִשְׂרָאֵל אֲשֶׁר הָיָה אִתִּי זֶה יָמִים אוֹ־זֶה שָׁנִים וְלֹא־מָצָאתִי בוֹ מְאוּמָה מִיּוֹם

ד נָפְלוֹ עַד־הַיּוֹם הַזֶּה: וַיִּקְצְפוּ עָלָיו שָׂרֵי פְלִשְׁתִּים וַיֹּאמְרוּ לוֹ שָׂרֵי פְלִשְׁתִּים הָשֵׁב אֶת־הָאִישׁ וְיָשֹׁב אֶל־מְקוֹמוֹ אֲשֶׁר הִפְקַדְתּוֹ שָׁם וְלֹא־יֵרֵד עִמָּנוּ בַּמִּלְחָמָה וְלֹא־יִהְיֶה־לָּנוּ לְשָׂטָן בַּמִּלְחָמָה וּבַמֶּה יִתְרַצֶּה זֶה אֶל־אֲדֹנָיו הֲלוֹא

ה בְּרָאשֵׁי הָאֲנָשִׁים הָהֵם: הֲלוֹא־זֶה דָוִד אֲשֶׁר יַעֲנוּ־לוֹ בַּמְּחֹלוֹת לֵאמֹר הִכָּה שָׁאוּל

ו בַּאֲלָפָיו וְדָוִד °ברבבתו [°בְּרִבְבֹתָיו ק׳]: וַיִּקְרָא אָכִישׁ אֶל־דָּוִד וַיֹּאמֶר אֵלָיו חַי־יְהֹוָה כִּי־יָשָׁר אַתָּה וְטוֹב בְּעֵינַי צֵאתְךָ וּבֹאֲךָ אִתִּי בַּמַּחֲנֶה כִּי לֹא־מָצָאתִי

ז בְךָ רָעָה מִיּוֹם בֹּאֲךָ אֵלַי עַד־הַיּוֹם הַזֶּה וּבְעֵינֵי הַסְּרָנִים לֹא־טוֹב אָתָּה: וְעַתָּה

ח שׁוּב וְלֵךְ בְּשָׁלוֹם וְלֹא־תַעֲשֶׂה רָע בְּעֵינֵי סַרְנֵי פְלִשְׁתִּים: וַיֹּאמֶר דָּוִד אֶל־אָכִישׁ כִּי מֶה עָשִׂיתִי וּמַה־מָּצָאתָ בְעַבְדְּךָ מִיּוֹם אֲשֶׁר הָיִיתִי לְפָנֶיךָ

ט עַד הַיּוֹם הַזֶּה כִּי לֹא אָבוֹא וְנִלְחַמְתִּי בְּאֹיְבֵי אֲדֹנִי הַמֶּלֶךְ: וַיַּעַן אָכִישׁ וַיֹּאמֶר אֶל־דָּוִד יָדַעְתִּי כִּי טוֹב אַתָּה בְּעֵינַי כְּמַלְאַךְ אֱלֹהִים אַךְ שָׂרֵי פְלִשְׁתִּים אָמְרוּ

י לֹא־יַעֲלֶה עִמָּנוּ בַּמִּלְחָמָה: וְעַתָּה הַשְׁכֵּם בַּבֹּקֶר וְעַבְדֵי אֲדֹנֶיךָ אֲשֶׁר־בָּאוּ

יא אִתָּךְ וְהִשְׁכַּמְתֶּם בַּבֹּקֶר וְאוֹר לָכֶם וָלֵכוּ: וַיַּשְׁכֵּם דָּוִד הוּא וַאֲנָשָׁיו לָלֶכֶת בַּבֹּקֶר

ל

א לָשׁוּב אֶל־אֶרֶץ פְּלִשְׁתִּים וּפְלִשְׁתִּים עָלוּ יִזְרְעֶאל: וַיְהִי

רש״י

(ג) **מיום נפלו.** מיום חנייתו עלי: (ט) **ויבאו עד נחל הבשור.** שם מקום הוא: **והנותרים עמדו.** כשהגיעו לנחל הבשור, היו בהם עייפים, ונותרו שם מקלתן: (י) **אשר פגרו.** אשר נמנעו, ואומר אני לשון ארמי הוא, תרגום של וְנֶהֶרְסוּ (יחזקאל ל, ד): (יד) **נגב הכרתי.** לדרום של פלשתים, מצינו במקום אחר פלשתים נקראים גוי כרתים, יֹשְׁבֵי חֶבֶל הַיָּם גּוֹי כְּרֵתִים (צפניה ב, ה): (יז) **למחרתם.** למודים הם עמלקים ללקות ביום מחר, כמו שנאמר מָחָר אָנֹכִי נִצָּב וגו׳ (שמות יז, ט), לכך נאמר לְמָחֳרָתָם: (כ) **את כל הצאן והבקר.** שבזה הגדוד מנגב יהודה ומנגב כלב: **נהגו.** אנשים מנהיגים והולכים לפני המקנה ההוא, להתכבד ולהתהלל, זה שלל דוד: (כה) **מהיום ההוא ומעלה.** לא נאמר והלאה, אלא ומעלה, כבר הנהיג אברהם בחוק זה בִּלְעָדַי רַק אֲשֶׁר אָכְלוּ הַנְּעָרִים וגו׳ (בראשית יד, כד), הם היושבים על הכלים, וְחֵלֶק הָאֲנָשִׁים, ההולכים במלחמה בבראשית רבה (מג, ט): (כו) **לרעהו.** לאוהביו: (לא) **אשר התהלך שם דוד.** שהיו מחבאים אותו מפני שאול:

רד״ק

(ב) **וסרני פלשתים עברים למאות ולאלפים.** אינו אומר כי הסרנים היו מאות ואלפים אבל הסרנים היו עוברים עם מאות ואלפים אנשים: (ג) **או זה שנים.** והלא לא היה עמו אלא ארבעה חדשים כמו שפירשנו (לעיל כז, ז), אלא פירושו היה עמי זה ימים ואני מכירו לטובה כאילו היה עמי זה שנים: **מיום נפלו.** מיום שנפל אלי כלומר ששכן עמי, כמו עַל פְּנֵי כָל אֶחָיו נָפָל (בראשית כה, יח): (ד) **האנשים ההם.** כנוי הוא על עצמם: (ה) **הלוא זה דוד.** כיון שהוא גבור כל כך שהיו עונין עליו וְדָוִד בְּרִבְבֹתָיו יש לנו להשמר ממנו שלא יתרצה בנו עם אדוניו: (ו) **חי ה׳.** כי הכל מודים כי הוא הסבה הראשונה, ובעבור השבעו לדוד נשבע בשם שמאמין בו דוד: (י) **ועבדי אדניך.** כלומר האנשים אשר באו אתך שנתבאשו בשאול אדוניהם גם כן. ואור לכם בבקר כשיאור לכם היום לכו:

מצודת דוד

(ג) **מה העברים האלה.** רצה לומר, מה המה עושים פה: **זה ימים.** שישב עמי בגת: **או זה שנים.** שישב בערי השדה: **ולא מצאתי וכו׳.** רצה לומר, מיום שכנו אצלינו, הן בהיותו בגת, הן בהיותו בערי השדה, לא מצאתי בו מאומה רע: (ד) **עליו.** על אכיש: **אשר הפקדתו.** אשר הנחתו לשבת שם: **ולא יהיה וכו׳.** כי פן יהיה נוסף על שונאינו ונלחם בנו: **ובמה.** רצה לומר, וכי באיזה דבר יכול הוא לרצות עצמו לאדוניו שאול, למחול לו על מה שמרד בו, הלא בהבאת ראשינו אליו יתרצה אליו, ועל הכוונה ההיא הולך אתנו: (ה) **אשר יענו לו.** אשר הרימו קול בעבורו על המחולות לאמר הכה וכו׳, ואם כן מעולם הוא שונא לפלשתים ומכה בהם, ואין לבטוח בו: (ו) **כי ישר אתה וכו׳.** אני מחזיק אותך לאיש ישר ונאמן, וטוב בעיני בואך עמי במלחמה: **ובעיני.** אבל בעיני וכו׳: (ז) **ולא תעשה רע.** דבר הרע בעיני הסרנים: (ח) **כי מה.** מדוע אשוב, כי מה עשיתי דבר רע: (ט) **ידעתי.** הן ידעתי שלא נמצא בך רעה, כי טוב וכו׳: (י) **ועבדי אדניך.** רצה לומר, אנשיך שהיו מאז עבדי שאול אדוניך, והבאישו בו כמוך, וכאומר, בעבור זה נחשדים גם המה בעיני הסרנים כמוך, ולזה ישובו עמך: **ואור לכם.** כשיאיר לכם היום, לכו לדרככם:

מצודת ציון

(ג) **העברים.** כן קרויים ישראל, כי בעבר הנהר ישבו אבותיהם: **נפלו.** שכנו, כמו עַל פְּנֵי כָל אֶחָיו נָפָל (בראשית כה, יח): (ד) **הפקדתו.** מלשון פקדון והנחה: **לשטן.** לעשות איבה ושטנה, ודומה לו וַיָּקֶם ה׳ שָׂטָן לִשְׁלֹמֹה ויקם שטן לשלמה (מלכים־א יא, יד): **יתרצה.** מלשון רצוי: (ה) **יענו.** ענין הרמת קול: **במחלות.** שם כלי זמר:

3. **מָה הָעִבְרִים הָאֵלֶּה** — *"What are these Hebrews [doing here]?"* Understandably the Philistines were outraged that the Jewish hero who had killed Goliath and had won sweeping victories over the Philistines should now be trusted to be in

with hundreds and thousands, and David and his men were passing at the rear with Achish. [3]The Philistine officers said, "What are these Hebrews [doing here]?" And Achish replied to the Philistine officers, "Is this not David, the servant of Saul, king of Israel, who has been with me for these days or these years, and I have found no fault with him from the day he encamped [with me] until this very day." [4]But the Philistine officers were angry with him, and the Philistine officers said to him, "Send this man back, and let him return to the place that you assigned to him. Let him not go down to battle with us, so that he not be an antagonist to us in the battle. With what can this person ingratiate himself to his lord? Is it not with the heads of these [our] men? [5]Is this not David, of whom they sing with the timbrels, saying, 'Saul has slain his thousands and David his tens of thousands'?"

[6]So Achish called David and said to him, "As HASHEM lives, you are an upright person, and your going forth and coming in with me in the camp would have been fine with me, for I have found nothing wrong with you from the day of your coming to me until this very day; but in the eyes of the governors you are not good. [7]So now, return, and go in peace, and do not do what is wrong in the eyes of the Philistine governors."

"Reluctantly" and protesting his innocence, David leaves the front

[8]David then said to Achish, "But what have I done, and what [fault] have you found with your servant from the day I have been before you to this very day, that I should not come and fight against the enemies of my lord the king?"

[9]So Achish answered, and said to David, "I know — for in my eyes you are as good as an angel of God — but the Philistine officers have said, 'He shall not go up with us into battle.' [10]So now, arise early in the morning along with the servants of your lord who came with you; all of you arise early in the morning, and, when it becomes light enough for you, go." [11]So David and his men arose early, to leave in the morning to return to the land of the Philistines, while the Philistines ascended to Jezreel.

---

their ranks. Achish responded that even though David had been with him for only a bit over four months (27:7), he felt as close to David as if he had known him for years (*Radak*). The Philistines would have none of it. They demanded that David and his men be dismissed.

7. וְעַתָּה שׁוּב וְלֵךְ בְּשָׁלוֹם — *So now, return, and go in peace.* Unable to convince his comrades of David's loyalty, Achish submitted to the majority view. Sheepishly, he expressed his affection for David, but explained that there was no alternative but to send him back to Ziklag. This was the guiding hand of Divine Providence, which rescued David from the predicament of being in a war against his own people with the Philistines observing his conduct closely (*Chomas Anach*).

Abarbanel comments that God saved David from an impossible predicament. Had he marched with the Philistines, many people would never believe that he had not fought against his brethren and that he had no part in the death of Saul.

Furthermore, as we will see in the next chapter, while David and his men were with Achish's army, their families had been abducted. By being forced to return home, David was able to rescue them.

8. כִּי מֶה עָשִׂיתִי — *But what have I done . . . ?* Cleverly David acted outraged that he should be suspected and denied the chance to help his *lord the king*.

☙ The discussion between David and Achish. Based on his analysis of the text, *Malbim* submits that at first Achish wanted David's troop to serve as his personal bodyguards. The Philistine *governors* objected to this, arguing that it was an insult to them that a sworn enemy should be trusted to join their army, and certainly not to have an honored position as the royal guard of a governor. Achish withheld the entire objection from David. He spoke to him only about the governors' feeling that a Jewish hero could not be part of the royal guard. When David insisted that he should at least be allowed to join the troops at the front, Achish was forced to tell him that even that was impossible. Not only the governors [סְרָנִים], but even the officers in the field [שָׂרֵי פְלִשְׁתִּים] did not want to have anything to do with him.

בְּבֹא דָוִד וַאֲנָשָׁיו צִקְלַג בַּיּוֹם הַשְּׁלִישִׁי וַעֲמָלֵקִי פָשְׁטוּ אֶל־נֶגֶב וְאֶל־צִקְלַג וַיַּכּוּ
ב אֶת־צִקְלַג וַיִּשְׂרְפוּ אֹתָהּ בָּאֵשׁ: וַיִּשְׁבּוּ אֶת־הַנָּשִׁים אֲשֶׁר־בָּהּ מִקָּטֹן וְעַד־גָּדוֹל לֹא
ג הֵמִיתוּ אִישׁ וַיִּנְהֲגוּ וַיֵּלְכוּ לְדַרְכָּם: וַיָּבֹא דָוִד וַאֲנָשָׁיו אֶל־הָעִיר וְהִנֵּה שְׂרוּפָה בָּאֵשׁ
ד וּנְשֵׁיהֶם וּבְנֵיהֶם וּבְנֹתֵיהֶם נִשְׁבּוּ: וַיִּשָּׂא דָוִד וְהָעָם אֲשֶׁר־אִתּוֹ אֶת־קוֹלָם וַיִּבְכּוּ
ה עַד אֲשֶׁר אֵין־בָּהֶם כֹּחַ לִבְכּוֹת: וּשְׁתֵּי נְשֵׁי־דָוִד נִשְׁבּוּ אֲחִינֹעַם הַיִּזְרְעֵלִית
ו וַאֲבִיגַיִל אֵשֶׁת נָבָל הַכַּרְמְלִי: וַתֵּצֶר לְדָוִד מְאֹד כִּי־אָמְרוּ הָעָם לְסָקְלוֹ כִּי־
מָרָה נֶפֶשׁ כָּל־הָעָם אִישׁ עַל־°בנו [°בָּנָיו ק] וְעַל־בְּנֹתָיו וַיִּתְחַזֵּק דָּוִד בַּיהוָה
ז אֱלֹהָיו: וַיֹּאמֶר דָּוִד אֶל־אֶבְיָתָר הַכֹּהֵן בֶּן־אֲחִימֶלֶךְ הַגִּישָׁה־נָּא לִי
ח הָאֵפֹד וַיַּגֵּשׁ אֶבְיָתָר אֶת־הָאֵפֹד אֶל־דָּוִד: וַיִּשְׁאַל דָּוִד בַּיהוה לֵאמֹר אֶרְדֹּף אַחֲרֵי
ט הַגְּדוּד־הַזֶּה הַאַשִּׂגֶנּוּ וַיֹּאמֶר לוֹ רְדֹף כִּי־הַשֵּׂג תַּשִּׂיג וְהַצֵּל תַּצִּיל: וַיֵּלֶךְ דָּוִד הוּא
י וְשֵׁשׁ־מֵאוֹת אִישׁ אֲשֶׁר אִתּוֹ וַיָּבֹאוּ עַד־נַחַל הַבְּשׂוֹר וְהַנּוֹתָרִים עָמָדוּ: וַיִּרְדֹּף דָּוִד
הוּא וְאַרְבַּע־מֵאוֹת אִישׁ וַיַּעַמְדוּ מָאתַיִם אִישׁ אֲשֶׁר פִּגְּרוּ מֵעֲבֹר אֶת־נַחַל
יא הַבְּשׂוֹר: וַיִּמְצְאוּ אִישׁ־מִצְרִי בַּשָּׂדֶה וַיִּקְחוּ אֹתוֹ אֶל־דָּוִד וַיִּתְּנוּ־לוֹ לֶחֶם וַיֹּאכַל
יב וַיַּשְׁקֻהוּ מָיִם: וַיִּתְּנוּ־לוֹ פֶּלַח דְּבֵלָה וּשְׁנֵי צִמֻּקִים וַיֹּאכַל וַתָּשָׁב רוּחוֹ אֵלָיו כִּי

רש״י

(א) ופלשתים נלחמים בישראל. כאדם האומר נחזור לענין ראשון:

רד״ק

(א) ועמלקי פשטו. בבואם ביום השלישי שנסעו משם ללכת עם אכיש מצאו שעמלקי פשטו אל נגב צקלג, כי חפשו הדבר עד שמצאו כי מצקלג היו יוצאים להם השוללים, אף על פי שדוד לא היה מחיה איש ואשה שיגיד, הם חפשו הדבר עם השכנים עד שמצאו, ומסבות הבורא יתברך ומשמירתו את אוהביו היה שלא המיתו איש ואשה שהרי דוד הרג כמה מהם: **אל נגב.** כתרגומו אל דרום, והוא חסר הנסמך אל נגב הכרתי ואל נגב כלב הנזכרים למעלה (פסוק יד), או הוא שם עיר נקרא נגב וכן וְלַאֲשֶׁר בְּרָמוֹת נֶגֶב (לקמן פסוק כז) ואפשר כי היא היא והראשון נכון: **ויכו את צקלג.** אינו אומר שהרגו אנשי צקלג שהרי אומר לא המיתו איש ואשה, אלא פירוש וַיַּכּוּ הרסו העיר ושרפוה באש, ואמר וַיַּכּוּ על הריסת הבנין על דרך הרחבת הלשון כמו שאמר על הבנין וַיְרַפֵּא אֶת מִזְבַּח ה׳ (מלכים־א יח, ל), וְיוֹאָב יְחַיֶּה אֶת שְׁאָר הָעִיר (דברי הימים־א יא, ח): **(ב) וישבו את הנשים.** כי אנשים לא היו בה כי עם דוד הלכו ולא נשארו בה כי אם הנשים והבנים והבנות, לפיכך לכדום כי לא היה בעיר מי שילחם: **(ו) ותצר לדוד.** שרשו יצר והוא מענין צרה וצוקה ובאמרו לשון נקבה רצה לומר זאת הרעה: **כי מרה נפש כל העם.** פעל עבר כי הוא מלעיל בשני פשטין: **ויתחזק דוד בה׳ אלהיו.** וישם תוחלתו בו והתאפק על הרעה ואמר לרדוף אחריהם ואמר לאביתר הגישה האפוד: **(ח) ארדף.** דרך שאלה בלא ה״א השאלה, כמו אַף כִּי אָמַר אֱלֹהִים (בראשית ג, א) אַתָּה זֶה בְּנִי עֵשָׂו (שם כז, כד) ושאל דוד שתי שאלות כאחת ואף על פי שלא היו עושין כן באורים ותומים כמו שפירשתי למעלה (פרק כג, יא), עשה כן לדוחק השעה ונענה על שתיהם: **(ט) הבשור.** שם מקום: **והנותרים עמדו.** מקרא קצר הוא ורצה לומר כי כולם באו עד נחל הבשור ועברו הנחל ארבע מאות, והנותרים שלא עברו עמדו שם כלומר שלא חזרו להם אלא שם עמדו והמתינו העוברים שם ושמרו את כליהם, כי הרודפים לא היה להם שישאו כלום אלא מעט בכדי שיוכלו להלחם לבד, ויונתן תרגם וּמִקְצַתְהוֹן אִשְׁתָּאֲרוּ: **(י) אשר פגרו.** שבתו מפני חולשתם מכח הרדיפה, והדומה לו בדברי רבותינו זכרונם לברכה (שבת קכט, ב) יומא דמפגרי רבנן הוו אמרי האידנא יומא דשפמי, פירוש יום שהיו בטלים וחלושים מגירסתם, ויונתן תרגם דְאִתְמְנָעוּ, או פירוש תרגום של הֶרֶס תְּהָרְסֵם (שמות כג, כד) פַּגָּרָא תְּפַגְּרִינּוּן:

מצודת דוד

(א) ביום השלישי. מעת הלוכם מצקלג עם אכיש למלחמה: **אל נגב.** בו יוכלל נגב כלב ונגב הכרתי האמורים בענין: **ויכו.** רצה לומר, הרסו העיר: **(ו) ותצר לדוד מאד.** רצה לומר, מלבד הצרה שנשבו נשיו, כי עוד אמרו העם לסקלו באבנים, על שהיה מסבב לרדת למלחמה עם אכיש, והיה זה סיבה לשיבואו עמלק ועשו מה שעשו: **ויתחזק.** עם כל זה היה דוד מתחזק עצמו להשען בה׳: **(ט) והנותרים עמדו.** רצה לומר, הנותרים מאותם שש מאות עצמם, והם שתי המאות האמור במקרא שלאחריו, שנותרו ולא רדפו, הם עמדו אצל הנחל מהעבר הזה, ולא חזרו למקומם: **(י) אשר פגרו.** מאתים האיש אשר נחלשו מלעבור את הנחל, עמדו ולא רדפו: **(יא) איש מצרי.** על שם סופו אמר, כי בעת המצאו לא ידעו שהוא מצרי: **(יב) ושני צמקים.** שני אשכלות צמוקים: **ותשב רוחו אליו.** אמר דרך הפלגה וגוזמא, כאלו יצאה רוחו מחולשת הרעבון, ושבה אליו כשהאכילוהו:

מצודת ציון

(א) פשטו. התפזרו לשלול שלל: **(ב) וישבו.** מלשון שביה: **(ו) לסקלו.** לרגמו באבנים: **(ח) ארדף.** תחסר ה״א השאלה, ומשפטו, הארדוף, ודוגמתו אַף כִּי אָמַר אֱלֹהִים (בראשית ג, א), ומשפטו, האף, בה״א השאלה: **(י) פגרו.** נחלשו, ובדברי רבותינו זכרונם לברכה (שבת קכט ב), יומא דמפגרי ביה רבנן: **(יב) פלח.** חתיכה, כמו כְּפֶלַח הָרִמּוֹן (שיר השירים ד, ג): **דבלה.** תאנים דרוסות יחד, עד שנעשים גוף אחד, וכן וּמָאתַיִם דְּבֵלִים (לעיל כה, יח): **צמקים.** ענבים יבשים, והוא מלשון וְשָׁדַיִם צֹמְקִים (הושע ט, יד):

30.

1-6. David comes home to tragedy. Upon their return to Ziklag, David and his men were shocked to find that their homes had been burned down and their wives and chidren taken captive by marauding Amalekites. When David and his entire troop went with Achish, the city was left unprotected, thus making it easy prey. Only Divine intervention saved the captives from murder and torture, which was the

30

DAVID AVENGES ZIKLAG
30:1-31

The Amalekites abduct the women and children

[1] *It happened that when David and his men arrived in Ziklag on the third day, that the Amalekite had spread out to the south and to Ziklag. They had attacked Ziklag and burned it with fire.* [2]*They had captured the women in it, from small to great, they did not kill a person but led them off and went their way.* [3]*When David and his men arrived at the city — and, behold, it was burned in fire, and their wives and sons and daughters had been captured! —* [4]*David and the people who were with him raised their voices and wept, until they had no strength to weep.* [5]*Both of David's wives had been captured — Ahinoam of Jezreel and Abigail, the [former] wife of Nabal the Carmelite.* [6]*David was very distressed, for the people were ready to stone him, for the soul of all the people was embittered, each over his sons and his daughters; but David drew strength from* HASHEM, *his God.*

David seeks Divine sanction

[7]*David said to Abiathar the Kohen, the son of Ahimelech, "Bring the Ephod to me now," so Abiathar brought the Ephod to David.* [8]*David inquired of* HASHEM, *saying, "Shall I pursue this band? Will I overtake them?" And He said to him, "Pursue, for you will surely overtake them and you will surely rescue."*

[9]*So David went, he and the six hundred men who were with him, and they came to the Besor Brook, where some men remained behind.* [10]*David pursued, he together with four hundred men, while two hundred men remained, who were too exhausted to cross the Besor Brook.* [11]*They found an Egyptian man in the field and took him to David; they gave him bread and he ate, and they gave him water to drink.* [12]*They gave him a cake of pressed figs and two raisin-clusters and he ate, and his spirit returned to him, for*

A fugitive leads David to the marauders

---

typical fate of the helpless, especially since the Amalekites were avenging themselves against David for his raids against them (27:8), when he was in exile under Achish (*Radak*).

6. וַתֵּצֶר לְדָוִד מְאֹד כִּי אָמְרוּ הָעָם לְסָקְלוֹ — *David was very distressed, for the people were ready to stone him.* Compounding the tragedy of his wives' abduction — when he still had no idea if they were still alive or if they were being mistreated — his own loyal followers threatened to kill him. Disconsolate and bitter over the Amalekite raid, they blamed David for leading them to the battlefield to assist Achish. Had he not done so, Ziklag would not have been left undefended (*Metzudos*). At the very least, he could have left part of his force behind to defend the women and children.

Sadly, it is not uncommon for loyalty to dissipate quickly when a leader's aura of invincibility is destroyed and he is seen to be vulnerable. Even David the king would find that friendship can be very fragile.

וַיִּתְחַזֵּק דָּוִד בַּה' אֱלֹהָיו — *But David drew strength from* HASHEM, *his God.* Despite the onslaught from his men, David was confident that God would enable him to pursue the Amalekites and liberate the prisoners and regain the booty (*Radak*).

This is the David who remains forever an inspiration to the Jewish people. Sent away by his Philistine protector, facing a family tragedy that broke the spirit of his men, threatened by them and left all alone, he does not despair. His faith in God not only remains unimpaired, it gives him strength in the worst of times.

7-8. God's counsel. Since the massacre of Nob, Abiathar, bearer of the *Urim v'Tumim* had been part of David's company. Now, David summoned him to bring the *Ephod* in order to consult God.

Kli Yakar suggests that the men were angry at David because they felt that he did not sufficiently empathize with their pain; he had not lost children as they had.

8. Although as a rule, if the *Urim v'Tumim* is asked two questions at once, it answers only the first (see note to 23:11), it makes an exception in urgent circumstances, in which case it answers both (*Yoma* 73b).

9-15. David is led to the marauders. Invigorated by the message of the *Urim v'tumim,* David and his men went in search of the captors, but did not know their whereabouts. Then, Divine Providence provided them with the lead that they needed.

9-10. וַיֵּלֶךְ דָּוִד...וַיִּרְדֹּף דָּוִד — *David went . . . David pursued.* David himself led the pursuit of the Amalekite raiders (*Me'am Loez*).

The stronger men went with David, and the two hundred weaker ones remained behind at the Besor Brook to guard the supplies. They did not return to Ziklag (*Radak*).

9. וְהַנּוֹתָרִים עָמָדוּ — *Where some men remained behind.* The translation follows *Radak*, that those remaining behind were the two hundred men mentioned in the next verse.

Alternatively, by this time more than the original six hundred men had gathered behind David (see *I Chronicles* Ch. 12), and those additional men were the ones who *remained behind,* at Ziklag, because their families had not been abduc-

יג לֹא־אָכַל לֶחֶם וְלֹא־שָׁתָה מַיִם שְׁלֹשָׁה יָמִים וּשְׁלֹשָׁה לֵילוֹת: וַיֹּאמֶר לוֹ
דָוִד לְמִי־אַתָּה וְאֵי מִזֶּה אָתָּה וַיֹּאמֶר נַעַר מִצְרִי אָנֹכִי עֶבֶד לְאִישׁ עֲמָלֵקִי וַיַּעַזְבֵנִי
יד אֲדֹנִי כִּי חָלִיתִי הַיּוֹם שְׁלֹשָׁה: אֲנַחְנוּ פָּשַׁטְנוּ נֶגֶב הַכְּרֵתִי וְעַל־אֲשֶׁר לִיהוּדָה וְעַל־
טו נֶגֶב כָּלֵב וְאֶת־צִקְלַג שָׂרַפְנוּ בָאֵשׁ: וַיֹּאמֶר אֵלָיו דָּוִד הֲתוֹרִדֵנִי אֶל־הַגְּדוּד הַזֶּה
וַיֹּאמֶר הִשָּׁבְעָה לִּי בֵאלֹהִים אִם־תְּמִיתֵנִי וְאִם־תַּסְגִּרֵנִי בְּיַד־אֲדֹנִי וְאוֹרִדְךָ אֶל־
טז הַגְּדוּד הַזֶּה: וַיֹּרִדֵהוּ וְהִנֵּה נְטֻשִׁים עַל־פְּנֵי כָל־הָאָרֶץ אֹכְלִים וְשֹׁתִים וְחֹגְגִים בְּכֹל
יז הַשָּׁלָל הַגָּדוֹל אֲשֶׁר לָקְחוּ מֵאֶרֶץ פְּלִשְׁתִּים וּמֵאֶרֶץ יְהוּדָה: וַיַּכֵּם דָּוִד מֵהַנֶּשֶׁף וְעַד־
הָעֶרֶב לְמָחֳרָתָם וְלֹא־נִמְלַט מֵהֶם אִישׁ כִּי אִם־אַרְבַּע מֵאוֹת אִישׁ־נַעַר אֲשֶׁר־
יח רָכְבוּ עַל־הַגְּמַלִּים וַיָּנֻסוּ: וַיַּצֵּל דָּוִד אֵת כָּל־אֲשֶׁר לָקְחוּ עֲמָלֵק וְאֶת־שְׁתֵּי
יט נָשָׁיו הִצִּיל דָּוִד: וְלֹא נֶעְדַּר־לָהֶם מִן־הַקָּטֹן וְעַד־הַגָּדוֹל וְעַד־בָּנִים וּבָנוֹת וּמִשָּׁלָל
כ וְעַד כָּל־אֲשֶׁר לָקְחוּ לָהֶם הַכֹּל הֵשִׁיב דָּוִד: וַיִּקַּח דָּוִד אֶת־כָּל־הַצֹּאן וְהַבָּקָר
כא נָהֲגוּ לִפְנֵי הַמִּקְנֶה הַהוּא וַיֹּאמְרוּ זֶה שְׁלַל דָּוִד: וַיָּבֹא דָוִד אֶל־מָאתַיִם הָאֲנָשִׁים
אֲשֶׁר־פִּגְּרוּ ׀ מִלֶּכֶת ׀ אַחֲרֵי דָוִד וַיֹּשִׁיבֻם בְּנַחַל הַבְּשׂוֹר וַיֵּצְאוּ לִקְרַאת דָּוִד

רד״ק

(יב) פלח דבלה. חתיכת דבילה: **(יד) נגב הכרתי.** כרתי שם משפחה מפלשתים כמו שנאמר עליהם גוֹי כְּרֵתִים (צפניה ב, ה) וְהִכְרַתִּי אֶת כְּרֵתִים (יחזקאל כה, טז) כי בארץ פלשתים ובארץ יהודה פשטו כמו שאמר אֲשֶׁר לָקְחוּ מֵאֶרֶץ פְּלִשְׁתִּים וּמֵאֶרֶץ יְהוּדָה (פסוק טז): **ועל נגב כלב.** הוא כלב בן חצרון משבט יהודה, ואף על פי שאמר וְעַל אֲשֶׁר לִיהוּדָה נחלת כלב זה היתה לה שם ידוע בפני עצמה, ונגב פירוש דרום כתרגומו, או פירושו ארץ מישור כי יקרא נגב כמו המדבר שיקרא נגב מפני החורב והוא מישור: **(טז) נטשים.** מענין ויטש על המחנה ענין התפשטות: **וחגגים.** מרקדים ומפזזים ומכרכרים כמו יָחוֹגּוּ וְיָנוּעוּ כַּשִּׁכּוֹר (תהלים קז, כז): **(יז) מהנשף ועד הערב למחרתם.** מערב יום זה עד ערב יום שני וכל אותו הערב עד הבקר שהוא המחרת, ומ״ם לְמָחֳרָתָם מחרת שני הנשפים שעברו, ומלת עד עומדת במקום שנים כאילו אמר ועד למחרתם, ולדעת רבותינו זכרונם לברכה שפירשו מֵהַנֶּשֶׁף וְעַד הָעֶרֶב ואמרו (ברכות ג, ב) תרי נשפי הוו נשף יממא ואתי ליליא נשף ליליא ואתי יממא אינו מתישב טעם המ״ם, ויונתן תרגם מקבלא ועד עדן רַמְשָׁא בְּיוֹמָא דְבַתְרוֹהִי ולא פירש שם טעם המ״ם, ובדרש אמר טעם המ״ם על העמלקים, לְמָחֳרָתָם המחרת שלהם, שהם למודים ללקות במחרת שנאמר וְצֵא הִלָּחֵם בַּעֲמָלֵק מָחָר (שמות יז ט): **(כ) נהגו לפני המקנה ההוא.** פירוש אדוני אבי זכרונו לברכה (סנהדרין כ, ב) לפני המקנה שלהם שהצילו נהגו הצאן והבקר שלקחו מהעמלקים, ובדברי רז״ל המלך פורץ לעשות לו דרך ואין ממחין בידו דכתיב נָהֲגוּ לִפְנֵי הַמִּקְנֶה הַהוּא וַיֹּאמְרוּ זֶה שְׁלַל דָּוִד, כלומר היו נוהגים המקנה לפני המחנה כמו שהיה דרכן וכשהיו פוגעין בגדרות השדות לא היו נוטין המקנה לצד אחד אלא פורצין לפניהם והולכין דרך ישר לפניהם, וכשהיו בעלי השדות ממחים בידן היו אומרים עבדי דוד זה שלל דוד כלומר הרשות בידו לפרוץ לו דרך כי מלך הוא וכל זה לפי שעה: **(כא) וישיבם בנחל הבשור.** כיון שפגרו הם מלכת אמרו להם דוד והארבע מאות איש, שישבו שם לשמור הכלים שהניחו כדי שילכו קלים וירדפו אחר העמלקים מהר שישיגום, ועכשיו בא דוד ואנשיו אליהם אל המקום אשר הניחום שם והושיבום על הכלים, והנה הם יצאו לקראתם כשראו מרחוק שהם באים:

מצודת דוד

(יג) למי אתה. עבד של מי אתה, ומאיזה עם אתה: **כי חליתי.** ולא יכולתי לילך בשוה לו, ולזה עזב אותי בדרך: **היום שלשה.** היום מלאו שלשה ימים: **(יד) ועל אשר ליהודה.** הנגב אשר ליהודה, כי כרתי היתה משל פלשתים, כמו שכתוב גוֹי כְּרֵתִים (צפניה ב, ה): **ועל נגב כלב.** עם שגם היא היתה מיהודה, מכל מקום היה לה שם ידוע לבד: **(טו) התורדני.** להראות דרך מהלכם: **ואם תסגרני.** או אם תסגרני וכו׳, יהי עליך עונש שבועת שקר: **(טז) כל הארץ.** אשר הם עליה: **בכל השלל.** רצה לומר, שמחתם היה בעבור כל השלל הגדול אשר לקחו: **(יז) מהנשף.** רצה לומר, מנשף יום זה עד ערב יום השני, וכל אותה הערב עד הבוקר אשר הוא למחרתם של שני הנשפים שעברו, ומלת וְעַד עומדת במקום שתים, כאלו אמר ועד הערב ועד למחרתם: **ולא נמלט מהם איש.** מאנשי רגלי: **(יט) ועד כל אשר לקחו.** אפילו מה שלקחו מפלשתים מנגב יהודה וכלב, הכל השיב דוד לעצמו: **(כ) ויקח דוד.** לקח לעצמו כל הצאן ובקר, אף מאשר שללו עמלק מבני פלשתים ויהודה: **נהגו לפני המקנה.** רצה לומר, מנהיגים לפנות הדרך, הלכו לפני המקנה ההוא, ובבוא מי מפלשתים ומיהודה לקחת מקנהו, אמרו זה שלל דוד, רצה לומר, אין לכם חלק בזה, כי דוד לעצמו שללו, ולא בעבור להחזיר לבעליו: **(כא) אל מאתים וכו׳.** רצה לומר, סמוך להם: **וישבם.** ודוד ואנשי (ואנשיו) הושיבום בעבר נחל הבשור לשמור הכלים: **ויצאו.** ממקום מושבם:

מצודת ציון

(יג) ואי מזה. איה העם שתאמר מזה אתה: **(טו) הגדוד.** החיל: **תסגרני.** תמסור אותי, כמו לְהַסְגִּיר לֶאֱדוֹם (עמוס א, ו): **(טז) נטשים.** מפוזרים, כמו וַיִּטֹּשׁ עַל הַמַּחֲנֶה (במדבר יא, לא): **וחגגים.** ענין רקידה וכרכור, כמו יָחוֹגּוּ וְיָנוּעוּ כַּשִּׁכּוֹר (תהלים קז, כז): **(יז) מהנשף.** מהערב, כמו נֶשֶׁף חִשְׁקִי (ישעיהו כא, ד): **(יט) ולא נעדר.** ולא נחסר, כמו אִישׁ לֹא נֶעְדָּר (שם מ, כו): **(כא) פגרו.** נחלשו:

ted (*Malbim*). *Abarbanel* suggests that David would not have left the women and children behind in Ziklag without any protection whatsoever. Surely there were men at Ziklag who were not battle worthy, but who could guard Ziklag in the ordinary course of events. [David did not fear attack from the neighboring Philistines, and he did not expect a surprise incursion by the Amalekites.]

13. The ordeal of the Egyptian youth provides eloquent testimony to the cruelty of Amalek. Once he became ill, they abandoned him to die, without food or water.

he had not eaten bread nor drunk water for three days and three nights. [13]*David said to him, "To whom do you belong? And where are you from?" He replied, "I am an Egyptian youth, the slave of an Amalekite man. My master abandoned me because I became ill, three days ago.* [14]*We raided the south of the Cherethite and the territory of Judah and the south of Caleb, and we burned down Ziklag with fire."* [15]*So David asked him, "Will you lead me to that band?" And he replied, "Swear to me by God that you will not kill me nor hand me over to my master, and I will lead you to that band."*

The chase succeeds

[16]*So he led him and there they were! — spread out across the face of the entire land, eating and drinking and celebrating with all the great spoils they had taken from the land of the Philistines and the land of Judah.* [17]*And David smote them from twilight until the evening of the next day; not a man of them survived, except for four hundred youths who were riding camels, who fled.* [18]*So David rescued everything that Amalek had taken, and David rescued his two wives.* [19]*No one among them was missing, from small to great, sons and daughters, as well as the spoils, including everything they had taken for themselves; David returned everything.* [20]*David took all the [Amalekite] sheep and cattle; they led them before that livestock and said, "This is the booty of David."*

[21]*David then came to the two hundred men who were too exhausted to go follow after David, whom he had stationed at the Besor Brook, and they went to meet David*

---

15. The Egyptian feared that David might kill him for having participated in the sack and destruction of Ziklag, or that he might be an ally of the Amalekites and therefore return him to a life of slavery under his master.

16-20. The prophecy is fulfilled. Just as the *Urim v'tumim* had foretold, David found the marauding band and saved all the families and the booty.

16. This verse indicates that the Amalekites were opportunists, who attacked anyone who was vulnerable. Knowing that the Philistines had gone to war and that David and his band had gone with them, and that many Jews from the tribe of Judah had joined Saul to defend the land, the Amalekites pillaged all those communities. Now, confident that they were safe, they engaged in a gluttonous orgy, Normally it would be expected for the revelers to molest their captives at such a time, but God protected them.

17. כִּי אִם אַרְבַּע מֵאוֹת אִישׁ נַעַר — *Except for four hundred youths.* That four hundred Amalekites survived was not a coincidence. When Esau and an army of four hundred men went out to destroy Jacob and his young family (see *Genesis* Chs. 32-33), God saved Jacob from Esau's wrath. When the two brothers parted, Esau's men deserted him one by one. As a reward, these Amalekites, the descendants of Esau's men, were spared from David's vengeance (*Rashi* to *Genesis* 33:16).

In the plain sense, the verse itself indicates why these four hundred were able to escape. They were *youths,* and therefore agile and swift, and *were riding camels (Malbim*).

19. Miraculously, none of the people had been harmed and all of the possessions were still intact and recovered.

20. וַיִּקַּח דָּוִד אֶת כָּל הַצֹּאן וְהַבָּקָר — *David took all the [Amalekite] sheep and cattle.* As verse 19 relates, David returned all the livestock that the Amalekites had looted from the Jews, but *David took* all the Amalekite livestock, for himself. As the king, or leader of the army, he was entitled to it, but, as the later verses states, he shared it with his men.

Indeed, halachically even the assets that had been looted by the raiders were now David's property, based on the rule of יֵאוּשׁ, *giving up hope of recovery.* [Accordingly, if belongings are lost, looted, or washed away in a flood, and the owner gives up hope of ever retrieving them, he forfeits his ownership.] Nevertheless, David returned them voluntarily to the citizens of Judah, as stated in verse 19 (*Radak*, see *Malbim*).

נָהֲגוּ לִפְנֵי הַמִּקְנֶה הַהוּא — *They led them before that livestock.* "That livestock" is the livestock that David was returning to the people of Judah. In front of those herds, his men led the Amalekite animals, as a form of tribute to their leader (*Mahari Kara).* The Sages interpret this phrase to imply that if a king's progress is blocked by a fence enclosing private property, the king's men are allowed to break through the fence, and when landowners complained, they would be told, as the verse concludes, *This is the booty of David* (*Radak*). Based on this interpretation of the Sages, we must assume that David had royal status even though Saul was still alive.

21-31. David's generous spirit. David set a standard of generosity for his followers, which would extend to the nation as a whole. Although he was entitled to keep all the spoils of the successful battle, and although his fighting men were loath to share anything with those who did not join in the fray, David rejected such claims out of hand.

כב וְלִקְרַאת הָעָם אֲשֶׁר־אִתּוֹ וַיִּגַּשׁ דָּוִד אֶת־הָעָם וַיִּשְׁאַל לָהֶם לְשָׁלוֹם׃ וַיַּעַן
כָּל־אִישׁ־רָע וּבְלִיַּעַל מֵהָאֲנָשִׁים אֲשֶׁר הָלְכוּ עִם־דָּוִד וַיֹּאמְרוּ יַעַן אֲשֶׁר לֹא־הָלְכוּ
עִמִּי לֹא־נִתֵּן לָהֶם מֵהַשָּׁלָל אֲשֶׁר הִצַּלְנוּ כִּי־אִם־אִישׁ אֶת־אִשְׁתּוֹ וְאֶת־בָּנָיו
כג וְיִנְהֲגוּ וְיֵלֵכוּ׃ וַיֹּאמֶר דָּוִד לֹא־תַעֲשׂוּ כֵן אֶחָי אֵת אֲשֶׁר־נָתַן יְהֹוָה לָנוּ וַיִּשְׁמֹר
כד אֹתָנוּ וַיִּתֵּן אֶת־הַגְּדוּד הַבָּא עָלֵינוּ בְּיָדֵנוּ׃ וּמִי יִשְׁמַע לָכֶם לַדָּבָר הַזֶּה כִּי כְּחֵלֶק ׀
כה הַיֹּרֵד בַּמִּלְחָמָה וּכְחֵלֶק הַיֹּשֵׁב עַל־הַכֵּלִים יַחְדָּו יַחֲלֹקוּ׃ וַיְהִי מֵהַיּוֹם
כו הַהוּא וָמָעְלָה וַיְשִׂמֶהָ לְחֹק וּלְמִשְׁפָּט לְיִשְׂרָאֵל עַד הַיּוֹם הַזֶּה׃ וַיָּבֹא דָוִד
אֶל־צִקְלַג וַיְשַׁלַּח מֵהַשָּׁלָל לְזִקְנֵי יְהוּדָה לְרֵעֵהוּ לֵאמֹר הִנֵּה לָכֶם בְּרָכָה מִשְּׁלַל
כז-כח אֹיְבֵי יְהֹוָה׃ לַאֲשֶׁר בְּבֵית־אֵל וְלַאֲשֶׁר בְּרָמוֹת־נֶגֶב וְלַאֲשֶׁר בְּיַתִּר׃ וְלַאֲשֶׁר בַּעֲרֹעֵר
כט וְלַאֲשֶׁר בְּשִׂפְמוֹת וְלַאֲשֶׁר בְּאֶשְׁתְּמֹעַ׃ וְלַאֲשֶׁר בְּרָכָל וְלַאֲשֶׁר בְּעָרֵי הַיְּרַחְמְאֵלִי
ל וְלַאֲשֶׁר בְּעָרֵי הַקֵּינִי׃ וְלַאֲשֶׁר בְּחָרְמָה וְלַאֲשֶׁר °בְּבוֹר־עָשָׁן וְלַאֲשֶׁר בַּעֲתָךְ׃ וְלַאֲשֶׁר
לא בְּחֶבְרוֹן וּלְכָל־הַמְּקֹמוֹת אֲשֶׁר־הִתְהַלֶּךְ־שָׁם דָּוִד הוּא וַאֲנָשָׁיו׃

°נ״א בְּכוֹר

לא

א וּפְלִשְׁתִּים נִלְחָמִים בְּיִשְׂרָאֵל וַיָּנֻסוּ אַנְשֵׁי יִשְׂרָאֵל מִפְּנֵי פְלִשְׁתִּים וַיִּפְּלוּ חֲלָלִים בְּהַר
ב הַגִּלְבֹּעַ׃ וַיַּדְבְּקוּ פְלִשְׁתִּים אֶת־שָׁאוּל וְאֶת־בָּנָיו וַיַּכּוּ פְלִשְׁתִּים אֶת־יְהוֹנָתָן וְאֶת־
ג אֲבִינָדָב וְאֶת־מַלְכִּי־שׁוּעַ בְּנֵי שָׁאוּל׃ וַתִּכְבַּד הַמִּלְחָמָה אֶל־שָׁאוּל וַיִּמְצָאֻהוּ
ד הַמּוֹרִים אֲנָשִׁים בַּקָּשֶׁת וַיָּחֶל מְאֹד מֵהַמּוֹרִים׃ וַיֹּאמֶר שָׁאוּל לְנֹשֵׂא כֵלָיו

רד״ק

ויגש דוד את העם. כמו אל העם, כמו וְהֶרְאָה אֶת הַכֹּהֵן (ויקרא יג, מט) אֶת מִי הִגַּדְתָּ מִלִּין (איוב כו, ד) ופירושו קרב אליהם ושאל להם לשלום, ויונתן תרגם וַעֲרַע דָּוִד יַת עַמָּא ובנוסחא אחרת וקריב דוד לות עמא: **(כד) יחדו יחלקו.** כחלק זה כן חלק זה כי יחדו יחלוקו: **(כו) לרעהו לאמר.** כמו לרעיו, וכמוהו מגן גבריהו (נחום ב, ד) כמו גבוריו, בְּהִתְפַּלְלוֹ בְּעַד רֵעֵהוּ (איוב מב, י) בעד רעיו: **(לא) אשר התהלך שם.** שהיה מתהלך ביניהם ממקום למקום כשהיה בורח והיו מסתירים אותו ועושים עמו טובות, עשה גם כן הוא טובה מהשלל, ועוד כי מארץ יהודה היה השלל ההוא כמו שאמר הנער המצרי אֲנַחְנוּ פָּשַׁטְנוּ נֶגֶב הַכְּרֵתִי וְעַל אֲשֶׁר לִיהוּדָה וגו׳ (פסוק יד): **(ב) וידבקו.** כמו וידביקו וכן וַיַּדְרְכוּ אֶת לְשׁוֹנָם (ירמיהו ט, ב) ענינו ענין השגה, ואלה שלשה בני שאול שזכר הם שהיו יוצאים עמו במלחמה לפיכך מתו עמו, ואיש בשת נשאר בבית כי לא היה יוצא במלחמה: **(ג) המורים.** אנשים מורים בקשת, תרגום יונתן קַשְׁתַּיָא גַבְרִין דְאוּמָנִין לְמֵיגַד בְּקַשְׁתָּא: **ויחל.** ענין חיל ופחד כי לא הכוהו עדיין אבל פחד מהם:

מצודת דוד

(כב) איש וכו׳. לכל איש את אשתו ובניו, וינהגו לעצמם וילכו להם, אבל לא יחלקו עמנו בשלל, אף של עצמם לא יקחו: **(כג) את אשר נתן.** רצה לומר, וכי בכח ידינו לקחנו, הלא הוא את אשר נתן ה׳ לנו, ושמר אותנו כי לא נפקד ממנו איש, והוא מסר את הגדוד בידינו, ואם מה׳ נעשית, הלא כולנו עם ה׳ אנחנו: **(כד) ומי ישמע.** רצה לומר, ואף אם נעשתה בעוצם ידינו, מכל מקום מי ישמע לכם לדבר הזה, כי הלא על כל פנים ישבו לשמור הכלים, אם כן מהראוי לחלוק עמהם שוה בשוה, כי כן הוא הנהוג מאז, שיהיה כְּחֵלֶק הַיֹּרֵד וכו׳, ויחדיו יחלוקו מבלי קדימה כלל ליורדי המלחמה, כי אם לא ישמרו הם הכלים, לא היה מהאפשר להלוחמים להלחם: **(כה) ויהי וכו׳.** רצה לומר, כן הנהיג דוד לעולם, ועשה הדבר הזה לחוק ומשפט לישראל: **עד היום הזה.** רצה לומר, עד הזמן שגלו ישראל, ולא נתעסקו עוד במלחמה: **(כז) לאשר וכו׳.** לזקני יהודה רעיו, אשר הם בבית אל וכו׳: **(לא) אשר התהלך שם.** בעת ברחו מפני שאול. **(א) ופלשתים נלחמים.** כאומר נחזור לענין הראשון: **(ג) את שאול.** כי בניו כבר הרגו, והיתה כל פני המלחמה אליו לבד: **המורים אנשים בקשת.** כמו אנשים המורים בקשת, ורצה לומר, שמצאו מקומו אשר נטמן בה, ופחד מהם שלא יתעללו בו:

מצודת ציון

(כב) יען. בעבור: **(כד) כחלק וגו׳ וכחלק.** רצה לומר כחלק זה, כן חלק זה: **(כה) לחק.** לדבר קבוע: **ולמשפט.** למנהג, וכפל הדבר במלות שונות: **(כו) לרעהו.** לכל ריע ורעה, וכן בְּהִתְפַּלְלוֹ בְּעַד רֵעֵהוּ (איוב מב, י): **ברכה.** מנחה ומתנה, כמו וְעַתָּה הַבְּרָכָה (לעיל כה, כז): **(ב) וידבקו.** השיגום, עד שהיו דבוקים להם: **(ג) המורים.** הזורקים בחצים, כמו אֲשֶׁר אָנֹכִי מוֹרֶה (לעיל כ, לו): **ויחל.** מלשון חלחלה ופחד:

22. וַיַּעַן כָּל אִישׁ רָע וּבְלִיַּעַל — *Every mean-spirited and base person ... spoke up.* Though one might have thought that the fighters were entitled to expect a great reward for risking their lives in what they thought could be a battle to the death, Scripture leaves no doubt that such sentiments are selfish and unacceptable. They are condemned in unusually harsh terms. Their behavior is even more crude in view of David's solicitous greeting of the two hundred men who could not join in the chase.

23. לֹא תַעֲשׂוּ כֵן אֶחָי — *"Do not act so, my brothers."* Though Scripture itself testifies harshly to the baseness of the complainers, David speaks to them with sensitivity. He urges them to recognize that whatever they gained in war was given to them by God and, therefore, they had no right to hoard it for themselves. To the contrary, their gratitude to the Giver of victory and the safe return of their loved ones was being tested by how they responded to God's generosity. It would be wrong of them to deny their weaker comrades a share of their gains.

25. וַיְשִׂמֶהָ לְחֹק וּלְמִשְׁפָּט לְיִשְׂרָאֵל — *[David] made this a decree*

and to meet the people who were with him. David approached the people and inquired after their welfare. [22]Every mean-spirited and base person of the men who had gone with David spoke up and said, "Since they did not go with me, we will not give them of the spoils that we rescued, except to each man his wife and his children; let them take them and go." [23]But David said, "Do not act so, my brothers, with that which HASHEM has given us, for He has watched over us and delivered into our hands the band that had come upon us. [24]Who could hearken to you to such a thing! Rather, like the portion of the one who went into battle, so is the portion of the one who remained with the baggage; they shall divide [it] equally." [25]And it was from that day on, that [David] made this a decree and a law in Israel, until this day.

The new decree: an equal division of spoils

[26]When David arrived at Ziklag, he sent some of the spoils to the elders of Judah, to his allies, saying, "Here is a gift for you, from the spoils of the enemies of HASHEM!" [27][He sent] to those in Beth-el, to those in Ramot of the South, and to those in Jattir; [28]and to those in Aroer and to those in Siphmoth and to those in Eshtemoa; [29]and to those in Rachal and to those in the Jerahmeelite cities and to those in the Kenite cities; [30]and to those in Hormah and to those in Cor-ashan and to those in Athach, [31]and to those in Hebron; and to those in all the places where David had traveled — he and his men.

31 THE DEATH OF SAUL
31:1-II-1:27

[1]The Philistines were battling with Israel, and the men of Israel ran off from before the Philistines and fell slain upon Mount Gilboa. [2]The Philistines concentrated on Saul and his sons, and the Philistines slew Jonathan, Abinadab, and Malchi-shua, the sons of Saul. [3]The battle bore down heavily against Saul. The archers — the men with bows — found him, and Saul was terrified of the archers. [4]Saul said to his armor-bearer,

---

and a law in Israel. Although the verse makes it seem that David originated the policy that those in the rear should share equally with those who were in the front lines, this policy did not originate with him. The Patriarch Abraham had acted similarly (*Rashi* to *Genesis* 14:24); however our verse credits this policy to David, because the practice had been forgotten and he reinstituted it (*Me'am Loez).*

Although God commanded Moses to include everyone in the division of spoils of the war against Midian (*Numbers* 31:27), that commandment was not a permanent requirement, nor was it the precedent David followed. In the case of Midian, half the loot went to the warriors and half to the rest of the nation, including the masses who had no involvement with the battle. David, however, like Abraham, divided the spoils equally only among all members of the army, and did not differentiate between those who fought and those who protected the rear lines (*Abarbanel).*

26-31. During the long flight from Saul, David and his men had benefited from the friendship and hospitality of many towns. Now he showed his appreciation by sharing his spoils with them (*Radak*). Again, David set an example of unselfishness and gratitude.

31.

⚜ The end of Saul's life. Saul's reign comes to an end, as prophesied by Samuel, and with it, the nation suffers an ignominious defeat at the hands of the Philistine invaders.

1-6. The death of Saul and Jonathan. Although Saul knew that he would die on the battlefield, he bravely went to defend his people against the Philistines. Not only that, this great man faced his death with a sense of responsibility to bring credit to God and Israel. Ironically, he had become king to save the nation from the Philistines; now they became the agents of his downfall.

1. וַיָּנֻסוּ...וַיִּפְּלוּ חֲלָלִים — *And the men of Israel ran off . . . and fell slain.* There is cause and effect here. The Sages (*Sotah* 44b) teach תְּחִלַּת נְפִילָה נִיסָה, *the beginning of downfall is flight* (*Abarbanel*).

2. וַיַּדְבְּקוּ פְלִשְׁתִּים אֶת שָׁאוּל וְאֶת בָּנָיו — *The Philistines concentrated on Saul and his sons.* The Jewish army had fled — apparently even Abner, Saul's general, deserted the field — but Saul and his sons held their ground and fought on. Now the Philistines concentrated their assault against them. Saul's fourth son, Ish-boshes, is not mentioned here. Either he did not come to the battle because he was not strong enough (*Radak*), or he fled with Abner and the others (*Abarbanel).*

3. Afraid to engage in hand-to-hand combat with Saul, the Philistines used archers to attack the mighty and valiant warrior.

וַיָּחֶל מְאֹד מֵהַמּוֹרִים — *Saul was terrified of the archers.* The righteous man who fought alone against overwhelming odds, knowing from Samuel's prophecy that he would not survive the battle, was not afraid of death. The next verse explains the reason for his fear. He was afraid that he would be wounded but remain alive, and then the Philistines would parade him around and use his capture to desecrate the Name of God (*Abarbanel*).

שְׁלֹף חַרְבְּךָ ׀ וְדָקְרֵנִי בָהּ פֶּן־יָבוֹאוּ הָעֲרֵלִים הָאֵלֶּה וּדְקָרֻנִי וְהִתְעַלְּלוּ־בִי וְלֹא
ה אָבָה נֹשֵׂא כֵלָיו כִּי יָרֵא מְאֹד וַיִּקַּח שָׁאוּל אֶת־הַחֶרֶב וַיִּפֹּל עָלֶיהָ׃ וַיַּרְא נֹשֵׂא־כֵלָיו
ו כִּי־מֵת שָׁאוּל וַיִּפֹּל גַּם־הוּא עַל־חַרְבּוֹ וַיָּמָת עִמּוֹ׃ וַיָּמָת שָׁאוּל וּשְׁלֹשֶׁת בָּנָיו וְנֹשֵׂא
ז כֵלָיו גַּם כָּל־אֲנָשָׁיו בַּיּוֹם הַהוּא יַחְדָּו׃ וַיִּרְאוּ אַנְשֵׁי־יִשְׂרָאֵל אֲשֶׁר־בְּעֵבֶר הָעֵמֶק
וַאֲשֶׁר ׀ בְּעֵבֶר הַיַּרְדֵּן כִּי־נָסוּ אַנְשֵׁי יִשְׂרָאֵל וְכִי־מֵתוּ שָׁאוּל וּבָנָיו וַיַּעַזְבוּ אֶת־
ח הֶעָרִים וַיָּנֻסוּ וַיָּבֹאוּ פְלִשְׁתִּים וַיֵּשְׁבוּ בָּהֶן׃ וַיְהִי מִמָּחֳרָת וַיָּבֹאוּ
פְלִשְׁתִּים לְפַשֵּׁט אֶת־הַחֲלָלִים וַיִּמְצְאוּ אֶת־שָׁאוּל וְאֶת־שְׁלֹשֶׁת בָּנָיו נֹפְלִים בְּהַר
ט הַגִּלְבֹּעַ׃ וַיִּכְרְתוּ אֶת־רֹאשׁוֹ וַיַּפְשִׁטוּ אֶת־כֵּלָיו וַיְשַׁלְּחוּ בְאֶרֶץ־פְּלִשְׁתִּים סָבִיב
י לְבַשֵּׂר בֵּית עֲצַבֵּיהֶם וְאֶת־הָעָם׃ וַיָּשִׂמוּ אֶת־כֵּלָיו בֵּית עַשְׁתָּרוֹת וְאֶת־גְּוִיָּתוֹ תָּקְעוּ
יא בְּחוֹמַת בֵּית שָׁן׃ וַיִּשְׁמְעוּ אֵלָיו יֹשְׁבֵי יָבֵישׁ גִּלְעָד אֵת אֲשֶׁר־עָשׂוּ פְלִשְׁתִּים
יב לְשָׁאוּל׃ וַיָּקוּמוּ כָּל־אִישׁ חַיִל וַיֵּלְכוּ כָל־הַלַּיְלָה וַיִּקְחוּ אֶת־גְּוִיַּת שָׁאוּל וְאֵת גְּוִיֹּת
יג בָּנָיו מֵחוֹמַת בֵּית שָׁן וַיָּבֹאוּ יָבֵשָׁה וַיִּשְׂרְפוּ אֹתָם שָׁם׃ וַיִּקְחוּ אֶת־עַצְמֹתֵיהֶם
וַיִּקְבְּרוּ תַחַת־הָאֶשֶׁל בְּיָבֵשָׁה וַיָּצֻמוּ שִׁבְעַת יָמִים׃

רש"י

(יא) וישמעו אליו. כמו עליו, על שאול: **(יב) וישרפו אתם שם.** (תרגום), וּקְלוֹ עֲלֵיהוֹן כְּמָא דִּקְלָן עַל מַלְכַיָּא תַּמָּן, כדתנן (עבודה זרה יא א) שורפין על המלכים ולא מדרכי האמורי:

רד"ק

(ד) ודקרני והתעללו בי. בהרגם אותי דקירות הרבה דרך נקמה ובזיון, וכן אֲשֶׁר הִתְעַלַּלְתִּי בְּמִצְרַיִם (שמות י, ב) וכל לשון התפעל בזה הוא עצם המעשה ההוא באיזה מעשה שיהיה שיבא זה הלשון, ותרגם יונתן וְיִתְלַעֲבוּן בִּי לשון תעתוע ובזיון וכן וְהָיִיתִי בְעֵינָיו כִּמְתַעְתֵּעַ (בראשית כז, יב) כמתלעב: **כי מת שאול.** קרוב למיתה כמו בצאת נפשה כי מתה כי לא מת עדיין עד שהמיתו העמלקי כמו שאמר הוא בבשורתו לדוד (לקמן־ב א, י), ואפשר כי כזב העמלקי כי לא המיתו הוא אלא מצאו מת אחר שנפל על חרבו ולמצוא חן בעיני דוד לפי מחשבתו אמר כן, ולא חטא שאול בהרגו עצמו ואף על פי שכתוב אַךְ אֶת דִּמְכֶם לְנַפְשֹׁתֵיכֶם אֶדְרֹשׁ (בראשית ט, ה) כלומר מידכם אדרוש אותו אם תהרגו עצמכם וכן מִיַּד כָּל־חַיָּה אֶדְרְשֶׁנּוּ וּמִיַּד אִישׁ אָחִיו, (שם) אף על פי כן לא חטא לפי שהיה יודע שאול כי סופו היה למות במלחמה כי כן אמר לו שמואל (לעיל כח, יט) ועוד כי ראה כי מצאוהו המורים אנשים בקשת ולא היה יכול להמלט מידם, טוב היה שיהרוג הוא עצמו ולא יתעללו בו הערלים, וכן אמרו רבותינו זכרונם לברכה (בראשית רבה לד, ה) אַךְ אֶת דִּמְכֶם לְנַפְשֹׁתֵיכֶם אֶדְרֹשׁ יכול כשאול תלמוד לומר אך: **(ו) גם כל אנשיו.** הסמוכים אליו במלחמתו מתו בהר הגלבוע והשאר נסו: **(ז) אשר בעבר העמק ואשר בעבר הירדן.** תרגם יונתן דִּבְעִבְרָא דְּמֵישְׁרָא, ופירוש הערים שהיו בעבר המישור הסמוך לארץ פלשתים, וכן בעבר הירדן המקומות סמוכות לירדן וסמוכות לארץ פלשתים ולא היתה בהם עיר מבצר ועזבו אותם: **(ט) את כליו.** מה שמצאו בו בגדיו וכלי זיינו כי הנזר והאצעדה העמלקי לקחם (שמואל־ב א, י): **(י) בית עשתרות.** אלהיהם והם פסילי העשתרות שהם אלהיהם והם צלמים העשוים בצורות עשתרות כמו עַשְׁתְּרֹת צֹאנֶךָ (דברים ז, יג) ובדברי הימים (־א י, י) כתב בֵּית אֱלֹהֵיהֶם והם היו העשתרות שהיו אלהיהם: **ואת גויתו תקעו בחומת בית שן.** תקעוה במסמרים ובדברי הימים (שם) כתיב וְאֶת גֻּלְגָּלְתּוֹ תָקְעוּ בֵּית דָּגוֹן, מה שלא נזכר הנה הוא נזכר שם כי זה וזה היה, כי גויתו תקעו בחומת בית שן וגלגלתו בית דגון שהרי כרתו ראשו כמו שנאמר וַיִּכְרְתוּ אֶת רֹאשׁוֹ (פסוק ט) ושם אמר וישאו את ראשו ואת כליו ובאמרו וְאֶת גְּוִיָּתוֹ קצר שהרי גויית בניו תקעו גם כן בחומת בית שן: **(יא) וישמעו אליו.** כמו עליו וכן תרגם יונתן וּשְׁמָעוּ עֲלוֹהִי: **(יב) וישרפו אותם שם.** תרגום יונתן וּקְלוֹ עֲלֵיהוֹן כְּמָא דְקָלַן עַל מַלְכַיָּא תַּמָּן, אפשר שהיה דעתו כמו שכתבו רבותינו זכרונם לברכה (עבודה זרה יא, א) שורפין על המלכים, ומה הם שורפין עליהם מטתן וכלי תשמישן, או דעתו על שריפת בשמים כמו וַיַּחַנְטוּ הָרֹפְאִים (בראשית נ, ב), ויתכן לפרש כי הבשר שרפו שהעלה רמה ולא רצו לקברם עם התולעים כי לא היה דרך כבוד ושרפו הבשר וקברו העצמות: **(יג) תחת האשל.** ובדברי הימים (־א י, יב) תַּחַת הָאֵלָה, אשל הוא כלל לכל עץ וכן וַיִּטַּע אֶשֶׁל (בראשית כא, לג) כתרגומו וּנְצִיב נְצִיבָא, ובדברי הימים פירש שזה העץ היה אלה: **ויצמו שבעת ימים.** זכר לאותן שבעת ימים שנתן להם זמן נחש העמוני (לעיל יא, ג) ובאותו זמן נושעו על ידי שאול, ולפיכך נתעסקו בו אנשי יבש כי זכרו אותה התשועה שנושעו על ידו:

מצודת דוד

(ד) ודקרני בה. רצה לומר, דקירת מות: **ודקרוני והתעללו בי.** רצה לומר, דקירות מכאיבות, ולהשאר חי ויתעללו בי: **כי ירא.** פחד מה', לשלוח יד במשיחו: **ויפול עליה.** להמית את עצמו: **(ה) כי מת.** רצה לומר, קרוב למות, כי בן איש גר העמלקי השלים מיתתו, כמו שכתוב בשמואל ב (א י): **(ו) אנשיו.** עבדיו עושי רצונו: **(ז) בעבר העמק.** הוא עמק יזרעאל, שהיה סמוך למקום המלחמה: **(יא) וישמעו אליו.** כמו עליו, וחוזר ומפרש את אשר עשו פלשתים לשאול, לתקוע גויתו בחומה: **(יב) וישרפו.** על הבשר יאמר, על כי נסרחו ורמה עלתה בהם, לזה שרפו אותם. או על כלי תשמישו יאמר, כי כן הדרך לשרוף כלי תשמישי המלך, לבל ישתמש בהם אחר, וכן אמרו רבותינו זכרונם לברכה שורפין על המלכים: **(יג) ויצומו.** מחמת צער ואבל, על כי עזרם במלחמה מול בני עמון, כמו שכתוב למעלה (פרק יא):

מצודת ציון

(ד) שלף. ענין הוצאת החרב מתערה, כמו וַיִּשְׁלְפָהּ מִתַּעְרָהּ (לעיל יז, נא): **ודקרני.** ענין נעיצה, כמו אֲשֶׁר דָּקָרוּ (זכריה יב, י): **והתעללו.** ענין לעג שחוק ובזיון, כמו כִּי הִתְעַלַּלְתְּ בִּי (במדבר כב, כט): **ולא אבה.** ולא רצה: **(ח) לפשט.** להסיר בגדיהם, כמו וּפָשַׁט אֶת בְּגָדָיו (ויקרא ו, ד): **נפלים.** רוצה לומר נופלים בארץ פגרים מתים: **(ט) כליו.** בגדיו וכלי זיינו: **וישלחו.** את שלוחיהם: **בית עצביהם.** אנשי בית עבודת כוכבים הקרוים עצבים, כי מעציבים לב עובדיהם, צועקים אליהם ואינם עונים: **(י) עשתרות.** שם עבודת כוכבים מה: **גויתו.** גופו, כמו וּגְוִיָּתוֹ כְתַרְשִׁישׁ (דניאל י, ו): **תקעו.** תלאו [תלו], כמו וְהוֹקַע אוֹתָם לַה' (במדבר כה, ד): **(יג) האשל.** שם אילן מה: **ויצמו.** התענו:

"Draw your sword and stab me with it, lest these uncircumcised people come and stab me and make sport of me." But his armor-bearer did not consent, for he was very frightened, so Saul took the sword himself and fell upon it. [5]When the armor-bearer saw that Saul was dying he also fell upon his sword to die with him. [6]So Saul and his three sons and his armor-bearer, as well as all of his men, died together on that day.

Jewish demoralization and Philistine plunder

[7]When the men of Israel, who were on the other side of the valley and on the other side of the Jordan, saw that the men of Israel had fled and that Saul and his sons had died, they abandoned their cities and fled, and the Philistines came and settled in them. [8]It happened the next day, when the Philistines came to plunder the corpses, that they found Saul and his three sons, fallen on Mount Gilboa. [9]They severed his head and stripped off his gear, and sent heralds all about the land of the Philistines to inform [those in] the temple of their idols and the people. [10]They placed his gear in the temple of Ashtaroth, and they hung his remains upon the wall of Beth-shan.

A daring rescue of Saul's remains

[11]The inhabitants of Jabesh-gilead heard about him — about what the Philistines had done to Saul — [12]and all the daring men arose and went throughout the night, and took the remains of Saul and the remains of his sons from the wall of Beth-shan, and came back to Jabesh. They burned them there. [13]They then took their bones and buried them under the tamarisk tree in Jabesh, and they fasted seven days.

---

4. Saul ordered his armor-bearer to kill him, lest the Philistines capture him alive, but the lad refused, afraid of Heavenly punishment if he dared kill the anointed of God (*Metzudos*). Thereupon Saul killed himself. Although suicide is a grave transgression (*Genesis* 9:5), the Sages explain that Saul's case was an exception. *Radak* explains that this was because Saul knew that he would die anyway, as Samuel had told him, and reasoned that it was better to die by his own hand than be tortured, killed, mocked, and disgraced — and then killed — by the Philistines.

Furthermore, what the Philistines would surely do to him would be a desecration of God's Name, and death is preferable to that (*Yam shel Shlomo, Bava Kamma* 8:58). For a full discussion of this topic, see *Nachalas Shimon* Ch. 58.

5. כִּי מֵת שָׁאוּל — *That Saul was dying* [lit. *that Saul was dead*]. According to the account in *II Samuel* 1:10, Saul was dying but not dead, at this point, but he was so gravely wounded that his armor-bearer thought he was dead (*Radak*). *Radak*'s justification for Saul's suicide would not apply to the armor-bearer. *Abarbanel* comments that the lad was so overcome by his master's death that he preferred death to life; as he had escorted his master in life, so he escorted him in death.

6. גַּם כָּל אֲנָשָׁיו — *As well as all of his men,* i.e., all the men who did flee from the Philistine assault.

7-13. Demoralization and plunder. Not only the Jewish warriors, but the civilians were terrified by the defeat and fled the area. The Philistines, meanwhile, mutilated and desecrated Saul's body, proving that the considerations that motivated his suicide were justified.

7. כִּי נָסוּ...וְכִי מֵתוּ — *Had fled . . . had died.* The people abandoned their towns because (1) since the army had fled, there was no one to protect them, and (2) without the king, there was no one to rally the nation to their defense, as Saul had done when he became king (*Malbim*).

9-10. In the frenzy of their victory, the Philistines' barbarism showed itself. They displayed Saul's gear in a temple of their idol and nailed his body to the wall of Beth Shan (*Radak*). They hung his skull in the Temple of their idol Dagon (*I Chronicles* 10:10).

Presumably, the Philistines chose to display his head in the temple of Dagon in vengeance for the punishment that God had inflicted upon Dagon years before, after the Philistines had captured the Ark of God. They had brought the Ark to Dagon's temple, and the idol tumbled down, breaking off its head and arms. Now, the Philistines reveled in displaying the head of their nemesis in the very place where their idol had been decapitated (*Malbim* ibid.).

11-13. A daring rescue. The inhabitants of Jabesh-gilead never forgot what Saul had done for them when he first became king. King Nahash of Ammon had threatened them with servitude and mutilation and gave them seven days to respond to his ultimatum. Saul, who had not yet asserted his authority as the newly anointed king, rose to the occasion and rescued them (see Ch. 11). Now, they repaid him posthumously by risking great danger to rescue his remains from the midst of the Philistine stronghold.

12. וַיִּשְׂרְפוּ אֹתָם שָׁם — *They burned them there.* They burned Saul's possessions, in accord with the Talmudic dictum that no one may use the personal belongings of the king (*Rashi*). Alternatively, the bodies had become decomposed and infested from exposure, so the people burned the flesh [or used chemicals that "burned away" the flesh (*Malbim*)] leaving the bones for burial (*Radak*).

וַיִּקְבְּרוּ תַחַת הָאֶשֶׁל בְּיָבֵשָׁה — *And buried them under the tamarisk tree in Jabesh.* Later, David brought the remains of Saul and his sons for burial by the grave of Saul's father, Kish (*II Samuel* 21:12).

Abarbanel comments that Saul suffered two punishments:

the loss of his throne and violent deaths of himself and all his offspring (those of his offspring are recounted in *II Samuel*). He lost the kingship because he failed to complete his mission of exterminating Amalek. His family suffered deaths by the sword in expiation for his ordering the killing of the Kohanim of Nob.

Despite the lists of Saul's sins, in Scripture and by the Sages (see *Vayikra Rabbah* 26), it must be understood that he was not only valiant and dedicated, but also righteous. Indeed, the Talmud teaches that God Himself testified that Saul was even more righteous than David: "Had David been Saul and had Saul been David, God would have destroyed many Davids for his sake" (*Moed Katan* 16b). Furthermore, the Midrash (*Bereishis Rabbah* 54:4) teaches: "Seven righteous men were killed by the Philistines: Hophni, Phinehas, Samson, Saul, and his three sons". Clearly, Saul was a great man and, as David shows in his eulogy in the next chapter, his loss was a great tragedy for the Jewish people.

שמואל ב
II Samuel

א

א וַיְהִ֗י אַחֲרֵי֙ מ֣וֹת שָׁא֔וּל וְדָוִ֣ד שָׁ֔ב מֵהַכּ֖וֹת אֶת־הָעֲמָלֵ֑ק וַיֵּ֧שֶׁב דָּוִ֛ד בְּצִקְלָ֖ג יָמִ֥ים
ב שְׁנָֽיִם׃ וַיְהִ֣י ׀ בַּיּ֣וֹם הַשְּׁלִישִׁ֗י וְהִנֵּ֨ה אִ֜ישׁ בָּ֤א מִן־הַֽמַּחֲנֶה֙ מֵעִ֣ם שָׁא֔וּל וּבְגָדָ֣יו
ג קְרֻעִ֔ים וַאֲדָמָ֖ה עַל־רֹאשׁ֑וֹ וַיְהִי֙ בְּבֹא֣וֹ אֶל־דָּוִ֔ד וַיִּפֹּ֥ל אַ֖רְצָה וַיִּשְׁתָּֽחוּ׃ וַיֹּ֤אמֶר לוֹ֙
ד דָּוִ֔ד אֵ֥י מִזֶּ֖ה תָּב֑וֹא וַיֹּ֣אמֶר אֵלָ֔יו מִמַּחֲנֵ֥ה יִשְׂרָאֵ֖ל נִמְלָֽטְתִּי׃ וַיֹּ֧אמֶר אֵלָ֛יו דָּוִ֖ד מֶה־
הָיָ֥ה הַדָּבָ֖ר הַגֶּד־נָ֣א לִ֑י וַ֠יֹּאמֶר אֲשֶׁר־נָ֨ס הָעָ֜ם מִן־הַמִּלְחָמָ֗ה וְגַם־הַרְבֵּ֞ה נָפַ֤ל מִן־
ה הָעָם֙ וַיָּמֻ֔תוּ וְגַ֗ם שָׁא֛וּל וִיהוֹנָתָ֥ן בְּנ֖וֹ מֵֽתוּ׃ וַיֹּ֣אמֶר דָּוִ֔ד אֶל־הַנַּ֖עַר הַמַּגִּ֣יד ל֑וֹ אֵ֣יךְ
ו יָדַ֔עְתָּ כִּי־מֵ֥ת שָׁא֖וּל וִיהוֹנָתָ֥ן בְּנֽוֹ׃ וַיֹּ֜אמֶר הַנַּ֣עַר ׀ הַמַּגִּ֣יד ל֗וֹ נִקְרֹ֤א נִקְרֵ֙יתִי֙ בְּהַ֣ר
הַגִּלְבֹּ֔עַ וְהִנֵּ֥ה שָׁא֖וּל נִשְׁעָ֣ן עַל־חֲנִית֑וֹ וְהִנֵּ֥ה הָרֶ֛כֶב וּבַעֲלֵ֥י הַפָּרָשִׁ֖ים הִדְבִּקֻֽהוּ׃
ז־ח וַיִּ֥פֶן אַחֲרָ֖יו וַיִּרְאֵ֑נִי וַיִּקְרָ֣א אֵלַ֔י וָאֹמַ֖ר הִנֵּֽנִי׃ וַיֹּ֥אמֶר לִ֖י מִי־אָ֑תָּה °ויאמר [°וָאֹמַ֣ר ק']
ט אֵלָ֔יו עֲמָלֵקִ֖י אָנֹֽכִי׃ וַיֹּ֣אמֶר אֵלַ֗י עֲמָד־נָ֤א עָלַי֙ וּמֹ֣תְתֵ֔נִי כִּ֥י אֲחָזַ֖נִי הַשָּׁבָ֑ץ כִּֽי־
י כָל־ע֥וֹד נַפְשִׁ֖י בִּֽי׃ וָאֶעֱמֹ֤ד עָלָיו֙ וַאֲמֹ֣תְתֵ֔הוּ כִּ֣י יָדַ֔עְתִּי כִּ֛י לֹ֥א יִחְיֶ֖ה אַחֲרֵ֣י נִפְל֑וֹ

רש"י

(ב) והנה איש בא מן המחנה. יש בפסיקתא שזה דואג. ואינו מיושב על לבי: **(ט) אחזני השבץ.** (תרגום) אחדני רתיתא. ומדרש אגדה (ראה ילקוט שמעוני רמז קמא), משום עון הכהנים שהרג, וכתוב בהן (שמות כח, ד), כתנת תשבץ: **כי כל עוד נפשי בי.** מהר ומותתני, טוב לי שתמותתני אתה, ואל יהרגוני אלה ויתעללו בי:

רד"ק

(ב) ויהי בבאו אל דוד. בבי"ת: **(ו) נקרא נקריתי.** במקרה באתי שם לא מדעתי שאמצא אותו שם, ונקרא מקור מנפעל שלם בנו"ן כמו נִשְׁאֹל נִשְׁאַל דָּוִד (לעיל־א כ, כח): **נשען על חניתו.** מהמכה שנפל על חרבו: **ובעלי הפרשים.** מחנות הפרשים כתרגומו מַשִׁירְיַת פָּרָשַׁיָא, וכן תרגם בַּעַל גָּד (יהושע יא, יז) מֵישַׁר גָּד, ויש לפרש בעלי הפרשים ראשי הפרשים והממונים עליהם: **(ח) ויאמר אליו עמלקי אנכי.** כן כתיב, וקרי וָאֹמַר, והקרי מבואר, והכתיב רצה לומר כי אחר אמר לו כי הוא עמלקי, לפי ששאול הרג עמלקיים לא אמר עמלק אנכי: **(ט) כי אחזני השבץ.** שם חולי, אולי יקרה לאדם מחמת מכת חרב, ותרגם יונתן אֲרֵי אַחֲדַנִי רְתִיתָא, ובדרש (תנחומא מצורע ד) עון נוב עיר הכהנים הלובשים כתנת תשבץ שהרגתי, ויש מפרשים הפרשים לובשים תשבץ כמו שאומר וּבַעֲלֵי הַפָּרָשִׁים הִדְבִּקֻהוּ (פסוק ו): **כי כל עוד נפשי בי.** בעוד שנפשי בי ואל יהרגוני הערלים, ולפירוש האחר אמר כי כל כך אצטער מחמת המכה, שעדיין נפשי בי, לכך אני רוצה שתקרב את מיתתי: **(י) ואמתתהו.** הוי"ו פתוחה ומשפטה להיות בקמץ כי הענין לעבר, וכמוהו ואשפך (יחזקאל טז, י) וָאֲכַסֵּךְ משי הוי"ו פתוחה והענין לעבר, ופירשו הקדמונים לפי שכזב, שלא המיתהו, שהרי הוא נפל על חרבו ומת (לעיל־א לא, ד), לכך נפתחה וי"ו וַאֲמֹתְתֵהוּ: **אחרי נפלו.** אחרי שנפל על חרבו לא היה יכול לחיות מחמת המכה וקרבתי את מיתתו כמו ששאל ממני, או פירושו כי לא היה יכול לחיות שהרי הפרשים השיגוהו והיו קרובים לבא עליו ויהרגוהו ורצה שאהרגהו אני ולא הם:

מצודת דוד

(ה) איך ידעת. שמא מאומד, או מפי השמועה: **(ו) נקרא נקריתי.** במקרה באתי להר הגלבוע: **נשען.** על כי הפיל עצמו על חרבו וכמו שכתוב בשמואל־א (לא, ד), נחלה מן המכה והיה נשען על חניתו, ואנשי הרכב באו קרוב אליו: **(ח) מי אתה.** מאיזה עם: **(ט) כי כל עוד.** רצה לומר, כל הנשאר בי עוד, הוא רק אשר עדיין נפשי בי ולא יותר, כי כבר הלכו ממנו ההרגשות כולם, ואם כן בודאי אמות, ולזה השלם המיתה, לבל יתעללו בי הערלים טרם אמות: **(י) כי לא יחיה.** אי אפשר לו להשאר חי אחרי ההפלה שנפל על חרבו:

מצודת ציון

(ב) ואדמה. עפר: **(ג) אי מזה.** איה המקום שתאמר מזה אני בא: **נמלטתי.** ענין השמטה והצלה: **(ו) נקרא נקריתי.** מלשון מקרה: **נשען.** נסמך: **ובעלי הפרשים.** הם הרגילים הרבה ברכיבה: **הדביקוהו.** רצה לומר באו קרוב לו: **(ט) השבץ.** חולי הרתת, כן תרגם יונתן:

1.

David reacts to Saul's death. David and his men surely felt exhilarated. They had just returned from a conquest of the Amalekite marauders and the successful rescue of their families and possessions. They had been spared the ordeal of being part of the Philistine army in a war against Israel and, not knowing of Samuel's fearsome prophecy that Saul would die and the Israelites be routed, David probably expected God to be with Saul and his army. Then came the shocking news of what had transpired on the Philistine front. David's people had fled in leaderless disarray. His dearest friend had been killed in battle. On the other hand, his king and relentless pursuer was dead, and David was no longer a hunted fugitive. He was free to return home and become king of Israel. He could be expected to feel a mixture of grief and relief, even a degree of elation. But such was not the case.

David's behavior reflects his amazing purity of soul and righteousness. Even though Saul had hounded him mercilessly and tried to kill him repeatedly, David mourned to the depths of his soul the tragedy that had befallen Saul. Just as he had refused to harm Saul when he had opportunities to do so, David refused to rejoice over his newfound freedom from the late king's persecution. Instead, he continued to recognize that Saul was essentially a man of awesome righteousness, a man who was the anointed of God, and the leader of His people. David's grief over the death of his beloved Jonathan was no greater than that over the death of his king.

His heartfelt eulogy over the national and personal tragedy is eloquent testimony both to the enormous loss and to the greatness of the new king who was about to rally the nation spiritually and militarily.

1-10. David is told about Saul's death and the rout of Israel.

1. וַיְהִי אַחֲרֵי מוֹת שָׁאוּל וְדָוִד שָׁב מֵהַכּוֹת אֶת־הָעֲמָלֵק — *It happened*

1 **THE DEATH OF SAUL** 1:1-27

[1]It happened after the death of Saul, when David had returned from striking Amalek, and David had been living in Ziklag for two days — [2]it was on the third day that, behold! a man came from the camp, from Saul, with his garments torn and with earth upon his head. When he reached David he fell to the ground and prostrated himself. [3]David said to him, "Where are you coming from?" He said to him, "I escaped from the Israelite camp." [4]David then said to him, "What happened? Tell me now!" And he said that the people fled from the battle, and also many of the people fell and died. And even Saul and Jonathan his son died."

The report of Saul's death

[5]David then said to the young man who was telling him, "How do you know that Saul and Jonathan his son died?" [6]The young man who was telling him said, "I happened to be at Mount Gilboa, and Saul was leaning on his spear. And behold! the chariots and cavalry were overtaking him. [7]He turned around and saw me. He called out to me and I answered, 'Here I am.' [8]He asked me, 'Who are you?' and I told him, 'I am an Amalekite.' [9]Then he said, 'Stand up over me and put an end to my life, for the throes of death have seized me, while my soul is still within me.' [10]So I stood over him and ended his life, for I knew that he would not survive after he had fallen [on his sword].

---

after the death of Saul, when David had returned from striking Amalek, and David did not yet know of Saul's fate.

Malbim suggests that the juxtaposition of these two events — Saul's death and David's victory over the Amalekites — is intended to impart an important idea. Just as all seemed lost — Israel had been humiliated in war, its king and his heir killed in battle, its cities abandoned and occupied by the enemy — Scripture directs its attention to the new leader who would restore Israel's glory.

2-3. A survivor of the battle arrived with his garments torn and earth upon his head, which are gestures of mourning and distress, and prostrated himself, as if to acknowledge that David was his king. As the succeeding verses show, the man intended not only to inform David of the catastrophe on the battlefield, but also to ingratiate himself.

4. **וַיֹּאמֶר אֲשֶׁר־נָס** — *And he said that the people fled . . .* The man broke the news gradually, lest David be overcome with emotion. First he told him of the warriors' flight, then of the heavy casualties, and last of all, of the deaths of Saul and Jonathan (*Ralbag*). The fugitive did not mention the death of Saul's other two sons (*I Samuel* 31:2), either because Saul and Jonathan were the two primary figures or because he did not witness what happened to the others (*Abarbanel).*

5. **אֵיךְ יָדַעְתָּ** — *How do you know?* Did you see them die or did you hear about it from others? (*Abarbanel*), in which case perhaps the information may not be accurate.

6-7. The young man's account of Saul's death varies from the Scriptural account above in 31:4. According to the Scriptural account, Saul committed suicide without outside intervention, while the young man claimed that Saul's attempt to kill himself failed, and that he summoned the lad, who just happened to be passing by, to complete the task. *Radak* and *Abarbanel* comment that either the young man's account truthfully fills in details that were left out earlier, or he was lying, in the expectation that, by taking credit for the death of David's "archenemy," he would be handsomely rewarded by the new king.

6. **נִקְרֹא נִקְרֵיתִי** — *I happened to be . . .* I was not there as a combatant for either side, but just happened to be passing by (*Mahari Kara*). I was not looking for Saul (*Radak*).

נִשְׁעָן עַל־חֲנִיתוֹ — *Leaning on his spear.* Now he was leaning on his *spear* after having fallen on his *sword* (*I Samuel* 31:4), but was still alive. Alternatively, Saul was still leaning on the sword — referred to here as a *spear* — that he had originally fallen upon. The wound from the sword had not killed him and he was trying, by leaning on it with force, to complete his act of suicide (*Abarbanel).*

7. **וַיִּרְאֵנִי** — *(He) saw me.* Saul knew that the Philistine army was about to discover him, and would capture him and torture him if he did not die before they came. *He saw me* and recognized that I was not one of the Philistines. Realizing that I was neither an Israelite nor a Philistine, he asked me on whose side I was in the war. The answer was, "*I am an Amalekite*" — and my people are neutral in this conflict (*Mahari Kara*).

9. **כִּי אֲחָזַנִי הַשָּׁבָץ** — *For the throes of death have seized me.* "Since I am already dying, you need not have any moral misgivings about following my request."

Ralbag translates the word שבץ as *reinforced armor*. Saul said that the sword was not penetrating his body enough to kill him, because it was caught in his armor, which was *reinforced* to prevent weapons from piercing it.

10. Believing himself to be the bearer of good tidings for David, the Amalekite exuberantly presented Saul's royal crown and bracelet as proof that he had been present when Saul died.

Homiletically, the Midrash interprets the *crown and bracelet* as the tefillin of Saul's head and arm. It may be suggested that Saul did not actually wear his tefillin on the battlefield. Tefillin, however, symbolize the glory of the Jewish people (see *Ecclesiates* 2:1). With Israel's defeat in this war, it was

יא וָאֶקַּ֞ח הַנֵּ֣זֶר ׀ אֲשֶׁ֣ר עַל־רֹאשׁ֗וֹ וְאֶצְעָדָה֙ אֲשֶׁ֣ר עַל־זְרֹע֔וֹ וָאֲבִיאֵ֥ם אֶל־אֲדֹנִ֖י הֵֽנָּה׃
יב וַיַּחֲזֵ֥ק דָּוִ֛ד °בבגדו [°בִּבְגָדָ֖יו ק׳] וַיִּקְרָעֵ֑ם וְגַ֥ם כָּל־הָאֲנָשִׁ֖ים אֲשֶׁ֥ר אִתּֽוֹ׃ וַֽיִּסְפְּדוּ֙
וַיִּבְכּ֔וּ וַיָּצֻ֖מוּ עַד־הָעָ֑רֶב עַל־שָׁא֞וּל וְעַל־יְהוֹנָתָ֣ן בְּנ֗וֹ וְעַל־עַ֤ם יהוה֙ וְעַל־בֵּ֣ית
יג יִשְׂרָאֵ֔ל כִּ֥י נָפְל֖וּ בֶּחָֽרֶב׃ וַיֹּ֣אמֶר דָּוִ֗ד אֶל־הַנַּ֙עַר֙ הַמַּגִּ֣יד ל֔וֹ אֵ֥י
יד מִזֶּ֖ה אָ֑תָּה וַיֹּ֕אמֶר בֶּן־אִ֛ישׁ גֵּ֥ר עֲמָלֵקִ֖י אָנֹֽכִי׃ וַיֹּ֥אמֶר אֵלָ֖יו דָּוִ֑ד אֵ֚יךְ לֹ֣א יָרֵ֔אתָ
טו לִשְׁלֹ֙חַ֙ יָֽדְךָ֔ לְשַׁחֵ֖ת אֶת־מְשִׁ֥יחַ יהוֽה׃ וַיִּקְרָ֣א דָוִ֗ד לְאַחַד֙ מֵהַנְּעָרִ֔ים וַיֹּ֖אמֶר
טז גַּ֣שׁ פְּגַע־בּ֑וֹ וַיַּכֵּ֖הוּ וַיָּמֹֽת׃ וַיֹּ֧אמֶר אֵלָ֛יו דָּוִ֖ד °דמי [°דָּמְךָ֣ ק׳] עַל־רֹאשֶׁ֑ךָ כִּ֣י פִ֗יךָ
יז עָנָ֤ה בְךָ֙ לֵאמֹ֔ר אָנֹכִ֥י מֹתַ֖תִּי אֶת־מְשִׁ֥יחַ יהוֽה׃ וַיְקֹנֵ֣ן דָּוִ֔ד
יח אֶת־הַקִּינָ֖ה הַזֹּ֑את עַל־שָׁא֖וּל וְעַל־יְהוֹנָתָ֥ן בְּנֽוֹ׃ וַיֹּ֗אמֶר לְלַמֵּ֛ד בְּנֵֽי־יְהוּדָ֖ה קָ֑שֶׁת

רש״י

(י) ואצעדה אשר על זרועו. (תרגום) וְטוֹטֶפְתָּא דְעַל דַרְעֵיהּ: **(טז) דמך על ראשך.** (תרגום) חוֹבַת קְטוֹלָךְ תְּהֵי בְּרֵישָׁךְ, אין עונש במיתתך אלא לעצמך: **(יח) ויאמר ללמד בני יהודה קשת.** ויאמר דוד, מעתה שנפלו גבורי ישראל, צריכין בני יהודה ללמדם מלחמה ולמשוך בקשת:

רד״ק

(יא) ויחזק דוד בבגדיו. מכאן למדו רבותינו ז״ל (מועד קטן כו, א) שחייב אדם לקרוע על נשיא ועל אב בית דין, שאול זה נשיא ויהונתן זה אב בית דין, וכן על רוב צבור כמו שנאמר וְעַל עַם ה׳ וְעַל בֵּית יִשְׂרָאֵל (פסוק יב) ולמדו לפי שפרט אותם משמע שעל כל אחד ואחד מהם חייב לקרוע, וכתב בבגדו שאין אדם חייב לקרוע אלא עליון, וקרי בִּבְגָדָיו כי דוד קרעם כלם כי קרע על שאול לבדו וקרע על יהונתן וקרע על עם ה׳: **(יב). ומה שאמר על עם ה׳ ועל בית ישראל.** והכל אחד, כפל הענין לרוב הצרה כלומר בית ישראל נפלו בחרב והם עם ה׳, או אמר כן לפי שהיו רוב ישראל שם. ובדרש (מדרש שמואל כה) מפני מה לא פירש הכתוב כמה חללים נפלו בהר הגלבוע על שם אַל תַּגִּידוּ בְגַת אַל תְּבַשְּׂרוּ וגו׳ (פסוק כ): **(יג) אי מזה אתה.** לא שאל מאיזה עם שהרי שמע מספור דבריו כי עמלקי הוא, אלא שאל לו מאיזה מקום כלומר אם היה גר בארצו שהיא ארץ עמלק ואיך נקרה אל המלחמה, והוא ענה כי גם אביו בא מארץ עמלק וגר בארץ ישראל, וכן פירש כל גר סתם ויש מהם גר שנתגייר ושב לדת ישראל, ואפשר שזה רצה לומר כשאמר בֶּן אִישׁ גֵּר עֲמָלֵקִי שנתגייר ושב לדת ישראל: **(טז) דמך על ראשך.** כלומר אתה גרמת על עצמך מיתתך, ויונתן תרגם חוֹבַת קְטוֹלָךְ תְּהֵי בְּרֵישָׁךְ, רצה לומר דמי שאול שהרגת ישובו על ראשך, ואפשר כי לכך כתב דמיך, דם שאול ודמך שניהם על ראשך: **(יח) ללמד בני יהודה קשת.** יש מפרשים מכאן ואילך צריך ללמד לבני יהודה קשת כיון שמתו בו שאול ויהונתן, ויש לפרש כי זה אינו מן הקינה ותחילת הקינה הַצְּבִי יִשְׂרָאֵל (פסוק יט), כי איך היה זוכר בקינת שאול ויהונתן בני יהודה שהיו כנגד מלכותו של שאול, אבל פירושו וַיֹּאמֶר לְלַמֵּד בְּנֵי יְהוּדָה קֶשֶׁת, קודם שהחל לקונן עליהם אמר לאנשיו אל תתיאשו מן הטובה ואל ירך לבבכם במות שאול ויהונתן, כי קשת המלחמה ביד בני יהודה ולהם היא הגבורה, והנה היא כתובה בספר הישר והוא ספר התורה, וכן תרגם יונתן עַל סִפְרָא דְאוֹרַיְתָא שכתוב בה יָדְךָ בְּעֹרֶף אֹיְבֶיךָ (בראשית מט, ח), וכתיב כָּרַע שָׁכַב כַּאֲרִי (במדבר כד, יט), וכן בברכת משה רבינו גם כן יָדָיו רָב לוֹ וְעֵזֶר מִצָּרָיו תִּהְיֶה (דברים לג, ז), ובידם יכנעו פלשתים כמו שראינו שהכניעם דוד ועוזיהו וחזקיהו, ובאמרו קשת כי הוא עיקר כלי המלחמה ודרך הכתוב לזכור במקום זכר גבורה כמו קֶשֶׁת גִּבֹּרִים חַתִּים (לעיל־א ב, ד), חִתְּתָה קַשְּׁתוֹתָם (ירמיה נא, נו), וְנִחֲתָה קֶשֶׁת נְחוּשָׁה זְרוֹעֹתָי (תהלים יח, לב) והדומים להם. ואמר ללמד, כי כל אחד מבני יהודה ילמד את חבירו למלחמה כי הם עיקר מלחמת ישראל וקרנם החזק, ורבותינו ז״ל פירשו (עבודה זרה כה, א) יָדְךָ בְּעֹרֶף אֹיְבֶיךָ אי זהו יד שהוא כנגד העורף הוי אומר זה הקשת, וזהו שאמר בְּנֵי יְהוּדָה קָשֶׁת הִנֵּה כְתוּבָה עַל סֵפֶר הַיָּשָׁר בספר בראשית שהוא ספר אברהם יצחק ויעקב שנקראו ישרים (שם), והחל לקונן ואמר:

מצודת דוד

(יב) ועל עם ה׳. אלו הגדולים שבהם: **ועל בית ישראל.** הם יתר העם: **(יג) אי מזה אתה.** מאיזה מקום אתה, אם עודך עדיין יושב בארץ עמלק, או אתה גר בארץ ישראל, רצה לומר, אם נתגיירת: **בן איש גר עמלקי.** עוד אבי בא לגור בארץ ישראל, והוא נתגייר: **(יד) איך לא יראת.** רצה לומר, הואיל ואתה ישראל ומלידה, איך לא יראת מה׳ לשלוח יד במשיחו, עם כי צוה לך והיה קרוב למות, מכל מקום חטאת לה׳: **(טז) דמך על ראשך.** רצה לומר, עון מיתתך על עצמך, כי אתה בעצמך העדת בך שאתה הרגתו, ואף אם אין האמת אתך, וכל דבריך המה בחושבך שבזה תמצא חן בעיני על שהיה מעולם לי לאויב, מכל מקום פיך ענה בך, ודמך על ראשך: **(יח) ויאמר.** טרם התחיל לקונן, ראה לאמץ לבות אנשיו לבל ירך לבבם להתייאש מלהרים ראש מול פלשתים, ואמר להם, הנה באה העת ללמד את בני יהודה קשת מלחמה, לשהם יתגברו על פלשתים:

מצודת ציון

(י) הנזר. העטרה: **ואצעדה.** שם העדי שעל הזרוע, וכן (במדבר לא, נ), אֶצְעָדָה וְצָמִיד: **(טו) פגע.** ענין מכת מות, כמו (שמואל־א כב, יח), וּפְגַע בַּכֹּהֲנִים: **(טז) ענה.** העיד כמו (שמות כ, יג), לֹא תַעֲנֶה:

stripped of its glory.

Ironically, Saul's career as king began with the charge to eradicate the Amalekites (I Samuel 15) — a task at which he failed. Now, if we assume the Amalekite was telling the truth, Saul's reign was ended by an Amalekite.

11-16. David's reaction. Far from the Amalekite's selfish expectations, his deed — or claim — won him no favor. To the contrary, David's response could not have been more different.

11. וַיַּחֲזֵק דָּוִד בִּבְגָדָיו וַיִּקְרָעֵם — *David took hold of his garments and tore them.* The Talmud (*Moed Kattan* 26a) derives from the plural *garments* that David tore more than one. Furthermore, the next verse gives three motives for this tearing. From these implications the Talmud derives that one must rip his clothes upon hearing of the death of (a) the leader of the Jewish nation, such as Saul; (b) the leading rabbinical authority [אַב בֵּית דִּין], such as Jonathan, and for (c) the tragedy of the entire nation, such as the crushing defeat at the hands of the Philistines. Each requires a separate tearing, which is why David tore three garments.

12. וְעַל־עַם ה׳ וְעַל־בֵּית יִשְׂרָאֵל — *Over the people of HASHEM and over the House of Israel.* According to *Radak*, the repetition in this phrase is an indication of great distress. *Malbim*, however, comments that there were two separate elements of grief:

I then took the crown that was on his head and a bracelet that was on his arm and brought them here to my lord."

David and his people mourn

[11]*David took hold of his garments and tore them, as did all the people who were with him.* [12]*They lamented and wept and fasted until evening, over Saul, over Jonathan his son, over the people of* HASHEM, *and over the House of Israel, for they had fallen by the sword.*

[13]*David then asked the young man who was telling him, "Where are you from?" And he replied, "I am the son of an Amalekite convert."* [14]*David then said to him, "How could you not be afraid to send forth your hand to destroy the anointed one of* HASHEM*?"*

[15]*David then called one of the attendants and said, "Approach and strike him down!" So he struck him and he died.* [16]*David said to him, "Your blood is on your own head, for your own mouth testified against you, saying, 'I put to death the anointed one of* HASHEM*!' "*

David's mournful dirge

[17]*David lamented this dirge over Saul and Jonathan his son.* [18]*He said:*

[We must] teach the Children of Judah the archer's bow,

David grieved over the desecration of God's Name by the defeat of *the people of* HASHEM, and, in addition, he lamented the suffering of the *House of Israel.*

13. אֵי מִזֶּה אָתָּה — *Where are you from?* David already knew the young man's nationality; he now wondered why, in the midst of a war, an Amalekite would "happen to be" on Mount Gilboa, which was Israelite territory. The lad answered that his father had taken up residence among the Jews (*Radak*).

According to *Mahari Kara,* David's question was, "Since you are an Amalekite, and not a Jew, why did you come to present me with Saul's crown and bracelet?" The young man answered that his father had converted, and therefore, as a Jew, he wanted to honor his new king.

גֵּר עֲמָלֵקִי — *An Amalekite convert.* The word גֵּר can mean either a *convert* to Judaism or a non-Jewish *resident* of *Eretz Yisrael.* The commentators are divided as to which meaning it has here (see previous note). According to *Abarbanel,* the boy was actually an Amalekite (as implied by his original description of himself, in v. 8), but when he began to realize that he had not ingratiated himself with David, he lied, saying that he was a convert.

14-16. Justification for the death penalty. The difficulties with David's punishment of the Amalekite abound. (1) The boy was merely fulfilling Saul's fervent wish. (2) In Torah law a defendant is never punished because of his own confession — there must be witnesses who saw the crime committed and the perpetrator must have been warned not to commit the sin. (3) A man cannot be punished without a trial and due process, which were absent here.

In answer to the first question, the commentators note that according to Torah law, a person's body and life are the "property" of God; no one is empowered to kill or injure oneself, or to authorize another to do so (*Bava Kamma* 92a). Therefore, even if one injures or kills with permission of his victim, he is punished with the full severity of the law. Although the Amalekite had been commanded to do so by the king of Israel, a royal decree is not grounds to contravene the Torah's laws (*Ralbag*).

The answer to the other two questions is based on *Rambam* (*Hil. Sanhedrin* 18:6). The man was indeed not subject to the death penalty under normal circumstances, but David's decision was a הוֹרָאַת שָׁעָה, a ruling based on extraordinary circumstances, or an exercise of הוֹרָאַת מַלְכוּת, an exercise of the royal prerogative to override the law for the national good (see below). This is similar to the Talmudic rule that "A court may administer beatings and monetary punishments outside of the framework of the law . . . when this is necessary to safeguard the Torah" (*Sanhedrin* 46a). *Abarbanel* adds that the fact that the Amalekite had Saul's crown and bracelet in his hands was convincing circumstantial evidence to corroborate his confession. Such evidence would not have been sufficient had this not been a case of extraordinary circumstances, as note above (*Abarbanel*).

What was the issue that prompted David to apply this rarely used, authoritarian royal power? *Ralbag* explains that David felt compelled to demonstrate the severity of the offense of killing a king of Israel, no matter what justification one may find. David himself had set such an example when he did not permit Saul to be harmed, even though the halachah permits someone to kill a "pursuer" [רוֹדֵף] in order to save his intended victim (*Sifrei, Deuteronomy* 22:26).

It should be noted that during this critical period, when the nation was in disarray and, as the succeeding chapters will show, there was disagreement over the succession to the throne, it was essential to demonstrate to all that assassination is not an option. Otherwise, the nation could easily have degenerated into anarchy.

16. דָּמְךָ עַל־רֹאשֶׁךָ — *Your blood is on your own head,* i.e., you alone are responsible for the death you are about to meet (*Rashi*).

17-27. David's dirge over Saul and Jonathan. As noted in the introductory comments above, David expressed his own grief over the loss of his king and his friend in this moving and profound song of lament.

18. לְלַמֵּד בְּנֵי־יְהוּדָה קָשֶׁת — *[We must] teach the Children of Judah the archer's bow.* The dirge begins with a declaration about how the loss of its leaders affects all of Israel. Now that

יט הַנֵּה כְתוּבָה עַל־סֵפֶר הַיָּשָׁר: הַצְּבִי יִשְׂרָאֵל עַל־בָּמוֹתֶיךָ חָלָל אֵיךְ נָפְלוּ גִבּוֹרִים:
כ אַל־תַּגִּידוּ בְגַת אַל־תְּבַשְּׂרוּ בְּחוּצֹת אַשְׁקְלוֹן פֶּן־תִּשְׂמַחְנָה בְּנוֹת פְּלִשְׁתִּים פֶּן־
כא תַּעֲלֹזְנָה בְּנוֹת הָעֲרֵלִים: הָרֵי בַגִּלְבֹּעַ אַל־טַל וְאַל־מָטָר עֲלֵיכֶם וּשְׂדֵי תְרוּמֹת
כב כִּי שָׁם נִגְעַל מָגֵן גִּבּוֹרִים מָגֵן שָׁאוּל בְּלִי מָשִׁיחַ בַּשָּׁמֶן: מִדַּם חֲלָלִים
מֵחֵלֶב גִּבּוֹרִים קֶשֶׁת יְהוֹנָתָן לֹא נָשׂוֹג אָחוֹר וְחֶרֶב שָׁאוּל לֹא תָשׁוּב רֵיקָם:

רש"י

הנה כתובה על ספר הישר. הלא היא כתובה על ספר בראשית שהיא ספר ישרים, אברהם יצחק ויעקב, והיכן רמוזה, (בראשית מט, ח), יָדְךָ בְּעֹרֶף אֹיְבֶיךָ, איזו היא מלחמה שמכוון בה ידו כנגד פדחתו שהוא מול ערפו, הוי אומר זה קשת: **(יט) הצבי ישראל על במותיך חלל.** מלכן של ישראל, על תוקף מעוזכם נפלתם חללים, כן תרגם יונתן: **(כא) הרי בגלבוע.** ההרים שבגלבוע: **ושדי תרומות.** (תרגום) לָא תְהֵי בְּכוֹן עֲלָלָא כְּמִיסַת דְיִתְעַבְדוּן מִנֵּיהּ חַלְּתָא: **כי שם נגעל מגן גבורים.** מיגני עור היו להם, וכשיוצאים למלחמה מושחין אותן בשמן, כדי שיהא כלי זיין המכה עליו מחליק, כמה דאת אמר (ישעיהו כא, ה), קוּמוּ הַשָּׂרִים מִשְׁחוּ מָגֵן. ואכן כך היה מקונן הקינה, שם נגעל מגן גבורים, פלט שומנו ולא נדבק בו, ונעשה כאלו לא נמשח בשמן. כל 'הגעלה' לשון דבר הפולט מה שנותנין בו, כמו (איוב כא, י), שׁוֹרוֹ עִבַּר וְלֹא יַגְעִיל: **(כב) לא נשוג אחור.** לא היה רגיל להיות נסוג אחור:

רד"ק

(יט) הצבי ישראל. הה"א ה"א הקריאה כה"א הַקָּהָל חֻקָּה אַחַת לָכֶם (במדבר טו, טו) הַדּוֹר אַתֶּם רְאוּ דְבַר ה' (ירמיה ב, לא) והדומים להם, וענין צבי החפץ והרצון והוא על דרך כִּי תִהְיוּ אֶרֶץ חֵפֶץ (מלאכי ג, יב), וחסר הנסמך רצה לומר הצבי צבי ישראל, וכן הָאָרוֹן הַבְּרִית (יהושע ג, יד), הָעָם הַמִּלְחָמָה (שם ח, יא) והדומים להם, כלומר אתה שאתה ארץ חפץ איך היה זה שעל במותיך נפלו חללים כאלה איך נפלו גבורים, ויונתן תרגם אִתְעַתַּדְתּוּן יִשְׂרָאֵל עַל בֵּית תּוּקְפֵיכוֹן אִיתְרְמֵיתוּן קְטִילִין, פירש הַצְּבִי מענין נצב נצבים: **(כ) אל תגידו.** זה הוא על דרך הקינה כי יודעים היו כי הם היו הורגים ישראל במלחמה וכן אמר מיכה הנביא על דרך קינה בְּגַת אַל תַּגִּידוּ (מיכה א, י): **(כא) הרי בגלבע.** כמו הרים, וכמוהו עֹבְרֵי בְּעֵמֶק הַבָּכָא (תהלים כד, ז), הַשְּׁכוּנֵי בָּאֳהָלִים (שופטים ח, יא): **ושדי תרומות.** ואל שדי תרומות, ואל שזכר עומד במקום שנים, ופירוש שדה של תרומות הוא שדה הראוי ליטול ממנו תרומות, כלומר אפילו אם תצמח שם תבואה לא תהיה בה ברכה ולא תגיע לקצור שיפרישו ממנה תרומות, ויונתן תרגם לָא תְהֵי בְּכוֹן עֲלָלָא כְּמִיסַת דְיִתְעַבְדוּן מִנֵּיהּ חַלָּתָא רצה לומר כשיעור שיוציאו ממנה חלה והוא מדת העומר והשלך: **נגעל.** נמאס והשלך: **בלי משיח בשמן.** כלומר כן נגעל מגן גבורים של שאול כאילו לא היה המגן משוח בשמן, כי מושחים המגן כדי להחליקו שלא יעברוהו כלי זיין וכן מִשְׁחוּ מָגֵן (ישעיה כא, ה) לדעת קצת המפרשים, או פירושו כן נגעל כאילו לא היה שאול משוח בשמן למלך: **(כב) לא נשוג אחור.** בשי"ן וענינו כמו בסמ"ך מן יִסֹּגוּ אָחוֹר (תהלים לה, ד):

מצודת דוד

הנה כתובה. הלא הדבר ההוא הנה כתוב על ספר הישר, והוא התורה שנאמר בה (בראשית מט, ח), יְהוּדָה אַתָּה יוֹדוּךָ אַחֶיךָ יָדְךָ בְּעֹרֶף אֹיְבֶיךָ וגו', ונאמר (דברים לג, ז), יָדָיו רָב לוֹ וְעֵזֶר מִצָּרָיו תִּהְיֶה, וכן היה, כי דוד הכניעם, וגם מלכי יהודה אחריו: **(יט) הצבי ישראל.** כאומר; אולם עתה עת לקונן במר נפש לומר, הצבי ישראל, רצה לומר, את ארץ ישראל החמודה, וכי ראוי שיהיה חלל על במותיך הם הרי גלבוע, ואיך נפלו שם גבורים, ורצה לומר, הלא אף החלשים יתחזקו בעמדם על ההר, ועל במותיך נפלו אף הגבורים: **(כ) אל תגידו בגת.** ממיתת שאול ויהונתן, ועם כי בודאי ידעו בלא הם, אמר כן למליצת הקינה, וכן (מיכה א, י), בְּגַת אַל־תַּגִּידוּ: **(כא) ושדי תרומות.** מלת 'ואל' שאמר, משמשת בשתים, כאלו נאמר ואל מטר עליכם, ואל שדי תרומות, וכאלו קלל ההרים, שלא ירד עליהם טל ומטר, ולא יהיה בהם שדה לתת ממנו תרומה לה', שלא יצמח בהן דבר מה להיות מהן חלק לגבוה, יען וביען עליהם באה התקלה, כי שם נגעל ונמאס מגן גבורים, ונעשה שם מגן של שאול כאלו היה בלי משוח בשמן להחליק מעליו מכת החרב: **(כב) לא נשוג אחור.** חזר קשתו לאחור, מבלי לרוות חציו מדם וחלב שונאיו: **לא תשוב ריקם.** אל נדנה, מבלי להרוג הרג רב:

מצודת ציון

(יט) הצבי. ארץ ישראל קרויה ארץ צבי, כמו שכתוב (יחזקאל כ, ו), צְבִי הִיא לְכָל הָאֲרָצוֹת, והוא ענין פאר וחמוד, כמו (ישעיהו כח, ה), לַעֲטֶרֶת צְבִי. והה"א של הצבי, היא ה"א הקריאה, כמו (ירמיהו ב, לא), הַדּוֹר אַתֶּם רְאוּ: **במותיך.** ענינו מקומות גבוהים והרים, כמו (דברים לב, יג), יַרְכִּבֵהוּ עַל בָּמֳתֵי אָרֶץ: **(כ) תעלזנה.** אף הוא ענין שמחה, כמו (תהלים צו, ב), יעלוז שדי. וכפל הדבר במלות שונות כדרך המקונן: **(כא) הרי בגלבוע.** כמו הרים בגלבוע: **נגעל.** ענין מאוס ותעוב, כמו (ויקרא כו, ל), וְגָעֲלָה נַפְשִׁי: **מגן.** הוא כעין מלבוש עשוי מעור שלוק, ומשוח בשמן להחליק מעליו מכת חרב וחנית, ולובשים אותו במלחמה להגן: **(כב) נשוג.** כמו נסוג בסמ"ך, וענינו החזרה לאחור, כמו (ישעיהו נט, יג), וְנָסוֹג מֵאַחַר אֱלֹהֵינוּ:

Israel's defenders, the valiant Saul and Jonathan, are dead, the nation, about to be led by David of the tribe of Judah, must learn the craft of war. There is a difficulty with this interpretation since it would seem especially inappropriate to begin a dirge about Saul the Benjamite by mentioning the Children of Judah, the tribe that was traditionally the kingly leader, and whose son would succeed to the throne. Therefore, it would seem that this verse is not part of the actual dirge, but was proclaimed by David to encourage the despairing nation, as if to say, "Tragic though the loss is, do not lose hope. The Torah assures us that the tribe of Judah will lead us in vanquishing our enemies. The blessings of both Jacob (*Genesis* 49:8) and Moses (*Deuteronomy* 33:7) said that Judah would be victorious in war (*Radak*).

However, the placement of the verse indicates that this verse is an integral part of the dirge, and it is so understood by the Sages (*Talmud Yerushalmi, Sotah* 1:10): When righteous people die and their virtuous deeds are no longer a source of merit to protect the nation, we can no longer rely on Divine assistance to the same degree that we used to. Now, to cope with the dangers that face us from our aggressive enemies, we must train ourselves in martial disciplines, such as archery. Accordingly, David begins his dirge by lamenting the dire consequences of Saul's death to the nation.

According to *Abarbanel,* קֶשֶׁת means not *archery*, but *hardship* (or *distress*), from the word קשה, *difficult.* We must teach the Children of Judah, who were Saul's opponents, to feel the proper sadness upon his death. They should not gloat, but, on the contrary, should acknowledge the overwhelming loss of the great man who wore the crown of Israel, and the

Behold, this is written in the Book of Uprightness.
[19]*O splendor of Israel — upon your heights lie the slain!*
How have the mighty fallen!
[20]*Do not tell [it] in Gath; do not spread the tidings in the streets of Ashkelon —*
Lest the Philistine girls rejoice,
lest the daughters of the uncircumcised jubilate.
[21]*O mountains of Gilboa — let neither dew nor rain be upon you,*
nor fields of bounty,
For rejected there was the shield of the mighty ones, the shield of Saul,
as if unanointed with oil.
[22]*From the blood of the slain, from the fat of the mighty,*
the bow of Jonathan would not recoil,
the sword of Saul would not return empty.

---

grim tidings portended by his downfall.

סֵפֶר הַיָּשָׁר — *The Book of Uprightness.* Virtually all commentators agree that this is a title of either Genesis, which is the story of Abraham, Isaac, and Jacob, the quintessential *upright* people, or it refers to the entire Torah, the "textbook" of uprightness. As noted above, both Genesis and Deuteronomy ascribe military leadership and prowess upon Judah.

Some commentators, however, hold that the Book of Uprightness — which is also mentioned in *Joshua* 10:13 — was a secular book that taught military methods. It mentions the supremacy of archery (See *Ralbag*, *R' Yoseph Ibn Kaspi*.)

19. הַצְּבִי יִשְׂרָאֵל — *O splendor of Israel.* The commentators have several varying translations of this unusual term. The Land of Israel is often referred to as אֶרֶץ צְבִי (*Coveted Land* or *Splendrous Land*) in Scripture — see *Ezekiel* 20:6,15, *Daniel* 11:16,41. Accordingly, *Radak* and *Ralbag* see צְבִי as a reference to *Eretz Yisrael,* the *splendor* of the Jewish people. Addressing the Land of Israel, as it were, David exclaims at how the heroes were slain upon *your heights*, i.e., Mount Gilboa, where they were killed.

Targum, elucidated by *Rashi*, relates צְבִי to the word מַצָּב, meaning *position* on the battlefield. Thus, the phrase is rendered, *O battlefront of Israel — upon your fortifications you (Israel) have been cast, slain!*

Mahari Kara and *Abarbanel* see צְבִי as a reference to Saul, the *splendor of Israel*, who now lay slain on the heights.

Malbim senses a note of irony in David's words: That the mighty Saul fell in battle is shocking, but that it happened *upon the heights* is even more incomprehensible. Even a weak fighter has an advantage when he has the high ground, how much more so such warriors as Saul and Jonathan, *the mighty ones*! How could they have fallen under such circumstances!

אֵיךְ נָפְלוּ גִבּוֹרִים — *How have the mighty fallen!* This phrase appears three times in the eulogy. *Abarbanel* suggests that it might have been a refrain with which the audience would respond after each segment of David's dirge.

20. אַל־תַּגִּידוּ בְגַת — *Do not tell* [*it*] *in Gath.* Rhetorically, David calls out that the news of the deaths should not be reported in the major Philistine cities, so that they should not exult over the death of their nemeses. Of course, the Philistines knew that their forces had defeated and killed Saul and Jonathan, but David declared that the Philistines should not be given an opportunity to gloat.

21. הָרֵי בַגִּלְבֹּעַ — *O mountains of Gilboa . . .* In his bitterness over what had happened on the slopes of Gilboa, David cursed the mountains that neither dew nor rain should water them (*Ralbag*). Alternatively, now that the righteous Saul was no longer alive, there would be no source of merit from which the mountains might sprout forth their produce (*Malbim*).

וּשְׂדֵי תְרוּמֹת — *Nor fields of bounty*, lit., *fields of terumah. Terumah* is the offering that is taken from crops and given to a *Kohen*. David continued his curse of the mountain. Even if it produced a bit of vegetation, may it never become edible enough to be harvested so that *terumah* can be taken from it (*Radak*). May these mountains never even grow crops that will enable their owners to perform the commandment of giving tithes.

Malbim interprets the word תְּרוּמֹת here to mean *exalted* or *of high quality* (related to מָרוֹם, *high*), i.e., may the produce of these mountains never be of good quality.

כִּי שָׁם נִגְעַל מָגֵן גִּבּוֹרִים — *For rejected there was the shield of the mighty ones.* Saul's shield was useless — *rejected* — for it was not able to save his life (*Radak*). In those days, shields were made of hardened leather, and were smeared with oil so that arrows or swords striking them would slide off to the side, and not penetrate them and their bearers. Saul's shield, since it did not protect him, acted as if it had cast off its oil, rendering it useless (*Rashi*).

The sword of Saul became useless, as if the king had never been anointed with Samuel's oil (*R' Yeshayah of Trani*).

22. מִדַּם חֲלָלִים...קֶשֶׁת יְהוֹנָתָן לֹא נָשׂוֹג אָחוֹר — *From the blood of the slain . . . the bow of Jonathan would not recoil.* Jonathan's bow would never turn back without causing blood to flow from the slain or causing the fat of the mighty to run from their bodies (*Metzudos*).

Alternatively, Israel suffered heavy casualties on Mount Gil-

כג שָׁא֣וּל וִיהוֹנָתָ֗ן הַנֶּאֱהָבִ֤ים וְהַנְּעִימִם֙ בְּחַיֵּיהֶ֔ם וּבְמוֹתָ֖ם לֹ֣א נִפְרָ֑דוּ מִנְּשָׁרִ֣ים קַ֔לּוּ מֵאֲרָי֖וֹת גָּבֵֽרוּ׃ כד בְּנוֹת֙ יִשְׂרָאֵ֔ל אֶל־שָׁא֖וּל בְּכֶ֑ינָה הַמַּלְבִּֽשְׁכֶ֤ם שָׁנִי֙ עִם־עֲדָנִ֔ים הַמַּעֲלֶה֙ עֲדִ֣י זָהָ֔ב עַ֖ל לְבוּשְׁכֶֽן׃ כה אֵ֚יךְ נָפְל֣וּ גִבֹּרִ֔ים בְּת֖וֹךְ הַמִּלְחָמָ֑ה יְה֣וֹנָתָ֔ן עַל־בָּמוֹתֶ֖יךָ חָלָֽל׃ כו צַר־לִ֣י עָלֶ֗יךָ אָחִי֙ יְה֣וֹנָתָ֔ן נָעַ֥מְתָּ לִּ֖י מְאֹ֑ד נִפְלְאַ֤תָה אַהֲבָֽתְךָ֙ לִ֔י מֵאַהֲבַ֖ת נָשִֽׁים׃ כז אֵ֚יךְ נָפְל֣וּ גִבּוֹרִ֔ים וַיֹּאבְד֖וּ כְּלֵ֥י מִלְחָמָֽה׃

ב א וַיְהִ֣י אַֽחֲרֵי־כֵ֗ן וַיִּשְׁאַ֨ל דָּוִ֥ד בַּֽיהֹוָ֣ה ׀ לֵאמֹר֮ הַאֶֽעֱלֶה֒ בְּאַחַת֙ עָרֵ֣י יְהוּדָ֔ה וַיֹּ֧אמֶר יְהֹוָ֛ה אֵלָ֖יו עֲלֵ֑ה וַיֹּ֧אמֶר דָּוִ֛ד

רש"י

(כג) **מנשרים קלו.** לעשות רצון בוראם: (כד) **המלבישכם שני עם עדנים.** (תרגום) דהוה מלביש לכון לבושי לבעונין ומוביל לכון תפנוקין (לשון תרגום יונתן): (כה) **על במותיך חלל.** (תרגום) על בית תוקפך איתקטלתא: (כז) **כלי מלחמה.** שאול ויהונתן, שהיו כלי זיין של ישראל:

רד"ק

(כג) **לא נפרדו.** תרגם יונתן לָא אִיתְפָּרָשׁוּ מֵעִמְּהוֹן, כלומר אף על פי שהיו יודעים מותם במלחמה לא נפרדו מעם ה' ולא נעצרו ולא נסו מן המלחמה, ויתכן פירושו לא נפרדו זה מזה, כי כאחד מתו כמו שהיו בחייהם נאהבים זה לזה: (כד) **עם עדנים.** תרגם יונתן וּמוֹבִיל לְכוֹן תַּפְנוּקִין, ויש לפרשו כמשמעו כי הלבוש הטוב והנאה עדן הגוף כמו המאכל הטוב. ובדרש רבי יהודה ורבי נחמיה רבי יהודה אומר בנות ישראל אלו בנות ישראל, ודאי על שאול בכינה, בשעה שהיו בעליהן יוצאין למלחמה היה זן ומפרנסן ומלבישן שני עם עֲדָנִים, מכאן שאין התכשיטין נאים אלא לגוף מעודן, רבי נחמיה אומר בנות ישראל אלו סנהדראות של ישראל, על שאול בכינה, בשעה שהיה שאול שומע טעם ההלכה יוצאת מפי תלמיד חכם היה עומד ונושקו על פיו: (כה) **על במותיך חלל.** על במותיך נפלת חלל ותרגום יונתן עַל בֵּית תּוּקְפָךְ אִתְקְטַלְתָּא: (כו) **נפלאתה אהבתך לי.** בשני סימני נקיבה והכפל לחזק פליאת האהבה, וכן כִּי הֶחְבְּאָתָה (יהושע ו, יז) ובמקומו פירשנו גם כן טעמו: **מאהבת נשים.** תרגום יונתן מֵרְחִמַת תַּרְתֵּין נָשִׁין, רצה לומר שתי הנשים שהיו לו לדוד אביגיל ואחינועם, ואדוני אבי ז"ל פירש מאהבת נשים למה שהם אוהבות בין בעליהם בין בניהן שאהבתן חזקה להם: (כז) **ויאבדו כלי מלחמה.** כל כך נפלו גבורים כאלו אבדו כלי מלחמתם, או פירושו שאול ויהונתן שהיו כלי מלחמתן של ישראל מתו:

מצודת דוד

(כג) **בחייהם.** עודם בחיים היו נאהבים ונעימים לכל בני אדם, רצה לומר, מאוד היו מקובלים על הבריות, וחביבים בעיני כולם: **ובמותם לא נפרדו.** אף אחר מותם לא נפרדו מן האהבה והנעימה, כי עד עולם לא תשכח כי רבה היא, על כי היו קלים מנשרים וגבורים מאריות, ללחום מלחמות ה': (כד) **המלבישכם שני.** כי התגבר במלחמה, וחלק שלל האויב לאנשיו להלביש איש אשתו ובנותיו, וכאלו הוא המלביש: **עם עדנים.** רצה לומר, שאר מלבושי פאר, המעדן גוף הלובשן: **על לבושכן.** כי כן הדרך להעלות עדי הזהב ממעל על הלבוש, להיות נראה: (כה) **איך נפלו גבורים.** כפל הדבר פעמים ושלש, כדרך המקונן: **יהונתן על במותיך חלל.** אתה יהונתן, גבור שכמותך, תהיה חלל על במותיך, הלא אף החלש יחשב לגבור כשעומד בהר, ומכל שכן גבור כמותך, ובהר שעוד אתה רגיל בו לדעת מוצאיו ומבואיו, וכאומר, הנה הצרה ההיא נפלאה הפלא ופלא: (כו) **צר לי עליך.** מאוד אני מיצר בעבורך, כי נעמת לי מאוד: **נפלאתה.** האהבה שאהבתיך היא אהבה נפלאה, והיא יותר מאהבת הנשים אשר המה נאהבות אהבה רבה למי שחושק אליהם: (כז) **ויאבדו כלי מלחמה.** כי המה כאלו היו כלי מלחמתן של ישראל:

מצודת ציון

(כג) **והנעימים.** ענין אהוב וחביב וערב, כמו (משלי ב, י), וְדַעַת לְנַפְשְׁךָ יִנְעָם: **נפרדו.** מלשון פרוד ופרישה: (כד) **אל שאול בכינה.** מלשון בכי: **שני.** תולעת שני, והוא צמר צבוע אדום: **עדנים.** כל דבר המפנק, בין מאכלים טובים, בין מלבושי פאר וכדומה, יקראו עדן, וכן (משלי כט, יז), וְיִתֵּן מַעֲדַנִּים לְנַפְשֶׁךָ: **עדי.** ענין קשוט, כמו (ירמיהו ד, ל), תַעְדִּי עֲדִי זָהָב: (כו) **צר.** מלשון צרה ודאגה: **אחי.** חביב כאח: **נפלאתה.** ענינו דבר אשר תקשה השגתו ותמוה, כמו (שמות טו, יא), עֹשֵׂה פֶלֶא:

boa before Saul and Jonathan were killed. Normally a leader might become demoralized upon seeing his army slaughtered, and would lose his resolve to continue fighting. He might flee, hide, or surrender, but he would not be able to continue fighting as if nothing had happened. Not Saul and Jonathan. Jonathan's bow did not *recoil from* seeing *the blood of* [Israel's] *slain*, nor did Saul's sword *return empty*.

23. הַנֶּאֱהָבִים וְהַנְּעִימִם בְּחַיֵּיהֶם — *Beloved and pleasant in their lifetimes.* In their lifetimes they were beloved by all, and in death they retain the regard and affection of the people (*Metzudos*).

According to *Targum*, they were "*not parted* from their people" in that they did not desert their nation in its time of peril, even though they knew (see *I Samuel* 28:19) that they would die in battle (*Radak*).

מִנְּשָׁרִים קַלּוּ מֵאֲרָיוֹת גָּבֵרוּ — *They were swifter than eagles, stronger than lions* to do the will of their Creator (*Rashi*). These descriptions are metaphors for alacrity and strength. When it came to serving God and helping their people, Saul and Jonathan let nothing stand in their way. The *Shulchan Aruch*, or Code of Jewish Law, begins with the admonition that one should endeavor to be strong as a lion and swift as an eagle in the service of God. As David declared in this eulogy, Saul and Jonathan exemplified this ideal.

24-26. After eulogizing Saul and Jonathan jointly, David now speaks of them individually (*Abarbanel*).

24. בְּנוֹת יִשְׂרָאֵל אֶל־שָׁאוּל בְּכֶינָה — *O daughters of Israel, weep over Saul.* The women of Israel should feel the loss of Saul most keenly. According to R' Yehudah, *daughters of Israel* is meant literally, because when the men went to war, Saul saw to it that their wives were supported, cared for, and presented with precious clothing and jewelry. According to R' Nechemiah, the verse is allegorical and refers to Saul's loving relationship with the rabbinical courts and the Torah scholars. When he would hear a Torah thought from them, he would be so pleased that he would kiss them (*Midrash Shmuel*).

Saul's ill will toward David began when the women of Israel sang greater praises about David than about Saul (*I Samuel* 18:7). Now that Saul had died and David was poised to replace him, he wanted the daughters of Israel to know that they had been wrong. It was Saul who had deserved their praises; now they should give him their tears.

[23]*Saul and Jonathan, beloved and pleasant in their life times,*
and in their death not parted.
They were swifter than eagles, stronger than lions.
[24]*O daughters of Israel, weep over Saul,*
who would clothe you in scarlet with finery,
who would place golden jewelry upon your clothing.
[25]*How have [the] mighty fallen in the midst of the battle —*
Jonathan, slain upon your heights?
[26]*I am distressed over you, my brother Jonathan; you were so pleasant to me!*
Your love was more wondrous to me than the love of women!
[27]*How have [the] mighty fallen and the weapons of war gone to waste?*

2 **DAVID AND ISH-BOSHETH** 2:1-4:12

[1]*It happened after this that David inquired of HASHEM, saying, "Shall I go up to one of the cities of Judah?" And HASHEM answered him, "Go up!" David then asked,*

---

25. Having spoken about Saul, David turns to Jonathan. In the next verse he explains that he singled out Jonathan because of their great love for one another. Let the women weep for Saul — but no one could match David's grief for his soul brother (*Abarbanel*).

אֵיךְ נָפְלוּ גִבּ֫רִים — *How have [the] mighty fallen . . .* This refers not only to Jonathan, but to the men who fought at his side, none of whom fled from the battlefield. They all fought bravely *in the midst of the battle* until they were stuck down (*Abarbanel*).

יְהוֹנָתָן עַל־בָּמוֹתֶיךָ חָלָל — *Jonathan, slain upon your heights.* You were slain right in your own fortified position (*Targum*). David expresses incredulity at the death of Jonathan. Even ordinary warriors have an advantage when they are stationed on the high ground, how much more so a powerful hero like Jonathan — when they are *"your" heights*, where you know every nook and cranny of the terrain! (*Metzudos*).

26. David emphasizes his personal loss, but by implication this expresses Jonathan's greatness, as well. As will be noted below, David marveled at Jonathan's complete selflessness in giving up his personal ambitions for David's sake.

אָחִי יְהוֹנָתָן — *My brother Jonathan.* Jonathan was more than a friend; he was like David's own flesh and blood.

נִפְלְאַתָה אַהֲבָתְךָ לִי מֵאַהֲבַת נָשִׁים — *Your love was more wondrous to me than the love of women!* There are various explanations.

(a) Based on the plural *women*, it refers to David's two wives (*Targum Yonasan*), Abigail and Ahinoam. Thus David was saying that Jonathan's love for him was greater even than that of his wives (*Radak*). [Although Michal, too, was David's wife, he omitted her because they had been separated from the time that Saul had "annulled" their marriage, and David did not know that she was still loyal to him.]

(b) *R' Menachem Azariah of Fano* writes that *Targum* refers to Jacob's two primary wives, Rachel and Leah. David meant to compare Jonathan's unselfish affection for him to that of the two sisters who were married to Jacob. Just as it was unnatural for a prince, Jonathan, to give up his throne to someone else, so it was unnatural for a woman, Rachel, to give up her fiance to her sister. Nevertheless, just as Rachel's love for Leah led her not to protest when Leah was substituted for her under the marriage canopy, so too, Jonathan stepped aside gracefully in favor of David.

(c) A woman's love for her husband and children is stronger than a man's, but Jonathan's love for David was even stronger than that (*Radak; Ralbag*).

(d) My love for you was more pro-found than a man's love for a woman, for the latter is influenced at least partially by physical attraction, but the love of the two friends was completely pure and unselfish (*Metzudos*).

27. David closes his dirge with the lament that served as the chorus for his poetic song of despair. Saul and Jonathan are described metaphorically as *the weapons of war*, which have been lost (*Rashi*).

Alternatively, usually when great warriors fall in battle, there are others to take their place and wield their weapons, but Saul and Jonathan are irreplaceable; now that they are gone, their *weapons of war* are *gone to waste (Malbim)*.

2.

1-11. The succession to Saul's throne. The defeat of Israel and the death of Saul apparently brought a period of confusion and despair. The nation did not unite under David, nor did David, in his great humility, claim or seize the throne. He did not move back to *Eretz Yisrael* without a command from God, and even then he was accepted as king only by his tribe of Judah. During part of that time, Abner arranged for Saul's son Ish-bosheth to be declared king of the rest of Israel, but David never contested his claim to be Saul's successor

1. וַיִּשְׁאַל דָּוִד בַּה׳ — *David inquired of HASHEM.* Although he no longer had anything to fear after Saul's death, David did not presume to return to Judah and become king without explicit Divine sanction. This attitude of total submission to God's will is one of David's distinguishing characteristics. Saul lost his throne because he did not faithfully follow the command of God, as when he vacillated at the battle against Amalek, when he disobeyed Samuel's instructions to wait before

ב אָנָה אֶעֱלֶה וַיֹּאמֶר חֶבְרֹנָה: וַיַּעַל שָׁם דָּוִד וְגַם שְׁתֵּי נָשָׁיו אֲחִינֹעַם הַיִּזְרְעֵלִית
ג וַאֲבִיגַיִל אֵשֶׁת נָבָל הַכַּרְמְלִי: וַאֲנָשָׁיו אֲשֶׁר־עִמּוֹ הֶעֱלָה דָוִד אִישׁ וּבֵיתוֹ וַיֵּשְׁבוּ
ד בְּעָרֵי חֶבְרוֹן: וַיָּבֹאוּ אַנְשֵׁי יְהוּדָה וַיִּמְשְׁחוּ־שָׁם אֶת־דָּוִד לְמֶלֶךְ עַל־בֵּית יְהוּדָה
ה וַיַּגִּדוּ לְדָוִד לֵאמֹר אַנְשֵׁי יָבֵישׁ גִּלְעָד אֲשֶׁר קָבְרוּ אֶת־שָׁאוּל: וַיִּשְׁלַח
דָּוִד מַלְאָכִים אֶל־אַנְשֵׁי יָבֵישׁ גִּלְעָד וַיֹּאמֶר אֲלֵיהֶם בְּרֻכִים אַתֶּם לַיהוָה אֲשֶׁר
ו עֲשִׂיתֶם הַחֶסֶד הַזֶּה עִם־אֲדֹנֵיכֶם עִם־שָׁאוּל וַתִּקְבְּרוּ אֹתוֹ: וְעַתָּה יַעַשׂ־יְהוָה
עִמָּכֶם חֶסֶד וֶאֱמֶת וְגַם אָנֹכִי אֶעֱשֶׂה אִתְּכֶם הַטּוֹבָה הַזֹּאת אֲשֶׁר עֲשִׂיתֶם הַדָּבָר
ז הַזֶּה: וְעַתָּה ׀ תֶּחֱזַקְנָה יְדֵיכֶם וִהְיוּ לִבְנֵי־חַיִל כִּי־מֵת אֲדֹנֵיכֶם שָׁאוּל וְגַם אֹתִי
ח מָשְׁחוּ בֵית־יְהוּדָה לְמֶלֶךְ עֲלֵיהֶם: וְאַבְנֵר בֶּן־נֵר שַׂר־צָבָא
ט אֲשֶׁר לְשָׁאוּל לָקַח אֶת־אִישׁ בֹּשֶׁת בֶּן־שָׁאוּל וַיַּעֲבִרֵהוּ מַחֲנָיִם: וַיַּמְלִכֵהוּ
אֶל־הַגִּלְעָד וְאֶל־הָאֲשׁוּרִי וְאֶל־יִזְרְעֶאל וְעַל־אֶפְרַיִם וְעַל־בִּנְיָמִן וְעַל־יִשְׂרָאֵל
י כֻּלֹּה: בֶּן־אַרְבָּעִים שָׁנָה אִישׁ־בֹּשֶׁת בֶּן־שָׁאוּל בְּמָלְכוֹ עַל־יִשְׂרָאֵל

רש"י

(ח) לקח את איש בושת. מקרא היה דורש שעתידין שני מלכים לעמוד מבנימין, שאמר לו הקב"ה ליעקב (בראשית לה, יב), ומלכים מחלציך יצאו' וכבר נולדו כל בניו חוץ מבנימין:

רד"ק

(ד) וימשחו שם את דוד. ואף על פי שכבר היה נמשח על ידי שמואל (לעיל־א טז, יג), אף על פי כן בעת שקבלוהו עליהם למלך משחוהו: **ויגדו לדוד לאמר אנשי יביש גלעד.** פירוש דבר אנשי יביש גלעד אֲשֶׁר קָבְרוּ אֶת שָׁאוּל, או הוא כמו הפוך אשר קברו אנשי יביש גלעד את שאול: **(ו) הטובה הזאת.** גמול הטובה הזאת: **(ח) ויעברהו מחנים.** רצה להמליכו תחלה מעבר הירדן, והעבירהו מחנים כי הוא מצוע גבול שני שבטים וחצי שהרי מחנים גבול בני גד (יהושע יג, כו), וגבול בני מנשה (שם פסוק ל), ואף על פי שידע אבנר כי דוד נמשח למלך על ידי שמואל, היה מתחזק להעמיד עדיין מלכות שאול כפי כחו. ובמדרש, (בראשית רבה כב, ד) וַיֹּאמֶר אֱלֹהִים (אל יעקב) אֲנִי אֵל שַׁדַּי פְּרֵה וּרְבֵה וגו' אמרו מכאן דרש אבנר וקרב לאיש בשת בן שאול, אמר הכתוב וּמְלָכִים מֵחֲלָצֶיךָ יֵצֵאוּ (שם) ועל בנימין נאמר שלא נולד עדיין, ועד עכשיו לא עמד מבנימין אלא שאול, לפיכך לקח איש בשת וַיַּמְלִכֵהוּ אֶל הַגִּלְעָד וגו': **(ט) וימלכהו אל הגלעד.** אל במקום על, כמו אֶל הֶהָרִים לֹא אָכָל (יחזקאל יח, ו) וזולתו, המליכהו תחילה מעבר לירדן ובארץ ישראל: **ואל האשורי ואל יזרעאל ועל אפרים ועל בנימן.** ואחרי אשר אמר עַל יִשְׂרָאֵל כֻּלֹּה למה זכר אלה המקומות, יש לפרש כי בשובו ממחנים היה, וזה היה אחרי מלחמת הנערים ששב אבנר אחרי המלחמה למחנים אל איש בשת (פסוק כט), ואז העבירהו אל אלה המקומות הנזכרים עד שובו לביתו בארץ בנימין, אבל על ישראל כלו המליכהו זולתי שבט יהודה, ופירוש הָאֲשׁוּרִי כתרגומו דְבֵית אָשֵׁר, ופירוש וְאֶל יִזְרְעֶאל אינו יזרעאל זה אשר בנחלת בני מנשה (יהושע טז, יז):

מצודת דוד

(ג) בערי חברון. בהערים הסמוכים לחברון: **(ד) אנשי וגו' אשר קברו.** הוא הפוך, וכמו אשר אנשי יבש גלעד קברו את שאול: **(ו) הטובה הזאת.** גמול הטובה הזאת: **(ז) תחזקנה ידיכם.** רצה לומר, התחזקו בעצמם והיו לבני חיל ללחום מלחמתכם: **כי מת אדוניכם שאול.** שהיה לכם מאז לעזר ללחום בעבורכם: **וגם אותי משחו.** כאומר לא נופל אנכי ממנו, ואהיה גם אני לכם לעזר: **(ח) ויעבירהו מחנים.** שם היה מקום מוכשר להמליכו: **(ט) ועל ישראל כלה.** רצה לומר, בתחילה המליכו על אלו המקומות שזכר אחת לאחת, עד שבאחרונה המליכו על כל ישראל, זולת יהודה: **(י) על ישראל.** רצה לומר, על כל ישראל, ומלך על כולם שתי שנים, וחמשת השנים וששת החדשים הקודמים, לא מלך עדיין על כל ישראל כי אם על המקומות שזכר למעלה, ועוד אחת לאחת על מה מהמקומות, וכל ימי משך מלכותו היה כחשבון שמלך דוד בחברון:

מצודת ציון

(א) אנה. לאיזה מקום, כמו (דברים א, כח), אָנָה אֲנַחְנוּ עוֹלִים: **(ו) ואמת.** ענינו כמו חסד, וכן (לקמן טו, כ), וְהָשֵׁב וגו' חֶסֶד וֶאֱמֶת:

bringing an offering, and when he "overruled" the Torah by inquiring of the necromancer. In contrast, David ascertained the will of God before acting. It may be that he hastened to pose this question to God before the Philistine governor Achish, David's erstwhile protector, returned from the fray, for fear that Achish might prevent him from returning home, or insist that he pledge a pact of non-belligerency (*Abarbanel*).

Although Samuel had anointed him, David did not know if the time had come for him to reign, for perhaps Saul's son was first in line to succeed his father (*Malbim*). According to the *Zohar*, David could not become king until he came to Hebron and united himself spiritually with the Patriarchs, who are buried there, in the Cave of Machpelah.

2. וְגַם שְׁתֵּי נָשָׁיו — *With his two wives*. Scripture mentions that he brought Ahinoam and Abigail with him to show that he had complete faith in God's word; if he had had any doubts about whether he would be accepted in Hebron, he would not have risked endangering them (*Malbim*).

3. וַיֵּשְׁבוּ בְּעָרֵי חֶבְרוֹן — *And they settled in the towns around Hebron*. Rather than settling his allies around him in Hebron proper for protection, he let them settle in the outskirts of the city. This, too, shows David's complete faith in God (*Malbim*).

Alternatively, David did not come to Hebron to claim the throne, nor did verse 1 say that God commanded him to reign. Therefore he did not station his men nearby, because this would have implied that he was creating a stronghold for himself. He did not become king of Judah (v. 4) until his tribesmen came and recruited him (*Alshich*).

"To where shall I go up?" And He responded, "To Hebron." [2]*So David went up there with his two wives — Ahinoam of Jezreel and Abigail, the [former] wife of Nabal the Carmelite.* [3]*David also brought up his men who were with him, each man with his household, and they settled in the towns around Hebron.* [4]*The men of Judah came and there they anointed David as king of the House of Judah.*

David reigns in Hebron

It was told to David, saying, "[It was] the men of Jabesh-gilead who buried Saul." [5]*So David sent messengers to the men of Jabesh-gilead, and said to them, "Blessed are you to* Hashem *for you have performed this act of kindness for your lord, Saul, for you have buried him.* [6]*So now, may* Hashem *perform acts of kindness and truth for you. I, too, shall repay you for this benevolence, because you have done this deed.* [7]*And now, may your hands be strong and may you be courageous, for your lord Saul has died; moreover the House of Judah has anointed me as king over them."*

David blesses those who buried Saul

[8]*Now Abner son of Ner, the commander of Saul's army, had taken Ish- bosheth son of Saul and brought him across to Mahanaim,* [9]*and made him king over Gilead, over the Asherite, over Jezreel, over Ephraim, over Benjamin and over all of Israel.*

Ish-bosheth assumes Saul's kingship

[10]*Ish-bosheth son of Saul was forty years old when he reigned over Israel,*

---

4. וַיִּמְשְׁחוּ־שָׁם אֶת־דָּוִד — *And there they anointed David.* Although Samuel had already anointed him (*I Samuel* 16:13), that act represented the *Divine* will that he would be king; this anointment signified his acceptance by the tribe of Judah (*Radak*).

4-6. David blesses and assures the men of Jabesh-gilead. His first act as king displays his humility and purity of spirit. Upon arriving in Hebron, David learned of the courage of the men of Jabesh-gilead, who braved the Philistines to retrieve and bury Saul's remains (*I Samuel* 31:11-13). Although it was common for a new king to purge, or at least shun his predecessor's accomplices and sympathizers, David did the opposite: he congratulated and promised his aid to the men of Jabesh-gilead for their heroic show of honor toward Saul. He showed this grace even though his reign was still tenuous, having been accepted by only one tribe. At this time of Philistine ascendancy, the people of Jabesh-gilead may well have feared Philistine retaliation, and deserted their town, as did many others (ibid. 31:7), but David encouraged them to stand fast and promised that he would help them if need be (*Malbim*).

7. Since the House of Judah has anointed me as its king, I have the power to protect you from the Philistines, since Judah is a large and strong tribe (*Abarbanel*).

8. Ish-bosheth. Although Abner knew that Samuel had anointed David (see 3:9), he inferred from a verse in the Torah that there had to be another king from the tribe of Benjamin before the kingship went over to Judah. When Jacob was returning to *Eretz Yisrael* from his long sojourn with Laban, God blessed him, saying, וּמְלָכִים מֵחֲלָצֶיךָ יֵצֵאוּ, *and kings* (in the plural) *shall issue from your loins* (*Genesis* 35:11). Since only Benjamin was not yet born, this meant that more than one king would emerge from the tribe of Benjamin. Thus, although Abner did not deny that David *would* be king, he felt that Ish-bosheth should reign first (*Bereishis Rabbah* 85:2). That this would delay the beginning of David's reign would not be a repudiation of Samuel's anointment, since even Samuel had not given the kingship to David while Saul was alive.

Up to this point, Ish-bosheth had not been mentioned among Saul's children (see *I Samuel* 14:49). The reason for this omission, *Radak* suggests, is that Scripture's above list mentioned only the sons who would accompany Saul on the battlefield, and Ish-bosheth apparently did not do so (see *I Samuel* 31:6).

In the list of Saul's sons in *I Chronicles* 8:33, Ish-bosheth is called *Eshbaal*. Commentators point out that throughout Scripture, the name-ending בַּעַל, *baal*, is changed to בֹּשֶׁת, *shame,* to avoid mention of the word *baal*, which was the name of an idol, and to make the point that an idol is an object of shame and disgrace. Another example of this practice is the name Jerubaal, which was given to Gideon (see *Judges* 6:32), but was changed to Jerubbesheth (11:21). *Radak* wonders why Saul would have given his son a name Eshbaal, with its connotation of an idol.

8-9. Abner's strategy was to consolidate support for Ish-bosheth step by step, until he was accepted by the vast majority of the people. He began in Benjamin's territory, which was the natural stronghold of Saul's family, and went from there across the Jordan, where support for Saul was very strong, as evidenced by the loyalty of Jabesh-gilead (*Malbim*). He chose Mahanaim for its central location, on the border between Dan and Manasseh, the two main tribes of the East (*Radak*). From there Abner spread the sway of Ish-bosheth gradually, *over Gilead, over the Asherite, over Jezreel, over Ephraim, over Benjamin and over all of Israel.* Thus, the acceptance of Ish-bosheth as king was gradual, until it encompassed all of Israel, except for the tribe of Judah.

10. When did Ish-bosheth reign? This verse presents a problem of chronology. All of Israel did not unite under David until seven-and-a-half years after Saul's death (5:4); until then only Judah accepted David's kingship. If Ish-bosheth reigned for only two years, who was the king of Israel during the other five years — were the other eleven tribes leaderless for all of

יא וּשְׁתַּיִם שָׁנִים מָלָךְ אַךְ בֵּית יְהוּדָה הָיוּ אַחֲרֵי דָוִד: וַיְהִי מִסְפַּר הַיָּמִים אֲשֶׁר הָיָה
יב דָוִד מֶלֶךְ בְּחֶבְרוֹן עַל־בֵּית יְהוּדָה שֶׁבַע שָׁנִים וְשִׁשָּׁה חֳדָשִׁים: וַיֵּצֵא
יג אַבְנֵר בֶּן־נֵר וְעַבְדֵי אִישׁ־בֹּשֶׁת בֶּן־שָׁאוּל מִמַּחֲנַיִם גִּבְעוֹנָה: וְיוֹאָב בֶּן־צְרוּיָה
וְעַבְדֵי דָוִד יָצְאוּ וַיִּפְגְּשׁוּם עַל־בְּרֵכַת גִּבְעוֹן יַחְדָּו וַיֵּשְׁבוּ אֵלֶּה עַל־הַבְּרֵכָה מִזֶּה
יד וְאֵלֶּה עַל־הַבְּרֵכָה מִזֶּה: וַיֹּאמֶר אַבְנֵר אֶל־יוֹאָב יָקוּמוּ נָא הַנְּעָרִים וִישַׂחֲקוּ
טו לְפָנֵינוּ וַיֹּאמֶר יוֹאָב יָקֻמוּ: וַיָּקֻמוּ וַיַּעַבְרוּ בְמִסְפָּר שְׁנֵים עָשָׂר לְבִנְיָמִן וּלְאִישׁ בֹּשֶׁת
טז בֶּן־שָׁאוּל וּשְׁנֵים עָשָׂר מֵעַבְדֵי דָוִד: וַיַּחֲזִקוּ אִישׁ ׀ בְּרֹאשׁ רֵעֵהוּ וְחַרְבּוֹ בְּצַד רֵעֵהוּ
יז וַיִּפְּלוּ יַחְדָּו וַיִּקְרָא לַמָּקוֹם הַהוּא חֶלְקַת הַצֻּרִים אֲשֶׁר בְּגִבְעוֹן: וַתְּהִי הַמִּלְחָמָה
יח קָשָׁה עַד־מְאֹד בַּיּוֹם הַהוּא וַיִּנָּגֶף אַבְנֵר וְאַנְשֵׁי יִשְׂרָאֵל לִפְנֵי עַבְדֵי דָוִד: וַיִּהְיוּ
שָׁם שְׁלֹשָׁה בְּנֵי צְרוּיָה יוֹאָב וַאֲבִישַׁי וַעֲשָׂהאֵל וַעֲשָׂהאֵל קַל בְּרַגְלָיו כְּאַחַד
יט הַצְּבָיִם אֲשֶׁר בַּשָּׂדֶה: וַיִּרְדֹּף עֲשָׂהאֵל אַחֲרֵי אַבְנֵר וְלֹא־נָטָה לָלֶכֶת עַל־הַיָּמִין

רש"י

(טז) **חלקת הצורים.** (תרגום) אחסנת קטיליא, על שם החרבות, כמה דאת אמר (תהלים פט, מד), אף תשיב צור חרבו:

רד"ק

(יא) **שבע שנים וששה חדשים.** נמצא מלכות בטלה חמש שנים שהרי איש בשת לא מלך אלא שתי שנים: (יב) **ממחנים גבעונה.** עתה אומר כי אחר שהמליכו את איש בשת במחנים קודם שעבר הירדן לשוב לביתו היה מה שהיה, ויצא אבנר עם עבדי איש בשת ללכת לגבעון שהוא ארץ בנימין, ויצאו אליהם יואב ועבדי דוד ויפגשום על ברכת גבעון, ונראה כי דעת יואב היה להלחם עמם וראה כי רבים אשר אתם וחדל, עד שאמר אבנר יָקוּמוּ נָא הַנְּעָרִים וִישַׂחֲקוּ לְפָנֵינוּ: (יד) **וישחקו.** דרך שחוק יתגרו אלה עם אלה בחרבותיהם ונראה מי ידע מדרכי המלחמה יותר, ודרשו רז"ל (במדבר רבה יט, ב) ולפי שעשה עם דם הנערים שחוק נענש ונפל בחרב (לקמן ג, כז): (טו) **ולאיש בשת.** די היה לו אם אמר שנים עשר לאיש בשת כמו שאמר שנים עשר מעבדי דוד אלא בא להודיע כי משבט בנימין היו הולכין עמו להמליכו: (טז) **ויפלו יחדו.** כל אחד הרג את חבירו: **חלקת הצרים.** תרגום יונתן אַחֲסָנַת קְטִילַיָא מן וַתִּקַּח צִפֹּרָה צֹר (שמות ד, כה) צוּר חַרְבּוֹ (תהלים פט, מד) שענינה חרב חדה, ויש לפרש כמשמעו כמו וְהַצֻּרִים נִתְּצוּ מִמֶּנּוּ (נחום א, ו), ופירושו חלקת החזקים, כי חזקים היו ובחזקה נלחמו שלא התגבר אחד על חבירו, אלא כלם נהרגו כאחד איש על יד אחיו: (יח) **ועשהאל קל ברגליו.** ספר זה כי בטח בקלותו לרדוף אחרי אבנר מה שלא עשו כן האחרים, ולא הבין כי לא לקלים המרוץ: **הצבים.** ביו"ד אחד לבד ויו"ד הרבים נעלמה מהמכתב:

מצודת דוד

(יג) **ויפגשום.** פגעו אלו באלו, סמוך לברכת גבעון: (יד) **וישחקו לפנינו.** רצה לומר, יתגרו מלחמה אלה באלה דרך שחוק, לראות מי מהם יותר מלומד מלחמה: (טו) **ויעברו.** את ברכת המים, כי היו אלה מזה ואלה מזה: **לבנימן.** מבני בנימן, עבדי איש בושת: (טז) **רעהו.** הבא ללחום למולו: **וחרבו.** להכהו נפש: **ויפלו יחדיו.** כי הרגו זה את זה: (יז) **ותהי המלחמה קשה.** עם כי מתחילה קמו מתי מספר להלחם דרך שחוק, סוף הדבר היה אשר נלחמו כולם בחזקה: (יט) **ולא נטה.** לא נטה מאחרי אבנר ללכת וגו':

מצודת ציון

(יג) **ויפגשום.** פגעו אלה באלה: **ברכת.** הוא מקום הבנוי באבנים ובסיד, ושם מתכנסים המים, וכן (ישעיהו לו, ב), הַבְּרֵכָה הָעֶלְיוֹנָה: (טז) **ויחזיקו.** אחזו בכח: **חלקת הצורים.** רוצה לומר מישור שנלחמו בה בחדודי חרב, כי חלקת הוא ענין מישור, כמו (בראשית לג, יט), חֶלְקַת הַשָּׂדֶה, והצורים הוא ענין חדוד, כמו (תהלים פט, מד), אַף תָּשִׁיב צוּר חַרְבּוֹ: (יח) **הצבים.** מלשון צבי, בלשון רבים:

that time? Another question: Where, in relation to the seven years that elapsed before David's total reign, were the two years of Ish-bosheth — at the beginning (immediately after Saul's death), at the end (just before David's reign became complete), or perhaps somewhere in the middle?

Rashi and *Tosafos* (*Sanhedrin* 20a) take opposing stands on this issue. There, R' Nachman bar Yitzchak teaches that Abner was punished for delaying the coronation of David. According to *Rashi*, Abner crowned Ish-bosheth only five years after Saul's death (implying that there was a vacuum of five years). *Tosafos* there, and *Radak* here, interpret that Abner crowned Ish-bosheth immediately after Saul's death, but his authority evaporated after two years, leaving five years when the eleven tribes had no central leadership.

According to *Ralbag*, Ish-bosheth actually reigned for seven years, concurrently with David's rule in Hebron. What the verse means here is that *after* the first two years of his reign, the events beginning with verse 12 took place. Alternatively, *Abarbanel* suggests that although Ish-bosheth was technically king for seven years, it was only his first two years, before Abner became disillusioned with him, that he truly *reigned*; after Abner deserted him, he was a figurehead with no real power.

Alshich comments that after the death of Saul, many of the people noted that Samuel had been opposed to a monarchy and they contended that the Philistine victory was proof that he had been right. It took five years for Abner to convince the people that they should have a monarch, so that Ish-bosheth actually reigned for only two years. Abner also engaged in a halachic debate over the relative qualifications of David and Ish-bosheth. As noted above, he held that there had to be a second Benjamite king before the kingship transferred permanently to Judah. Abner was punished because he should have presented his halachic arguments to the Sanhedrin for adjudication immediately after Saul's death.

and he reigned for two years. (However, the House of Judah was loyal to David; [11]*the number of days that David was king over the House of Judah in Hebron was seven years and six months.)*

A bloody duel

[12]*Abner son of Ner went forth with the servants of Ish-bosheth son of Saul, from Mahanaim to Gibeon.* [13]*Joab son of Zeruiah and David's servants went forth, and they met together at the Pool of Gibeon; these were sitting at one end of the pool and these were sitting at the other end of the pool.* [14]*Abner then said to Joab, "Let the young soldiers arise and duel before us!" And Joab answered, "Let them arise!"* [15]*So they arose and crossed [the pool] according to a set number — twelve for Benjamin and Ish-bosheth son of Saul, and twelve of David's servants.* [16]*Each man grabbed his opponent's head, and then [thrust] his sword into his opponent's side, and they fell together. They called that place Helkat-hazzurim (Field of the Swords), which is in Gibeon.*

[17]*A very intense battle ensued on that day, and Abner was defeated along with the men of Israel, by the servants of David.* [18]*The three sons of Zeruiah were there — Joab, Abishai and Asahel. Asahel was as swift on his feet as one of the deer that are in the field.* [19]*Asahel pursued Abner; he did not turn away — going to the right*

12-17. The disastrous duel. There was a chance meeting of Abner and Joab, the field marshals of Ish-bosheth and David respectively, who were leading large forces of fighting men. They agreed to a duel between some of their soldiers, which led to bloodshed and almost a civil war.

12. וַיֵּצֵא אַבְנֵר בֶּן־נֵר ...מִמַּחֲנַיִם גִּבְעוֹנָה — *Abner son of Ner went forth . . . from Mahanaim to Gibeon.* This took place either at the beginning of Ish-bosheth's reign, after he had been crowned in Mahanaim (*Radak*), or at the end of Ish-bosheth's two years (*Malbim*). Either way, Abner was returning to his home in Gibeon, in the land of Benjamin, which was only a few miles from Judean territory.

13. *Radak* conjectures that Joab and his troops were on an expedition to engage Abner in combat [because of Abner's opposition to David], but changed their plans when they realized that Abner's force was superior. *Malbim*, however, comments that the meeting between the two parties was coincidental.

בְּרֵכַת גִּבְעוֹן — *The Pool of Gibeon*, i.e, a huge circular pit that was built as a reservoir. Although no longer functioning, it still exists in Gibeon (El Jib, just northwest of modern Jerusalem) to this day. It is mentioned also in *Jeremiah* 41:12 as the Great Water [Poo] of Gibeon.

14. יָקוּמוּ נָא הַנְּעָרִים וִישַׂחֲקוּ — *Let the young soldiers arise and duel. lit., play.* Abner's intent was to hold a harmless exercise between the two sides, to demonstrate their expertise at swordplay, but the fighting soon got out of hand and blood was spilled (*Radak*).

The Sages (*Vayikra Rabbah* 26:1), however, teach "Why was Abner killed? ... Because he referred to the spilling of blood of young soldiers as *playing*." This implies that Abner's intent was to have a duel to the death between the two sides.

15. Abner's men, the challengers, crossed over to Joab's side of the pool (*Abarbanel, Malbim*).

בְּמִסְפָּר שְׁנֵים עָשָׂר — *According to a set number – twelve.* They chose this number because it represented the number of tribes of Israel. This was, after all, no mere confrontation between two groups of warriors; Abner and Joab both sought to expand the rule of their respective kings over all the tribes of Israel (*Daas Sofrim*).

לְבִנְיָמִן וּלְאִישׁ בֹּשֶׁת — *For Benjamin and Ish-bosheth.* Benjamin is mentioned to indicate that the soldiers accompanying Abner were all Benjamites (*Radak*).

16. Whatever the original intent of the generals, the duel became a battle to the death, as the contestants grasped and stabbed each other.

17. After the tragic outcome of the duel, all the men of both forces joined in, and a full-scale battle erupted. As the Sages (*Avos* 4:2) taught: "One sin leads to another sin" (*Abarbanel*). Although Abner's men at first seemed superior to Joab's (see comm. to v. 13), *Abner was defeated along with the men of Israel*, and they fled from the pursuing forces of Joab.

18-32. The tragic outcome of the duel. The bloody duel expanded into a full-scale battle between the two camps. Abner's forces were defeated and fled, which in turn resulted in the death of a leading member of David's loyalists.

18. Zeruiah was David's sister (*I Chronicles* 2:16). Scripture adopts the uncommon practice of always identifying the three brothers by their mother's name rather than their father's, perhaps because Zeruiah, as David's sister, was better known than her husband (*Radak*).

וַעֲשָׂהאֵל קַל בְּרַגְלָיו — *Asahel was as swift on his feet...* This is why Asahel was the only one who undertook to pursue Abner, not realizing that "the race is not always won by the swift" (*Ecclesiastes* 9:11) (*Radak*).

19-21. Asahel knew that without Abner's backing, Ish-bosheth's claim to the throne would be doomed, and David would sooner or later be accepted as king by all. Consequently he pursued Abner with the intention of killing him. Abner, on the other hand, did not wish to harm Asahel, and urged him to

כ וְעַל־הַשְּׂמֹאול מֵאַחֲרֵי אַבְנֵר׃ וַיִּפֶן אַבְנֵר אַחֲרָיו וַיֹּאמֶר הַאַתָּה זֶה עֲשָׂהאֵל
כא וַיֹּאמֶר אָנֹכִי׃ וַיֹּאמֶר לוֹ אַבְנֵר נְטֵה לְךָ עַל־יְמִינְךָ אוֹ עַל־שְׂמֹאלֶךָ וֶאֱחֹז לְךָ אֶחָד
כב מֵהַנְּעָרִים וְקַח־לְךָ אֶת־חֲלִצָתוֹ וְלֹא־אָבָה עֲשָׂהאֵל לָסוּר מֵאַחֲרָיו׃ וַיֹּסֶף עוֹד
אַבְנֵר לֵאמֹר אֶל־עֲשָׂהאֵל סוּר לְךָ מֵאַחֲרָי לָמָּה אַכֶּכָּה אַרְצָה וְאֵיךְ אֶשָּׂא פָנַי
כג אֶל־יוֹאָב אָחִיךָ׃ וַיְמָאֵן לָסוּר וַיַּכֵּהוּ אַבְנֵר בְּאַחֲרֵי הַחֲנִית אֶל־הַחֹמֶשׁ וַתֵּצֵא
הַחֲנִית מֵאַחֲרָיו וַיִּפָּל־שָׁם וַיָּמָת °תחתו [°תַּחְתָּיו ק] וַיְהִי כָּל־הַבָּא אֶל־הַמָּקוֹם
כד אֲשֶׁר־נָפַל שָׁם עֲשָׂהאֵל וַיָּמֹת וַיַּעֲמֹדוּ׃ וַיִּרְדְּפוּ יוֹאָב וַאֲבִישַׁי אַחֲרֵי אַבְנֵר
וְהַשֶּׁמֶשׁ בָּאָה וְהֵמָּה בָּאוּ עַד־גִּבְעַת אַמָּה אֲשֶׁר עַל־פְּנֵי־גִיחַ דֶּרֶךְ מִדְבַּר גִּבְעוֹן׃
כה וַיִּתְקַבְּצוּ בְנֵי־בִנְיָמִן אַחֲרֵי אַבְנֵר וַיִּהְיוּ לַאֲגֻדָּה אֶחָת וַיַּעַמְדוּ עַל רֹאשׁ־גִּבְעָה
כו אֶחָת׃ וַיִּקְרָא אַבְנֵר אֶל־יוֹאָב וַיֹּאמֶר הֲלָנֶצַח תֹּאכַל חֶרֶב הֲלוֹא יָדַעְתָּה כִּי־מָרָה
כז תִהְיֶה בָּאַחֲרוֹנָה וְעַד־מָתַי לֹא־תֹאמַר לָעָם לָשׁוּב מֵאַחֲרֵי אֲחֵיהֶם׃ וַיֹּאמֶר יוֹאָב
חַי הָאֱלֹהִים כִּי לוּלֵא דִּבַּרְתָּ כִּי אָז מֵהַבֹּקֶר נַעֲלָה הָעָם אִישׁ מֵאַחֲרֵי אָחִיו׃

רש"י

(כג) **אל החומש.** כמו דופן חמישית, מקום שמרה וכבד תלויין שם (סנהדרין מט, א). ויונתן תרגם, אל החומש, בסטר ירכיה: **וימת תחתיו.** (תרגום) ומית באתריה: (כז) **לולא דברת.** אם דברת כן, 'לולא' כמו 'לו'. ועוד יש לפותרו כמשמעו, לולא דברת מה שאמרת (לעיל פסוק יד), יקומו נא הנערים וישחקו:

רד"ק

(כא) **ואחז לך אחד מהנערים:** לחברתך שישוב עמך ואם אתה ירא ממנו: **קח לך את חלצתו.** פירוש כלי מלחמתו וגם אתה לא תהרגנו: (כב) **למה אככה ארצה.** כתרגומו אֶקְטְלִינָךְ וְאֶרְמִינָךְ לְאַרְעָא. **ואיך אשא פני.** ואיך ארים פני אל אחיך להביטו, הלא אבוש ממנו אם אמיתך: (כג) **באחרי החנית.** יש חניתות שראש עץ החנית מחודד ובו ברזל מחודד עשוי לתקעו בארץ, כמו שאומר בשאול וַחֲנִיתוֹ מְעוּכָה בָאָרֶץ (לעיל־א כו, ז), ופעמים מכים בו לאחור שאין פונים אל הרודף להכותו בלהבת החנית, אלא מכים באחרי החנית וכן עשה אבנר לא פנה אל עשהאל אלא הכהו באחרי החנית: **אל החמש.** פירשו רבותינו ז"ל (סנהדרין מט, א) בדופן חמישית מקום שמרה וכבד תלויים בו, ותרגם יונתן בִּסְטַר יַרְכֵיהּ: **תחתיו.** במקומו, כמו וְלֹא קָמוּ אִישׁ מִתַּחְתָּיו (שמות י, כג) ורצה לומר שלא הלך ולא זז ממקומו אחר שהוכה, אלא מיד מת: **ויעמדו.** כאשר שמעו עבדי דוד הריגת עשהאל רדפו אחרי אבנר, וכשהיו מגיעים אל המקום ההוא שמת שם עשהאל היו עומדים, אבל יואב ואבישי לא עמדו עליו אלא רדפו אחרי אבנר: (כד) **והשמש באה.** כשהגיעו גבעת אמה באה השמש: **גבעת אמה.** נקראת הגבעה כן על ענין ידוע אצלם, אולי היתה אמת המים בצד הגבעה: **גיח.** שם מקום: (כה) **ויתקבצו.** כשראו שהיו רודפים אחריהם התקבצו אותם שהיו הולכים ראשונים ובאו אחרי אבנר והיו לאגודה אחת להלחם עם יואב, ופירוש אגודה סיעה מקובצין יחד כאילו נקשרים ונאגדים זה בזה: (כו) **הלנצח תאכל חרב.** תרגם יונתן הַלְאַפְרֵשׁ, וכן תרגם אִם יִשְׁמֹר לָנֶצַח (ירמיה ג, ה) לְאַפְרֵשׁ, ופירוש לנצח ידוע כי הוא כמו לעולם. ופירוש תֹּאכַל חֶרֶב, תאכל חרבך בשר לנצח, הלא ידעתי כי תאותך לנצח למלחמה תהיה מרה באחרונה: (כז) **כי לולא דברת.** אם לא שדברת אתה יָקוּמוּ נָא הַנְּעָרִים וִישַׂחֲקוּ לְפָנֵינוּ (לעיל פסוק יד) לא היתה מלחמה זאת היום ואתה החלות מלחמה זאת לא אני, וכבר מאז מן הבקר ועד עתה נעלה העם איש מאחרי אחיו לולא דברת אתה, וכשראה יואב כי לא יכול עמהם כי התקבצו כלם תקע בשופר שיעמדו ולא ירדפו, וכן עשה ויעמדו כל העם אשר עם יואב:

מצודת דוד

(כא) **נטה לך.** כי הרודף אחר מי ושב מאחריו, הנה לקלון יחשב, ולזה אמר לו אבנר אם מפני הכבוד לא תרצה לשוב מאחרי, עשה זאת, נטה על ימינך וגו', להיות נראה שלא אחרי רדפת כי אם אחר נער אחר, ואחוז באמת אחד מן הנערים, ולא תכנו נפש כי אם קח חליצתו, ויחשבו הכל כי אחריו רדפת והשגתו: (כב) **ארצה.** לשתפול מת בארץ: **ואיך אשא פני.** להסתכל בו, כי הלא אבוש מפניו: (כג) **באחרי החנית.** בהברזל המחודד אשר בו, העשוי לשקוע בארץ: **אל החומש.** אל צלע החמישית, שהוא על הלב. ורבותינו ז"ל אמרו (סנהדרין מט, א), מול מקום שכבד ומרה תלוין בו: **מאחריו.** כי חלפה גופו מעבר אל עבר: **כל הבא.** מאנשי דוד: **ויעמודו.** עמדו מתבהלים וחדלו מלרדוף: (כד) **וירדפו** . אבל יואב ואבישי רדפו עוד: **דרך.** רדפו דרך מדבר גבעון, ובאו לגבעת אמה: (כה) **אחרי אבנר.** להצילו מיואב ואבישי: (כו) **הלנצח.** וכי לעולם תהרוג החרב מאתנו איש לאחיו: **הלא ידעתה.** והלא תשכיל לדעת שמרה תהיה באחרונה, שאמות אני או אתה: (כז) **לולא דברת.** אם לא דברת מתחילה, יקומו הנערים גו': **כי אז מהבוקר.** מעת פגשנו היינו נפרדים אלה מאלה כל אחד לדרכו, כי לא היה מאז דעתי להלחם עמך:

מצודת ציון

(כא) **חלצתו.** כן יקרא המלבוש, וכן (שופטים יד, יט), וַיִּקַּח אֶת חֲלִיצוֹתָם: **ולא אבה.** ולא רצה: (כג) **תחתיו.** במקומו: (כד) **באה.** שקעה, כמו (בראשית כח, יא), כִּי בָא הַשֶּׁמֶשׁ: (כה) **לאגודה אחת.** רוצה לומר לקבוצה אחת, כמו (עמוס ט, ו), וַאֲגוּדָּתוֹ עַל אֶרֶץ יְסָדָהּ: **גבעה.** הר: (כו) **הלנצח.** הלעולם: **ועד מתי.** עד איזה זמן: (כז) **לולא.** אם לא: **נעלה.** ענין סלוק, כמו (במדבר ט, כא), וְנַעֲלָה הֶעָנָן:

---

desist (*Ralbag*).

Before the duel and its aftermath, Asahel would not have attempted to assassinate the distinguished and respected Abner, but now that a state of war existed, he could justify such an attempt.

21. וֶאֱחֹז לְךָ אֶחָד מֵהַנְּעָרִים — *And capture one of the young soldiers* . . . What did Abner mean when he told Asahel to capture one of the soldiers? Abner advised Asahel to stop the chase altogether and return to Joab's position. Out of respect for Asahel's high standing, Abner offered him one of the soldiers as an escort, and if he was afraid that the soldier might try to harm him, Abner continued, Asahel should *take*

or to the left — from behind Abner. [20]*Abner turned around and said, "Is that you, Asahel?" And he replied, "It is I."* [21]*Abner then said to him, "Turn yourself away to your right or to your left and capture one of the young soldiers and take his weapon for yourself." But Asahel would not agree to turn aside from after him.* [22]*So Abner once again said to Asahel, "Turn aside from behind me! Why should I strike you to the ground? How will I be able to show my face to your brother Joab?"* [23]*But he refused to turn aside, and Abner struck him with the back of his spear, into his fifth rib; and the spear came out of his back, and he fell there and died in his place. It happened that whoever came to the place where Asahel had fallen and died stood still [in shock].* [24]*Joab and Abishai chased after Abner. The sun was setting as they reached Ammah Hill which is alongside Giah, on the way to the Wilderness of Gibeon.* [25]*The children of Benjamin assembled themselves behind Abner and became a single group, and they stood atop a hill.* [26]*Abner then called out to Joab and said, "Must the sword consume forever? Do you not know that there will be a bitter ending to this? How long will you not tell the people to turn back from after their brethren?"*

Abner kills Asahel in self-defense

Abner convinces Joab to avoid civil war

[27]*Joab then said, "As God lives, had you not spoken [first], already in the morning every one of the people would have gone back from going after his brother."*

---

his weapon away from him (*Radak*).

Alternatively, it would have been embarrassing for Asahel to abandon his pursuit, as if admitting that he was no match for Abner. If Asahel would only redirect his chase after another soldier, however, it would appear that he had been pursuing that soldier from the start, and it would not look like a cowardly surrender. Abner did not want to suggest to Asahel that he should actually kill one of his men however, so he made certain to limit his offer to the taking of spoils from him, i.e., *take his weapon for yourself* (*Abarbanel*).

22. Abner's repeated pleas to Asahel, and his implication that he was concerned about his relations with Joab, are a testimony to the fact that the struggle between the two camps was not based on vicious, bitter rivalry, but on mutual respect and an honest difference of opinion. Each side believed that it was doing what was best for the nation of Israel, and acted for the sake of Heaven, and not out of personal enmity (*Daas Sofrim*).

23. בְּאַחֲרֵי הַחֲנִית — *With the back of his spear.* Some spears have a sharp point at the end of their handles, which is made for plunging the spear into the ground for storage, but it is also sharp enough to kill someone with a backwards thrust (*Radak*).

אֶל הַחֹמֶשׁ — *Into his fifth rib.* This is a particularly critical spot in the body, because of the various internal organs which are situated there. On the surface, it would seem that Abner killed in self-defense and was therefore guiltless. The Sages (*Sanhedrin* 49a), however, note that since Abner managed to aim unerringly for the vulnerable fifth rib, he must have killed Asahel deliberately, and did not try to protect himself by merely disabling him, as the halachah requires in cases of self-defense. This would explain why Joab felt that he was an "avenger of the blood," and therefore permitted to kill Abner (see *Numbers* 35:19).

וַיָּמָת תַּחְתָּיו — *And died in his place,* i.e., he was killed instantly (*Radak*). When his comrades came upon the scene and saw what had happened to him, they were shocked, but then Asahel's brothers, Joab and Abishai, took up the chase after Abner, determined to avenge their brother.

The Torah forbids one to take revenge, especially since they should have realized that Abner probably acted in self-defense. In this case, they may have felt that they were in a state of war, since the fierce battle initiated by Abner had not yet run its course. Had they struck down Abner now, they would not have been condemned.

24-26. The scene of the morning repeated itself now, with the two forces deployed on hills and facing each other, poised for renewed combat. Abner's troops had gathered behind him on the hill, and, as indicated by verse 29, Joab's forces had overcome their shock and followed their leaders. Abner now took the initiative in asking Joab to end the hostilities, saying that if the battle were to continue the end would be catastrophic.

26. הֲלוֹא יָדַעְתָּה כִּי־מָרָה תִהְיֶה בָּאַחֲרוֹנָה — *Do you not know that there will be a bitter ending to this?* If we continue the fight, more people — and probably you or I — will die. An alternate translation is, "*Did* you not know that there *would* be a bitter ending to this" when you began the chase — a reference, and an excuse, for his killing of Asahel (*Abarbanel*).

27. כִּי לוּלֵא דִּבַּרְתָּ — *Had you not spoken [first]* . . . "If you had not challenged us to a duel (see v. 14), the entire tragic episode would not have occurred." This interpretation is favored by most commentators. *Rashi,* however, renders, "If only you had said in the morning [what you are saying now], every one of the people would have gone back," and there would not have been a battle.

כח וַיִּתְקַע יוֹאָב בַּשּׁוֹפָר וַיַּעַמְדוּ כָּל־הָעָם וְלֹא־יִרְדְּפוּ עוֹד אַחֲרֵי יִשְׂרָאֵל וְלֹא־יָסְפוּ
כט עוֹד לְהִלָּחֵם: וְאַבְנֵר וַאֲנָשָׁיו הָלְכוּ בָּעֲרָבָה כֹּל הַלַּיְלָה הַהוּא וַיַּעַבְרוּ אֶת־הַיַּרְדֵּן
ל וַיֵּלְכוּ כָּל־הַבִּתְרוֹן וַיָּבֹאוּ מַחֲנָיִם: וְיוֹאָב שָׁב מֵאַחֲרֵי אַבְנֵר וַיִּקְבֹּץ אֶת־כָּל־הָעָם
לא וַיִּפָּקְדוּ מֵעַבְדֵי דָוִד תִּשְׁעָה־עָשָׂר אִישׁ וַעֲשָׂה־אֵל: וְעַבְדֵי דָוִד הִכּוּ מִבִּנְיָמִן
לב וּבְאַנְשֵׁי אַבְנֵר שְׁלֹשׁ־מֵאוֹת וְשִׁשִּׁים אִישׁ מֵתוּ: וַיִּשְׂאוּ אֶת־עֲשָׂהאֵל וַיִּקְבְּרֻהוּ
בְּקֶבֶר אָבִיו אֲשֶׁר בֵּית לָחֶם וַיֵּלְכוּ כָל־הַלַּיְלָה יוֹאָב וַאֲנָשָׁיו וַיֵּאֹר לָהֶם בְּחֶבְרוֹן:

ג

א וַתְּהִי הַמִּלְחָמָה אֲרֻכָּה בֵּין בֵּית שָׁאוּל וּבֵין בֵּית דָּוִד וְדָוִד הֹלֵךְ וְחָזֵק וּבֵית שָׁאוּל
ב הֹלְכִים וְדַלִּים: °וילדו [°וַיִּוָּלְדוּ ק׳] לְדָוִד בָּנִים בְּחֶבְרוֹן וַיְהִי בְכוֹרוֹ אַמְנוֹן
ג לַאֲחִינֹעַם הַיִּזְרְעֵאלִת: וּמִשְׁנֵהוּ כִלְאָב °לאביגל [°לַאֲבִיגַיִל ק׳] אֵשֶׁת נָבָל הַכַּרְמְלִי
ד וְהַשְּׁלִשִׁי אַבְשָׁלוֹם בֶּן־מַעֲכָה בַּת־תַּלְמַי מֶלֶךְ גְּשׁוּר: וְהָרְבִיעִי אֲדֹנִיָּה בֶן־חַגִּית
ה וְהַחֲמִישִׁי שְׁפַטְיָה בֶן־אֲבִיטָל: וְהַשִּׁשִּׁי יִתְרְעָם לְעֶגְלָה אֵשֶׁת דָּוִד אֵלֶּה יֻלְּדוּ

רש״י

(כט) **הבתרון**. שם מחוז: (ל) **תשעה עשר איש ועשהאל**. והלא עשהאל בכלל עבדי דוד, ולמה יצא, שהיה שקול כנגד כולם, וכן (יהושע ב, א), לכו ראו את הארץ ואת יריחו; וכן (מלכים־א יא, א), והמלך שלמה אהב נשים נכריות רבות ואת בת פרעה: (ג) **ומשנהו כלאב**. ובמקום אחר הוא קורא אותו ומשנהו דניאל, ולמה נקרא שמו כלאב, אמר רבי יצחק, שהיו ליצני הדור אומרים, מנבל היתה אביגיל מעוברת, נהפך קלסתרו ונדמה לאביו. ורבותינו אמרו (ברכות ד, א), שהיה מכלים פני מפיבושת בהלכה: (ה) **לעגלה**. זו מיכל, שהיתה חביבה עליו, וכן הוא אומר (שופטים יד, יח), לולא חרשתם בעגלתי. והכתיב (לקמן ו, כג), ולמיכל בת שאול לא היה לה ולד עד יום מותה, עד יום מותה לא היה לה מאותו מעשה ואילך, קודם אותו מעשה הוי לה:

רד״ק

(כח) **ולא ירדפו**. כמו ולא רדפו עתיד במקום עבר ורבים כמוהו: (כט) **כל הבתרון**. שם מחוז וגבול מעבר לירדן נקרא כן על ענין ידוע אצלם: (ל) **ויקבץ את כל העם**. לפקוד אותם מי חסר מהם: **ויפקדו**. חסרו, כמו וְלֹא נִפְקַד מִמֶּנּוּ אִישׁ (במדבר לא, מט): **תשעה עשר איש ועשהאל**. לפי שהיה נכבד מהתשעה עשר לא כללו עמהם וכתבו בפרט: (לב) **ויאר להם בחברון**. כשהיה אור היום בבקר היו בחברון: (ג) **כלאב**. ובספר דברי הימים (־א ג, א) דָּנִיֵּאל, שני שמות היו לו וכמוהו רבים בכתוב, ויש בו דרש (תנחומא תולדות ג) כי לפי שלקח דוד אביגיל אחר מות נבל, היו אומרים כי מעוברת היתה מנבל, וזה הבן שילדה אביגיל לדוד היה בנו של נבל, לפיכך יצא קלסתר פניו כקלסתר פניו של דוד להסיר החשד, לפיכך קראו כלאב כלו אב כלומר בכל צורותיו דומה לאביו, דניאל היה שמו העיקר כי אמר דוד דנני אל מנבל: **אבשלום בן מעכה**. דרשו בו (שם כי תצא א) כי לפי שהיה בן יפת תואר שלקחה דוד במלחמה לפיכך היה אבשלום סורר ומורה באביו, לכך נסמכה פרשת סורר ומורה (דברים כא, יח־כא) לפרשת יפת תואר (שם שם, י־יד) לומר לך כל הנושא אותה או אשה שאינה הגונה יוצא ממנה בן סורר ומורה, ונכון הוא הדרש כי מאחר שהיא שבויה הרי היא כמוכרחת לשוב לדת ישראל ולבה לא נכון אל הדת, והנטע יוצא דמות השרש: (ה) **לעגלה אשת דוד**. דרשו רז״ל (סנהדרין כא, א) עגלה זו מיכל בת שאול ולפי שהיתה חביבה על דוד קראה עגלה, כמו לוּלֵא חֲרַשְׁתֶּם בְּעֶגְלָתִי לֹא מְצָאתֶם חִידָתִי (שופטים יד, יח), ומה שאמר אֵשֶׁת דָּוִד מסייע הדרש אף על פי שהם לא הביאו, כי למה אמר על זאת אשת דוד מה שלא אמר על האחרות, אלא לפי שהיתה אשתו ראשונה, ומה שאמר וּלְמִיכַל בַּת שָׁאוּל לֹא הָיָה לָהּ יָלֶד עַד יוֹם מוֹתָהּ (לקמן ו, כג) מההוא מעשה ואילך לא היה לה ולד לענשה שבזתה דוד שהיה מפזז לפני ה׳, אבל מעיקרא הוה לה, ולפי הפשט יש לפרש עגלה זו אחרת ומיכל לא נזכרה כאן לפי שלא היה לו ממנה בן, וכן הוא אומר הבנים שהיו בחברון (פסוק ב) לפיכך זכר הנשים, ומיכל אף על פי שהביאה לו אבנר (לקמן פסוק יג וכו׳) ועודנו בחברון לא זכרה כאן לפי שלא היה לו ממנה בן, אבל באמרו אֵשֶׁת דָּוִד וכן אמר בדברי הימים (־א ג, ג) לְעֶגְלָה אִשְׁתּוֹ, אולי לא היתה ממשפחה גדולה ולא היתה ידועה בזכור אותה אלא באֵשֶׁת דָּוִד, ויש לפרש עוד כי עגלה זאת היתה אשת שאול ולקחה דוד אחרי מות שאול כמו שאומר וְאֶת נְשֵׁי אֲדֹנֶיךָ בְּחֵיקֶךָ (לקמן יב, ח), ואף על פי שאמרו (סנהדרין יח, א) אין נושאין אלמנתו של מלך הרי אמרו מלך נושא אלמנתו של מלך אחר, מפני זה אמר אֵשֶׁת דָּוִד כלומר שלא היתה ראויה להיות אשת אדם אחר אלא אשת דוד לפי שהיה מלך, ואף על פי שזו הסברה אינה אלא לדעת רבי יהודה כי הוא אומר מלך נושא אלמנתו של מלך ואין חכמים מודים לו, אף על פי כן פשט הפסוק נכון לרבי יהודה, ואף על פי שהיתה אשת חמיו מותרת, ואף לדברי הירושלמי שאומר (יבמות ב, ד) שאשת חמיו אסורה, לא אסרוה אלא מפני מראית העין אבל מן התורה אינה אסורה, והם אמרו כי רצפה פלגש שאול לקחה דוד לאשה:

מצודת דוד

(כח) **ויתקע**. לרמז שיעמדו ולא ירדפו עוד, ושמעו אליו ולא יספו עוד להלחם: (כט) **כל הלילה**. כי פחד מיואב, שלא יפול עליו פתאום: (ל) **ועשהאל**. לפי שהיה חשוב מכולם, לא כללו עמהם: (לא) **מבנימין**. וחוזר ומפרש ובמי מבנימין, באנשי אבנר: (לב) **וילכו כל הלילה**. כי גם הוא פחד מאבנר, פן יהרגוהו להסיר מעליו הפחד שלא יגאל דם אחיו: **ויאור**. כשבאו אל חברון, האיר להם הבוקר: (א) **ארוכה**. זמן ארוך: **הולך וחזק**. בכל עת התחזק יותר: **ודלים**. שפלים וחלשים: (ג) **בן מעכה**. יפת תואר היתה, ולקחה במלחמה: (ה) **אשת דוד**. חוזר על כולן, לומר, כל אחת היתה אשת דוד, ולא פילגש:

מצודת ציון

(כט) **בערבה**. במישור: **הבתרון**. שם מחוז: (ל) **ויפקדו**. נחסרו, כמו (שם לא, מט), וְלֹא נִפְקַד מִמֶּנּוּ אִישׁ: (לא) **מתו**. כמו ומתו, ומוסב על הכו וגו׳, לומר הכו מבנימין וגו׳ ומתו: (לב) **בית לחם**. בבית לחם: **ויאור**. מלשון אור: (א) **ודלים**. חלושים, כמו (בראשית מא, יט), דַּלּוֹת וְרָעוֹת: (ג) **ומשנהו**. מלשון שנים:

28. Although Joab accepted the truce, he did not abandon his desire for revenge against Abner personally, as the next chapter makes clear. He merely wished to avoid widespread bloodshed and possible escalation into a full-scale war. They *no longer chased* after individual soldiers who had fled from the earlier rout, and they *did not continue to fight* against Abner's organized force.

29-30. Both Abner and Joab quickly led their men back to their home bases, in order to avoid a renewal of the conflict (*Ralbag*).

The combatants withdraw and bury their dead

28So Joab blew the shofar, and all the people halted, no longer chasing after [their fellow] Israelites, and they did not continue to fight. 29Abner and his men traveled through the Arabah that entire night; they crossed the Jordan and went through the entire Bithron, and came to Mahanaim. 30Joab thus withdrew from pursuing Abner and gathered together all the people. There were missing from David's subjects nineteen men and Asahel. 31But David's subjects had slain [many] of [the tribe of] Benjamin and of Abner's men; three hundred and sixty men died. 32They carried Asahel and buried him in his father's burial plot in Bethlehem. Joab and his men walked all night, and light broke upon them at Hebron.

3

1The war was long between the House of Saul and the House of David; David grew continuously stronger, while the House of Saul grew continuously weaker.

David's sons

2Sons were born to David in Hebron: his firstborn was Amnon, [born] to Ahinoam of Jezreel; 3his second [son] was Chileab, [born] to Abigail, the [former] wife of Nabal the Carmelite; the third was Absalom, the son of Maacah, daughter of Talmai, king of Geshur; 4the fourth was Adonijah, the son of Hagith; the fifth was Shephatiah, the son of Abital; 5the sixth was Ithream, [born] to Eglah, David's wife. These were born to

---

29. The Arabah is the geographical name for the Jordan valley. The place or district called *Bithron* is not mentioned anywhere else and its identity is uncertain.

30. Joab *gathered together all the people*, to count them and determine his losses (*Radak*).

The numbers of casualties showed that David's men had won an overwhelming victory (*Ralbag*), but David's name is nowhere mentioned in connection with this battle. No doubt he would not have permitted such a senseless fight to take place.

תִּשְׁעָה־עָשָׂר אִישׁ וַעֲשָׂה־אֵל — *Nineteen men and Asahel.* Asahel is mentioned separately because he was equal [in strength (*Sifri*)] to all the others combined (*Rashi*). The figure of nineteen includes the original twelve killed in the duel (*Ralbag*).

30-31. The lopsided victory of David's forces was indicative of a trend that continued over the ensuing months and years, as we read below (3:1): "David grew continuously stronger, while the House of Saul grew continuously weaker" (*Ralbag*).

3.

David's ascendancy. In this chapter, the reign of Ish-bosheth crumbles, as he fails to generate public support and he alienates his strongman Abner. Abner declares his allegiance to David, but he is assassinated by Joab, whose desire for revenge never weakened.

1. וַתְּהִי הַמִּלְחָמָה אֲרֻכָּה — *The war was long.* The "war" was for the allegiance of the people and the approval of the Torah scholars and judges for the respective claims to the throne. There was no armed conflict, because both Joab and Abner had agreed (2:26-28) that there should be no further bloodshed (*Iyunim b'Parshiyos HaNevi'im*).

וְדָוִד הֹלֵךְ וְחָזֵק — *David grew continuously stronger.* More and more people from among the tribes of Israel began to switch their allegiance to David from Ish-bosheth, as described in *I Chronicles* 12. This is a process that began while Saul was still king, as was seen in *I Samuel*, when David was in exile from Saul's pursuit, and the number of his loyalists swelled from two hundred to six hundred (*Malbim*).

2-5. David's sons.

3. וּמִשְׁנֵהוּ כִלְאָב — *His second [son] was Chileab.* In *I Chronicles* 3:1, he is called Daniel. It is not uncommon in *Tanach* for a person to have two names. Generally, one of them is the proper name and the other is descriptive. In the case of Chileab, his real name was Daniel, which David chose to symbolize the positive result of his bitter dispute with Nabal (*I Samuel* Ch. 25): דָּנַנִי אֵל, *God has judged me [favorably].* The name Chileab was Daniel's nickname. Scoffers said that Abigail had probably become pregnant from her first husband, and he was not really David's son. To prove that this allegation was false, God caused the child to resemble David, thus the name Chileab: כֻּלּוֹ אָב, *he is completely [like his] father* (*Tanchuma Toldos*).

So righteous was Chileab that the Sages list him as one of only four people who never committed a sin. He spent his time studying Torah and had no interest in succeeding David as king (*Shabbos* 55b).

בֶּן־מַעֲכָה בַת־תַּלְמַי מֶלֶךְ גְּשׁוּר — *The son of Maacah, daughter of Talmai, king of Geshur.* Maacah was taken captive in David's war against Geshur (see *I Samuel* 27:8), and was married to David according to the law described in *Deuteronomy* 21:10-14 (*Sanhedrin* 107a).

4. Shephatiah was the ancestor of Rabbi Yehudah HaNasi, redactor of the Mishnah and Prince of the nation (*Kesubos 62b).* It may be that this name alludes to his distinguished descendant, who was the undisputed and beloved ruler of Israel, and who was revered even by the Roman overlords: שׁוֹפֵט יָהּ, *God's judge.*

5. לְעֶגְלָה אֵשֶׁת דָּוִד — *To Eglah, David's wife.* The Talmud (*Sanhedrin* 21a) identifies this Eglah with Michal daughter of Saul. She was given the nickname Eglah, a term of endearment, to indicate that she was David's most beloved wife

ו לְדָוִ֖ד בְּחֶבְרֽוֹן׃ וַיְהִ֗י בִּֽהְיוֹת֙ הַמִּלְחָמָ֔ה בֵּ֚ין בֵּ֣ית שָׁא֔וּל וּבֵ֖ין
ז בֵּ֣ית דָּוִ֑ד וְאַבְנֵ֛ר הָיָ֥ה מִתְחַזֵּ֖ק בְּבֵ֥ית שָׁאֽוּל׃ וּלְשָׁא֣וּל פִּלֶ֔גֶשׁ וּשְׁמָ֖הּ רִצְפָּ֣ה
ח בַת־אַיָּ֑ה וַיֹּ֙אמֶר֙ אֶל־אַבְנֵ֔ר מַדּ֥וּעַ בָּ֖אתָה אֶל־פִּילֶ֥גֶשׁ אָבִֽי׃ וַיִּחַר֩ לְאַבְנֵ֨ר
מְאֹ֜ד עַל־דִּבְרֵ֣י אִֽישׁ־בֹּ֗שֶׁת וַיֹּ֙אמֶר֙ הֲרֹ֨אשׁ כֶּ֤לֶב אָנֹ֙כִי֙ אֲשֶׁ֣ר לִֽיהוּדָ֔ה הַיּ֞וֹם
אֶֽעֱשֶׂה־חֶ֡סֶד עִם־בֵּ֣ית ׀ שָׁא֣וּל אָבִ֡יךָ אֶל־אֶחָיו֙ וְאֶל־מֵ֣רֵעֵ֔הוּ וְלֹ֥א הִמְצִיתִ֖ךָ
ט בְּיַד־דָּוִ֑ד וַתִּפְקֹ֥ד עָלַ֛י עֲוֺ֥ן הָאִשָּׁ֖ה הַיּֽוֹם׃ כֹּֽה־יַעֲשֶׂ֤ה אֱלֹהִים֙ לְאַבְנֵ֔ר וְכֹ֖ה יֹסִ֣יף
י ל֑וֹ כִּ֗י כַּאֲשֶׁ֨ר נִשְׁבַּ֤ע יהוה֙ לְדָוִ֔ד כִּֽי־כֵ֖ן אֶֽעֱשֶׂה־לּֽוֹ׃ לְהַעֲבִ֥יר הַמַּמְלָכָ֖ה מִבֵּ֣ית
שָׁא֑וּל וּלְהָקִ֞ים אֶת־כִּסֵּ֣א דָוִ֗ד עַל־יִשְׂרָאֵל֙ וְעַל־יְהוּדָ֔ה מִדָּ֖ן וְעַד־בְּאֵ֥ר שָֽׁבַע׃
יא־יב וְלֹֽא־יָכֹ֣ל ע֔וֹד לְהָשִׁ֥יב אֶת־אַבְנֵ֖ר דָּבָ֑ר מִיִּרְאָת֖וֹ אֹתֽוֹ׃ וַיִּשְׁלַח֩
אַבְנֵ֨ר מַלְאָכִ֧ים ׀ אֶל־דָּוִ֛ד °תחתו [°תַּחְתָּ֥יו ק׳] לֵאמֹ֖ר לְמִי־אָ֑רֶץ לֵאמֹ֗ר

רש״י

(ו) **היה מתחזק**. בכל כח על בית שאול להעמיד מלכותו: (ח) **הראש כלב אנכי אשר ליהודה**. כלום אני חשוב אפילו כראש שומר הכלבים אשר לדוד, אך לפי הנקוד, שהטעם תחת 'הראש', ו'כלב אנכי' מוקף במקף, כך פירושו, הראש, וכי אחפוץ להיות ראש בביתך, טוב לי להיות כלב והדיוט בבית דוד, וכן תרגם יונתן: **היום אעשה חסד**. מעתה נאה לי לעשות חסד עם בית שאול ועם כל אוהביו, כאשר עשיתי עד הנה ולא המציתיך ביד דוד: (יב) **תחתיו לאמר**. (תרגום) מאתריה למימר מקיימנא במאן דעבד ארעא: **למי ארץ**. לשון שבועה, במי שהארץ שלו. דבר אחר, תחתיו, שמו הזכיר תחלה באגרת, ואחר כך הזכיר שם דוד, ולכך נענש, כתב, ממני אבנר שר צבא ישראל, לדוד מלך ישראל, שלום: **למי ארץ**. למי שהמלכות הגון לו, אני שולח לו לאמר, כרתה בריתך וגו':

רד״ק

(ז) **ויאמר**. איש בשת אל אבנר, ואף על פי שלא זכרו למעלה בפסוק הנה זכר בית שאול והוא איש בשת כי בו תלויה בית שאול: **אל פילגש אבי**. חשדו בפלגש אביו ואם היה הדבר אמת היה לו לתפשו בכך לכבוד אביו, ועוד כי אסורה היתה לכל אדם לפי שהיתה פלגש המלך ואין נושאין אלמנתו של מלך, ואף על פי שלא היתה אשתו אלא פלגשו כיון שהיתה מיוחדת לו הרי היא נחשבת אלמנתו, ועוד כיון ששמשתו הרי אמרו (סנהדרין כב, א) אין משתמשין בשרביטו של מלך, וזהו שאמר וַתִּפְקוֹד עָלַי עֲוֺן הָאִשָּׁה (פסוק ח) כי אסורה היתה להדיוט: (ח) **הראש כלב אנכי**. מלעיג אילו הייתי ראש כלבים, כלומר אפילו לא הייתי ממונה אלא על הכלבים שהייתי נקרא ראש כלב, ועוד אפילו לשבט יהודה שאתה שונא אם היה לי שום מנוי עליהם לא היה לך לבזותי כל כך היום יש לי דין לעשות חסד עם בית שאול כי בזיתני והלא חסד גדול עשיתי עד היותי עם בית אביך שהחזקתי בביתו להעמידו במלכותו ולא המציתיך ביד דוד ואתה פקדת עלי עון האשה, ויונתן תרגם הֲלָא רֵישָׁא [דְּכַלְבָּא] אֲנָא מִכְּעַן הֲוֵיתִי גְּבַר הֶדְיוֹט לִשְׁאָרָא דְּבֵית יְהוּדָה: **ולא המציתך**. בא על דרך בעלי הה״א ואף על פי שהוא מבעלי האל״ף, ופירושו כמו וְאֶת הָעֹלָה הִמְצִיאוּ אֵלָיו (ויקרא ט, יג) ענין הזמנה ומסירה: (ט) **כאשר נשבע ה׳ לדוד**. דברו הוא שבועתו, וכן אמר נִשְׁבַּעְתִּי לְדָוִד עַבְדִּי (תהלים סט, ד), או לפי שאמר שני פעמים לשאול בשם האל, בגלגל ובדבר עמלק, בִּקֵּשׁ ה׳ לוֹ אִישׁ כִּלְבָבוֹ (לעיל־א יג, יד) וּנְתָנָהּ לְרֵעֲךָ (שם טו, כח), ואמרו (שבועות לו, א) הן הן שבועה לאו לאו שבועה: (יב) **תחתיו לאמר למי ארץ**. בסתר שלח לו למי תאות הארץ אלא לך כמו שאמר האל, כרתה בריתך עמי ואני אסוב לך כל ישראל, ויונתן תרגם מֵאַתְרֵיהּ לְמֵימַר מְקַיְּמְנָא בְּמַאן דַּעֲבַד אַרְעָא לְמֵימַר, ויש דרש (ירושלמי פאה פרק א) שכתב בכתבו לדוד, מן אבנר לדוד, הקדים שמו לשם דוד וזהו אֶל דָּוִד תַּחְתָּיו לפיכך נענש אבנר:

מצודת דוד

(ו) **בבית שאול**. להעמיד המלוכה ביד איש בושת בנו: (ז) **ויאמר**. סתם ולא פירש מי האומר, ומעצמו יובן שהאומר היה איש בושת, שנאמר, אל פילגש אבי: **מדוע באתה וכו׳**. כי אלמנותו של מלך אסורה להדיוט (סנהדרין יח, א): (ח) **הראש כלב וגו׳**. רצה לומר, מדוע בזיתני, וכי אינני שר וממונה על אנשי מלכותך, וכי אני ראש וממונה על הכלבים במלכות יהודה אנשי מלחמתך אשר שנאת, כאומר לא יאות לבזות כי אם לשונא ושפל אנשים, ולא לאיש כמוני שאין בי אחת מהם: **היום אעשה חסד**. רצה לומר, האם מהיום ראוי לי שאעשה חסד וכו׳: **ולא המציתיך**. רצה לומר, אחר שעד הנה לא המציתיך ביד דוד, ואתה גמלתני הרע כי תפקוד עלי עון הפילגש: (ט) **כה יעשה**. הוא ענין שבועה, וכהנה הרבה במקרא: **כאשר נשבע ה׳**. להמליכו על כל ישראל: **אעשה לו**. לדוד, לסייעו על דבר המלוכה: (יא) **ולא יכול**. על איש בושת יאמר: (יב) **תחתיו לאמר**. רצה לומר, שלח מלאכים ממקומו, שיאמרו בשבועה 'למי ארץ', רצה לומר, נשבעים אנו במי שהארץ שלו, כי לה׳ הארץ, ודבר השבועה היתה אשר בלב ידבר לאמר, כרתה ברית עמו, להיות לי לאוהב, ויהיה כח ידי עמך וכו׳:

מצודת ציון

(ז) **באתה**. מלשון ביאה ובעילה: (ח) **אחיו**. קרוביו: **מרעהו**. אוהביו: **המציתיך**. ענין הזמנה ומסירה, כמו (ויקרא ט, יג), וְאֶת הָעוֹלָה הִמְצִיאוּ אֵלָיו: **ותפקוד**. ענין זכרון: (י) **ולהקים**. להעמיד: (יב) **תחתיו**. במקומו: **להסב**. לסבב:

(*Rashi*), or because she was his first wife (*Radak*). [According to these interpretations, *Eglah*, literally a *calf*, like "my lamb" or "my filly" in some modern cultures.] As to 6:23, which states that Michal had no children, the Talmud explains that she had no children *after* the event described in Chapter 6, but Ithream was born previously.

Another interpretation of the name Eglah, which also means *calf*, is that she was like a calf that would not accept a yoke. The reference is to her loyalty to David when she helped him escape from Saul's soldiers (*I Samuel* 19:11), in defiance of Saul's command (*Midrash Shochar Tov* 59).

In the plain sense of the verse *Eglah* was another wife, not Michal, since Scripture states that Michal had no children. Michal is not mentioned at all here, because this is a list of David's children, and she had none (*Radak*).

6-11. Ish-bosheth alienates Abner and loses his support. Abner's support was indispensable to Ish-bosheth, so much so that he was more powerful than his king. As a result, Abner took unwarranted liberties and when Ish-bosheth chastised him, the results were disastrous for the king.

David in Hebron.

[6]And it happened while there was war between the House of Saul and the House of David, that Abner exerted himself on behalf of the House of Saul. [7]Now Saul had had a concubine, her name was Rizpah daughter of Aiah. [Ish-bosheth] said to Abner, "Why were you intimate with my father's concubine?" [8]Abner was infuriated over the words of Ish-bosheth, and he said, "Am I the chief dog warden of Judah? Shall I perform acts of kindness today for the house of your father Saul, for his brothers and for his friends, when I have not handed you over into the hand of David, yet today you accuse me of sinning with this woman? [9]So may God do to Abner and so may He do further to him [if he does not keep this oath]...; for just as HASHEM has sworn to David, so shall I do for him: [10]to remove the kingship from the House of Saul and to establish the throne of David upon Israel and upon Judah, from Dan to Beer-sheba!" [11][Ish-bosheth] was no longer able to respond to Abner a word, because of his fear of him.

Ish-bosheth alienates Abner

[12]Abner sent messengers to David from his place, saying, "Whose is the land [if

---

6. וְאַבְנֵר הָיָה מִתְחַזֵּק בְּבֵית שָׁאוּל — *Abner exerted himself on behalf of the House of Saul.* This translation reflects *Rashi's* interpretation. The language implies that Abner did so more out of loyalty to Saul than to Ish-bosheth.

Malbim renders, *Abner made himself powerful in the House of Saul*, i.e., Abner made himself the *de facto* head of the government; Ish-bosheth's status was reduced to nothing more than a figurehead, similar to many modern kings. That this was indeed so may be seen by the way Abner addressed the king in v. 8, and by Ish-bosheth's fear of reacting to his outburst.

7. וַיֹּאמֶר אֶל־אַבְנֵר מַדּוּעַ בָּאתָה אֶל־פִּלֶגֶשׁ אָבִי — *[Ish-bosheth] said to Abner, "Why were you intimate with my father's concubine?"* Although the ex-concubine was now a widow, no one (except, according to R' Yehudah, another king) may marry or live with the widow of a king (*Sanhedrin* 18a), and this rule applies to concubines as well as regular wives (*Radak*).

Scripture does not tell us whether Ish-bosheth's accusation was true or not. *Abarbanel* and *Malbim* find subtle indications in the text that Abner was indeed guilty, because he did not explicitly deny the charge. *Malbim* comments that Abner may have felt that, as the power behind the throne, he had the status of a king, and was therefore permitted to consort with Saul's widow, either as a wife or as a concubine (according to R' Yehudah).

Mahari Kara, however, holds that Abner was innocent and that, rather than deny the charge, he expressed outrage at the accusation.

8. וַיִּחַר לְאַבְנֵר מְאֹד — *Abner was infuriated.* According to the opinion that the charge was true, Abner was furious that Ish-bosheth would dare speak so impudently to the man who had made him king and had the power to depose him at will (*Abarbanel*). Alternatively, Abner considered himself tantamount to an actual king, while Ish-bosheth considered this attitude to be nothing short of sedition (*Malbim*).

הֲרֹאשׁ כֶּלֶב־אָנֹכִי — *Am I the chief dog warden of Judah,* that you speak to me so insolently? The translation follows *Rashi* and most commentators. *Rashi* gives an alternative translation: "Why [should I be] a chief [for you? It is better] to be a dog [i.e., a plain citizen (*Targum*)] in Judah!"

The gist of Abner's rhetorical question is: "Why should I continue to devote myself to the House of Saul, and not hand you over to David, when you reward my loyalty by making such an accusation? " In addition to being a sharp reply to Ish-bosheth for "daring" to accuse him, this was an implied threat, as if to say that if Ish-bosheth did not treat Abner with the proper respect, he would find himself a prisoner of David.

9-10. Speaking of himself in third person, Abner pledges that he will make David the king of the entire land. He pronounces an unspoken curse upon himself if he fails to do so — *So may God do to Abner and so may He do further to him* — but, as is common in Scripture, he does not spell out the details of the curse. It is as if to say, "If I do not keep my promise, may something terrible happen to me."

9. כִּי כַּאֲשֶׁר נִשְׁבַּע ה׳ לְדָוִד — *For just as HASHEM has sworn to David* that he will be king, so will I act to make it happen. Although we do not find heretofore any mention of a Divine oath to David, God's word is equivalent to an oath (*Radak*).

Abner had held that there was a Scriptural basis for his early support of Ish-bosheth (see commentary to 2:8). Even though he knew that David had been anointed and was Divinely ordained to succeed Saul, he believed that the time for the fulfillment of this destiny had not yet arrived. Now, however, Abner felt that his vitriolic falling-out with Ish-bosheth was a heaven-sent signal that he should support David's kingship. As for his Scriptural proof that there had to be two kings from Benjamin, he may have felt that Ish-bosheth's two years were sufficient fulfillment of that prophecy — especially since even Saul had reigned for only two years (*Malbim*).

12-16. Abner defects and Michal's return to David. Abner switches his support to David, but David insists on the return of his wife Michal, daughter of Saul, who had been taken away from him.

12. תַּחְתָּיו — *From his place.* The translation follows *Targum*. *Mahari Kara* translates *instead of himself,* i.e., rather than going to David in person, he sent agents to present his offer

יג כָּרְתָה בְרִיתְךָ אִתִּי וְהִנֵּה יָדִי עִמָּךְ לְהָסֵב אֵלֶיךָ אֶת־כָּל־יִשְׂרָאֵל: וַיֹּאמֶר טוֹב אֲנִי אֶכְרֹת אִתְּךָ בְּרִית אַךְ דָּבָר אֶחָד אָנֹכִי שֹׁאֵל מֵאִתְּךָ לֵאמֹר לֹא־תִרְאֶה אֶת־פָּנַי כִּי ׀ אִם־לִפְנֵי הֱבִיאֲךָ אֵת מִיכַל בַּת־שָׁאוּל בְּבֹאֲךָ לִרְאוֹת אֶת־פָּנָי: יד וַיִּשְׁלַח דָּוִד מַלְאָכִים אֶל־אִישׁ־בֹּשֶׁת בֶּן־שָׁאוּל לֵאמֹר תְּנָה אֶת־אִשְׁתִּי אֶת־מִיכַל אֲשֶׁר אֵרַשְׂתִּי לִי בְּמֵאָה עָרְלוֹת פְּלִשְׁתִּים: טו וַיִּשְׁלַח אִישׁ בֹּשֶׁת וַיִּקָּחֶהָ מֵעִם אִישׁ מֵעִם פַּלְטִיאֵל בֶּן־°לוש [°לָיִשׁ ק]: טז וַיֵּלֶךְ אִתָּהּ אִישָׁהּ הָלוֹךְ וּבָכֹה אַחֲרֶיהָ עַד־בַּחֻרִים וַיֹּאמֶר אֵלָיו אַבְנֵר לֵךְ שׁוּב וַיָּשֹׁב: יז וּדְבַר־אַבְנֵר הָיָה עִם־זִקְנֵי יִשְׂרָאֵל לֵאמֹר גַּם־תְּמוֹל גַּם־שִׁלְשֹׁם הֱיִיתֶם מְבַקְשִׁים אֶת־דָּוִד לְמֶלֶךְ עֲלֵיכֶם: יח וְעַתָּה עֲשׂוּ כִּי יהוה אָמַר אֶל־דָּוִד לֵאמֹר בְּיַד ׀ דָּוִד עַבְדִּי הוֹשִׁיעַ אֶת־עַמִּי יִשְׂרָאֵל מִיַּד פְּלִשְׁתִּים וּמִיַּד כָּל־אֹיְבֵיהֶם: יט וַיְדַבֵּר גַּם־אַבְנֵר בְּאָזְנֵי בִנְיָמִין וַיֵּלֶךְ גַּם־אַבְנֵר לְדַבֵּר בְּאָזְנֵי דָוִד בְּחֶבְרוֹן אֵת כָּל־אֲשֶׁר־טוֹב בְּעֵינֵי יִשְׂרָאֵל וּבְעֵינֵי

רש״י

(יג) **לפני הביאך.** לפני ראותך פני, הביאך את מיכל: (טו) **מעם איש.** תרגם יונתן, מלות בעלה: (טז) **הלוך ובכה.** על מלוה ההולכת ממנו, שכל אותן השנים נעץ חרב בינו לבינה במטה, ולא נכשל בה: (יז) **ודבר אבנר היה.** קודם לכן. (יח) **אמר אל דוד.** על דוד, ואינו זז ממשמעות אל:

רד״ק

(יג) **כי אם לפני הביאך.** כי אם לפני כל דבר יהיה הביאך את מיכל: (יד) **וישלח דוד מלאכים.** אף על פי ששלח לאבנר שלח גם כן לאיש בשת לכבודו שלא רצה לקחתה בלא רשותו: **אשר ארשתי לי.** זה מסייע פירוש רז״ל שכתבנו למעלה בענין זה (־א כה, מג), כלומר אשתי היא וארשתיה במאה ערלות פלשתים, כלומר בהם היה דעתי לא בעושר שהתנה לי שאול שהוא מלוה אצלו לפיכך היא אשתי באמת, ולפי הפשט אמר אֵרַשְׂתִּי לִי רצה לומר בסכנה שמתי עצמה בעבורה, לפיכך יש עליך להחזירה לי, ובאמרו בְּמֵאָה והוא נתן מאתים ואמר במאה כי מאה היה התנאי ביניהם: (טו) **מעם איש.** מעם אישה, וכן תרגם יונתן מִלְוַת בַּעֲלָהּ, ואחר כך פירש מי היה בעלה פלטיאל בן ליש, והוא פלטי בן ליש שכתוב למעלה (־א כה, מד). ובדרש (סנהדרין יט, ב) לפיכך קראו עתה פלטיאל שפלטו אל מעבירה שלא בא על מיכל כמו שפירשנו למעלה (־א כה, מג) ומה שאמר הָלוֹךְ וּבָכֹה אַחֲרֶיהָ עַד בַּחֻרִים על מצוה שהלכה מידו ושהיה כובש את יצרו, עַד בַּחֻרִים שנעשה כבחורים שלא טעמו טעם אותו חטא וכל זה הוא רחוק מדרך הפשט, ובחורים הוא שם מקום בארץ בנימין כמו שִׁמְעִי בֶן גֵּרָא בֶן הַיְמִינִי מִבַּחֻרִים (מלכים־א ב, ח), ותרגם יונתן עַלְמֶת ועלמת ובחורים ענין אחד, וכן נזכר זה המקום בספר יהושע (כא, יח) עַלְמוֹן ובדברי הימים (־א ו, מה) עָלֶמֶת, ואפשר שנקרא כן על שם אדם הנקרא עלמת בן יערה משבט בנימין (שם ט, מב) ולו היתה העיר הזאת, וכבר כתבנו למעלה כי מיכל ופלטי שוגגים היו: (יח) **ביד דוד עבדי הושיע.** מקור במקום אושיע, כלומר אמרתי להושיע את ישראל בידו, וכן וְאֶתְכֶם הוֹצִיא מִתּוֹכָהּ (יחזקאל יא, ז) כאילו אמר אוציא, וכן תרגם יונתן הושיע אֶפְרוֹק: (יט) **וידבר גם אבנר באזני בנימין.** כמו וידבר אבנר גם כן באזני בני בנימין, ולפי שאמר וּדְבַר אַבְנֵר הָיָה עִם זִקְנֵי יִשְׂרָאֵל (פסוק יז) אמר כי גם באזני שבט בנימין דבר ואף על פי ששבט בנימין היו קרובים לבית שאול היו יותר חפצים במלכות דוד מפני שראו שהיה מצליח בכל דרכיו ובכל מלחמותיו, וראו כי בית שאול היו הולכים ומתמעטים ולא היה להם סימן יפה במלוכה, ועוד כי אבנר הוא הטה את לבבם אחרי דוד מפני שרצה להשלים עמו, ולכך אמר הנה זה הספור מזה הענין ומזאת המלחמה: (כב) **מהגדוד.** ולא סיפר מאיזה גדוד ומאין הביאו השלל, ומן הנראה כי מארץ פלשתים היה, אולי יצא גדוד פלשתים בארץ ישראל להלחם או לפשוט ויואב עם עבדי דוד יצאו אליהם, ועתה שב מהגדוד ההוא והביאו שלל רב:

מצודת דוד

(יג) **כי אם לפני.** רצה לומר, רק קודם כל דבר, יהיה הביאך את מיכל וכו׳ בעת בואך אלי: (יד) **וישלח דוד.** על כי היה עתה בטוח אשר אבנר ימלא את דברו: **במאה ערלות.** ולקדושין תחשב. או רצה לומר, הלא מאז שמתי עצמי בסכנה בעבורה, וכאומר שגם עתה יוסיף ידו להלחם בעבורה (אף שנתן מאתים ערלות, מכל מקום התנאי לא היה כי אם אמאה): (טו) **מעם איש.** וחוזר ומפרש שהוא פלטיאל, והוא פלטי האמור למעלה (שמואל־א כה, מד): (טז) **וילך.** ללותה: (יז) **ודבר אבנר.** רצה לומר, וכה היה דבר אבנר עם זקני ישראל, שאמר להם, הלא מאז הייתם אתם מבקשים את דוד שימלוך הוא, אך אני לבדי הייתי מתחזק בבית שאול: (יח) **ועתה עשו.** רצה לומר, הואיל ובת שאול נשואה לו, גם הוא נחשב מבית שאול, לזאת עשו כאשר בקשתם מאז, כי ה׳ אמר וכו׳, ולזאת גם ידי עמו, וחפץ אני בו מבין כל בית שאול: (יט) **גם אבנר וגו׳.** כמו וידבר אבנר גם באזני בנימן, עם שהיו מבני שבטו של איש בושת: **את כל אשר טוב.** אשר ישר הדבר בעיני כולם, שימלוך הוא:

מצודת ציון

(יד) **ארשתי.** מלשון ארוסה, וכן (דברים כ, ז), אֲשֶׁר אֵרַשׂ אִשָּׁה: (יח) **הושיע.** כמו אושיע, ה״א במקום אל״ף, כמו (יחזקאל יא, ז), וְאֶתְכֶם הוֹצִיא, ומשפטו, אוציא:

---

of support and assure that David would accept him. *Radak* interprets: "*underneath him* [Ish-bosheth]," i.e., without the king's knowledge.

The Midrash (*Vayikra Rabbah* 2:2) renders this word literally, *under him*. Abner sent a letter to David in which David's name appeared beneath Abner's, which was a violation of royal protocol: "From me, Abner, commander of the army of Israel, to King David." It was for this act of disrespect that Abner subsequently met his bitter fate (*Rashi*). The rest of Abner's message also implies a lack of respect; he spoke as if ordering David to seal a covenant with him, whereupon he would ensure the nation's support.

לְמִי־אָרֶץ — *Whose is the land?* The implied answer is: "Surely the land is yours" (*Radak*), since you have been anointed by Samuel as God's choice.

Targum Yonasan, followed by *Rashi*, translates: "*[In the Name of] Him to Whom the earth belongs*!" In other words, Abner swore allegiance to David in God's Name and asked him to seal a pact with them.

13-14. David seized this opportunity to reclaim his wife

Abner defects and brings Michal back to David

not yours]?" and saying, "Seal your covenant with me and behold — my hand will be with you, to turn all of Israel to you."

[13][David] said, "Good. I shall seal a covenant with you — but I request one thing of you, that is, 'You shall not see my face, unless you first bring Michal daughter of Saul when you enter to see my face.' "

[14]David then sent messengers to Ish-bosheth son of Saul, saying, "Give me my wife, Michal, whom I betrothed to myself with one hundred Philistine foreskins." [15]So Ish-bosheth sent and took her away from her husband, from Paltiel son of Laish. [16]Her husband accompanied her, constantly weeping for her, until Bahurim. Then Abner told him, "Go. Turn back," and he turned back.

Abner rallies Israel to David

[17]Abner's message had been sent to all the elders of Israel, saying, "From yesterday and before yesterday you wanted David as king over you; [18]so now do it! For HASHEM has said of David, 'By the hand of My servant David I shall save My people Israel from the hand of the Philistines and from the hand of all their enemies.' "

[19]Abner also spoke in the ears of Benjamin. Then Abner also set out to speak in the ears of David in Hebron that it was all good in the eyes of Israel and in the eyes of the

---

Michal, whom Saul had taken away from him (see *I Samuel* 25:44). Until now, David was powerless to retrieve her, but now that Abner was courting him, David could make the return of Michal a condition for the covenant Abner desired. However, David was not content to deal only with Abner. He wanted Ish-bosheth to acknowledge that his marriage to Michal had been lawful, and that Michal's return to him should be a matter of right, not merely of Abner's military might.

14. אֲשֶׁר אֵרַשְׂתִּי לִי — *Whom I betrothed to myself.* See *I Samuel* 18:25-27. David mentioned the terms of his original betrothal to Michal for a reason: Because he had risked his life so bravely in order to win Michal, Ish-bosheth should feel obligated to return her to him (*Radak*).

15. Paltiel son of Laish. He is referred to elsewhere (*I Samuel* 25:44) by the name *Palti*. The Torah (*Deuteronomy* 24:4) forbids a man to remain married to his wife after she has had relations with another man. How, then, could David take Michal back after she had been married to Paltiel? The commentators have several approaches to deal with this question.

Palti knew that Michal was married to David, and therefore refrained from intimacy with her. This is why Scripture adds the suffix אֵל, *God,* to his name, changing his name from Palti to *Paltiel*, which means *God prevented* — God prevented him from sinning with Michal. Why did he weep so much when Michal left him if he was not really married to her? This righteous man grieved over the fact that he was losing the great *mitzvah* of overcoming temptation (*Sanhedrin* 19b).

Radak offers an alternative based on the plain sense of the verses, which seem to state that Palti and Michal were truly married. He suggests that David was forced by Saul to divorce Michal after the king began to hate him. David gave the divorce under protest, and it was therefore invalid, but this was not known to Saul, nor to Michal and Palti. Consequently, even though her marriage to Palti was undertaken in complete innocence, it was null and void. Now, the law is that a woman who has been granted permission to remarry by the court, under the mistaken premise that her husband has died, *is* allowed to return to her husband (who is found to be alive and well). *Radak* extends this to our case: since a court had ruled that Michal was a divorced woman, she was permitted to return to David.

According to *Abarbanel*, Saul's antipathy toward David increased when David married two additional wives (*I Samuel* 25:43), which Saul took as an insult to Michal. He therefore entrusted her to Palti, who was an older man with his own wife and children, to look after her and comfort her in her unfortunate situation. When Michal left Palti's home, he cried because she had become like a daughter to him, and he was sad to part from her.

16. אִישָׁהּ — *Her husband,* i.e., Paltiel, who was ostensibly her husband. According to *Abarbanel*, who asserts that Palti was Michal's guardian (see above), the word אִישָׁהּ means *her master.*

17-21. Abner rallies support for David. Abner kept his promise (v. 12), and sent word to all the tribes that David was their rightful king.

17. גַּם־תְּמוֹל גַּם־שִׁלְשֹׁם — *From yesterday and before yesterday . . .* The implication is that there had long been popular support for David, but Abner had always suppressed it. Now he informed the people that he was withdrawing his rejection of David's kingship, and the people could now proclaim him openly as their king (*Abarbanel*).

18. הוֹשִׁיעַ — *I shall save.* The word הוֹשִׁיעַ is an infinitive, literally, *saving.* It is used here in place of the future form, and should be interpreted as *I shall save* (*Radak*).

19. Although the Benjamites, understandably, had the strongest feelings for the House of Saul, Abner managed to convince even them to accept David, because they saw that

כ כָּל־בֵּית בִּנְיָמִן: וַיָּבֹא אַבְנֵר אֶל־דָּוִד חֶבְרוֹן וְאִתּוֹ עֶשְׂרִים אֲנָשִׁים וַיַּעַשׂ דָּוִד
כא לְאַבְנֵר וְלַאֲנָשִׁים אֲשֶׁר־אִתּוֹ מִשְׁתֶּה: וַיֹּאמֶר אַבְנֵר אֶל־דָּוִד אָקוּמָה ׀ וְאֵלֵכָה
וְאֶקְבְּצָה אֶל־אֲדֹנִי הַמֶּלֶךְ אֶת־כָּל־יִשְׂרָאֵל וְיִכְרְתוּ אִתְּךָ בְּרִית וּמָלַכְתָּ בְּכֹל
כב אֲשֶׁר־תְּאַוֶּה נַפְשֶׁךָ וַיְשַׁלַּח דָּוִד אֶת־אַבְנֵר וַיֵּלֶךְ בְּשָׁלוֹם: וְהִנֵּה עַבְדֵי דָוִד וְיוֹאָב
בָּא מֵהַגְּדוּד וְשָׁלָל רָב עִמָּם הֵבִיאוּ וְאַבְנֵר אֵינֶנּוּ עִם־דָּוִד בְּחֶבְרוֹן כִּי שִׁלְּחוֹ
כג וַיֵּלֶךְ בְּשָׁלוֹם: וְיוֹאָב וְכָל־הַצָּבָא אֲשֶׁר־אִתּוֹ בָּאוּ וַיַּגִּדוּ לְיוֹאָב לֵאמֹר בָּא־אַבְנֵר
כד בֶּן־נֵר אֶל־הַמֶּלֶךְ וַיְשַׁלְּחֵהוּ וַיֵּלֶךְ בְּשָׁלוֹם: וַיָּבֹא יוֹאָב אֶל־הַמֶּלֶךְ וַיֹּאמֶר מֶה
כה עָשִׂיתָה הִנֵּה־בָא אַבְנֵר אֵלֶיךָ לָמָּה־זֶּה שִׁלַּחְתּוֹ וַיֵּלֶךְ הָלוֹךְ: יָדַעְתָּ אֶת־אַבְנֵר
בֶּן־נֵר כִּי לְפַתֹּתְךָ בָּא וְלָדַעַת אֶת־מוֹצָאֲךָ וְאֶת־°מבואך [°מוֹבָאֶךָ ק] וְלָדַעַת
כו אֵת כָּל־אֲשֶׁר אַתָּה עֹשֶׂה: וַיֵּצֵא יוֹאָב מֵעִם דָּוִד וַיִּשְׁלַח מַלְאָכִים אַחֲרֵי אַבְנֵר
כז וַיָּשִׁבוּ אֹתוֹ מִבּוֹר הַסִּרָה וְדָוִד לֹא יָדָע: וַיָּשָׁב אַבְנֵר חֶבְרוֹן וַיַּטֵּהוּ יוֹאָב אֶל־
תּוֹךְ הַשַּׁעַר לְדַבֵּר אִתּוֹ בַּשֶּׁלִי וַיַּכֵּהוּ שָׁם הַחֹמֶשׁ וַיָּמָת בְּדַם עֲשָׂה־אֵל אָחִיו:

רש״י

(כב) מהגדוד. פשטו בגדוד, לשלול על האויב: **(כו) מבור הסרה.** שם מקום. ורבותינו אמרו (סנהדרין מט, א), בור וסירה גרמו לו לאבנר שיהרג, על שלא החזיק דברי דוד בצפחת המים אשר לקח מראשותיו של שאול, וגם על כנף המעיל של שאול אמר שמא אחד מן הסירים (קוצים) נאחז בו וקרעו: **(כז) אל תוך השער.** לפני סנהדרין, להשפט על דם עשהאל אחיו: **בשלי.** בשגגה, שלא הבין אבנר שבלבו להרגו, וסרס המקרא, ויטהו יואב בשלי, אל תוך השער לדבר אתו:

רד״ק

(כה) את מוצאך ואת מבואך. כן כתיב, וקרי מוֹבָאֶךָ, הכתיב כמשפטו כדרך נחי העי״ן והקרי הוא לזווג המלות, והוא מנהג הלשון במקומות הרבה לשנות התנועות מפני הזיווג, כמו הֹרוֹ וְהֹגוֹ (ישעיהו נט, יג) וכן תְּהֹמֹת יְכַסְיֻמוּ (שמות טו, יג), ובמוֹבָאֶךָ הקרי נהפך עי״ן הפעל לפ״א הפעל, והוא גם כן מנהג הלשון לכתוב כן כמו אִם יָשׁוֹב יְשִׁיבֵנִי (לקמן טו, ח) וכן רִיבָה ה׳ אֶת יְרִיבַי (תהלים לה, א) וְתָשׁוֹב תִּתְפַּלָּא בִי (איוב י, טז) והדומים להם כמו שכתבנו בספר מכלול: **(כו) מבור הסרה.** נראה כי סירים וקוצים היה מקום הבור ההוא לפיכך נקרא כן ורבותינו ז״ל דרשו (סנהדרין מט, א) בור וסירה גרמו לו לאבנר שיהרג שלא החזיק דברי דוד אל שאול אלא דחה אותם בדברי הבל בצפחת המים שלקח ממראשותיו, אמר לו אחד מן הנערים שכחה בבור ומצאה דוד שם ושקר הוא שאמר שלקחה ממראשותיך, ובדבר כנף המעיל אמר בסירים נאחז כנף מעילך ונקרע ולא הרגשת בו כשנקרע ומצאו דוד: **(כז) אל תוך השער.** שער העיר חברון, ורבותינו ז״ל דרשו בו (שם) כמו הַשַּׁעְרָה אֶל הַזְּקֵנִים (דברים כה, ז) כלומר אמר לו להביאו לפני הסנהדרין להשפט עמו בדם עשהאל, כן אמר לו והטהו באלה הדברים שהיה מדבר עמו בשלי ובשגגה שהיה משגה אותו, ולא הבין אבנר והכהו יואב: **לדבר אתו בשלי.** בשלום מן יִשְׁלָיוּ אֹהָלִים (איוב יב, ו), או פירושו בפתאום וכן תרגם פֶּתַע פִּתְאֹם (במדבר ו, ט) בִּתְכֵף שָׁלוּ, ויש בו דרש (רש״י סנהדרין שם ד״ה על עסקי; מדרש הגדול שמות כא, יד) כי בא אליו בערמה ושאל לו גדמת היאך חולצת והוא היה שוחה ומראה לו כי בשינים תחלץ ואז הכהו, וזהו בַּשֶּׁלִי לשון שַׁל נַעַלְךָ (יהושע ה, טו) זהו שאמר וּבְנַעֲלוֹ אֲשֶׁר בְּרַגְלָיו (מלכים־א ב, ה): **החמש.** כמו אל החומש ורבים כמוהו, וכבר פירשנוהו למעלה (ב, כג): **וימת בדם עשהאל.** אמרו רז״ל (סנהדרין שם) שתבעו בדם עשהאל ודנו בדין סנהדרין, אמר לו למה הרגת עשהאל אמר עשהאל רודף היה, אמר לו היה לך להציל עצמך באחד מאיבריו, אמר לו לא יכולתי לכוין לו, אמר לו בדופן חמישית כוונת לו באחד מאיבריו לא יכולת לכוין לו:

מצודת דוד

(כא) ויכרתו. להיות לך לעבדים: **בכל אשר וגו׳.** רצה לומר, תהיה שליט ומושל בכל דבר: **(כב) מהגדוד.** אשר נלחם בהם: **(כג) וכל הצבא.** ולא נפקד מהם איש, ובא לומר שבעבור זה ובעבור רוב השלל שהביא, מלאו לבו לסכל מעשה המלך, וכאשר יאמר: **(כה) ידעת.** הלא ידעת את אבנר אשר הוא שונא לך, ולא בא כי אם לפתותך אחר דעתו: **ולדעת וגו׳.** ובכדי לדעת את כל מוצאך, רצה לומר, מה אתה עושה בעניני המלחמות, ומה אתה עושה בבית: **(כו) וישלח.** לקראו בשם המלך, כאלו שכח מה בדברו עמו: **מבור הסרה.** מן הבור העומד במקום הסירים, כי שם מצאוהו מלאכי יואב: **(כז) ויטהו.** הטה אותו מן הדרך אל תוך חלל השער: **בשלי.** בדבר השכחה אשר שכח המלך לדבר עמו: **ויכהו שם.** בעת דברו עמו ולא היה נזהר, אז הכהו בתוך השער ההוא: **החומש.** אל דופן החמישית, מקום שכבד ומרה תלוין (סנהדרין מט, א): **בדם עשהאל.** בעבור ששפך דם עשהאל אחיו:

מצודת ציון

(כ) משתה. כל סעודה קרויה על שם המשתה, כמו (אסתר ז, ח), אֶל בֵּית מִשְׁתֵּה הַיַּיִן: **(כא) תאוה.** ענין חפץ ורצון: **(כו) הסרה.** מין קוצים, כמו (קהלת ז, ו), כְּקוֹל הַסִּירִים: **(כז) בשלי.** ענין שגגה ושכחה, כמו (לקמן ו, ז), עַל הַשַּׁל; וכן (רות ב, טז), גַּם שֹׁל תָּשֹׁלּוּ:

David was in the ascendancy, while the House of Saul was in decline. And, of course, Abner wanted to establish his personal relationship with David and his court (*Radak*). That accomplished, Abner set out for the first time to pay a personal visit to David, to convey the news that his reign was about to extend to the entire nation.

20-21. Abner paid a "state visit," with a distinguished entourage, and David reciprocated with an appropriate feast. At this festive and august event, Abner assured David that he was now ready to gather representatives of all the tribes to actually assemble in Hebron and officially forge a covenant with David. Such an assembly did eventually take place, as men-

entire House of Benjamin. [20]*Abner came to David in Hebron, and with him twenty men, and David made a feast for Abner and the men who were with him.*

[21]*Abner said to David, "I shall arise and go to rally all of Israel behind my lord the king, so that they will seal a covenant with you so that you may reign over all that your soul desires." David sent Abner away, and he went in peace.*

[22]*Just then behold — the servants of David and Joab were returning from a raid, and brought many spoils with them. Abner was no longer with David in Hebron, for he had already sent him away and he had left in peace.* [23]*When Joab and all the army that was with him arrived, they told Joab, saying, "Abner son of Ner came to the king, and he sent him away and he left in peace!"* [24]*So Joab came to the king and said, "What have you done? Behold — Abner came to you — why did you send him away and allow him to leave?* [25]*You know Abner son of Ner — that he has come to entice you and to learn of your comings and goings and to learn all that you do!"*

Joab assassinates Abner

[26]*Joab then left David's presence and sent messengers after Abner. They brought him back from Bor-hassirah, but David did not know.* [27]*When Abner returned to Hebron, Joab led him aside to the middle of the gateway [as if] to talk to him casually. He struck him there in the fifth rib, and he died [as revenge] for the blood of his brother Asahel.*

---

tioned below, in 5:1.

21-27. The final confrontation between Joab and Abner. Joab, still the implacable foe of Abner, seeks to turn David against him, and takes the law into his own hands to avenge his slain brother. *Daas Sofrim* suggests that David, knowing of Joab's enmity, had intentionally arranged for Joab and his men to be absent during Abner's visit. The desire to avoid confrontation between the two parties explains why David sent Abner off so quickly (v. 21).

22. עַבְדֵי דָוִד וְיוֹאָב בָּא — *The servants of David and Joab were returning.* Having just returned from a successful military campaign with many spoils and without suffering casualties, Joab was in an aggressive and triumphant frame of mind. This explains why he did not hesitate to speak out so vehemently against Abner — and then settle his personal score with Abner so violently.

The verb בָּא is in the singular although the subject, *servants*, is plural. This suggests that they were unified, like a single person.

24-25. Joab was outraged that David had trusted Abner, the man who put Ish-bosheth on the throne. Apparently not aware that Abner had broken with Ish-bosheth — or not believing that his claim of the break was genuine — Joab accused him of having come to lure David into a trap. As proof of this, he said that if Abner had truly rebelled against his king, he would have been afraid to return home, because Ish-bosheth would have him executed as a traitor (*Malbim*).

26. Joab sent messengers after Abner to inform him (falsely) that the king wanted to speak to him again (*Abarbanel*). Scripture states clearly that David was unaware of Joab's plan, and again at the end of the chapter David's innocence is stressed.

27. אֶל־תּוֹךְ הַשַּׁעַר — *To the middle of the gateway*, of Hebron, which was a walled city. *Rashi*, citing the Sages, interprets *the gateway* as the Sanhedrin, for the city gate is where the elders of the town would sit in judgment (see *Deuteronomy* 16:18, ibid. 25:7, *Ruth* 4:1). Joab took Abner to the court to be tried for his killing of Asahel.

The Sages describe the dialogue at the court. Joab demanded, "Why did you kill Asahel?" "He was chasing me [it was self-defense]." "Why didn't you injure him, instead of killing him?" "I could not aim so exactly." "But you were able to strike him exactly in the fifth rib!" — whereupon Joab struck Abner in the fifth rib, killing him just as he had killed Asahel (*Sanhedrin* 49b). Obviously, Joab did not wait for the court to render its verdict. As noted above, Joab considered himself to be the "avenger of the blood," and therefore justified in what he did.

בַּשֶּׁלִי — *Casually.* The translation of this unusual word follows *Radak* and *Mahari Kara*, who relate the word to יִשְׁלָיו (*Job* 12:6), a verb meaning *to be at peace*. *Rashi* relates the word to שלה, *unknowing*: *Joab led him aside, [his evil intentions] unknown to Abner, to the middle of the gateway, to talk to him.*

Metzudos and *Malbim* suggest yet another interpretation. בַּשֶּׁלִי means *to forget*. Joab had told Abner that the king recalled him because he had forgotten to give him some information that he would need for his mission (v. 26).

הַחֹמֶשׁ — *The fifth rib.* Perhaps to demonstrate that Abner deserved this fate, Joab struck Abner precisely where Abner had struck Asahel (above, 2:23).

כח וַיִּשְׁמַע דָּוִד מֵאַחֲרֵי כֵן וַיֹּאמֶר נָקִי אָנֹכִי וּמַמְלַכְתִּי מֵעִם יְהוָה עַד־עוֹלָם
כט מִדְּמֵי אַבְנֵר בֶּן־נֵר: יָחֻלוּ עַל־רֹאשׁ יוֹאָב וְאֶל כָּל־בֵּית אָבִיו וְאַל־יִכָּרֵת
ל מִבֵּית יוֹאָב זָב וּמְצֹרָע וּמַחֲזִיק בַּפֶּלֶךְ וְנֹפֵל בַּחֶרֶב וַחֲסַר־לָחֶם: וְיוֹאָב
וַאֲבִישַׁי אָחִיו הָרְגוּ לְאַבְנֵר עַל אֲשֶׁר הֵמִית אֶת־עֲשָׂהאֵל אֲחִיהֶם בְּגִבְעוֹן
לא בַּמִּלְחָמָה: וַיֹּאמֶר דָּוִד אֶל־יוֹאָב וְאֶל־כָּל־הָעָם אֲשֶׁר־אִתּוֹ קִרְעוּ
לב בִגְדֵיכֶם וְחִגְרוּ שַׂקִּים וְסִפְדוּ לִפְנֵי אַבְנֵר וְהַמֶּלֶךְ דָּוִד הֹלֵךְ אַחֲרֵי הַמִּטָּה: וַיִּקְבְּרוּ
אֶת־אַבְנֵר בְּחֶבְרוֹן וַיִּשָּׂא הַמֶּלֶךְ אֶת־קוֹלוֹ וַיֵּבְךְּ אֶל־קֶבֶר אַבְנֵר וַיִּבְכּוּ כָּל־
לג הָעָם: וַיְקֹנֵן הַמֶּלֶךְ אֶל־אַבְנֵר וַיֹּאמַר הַכְּמוֹת נָבָל יָמוּת אַבְנֵר:
לד יָדֶךָ לֹא־אֲסֻרוֹת וְרַגְלֶיךָ לֹא־לִנְחֻשְׁתַּיִם הֻגַּשׁוּ כִּנְפוֹל לִפְנֵי בְנֵי־עַוְלָה נָפָלְתָּ

רש״י

(כט) יחולו. ינוחו, יחולו דמי אבנר. על מקרא שלפניו הוא מוסב, שאמר ׳נקי אני וממלכתי מדמי אבנר׳, יחולו דמיו על ראש יואב, ׳דמי׳ הנזכרים במקרא שלפניו: **ומחזיק בפלך.** נשען על מקלו מחמת חולי הרגלים: **(ל) הרגו לאבנר.** כמו את אבנר, ודומה לו (ישעיהו לח, יד), ׳עשקה לי ערבני׳, עשקה אותי; וכן (במדבר יב, יג), ׳רפא נא לה׳, רפא אותה; וכמוהו (דברי הימים־ב יז, ז), שלח לשריו לבן חיל לעובדיה וגו׳ ללמד בערי יהודה, ופתרונו, שלח את שריו את בן חיל: **(לג) הכמות נבל.** הכמות רשע בחרב: **(לד) ידיך לא אסורות.** היו ואיך נפל גבור כמותך לפני בני עולה:

רד״ק

(כט) יחלו. דמי אבנר יפלו ויחנו על ראש יואב וכן עַל רֹאשׁ רְשָׁעִים יָחוּל (ירמיה כג, יט): **ואל כל בית אביו.** אם יואב חטא מה חטאו בית אביו לא אמר אלא על המסייעים אותו והסומכים את ידו, כמו שכתוב בתורה בָּאִישׁ הַהוּא וּבְמִשְׁפַּחְתּוֹ (ויקרא כ, ה), ותרגם אונקלוס וּבְסַעֲדוֹהִי: **ומחזיק בפלך.** מחזיק במשענת מחמת חולי הרגלים, ואמרו רז״ל (סנהדרין מח, ב) כל הקללות האלו נתקיימו בזרע של דוד לפי שלא כדין קללו אחר שהיה בדעתו לצוות עליו להרגו וכן עשה, והיכן נתקיימו, זב מרחבעם (עיין שם) מצורע עוזיהו (דברי הימים־ב כו, יט) מחזיק בפלך אסא (מלכים־א טו, כג) נופל בחרב יאשיהו (דברי הימים־ב לה, כג) חסר לחם יהויכין (מלכים־ב כה, ל), ועוד אמרו רז״ל למה קללו באלו הקללות ולמה קלל ביתו אחריו שאמר מִבֵּית יוֹאָב, לפי שאמרו (עדיות ב, ט, ועיין תנחומא (בובר) תולדות, ז) בחמשה דברים אדם זכאי זוכה לבנים הזכאין, כלומר שמוסיף הקב״ה לבניו באלה החמשה דברים בזכות אבותיהם, ואלו הם החמשה דברים בנוי בכח בעושר בחכמה בימים, בנוי שנאמר וַהֲדָרְךָ עַל בְּנֵיהֶם (תהלים צ, טז), בכח שנאמר גִּבּוֹר בָּאָרֶץ יִהְיֶה זַרְעוֹ (שם קיב, ב), בעושר שנאמר לֹא רָאִיתִי צַדִּיק נֶעֱזָב וְזַרְעוֹ מְבַקֶּשׁ לָחֶם (שם לז, כה), בחכמה שנאמר וְלִמַּדְתֶּם אֹתָם אֶת בְּנֵיכֶם (דברים יא, יט), בימים שנאמר לְמַעַן יִרְבּוּ יְמֵיכֶם וִימֵי בְנֵיכֶם (שם שם, כא), וכנגדן בהפך לרעה לדור חייב, בעון אבותיהם הרשעים, והביאו ראייה מדוד שקלל את יואב בשביל שנתברר לו עונו והוא מדה כנגד מדה, זב כנגד הכח זה גבור וזה תשש, מצורע כנגד הנוי שנאמר וְשִׂפַּח אֲדֹנָי קָדְקֹד בְּנוֹת צִיּוֹן (ישעיהו ג, יז) כי תחת יופי זה הדור וזה כיעור, מחזיק בפלך כנגד חכם כי פירשו מחזיק בפלך טפש, ונופל בחרב כנגד השנים זה מאריך ימים וזה מקצר ימים, וחסר לחם כנגד העושר, ודוד נתברר לו כי זרע יואב יהיו רשעים וקלל הדור הרשע הבא מזרעו באלה החמש: **(ל) ויואב ואבישי.** אבישי היה עם יואב כשהרגו ונסכם עמו וכאילו הרגו גם כן: **הרגו לאבנר.** כמו את אבנר, וכן לְכָל כֵּלָיו תַּעֲשֶׂה נְחֹשֶׁת (שמות כז, ג): **במלחמה.** כלומר הוא הרג עשהאל במלחמה והם הרגו אבנר בשלום וזהו שאמר דוד וישם דמי מלחמה בשלום: **(לא) ויאמר דוד.** אף על פי שיואב הרגו אמר לו שיקרע עליו ויתאבל, כי שלא בדין הרגו: **הלך אחרי המטה.** כשהיו מוליכין אותו לקבורה, ואף על פי שאמרו (סנהדרין כ, א) כי המלך אינו יוצא אחר המת ואפילו מת לו מת אינו יוצא מפתח פלטרין שלו, עשה כן דוד להוציא מלבם של ישראל שלא יחשדוהו כי בעצתו נהרג, כמו שאמר בסוף הענין (פסוק לז) וַיֵּדְעוּ כָל הָעָם וְכָל יִשְׂרָאֵל בַּיּוֹם הַהוּא כִּי לֹא הָיְתָה מֵהַמֶּלֶךְ לְהָמִית אֶת אַבְנֵר: **(לב) אל קבר.** כמו על קבר, וכמוהו אֶל הֶהָרִים לֹא אָכָל (יחזקאל יח, ו), וכן וַיְקֹנֵן הַמֶּלֶךְ אֶל אַבְנֵר (פסוק לג) כמו על אבנר: **(לג) הכמות נבל.** בחרב כמו רשע, או פירושו כאדם נופל ושפל ימות אבנר שהיה גבור וגדול, איך לא השיב ידו אל מכהו: **(לד) ידיך לא אסורות.** היאך לא הכיתו גם אתה, ורגליך גם כן לא לנחושתים הוגשו איך לא ברחת מפניהם, כנפול נבל כן נפלת לפני בני עולה, ואף על פי שלא זכר נבל אלא כִּנְפוֹל זה רצה לומר כיון שזכר נבל למעלה (פסוק לג) סמך על המבין, וכן מנהג הלשון בהרבה מקומות:

מצודת דוד

(כח) נקי אנכי. רצה לומר, לא מדעתי נעשתה, ואהיה נקי מהעונש, הן עונש בגוף, הן בדבר המלכות: **(כט) יחולו.** עונשי דמי אבנר יחולו על ראש יואב: **ואל כל וגו׳.** הואיל ובעצתם נעשתה: **ואל יכרת.** רצה לומר, לא יופסק להיות חדל. **ומחזיק בפלך.** אוחז במשענת, מחמת חולי הרגלים: **(ל) ואבישי.** לפי שנכנס עם יואב לתוך השער להיות לו לעזר, מעלה עליו הכתוב כאלו גם הוא הרגו: **במלחמה.** כאלו יאמר, הנה לא כן עשו, כי אבנר הרג את עשהאל במלחמה, והם הרגו לאבנר בשלום: **(לא) אל יואב.** להיות גם הוא כדואג על מיתתו, ומתחרט על מה שהרגו. **הולך.** היה הולך אחר המטה, למען דעת הכל שלא נעשתה בעצתו: **(לג) הכמות נבל.** וכי מה ראוי הוא שימות אבנר בחרב בזולת מלחמה, כמות איש נבל: **(לד) ידיך לא אסורות.** היות רבות פעמים יקרה, יקחו בשבי שר וגדול ויאסרו ידיו ורגליו ויהרגוהו בסוף בחרב בזולת מלחמה, לזה אמר הלא ידיך לא היו אסורות וכו׳, כי לא נלקחת בשבי, ומדוע אם כן הרגוך בחרב בזולת מלחמה: **כנפול וגו׳.** כאומר עם היות כי מעולם לא נעשתה כדבר הזה להמית שר וגדול בחרב זולת מלחמה, הנה לפעמים נעשתה על ידי בני עולה, וכמו כן נפלת גם אתה, כאשר יפול הנופל לפני בני עולה, כי גם בני צוריה לבני עולה יחשבו:

מצודת ציון

(כט) יחולו. יחנו וישכנו, כמו (ירמיהו ל, כג), על ראש רשעים יחול: **זב.** חולי שנוטף מאמתו כעין זרע: **בפלך.** ענין משענת ומטה, ודומה לו (משלי לא, יט), וְכַפֶּיהָ תָּמְכוּ פָלֶךְ, והוא המטה שטוות בו הנשים: **(ל) לאבנר.** את אבנר, כמו (שמות כז, ג), לְכָל כֵּלָיו, ומשפטו, את כל כליו: **(לב) אל קבר.** כמו על קבר: **(לג) נבל.** אדם פחות המעלה: **(לד) אסורות.** קשורות: **לנחשתים.** שלשלאות נחושת, אוסרים בהם רגלי השבוים:

28-38. David mourns Abner and wins the nation's trust. Since Saul's death, David had shown the utmost restraint in his conflict with Ish-bosheth (see commentary to 2:5), allowing events to follow their natural, Divinely orained course. He did not seize the kingship from Saul's house, but rather waited until the nation accepted the fact that he had been given his position by Divine decree. Now that he was on the verge of achieving his goal of reigning over a united Israel thanks to Abner, Joab had assassinated David's newfound supporter. Since Joab was David's nephew and senior minister, and he claimed to have summoned Abner back to Hebron in David's name, the people would surely believe that the killing had

David condemns Joab

[28]When David heard afterwards, he declared, "I and my kingdom are guiltless before HASHEM *forever, for the blood of Abner son of Ner! [29][The guilt] shall rest upon the head of Joab and upon all his father's house, and may there never cease from Joab's house contaminated men, lepers, those who lean on crutches, who fall by the sword, and who lack food." [30]Joab and his brother Abishai had killed Abner because he had killed their brother Asahel in Gibeon, in the battle.*

David leads the mourning for Abner ...

[31]David said to Joab and to all the people who were with him, "Tear your clothes and don sackcloth, and lament over Abner." King David himself walked behind the bier. [32]And they buried Abner in Hebron. The king raised his voice and wept at Abner's grave, and all the people wept. [33]The king lamented for Abner, and said,

"Should Abner have died the death of a knave?
[34]Your hands were not bound and your feet were not placed in chains;
as one who falls before villains have you fallen!"

been carried out at David's behest. However, David's sincerely shocked and mournful reaction to Abner's death was accepted by the nation, and won him their respect and allegiance.

28. מֵאַחֲרֵי כֵן — *Afterwards.* Scripture testifies that David was unaware of Joab's recalling Abner, and of his plans to kill him. Only *afterwards* did David learn of it (*Abarbanel*).

29. וְאֶל כָּל־בֵּית אָבִיו — *And upon all his father's house,* i.e., Abishai and the others of his family who colluded with Joab in his treachery; David would not have cursed innocent men just because they were Joab's kin (*Radak*). Alternatively, the curse was "conditional" — if there would be any wicked people among Joab's descendants who were deserving of punishment, may this be their punishment (*Abarbanel*).

זָב — *Contaminated men,* literally *"one who suffers from a particular kind of bodily discharge,"* a disease which renders its sufferer ritually impure (*Leviticus* 15:1-15).

Why did David pick these particular five misfortunes with which to curse Joab? The Midrash explains that God often blesses righteous people by granting them children with these traits: physical beauty, wisdom, wealth, strength and longevity, and the Mishnah adduces Scriptural verses to prove each of these assertions (*Eduyos* 2:9). Wicked people, on the other hand, do not have the sources of merit through which God would grant these positive traits to their children. David thus negated the possibility of the wicked Joab's children possessing any of these traits.

Abarbanel suggests another explanation as to why David chose these five particular curses. David thought that Joab's actions might have been prompted by three other considerations: (1) fear that Abner would now supplant him as David's most trusted confidant; (2) Joab wanted to eliminate his rival general; (3) as commander of David's armed forces, Joab was perhaps concerned that a peace between David and Abner would eliminate the need for a general. As a reaction to these possible motivations David issued his five curses: If Joab wanted to prevent a friendly relationship between David and Abner — *may there never cease from Joab's house contaminated men and lepers*; people with these conditions are avoided and shunned by others. If he was motivated by military showmanship — *may there never cease from Joab's house... those who lean on crutches*, rather than wielding swords, and may they eventually *fall by the sword*. And if his motive was financial security — *may there never cease from Joab's house... those who lack food.*

30. The verse repeats that *Joab and his brother Abishai had killed Abner because he had killed their brother Asahel in Gibeon, in the battle*, in order to highlight the contrast between the two killings: Abner killed Asahel in self-defense, but Joab assassinated Abner in cold blood (*Radak*).

31. In order to control the damage that Joab had caused, David demonstrated emphatically that he was not involved in the murder. He ordered even Joab to mourn publicly, to demonstrate remorse over his actions (*Abarbanel*).

King David himself walked behind the bier. Although the halachah forbids a king to participate in a funeral procession [because it does not befit the king's honor for him to be seen emotionally distraught (*Bertenoro*)], this was an exception. It was important to pacify the people by clearing himself of involvement in the conspiracy (*Sanhedrin* 20a).

33-34. David's dirge for Abner. *Be'er Moshe* cites many Talmudic sources that discuss the greatness of Abner, both in Torah and in righteousness. David himself testified to Abner's outstanding stature, here (v. 38) and in *I Kings* (2:32). The Sages say that he was even greater than Saul at the time when Samuel anointed him (*Yerushalmi, Sotah* 1:8). *Olelos Ephraim* (532) interprets David's dirge homiletically in praise of Abner's piety; parts of his comments will be cited below.

33. הַכְמוֹת נָבָל יָמוּת אַבְנֵר — *Should Abner have died the death of a knave?* Is it fair that Abner should have been put to death by the sword, like a common criminal!? (*Rashi*). Abner did not die because he was a spiritual *knave*, who defiled the Name of God (*Olelos Ephraim*).

34. Normally the only way to execute such a mighty warrior as yourself would be to capture him and chain him, rendering him defenseless, before killing him. You, however, were not restrained; how tragic that you were slain through treachery, in such an underhanded way (*Rashi*)!

Abner's hands were not bound; they were always open to dispense charity to the poor. When a *mitzvah* could be done, his feet were never chained; he always ran to do good (*Olelos Ephraim*).

כִּנְפוֹל לִפְנֵי בְנֵי־עַוְלָה נָפָלְתָּ — *As one who falls before villains*

וַיֹּסִפוּ כָל־הָעָם לִבְכּוֹת עָלָיו׃ (לה) וַיָּבֹא כָל־הָעָם לְהַבְרוֹת אֶת־דָּוִד לֶחֶם בְּעוֹד הַיּוֹם וַיִּשָּׁבַע דָּוִד לֵאמֹר כֹּה יַעֲשֶׂה־לִּי אֱלֹהִים וְכֹה יֹסִיף כִּי אִם־לִפְנֵי בוֹא־הַשֶּׁמֶשׁ אֶטְעַם־לֶחֶם אוֹ כָל־מְאוּמָה׃ (לו) וְכָל־הָעָם הִכִּירוּ וַיִּיטַב בְּעֵינֵיהֶם כְּכֹל אֲשֶׁר עָשָׂה הַמֶּלֶךְ בְּעֵינֵי כָל־הָעָם טוֹב׃ (לז) וַיֵּדְעוּ כָל־הָעָם וְכָל־יִשְׂרָאֵל בַּיּוֹם הַהוּא כִּי לֹא הָיְתָה מֵהַמֶּלֶךְ לְהָמִית אֶת־אַבְנֵר בֶּן־נֵר׃ (לח) וַיֹּאמֶר הַמֶּלֶךְ אֶל־עֲבָדָיו הֲלוֹא תֵדְעוּ כִּי־שַׂר וְגָדוֹל נָפַל הַיּוֹם הַזֶּה בְּיִשְׂרָאֵל׃ (לט) וְאָנֹכִי הַיּוֹם רַךְ וּמָשׁוּחַ מֶלֶךְ וְהָאֲנָשִׁים הָאֵלֶּה בְּנֵי צְרוּיָה קָשִׁים מִמֶּנִּי יְשַׁלֵּם יְהוָה לְעֹשֵׂה הָרָעָה כְּרָעָתוֹ׃

ד (א) וַיִּשְׁמַע בֶּן־שָׁאוּל כִּי מֵת אַבְנֵר בְּחֶבְרוֹן וַיִּרְפּוּ יָדָיו וְכָל־יִשְׂרָאֵל נִבְהָלוּ׃ (ב) וּשְׁנֵי אֲנָשִׁים שָׂרֵי־גְדוּדִים הָיוּ בֶן־שָׁאוּל שֵׁם הָאֶחָד בַּעֲנָה וְשֵׁם הַשֵּׁנִי רֵכָב בְּנֵי רִמּוֹן הַבְּאֵרֹתִי מִבְּנֵי

רש״י

(לה) להברות. לשון סעודה: **(לט) ואנכי היום רך.** (תרגום) ואנא יומא דין הדיוט ומרבי למלכא: **(ב) היו בן שאול.** היו לבן שאול, כמו (שמואל-א יג, ח), למועד אשר שמואל, אשר לשמואל:

רד״ק

(לה) להברות את דוד לחם. רבותינו ז״ל אמרו (סנהדרין כ, א) כתיב להכרות בכ״ף וקרינן לְהַבְרוֹת בבי״ת בתחלה להכרותו ולבסוף להברותו, וכן כתב רבי מנחם בן סרוק כי הכתוב להכרות, וכן כתב רבי יהודה חיוג וכן כתב אדוני אבי ז״ל, ואנחנו לא מצאנוהו בשום ספר מדוייק אשר ראינו וכן כתב רבי יונה כי לא ראה אותו כתוב כך להכרות לא בספרינו ולא במסורת, ופירוש לְהַבְרוֹת להאכיל אפילו אכילה מועטת ולא רצה, כי הבריה היא האכילה המועטת וכן וְאֶבְרֶה מִיָּדָהּ (לקמן יג, ו): **(לט) רך ומשוח מלך.** רך במלוכה כאילו היום נמשחתי למלך כי היום ההוא היה תחלת מלכותי על ישראל על ידי אבנר, והאנשים האלה בני צרויה שהם קשים ממני בלבלו לי מלכותי, וזכר צרויה אמם ולא זכר אביהם כלומר בני אחותי הם והיה להם לחוש עלי ולא עשו, ובשאר מקומות שזוכר אמם ואומר יואב בן צרויה אבישי בן צרויה לפי שהיו יותר נכבדים בזכר אמם לכבוד דוד, ויונתן תרגם רַךְ וּמָשׁוּחַ מֶלֶךְ, הֶדְיוֹט וּמַרְבֵּי לְמַלְכָּא, כלומר עד היום לא הייתי חושב עצמי למלך אלא הדיוט וכאילו היום נמשחתי למלך, ורבותינו ז״ל פירשו (בבא בתרא ד, א) רַךְ לשון מלוכה כאמרם לא רכה ולא בר רכה את, ואמר מנא תימרא דהאי רכה לישנא דמלכותא הוא דכתיב רַךְ וּמָשׁוּחַ מֶלֶךְ: **(ב) היו בן שאול.** כמו לבן שאול או עם בן שאול כתרגום, או שָׂרֵי שזכר עומד במקום שנים כאילו אמר שרי בן שאול, ומנחם פירשו הָיוּ כמו שברו, וכן נִהְיֵיתִי וְנֶחֱלֵיתִי (דניאל ח, כז), ורצה לומר המיתו אותו, וספר ענין זה הנה להודיע כי אלה שהרגו בן שאול כבר היו עמו ושריו היו, לפיכך לא נשמרו מהם בני הבית בבואם תוך הבית ובחדר משכבו וחשבו שכדי לדבר עמו נכנסו, ומה שאמר וַיִּבְרְחוּ הַבְּאֵרֹתִים (פסוק ג) לא ספר על מה ברחו אולי היו להם דברי מריבה עם שאול או עם בנו, ועתה שבו אליו אולי השלימו עמו טרם בואם ובאו עד לביתו ולא נשמרו מהם, ויהיה פירוש לֹקְחֵי חִטִּים (פסוק ו) לזה הפירוש שבאו עם לוקחי חטים לדבר עם בן שאול, ולפירוש שפירש מנחם המיתו יהיה פירוש הענין כן, כי אלה השרים הרגו בן שאול, ולא אמר זה על איש בשת אלא על בן אחר שהיה לשאול, והרגו אותו או בחיי שאול או אחרי מותו, לפיכך ברחו גתימה והיו שם גרים עד היום הזה שבאו להרוג איש בשת למצוא חן בעיני דוד ולשוב לנחלתם בארות, וכשבאו לבית איש בשת התנכרו ועשו עצמם כלוקחי חטים, וכן תרגם יונתן כְּזַבְּנֵי חִטִּין, ונכנסו לביתו לחדר משכבו והרגוהו ובני הבית לא נשמרו מהם כי אמרו שידברו עמו לקחת חטים ממנו:

מצודת דוד

(לה) בעוד היום. כשהיה עוד יום: **כה יעשה וגו׳.** הוא ענין שבועה, ורבים כמוהו ימצא במקרא: **כי אם לפני וגו׳.** כאשר אם לפני בוא השמש אטעם לחם וכו׳, אז יחול השבועה להתקיים בי: **(לו) הכירו.** שלא מדעת דוד נעשתה: **ככל אשר עשה.** הוטב בעיניהם כל אשר עשה, והם, ההליכה אחר המטה, והבכי, והקינה: **(לח) תדעו.** כי דוד חשב אשר עבדיו יתפלאו על גודל האבל, עם שלא הרג אותו, לזה אמר, הלא מעצמכם תדעו כי שר וגדול נפל וכו׳, ומהראוי אם כן להרבות האבל: **(לט) ואנכי היום.** רצה לומר, ואם תתמהו מה זה לא לקחתי נקם, הנה אנכי אף היום שנמשחתי למלך על כל ישראל ומלכותי בכל משלה, עם כל זה אני רך הלבב מול בני צרויה, כי המה קשים ממני ולא אוכל להתגרות עמהם, ולפי שמן הדין אין ליואב משפט מות, שלא היו שם עדים והתראה, אולם ניתן רשות למלך לענוש לצורך השעה ביכלתו המוחלט, ולזה שמט ידו ממנו, כי לא היה יכול להם, ומסר דינו לשמים: **(א) בן שאול.** לפי כשמת אבנר, לא נשאר מי להתחזק עמו במלכותו, ועוד לא נשאר בו כח מלכות רק מצד היותו בן שאול המלך, לזה לא הזכירו בשמו: **נבהלו.** היות ידעו שלבב אבנר היתה שלם עם דוד, וחששו שעם כל זה נהרג בעצתו, ופחדו לנפשם שלא ינקום בכולם, ובעבור זה לא המליכוהו עד שנהרג איש בושת ועשה דוד שפטים בההורגים, ובזה ידעו למפרע שהיה דוד נקי מדמי אבנר, ואז באו כולם להמליכו: **(ב) שרי גדודים.** שרים על אנשי החיל היו לבן שאול:

מצודת ציון

(לה) להברות. להאכילו סעודה מועטת, כמו (לקמן יג, ו), וְאֶבְרֶה מִיָּדָהּ: **מאומה.** שום דבר: **(לט) רך.** רצה לומר רך הלבב מלהתגרות עם מי: **קשים.** הוא חלוף הרך: **(א) וירפו.** מלשון רפיון, והוא ענין יאוש: **(ב) בן שאול.** כמו לבן שאול, ותחסר הלמ״ד:

---

have you fallen! Normally a great warrior as you must be chained before he can be killed, or is felled by the sword in battle. You were the exception; you were murdered treacherously, like someone who is betrayed by villains (*Metzudos*).

35. It is customary to console a mourner by bringing him food (see *Ezekiel* 24:17), but David insisted that the magnitude of the crime was such that he must refuse ordinary consolation. Similarly, Ezekiel refused to accept the food of others as consolation for the destruction of the Temple (*Rashi*, ibid.).

כֹּה יַעֲשֶׂה־לִּי אֱלֹהִים — *So shall God do to me.* David swore that he would refuse consolation that day. See commentary to v. 9, above.

And all the people wept even more over him.

[35]All the people came to [comfort] David by bringing him a meal on that same day, but David swore, saying, "So shall God do to me and so shall He do further if I taste any bread or anything else before the sun sets!" [36]All the people recognized [David's sincerity] and it was good in their eyes; whatever the king did was good in the eyes of all the people. [37]And all the people and all of Israel realized on that day that it was not [ordered] by the king to kill Abner son of Ner.

... but feels too weak to punish Joab

[38]The king said to his servants, "Surely you realize that an officer and a great man has fallen in Israel this day, [39]but today I am still weak and newly anointed as king, and these sons of Zeruiah are harder than I. But may HASHEM repay the evildoer according to his evil!"

4

[1]Saul's son heard that Abner had died in Hebron and he despaired, and all Israel was shocked.

[2]Two men, heads of legions, were [with] Saul's son; the name of the one was Baanah and the name of the second was Rechab, sons of Rimmon the Beerothite of the tribe of

---

36. **כְּכֹל אֲשֶׁר עָשָׂה הַמֶּלֶךְ** — *Whatever the king did. . .* Although David's display of grief seemed excessive (*Abarbanel*), and cynics might have accused him of being insincere (*Malbim*), no one doubted that his grief was genuine, and therefore the people approved of his behavior.

38-39. David's motives. David explained to his servants why he did not punish Joab, even though it is the king's duty to administer equal justice to everyone, without making allowance for relatives or people of high station, like Joab. His reason was that his power base as king was not yet solidified and his nephews, the sons of Zeruiah, were too powerful for him to overcome.

In a lesser person, such considerations could be regarded as cowardice or nepotism, but our knowledge of David, shaped by Scripture and the Sages, precludes such an interpretation. In explaining the narrative of Jacob and Laban, and Jacob and Esau, the Sages interpret Jacob's words and deeds in a positive way, while those of Laban and Esau are interpreted negatively. This follows a rule in Scriptural exegesis — which, in fact, mirrors the judgment of all wise and discriminating people — that the actions of righteous people should be assumed to be good, while those of the wicked should be assumed to be wicked.

In this light, knowing what we do about David's humility and devotion to Israel, we must assume that his motives were lofty. He knew that it would be harmful to the entire nation if he had moved against Joab and his kinsmen. In no way did he condone what Joab had done. In fact, when he instructed the future king Solomon, David told him to punish Joab for killing Abner (*II Kings* 2:5-6). Presumably David knew that the next king would be better able than he to deal with Joab.

Abarbanel writes that fear of Joab would not have been a sufficient excuse for David to recoil from doing justice. The fact was that there were no witnesses to the murder and no warning had been issued to Joab before he murdered Abner, which made the case technically unpunishable. Joab was certainly guilty of insubordination and even subversion, however, and, as king, David had the discretionary right to issue summary justice. It was this royal prerogative that he chose not to exercise; it was not an actual evasion of justice.

4.

1-8. The death of Ish-bosheth. Ish-bosheth was assassinated through an act of treachery. The death of Saul's only heir removed the last threat to David's universal acceptance as king — but it once again raised the suspicion that he was complicit in doing away with a potential adversary.

1. Ish-bosheth heard that Abner had been murdered and *he despaired.* Despite the angry falling-out between them, Abner was Ish-bosheth's only hope of retaining the throne, if there could somehow be a reconciliation between them. Now Ish-bosheth realized that he was doomed to be a commoner. Perhaps he was even afraid that David would regard him as a rebel and deal with him harshly.

וְכָל־יִשְׂרָאֵל נִבְהָלוּ — *All Israel was shocked.* The assassination was a blow to the people's sense of security and confidence in the future. Thanks to Abner, the entire nation was on the verge of uniting under David, but now the people had to wonder what kind of people were surrounding the new king. David had made it clear that he had no part in the murder of Abner, but what could the people expect from Joab and his officers? David had not disciplined them — would they be free to perpetrate violence as they wished? *Metzudos* comments that the people were afraid that David's men might seek vengeance against the former supporters of Ish-bosheth.

2. **וּשְׁנֵי אֲנָשִׁים שָׂרֵי־גְדוּדִים הָיוּ בֶן־שָׁאוּל** — *Two men, heads of legions, were [with] Saul's son,* i.e., they were close with him. Because these two men were personal friends of Ish-bosheth, they were able to approach his bedroom (vs. 5-6) without arousing suspicion (*Radak*).

Alternatively, *Menachem ben Saruk* relates the word הָיוּ to הַוָּה (*Ezekiel* 7:26), *destruction.* The two men, who were heads of legions, *destroyed* (i.e., killed) Saul's son.

ג בִּנְיָמִן כִּי גַּם־בְּאֵרוֹת תֵּחָשֵׁב עַל־בִּנְיָמִן: וַיִּבְרְחוּ הַבְּאֵרֹתִים גִּתָּיְמָה וַיִּהְיוּ־שָׁם
ד גָּרִים עַד הַיּוֹם הַזֶּה: וְלִיהוֹנָתָן בֶּן־שָׁאוּל בֵּן נְכֵה רַגְלָיִם
בֶּן־חָמֵשׁ שָׁנִים הָיָה בְּבֹא שְׁמֻעַת שָׁאוּל וִיהוֹנָתָן מִיִּזְרְעֶאל וַתִּשָּׂאֵהוּ אֹמַנְתּוֹ
ה וַתָּנֹס וַיְהִי בְּחָפְזָהּ לָנוּס וַיִּפֹּל וַיִּפָּסֵחַ וּשְׁמוֹ מְפִיבֹשֶׁת: וַיֵּלְכוּ בְּנֵי־רִמּוֹן הַבְּאֵרֹתִי
רֵכָב וּבַעֲנָה וַיָּבֹאוּ כְּחֹם הַיּוֹם אֶל־בֵּית אִישׁ בֹּשֶׁת וְהוּא שֹׁכֵב אֵת מִשְׁכַּב
ו הַצָּהֳרָיִם: וְהֵנָּה בָּאוּ עַד־תּוֹךְ הַבַּיִת לֹקְחֵי חִטִּים וַיַּכֻּהוּ אֶל־הַחֹמֶשׁ וְרֵכָב
ז וּבַעֲנָה אָחִיו נִמְלָטוּ: וַיָּבֹאוּ הַבַּיִת וְהוּא־שֹׁכֵב עַל־מִטָּתוֹ בַּחֲדַר מִשְׁכָּבוֹ וַיַּכֻּהוּ
וַיְמִתֻהוּ וַיָּסִירוּ אֶת־רֹאשׁוֹ וַיִּקְחוּ אֶת־רֹאשׁוֹ וַיֵּלְכוּ דֶּרֶךְ הָעֲרָבָה כָּל־הַלָּיְלָה:
ח וַיָּבִאוּ אֶת־רֹאשׁ אִישׁ־בֹּשֶׁת אֶל־דָּוִד חֶבְרוֹן וַיֹּאמְרוּ אֶל־הַמֶּלֶךְ הִנֵּה־רֹאשׁ
אִישׁ־בֹּשֶׁת בֶּן־שָׁאוּל אֹיִבְךָ אֲשֶׁר בִּקֵּשׁ אֶת־נַפְשֶׁךָ וַיִּתֵּן יְהֹוָה לַאדֹנִי הַמֶּלֶךְ
ט נְקָמוֹת הַיּוֹם הַזֶּה מִשָּׁאוּל וּמִזַּרְעוֹ: וַיַּעַן דָּוִד אֶת־רֵכָב ׀ וְאֶת־בַּעֲנָה אָחִיו בְּנֵי
י רִמּוֹן הַבְּאֵרֹתִי וַיֹּאמֶר לָהֶם חַי־יְהֹוָה אֲשֶׁר־פָּדָה אֶת־נַפְשִׁי מִכָּל־צָרָה: כִּי
הַמַּגִּיד לִי לֵאמֹר הִנֵּה־מֵת שָׁאוּל וְהוּא־הָיָה כִמְבַשֵּׂר בְּעֵינָיו וָאֹחֲזָה בוֹ
יא וָאֶהְרְגֵהוּ בְצִקְלָג אֲשֶׁר לְתִתִּי־לוֹ בְּשֹׂרָה: אַף כִּי־אֲנָשִׁים רְשָׁעִים הָרְגוּ אֶת־

רש"י

(ג) **ויברחו הבארתים.** כשמת שאול, שעזבו בני ישראל הערים שסביבות פלשתים, כמו שאמור למעלה, אז ברחו הבארותים: (ד) **וליהונתן בן שאול.** מונה והולך איך נשבת מלכות מבית שאול, הוא ובניו נהרגו, וזה הנשאר, הרגוהו על משכבו, ובנו של יהונתן נפל ויפסח: **נכה רגלים.** שבור רגלים: (ו) **והנה באו עד תוך הבית.** עם תגרים לוקחי חטים: (י) **לתתי לו בשורה.** אשר דימה לשמחני, למען תתי לו שכר בשורתו:

רד"ק

כי גם בארות תחשב על בנימן. כמו אל בנימין, וכן וַתִּתְפַּלֵּל עַל ה׳ (לעיל־א א, י) כמו אל ה׳, עַל שָׁפָן הַסֹּפֵר (מלכים־ב כב, ח) כמו אל, ומה שאמר כִּי גַּם בְּאֵרוֹת והנה בארות נחשבת בתוך ערי בנימין (יהושע יח, כה) אם כן מה הוא גַּם, אולי היתה על הגבול והיו חושבים בני אדם כי אינה לבנימין הודיע כי גם היא תחשב לבנימין, וכל זה להודיע כי משבט בנימין היה שהיה משבט שאול יצאו לו מְכַלִּים ביתו וממלכתו. ומה שספר גם כן הנה ענין מפיבושת בן יהונתן, להודיע כי במות איש בשת לא נשאר לבית שאול יורש עצר וראוי למלכות כי מפיבשת בן יהונתן נפל ונעשה נכה רגלים ולשאול לא נשאר כי אם בני רצפה הפלגש: (ה) **כחם היום.** בכ"ף: **את משכב הצהרים.** תרגם יונתן שְׁנַת מַלְכַיָּא, כלומר כי מנהג המלכים לישן בצהרים: (ז) **ויבאו הבית.** נראה כי אחר שהכוהו ויצאו להם חזרו לבית להסיר את ראשו להביאו לדוד כי הם הרגוהו, כי חשבו למצוא חן בעיני דוד בזה הדבר: (י) **ואהרגהו.** והוא לא הרגו, אלא כיון שצוה לאחד מהנערים להרגו כאילו הוא הרגו, ומה שאמר וָאֹחֲזָה בוֹ אפשר שדוד אחז בו והנער הכהו: **אשר לתתי לו בשרה.** אשר חשב שאתן לו שכר בשורה, וכן תרגם יונתן דַּהֲוָה מְדַמֵּי לְמִיתַּן לֵיהּ מַתְּנַת בְּשׂוֹרְתֵיהּ:

מצודת דוד

כי גם בארות וגו׳. אולי עמדה מחוץ לגבולם, ולא היה ידוע לכל אשר היא מבנימין: (ג) **ויברחו.** ברחו מאז, ולא הוזכר למה: **עד היום הזה.** אשר הרגו לאיש בושת, כי אז נהרגו גם הם בידי דוד, כמה שכתוב בענין: (ד) **מיזרעאל.** אשר נהרגו בהמלחמה ההיא: **ותנס.** מפחד פלשתים שלא יבואו אל בית המלך לשלול שלל: **ויפל.** הבן ההוא נפל מידה, ונעשה אז פסח (וכתבו כאן, לומר שכוונת הבארותים היה בהריגת איש בושת, בכדי להמליך את דוד, היות כי לא נשאר מי מזרע שאול להמליכו אחריו, כי חשבו שמפיבשת לא הגון למלוכה, על כי הוא פסח ברגליו): (ה) **וילכו.** שבו מגת, והתנכרו והלכו לבית איש בושת: (ו) **והנה באו.** חזר לספר איך באו ולא הרגישו בהם, ואמר, שבאו תוך הבית ועשו עצמם כלוקחי חטים מאת איש בושת, ואמר שהכוהו בדופן החמישית מול הכבד והמרה, ונמלטו משם: (ז) **ויבאו הבית.** עתה חזר לספר אופן הכאה, ואמר, בתחלה המיתו אותו, ואחר זה כרתו ראשו: (ח) **ויתן ה׳.** רוצה לומר, והנה נתן ה׳ וכו׳: (י) **כי המגיד.** מוסב על המקרא שלפניו שאמר חי ה׳ וגו׳, אשר אמת הדבר כי המגיד לי לאמר שמת שאול על ידו: **כמבשר בעיניו.** בעיני עצמו היה כמבשר לי טוב: **ואחזה בו.** כי מה שצוה לנערו להרגו, הרי הוא כאלו בעצמו הרגו: **אשר לתתי.** אשר חשב שאתן לו מתן בשורה: (יא) **אף כי.** רצה לומר, וכל שכן שאהרוג אתכם, כי הרעותם לעשות יותר ממנו, כי ההורג את שאול, הנה במלחמה הרגו על פי שאלתו, וידע כי לא יחיה עוד אחר אשר היה כבר מוכה בחרב, ואף הפרשים הדביקוהו כמו שכתוב למעלה (א ט־י) אבל אתם, הלא הרגתם אותו בביתו על משכבו, ומכל שכן שאבקש דמו וכו׳:

מצודת ציון

(ד) **נכה רגלים.** שבור רגלים, כמו (מלכים־ב כג, כט), פַּרְעֹה נְכֹה: **אמנתו.** המגדלת אותו, כמו (אסתר ב, ז), וַיְהִי אֹמֵן אֶת הֲדַסָּה: **ותנוס.** וברחה: **בחפזה.** ענין מהירות, כמו (שמואל־א כג, כו), וַיְהִי דָוִד נֶחְפָּז לָלֶכֶת: **ויפסח.** נעשה חגר: (ה) **כחם היום.** כאשר נתחמם השמש, והוא בחצות היום: **הצהרים.** עת התחזק מאור היום, והוא מלשון (בראשית ו, טז), צֹהַר תַּעֲשֶׂה לַתֵּבָה: (ו) **והנה.** כמו והמה:

כִּי גַם־בְּאֵרוֹת תֵּחָשֵׁב עַל־בִּנְיָמִן — Since *Beeroth was also considered part of Benjamin*. Perhaps Beeroth was in a border area, and many people considered it to belong to a different tribe. The point of the verse is that the men who brought about the final demise of the House of Saul were themselves his kinsmen, from the land of Benjamin (*Radak*).

3. The entire population of Beeroth fled as part of the general flight from the Israelite cities, in the wake of the Philis-

Benjamin, since Beeroth was also considered part of Benjamin. [3]The Beerothites had fled to Gittaim, where they became sojourners, to this day.

[4](Jonathan son of Saul had a son who was lame. He had been five years old when word came from Jezreel about [the deaths of] Saul and Jonathan; his nursemaid had picked him up and fled, and in her hurry to flee she dropped him and he became lame. His name was Mephibosheth.)

[5]The sons of Rimmon the Beerothite — Rechab and Baanah — went forth, and arrived in the heat of the day at the house of Ish-bosheth, while he was having his afternoon rest. [6]Behold — they entered into the house [posing] as wheat merchants and struck him in the fifth rib; then Rechab and his brother Baanah escaped.

Traitors assassinate Ish-bosheth

[7]After they had entered the house while he was asleep in his bed in his bedroom, and struck him, and killed him, they severed his head. They then took his head and traveled through the Arabah all night. [8]They brought the head of Ish-bosheth to David in Hebron, and said to the king, "Here is the head of Ish-bosheth, son of Saul your enemy, who sought [to take] your life! HASHEM has granted my lord the king revenge from Saul and his offspring this day!"

They try to ingratiate themselves to David ...

[9]David answered Rechab and his brother Baanah, the sons of Rimmon the Beerothite, and said to them, "As HASHEM lives, Who has redeemed my soul from all adversity, [10]if the one who informed me, saying, 'Behold! Saul is dead,' saw himself as a bearer of good tidings, yet I seized him and killed him in Ziklag, instead of giving him [reward for his] tidings, [11]surely [this should be done] to wicked people who have killed an

... but David has them executed

---

tine victory over Saul, as described in *I Samuel* 31:7 (*Rashi*).

Radak, however, understands that it was not the entire city that fled — only Baanah and Rechab — but Scripture does not say why they fled. *Radak* conjectures that they may have had a dispute with Ish-bosheth. Alternatively, *Radak* expands upon *Menachem ben Saruk's* interpretation of the previous verse, as follows. Baanah and his brother had once "destroyed" (*killed*) a son of Saul — other than Ish-bosheth — and that is why they had to flee their hometown.

עַד הַיּוֹם הַזֶּה — *To this day*, i.e., until the day discussed here, when they left Gittaim to kill Ish-bosheth (*Radak*).

4. This parenthetical insertion of the laming of Jonathan's son emphasizes the tragedy of the assassination of Ish-bosheth. Since Mephibosheth, the only other survivor of Saul's family, was lame, he was not fit to reign. Thus the death of Ish-bosheth was the death blow to the House of Saul (*Radak*).

5. וְהוּא שֹׁכֵב אֶת מִשְׁכַּב הַצָּהֳרָיִם — *He was having his afternoon rest. Targum* translates: *He was lying down for the sleep of kings*, for it is kings who have the leisure to indulge in a regular afternoon nap.

6. By posing as wheat merchants, the two brothers were to infiltrate into the king's private quarters without being detected by guards (*Targum; Mahari Kara*).

Rashi and others render, "They entered into the house *with* wheat merchants, i.e., claiming that they wanted to do business with the king." According to *Radak*, however, since they had been commanders in Saul's army (v. 2), they were well known in Ish-bosheth's house, and therefore the guards let them enter.

7. This verse describes in greater detail how they carried out the murder mentioned in the previous verse.

8. This verse explains their motive. Knowing that Abner was dead and that Ish-bosheth had no hope of ruling, Baanah and Rechab wanted to curry favor with David by eliminating his rival for the throne. By demonstrating their loyalty to the new king, they expected to be rewarded with high positions, perhaps as the successors to Abner, whose death had been mourned by David.

Their proud boast to David revealed their baseness. Even if, as they claimed, Saul was worthy of death as the pursuer of David, what had the hapless Ish-bosheth done to deserve slaughter? As the Sages teach, people tend to assume that others have the same character flaws they have (see *Kiddushin* 70a), so the brothers were sure that David was as treacherous as they, and would applaud their dastardly act.

9-12. David's outrage. Far from appreciating the "noble gesture" of the assassins, David treated them as murderers who deserved no mercy.

9-11. The Amalekite who killed Saul did so only after he had received an impassioned plea from the mortally wounded king, and yet he was still guilty of murder. Certainly, then, you who cannot claim such mitigating factors, deserve the death penalty! (*Abarbanel*).

Furthermore, Joab could at least claim that Abner was guilty of killing Asahel, but the two assassins had no justification, except for the selfish pursuit of glory and position.

אִישׁ־צַדִּיק בְּבֵיתוֹ עַל־מִשְׁכָּבוֹ וְעַתָּה הֲלוֹא אֲבַקֵּשׁ אֶת־דָּמוֹ מִיֶּדְכֶם וּבִעַרְתִּי
יב אֶתְכֶם מִן־הָאָרֶץ׃ וַיְצַו דָּוִד אֶת־הַנְּעָרִים וַיַּהַרְגוּם וַיְקַצְּצוּ אֶת־יְדֵיהֶם וְאֶת־
רַגְלֵיהֶם וַיִּתְלוּ עַל־הַבְּרֵכָה בְּחֶבְרוֹן וְאֵת רֹאשׁ אִישׁ־בֹּשֶׁת לָקָחוּ וַיִּקְבְּרוּ בְקֶבֶר־
אַבְנֵר בְּחֶבְרוֹן׃

ה

א וַיָּבֹאוּ כָּל־שִׁבְטֵי יִשְׂרָאֵל אֶל־דָּוִד חֶבְרוֹנָה
ב וַיֹּאמְרוּ לֵאמֹר הִנְנוּ עַצְמְךָ וּבְשָׂרְךָ אֲנָחְנוּ׃ גַּם־אֶתְמוֹל גַּם־שִׁלְשׁוֹם בִּהְיוֹת שָׁאוּל
מֶלֶךְ עָלֵינוּ אַתָּה °הייתה [°הָיִיתָ ק] °מוציא [°הַמּוֹצִיא ק] °והמבי [°וְהַמֵּבִיא ק]
אֶת־יִשְׂרָאֵל וַיֹּאמֶר יהוה לְךָ אַתָּה תִרְעֶה אֶת־עַמִּי אֶת־
ג יִשְׂרָאֵל וְאַתָּה תִּהְיֶה לְנָגִיד עַל־יִשְׂרָאֵל׃ וַיָּבֹאוּ כָּל־זִקְנֵי יִשְׂרָאֵל אֶל־הַמֶּלֶךְ
חֶבְרוֹנָה וַיִּכְרֹת לָהֶם הַמֶּלֶךְ דָּוִד בְּרִית בְּחֶבְרוֹן לִפְנֵי יהוה וַיִּמְשְׁחוּ אֶת־דָּוִד
ד לְמֶלֶךְ עַל־יִשְׂרָאֵל׃ בֶּן־שְׁלֹשִׁים שָׁנָה דָּוִד בְּמָלְכוֹ אַרְבָּעִים
ה שָׁנָה מָלָךְ׃ בְּחֶבְרוֹן מָלַךְ עַל־יְהוּדָה שֶׁבַע שָׁנִים וְשִׁשָּׁה חֳדָשִׁים וּבִירוּשָׁלַםִ מָלַךְ

רד"ק

(יב) **ויתלו על הברכה.** כדי שיראום בני אדם וידעו כי דוד ביושר לבבו נקם נקמת בית שאול ואף על פי שהיו אויביו: (א) **ויבאו כל שבטי ישראל.** מכל שבטי ישראל באו אליו, ואפילו משבט בנימין כי לא היה להם עוד תקוה בבית שאול, וזה היה חמש שנים אחר שמת איש בשת וחמש שנים היתה המלכות בטלה שלא מלך דוד על כל ישראל עד סוף חמש שנים וששה חדשים, כי איש בשת לא מלך אלא שתי שנים (לעיל ב, י): **הננו עצמך ובשרך אנחנו.** אף על פי שאתה ממשפחת יהודה והננו קרובים לך אנחנו גם כן עצמך, כי כלנו בני ישראל אחים אנחנו: **(ב) אתה הייתה מוציא.** ה"א כתובה בסוף מלת הייתה והיא נקראת עם מלת מוציא, וכן יִדַּעְתָּה שַׁחַר מְקֹמוֹ (איוב לח, יב): **והמבי.** חסר אלף בכתוב, וכן הַיֹּרֵשׁ אָבִי לָךְ (מיכה א, טו): **(ג) ויבאו כל זקני ישראל.** וכבר אמר למעלה וַיָּבֹאוּ כָּל שִׁבְטֵי יִשְׂרָאֵל (פסוק א), אלא פירושו וַיָּבֹאוּ וכבר באו תחלה זקני ישראל אל דוד, וכרת להם ברית שלא ירע להם בעבור שסמכו ידי איש בשת שתי שנים ובעבור שאחרו להמליכו אחר מות איש בשת חמש שנים, וכיון שכרת להם ברית שלחו בעבור שבטי ישראל ובאו אל דוד ומשחוהו למלך, ואף על פי שהיה נמשח תחלה ביד שמואל (לעיל-א טז, יג) ומשחוהו אחר כן בית יהודה (לעיל ב, ד), משחוהו גם עתה ישראל כי עתה מלך על כל ישראל, ובדברי הימים (-א יא, ג) אומר וַיִּמְשְׁחוּ אֶת דָּוִד לְמֶלֶךְ עַל יִשְׂרָאֵל כִּדְבַר ה׳ בְּיַד שְׁמוּאֵל לפי שלא היה נתקיים דבר שמואל עד היום הזה, כי שמואל משחו למלך על כל ישראל כמו שהיה שאול מלך על כל ישראל, ומפני זה לא נלחם דוד ביבוסי יושב ציון עד שהיה מלך על כל ישראל, ומיד שמשחו אותו ישראל הלך שם: **לפני ה׳.** כבר פירשתי (שופטים כ, א) כי כל מקום שיתקבצו שם כל ישראל או רובם שם שכינה שורה, או פירושו לִפְנֵי ה׳ שאמרו ה׳ יהיה עד בינינו בברית שאנו כורתים: **(ה) בחברון מלך על יהודה שבע שנים וששה חדשים.** ובכלל לא מנאם לפי שלא היתה שנה שלימה, וכן בספר מלכים (-א ב, יא) לא מנה אותם ששה חדשים אפילו בפרט לפי שלא היתה שנה שלימה. ובדרש (ירושלמי ראש השנה א, א) אלין ששה חדשים יתירי מה אנון רבי יצחק בשם רבי יהודה חסירים היו משלשים ושלש אלא שהכתובים חולקים כבוד לירושלים ומונין אותם שלימים, אמר רבי יודן חשבון המרובה בולע את המועט, אמר רבי יודן כתוב כִּי שֵׁשֶׁת חֳדָשִׁים יָשַׁב שָׁם יוֹאָב (מלכים-א יא, טז) אותן חדשים לא עלו לו מן המנין. דבר אחר אותן חדשים שברח מפני אבשלום ובשעירה היה מתכפר כהדיוט לא עלו מן המנין:

מצודת דוד

(א) **עצמך ובשרך.** אנו קרובים לך כמו כל בית יהודה, כי כולנו בני איש אחד נחנו: **(ב) אתה היית.** רוצה לומר, לא יוגדל בעיניך אהבת בני יהודה על כי מלכת עליהם ראשונה, כי הלא גם עלינו משלת מאז עוד מלוך שאול, כי היית המוציא והמביא את ישראל, אם כן עליך לרעות את כל ישראל כולם, אלו כאלו בשוה, וכרועה עדרו: (ג) **כל זקני ישראל.** אשר כח בידם להמליכו: **ויכרות וגו׳.** להיות להם לאוהב כאשר ליהודה: **לפני ה׳.** לפני ארון ה׳, כי הביאוהו שמה לפי שעה: (ד) **ארבעים שנה.** ולא חש למנות ששה החדשים היתרים, או לפי שמשך ששת החדשים אשר ברח בפני אבשלום, אין מהראוי לחשבם לימי מלוכה:

מצודת ציון

(יא) **ובערתי.** ענין הפנוי והסרה, כמו (דברים כו, יג), בִּעַרְתִּי הַקֹּדֶשׁ: (יב) **ויקצצו.** כרתו, כמו (תהלים מו, י), וְקִצֵּץ חֲנִית: **על הברכה.** אצל מקום כניסת המים, כמו (לעיל ב, יג), בְּרֵכַת גִּבְעוֹן: (א) **עצמך.** מלשון עצם: (ב) **לך.** עליך:

12. וַיְקַצְּצוּ אֶת־יְדֵיהֶם וְאֶת־רַגְלֵיהֶם — *They cut off their hands and feet.* This was done under David's royal authority; otherwise the mutilation of the corpses and the public exhibition of their hands and feet are not in accordance with Torah law (*Malbim*).

As in the case of Joab's assassination of Abner (see previous chapter), David was likely to be suspected of complicity in a crime against his rival, and he demonstrated publicly that he condemned and punished the nefarious deed (*Radak*). Especially during this turbulent time when the leadership of the nation was in flux, David wanted to make the point forcefully that assassination was not acceptable and would not be tolerated (*Abarbanel*).

This punishment was measure for measure: David cut off the hands that had committed the crime and the feet that hurried to do it, and then ran to him to show off their "loyalty."

וַיִּקְבְּרוּ בְקֶבֶר־אַבְנֵר — *And buried [it] in Abner's tomb.* The rest of the body was buried where Ish-bosheth died. Even though the relationship between Ish-bosheth and Abner had ended in bitterness, David recognized that Abner had been the protector oif Ish-bosheth for many years. This was the loyalty that David wished to recognize by burying the head in Abner's tomb.

Alternatively, perhaps David wished to make an implied rebuke of Joab, by symbolizing that this was the grave of two people who had been murdered without justification.

innocent man in his house upon his bed! Shall I not avenge his blood from your hand and eradicate you from the earth?" [12] *David then commanded the soldiers and they killed them. They cut off their hands and feet, and hung them over the pool in Hebron. Then they took the head of Ish-bosheth and buried [it] in Abner's tomb, in Hebron.*

5 JERUSALEM, CITY OF DAVID 5:1-7:29

[1] *All the tribes of Israel came to David in Hebron and spoke, saying, "Behold, we are your bone and your flesh.* [2] *Even yesterday and before yesterday, when Saul was king over us, you were the one who brought Israel out and brought them in; and HASHEM had said of you, 'You shall shepherd My people Israel and you shall be ruler over Israel.' "* [3] *All the elders of Israel came to the king at Hebron, and King David sealed a covenant with them in Hebron before HASHEM, and they anointed David as king over Israel.*

The entire nation accepts David

[4] *David was thirty years old when he began to reign; he ruled for forty years —* [5] *in Hebron he ruled over Judah for seven years and six months, and in Jerusalem he ruled*

5.

In this chapter, David's kingship over the entire nation is acknowledged and ratified, not only by all twelve tribes, but even by a neighboring king. David conquers Jerusalem and defeats the Philistines.

1-5. The tribes come to David The removal of Ish-bosheth from the arena and David's frequent shows of graciousness toward his enemies helped convince the entire nation that he was entitled to their allegiance. See comm. to 2:10, that there is a difference of opinion as to whether the brief reign of Ish-bosheth began immediately after Saul's death or whether it began five years later. According to the former opinion, there was a five-year vacuum of leadership, when David was recognized only by his tribe of Judah. Then the tribes decided that they must accept David as king. According to the latter opinion, they decided very soon after the death of Ish-bosheth that they must accept David as his successor.

1. כָּל־שִׁבְטֵי יִשְׂרָאֵל — *All the tribes of Israel.* Representatives of all the tribes — even of Benjamin, Saul's kinsmen — came to Hebron to tell David that they wanted him to reign over them. To convince him of their loyalty, they proclaimed *Behold, we are your bone and your flesh*, i.e., we are your kin, even though we are not of your tribe. *All* the tribes are the Children of Israel (*Radak*).

2. The tribes gave two further reasons for David to accept their claim that they stood shoulder to shoulder with the tribe of Judah. (1) *You were the one who brought Israel out and brought them in*, i.e., when you commanded Saul's forces, we all followed your lead, so that, in a sense, you were already our "king" and leader; (2) when Samuel anointed you at God's behest, it was to be the king of the entire nation, not only of Judah (*Abarbanel*).

The expression brought out and *brought in* indicates that David led the army *out* to war — and also brought them back *in* again, safe and sound (*Yalkut Shimoni*).

3. כָּל־זִקְנֵי יִשְׂרָאֵל — *All the elders of Israel.* The contingents from the various tribes (see v. 1) had already expressed their loyalty to David and gone home. Now the elders — i.e., the leaders, who were empowered to make agreements on their behalf — came to actually enter into a covenant with David (*Abarbanel*).

David's covenant with the elders was that he would not punish anyone for having supported Ish-bosheth (*Radak*). According to *R' Yeshayah*, the people swore their allegiance to David, and he swore to judge them and lead them faithfully.

לִפְנֵי־ה' — *Before HASHEM.* Whenever the entire Jewish people (or a large group representing the entire nation) assembles together, the Divine Presence rests there. Alternatively, the oath was undertaken "before HASHEM," for the parties declared, "May HASHEM bear witness to this covenant" (*Radak*). According to *Ralbag*, there was a national altar in Hebron (see below, 15:7), and this covenant was accompanied by offerings *before HASHEM*, at that altar.

וַיִּמְשְׁחוּ אֶת־דָּוִד — *They anointed David.* This is the third time David was anointed (see comm. to 2:4). Only now, when David was accepted by the entire nation, was Samuel's anointment truly consummated (*Radak*).

4-5. The duration of David's reign. The verse states that David ruled for seven years and six months in Hebron, and in Jerusalem for thirty-three years, which is a total of forty-and-a-half years, but the verse gives the total length of his reign as only forty years. *Radak* explains that there is no contradiction; Scripture merely rounds out the number to full years and does not include partial years. For the same reason, *Radak* continues, *I Kings* 2:11 gives David's reign in Hebron as seven years. For the sake of accuracy, our verse informs us of the six months, and then uses only full years.

Abarbanel cites several explanations from the Talmud and Midrash to account for the six months. One of them is that David did not have the full power of the throne during his six-month exile when his son Absalom revolted (see Ch.15). Another is that David's years in Jerusalem numbered only thirty-two and a half, but this figure is rounded out to the larger number as a sign of respect for the greatness of Jerusalem.

ו שְׁלֹשִׁים וְשָׁלֹשׁ שָׁנָה עַל כָּל־יִשְׂרָאֵל וִיהוּדָה: וַיֵּלֶךְ הַמֶּלֶךְ וַאֲנָשָׁיו יְרוּשָׁלִַם אֶל־הַיְבֻסִי יוֹשֵׁב הָאָרֶץ וַיֹּאמֶר לְדָוִד לֵאמֹר לֹא־תָבוֹא הֵנָּה כִּי אִם־הֱסִירְךָ
ז הַעִוְרִים וְהַפִּסְחִים לֵאמֹר לֹא־יָבוֹא דָוִד הֵנָּה: וַיִּלְכֹּד דָּוִד אֵת מְצֻדַת צִיּוֹן הִיא
ח עִיר דָּוִד: וַיֹּאמֶר דָּוִד בַּיּוֹם הַהוּא כָּל־מַכֵּה יְבֻסִי וְיִגַּע בַּצִּנּוֹר וְאֶת־הַפִּסְחִים וְאֶת־הַעִוְרִים °שנאו [°שְׂנֻאֵי ק׳] נֶפֶשׁ דָּוִד עַל־כֵּן יֹאמְרוּ עִוֵּר וּפִסֵּחַ לֹא יָבוֹא

רש״י

(ו) **אל היבוסי**. מצודת ציון נקראת יבוס, ומזרעו של אבימלך היו, והיו להם שני צלמים, אחד עור, ואחד פסח, שכתוב על שם יצחק ויעקב, ובפיהם השבועה שנשבע אברהם לאבימלך, ולכך לא הורישום כשלכדו את ירושלים, לא לכדו את המצודה, כמו שנאמר (יהושע טו, סג), ואת היבוסי יושב ירושלים לא יכלו יושבי יהודה להורישם, ותניא אמר רבי יהושע בן לוי, יכולין היו, אלא שלא היו רשאין (ספרי ראה יב, יז): **ויאמר לדוד**. מי שאמר: **העורים והפסחים**. הם עבודת כוכבים שלהם: (ח) **כל מכה יבוסי ויגע בצנור**. (תרגום) כל דיקטל יבוסאה וישרי למכבש כרכא: **ואת הפסחים**. ויכה גם את הפסחים ואת העורים שנואי נפש דוד: **על כן יאמרו**. על אשר אומרים: **עור ופסח**. בעוד שהעור והפסח יהיה בכאן. **לא יבא וגו׳**. יבא דוד הנה. הרי זה מקרא קצר, שאמר כל מכה יבוסי ויגע בצנור, ולא פירש מה יעשה לו, ובדברי הימים (א יא, ו) פירש, כל מכה יבוסי בראשונה יהיה לראש ולשר; ודומה לזה (בראשית ד, טו), לכן כל הורג קין, ולא פירש מה יעשה לו, אבל מעצמו הוא נשמע לשון גערה וגזיפה. **ויגע בצנור**. לשון גובה המגדל, כי שם היו נתונים הצלמים שלהם, ובימי דוד כבר עברו הדורות שהוזכרו בשבועה:

רד״ק

(ו) **וילך המלך ואנשיו**. ובדברי הימים (־א יא, ד) וַיֵּלֶךְ דָּוִיד וְכָל יִשְׂרָאֵל, כי כל ישראל היו עתה אנשיו וכיון שמלך על כל ישראל הלך אל ירושלים ללכוד מצודת ציון, לפי שהיתה קבלה אצלם כי ציון ראש ממלכת ישראל ולא ילכוד אותה אלא מי שיהיה מלך על כל ישראל, ועד היום לא נתקיימה מלכות בישראל כי שאול לא קמה מלכותו: **כי אם הסירך העורים והפסחים**. תרגם יונתן אֱלָהֵין בְּאַעֲדִיוּתָךְ חַטָּאַיָּא וְחַיָּבַיָּא דְּאָמְרִין לָא יֵעוֹל דָּוִד הַלְכָא, ומצאנו בדרש (פרקי דרבי אליעזר לה) אמרו אנשי יבוס לאברהם כרות עמנו ברית שאין זרעך יורש את עיר היבוס, ואנו מוכרין לך את מערת המכפלה ועשה כן, ואנשי יבוס עשו צלמי נחשת והעמידום ברחוב העיר וכתבו עליהם ברית השבועה, וכשבאו ישראל לארץ לא יכלו להכנס שם מפני השבועה שנאמר וְאֶת הַיְבוּסִי יוֹשְׁבֵי יְרוּשָׁלַםִ לֹא יָכְלוּ בְּנֵי יְהוּדָה לְהוֹרִישָׁם (יהושע טו, סג) וכשמלך דוד רצה להכנס שם ולא הניחוהו שנאמר וַיֹּאמְרוּ יוֹשְׁבֵי יְבוּס ... לֹא תָבוֹא הֵנָּה (דברי הימים־א יא, ה), אמרו לו אין אתה יכול עד שתסיר הצלמים הללו שכתוב עליהם ברית השבועה שנאמר כִּי אִם הֱסִירְךָ הַעִוְרִים וְהַפִּסְחִים, ואלו הם הצלמים שעינים להם ולא יראו אזנים להם ולא ישמעו רגליהם ולא יהלכו שְׂנֻאֵי נֶפֶשׁ דָּוִד (פסוק ח) לפי ששונא מלשמוע ומעבור עבודת אלילים שנאמר עַל כֵּן יֹאמְרוּ עִוֵּר וּפִסֵּחַ לֹא יָבוֹא אֶל הַבָּיִת (פסוק ח), אמר דוד לאנשיו כל מי שיעלה בראשונה ויסיר את הצלמים יהיה לראש, ועלה יואב והיה לראש שנאמר וַיַּעַל יוֹאָב וגו׳ (דברי הימים־א יא, ו). ואחר כן קנה דוד את עיר היבוסי לישראל בככר זהב בכתב לאחוזת עולם בשש מאות זהב שנאמר וַיִּתֵּן דָּוִיד לְאָרְנָן בַּמָּקוֹם וגו׳ (דברי הימים־א כא כה), ועוד אמרו כי שני צלמים אלו היו בראש המגדל הנקרא צנור, והיה אחד עור על שם יצחק והאחד היה פסח על שם יעקב, ובפיהם השבועה שנשבע אברהם לאבימלך שנאמר אִם תִּשְׁקֹר לִי וּלְנִינִי וּלְנֶכְדִּי (בראשית כא, כג), לפיכך לא כבשו ישראל כשכבשו את ירושלים כי עדיין היה נכד אבימלך חי, ובימי דוד כבר מת ובטלה השבועה. והחכם רבי אברהם אבן עזרא פירש כִּי אִם הֱסִירְךָ כמו הסיר, כלומר אם תסיר למלחמתך, אפילו העורים והפסחים אז ימנעוך שלא תבא הנה, כי המגדל הזה חזק מאד ולא נירא אותך למלחמה: (ח) **ויאמר דוד**. עתה ספר איך לכדה שאמר כל מכה יבוסי ויגע בצנור ופירושו במקום החזק, ויונתן תרגם וְיִשְׁרֵי לְמִכְבַּשׁ כְּרַכָּא: **ואת הפסחים ואת העורים**. כלומר (ויבא) [ויכה] גם כן הפסחים והעורים ומכה שזכר עומד במקום שנים: **שנאי נפש דוד**. ולפי שבזוהו בהם שאמרו שהם ימנעוהו שלא ילכוד את המצודה, ואמר כל מכה ולא אמר מה יעשה לו, וכמוהו כָּל הֹרֵג קַיִן (בראשית ד, טו) ובדברי הימים (־א יא, ו) מפרש כָּל מַכֵּה יְבוּסִי בָּרִאשׁוֹנָה יִהְיֶה לְרֹאשׁ וּלְשָׂר וַיַּעַל [יואב] בָּרִאשׁוֹנָה ... וַיְהִי לְרֹאשׁ. ובמדרש כָּל מַכֵּה יְבֻסִי וְיִגַּע בַּצִּנּוֹר, כל מי שהיה מכה יבוסי היה נוגע בצנור, כלומר לא היו יכולים לכבשם אם לא היו מגיעים בצנור והוא המקום הגבוה במגדל, מה עשו הביאו אילן של ברוש וכפפו אותו וקפץ יואב ועלה בראש החומה ובקשו להורגו יהיה גבור חיל ונלחם כנגדם ובאו גבורי ישראל ועזרוהו, ובמדרש אחר כתוב כן (מדרש תהלים יח, כד) מה עשה יואב הלך והביא ברוש אחד רענן וקבעו בצד החומה וכפף ראשו שהיה רך ואחז בו דוד וקפץ יואב על ראשו של דוד ונתלה בברוש ודלג על החומה, וזהו שאמר דוד יֶהֶלְמֵנִי צַדִּיק חֶסֶד ... שֶׁמֶן רֹאשׁ אַל יָנִי רֹאשִׁי (תהלים קמא, ה), מה עשה הקב״ה קצר את החומה עד שעלה דוד אחריו שנאמר וּבֵאלֹהַי אֲדַלֶּג שׁוּר (שם יח, ל): **על כן יאמרו**. כי מהיום ההוא ואילך לא יבא עור ופסח אל הבית הזה, היא מצודת ציון, לבזיון אותן העורים והפסחים ולזכרון לדורות היאך לכדה דוד:

מצודת דוד

(ו) **אל היבוסי**. כי בני יהודה ובני בנימן לא הורישום מאז: **ויאמר לדוד**. עם היבוסי אמר לדוד, לא תוכל לבוא הנה, בעבור היותה בצורה וחזקה עד מאוד: **כי אם הסירך וגו׳**. אמר בדרך הפלגה וגוזמא, לא תוכל לבוא הנה כי אם מקודם יהיה הסירך מפה כל אנשים, ואף העורים והפסחים, כי אם ישאר מי מהם, היכולת בידם לעכב ביאתך הנה, בעבור גודל חוזק המקום: **לאמר וגו׳**. רוצה לומר, דברי ההפלגה ההוא היה לאמר, לא יוכל דוד לבא הנה מרוב חזקה, ומה שהפליגו לדבר, על זה היתה הכוונה: (ז) **מצודת ציון**. שם מבצר חזק, סמוך למקום יבוס: **היא עיר דוד**. לאחר זה הסבו שמה וקראו עיר דוד: (ח) **כל מכה יבוסי**. מי אשר יעלה בראשונה ויכה את היבוסי, ומתחלה יגע בצנור להפילו, והוא המגדל החזק אשר תלו בו כל בטחונם, ואחרי זה יכה גם העורים והפסחים לבל ישאר שריד ופליט, וכאומר לו כאשר אמרו הם, שאין לכבשם כי אם יסיר בתחלה העורים והפסחים, רק יפיל המגדל בעוד אנשיה קיימים, ואחר זה יכה גם הם: **שנואי נפש דוד**. של שנואי נפש דוד, ועל אנשי היבוס יאמר, שהיו שנואים לדוד עקב בזו אותו לאמר לא תבוא הנה כי אם הסירך וכו׳, והנה פה לא פירש מה יעשה לאשר יכה את היבוסי וכו׳, ובדברי הימים (א יא, ו) פירש ואמר, יִהְיֶה לְרֹאשׁ וּלְשָׂר, וכן בתורה נאמר (בראשית ד, טו), לָכֵן כָּל הֹרֵג קַיִן, ולא פירש מה יעשה לו, והרי הם כאלו אמר סופו יקבל גמול המעשה, אם טוב ואם רע: **על כן**. רוצה לומר, למען יהא הדבר לזכרון, גזרו אומר לבל יבוא עור ופסח אל הבית מבתי היבוס, לפי שאמרו היבוסים אשר אף המה יעכבו ביאת דוד להעיר, לזה המה יעמדו חוצה ולא יבואו אל הבית, ועל ידי זה יזכר הדבר. ורבותינו ז״ל אמרו (ילקוט שמעוני יהושע רמז כח), כי היבוסים היו מבני אבימלך שכרת ברית עם אברהם ויצחק, באמרו (בראשית כא, כג), אִם תִּשְׁקֹר לִי וּלְנִינִי וּלְנֶכְדִּי, ועשה גלולי נחושת, וכתב עליהם ברית השבועה, וקראם עורים ופסחים, כי עינים להם ולא יראו רגליהם ולא יהלכו, ועם כי כבר כלתה זמן השבועה, מכל מקום רצו למנוע את דוד מלהלחם בם, על כי היה השבועה בשום פעם, ועודנו עומד הוא לזכרון, וחשבו כי דוד לא יפנה אל האלילים ולהסירם, ולזה אמר דוד לגעת בצנור, ויסורו ממילא מבלי פנות אליהם להסתכל בהם וכו׳:

מצודת ציון

(ו) **היבוסי**. שם אומה, ישבו במחוז בפני עצמו בירושלים: **הנה**. להמקום הזה: (ז) **מצודת**. ענינו מבצר חזק, כמו (ירמיהו מח, מא), וְהַמְּצָדוֹת נִתְפָּשָׂה: (ח) **בצנור**. שם המגדל:

for thirty-three years over all of Israel and Judah.

David occupies Jerusalem as his capital

[6]*The king and his men went to Jerusalem, to the Jebusite inhabitants of the land, and [one of them] spoke to David, saying, "You shall not enter here unless you remove the blind and the lame," as if to say, "David will not enter here."* [7]*David then captured Zion Fortress, which is [called] the City of David.* [8]*David declared on that day, "Whoever smites the Jebusite and reaches the stronghold, and the blind and the lame, that David detests ...!" Because [people] say, "The blind and the lame [are here]; he shall not enter*

6-10. The capture of Jerusalem. Why did David make the conquest of Jerusalem his first priority after becoming king over a united Israel? According to *Radak*, there was a tradition in Israel (see also *Ramban* to *Genesis* 14:18) that Jerusalem would never be conquered until the Jewish people were united under one king. The conquest was not undertaken during Saul's reign, however, because his rule was short-lived.

Malbim suggests that as long as David was king only over Judah, Hebron, in the heartland of Judah, was the best location for David's capital. But now that he had become king over all the tribes of Israel — including Saul's tribe of Benjamin — he sought to relocate his center of government to a more strategic position. Jerusalem, which straddled the border between Judah and Benjamin, was the perfect site. Judah had captured its part of the district long ago, as recorded in *Judges* 1:8, but the Benjamites were not able to conquer their share of Jerusalem, "so the Jebusites dwelt with the children of Benjamin in Jerusalem, until this day" (ibid. 1:21).

6. הַיְבֻסִי יוֹשֵׁב הָאָרֶץ — *The Jebusite inhabitants of the land.* David set out at this time to conquer a strongly fortified Jebusite stronghold in Jerusalem, called *Metzudas Zion*, which was known as Jebus (see *Joshua* 15:63). The "Jebusites" who inhabited Jerusalem were not the same Jebusites who are counted among the Canaanite nations (*Genesis* 10:16, etc.). Rather, they were Philistines, descendants of the subjects of Philistine King Abimelech (*Genesis* 20). They were called Jebusites, after their town's fortress, the Jebus.

לֹא־תָבוֹא הֵנָּה כִּי אִם־הֱסִירְךָ הָעִוְרִים וְהַפִּסְחִים — *"You shall not enter here unless you remove the blind and the lame."* Many interpretations have been offered for this obscure reference to the *blind and the lame*. According to the Midrash (quoted by *Rashi*), Israel had never attempted to capture the Jebusites because Abraham had made an oath to Abimelech that he and his descendants would never harm the Philistine king or his descendants, up to the third generation (ibid. 21:23). The Jebusites had written the text of Abraham's oath on parchments and inserted them into the mouths of two idols — referred to derisively by Scripture as "*blind* and *lame* things" — and attached the idols above the gate of the fortress. Now the Jebusites informed David that he could not enter the city as long as the idols were there, because they represented Abraham's oath, guaranteeing the safety of the Jebusites. Even though the oath was no longer binding in David's time, because Abimelech's grandsons were long since dead, the continued existence of the statues gave the impression that the oath was still in force.

Another variation has it that the idols are referred to as *blind and lame* not simply as a designation of contempt for powerless idols, but because one idol was made to resemble a blind person — symbolizing the blind Isaac (see *Genesis* 27:1) — and the other to resemble a lame person — symbolizing the temporarily lame Jacob (see ibid. 32:32). These likenesses were to stress the fact that Abraham's oath had been corroborated and honored by his son and grandson.

Alternatively, the Jebusites declared: "This city is so well fortified that you could not conquer it even if it were guarded only by the blind and lame. You will have to remove the entire population first — including the blind and lame — and only then will you be able to gain access to the city!" (*Abarbanel*).

According to *Ralbag*, the Jebusites had set up a mechanical, water-powered apparatus consisting of statues ("blind and lame" objects) that swung heavy metal clubs back and forth. No uninvited visitor could enter the city without being struck by the club-wielding figures.

7. וַיִּלְכֹּד דָּוִד — *David then captured*. David himself, not Joab, captured the fortified compound called "Zion," and it was renamed "City of David" (see v. 9) in his honor. He then turned his attention to taking the remainder of the city, as described in the following verse (*Abarbanel*).

מְצֻדַת צִיּוֹן — *Zion Fortress*. *Zion* means *outstanding* (מְצֻיָּן), for the fortress was prominent and renowned for its impregnability (*Abarbanel*). The name "Zion" subsequently became a synonym for Jerusalem as a whole and for the Temple Mount.

8. הַפִּסְחִים וְאֶת־הָעִוְרִים שְׂנֻאֵי נֶפֶשׁ דָּוִד — *The blind and the lame that David detests . . . !* Whoever removes the idols, which are detested by David, who despises idolatry, will receive a great — but unstated — reward. The phrase is left unfinished, as is common with exclamations, curses, oaths and the like throughout Scripture (*Rashi*). In *I Chronicles* 11:6, however, David's declaration is quoted in full: "Whoever strikes the Jebusites first will become a chief and an officer." That verse goes on to say that Joab was the one who successfully undertook the king's challenge.

Although, as noted above, Abraham's oath to Abimelech had run its course and was no longer binding, David still felt that it was vital to remove the idols. Had they remained in place, passersby would have remembered the oath, but not realized that it was no longer in effect. They would have accused David of violating it and it would have been a desecration of God's Name. Similarly, although the Israelite oath to the Gibeonites was not valid, the people upheld it, lest the Name be desecrated (see *Joshua* 8:18-19).

Homiletically, the *blind and the lame* represent people whose faith and convictions are weak and subject to pressure.

ט אֶל־הַבָּיִת: וַיֵּשֶׁב דָּוִד בַּמְּצֻדָה וַיִּקְרָא־לָהּ עִיר דָּוִד וַיִּבֶן דָּוִד סָבִיב מִן־הַמִּלּוֹא וָבָיְתָה:
י־יא וַיֵּלֶךְ דָּוִד הָלוֹךְ וְגָדוֹל וַיהוָה אֱלֹהֵי צְבָאוֹת עִמּוֹ: וַיִּשְׁלַח חִירָם מֶלֶךְ־צֹר מַלְאָכִים אֶל־דָּוִד וַעֲצֵי אֲרָזִים וְחָרָשֵׁי עֵץ וְחָרָשֵׁי אֶבֶן קִיר
יב וַיִּבְנוּ־בַיִת לְדָוִד: וַיֵּדַע דָּוִד כִּי־הֱכִינוֹ יהוָה לְמֶלֶךְ עַל־יִשְׂרָאֵל וְכִי נִשֵּׂא מַמְלַכְתּוֹ בַּעֲבוּר עַמּוֹ יִשְׂרָאֵל:
יג וַיִּקַּח דָּוִד עוֹד פִּלַגְשִׁים וְנָשִׁים מִירוּשָׁלַ͏ִם אַחֲרֵי
יד בֹּאוֹ מֵחֶבְרוֹן וַיִּוָּלְדוּ עוֹד לְדָוִד בָּנִים וּבָנוֹת: וְאֵלֶּה שְׁמוֹת הַיִּלֹּדִים לוֹ בִּירוּשָׁלָ͏ִם
טו־טז שַׁמּוּעַ וְשׁוֹבָב וְנָתָן וּשְׁלֹמֹה: וְיִבְחָר וֶאֱלִישׁוּעַ וְנֶפֶג וְיָפִיעַ: וֶאֱלִישָׁמָע וְאֶלְיָדָע
יז וֶאֱלִיפָלֶט: וַיִּשְׁמְעוּ פְלִשְׁתִּים כִּי־מָשְׁחוּ אֶת־דָּוִד לְמֶלֶךְ עַל־יִשְׂרָאֵל וַיַּעֲלוּ כָל־פְּלִשְׁתִּים לְבַקֵּשׁ אֶת־דָּוִד וַיִּשְׁמַע דָּוִד וַיֵּרֶד אֶל־הַמְּצוּדָה:

רש"י

(ט) מן המלוא וביתה. היקף חומה נמוכה, וממלאין אותה עפר, וגובה התל באמצע, ומשפע והולך לכל רוח, הוא קרוי מלוא, ועליו בנה דוד בתים, ואותו המלוא היה סביב למצודה: **(יב) וידע דוד.** בראותו כל מעשיו מצליחין, ומלכי הגוים שולחין לו מנחה:

רד"ק

(ט) מן המלוא וביתה. מן המלוא ולפנים, ומלוא הוא מקום סמוך לחומה ואותו המקום היתה רחבה להאסף העם שם לפיכך נקרא מלוא, כמו קִרְאוּ מַלְאוּ וְאִמְרוּ הֵאָסְפוּ וְנָבוֹאָה (ירמיה ד, ה) וממנו ולפנים בנה, ובדברי הימים (־א יא, ח) אומר כי יואב בנה שאר העיר: **(י) הלוך וגדול.** שניהם מקור: **וה' אלהי צבאות עמו.** טעם הספור הזה כי בעזרתו היה מנצח כל החיילות בכל אשר יצא כי ה' עמו שהוא אדון צבאות מעלה וצבאות מטה: **(יא) וחרשי אבן קיר.** לבנות קיר, ותרגם יונתן וְנַגָּרִין דְאוּמָּנִין לְמִיקַץ אָעִין וְאַבְנִין וְאַרְדִיכְלִין דְאוּמָּנִין בְּבִנְיַן כּוֹתָלִין: **(יב) וכי נשא.** מבנין פיעל הדגוש הקב"ה נשא ממלכתו, כיון שמלך צור שלח לו כל זה ידע כי מה' היתה לו זה בעבור עמו ישראל להיות להם רועה טוב: **(יג) ויקח דוד עוד פלגשים ונשים.** אמרו רבותינו ז"ל (סנהדרין כא, א) פלגשים בלא כתובה ובלא קדושין נשים בכתובה וקדושין, ואף על פי שיש מחלוקת בזה בירושלמי שאמרו שם (כתובות ה, ב) איזו היא אשה ואיזו היא פלגש רבי מאיר אומר אשה יש לה כתובה פלגש אין לה כתובה וחכמים אומרים אחד זו ואחד זו יש להם כתובה אלא אשה יש לה כתובה ותנאי כתובה פלגש יש לה כתובה ואין לה תנאי כתובה אף על פי כן סוגיית הגמרא כרבי מאיר וקבלו רז"ל (סנהדרין שם) כי שמנה עשרה נשים היו לו לדוד בין נשים ובין פלגשים ודרשו לֹא יַרְבֶּה לּוֹ נָשִׁים (דברים יז, יז) יותר מן שמנה עשרה, וסמכו זה אחר הקבלה מפסוק וְאֹסִפָה לְּךָ כָּהֵנָּה וְכָהֵנָּה (לקמן יב, ח) ושש נשים היו לו ואמר כהנה וכהנה והם שתים עשרה ועוד כהנה והם שמונה עשרה, וזה הצריכם לומר כי עגלה זו מיכל ובכלל השש שהיו לו בחברון היא, והנה מצאנו לו (לעיל ג, א־ ה) שש נשים בחברון קודם בואו לירושלים, ואומר וַיִּקַּח דָּוִד עוֹד פִּלַגְשִׁים וְנָשִׁים מִירוּשָׁלַ͏ִם ומצאנו (לקמן טו, טז) בברחו מפני אבשלום שהניח עשר פלגשים לשמור את הבית אם כן שתים נשים לבד לקח בירושלים ועשר פלגשים ואחת משתי הנשים שלקח בירושלים היתה בת שבע: **(יד) הילדים.** תואר במשקל גבורים וכל אלה בני נשים היו כמו שאומר בדברי הימים (־א ג, ט) לְבַד בְּנֵי פִילַגְשִׁים: **שמוע.** הוא שמעא הנזכר בדברי הימים (שם שם ה) בבני הפלגשים: **(טו) ואלישוע.** הוא אֱלִישָׁמָע הנזכר שם (פסוק ו) ונזכר שם אֱלִיפָלֶט אחר ונזכר גם כן נֹגַהּ (שם פסוק ז) שלא נזכר הנה, ואפשר כי שנים אלו מתו בלא זכר לפיכך לא זכר אותם הנה, לפי שאמר שם כֹּל בְּנֵי דָוִיד לפיכך זכרם כלם: **(יז) לבקש את דוד.** להלחם עמו ואז עשה דוד מזמור לָמָּה רָגְשׁוּ גוֹיִם (תהלים ב, א) לפי שנתקבצו כל פלשתים כמו שאמר וַיַּעֲלוּ כָל פְּלִשְׁתִּים: **וירד אל המצודה.** מגדל חזק, ואמר וַיֵּרֶד כי מקום המגדל היה שפל מירושלים וכשבא דוד מירושלים אל המצודה היה יורד, ומה שאמר הַאֶעֱלֶה אֶל פְּלִשְׁתִּים (פסוק יט) והם היו בעמק רפאים נראה כי פלשתים היו באותו מקום הנקרא בעל פרצים אלא שהיו חיל רב מאד כמו שאמר כָּל פְּלִשְׁתִּים ונתפשטו עד עמק רפאים, ואותו מקום בעל פרצים היה גבוה מקום המצודה שירד שם דוד בתחלה, וכן אמר בדברי הימים (־א יד, יא) וַיַּעֲלוּ בְּבַעַל פְּרָצִים וכן אמר בספר ישעיה (כח, כא) כִּי כְהַר פְּרָצִים יָקוּם ה' ועל מלחמה זו אמר, ושם במצודה שאל בה' ועלה בבעל פרצים להלחם בפלשתים ושם הכה אותם:

מצודת דוד

(ט) מן המלוא וביתה. כי סמוך להחומה הניח מקום פנוי להיות מוכן להאסף שם מרבית אנשים, וכן (ירמיהו ד, ה), קִרְאוּ מַלְאוּ. ומן המלוא ולפנים בנה בתים סביב: **(י) הלוך וגדול.** בכל עת נתגדל יותר ויותר: **(יא) ועצי ארזים.** ובידם עצי ארזים: **וחרשי.** אף של חרשי עץ ואבן היודעים לבנות קיר: **(יב) וידע דוד.** במה אשר גוי לא ידע יעבדוהו, הכיר שה' הכינו למלך, ואשר נשא ממלכתו היא בעבור ישראל, ולא תלה הדבר בעצמו: **(יד) שמוע.** הוא שמעא הנזכר בדברי הימים (א – ה), ולא מנאם כסדר תולדותם, כי שלמה היה ראשון באלו הארבעה שהיו בני בת שבע כמו שכתוב בדברי הימים: **(טו) ואלישוע.** הוא אלישמע הנזכר שם, כי שם חשב שני בנים אשר שמם אלישמע, ובמקום אחר בדברי הימים (א יד, ה), קורא גם כן להראשון אלישוע: **(טז) ואלידע.** ובדברי הימים (שם פסוק ז) קראו בשם אחר, ובעלידע: **ואליפלט.** ובדברי הימים נזכר עוד אליפלט אחר, וכן הוזכר שם נוגה, ולא הוזכרו כאן, כי אולי מתו בקטנותם ולא נשאר זכר למו: **(יז) כל פלשתים.** על כי ידעו מגבורת דוד, לזה נאספו כולם לבקשו להלחם בו: **אל המצודה.** אל מגדל עוז להתחזק בו, בטרם ישאל בה':

מצודת ציון

(ט) וביתה. מבפנים: **(יא) וחרשי.** אומנים, כמו (שמות לה, לה), חָרָשׁ וְחֹשֵׁב: **קיר.** כותל: **(יב) נשא.** ענין הרמה:

Even their observance of the commandments is often based more on social convention than on firm belief. David, on the other hand, is unwavering in his loyalty to God. Therefore *David detests* the blind and the lame (*Bais Yaakov-Izhbitz*).

9. מִן־הַמִּלּוֹא — *From the Millo*. The meaning of the name *Millo* (lit. "filled up") has been variously explained as a landfill, upon which David built houses (*Rashi*); an open plaza that would fill up with people who would assemble for large gatherings (*Radak*); or a moat filled with water (*Ralbag*).

10. David became greater and greater, and throughout the time of his growing power and prestige, he remained as hum-

the house!" [9]*David settled in the fortress and called it "The City of David." David built around [the city], from the Millo and inward.* [10]*David kept becoming greater, and* HASHEM*, the God of Legions, was with him.*

Hiram befriends David

[11]*Hiram, king of Tyre, sent a delegation to David, with cedar wood, and carpenters, and masons of wall-stones, and they built a palace for David.* [12]*David realized that* HASHEM *had established him as king over Israel and that He had exalted his kingdom for the sake of His people Israel.*

David's family grows

[13]*David took additional concubines and wives from Jerusalem after his coming from Hebron, and more sons and daughters were born to David.* [14]*These are the names of those born to him in Jerusalem: Shammua, Shobab, Nathan, Solomon,* [15]*Ibhar, Elishua, Nepheg, Japhia,* [16]*Elishama, Eliada and Eliphelet.*

[17]*The Philistines heard that [all the tribes] had anointed David as king over Israel, so all the Philistines came up to seek out David. David heard and went down to the fortress.*

---

ble as ever — and this is why *HASHEM . . . was with him.* God remains with those who consider themselves lowly (*Be'er Moshe*).

אֱלֹהֵי צְבָאוֹת — *God of Legions*. This Name of God implies that HASHEM orchestrates all the forces of nature, not only the spiritual and celestial legions, but the worldly legions as well. David was able to achieve such success and power because God exercised His total control on the new king's behalf (*Radak*).

11-12. David's fame extends beyond Eretz Yisrael. King Hiram of Tyre, a city-state in present-day Lebanon, recognized David's ascendancy by sending gifts and artisans to build a palace for the new king. Hiram's friendship outlived David. He was instrumental in helping King Solomon build the *Beis HaMikdash (see I Kings* 5:21, 9:11). *Abarbanel* comments that the original city of Tyre had been destroyed and no longer existed in his time.

11. וַעֲצֵי אֲרָזִים — *With cedar wood*. Cedar trees are a natural resource for which Lebanon was famed. Since this wood was not common in Israel, Hiram also sent artisans who were experienced in working with it.

12. From his great success in general and because of the magnificent gift sent to him by the powerful king of Tyre, David realized that HASHEM had established him as king (*Rashi*). Saul had not gained such recognition, even in the glory days of his reign, when he drove the Philistines from the land and conquered the Amalekites. Despite his success and growing prestige, however, David did not doubt for a moment that his position had been given him for one reason only: *HASHEM had exalted His kingdom for the sake of His people Israel*. Such humility typified David's greatness.

13-16. David's family. With his kingdom firmly established and even recognized by the powerful and influential Hiram, David's attention turned to his family — but even this was not for his own sake. *Ralbag* relates this passage to the previous verse: Because he knew that God had established him as king only for Israel's sake, David wanted to ensure that he would be able to provide the best possible heir who could continue to serve in this capacity after his death, so he began to expand his family. The more children he had, the greater the likelihood that one of them would be a fitting heir.

14. This list includes only sons born to his wives, not those born to his concubines (*I Chronicles* 3:9). *Radak* notes that two other sons — a second Eliphelet and a Nogah — are mentioned in *I Chronicles* 3:7-8. He suggests that they may have been omitted from this list because they died childless.

17-25. David defeats the Philistines. Like Saul before him, David was tested at the beginning of his consolidated reign by battles with the Philistines. In a sense, David's confrontations were more difficult, because the Philistines were surely emboldened by their decisive victory over Saul and their killing of the king and Jonathan.

17. This verse implies clearly that the reason for this new Philistine incursion was David's uncontested accession to the throne. As long as the Jewish people were disunited, with most of the nation leaderless, the Philistines had no fear that the Jews would eject them from the land. Now, however, that Israel had a strong, popular leader, the Philistines viewed the newly united Kingdom of Israel as a direct threat to their hegemony over the area.

According to *Malbim*, the Philistines had always considered David to be a friend of their leader Achish (see *I Samuel* 27-28). Now that David had officially succeeded Saul as king over all Israel, they realized that he would fight against them, as Saul had done.

According to the Sages' explanation (mentioned above, v. 6), that the "Jebusites" of Jerusalem were actually ethnic Philistines, it is also possible that David's conquest of Jerusalem alarmed the Philistines, for they felt that it signaled an emerging military threat from the Israelites (*Daas Sofrim*).

וַיִּשְׁמַע דָּוִד וַיֵּרֶד אֶל־הַמְּצוּדָה — *David heard and went down to the fortress*. Since the verse says that David *went down*, we may infer that the fortress was at a lower elevation than the city proper (*Radak*). *Malbim* suggests that this *fortress* was not in Jerusalem, but was the desert fortress, in which David hid from Saul (*I Samuel* 22:4ff.).

יח-יט וּפְלִשְׁתִּים בָּאוּ וַיִּנָּטְשׁוּ בְּעֵמֶק רְפָאִים: וַיִּשְׁאַל דָּוִד בַּיהוָה לֵאמֹר הַאֶעֱלֶה אֶל־פְּלִשְׁתִּים הֲתִתְּנֵם בְּיָדִי וַיֹּאמֶר יהוה אֶל־דָּוִד עֲלֵה כִּי־נָתֹן אֶתֵּן אֶת־
כ הַפְּלִשְׁתִּים בְּיָדֶךָ: וַיָּבֹא דָוִד בְּבַעַל־פְּרָצִים וַיַּכֵּם שָׁם דָּוִד וַיֹּאמֶר פָּרַץ יהוה אֶת־
כא אֹיְבַי לְפָנַי כְּפֶרֶץ מָיִם עַל־כֵּן קָרָא שֵׁם־הַמָּקוֹם הַהוּא בַּעַל פְּרָצִים: וַיַּעַזְבוּ־שָׁם
כב אֶת־עֲצַבֵּיהֶם וַיִּשָּׂאֵם דָּוִד וַאֲנָשָׁיו: וַיֹּסִפוּ עוֹד פְּלִשְׁתִּים לַעֲלוֹת
כג וַיִּנָּטְשׁוּ בְּעֵמֶק רְפָאִים: וַיִּשְׁאַל דָּוִד בַּיהוָה וַיֹּאמֶר לֹא תַעֲלֶה הָסֵב אֶל־אַחֲרֵיהֶם
כד וּבָאתָ לָהֶם מִמּוּל בְּכָאִים: וִיהִי בשמעך [כְּשָׁמְעֲךָ ק׳] אֶת־קוֹל צְעָדָה בְּרָאשֵׁי
כה הַבְּכָאִים אָז תֶּחֱרָץ כִּי אָז יָצָא יהוה לְפָנֶיךָ לְהַכּוֹת בְּמַחֲנֵה פְלִשְׁתִּים: וַיַּעַשׂ דָּוִד

רש״י

(יח) וינטשו. ויתפשטו: **(כ) בבעל פרצים.** מישור פרצים: **כפרץ מים.** כמים הפורצים גדודי השפה: **(כא) וישאם דוד.** (תרגום) ואוקידינון דוד וגברוהי: **(כב) בעמק רפאים.** אצל ירושלים היא, בספר יהושע (טו, ח): **(כג) ממול בכאים.** (תרגום) מקביל אילניא: **(כד) את קול צעדה בראשי הבכאים.** הם מלאכים הצועדים בראשי האילנות, אשר אני שולח לעזרתך: **אז תחרץ.** תריס קול מלחמה ואבחת חרב, גלפי״ד בלע״ז, וכן (שמות יא, ז), לא יחרץ כלב לשונו:

רד״ק

(כ) פרץ ה׳ את איבי לפני כפרץ מים. כלומר מה׳ היתה זאת כי אני במעט עם הכיתי עם רב כזה, אלא שהאל פרץ אותם לפני, ותרגם יונתן תְּבַר ה׳ יַת בַּעֲלֵי דְבָבַי קֳדָמַי כמה דמתבר מָאן דַחֲסַף דְּמָלֵי מַיָּין, ולפי הפשט כפרץ שעושין המים בבוא שטף מים שפורצין הגדר: **בעל פרצים.** תרגם יונתן מֵישַׁר פְּרָצִים וכן תרגם בַּעַל גָּד (יהושע יא, יז) מֵישַׁר גָּד: **(כא) וישאם דוד.** וישרפם, וכן תרגם יונתן וְאוֹקֵידִינוּן דָוִד וְגַבְרוֹהִי, וכן אומר בדברי הימים (ד״א יד, יב) וַיֹּאמֶר דָּוִיד וַיִּשָּׂרְפוּ בָּאֵשׁ, וכמוהו לשון שריפה וַתִּשָּׂא הָאָרֶץ מִפָּנָיו (נחום א, ה) כִּמְעַט יִשָּׂאֵנִי עֹשֵׂנִי (איוב לב, כב), ובדברי רז״ל (עבודה זרה מד, א) וַיִּשָּׂאֵם לשון נטילה, והקשו הפסוקים ויאמרו כתיב וַיִּשָּׂאֵם דָּוִד מלמד שנטלם לעצמו וכתיב וישרפו, ותרצו כאן קודם שבא אתי הגתי כאן לאחר שבא אתי הגתי, רצה לומר כי באותה המלחמה היה אתי הגתי עם הפלשתים ופלשתי היה וכשראה מפלת פלשתים בא לו אל דוד, וקודם שבא אתי הגתי היו מתחילין לשרוף העצבים כי עבודת אלילים אסורה בהנאה, וכיון שבא אתי הגתי ובטל העבודת אלילים הניחו מלשרוף, ועל מה שלא נשרף אמר וַיִּשָּׂאֵם דָּוִד כי כיון שבטלה מותרת בהנאה: **(כב) לעלות.** בבעל פרצים כמו בתחלה ונטשו גם כן בעמק רפאים: **(כג) לא תעלה.** פירוש לא תעלה עליהם מעתה כי לא הגיע עדיין עת הישועה, אלא בין כך ובין כך הסב אל אחריהם ובאתה להם ממול בכאים, וכשמעך הקול אז תבא עליהם: **ממול בכאים.** תרגום יונתן מְקָבֵיל אִילָנַיָּא, ופירשו בהם האילנות הנקראים בדברי רז״ל (שבת קמג, ב) תותים, וכמוהו עֹבְרֵי בְּעֵמֶק הַבָּכָא (תהלים פד, ז): **(כד) בשמעך.** כתוב בבי״ת וקרי בכ״ף והענין אחד: **את קול צעדה בראשי הבכאים.** אשמיעך קול לחזק לב העם אשר אתך שידמה להם קול הולכים בראשי האילנות כאילו מלאכים יצאו להכות בפלשתים, כמו שאמרו בדבר ברק הֲלֹא ה׳ יָצָא לְפָנֶיךָ (שופטים ד, יד), וכן אמר הנה כִּי אָז יָצָא ה׳ לְפָנֶיךָ: **אז תחרץ.** תנוע ותתחזק על פלשתים, כמו לֹא יֶחֱרַץ כֶּלֶב לְשׁוֹנוֹ (שמות יא, ז) ענין תנועה, ופירוש צְעָדָה ענין הליכה כמו מֵיטִיבֵי צָעַד (משלי ל, כט) ויונתן תרגם כְּשָׁמְעֲךָ, כְּמִשְׁמְעָךְ יַת קַל צְוָוחְתָּא בְּרֵישֵׁי אִילָנַיָּא בְּכֵן תִּתְקַף אֲרֵי בְּכֵן נְפִיק מַלְאֲכָא דַה׳ לְאַצְלָחָא קֳדָמָךְ. ובדרש (מדרש תהלים כז, ב) לֹא תַעֲלֶה הָסֵב אֶל אַחֲרֵיהֶם, אמר לו הקב״ה אין לך רשות לפשוט יד בהם אפילו הם קרובים אצלך עד שאתה רואה את ראשי האילנות מנענעים, אָז תֶּחֱרָץ דבר חרוץ הוא כמו אִם חֲרוּצִים יָמָיו (איוב יד, ה), ולמה נתן להם סימן מראשי הבכאים ולא מאחריהם (מדרש תהלים כז, ב), אמר רבי ברכי׳ מפני שכלו מלא חצים הבכא הזה, לומר לך שכל זמן שישראל שרויים בצרה כאילו צרה לפניו שנאמר עִמּוֹ אָנֹכִי בְצָרָה (תהלים צא, טו):

מצודת דוד

(כ) בבעל פרצים. הוא עמק רפאים, ואמר על שם סופו שקראו בעל פרצים: **כפרץ מים.** רצה לומר, פתאום, כמים שוטפים פורצים הגדר: **(כג) לא תעלה וגו׳.** לא תעלה עליהם מול פניהם, אך הסב עצמך ללכת אל אחוריהם, ותבוא עליהם ממול אילני הבכאים אשר גדלו שם: **(כד) כשמעך.** כאשר תשמע קול צעדה וכו׳, אז תחרץ להלחם כי אז יצא ה׳, רצה לומר, אז שלח מלאכו להכות בהם (ועם שאין מעצור לה׳ להושיע מבלי תחבולות הסבוב מאחריהם, ומבלי קביעת זמן, מכל מקום אמר כן לנסותו, הישמור מצותיו בדבר המלחמה, או יקל בעיניו כאשר הקל בהם שאול):

מצודת ציון

(יח) וינטשו. והתפשטו, כמו (שופטים טו, ט), וַיִּנָּטְשׁוּ בַּלֶּחִי: **(כ) בבעל.** במישור, כמו (יהושע יג, ה), מִבַּעַל גָּד: **פרץ.** מלשון פרצה ושבר: **(כא) וישאם.** ושרפם, כמו (נחום א, ה), וַתִּשָּׂא הָאָרֶץ מִפָּנָיו; ובמשנה (ראש השנה פרק ב משנה, ב), משיאין משואות: **(כג) הסב.** מלשון סבוב: **בכאים.** אילנות שגדלים בהם תותים. וכן (תהלים פד, ז), בְּעֵמֶק הַבָּכָא: **(כד) צעדה.** מלשון צעד ופסיעה: **תחרץ.** תנענע ממקומך להלחם, כמו (שמות יא, ז), לֹא יֶחֱרַץ כֶּלֶב לְשֹׁנוֹ, ופירושו, לא נעה לשונו לנבוח:

18. The *Rephaim Valley* is just southwest of Jerusalem, in what is today the city's neighborhood of Bak'ah. Thus, the Jews' bitterest enemies had advanced virtually to the gates of their newly established capital city.

19. וַיִּשְׁאַל דָּוִד בַּה׳ — *David inquired of HASHEM*, through the *Urim Vetumim*. Although as a general rule, one may address only one question at a time to the *Urim v'Tumim*, that applies only to unrelated questions. But if the two go essentially together, both may be asked (*Yoma* 73a). In this case, it is obvious that David should advance against the Philistines only if Israel will be victorious. In contrast, above (2:1) David asked his two questions separately.

20. פָּרַץ ה׳ אֶת־אֹיְבַי לְפָנַי כְּפֶרֶץ מָיִם — *"HASHEM breached my enemies as water breaches through [a barrier],"* i.e., David sliced through the Philistines suddenly and forcefully (*Abarbanel*). *Targum Yonasan* translates the phrase: "like the breaking of [an earthenware container full of] water," meaning that the Philistines dispersed quickly and vanished before him.

21. So demoralized were the fleeing Philistines that they abandoned their idols on the battlefield. This was in sharp contrast to their worshipful conduct when they won victories over Israel. When the Philistines captured Samson, destroyed Shiloh and captured the Ark, and killed Saul and Jonathan, they pointedly paid obeisance to their idols. Now, in defeat,

David defeats the attacking Philistines

[18]The Philistines had come and spread out in the Rephaim Valley. [19]David inquired of HASHEM, *saying, "Shall I go up against the Philistines? Will You deliver them into my hand?" And* HASHEM *answered David, "Go up, for I shall indeed deliver the Philistines into your hand." [20]David came to the Plain of Perazim, and David struck them there. He said, "*HASHEM *breached my enemies as water breaches [a barrier]"; therefore he named that place the Plain of Perazim [Breaches]. [21][The Philistines] had abandoned their idols there, and David and his men burned them.*

[22]The Philistines came up once again and spread out in the Rephaim Valley. [23]So David inquired of HASHEM, *and He said, "Do not go [directly] up; circle around to their rear, and approach them from opposite the mulberry trees. [24]It shall be that when you hear a sound like marching at the tops of the mulberry trees you shall shout [your battle cry], for then* HASHEM *will have gone out before you to strike at the Philistine camp." [25]David did*

---

the idols were not even worth salvaging. Such is the fickleness of idolaters.

וַיִּשָּׂאֵם דָּוִד וַאֲנָשָׁיו — *And David and his men burned them.* The translation follows *Targum, Rashi* and *Mahari Kara,* and it is also found in the Talmud (*Rosh Hashanah* 22b). In fact, in *I Chronicles* 14:12 Scripture states explicitly וַיִּשָּׂרְפוּ, *they burned,* that David and his men burned the idols.

The word וַיִּשָּׂאֵם, however, is more commonly translated as *they carried them off,* which would imply that David and his men carried off the idols as spoils of war. This is difficult on two counts: (a) It is forbidden to benefit from idols (*Deuteronomy* 7:26); and (b) this would contradict the verse in *Chronicles,* which states that they burned the idols. In the plain sense, *Radak* explains that David *carried off* the idols to Jerusalem, where he displayed them contemptuously to demonstrate how powerless they were — and then he burned them.

The Talmud (*Avodah Zarah* 44a), however, interprets our verse to mean "they carried them off" as spoils. Although it is generally forbidden to derive any benefit from idols, it is permissible to do so if a non-Jew repudiates the idol, thus nullifying it as an object of worship — which is what happened in this case. As the Talmud explains, one of the Philistine warriors was Ittai the Gittite (see below, 15:19). He became convinced that David was a true servant of God and switched his allegiance to the Jewish people. When Ittai did so, he nullified the Philistine idols, thus permitting David and his men to use the precious metals of which they were made. Until Ittai's arrival, David's men had been burning the idols; they carried them off for personal use after Ittai nullified them.

22. Although the Philistines had been routed, they returned once again, probably with a much larger force (see comm. to v. 24 below, citing *Ralbag*), realizing that if they permitted David to prevail, they would again become subservient to Israel. As they had said several years earlier (*I Samuel* 4:9), "Be strong ... O Philistines, lest you become enslaved to the Hebrews as they have been enslaved to you! Be men and fight!" (*Daas Sofrim*).

23. Why didn't God instruct David to attack the Philistines directly?

David was being tested, as Saul had been in his battles. Samuel had instructed Saul to wait for him, but Saul had no patience (*I Samuel* 13:8-10, 14:19); similarly he did not wait to consult the *Urim v'Tumim* before impetuously plunging into battle (ibid. 14:19). Saul failed those tests; would David repeat the failure? Logically, the king could have decided that tactically he should charge the Philistines and catch them off guard. Would he defer to God's instructions? The answer to this question would be a key element in determining whether his reign would endure (*Mahari Kara, Alshich*).

Ralbag suggests that God saw that the Philistine forces were superior to David's and that he could triumph only through miraculous Divine intervention, but God prefers not to intervene directly unless there is no other alternative. Therefore, God instructed David to use a battle strategy that would bring him victory through natural means (see commentary to following verse).

24. קוֹל צְעָדָה בְּרָאשֵׁי הַבְּכָאִים — *A sound like marching at the tops of the mulberry trees.* The marching sound would be a sign that HASHEM's angels had come to help David's army, and victory would be assured.

Radak explains that the sound of the rustling of the trees, which would resemble the sound of an army of angels treading upon them toward the Philistines, would strengthen the hearts of David's warriors and boost their morale to fight bravely and triumph.

According to *Ralbag* (see comm. to previous verse), this was a clever military maneuver to catch the Philistines by surprise. The sound of mulberry trees rustling in the wind resembled the sound of a marching army, so that the Philistines would attribute the sound of David's advance to the trees rather than the troops.

אָז תֶּחֱרָץ — *You shall shout [your battle cry].* The translation follows *Rashi.* Other commentators render, *You shall move quickly* (see *Radak, Ralbag*).

25. Despite the difficulties and the military pressures to act differently (see comm. to previous verse), David faithfully followed HASHEM's command. According to the Midrash, the angels had expressed surprise at God's unbounded favor toward David, in light of Israel's unsuccessful first encounter with monarchy under Saul. If the first monarchy failed dismally, why should God have invested a new king? Now God

ו

HAFTARAS SHEMINI
Ashkenazim: 6:1-7:17
Sephardim: 6:1-19

כֵּן כַּאֲשֶׁר צִוָּהוּ יהוה וַיַּךְ אֶת־פְּלִשְׁתִּים מִגֶּבַע עַד־בֹּאֲךָ גָזֶר׃ א ◂ וַיֹּסֶף
ב עוֹד דָּוִד אֶת־כָּל־בָּחוּר בְּיִשְׂרָאֵל שְׁלֹשִׁים אָלֶף׃ וַיָּקָם ׀ וַיֵּלֶךְ דָּוִד וְכָל־הָעָם אֲשֶׁר
אִתּוֹ מִבַּעֲלֵי יְהוּדָה לְהַעֲלוֹת מִשָּׁם אֵת אֲרוֹן הָאֱלֹהִים אֲשֶׁר־נִקְרָא שֵׁם שֵׁם יהוה
ג צְבָאוֹת יֹשֵׁב הַכְּרֻבִים עָלָיו׃ וַיַּרְכִּבוּ אֶת־אֲרוֹן הָאֱלֹהִים אֶל־עֲגָלָה חֲדָשָׁה
וַיִּשָּׂאֻהוּ מִבֵּית אֲבִינָדָב אֲשֶׁר בַּגִּבְעָה וְעֻזָּא וְאַחְיוֹ בְּנֵי אֲבִינָדָב נֹהֲגִים אֶת־הָעֲגָלָה
ד חֲדָשָׁה׃ וַיִּשָּׂאֻהוּ מִבֵּית אֲבִינָדָב אֲשֶׁר בַּגִּבְעָה עִם אֲרוֹן הָאֱלֹהִים וְאַחְיוֹ הֹלֵךְ

רש״י

(א) **ויוסף עוד דוד.** לאסוף: **את כל בחור בישראל שלשים אלף.** לפי שנאספו עליו כשהמליכוהו בחברון, וזו היתה אסיפה שניה, לכך נאמר ויוסף עוד: (ב) **מבעלי יהודה.** היא קרית יערים; כמו שנאמר ביהושע (טו, ט), ותאר הגבול ועלה בעלה היא קרית יערים, וכן בדברי הימים (יג, ו), ויעל דוד וכל ישראל בעלתה היא קרית יערים. ו׳בעל׳ לשון ׳מישור׳. **ויקם וילך דוד וגו׳ מבעלי יהודה.** שנאספו שם להעלות משם את הארון וגו׳: **אשר נקרא שם שם.** אשר נקרא לו לארון שם, ומהו השם, שהיה שם ה׳ צבאות עליו: (ג) **אל עגלה חדשה.** טעה בדבר שאפילו תינוקות של בית רבן יודעין אותו, כי עבודת הקדש עליהם בכתף ישאו (במדבר ז, ט), ולפי שאמר (תהלים קיט, נד), זמירות היו לי חקיך בבית מגורי, נענש לבא לידי כך, ומת עוזא על ידו, לפיכך כשהביאו מבית עובד, הביאו בכתף, שנאמר (בדברי הימים א טו יב יג), ויאמר להם אתם ראשי האבות ללוים התקדשו אתם ואחיכם והעליתם את ארון וגו׳. כי למבראשונה לא אתם פרץ ה׳ אלהינו בנו כי לא דרשנוהו כמשפט: (ד) **עם ארון האלהים.** הרי זה מקרא קצר, והם באים עם ארון האלהים:

רד״ק

(כה) **מגבע עד באך גזר.** ובדברי הימים (־א יד, טז) מִגִּבְעוֹן וְעַד גָּזְרָה ואחד הוא: (א) **ויסף עוד דוד.** כמו ויאסוף שרשו אסף וכן וַיֹּחֶר מִן הַמּוֹעֵד (לקמן כ, ה) שרשו אחר, וכן תֹּסֵף רוּחָם יִגְוָעוּן (תהלים קד, כט) כמו תאסוף, ויש לפרשו כמשמעו ענין תוספת שרשו יסף כלומר הוסיף לקבץ עוד, וכן תרגם יונתן וְאוֹסִיף עוד, ופירש עוד כי היו עמו רבים מישראל כשהמליכוהו וכן במלחמה הזאת כי באותו הפרק היתה מלחמת פלשתים והיה זה שהעלו הארון, וכן מוכיח בדברי הימים (־א יג־ יד): (ב) **מבעלי יהודה.** ונקראת גם כן שם קרית יערים בעל, ונזכר בַּעֲלָתָה בדברי הימים (־א יג, ו) ואחד הוא, ונקראת גם כן קרית יערים כמו שאומר בספר יהושע (טו, ס) (בעלה) [קִרְיַת בַּעַל] הִיא קִרְיַת יְעָרִים, ובקרית יערים היה הארון (לעיל ־א ז, א) כי שם העלוהו מבית שמש, ובאמרו מִבַּעֲלֵי יְהוּדָה במ״ם והיה לו לומר אל בעלי יהודה כי שם הלכו להעלות משם הארון, וכן אמר בדברי הימים (־א יג, ו) (וילך) [וַיַּעַל] דָּוִיד וְכָל יִשְׂרָאֵל בַּעֲלָתָה אֶל קִרְיַת יְעָרִים, ואם נאמר כי המ״ם במקום למ״ד זה לא יתכן כי זה הפך זה כי המ״ם מורה הרחוק והלמ״ד מורה הקרוב, אלא אין פירוש וַיָּקָם וַיֵּלֶךְ דָּוִד על ההליכה לבעלי יהודה אלא על היציאה משם שאמר להעלות משם והוא מקרא קצר, וכן פירוש הפסוק וילך דוד וכל העם אשר אתו מבעלי יהודה שבאו שם להעלות משם את ארון האלהים: **אשר נקרא שם.** ואחר כך פירש שם ה׳ צבאות יושב הכרובים עליו נקרא הארון שם, ומה שנזכר שם הארון בזה השם במקום זה מה שלא נזכר כן במקום אחר, לפי שנתקדש שמו של הקב״ה עליו בהיותו בשדה פלשתים: (ג) **אל עגלה חדשה.** כמו על, וכן וַיַּךְ אֶת הַפְּלִשְׁתִּי אֶל מִצְחוֹ (לעיל־א יז, מט), וכן אֶל הֶהָרִים לֹא אָכָל (יחזקאל יח, ו), וטעם עגלה חדשה שלא נשתמש בה הדיוט ועשו זה לקדושת הארון: **נהגים את העגלה חדשה.** פירוש היו נוהגים את הבקר שהיו מושכים העגלה: (ד) **עם ארון האלהים.** דבק הוא עם עגלה חדשה כאילו אמר נוהגים את העגלה חדשה עם ארון האלהים, ובאמרו פעם אחרת וַיִּשָּׂאֻהוּ לפי שאמר שעוזא ואחיו נוהגים, פירש היאך היו נוהגים אותו כשנשאוהו מבית אבינדב כי אחיו היה הולך לפני הארון ועוזא עם הארון, ויש מפרשים כן עִם אֲרוֹן הָאֱלֹהִים כי על עוזא אמר שהיה הולך עם ארון האלהים ואחיו לפניו, לפיכך אחז בו עוזא כי הוא היה עם הארון, וכן אמר וַיָּמָת שָׁם עִם אֲרוֹן הָאֱלֹהִים (פסוק ז), ויש מפרשים וַיִּשָּׂאֻהוּ על הארגז שהשיבו פלשתים אמר כי נשאוהו עם ארון האלהים, וזהו שאמר פעם שנית וישאוהו כי הראשון (פסוק ג) אמר על הארון והאחרון אמר על הארגז:

מצודת דוד

(כה) **מגבע.** בדרך נוסם מגבע עד בואך גזר, רוצה לומר, עד אשר תבוא אל גזר, כלומר עד המקום שבאים בה לגזר, וכאלו ידבר עם מי שמכיר המקום, וכמוהו הרבה במקרא: (א) **ויוסף עוד.** לפי שהיו רבים נאספים אליו מעת המלכו, לזה אמר שהוסיף עוד לאסוף אליו את הנבחרים בישראל, להעלות הארון: (ב) **מבעלי יהודה להעלות וגו׳.** מקרא קצר הוא, ורוצה לומר, שהלכו מבעלי יהודה אשר באו שמה להעלות משם וכו׳: **אשר נקרא שם.** אשר נקרא עליו שם, וחזר ומפרש מהו השם, ואמר, שם ה׳ צבאות יושב הכרובים, הוא הנקרא עליו: (ג) **וישאוהו.** על ידי הבקר אשר משכו העגלה: **את העגלה.** רוצה לומר, נהגו הבקר המושכים את העגלה: (ד) **וישאוהו וגו׳ עם ארון.** רוצה לומר, הבקר נשאו העגלה עם הארון אשר עליו:

מצודת ציון

(ב) **מבעלי.** היא קרית יערים, וכמו שכתוב (יהושע טו, ט), בַּעֲלָה הִיא קִרְיַת יְעָרִים: (ג) **אל עגלה.** על עגלה:

answered them that David deserved Divine favor be-cause, unlike Saul, he never deviated from God's command.

6.

☙ **The Ark is brought to Jerusalem.** With the conquest of Jerusalem and defeat of the Philistines, David is ready to solidify the Holy City as the center of the nation by making it the resting place of the Holy Ark. His first attempt at doing so ends in failure, but the second attempt succeeds in an explosion of joy and sanctity. See *I Chronicles*, chs. 13, 15 and 16, for a greatly expanded parallel account of the events in this chapter.

1-11. An unexpected mishap. Paying great honor to the Ark by organizing a grand procession, David escorts it to Jerusalem, but his plan is disrupted by a sudden death.

1. וַיֹּסֶף עוֹד דָּוִד — *David again [gathered]*. The word וַיֹּסֶף literally means *he repeated,* or *he did further, which implies that David had gathered them together before. The first time was when they came together in Hebron for his coronation (Rashi)*, or when he mustered them for war against the Philistines (*Abarbanel*).

Mahari Kara comments that the first gathering is the one described in *I Chronicles* 13:1, when David assembled the elders and captains of the people to consult with them about bringing the Ark to Jerusalem. Now he made a *further* gathering of *the chosen men of Israel*, to escort the Ark in order to give it greater honor on its trip to Jerusalem.

כָּל־בָּחוּר בְּיִשְׂרָאֵל — *All the chosen men of Israel,* i.e., representatives of the most important and prominent people from all the cities and towns of Israel (*Malbim*).

so, as HASHEM had commanded him, and he struck the Philistines from Geba until the approach to Gezer.

6 *David and his people retrieve the Ark*

[1] *David again [gathered] all the chosen men of Israel, thirty thousand.* [2]*David and all the people that were with him arose and went forth from Baale-judah to bring up from there the Ark of God, which is called by [its] name: "The Name of HASHEM, Master of Legions, Who is enthroned upon the Cherubim, is upon it."* [3]*They placed the Ark of God upon a new wagon and carried it from the house of Abinadab which was on the hill. Uzzah and Ahio, the sons of Abi-nadab, guided the new wagon.* [4]*They carried it from Abinadab's house which was in Gibeah, with the Ark of God, and Ahio walked*

Abarbanel translates the word בָּחוּר in its other sense — *young, able-bodied men*. David wanted fit young men to accompany the Ark because he was afraid that the Philistines might try to interfere with the procession, or because he wanted energetic young men to dance vigorously before the Ark.

2. מִבַּעֲלֵי יְהוּדָה — *From Baale-judah,* i.e., Baal, a city in Judah. This is another name for Kiriath-jearim (*Joshua* 15:9), where the Ark had been situated since it was returned by the Philistines (*I Samuel* 7:1-2). The verse omits the obvious, that they first went *to* Baale-judah, from which they then set out *from* it, on the way to Jerusalem (*Radak*).

According to *Rashi*, the name Baal (which is often associated with idolatry) means a *plain*, as in 5:20.

אֲרוֹן הָאֱלֹהִים . . . — *The Ark of God, which is called by [its] name: "The Name of HASHEM, Master of Legions, Who is enthroned upon the Cherubim, is upon it."* The Ark is mentioned scores of times throughout the *Tanach,* but this is the only time this Name is used. This is because God's Name had recently reached a new level of sanctity through the miracles wrought against the Philistines when they held the Ark in captivity [see *I Samuel* Chs. 5-6] (*Radak*).

According to *Malbim*, this description of the Ark is meant to shed light on verse 3: Since [the Name of] God Himself is enthroned, as it were, upon the Cherubim of the Ark, David should have realized that it was inappropriate to transport it on a wagon pulled by animals.

According to the *Mefaresh* (*I Chronicles* 13:6), Scripture seeks to emphasize that, despite its captivity in Philistine hands, the Ark was still the seat of God's Presence.

3. David's errors. In the manner he chose with which to transport the Ark, David made two errors: (1) The Ark should have been carried by people, not on a wagon, as in *Numbers* 7:9 (*Rashi*, quoting *Sotah* 35a); and (2) the Ark should have been borne by Levites or Kohanim (ibid.); Abinadab's sons were not Levites. Those errors resulted in the tragedy described below. After that, David realized his mistakes and did not repeat them when he brought the Ark to Jerusalem a second time (*I Chronicles* 15:2-15).

Although the Philistines, too, had placed the Ark on a wagon, they did so out of respect, according to their best judgment. The Israelites, however, should have acted as the Torah commanded (*Radak*).

The Sages (*Sotah* 35a) wonder how David could have forgotten that the Ark should have been carried by Levites, some-thing that even schoolchildren know. They explain that David had once said, *Your statutes were music to me* (*Psalms* 119:54). Because he referred to God's commandments without proper respect, referring to them as *music*, he was punished with a tragic lapse of judgment that resulted in tragedy (*Rashi*).

According to *Radak,* David's error was that he thought that the commandment that the Ark be carried on the shoulders of Levites applied only to the forty years in the Wilderness, when the Ark was transported often from place to place, but it did not apply in *Eretz Yisrael.*

Alternatively, when the Philistines captured the Ark, Saul rescued the Tablets by removing them from the Ark and racing back to Shilo, where they were placed in a temporary ark and there they remained. Now, David was bringing both arks to Jerusalem — the makeshift one containing the Tablets and the one made by Bezalel in the Wilderness. In the Holy City, he would have placed the Tablets back in Bezalel's Ark, where they would remain permanently. David's understanding was that the commandment to carry the Ark only on the shoulders of Levites applied only to Bezalel's Ark, and that Ark (the one referred to in verse 4) *was* carried in the proper manner. The Ark referred to in verse 3 was the makeshift one containing the Tablets, and the commandment did not apply to it (*R' Menachem Azariah of Fano*).

עֲגָלָה חֲדָשָׁה — *A new wagon.* In the plain sense, they built a new wagon in honor of the Ark (*Radak*). Alternatively, this was the same new wagon used by the Philistines when they returned the Ark to Beth Shemesh (*Rashi* to *Moed Katan* 25a).

נֹהֲגִים אֶת־הָעֲגָלָה — *Guided the new wagon.* According to *Malbim*, it was wrong to let Uzzah and Ahio guide the wagon. In contrast, when the Philistines sent the Ark back, they let the cows that were pulling the wagon go by themselves, without guidance, sensing that the Ark would lead itself to the proper destination (*I Samuel* 6:7-12). The Israelites should have shown the same sensitivity to the Ark's awesome power.

4. וַיִּשָּׂאֻהוּ . . . עִם אֲרוֹן הָאֱלֹהִים — *They carried it. . . with the Ark of God*, i.e., they... guided the new wagon with the Ark of God on it.

According to *Rashi*, some unwritten words are implied: *They carried it* [the Ark].

According to the Midrash (*Bamidbar Rabbah*), the reference is to the box containing the golden tribute that the Philistines had sent when they returned the Ark (*I Samuel* 6:8ff.). David

ה לִפְנֵ֖י הָאָרֽוֹן׃ וְדָוִ֣ד ׀ וְכָל־בֵּ֣ית יִשְׂרָאֵ֗ל מְשַׂחֲקִים֙ לִפְנֵ֣י יהוָ֔ה בְּכֹ֖ל עֲצֵ֣י בְרוֹשִׁ֑ים
ו וּבְכִנֹּר֤וֹת וּבִנְבָלִים֙ וּבְתֻפִּ֔ים וּבִמְנַֽעַנְעִ֖ים וּֽבְצֶלְצֶלִֽים׃ וַיָּבֹ֖אוּ עַד־גֹּ֣רֶן נָכ֑וֹן
ז וַיִּשְׁלַ֨ח עֻזָּ֜ה אֶל־אֲר֤וֹן הָאֱלֹהִים֙ וַיֹּ֣אחֶז בּ֔וֹ כִּ֥י שָׁמְט֖וּ הַבָּקָֽר׃ וַיִּֽחַר־אַ֤ף יהוָה֙
ח בְּעֻזָּ֔ה וַיַּכֵּ֥הוּ שָׁ֛ם הָאֱלֹהִ֖ים עַל־הַשַּׁ֑ל וַיָּ֣מָת שָׁ֔ם עִ֖ם אֲר֥וֹן הָאֱלֹהִֽים׃ וַיִּ֣חַר לְדָוִ֔ד
עַ֣ל אֲשֶׁ֨ר פָּרַ֧ץ יהוָ֛ה פֶּ֖רֶץ בְּעֻזָּ֑ה וַיִּקְרָ֞א לַמָּק֤וֹם הַהוּא֙ פֶּ֣רֶץ עֻזָּ֔ה עַ֖ד הַיּ֥וֹם
ט הַזֶּֽה׃ וַיִּרָ֥א דָוִ֛ד אֶת־יהוָ֖ה בַּיּ֣וֹם הַה֑וּא וַיֹּ֕אמֶר אֵ֛יךְ יָב֥וֹא אֵלַ֖י אֲר֥וֹן יהוָֽה׃

רש"י

(ה) **בכל עצי ברושים.** שמתקנים מהם כלי זמר: (ו) **כי שמטו הבקר.** כי שמטוהו הבקר ונענעוהו, וכן תרגם יונתן, ארי מרגוהי תוריא; כמו שמתרגם (דברים יט, ה), ונדחה ידו בגרזן, ותתמריג ידיה בפרזלא: (ז) **על השל.** על השגגה, שהיה לו לדרוש קל וחומר, נושאיו נשא בירדן, הוא עצמו לא כל שכן:

רד"ק

(ה) **בכל עצי ברושים.** אמר עצי ברושים לפי שכלי השיר עושה אדם אותם מברוש, וכלל תחלה בכל עצי ברושים ופרט אחר כן ובכינורות ובנבלים, וי"ו וּבְכִנֹּרוֹת נוספת ורבים כמוה, או יהיה בכל עצי ברושים כלל כלים אחרים לבד הנזכרים: **ובמנענעים.** הוא כלי נגון יניע אדם גופו בנגעו בו או הוא אשר בו יתדות ינועו בעת הנגון, ויונתן תרגם וּבִרְבִיעִין והם לוחות דקות ינגנו בהם, ובדברי רבותינו זכרונם לברכה (כלים טז, ז) רביעית של איליית, פירוש לוחות של מקוננות כי הלוחות ההם ינגנו בהם ויקוננו: **ובצלצלים.** כמו בְּצִלְצְלֵי שָׁמַע (תהלים קן, ה), והם שני כלי נחשת שמקישין אותן זה בזה ומשמיעים קול: (ו) **גרן נכון.** ובדברי הימים (־א יג, ט) גֹּרֶן כִּידֹן ושני שמות היו לו, ואפשר כי שמו גורן נכון וקראוהו גֹּרֶן כִּידֹן על שמת שם עוזא מן יִרְאוּ עֵינָיו כִּידוֹ (איוב כא, כ), ורבותינו ז"ל אמרו (סוטה לה, ב) בתחלה כִּידֹן ולבסוף נָכוֹן, כלומר עתה כשנשאו הארון בעגלה ופרץ ה' בעוזה נקרא כידון ולבסוף כשהעלהו דוד מבית עובד אדום נקרא נכון שנשאוהו לוים בכתף כמו שאומר בדברי הימים (־א טו, טו), ושם כתיב וַיְהִי בֶּעְזֹר הָאֱלֹהִים אֶת הַלְוִיִּם (שם פסוק כו), כנגד מה שפרץ עתה בנושאיו עזר שם את נושאיו לפי שעשו נכון שנשאוהו הלוים בכתפים ובמוטות: **וישלח עזה.** פירוש וישלח ידו: **כי שמטו הבקר.** שמטו פועל עומד כאילו נשמטו הבקר, כלומר נתפרקו איבריהם מקדושת הארון שלא היה ראוי שיהיה נשא בעגלה שימשכוהו הבקר, אלא בכתפי הלויים היה ראוי להיות נשא, ולדעת יונתן שָׁמְטוּ פועל יוצא שתרגם אֲרֵי מְרַגוּהִי תּוֹרַיָּא, פירוש שמטוהו והורידו, ותרגום וְנִדְּחָה יָדוֹ (דברים יט, ה) וְתִתְמְרֵיג יְדֵיהּ, ואף על פי שבא הארון משדה פלשתים בזה הענין ולא שמטו הבקר, פלשתים לא היו יודעים מנהג משא הארון וכיונו במשאו במוטב אשר יכלו, שהרי לקחו עגלה חדשה ופרות אשר לא עלה עליהן עול, אבל ישראל שהיו יודעים משא הארון כמו שכתוב בתורה וְלִבְנֵי קְהָת לֹא נָתָן כִּי עֲבֹדַת הַקֹּדֶשׁ עֲלֵהֶם בַּכָּתֵף יִשָּׂאוּ (במדבר ז, ט) חטאו בזה, לפיכך הראה להם הקב"ה קדושת הארון בשני פנים, בשמיטת הבקר ובמות עוזא, והענין אשר שגה דוד בזה הדבר מקרא מפורש, חשב כי לא יהיה חטא בזה אם ישאוהו בעגלה אף על פי שכתוב בַּכָּתֵף יִשָּׂאוּ, כי אמר באותו זמן במדבר צוה האל, כי לפי שהיה המשכן נשא בעגלות צוה לשאת את הארון בכתף להראות כי קדושת הארון גדולה מקדושת המשכן, אבל בזמן שלא היה שם משכן חשב שאין חטא אם ישאוהו בעגלה, ועוד כי בעגלה בא משדה פלשתים ובזה שגה: (ז) **על השל.** על השגגה, תרגום שְׁגָגָה (ויקרא ד, ב) שָׁלוּ, וכן תרגם יונתן עַל דְּאִשְׁתְּלֵי ועוזה שגג כשאחז בו כי לא נתן כי אם לבני לוי שהם מקודשים משאר בני ישראל, ומה שכתוב למעלה (־א ז, א) כי אלעזר אחיו קדשו לשמור הארון, פירש לשמור הבית שהיה בו הארון שיהיה בטהרה לכבד ולרבץ לפני הארון, לא שהיה שולח ידו בארון ולהסיעו ממקום למקום כי לא יתכן זה כי אם לבני לוי, וכן התודה דוד חטא זה כמו שכתוב בדברי הימים (־א טו, יג) כִּי לְמַבָּרִאשׁוֹנָה לֹא אַתֶּם פָּרַץ ה' אֱלֹהֵינוּ בָּנוּ כִּי לֹא דְרַשְׁנֻהוּ כַּמִּשְׁפָּט, ורז"ל דרשו בו (סוטה לה, א) כי חטא עוזא באחוז בו לפי שחשב שיפול הארון לארץ כי שמטו הבקר, והנה מיעט לפי מחשבתו בקדושת הארון שלא היה יכול לעמוד בעצמו בלא נושא, ואמרו על דבר זה נענש עוזא, ואמר הקב"ה נושאיו נושא עצמו לא כל שכן, ונושאיו נושא פירשנו בספר יהושע (ד, יא):

מצודת דוד

לפני הארון. להנהיג את הבקר, אבל עוזא הלך מצד הארון, ולזה חזר וכתבו, לומר שאחיו לבד הלך לפני הארון ולא עוזא, ולזה הרגיש הוא אשר שמטו הבקר להארון, ואחיו לא הרגיש: (ה) **לפני ה'.** לפני ארון ה': **בכל עצי ברושים.** בכלי שיר העשויים מעצי ברושים: (ו) **וישלח עוזה.** הושיט את ידו: **כי שמטו הבקר.** נענעוהו ממקומו וחשב עוזה שיפול מן העגלה: (ז) **ויחר.** על מיעוט האמנתו בה', לחשוב שיפול ארונו לארץ: **על השל.** על המעשה שעשה בשגגה, וכאלו שכח שארון ה' הוא: **עם ארון.** סמוך להארון: (ח) **ויחר לדוד.** על עצמו חרה, כדרך המיצר ונבהל, וכן (שמואל־א טו, יא), וַיִּחַר לִשְׁמוּאֵל: **על אשר פרץ.** בעבור דאגת הפרץ: (ט) **את ה'.** את ארון ה', כי חשב שאי אפשר להיות נזהר בקדושתו:

מצודת ציון

(ה) **משחקים.** שמחים: **ובכנרות ובנבלים ובתפים.** שמות כלי שיר: **ובמנענעים.** הוא מכלי הנגון, יעורר האדם להניע גופו ולרקד: **ובצלצלים.** הם שני כלי נחושת, ומקישין זה בזה ומשמיעים קול גדול, ובמשנה (תמיד פרק ז משנה, ג), הקיש בן ארזא בצלצל; וכן (תהלים קנ, ה), בְּצִלְצְלֵי שָׁמַע: (ו) **נכון.** שם מקום. ובדברי הימים (יג, ט) אמר, כידון, והיא היא, ובשתי השמות נקראה (ראה סוטה לה, ב): **שמטו.** ענין הזזה מן המקום, כמו (מלכים־ב ט, לג), וַיֹּאמֶר שִׁמְטוּהָ: (ז) **השל.** ענין שכחה ושגגה, וכן (לעיל ג, כז), לְדַבֵּר אִתּוֹ בַּשֶּׁלִי: (ח) **פרץ.** ענין שבר:

Learning from his father's error, when Solomon brought the Ark to the newly built Temple, he invited only the elders and leaders to be part of the procession (*II Chronicles* 5:2).

וּבִמְנַעַנְעִים — *Timbrels* [lit. *moving things*]. It is not clear what kind of instrument this was. The translation *timbrel*, a percussion instrument, follows *Targum*, who renders רְבִיעִין. According to *Radak*, it was a thin board that makes some kind of music. *Radak* suggests that they were given a name that implies *moving* because the body of the player would

had it taken along with the Ark to Jerusalem, where it was eventually stored in the Holy of Holies, next to the Ark (*Bava Basra* 14a).

5. מְשַׂחֲקִים — *Were celebrating*. The word usually used for *rejoicing* is שְׂמֵחִים; our verse uses a word that implies a more frivolous, lightheaded type of mirth. In this usage, *Abarbanel* sees another allusion as to why this event ended in tragedy. Instead of *rejoicing* before HASHEM, in a positive and reverent manner, the people engaged in inappropriate merrymaking.

in front of the Ark. [5]David and the entire House of Israel were celebrating before HASHEM with all kinds of cypress-wood instruments — with harps, lyres, drums, timbrels and cymbals.

Uzzah dies and the Ark is diverted

[6]They came to the threshing-floor of Nacon, and Uzzah reached out to the Ark of God and grasped it, for the oxen had dislodged [it]. [7]HASHEM became angry at Uzzah and God struck him there for the blunder; and Uzzah died there by the Ark of God.

[8]David was upset [with himself] because HASHEM had inflicted a breach against Uzzah; he named that place Perez-uzzah [Breach of Uzzah], [which is its name] to this day. [9]David feared HASHEM on that day, and he said, "How can the Ark of HASHEM come to me?"

---

move as he played, or perhaps the instrument had pieces that moved about while it was played.

According to *Malbim*, this long list of instruments is another indication of the poor judgment that marred the ill-fated celebration. Instead of stationing Levites to sing praises of God, with the specific musical instruments designated for use in the Divine service, there was a chaotic cacophony of *the entire House of Israel*, including instruments that were not designated for Divine service. Such a disorganized celebration was unbefitting for this solemn occasion.

6. The Ark became dislodged from the wagon and Uzzah, thinking it would fall, reached out to grasp it. According to *Mahari Kara*, it was not rocky, uneven terrain that caused the Ark to slip; on the contrary, the ground was flat and smooth. Rather God caused the oxen to dislodge the Ark as a sign of His displeasure that the Ark was being transported by wagon.

Seemingly, Uzzah did the right thing because he wanted to prevent the Ark from falling, but the Sages (*Sotah* 35a), cited by *Rashi*, explain that Uzzah's conduct was inappropriate, for it showed a coarse lack of appreciation for the sanctity of the Ark. When the Jews crossed the Jordan, the Kohanim who were carrying the Ark were miraculously lifted over the water and deposited on the other side, all in full view of the people. Uzzah should have realized that if the Ark was able to miraculously lift up those who carried it, then it certainly did not need his help to prevent it from falling. Those who were congregating to give honor to the Ark must have known the great extent of its sanctity; if so, they could not have failed to know that it carried its bearers, not vice versa.

In addition to this, *Radak* notes, Uzzah should not have dared to touch the Ark with his bare hands. Even the Levites were permitted to carry it only by its staves, upon their shoulders; certainly Uzzah, who was not even a Levite, should not have touched it.

Abarbanel adds that the Jews' choice of a wagon to carry the Ark seemed to be an imitation of the Philistine, instead of the Jewish, way. It is precisely this point that so angered God and prompted Him to punish this sin so severely: The Jews had abandoned the laws of the Torah, choosing instead to mimic the practices of the native heathens — even with regard to the Ark of their Covenant with God. These mistakes represented a very deep flaw in the people's — and David's — attitude. Seen in this light, their error was a forerunner of Jewish lapses in the future, when they often tailored their religious observances to conform to the practices of their host nations.

Ostensibly, it would seem that Uzzah meant well and acted reflexively; certainly he did not sin intentionally. Why, then, was he punished? In the context of the entire incident — the lack of reverence displayed in the procession, the choice of instruments, the raucous manner of the celebration etc., as noted above — Uzzah's act must be seen as a lack of respect for the Ark.

כִּי שָׁמְטוּ הַבָּקָר — *For the oxen had dislodged [it].* The translation follows *Rashi* and *Targum*. *Radak* renders *for the oxen had become debilitated*, i.e., as a sign of Divine displeasure over the method of transporting the Ark, the oxen suddenly became physically unable to continue walking normally, and this caused the wagon to falter.

7. The verse describes Uzzah's act not as a sin, but as a *blunder*, since Uzzah meant well, although a proper respect for, and awareness of, the sanctity of the Ark was lacking. The Sages (ibid.) infer from the phrase *by* (which can also be translated *with*) *the Ark of God*, that Uzzah earned an exalted place in the World to Come.

8. וַיִּחַר לְדָוִד — *David was upset.* Although the expression וַיִּחַר often indicates *anger*, the Talmud (*Sotah* 35a) teaches that this is only when this word is followed by the word אַף; when וַיִּחַר stands alone, it indicates shock and general dismay (see *Genesis* 4:5; 34:7; *Jonah* 4:1).

David was upset *with himself* for not having taken the proper precautions to respect the sanctity of the Ark (*Malbim*).

9-10. David did not abandon his plan to bring the Ark to Jerusalem; that remained his ultimate intention. He realized, however, that he had erred in how he had arranged its transport and, sobered by the death of Uzzah, he was apprehensive that it would not be honored properly if he continued the present procession. He decided to divert the Ark temporarily until he could arrange for it to be carried by the Levites and prepare for it in Jerusalem (*Abarbanel*).

Malbim probes deeper into the verse. David had always served God with love and joy, the lofty mode of service that brings a flow of Heavenly grace and goodness upon a person. Now, since David *feared* God, a lower form of service than love, he felt that this was not the proper time to bring the Ark to his city. Another factor in his decision was that the unbecoming behavior of the people during the procession might well cause a similar tragedy if David were to bring the Ark to Jerusalem without delay.

י וְלֹא־אָבָה דָוִד לְהָסִיר אֵלָיו אֶת־אֲרוֹן יהוה עַל־עִיר דָּוִד וַיַּטֵּהוּ דָוִד בֵּית עֹבֵד־אֱדֹם הַגִּתִּי: יא וַיֵּשֶׁב אֲרוֹן יהוה בֵּית עֹבֵד אֱדֹם הַגִּתִּי שְׁלֹשָׁה חֳדָשִׁים וַיְבָרֶךְ יהוה אֶת־עֹבֵד אֱדֹם וְאֶת־כָּל־בֵּיתוֹ: יב וַיֻּגַּד לַמֶּלֶךְ דָּוִד לֵאמֹר בֵּרַךְ יהוה אֶת־בֵּית עֹבֵד אֱדֹם וְאֶת־כָּל־אֲשֶׁר־לוֹ בַּעֲבוּר אֲרוֹן הָאֱלֹהִים וַיֵּלֶךְ דָּוִד וַיַּעַל אֶת־אֲרוֹן הָאֱלֹהִים מִבֵּית עֹבֵד אֱדֹם עִיר דָּוִד בְּשִׂמְחָה: יג וַיְהִי כִּי צָעֲדוּ נֹשְׂאֵי אֲרוֹן־יהוה שִׁשָּׁה צְעָדִים וַיִּזְבַּח שׁוֹר וּמְרִיא: יד וְדָוִד מְכַרְכֵּר בְּכָל־עֹז לִפְנֵי יהוה וְדָוִד חָגוּר אֵפוֹד בָּד: טו וְדָוִד וְכָל־בֵּית יִשְׂרָאֵל מַעֲלִים אֶת־אֲרוֹן יהוה בִּתְרוּעָה וּבְקוֹל שׁוֹפָר: טז וְהָיָה אֲרוֹן יהוה בָּא עִיר דָּוִד וּמִיכַל בַּת־שָׁאוּל נִשְׁקְפָה ׀ בְּעַד הַחַלּוֹן וַתֵּרֶא אֶת־הַמֶּלֶךְ דָּוִד מְפַזֵּז וּמְכַרְכֵּר לִפְנֵי יהוה וַתִּבֶז לוֹ בְּלִבָּהּ: יז וַיָּבִאוּ אֶת־אֲרוֹן יהוה וַיַּצִּגוּ אֹתוֹ בִּמְקוֹמוֹ בְּתוֹךְ הָאֹהֶל אֲשֶׁר

רש״י

(י) עובד אדום. לוי היה, כמו שכתוב בדברי הימים (א טו, יח), ומן השוערים היה (שם): **(יא) ויברך ה׳ וגו׳.** אשתו ושמונה כלותיה ילדו ששה בנים בכרס אחד, שנאמר (דברי הימים־א כו, ח), ופעלתי השמיני; ששים ושנים לעובד אדום: **(יד) מכרכר.** מרקד: **אפוד בד.** מעיל בוץ, פורלייכ״ט בלע״ז, ויונתן תרגם, כרדוט; וכן תרגם יונתן 'מעילים' דתמר אחות אבשלום (לקמן יג, יח), כרדוטין:

רד״ק

(י) על עיר דוד. כמו אל עיר, וכן וַתִּתְפַּלֵּל עַל ה׳ (לעיל־א א, י), ועיר דוד היא ציון: **(יא) בית עבד אדם הגתי.** לוי היה ומן השוערים היה כמו שכתוב בדברי הימים (־א טו, יח) וְעֹבֵד אֱדֹם וִיעִיאֵל הַשֹּׁעֲרִים, ומן המשוררים גם כן היה כמו שכתוב בדברי הימים (שם שם כא) וְעֹבֵד אֱדֹם ... וַעֲזַזְיָהוּ בְּכִנֹּרוֹת, וקראו גתי לפי שהתגורר בגת: **(יב) ואת כל ביתו.** בניו ובנותיו וכל אשר לו היתה להם ברכה בבנים ובעושר ותוספת טובה בכל דבר מעת שהיה הארון בביתו, ורבותינו ז״ל דרשו (ברכות סג, ב) וְאֶת כָּל בֵּיתוֹ זה אשתו ושמנה כלותיו שילדו ששה ששה בכרס אחד, וסמכו זה על מה שכתוב בדברי הימים (־א כו, ה) פְּעֻלְּתַי הַשְּׁמִינִי כִּי בֵרְכוֹ אֱלֹהִים, וכתיב שִׁשִּׁים וּשְׁנַיִם לְעֹבֵד (שם שם, ח) והיא ושמנה כלותיו שילדו ששה ששה בכרס אחד הם ששים ושנים עם שמנה הבנים: **(יג) נשאי ארון ה׳.** הם הלוים כמו שכתוב בדברי הימים (שם טו, טו) וַיִּשְׂאוּ בְּנֵי הַלְוִיִּם אֵת אֲרוֹן הָאֱלֹהִים כַּאֲשֶׁר צִוָּה מֹשֶׁה בִּכְתֵפָם בַּמֹּטוֹת עֲלֵיהֶם: **ששה צעדים ויזבח שור ומריא.** ובדברי הימים (שם שם, כו) כתוב וַיְהִי בֶּעְזֹר הָאֱלֹהִים אֶת הַלְוִיִּם נֹשְׂאֵי אֲרוֹן בְּרִית ה׳ וַיִּזְבְּחוּ שִׁבְעָה פָרִים וְשִׁבְעָה אֵילִים, כשהלכו נושאי הארון ששה צעדים הכירו כי אלהים עוזרם במשא הארון וחפץ בם כי לא נכשלו כמו שנכשל עוזא, וטעם ששה צעדים נראה כי כשיעור הזה הלך עוזא כשאחז בארון והכהו השם, וכיון שראו אלה נושאי הארון כי הלכו ששה צעדים ולא היה להם פגע רע שמחו והורידו הארון וזבחו זבחים, ורז״ל דרשו טעם בֶּעְזֹר מכאן שהארון נושא את עצמו, כלומר כיון שנשאוהו בכתפים במוטות ולא הרגישו בו, כאילו אין משא בכתפים, ידעו כי אלהים עוזרם במשא בכתפים הארון, ומה שאמר הנה שׁוֹר וּמְרִיא ושם אומר שִׁבְעָה פָרִים וְשִׁבְעָה אֵילִים, והנה אומר וַיִּזְבַּח כלומר דוד הוא שזבח שור ומריא ושם אומר וַיִּזְבְּחוּ כלומר הלויים זבחו שבעה פרים ושבעה אלים, כנגד שבעה צעדים בצעד השביעי הורידו הארון וזבחו, ויונתן תרגם צעדי דַּרְגִּין, ורז״ל אמרו (סוטה לה, ב) על כל פסיעה ופסיעה שור ומריא על כל שש פסיעות שבעה אלים, ומהם אמרו על כל שש פסיעות שור ומריא על כל ששה סדריהם של שש שש פסיעות שבעה פרים ושבעה אלים, ופירוש וּמְרִיא כתרגומו וּפַטִּים: **(יד) מכרכר בכל עז.** מרקד בכל כחו וכוונתו, ויונתן תרגם מְשַׁבַּח: **אפוד בד.** חגור באפוד בד, נראה כי זה המלובש לכבוד היו לובשים אותו, וכן אמר הכתוב שְׁמֹנִים וַחֲמִשָּׁה ... נֹשֵׂא אֵפוֹד בָּד (לעיל־א כב, יח) ולא היה מבגדי כהונה לפיכך היה מותר כל אדם ללובשו ואף על פי שאינו כהן, ובדברי הימים (־א טו, כז) מְכֻרְבָּל בִּמְעִיל בּוּץ, והוא המעיל הוא האפוד, וכן תרגם יונתן אותו בלשון אחר, תרגם אפוד בד כַּרְדּוּט דְּבוּץ ותרגם כִּי כֵן תִּלְבַּשְׁנָה בְנוֹת הַמֶּלֶךְ הַבְּתוּלֹת מְעִילִים (לקמן יג, יח) כַּרְדּוּטִין, אבל אפוד ומעיל הכתובים בתורה הם כל אחד בגד בפני עצמו אין זה כמו זה שמבואר בתורה: **(טז) מפזז ומכרכר.** מפזז גם כן כמו מרקד אלא שהם בענינים שונים זה מזה, או יהיה הכל בענין אחד והכפל לרוב הרקוד, ויונתן תרגם מְרַקֵּד וּמְשַׁבַּח, ובמקומו בדברי הימים (־א טו, כט) מְרַקֵּד וּמְשַׂחֵק: **ותבז לו בלבה.** כראותה אותו מן החלון בזתה אותו בלבה כי חשבה כי אין כבוד המלך להתנהג כמנהג הדיוט אפילו לפני הארון, ואחר כן כשהלך לביתו אמרה בפיה מַה נִּכְבַּד הַיּוֹם וגו׳ (פסוק כ):

מצודת דוד

(י) ויטהו. נטה אותו מדרך עיר דוד, אל בית עובד אדום: **(יב) בעבור ארון האלהים.** אשר יושב בביתו, כי קודם לזה לא בא לכלל ברכה כזאת: **עיר דוד.** לעיר דוד, והיא ציון: **(יג) ויזבח.** אחר כל שש הצעדים: **(יד) אפוד בד.** מלבוש עשוי כדמות האפוד של כהן גדול, והיתה מיוחדת להאנשים המתבודדים בעבודת ה׳, וכן בשמואל נאמר (שמואל־א ב, יח), ושמואל וגו׳ חגור אפוד בד, ודוד הלבישו בעת העלאת הארון: **(טז) ותבז לו בלבה.** בזתה אותו בלבה, כי חשבה שאין זה מדרך המלך, ואף לפני הארון: **(יז) במקומו.** במקום שהכין לו, והוא בתוך האהל וגו׳:

מצודת ציון

(י) על עיר דוד. אל עיר דוד: **הגתי.** היה מתגורר בגת, אבל היה לוי ומן השוערים, כמו שנאמר בדברי הימים (טו, כד): **(יא) וישב.** ענין עכבה: **(יג) צעדו.** פסעו והלכו: **ומריא.** שור פטם, וכן (מלכים־א א, ט), צאן ובקר ומריא: **(יד) מכרכר.** ענין רקידה של שמחה, ודוגמתו (ישעיהו סו, כ), בפרדים ובכרכרות: **בכל עוז.** בכל כח: **(טז) נשקפה.** ענין הבטה, כמו (בראשית כו, ח), וישקף אבימלך: **בעד החלון.** דרך החלון. וכן (מלכים־ב א, ב), בעד השבכה: **מפזז.** גם הוא ענין רקוד, ומשונה ממנה קצת, ויתכן שהוא ענין מהירות הרקוד, ודוגמתו (שבת פח, א), עמא פזיזא: **(יז) ויציגו.** העמידו, כמו (בראשית ל, לח), ויצג את המקלות:

---

10. עֹבֵד־אֱדֹם הַגִּתִּי — *Obed-edom the Gittite.* The Sages and the commentators identify this Obed-edom with the Levite by the same name mentioned among the gatekeepers in *I Chronicles* 15:18. He was called *Gittite* because he had once lived in Gath (*Radak*). David thus rectified one of his errors by putting the Ark in the care of a Levite.

The Sages interpret the name as a description of the man. He was an עֹבֵד, a loyal *servant* of God, and his conduct was an embarrassment to David — אֱדֹם means *red*, as if to say that David became red in the face — because Obed-edom wel-

[10]*So David refused to move the Ark of HASHEM to himself to the City of David, and David diverted it to the house of Obed-edom the Gittite.* [11]*The Ark remained in the house of Obed-edom the Gittite for three months, and HASHEM blessed Obed-edom and his entire household.*

David leads the celebration for the Ark

[12]*King David was told, "HASHEM has blessed the house of Obed-edom and everything he has because of the Ark of God." David then went and brought up the Ark of God from the house of Obed-edom to the City of David with joy.* [13]*Whenever the bearers of the Ark of HASHEM walked six paces, he slaughtered an ox and a fatted ox.* [14]*David danced with all [his] strength before HASHEM; David was girded in a linen tunic.* [15]*David and the entire House of Israel brought up the Ark of HASHEM with loud, joyous sound, and the sound of the shofar.*

[16]*And it happened as the Ark of HASHEM arrived at the City of David, that Michal daughter of Saul peered out the window and saw King David leaping and dancing before HASHEM, and she became contemptuous of him in her heart.*

[17]*They brought the Ark of HASHEM and set it up in its place, within the tent that*

---

comed the Ark, when David stayed away from it (*Bamidbar Rabbah* 4:20).

Scripture does not say where Obed-edom's house was located. Apparently it was between Kiriath-jearim and Jerusalem.

11. Not only Obed-edom himself was blessed, but all the members of his family. They prospered and had many multiple births. From this the Sages infer that if someone was blessed so abundantly merely for honoring the Ark — which involved nothing more than providing it with a clean place and respectful decorum — surely someone who honors and provides for Torah scholars, which involves more effort and exertion, will be blessed abundantly (*Berachos* 63b).

12-19. The second procession. After the death of Uzzah, the nation had come to fear the Ark, thinking that it was a source of suffering to any humans who were in its proximity. The extraordinary blessing that came to Obed-edom and his family convinced them otherwise (*Bamidbar Rabbah* 4:20). Seeing that his people were now ready to accept the Ark as a repository of holiness and good, David ordered that it be brought to Jerusalem — but this time he avoided all the errors that bedeviled the first procession. The Ark was carried on the shoulders of Levites, the proper instruments were used, and the mood was one of inner joy, not roisterous celebration (*Abarbanel*).

12. בַּעֲבוּר אֲרוֹן הָאֱלֹהִים — *Because of the Ark of God.* It was clear to everyone that Obed-edom's fortunes had improved so dramatically that the cause had to be supernatural. It must have been due to the Ark because it was the only new factor in his life.

בְּשִׂמְחָה — *With joy.* This time Scripture uses the word שִׂמְחָה, which implies spiritual, inner *joy*, as opposed to the שְׂחוֹק [מְשַׂחֲקִים in v. 5], *celebration*, which implies outward, physical festivities of the ill-fated first procession (see comment to v. 5) (*Abarbanel*).

13. נֹשְׂאֵי אֲרוֹן־ה' — *The bearers of the Ark of HASHEM*, i.e., Levites, who carried the Ark, on staves, upon their shoulders (*I Chronicles* 15:15).

צָעֲדוּ . . . שִׁשָּׁה צְעָדִים וַיִּזְבַּח — *Walked six paces, he* [i.e., David] *slaughtered.* Uzzah was struck down after he had walked six paces. Now, every time six paces were walked without incident, David brought offerings in gratitude (*Radak*). *I Chronicles* 15:26 states that seven offerings — not six — were brought by the Levites. Based on *Sotah* 35b (see there), *Malbim* explains that in addition to the offerings brought by David, the Levites bearing the Ark brought offerings of their own.

14-15. David's great humility shone through. His actions (*dancing*), his dress (a *tunic*, as opposed to royal robes) and his company (rejoicing together with *the entire house of Israel*) showed that before God there is no "royalty," for all human beings are equally insignificant before God (*Malbim*).

16. אֲרוֹן ה' בָּא — *The Ark of arrived.* The word *arrived* implies that the Ark came on its own. Although the Levites *brought* the Ark — as is reported in verse 17 — Scripture intimates that the Ark carried its bearers. The Levites *appeared* to bring the Ark, but in reality *it* was bringing *them*. This was why the Levites brought their own offerings of gratitude (*Kli Yakar*).

The parallel verse in *Chronicles* (15:29) states that *David frolicked*, indicating that he danced with abandon, which Michal felt was unbecoming to the leader of the nation. She did not hide her feelings and expressed her annoyance to David. This will be discussed below.

17. בְּתוֹךְ הָאֹהֶל — *Within the tent.* There was a tradition that a permanent Temple would be built in Jerusalem eventually, but the exact time and location had not yet been revealed. Until that time, the Sanctuary — whether in the Wilderness, Gibeon, Shiloh, or Nob — was to be covered with a curtain, rather than a permanent roof. Although the Tabernacle originally built in the Wilderness was now in Gibeon, David brought the Ark to a temporary location in Jerusalem because he expected to build the permanent home for it as soon as possible. Indeed, in the next chapter he asked the prophet Nathan to seek permission from God for him to build the Temple (*Radak*).

יח נָטָה־לוֹ דָּוִד וַיַּעַל דָּוִד עֹלוֹת לִפְנֵי יהוה וּשְׁלָמִים: וַיְכַל דָּוִד מֵהַעֲלוֹת הָעוֹלָה
יט וְהַשְּׁלָמִים וַיְבָרֶךְ אֶת־הָעָם בְּשֵׁם יהוה צְבָאוֹת: וַיְחַלֵּק לְכָל־הָעָם לְכָל־הֲמוֹן
יִשְׂרָאֵל לְמֵאִישׁ וְעַד־אִשָּׁה לְאִישׁ חַלַּת לֶחֶם אַחַת וְאֶשְׁפָּר אֶחָד וַאֲשִׁישָׁה
כ אֶחָת וַיֵּלֶךְ כָּל־הָעָם אִישׁ לְבֵיתוֹ: וַיָּשָׁב דָּוִד לְבָרֵךְ אֶת־בֵּיתוֹ וַתֵּצֵא מִיכַל בַּת־
שָׁאוּל לִקְרַאת דָּוִד וַתֹּאמֶר מַה־נִּכְבַּד הַיּוֹם מֶלֶךְ יִשְׂרָאֵל אֲשֶׁר נִגְלָה הַיּוֹם לְעֵינֵי
כא אַמְהוֹת עֲבָדָיו כְּהִגָּלוֹת נִגְלוֹת אַחַד הָרֵקִים: וַיֹּאמֶר דָּוִד אֶל־מִיכַל לִפְנֵי יהוה
אֲשֶׁר בָּחַר־בִּי מֵאָבִיךְ וּמִכָּל־בֵּיתוֹ לְצַוֹּת אֹתִי נָגִיד עַל־עַם יהוה עַל־יִשְׂרָאֵל
כב וְשִׂחַקְתִּי לִפְנֵי יהוה: וּנְקַלֹּתִי עוֹד מִזֹּאת וְהָיִיתִי שָׁפָל בְּעֵינָי וְעִם־הָאֲמָהוֹת
כג אֲשֶׁר אָמַרְתְּ עִמָּם אִכָּבֵדָה: וּלְמִיכַל בַּת־שָׁאוּל לֹא־הָיָה לָהּ יָלֶד עַד יוֹם

רש"י

(יט) ואשפר. אחד מששה בפר (פסחים לו, ב): **אשישה אחת.** גרבא דחמרא (שם): **(כ) אחד הרקים.** (תרגום) חד מן סריקיא (לשון תרגום יונתן): **(כב) ונקלותי עוד.** לפניו, יותר מזאת שהקילותי בעצמי עתה: **עמם אכבדה.** אינם מבזין אותי, אלא חשוב אני בעיניהם על זאת: **(כג) לא היה לה ילד.** מאותו היום והלאה:

רד"ק

(יז) אשר נטה לו דוד. יריעה נטה לו מלמעלה אף על פי שבבית אבינדב ובבית עובד אדום היה בבית מקורה כמו שנאמר בהם בית ולא נאמר שם אהל לפי שלא היתה עמידתו בהם אלא דרך עראי, אבל עתה שהעלהו דוד לירושלים וידעו כי שם ישכון עדי עד כי קבלה היתה בידם כי ירושלים עיר הקדש ושם יבנה בית המקדש, אף על פי שלא ידעו באיזה מקום מן העיר עד שבנה דוד מזבח על פי גד הנביא בגרן ארונה היבוסי (לקמן כד, יח) וירד בו אש מן השמים (דברי הימים־א כא, כו) אז ידע דוד כי שם יבנה בית המקדש, אבל עד אותו זמן לא רצה דוד להכניסו בבית מקורה אלא תחת יריעה כמו שהיה מקדם, וגם עתה שהיה אהל מועד בגבעון והמשכן והארון ושתי הלוחות וכל כלי הקדש תחת היריעה היו, הכניס הוא הארון הזה שבו שברי לוחות גם כן תחת היריעה, או זה הארון שהיו בו לוחות השלמות, והוא הנכון כמו שפירשנו למעלה (־א ד, ד) במלחמת פלשתים שנלקח הארון זה הארון הוא שהכניסו לבית עולמים לתוך הדביר, אם כן זה הוא שהיו בו הלוחות השלמות או השלמות והשבורות לדעת מי שאמר (בבא בתרא יד, ב) לוחות ושברי לוחות מונחין בארון, ולמה לא הביא דוד את הארון לגבעון שהיה שם אהל מועד, לפי שידע כי אהל מועד היה עתיד לבא לירושלים וחשב כי בימיו יהיה זה והוא יבנה בית המקדש, לפיכך אחר שהביא הארון לירושלים שאל לנתן הנביא אם יבנה בית לה׳ (לקמן ז, ב), ונתן אמר לו כֹּל אֲשֶׁר בִּלְבָבְךָ ... עֲשֵׂה (שם פסוק ג) ומלבו אמר לו נתן זה לא בנבואה כי חשב בלבו כמו שחשב דוד כי הוא יבנה הבית: **(יט) חלת לחם.** ובדברי הימים (־א טז, ג) כִּכַּר לֶחֶם, והככר גדול מהחלה כי ככרות היו אלא שהיו עשויים כתכונת החלות: **ואשפר אחד.** חלק אחד מבשר כמו שמנהג לחלוק הבקר או הצאן לחלקים ידועים, ונתן לכל אחד חלת לחם וחלק בשר ואשישה אחת מלאה יין, וכן פירשו רז״ל (פסחים לו, ב) אשישה גרבא דחמרא, אבל אשפר פירשו מלה מורכבת משמות שלשה, ואמרו (שם) אחד מששה בפר, כלומר כי ששה חלקים היו עושים בפר ולכל אחד היה נותן השישית, ויונתן תרגם פְּלַג חַד כלומר חלק אחד, ותרגם אשישה מְנָתָא: **(כ) לברך את ביתו.** לתת שלום לפי שבא מן הדרך, וכן כִּי תִמְצָא אִישׁ לֹא תְבָרְכֶנּוּ (מלכים־ב ד, כח): **מה נכבד היום.** נפעל עבר כי הוא פתוח, ודרך לעג אמרה לו מַה נִּכְבַּד כלומר כי לא נכבד היום הזה שאתה נגלית בו משחק כאחד הרקים וההדיוטין: **לעיני אמהות עבדיו.** אין צריך לומר לפני נשי עבדיך אלא אפילו לעיני אמהות עבדיך נתבזית היום: **כהגלות נגלות.** שניהם ממקור מבנין נפעל האחד שלם כמו השלמים נִשְׁאֹל נִשְׁאַל דוד (לעיל־א כ, כח) והאחד חסר נו״ן נפעל כמנהג, וכפל פעמים המקור לרוב התגלותו בשחוק, ובדרש (במדבר רבה ד, כ) אמרה לו של בית אבא היתה מלכות נאה משלך, חלילה להם אם נראה לאחד מהם פסת יד או פסת רגל מגולה כולהון היו מכובדין ממך, מה אמר לה דוד לִפְנֵי ה׳ אֲשֶׁר בָּחַר בִּי מֵאָבִיךְ (פסוק כא), אמר לה של בית אביך היו מניחין כבוד שמים ומתעסקין בכבוד עצמן אבל אני מניח כבוד עצמי ומתעסק בכבוד קוני, ומן האמהות אשר אמרת חס ושלום מן האמהות את נקראת אין את נקראת מן האמהות, ויונתן תרגם כְּמָה דְחָלִיץ וּמִתְגְּלֵי דומה כי יחף היה הולך ומשחק כדברי הדרש: **(כא) לפני ה׳.** מה שרקדתי וכרכרתי לפני ה׳ עשיתי לפי שכבדני ובחר בי מאביך וראוי לו שאקל עצמי לכבודו: **ושחקתי לפני ה׳.** מלרע לפי שהוא עתיד, כלומר עוד יותר ממה שעשיתי אעשה ואשחק לפניו, וזה שאמר וּנְקַלֹּתִי עוֹד מִזֹּאת (פסוק כב) יותר מזאת השמחה והרקידה שעשיתי יותר אעשה לבזות עצמי ולהקל: **(כב) והייתי שפל בעיני.** לפניו לכל דבר ואין זה קלון אלא כבוד: **עמם אכבדה.** בעיניהן אני נכבד במה שעשיתי כי אם אקל עצמי לכבוד האל אהיה נכבד בעיני הכל לא כמו בעיניך: **(כג) לא היה לה ולד.** למדינחאי כתיב ולד בוי״ו וקרי ילד ביו״ד ולמערבאי כתיב ילד ביו״ד וקרי בוי״ו ולד, ופירשו רז״ל מהיום ההוא ואילך לא היה לה לעונש מה שאמרה אבל לפני היום הזה היה לה כמו שכתוב יִתְרְעָם לְעֶגְלָה אֵשֶׁת דָּוִד (לעיל ג, ה) ואמרו (סנהדרין כא, א) עגלה זו מיכל:

מצודת דוד

(יט) לכל העם. הבאים עם הארון: **לאיש.** רצה לומר, לכל אחד, בין איש ובין אשה: **(כ) וישב דוד.** לאחר שחלק לכל העם וגו׳, אחר הברכה שברכם בשם ה׳, שב לברך גם אנשי ביתו: **מה נכבד.** מה מאד נעשית היום מכובד בעיני כל, ובדרך לעג אמרה כן, כאלו אמרה מאוד נעשית מבוזה בעיני כל: **אשר נגלה היום.** על אשר בהכרכר היה נגלה מה מבשר הגוף, ואמהות עבדיו רואות, וכדרך הרקים שאינם חוששים לכסות בשר גופן לבל יראה: **(כא) לפני ה׳.** רצה לומר, הלא כרכורי היה לפני ה׳ וגו׳, וכבוד המלכים כאין נגדו: **ושחקתי.** ובעבור זה שחקתי לפניו: **(כב) ונקלותי עוד מזאת.** ואם הייתי עושה מעשה קלות עוד יותר ממה שעשיתי: **והייתי.** ואם הייתי שפל בעיני להקל מאוד בכבודי, ואפילו לפני האמהות אשר אמרת: **עמם אכבדה.** עם מעשים כאלה הייתי עוד מכובד ולא מבוזה, הואיל ועשויים לכבוד הארון: **(כג) לא היה לה ילד.** בעון שבזתה את דוד על שהקל בכבודו לפני ארון האלהים:

מצודת ציון

אשר נטה. אשר פרש: **(יט) המון.** עם רב: **חלת.** לחם השלם תקרא חלה: **ואשפר.** רוצה לומר מנה יפה בשר, והוא מלשון (בראשית מט, כא), הנותן אמרי שפר: **ואשישה.** שם כלי ישימו בה היין, כמו (שיר השירים ב, ה), סמכוני באשישות. ורוצה לומר הכלי עם היין: **(כ) אמהות.** שפחות: **הרקים.** אנשים הרקים מכל מעלה: **(כא) נגיד.** שליט ומושל: **ושחקתי.** ושמחתי: **(כב) ונקלותי.** מלשון קלות:

18. When Moses and Aaron blessed the people, they did not describe God as *Master of Legions.* Why did David do so? This is the Name that was used (v. 2) to describe God's immanent Presence above the Ark. Therefore, when the nation honored the Ark by escorting it with such great joy, David invoked this Name to bless them (*Mahari Kara*).

David had pitched for it; and David brought up elevation-offerings before HASHEM, and peace-offerings. [18]*When David had finished bringing up the elevation-offering and the peace-offerings, he blessed the people with the Name of HASHEM, Master of Legions.* [19]*He distributed to all the people — to the entire multitude of Israel, man and woman alike — to each person: one loaf of bread, one generous portion of beef and one container of wine. Then all the people left, everyone to his home.*

Michal's contempt and David's rebuke

[20]*David returned to bless his household. Michal daughter of Saul went out to meet David and said, "How honored was the king of Israel today, who was exposed today in the presence of his servants' maidservants, as one of the boors would be exposed!"*

[21]*David answered Michal, "In the presence of HASHEM, Who chose me over your father and over his entire house to appoint me as ruler over the people of HASHEM, over Israel — before HASHEM I shall rejoice!* [22]*And I shall behave even more humbly than this, and I shall be lowly in my eyes; and among the maidservants of whom you spoke — among them will I be honored!"*

[23]*Michal daughter of Saul had no child until the day of her death.*

20-24. Michal confronts David. There was a sharp dispute between David and Michal regarding the proper role of a Jewish king and how he should glorify God.

20. David had been away from home to organize, supervise and participate in the procession. Now he *blessed,* i.e., greeted, his family (*Radak*). Rather than soak up the honors that awaited him from his courtiers and admirers after he had shepherded the large and hugely successful procession, David went to his family. This is another illustration of David's righteousness and humility (*Malbim*).

מַה־נִּכְבַּד הַיּוֹם — *"How honored was the king of Israel today."* Michal was bitterly sarcastic. She felt that David's acrobatic dancing was an affront to the royalty, especially since his stren-uous dancing caused his legs to be *exposed* in the presence of the *maidservants* who followed the procession. She contended that a king must set an example of dignity, for he has no right to waive the honor that is due him (*Kesubos* 17a). According to the Midrash, she complained, "Royalty in my father's house was more refined than in yours! Heaven forbid if a hand or foot of anyone in the royal household would ever be exposed there! All of them were more respectable than you!" (*Radak; Ralbag*).

21. According to the above Midrash, David answered, "The people of your father's house put their own honor ahead of God's honor, but I set aside my own honor and concern myself with the glory of God." In David's conception of royalty, a king's mission was to bring honor to God by serving Him and setting an example for the people. Saul, on the other hand, felt that a king had to be a symbol of dignified behavior, as exemplified when, after hearing from Samuel that he would lose the throne, Saul asked Samuel to honor him before the people (*I Samuel* 15:30). David said that the proof he was right is that God chose him over Saul to be king. To the humble David, this was not a choice of him as a person — because Saul was a *tzaddik* of historic proportion — but an indication that his mode of service was preferable to Saul's.

According to *Alshich,* Michal argued that even if the leaders and scholars understood David's behavior to be a sanctification of God's Name, surely the simple *maidservants* would take it to be frivolous. David responded that a king should not let his conduct be guided by the opinions of the masses. Saul had deferred to the public when he allowed the people to take the animals of Amalek — and it cost him his throne!

Rambam writes that David's conduct is the model of Divine service, which must be done with great joy. On the contrary, those whose dignity does not permit them to show their joy are sinful and foolish (*Hilchos Lulav* 8:15). David's ecstacy transcended logic; his acceptance of the yoke of God's service made him oblivious to criticism. Michal, on the other hand, could not accept such behavior. She was a woman whose righteousness was of monumental proportions (see *Eruvin* 96a), but she patterned her service after that of Saul (*Sichos Kodesh*).

לִפְנֵי ה' — *In the presence of HASHEM.* "If I had acted in a lowly manner in my dealings with another person, then your complaint would be justified. But it was *in the presence of HASHEM* that I acted this way." In God's eyes, royal titles are meaningless, for all human beings are equal before Him (*Abarbanel*).

22. וְעִם־הָאֲמָהוֹת . . . עִמָּם אִכָּבֵדָה — *And among the maidservants . . . among them will I be honored.* The maidservants of whom you have spoken so contemptuously understand and appreciate the sincerity of my humbleness before HASHEM and respect me for it. Rather than look down on me for lowering myself before God, they honor me for it (*Radak*).

The Midrash expounds that David said to her, "You call them אֲמָהוֹת, *maidservants,* I [punctuate the word differently and] call them **אִמָּהוֹת**, *mothers,* because they will bring generations of God's servants into the world." According to the Midrashic interpretation, the next verse is understood in this context: the maidservants would be future mothers, but Michal would not.

23. Michal had a son, Ithream, before this (see above, 3:5, and commentary there). The verse means to say that *from that day on,* as a punishment for her haughtiness before HASHEM and

ז א מוֹתָהּ: וַיְהִי כִּי־יָשַׁב הַמֶּלֶךְ בְּבֵיתוֹ וַיהוָה הֵנִיחַ־לוֹ מִסָּבִיב מִכָּל־ ב אֹיְבָיו: וַיֹּאמֶר הַמֶּלֶךְ אֶל־נָתָן הַנָּבִיא רְאֵה נָא אָנֹכִי יוֹשֵׁב בְּבֵית אֲרָזִים וַאֲרוֹן ג הָאֱלֹהִים יֹשֵׁב בְּתוֹךְ הַיְרִיעָה: וַיֹּאמֶר נָתָן אֶל־הַמֶּלֶךְ כֹּל אֲשֶׁר בִּלְבָבְךָ לֵךְ עֲשֵׂה ד כִּי יהוָה עִמָּךְ: וַיְהִי בַּלַּיְלָה הַהוּא וַיְהִי דְּבַר־ ה יהוָה אֶל־נָתָן לֵאמֹר: לֵךְ וְאָמַרְתָּ אֶל־עַבְדִּי אֶל־דָּוִד כֹּה אָמַר יהוָה הַאַתָּה ו תִּבְנֶה־לִּי בַיִת לְשִׁבְתִּי: כִּי לֹא יָשַׁבְתִּי בְּבַיִת לְמִיּוֹם הַעֲלֹתִי אֶת־בְּנֵי יִשְׂרָאֵל

רש"י

(א) וה' הניח לו. אמר, הרי נתקיים (דברים יב, י), והניח לכם מכל אויביכם וגו', מה כתיב אחריו, והיה המקום אשר יבחר וגו', מעתה עלינו לבנות בית הבחירה: **(ד) ויהי בלילה ההוא.** אמר רבי חנינא בר פפא, אמר לו הקב"ה לנתן, האדם הזה שאני משלחך אצלו, מהיר הוא, שמא ישכור פועלים ונמלאתי מפסידו, מהר ואמור לו, לא אתה תבנה הבית. רבי סימון אומר, האדם הזה שאני משלחך אצלו, נדרן הוא, כענין שנאמר (תהלים קלב ב, ג), אשר נשבע לה' נדר לאביר יעקב אם אבא באהל ביתי, שמא יאמר איני אוכל ואיני שותה עד שאעשה כך, ונמלאתי מפסידו (ילקוט שמעוני רמז קמג):

רד"ק

עד יום מותה. בחולם וּכְעֵת מוּתָהּ (לעיל־א ד, כ) בשורק, פירוש עַד כמו עַד אֲשֶׁר אִם עָשִׂיתִי אֵת אֲשֶׁר דִּבַּרְתִּי לָךְ (בראשית כח, טו), ובדרש (סנהדרין שם) אבל ביום המיתה היה לה, ואמרו (מדרש שמואל יא, ג) כי שלשה נשים מתו חיות רחל וכלתו של עלי ומיכל בת שאול: **(א) כי ישב המלך בביתו.** שלא היה צריך לצאת למלחמה כמו שאמר וה' הֵנִיחַ לוֹ, אז חשב לבנות בית המקדש כי מצוה היה על ישראל לבנות בית המקדש אחר שינוחו מן המלחמות שנאמר וְהֵנִיחַ לָכֶם מִכָּל אֹיְבֵיכֶם מִסָּבִיב וגו' וְהָיָה הַמָּקוֹם אֲשֶׁר יִבְחַר וגו' לְשִׁכְנוֹ תִדְרְשׁוּ (דברים יב), ועל המלך מוטל לעשות ולצוות את ישראל לעשות, לפיכך וַיֹּאמֶר הַמֶּלֶךְ אֶל נָתָן הַנָּבִיא (פסוק ב) כלומר שישאל את פי ה' על בנין הבית ובאיזה מקום יבנה, ואף על פי שהיו לו מלחמות אחר כן כמו שאמר וַיְהִי אַחֲרֵי כֵן וַיַּךְ דָּוִד אֶת פְּלִשְׁתִּים (לקמן ח, א) עד עתה היו באים עליו אויביו, וכיון שהצליחו האל ונצח כל אויביו וייראו אויביו ממנו ולא באו עליו, אבל הוא הלך עליהם ולקח גת מיד פלשתים שהיתה לישראל כבר ועם ארם ועם אדום ועם בני עמון נלחם בטענה: **(ב) בבית ארזים.** בבית מקורה בעצי ארזים וכן תרגם יונתן בְּבֵיתָא דִי מְטַלֵּל בְּכִיוּרֵי אַרְזַיָא: **ישב בתוך היריעה.** לא היה דעתו על הארון הזה לבדו אלא גם על המזבח ועל הארון (האחד) [האחר] ועל כלי המשכן שהיו בגבעון באהל מועד כי הכל יושב בתוך היריעה, וזכר הארון לפי שהוא נטה לו היריעה ועוד שהוא עיקר הכל ונכבד מכל כלי המשכן, ואמר לעצמי בניתי בית ארזים ולארון ה' נטיתי יריעה לא יכשר וצריך שאבנה לו בית, ואמר לו נתן כֹּל אֲשֶׁר בִּלְבָבְךָ לֵךְ עֲשֵׂה (פסוק ג) ומדעתו אמר זה נתן כי ראה כִּי ה' עמו והיה מלך הגון וכשר, חשב כי הוא יבנה הבית שעתיד להבנות, וזה כי הנביא אינו יודע על אדם אחד אלא מה שנאמר לו ברוח הנבואה, כי גם שמואל הנביא שהיה גדול ממנו שנאמר עליו כֹּל אֲשֶׁר יְדַבֵּר בֹּא יָבֹא (לעיל־א ט, ו) ונאמר וְלֹא הִפִּיל מִכָּל דְּבָרָיו אָרְצָה (שם ג, יט) לא ידע בבני ישי מי יהיה המלך וחשב כי אליאב הוא המלך (שם טז, ו) כל שכן נתן הנביא: **(ד) ויהי בלילה ההוא.** אולי נבואתו היתה בחלום חזיון לילה כמו שנאמר באהרן בַּמַּרְאָה אֵלָיו אֶתְוַדָּע בַּחֲלוֹם אֲדַבֶּר בּוֹ (במדבר יב, ו) ונאמר ביעקב בְּמַרְאֹת הַלַּיְלָה (בראשית מו, ב), ובדרש (מדרש שמואל כו, א) למה בַּלַּיְלָה הַהוּא, אמר רבי סימון אמר הקב"ה לנתן, האיש הזה נדרן הוא כענין שנאמר אֲשֶׁר נִשְׁבַּע לַה' נָדַר לַאֲבִיר יַעֲקֹב אִם אָבֹא בְּאֹהֶל בֵּיתִי וגו' (תהלים קלב, ב־ג), שמא יאמר איני אוכל ואיני שותה עד שאבנה בית ה', מהר אמור לו לא אתה תבנה:

מצודת דוד

(א) בביתו. הראוי לו לפי מעלתו: **(ב) בבית ארזים.** כראוי לפי מעלתו: **בתוך היריעה.** הוא האהל האמור למעלה, ורצה לומר, וכי זהו הבית הראוי לארון אלהים: **(ג) כל אשר בלבבך.** כאומר אם חפצך לבנות בית לה', עשה חפצך: **(ה) האתה.** וכי אתה תבנה לי בית, בתמיה. ורצה לומר, דייך בכל הטובות שעשיתי כבר לך, וכאשר מסיים והולך במקראות שלאחריו: **(ו) כי לא ישבתי.** אשר לא ישבתי בבית למיום וגו', רצה לומר, הנה עד הנה לא ישבתי וגו', ואתה תבנה לי, בתמיה:

מצודת ציון

(א) הניח. מלשון מנוחה: **(ב) היריעה.** וילון:

before David, Michal had no more children. Another interpretation, mentioned in the Midrash, is that Michal bore no children in her lifetime; she had a son later and died in childbirth. Thus, she had no child *until* the day of her death — but not *including* that day (*Radak*).

⁂ The lesson of David's display of joy. It is axiomatic that if Scripture describes David's uninhibited dancing, it must have significance for every Jew. Indeed, *Rambam* cites it as proof that the expression of joyous abandon in the performance of God's commandment is itself a great mitzvah, and anyone who fails to feel and show such joy in order to maintain his "dignity" is worthy of punishment (*Hilchos Lulav* 8:15). Michal was a great and righteous woman (*Eruvin* 96a), whose criticism of David was an expression of her philosophy of Divine service, which followed her father's, that it must be done with dignity. David's service, however, was one of total acceptance of the yoke of Heaven, regardless of what onlookers might feel (*Sichos Kodesh*).

7.

⁂ David wishes to build the Holy Temple, but is refused. King David was ready for what he expected to be his most lasting contribution to God and Israel: the construction of the permanent home for the *Shechinah,* God's Presence among His people. That he should do so seemed elementary to both David and the prophet Nathan, but God ruled otherwise.

The pre-conditions needed in order for the Temple to be built are described in *Deuteronomy* 12:10-11: *When you cross the Jordan and settle in the land... and He will give you respite from all your enemies all around, and you will dwell securely, it shall be that the place where* HASHEM, *your God, will choose to rest His Name — there shall you bring* [the offerings that God commands]. Now that David and his people were "settled" and his enemies were conquered, David thought that the time had come to learn precisely where the Temple should be, and then to build it (*Rashi, Radak*; see also *Sanhedrin* 20b).

Although David still had many wars ahead of him, *Eretz Yisrael* would no longer be under attack during his reign. When he deemed it necessary, he would decide to attack his hostile neighbors, but such wars were always undertaken at his own instigation. Therefore he regarded the situation as one of *respite from all your enemies* (*Radak*).

7 *David longs to build the Holy Temple*

[1] *It happened after the king was settled into his home and HASHEM had given him respite from his enemies all around, [2] that the king said to Nathan the prophet, "See now, I am dwelling in a house of cedar while the Ark of God dwells within the curtain!"*

[3] Nathan said to the king, "Whatever is in your heart go and do, for HASHEM is with you."

God does not request a Temple

[4] It happened that night that the word of HASHEM came to Nathan, saying, [5] "Go and say to My servant, to David: 'Thus said HASHEM: Will you build Me a house for My dwelling?' [6] For I have not dwelt in a house from the day I brought the Children of Israel

2. אָנֹכִי יוֹשֵׁב בְּבֵית אֲרָזִים — *I am dwelling in a house of cedar . . .*, and it is improper and disrespectful for me to live in comfort while God's Ark is in a tent. David spoke specifically about the Ark, because he had brought it to a tent in Jerusalem, but his remarks referred equally to the Altar and the rest of the Tabernacle, which were in Gibeon (*Radak*).

3. Nathan answered without asking God; to him, too, it seemed obvious that David was right. A prophet is infallible only when God reveals the truth to him; otherwise, like anyone else who has excellent judgment, he can be wrong. Just as Nathan erred here, so Samuel erred when he met Jesse's children and thought that the older ones were perfectly qualified to be king (*Radak*).

כִּי ה' עִמָּךְ — *For HASHEM is with you*, i.e., you have רוּחַ הַקּוֹדֶשׁ, *Divine inspiration*. In effect Nathan was saying that he had not had a revelation regarding David's request, but since David had Divine inspiration, it was reasonable to assume that his request was inspired by God (*Abarbanel*).

4-17. God rejects David's plan. David will not build the Temple, but God will protect him and make him successful and enable him to establish an eternal dynasty. He will not build the Temple, but his son will.

This prophecy does not say why God rejected David's plan. The commentators discuss several possible explanations. The first reason is found In *I Chronicles* (22:7-8), where David charged Solomon with the responsibility to build the Temple. There, David explained that he had been forbidden to build the Temple because he was a man of war who had shed much blood. This will be discussed below. There are several explanations of why wars — which David conducted only with pure motives — should have disqualified him. Among them are the following:

Among the casualties of David's many just wars, there were innocent people who were killed either at his orders or because they were caught between the warring armies (*Radak*).

The wars themselves, not the casualties, disqualified David. As a man of war, David symbolized strict justice, but the Temple, as the source of repentance and forgiveness, was to represent God's attribute of mercy (*Ramban*).

As noted above, the Temple could not be built until there was peace (*Abarbanel*).

The Temple was to symbolize מְנוּחָה, *a resting place* or *tranquility* (see *Deuteronomy* 12:9), the antithesis of war (*Vilna Gaon*).

The Midrash (*Yalkut Shimoni* 145) offers an entirely different interpretation of why he was refused permission. David was shocked when he heard that he was disqualified because of bloodshed, as if to say that he was a murderer. God reassured him that his motives had been pure; the blood that had been shed was *before Me,* meaning that it was like the blood of offerings on the Altar.

"Why, then, can I not build it?" asked David. God responded that He knew that Israel would sin and be deserving of severe punishment. If David were to build the Temple, its holiness would be so great — because of David's own lofty spiritual level — that it could never be destroyed. If so, the Jewish people would have to suffer destruction (as explained below)! Therefore, the Temple would be built by someone else, so that the eventual punishment would be the destruction of the Temple, but the Jewish people would survive.

The point of the Midrash is, when God gives people a sacred tool with which to serve Him — in this case, the Temple — they must be worthy of it. If they desecrate it by spurning their responsibility to serve God, either the tool or the desecrator must be removed. If the Temple were too holy to be harmed, all God's wrath would be poured out on the people! David's devotion to Israel was so great that he would never permit them to be destroyed. He was happy, therefore, to forgo the privilege of building the Temple rather than have its indestructability cause suffering to his people, even if they were to sin (*Michtav MeEliyahu*).

A second reason why he could not build the Temple is given in verses 6-7, and a third reason in verse 11.

4. וַיְהִי בַּלַּיְלָה הַהוּא — *It happened that night*. God's word came to Nathan without delay, that very night. Knowing that David was quick and efficient, God said, "If I delay, he will hire workers and begin arrangements for the Temple immediately, and then he will suffer a loss when I tell him that he must not build it. Or he may even make a vow that he will not eat or sleep until the work is under way." Therefore God appeared to Nathan the same night (*Rashi*, from *Midrash*).

5. הַאַתָּה תִּבְנֶה־לִּי בַיִת לְשִׁבְתִּי — *Will you build Me a house for My dwelling*? You, David, are not the proper person to build a Temple for God.

6-7. The second reason for the rejection of David's plan: The time has not yet come to build the Temple; the situation now is not appreciably different from what it had been since the Exodus, when God did not ask that a Temple be built. For four hundred years, God preferred that the Ark, representing His Presence, be housed in a curtained structure (*Abarbanel*).

Ramban (*Numbers* 16:21), however, interprets this passage

ז מִמִּצְרַיִם וְעַד הַיּוֹם הַזֶּה וָאֶהְיֶה מִתְהַלֵּךְ בְּאֹהֶל וּבְמִשְׁכָּן: בְּכֹל אֲשֶׁר־הִתְהַלַּכְתִּי בְּכָל־בְּנֵי יִשְׂרָאֵל הֲדָבָר דִּבַּרְתִּי אֶת־אַחַד שִׁבְטֵי יִשְׂרָאֵל אֲשֶׁר צִוִּיתִי לִרְעוֹת
ח אֶת־עַמִּי אֶת־יִשְׂרָאֵל לֵאמֹר לָמָּה לֹא־בְנִיתֶם לִי בֵּית אֲרָזִים: וְעַתָּה כֹּה־תֹאמַר לְעַבְדִּי לְדָוִד כֹּה אָמַר יהוה צְבָאוֹת אֲנִי לְקַחְתִּיךָ מִן־הַנָּוֶה מֵאַחַר הַצֹּאן
ט לִהְיוֹת נָגִיד עַל־עַמִּי עַל־יִשְׂרָאֵל: וָאֶהְיֶה עִמְּךָ בְּכֹל אֲשֶׁר הָלַכְתָּ וָאַכְרִתָה
י אֶת־כָּל־אֹיְבֶיךָ מִפָּנֶיךָ וְעָשִׂתִי לְךָ שֵׁם גָּדוֹל כְּשֵׁם הַגְּדֹלִים אֲשֶׁר בָּאָרֶץ: וְשַׂמְתִּי מָקוֹם לְעַמִּי לְיִשְׂרָאֵל וּנְטַעְתִּיו וְשָׁכַן תַּחְתָּיו וְלֹא יִרְגַּז עוֹד וְלֹא־יֹסִיפוּ בְנֵי־
יא עַוְלָה לְעַנּוֹתוֹ כַּאֲשֶׁר בָּרִאשׁוֹנָה: וּלְמִן־הַיּוֹם אֲשֶׁר צִוִּיתִי שֹׁפְטִים עַל־עַמִּי יִשְׂרָאֵל וַהֲנִיחֹתִי לְךָ מִכָּל־אֹיְבֶיךָ וְהִגִּיד לְךָ יהוה כִּי־בַיִת יַעֲשֶׂה־לְּךָ יהוה:
יב כִּי ׀ יִמְלְאוּ יָמֶיךָ וְשָׁכַבְתָּ אֶת־אֲבֹתֶיךָ וַהֲקִימֹתִי אֶת־זַרְעֲךָ אַחֲרֶיךָ אֲשֶׁר יֵצֵא

רש״י

(ו) **באהל ובמשכן.** משכן שילה לא היתה בו תקרה, אלא בית של אבנים מלמטן, ויריעות מלמעלן: (ז) **הדבר דברתי.** לשון תמיה הוא, לכך הוא נקוד ה״א חטף פת״ח, והדל״ת רפי: (ח) **מן הנוה.** דיר הרועים, כמו (צפניה ב, ו), נות כרות רועים: (ט) **כשם הגדולים.** זהו שאומרים מגן דוד. **ואכריתה את כל איביך.** ולכך עלה על לבך לבנות הבית, כמה שכתוב בתורה: (י) **ושמתי מקום.** עוד אני חפץ להשקיט, שיהא שקט ושליו את עמי בימי בנך: (יא) **ולמן היום אשר צויתי.** מחובר על העליון, ולא יוסיפו לענותו כאשר בראשונה קודם השופטים, וכאשר עשו מימי השופטים עד כאן: **והניחותי לך.** יותר ויותר, עד שתנוח מכל אויביך: **והגיד לך ה׳.** היום על ידי, כי בית יעשה לך להושיב בנך על כסאך, ויתקיים לך בית המלכות, והוא יבנה הבית:

רד״ק

(ז) **את אחד שבטי ישראל.** שופטי ישראל ומלכם, כמו לֹא יָסוּר שֵׁבֶט מִיהוּדָה (בראשית מט, י) כמו שאמר אֲשֶׁר צִוִּיתִי לִרְעוֹת אֶת עַמִּי אֶת יִשְׂרָאֵל (פסוק ז) והשופט או המלך הוא הרועה, וכן במקומו בדברי הימים (־א יז, ו) אֶת אַחַד שֹׁפְטֵי יִשְׂרָאֵל: (ח) **מן הנוה.** גדרות צאן נקרא נוה, כמו שנאמר נְוֹת כְּרֹת רֹעִים וְגִדְרוֹת צֹאן (צפניה ב, ו), וכן תרגם יונתן מִן דִירָא כמו שנאמר במשנה (בבא קמא נה, ב) הכונס צאן לדיר: (ט) **כשם הגדלים.** המלכים הגדולים כמו שנאמר וַיֵּצֵא שֵׁם דָּוִיד בְּכָל הָאֲרָצוֹת (דברי הימים־א יד, יז), ורז״ל דרשו (פסחים קיז, ב) זה (ה)אומרים מגן דוד כמו שאומרים מגן אברהם: (י) **ושמתי מקום.** והרי כבר נתן להם מקום ובארץ ישראל היו, אלא פירושו כתרגומו וְאַשְׁוֵי אֲתַר מְתַקַּן כלומר שיהיה מקומם נכון וטוב, השמים יתנו טלם והארץ תתן יבולה ותהיה ארץ ברכה, וכן וּנְטַעְתִּיו כתרגומו וַאֲקַיְמִינוּן כלומר מה ששכנתי אותם בארץ יהיו נטועין בה שלא יגלו ממנה, כמו שאומר לעתיד וּנְטַעְתִּים עַל אַדְמָתָם (עמוס ט, טו) כמו שהנטע קיים בארץ במקומו, וכן פירש אחריו וְשָׁכַן תַּחְתָּיו, כלומר במקומו, כמו שְׁבוּ אִישׁ תַּחְתָּיו (שמות טז, כט): **ולא ירגז עוד.** שלא יגלה ממקומו, כמו שתרגם יונתן וְלָא יִזוּעוּן עוֹד, כי הרוגז הפך המנוחה כמו וְלֹא נַחְתִּי וַיָּבֹא רֹגֶז (איוב ג, כה) מוֹסְדוֹת הַשָּׁמַיִם יִרְגָּזוּ (לקמן כב, ח): **לענותו.** ובדברי הימים (־א יז, ט) לְבַלֹּתוֹ (לְבַלֹּתוֹ) והענין אחד ובדברי רז״ל (ברכות ז, ב) כתוב לְעַנּוֹתוֹ וכתוב לְבַלֹּתוֹ, בתחילה לענותו ולבסוף לכלותו כי הם פירשו וְשַׂמְתִּי מָקוֹם לְעַמִּי על בית המקדש, וכן אמר בדרש (תנחומא תרומה ט) אמר רבי שמואל בן רבי יצחק משיבנה בית המקדש ינתנו יסודות לעולם שנאמר וְשַׂמְתִּי מָקוֹם לְעַמִּי לְיִשְׂרָאֵל וּנְטַעְתִּיו וגו׳, ואמר בתחלה כשנבנה בית המקדש אמר שלא יענה אותם אויב ולבסוף כשחטאו משנבנה בית המקדש אמר שלא יכלה אותם מכל וכל אבל אויב לענוש חטאתם: **כאשר בראשונה.** טרם שהקמותי להם שופטים, ואף מן היום אשר צויתי עליהם שופטים היו מענים אותם בני עולה, אבל מעתה משבאת המלוכה עליהם לא יוסיפו בני עולה לענותם והניחותי לך מכל אויביך: **(יא) כי בית יעשה לך ה׳.** בית מלכות, וכן תרגם יונתן אֲרֵי בֵּית מַלְכוּ יְקַיֵּים לָךְ ה׳: **(יב) כי ימלאו.** אינו לשון ברכה אלא פירושו כאשר ימלאו ימיך ותשכב את אבותיך אקיים את זרעך אחריך, ויתכן לפרשו לשון ברכה בשרו שימות זקן מלא ימים והם חיי האדם הארוכים ברוב שהם שבעים שנה כמו שכתוב יְמֵי שְׁנוֹתֵינוּ בָהֶם שִׁבְעִים שָׁנָה (תהלים צ, י), ודוד חיה שבעים שנה כמו שכתוב כי בן שלשים שנה היה במלכו וארבעים שנה מלך (לעיל ה, ד) וכן פירש אֶת מִסְפַּר יָמֶיךָ אֲמַלֵּא (שמות כג, כו) כמו שכתבנו בפסוק אוֹ יוֹמוֹ יָבוֹא וָמֵת (לעיל־א כו, י), ובדרש (ירושלמי ברכות ב, א) כִּי יִמְלְאוּ יָמֶיךָ ימים שלמים אני מונה לך ולא ימים חסרים:

מצודת דוד

(ז) **בכל אשר התהלכתי.** בכל המקומות אשר התהלכתי וגו׳, וכי דברתי להמיוחד שבהם הוא השופט אשר הוקם לרעות את עמי, וכי דברתי לו למה לא תבנו לי בית במקום הזה ולא אשב עוד באהל, ואם כן מזה דע לך שבנין הבית שמור הוא למי שיבנהו, ולא כל הרוצה לבנות יבוא ויבנה, שאם היה לכל מסור, הייתי מצוה עליו מאז: (ח) **ועתה.** רצה לומר, הואיל ודבר גדול הוא, אמור לדוד עבדי, הלא הרבה טובה עשיתי עמך, כי לקחתיך מן הנוה וגו׳: (ט) **שם גדול.** להתפרסם בכל העולם, ככל הגדולים אשר מעולם אנשי השם. ורבותינו ז״ל אמרו (פסחים קיז, ב), שזהו מה שאומרים מגן דוד: (י) **ושמתי מקום.** בימיך שמתי מקום מנוח וקבוע לעמי ישראל, ונטעתיו על אדמתו ושכן במקומו: **ולא ירגז.** לא יחרד עוד לנוע ממנה: **כאשר בראשונה.** רצה לומר, טרם הקמת השופטים: (יא) **ולמן היום.** מוסב למקרא של מעלה, לומר, לא יענו עוד בימיך את ישראל, כאשר ענו בראשונה עד לא הוקמו השופטים ובזמן השופטים: **והניחותי לך.** כי אניח לך מכל אויביך: **והגיד לך ה׳.** עוד זאת עשה עמך ה׳, שהגיד לך שיעשה לך בית, רוצה לומר, בית מלכות לך ולזרעך אחריך, וכאשר אמרה אביגיל (שמואל־א כה, כח), כי עשה וגו׳ בית נאמן, ואם כן מה מאוד היטב עמך, ודי לך באלה אף אם לא תבנה הבית: (יב) **כי ימלאו ימיך.** אלא כאשר ימלאו ימיך וגו׳:

מצודת ציון

(ח) **הנוה.** גדרות הצאן, כמו (ישעיהו סה, י), והיה השרון לנוה צאן: (י) **ירגז.** ענין תנועה ממקום המונח, וכן (שמואל־א כח, טו), למה הרגזתני: **לענותו.** מלשון עינוי:

---

as an expression of praise of David and disappointment with his predecessors. It was commendable that David wished to build the Temple, but he could not do so because, as noted above, he was a warrior. If the nation as a whole had understood that they should erect a Temple, it would then have been a *national* project, not that of a warrior king, and as such it could even have been built under his leadership. But the Jewish people had been content for centuries to go about their

up from Egypt to this day; I have moved about in a tent and a Tabernacle. [7]*Wherever I moved about among all the Children of Israel, did I say a word to one of the leaders of Israel, whom I have appointed to shepherd My people Israel, saying, 'Why have you not built Me a house of cedar?'* [8]*And now, so shall you say to My servant, to David: 'Thus said* HASHEM*, Master of Legions: I have taken you from the sheepfold, from following the flocks, to become ruler over My people, over Israel.* [9]*I was with you wherever you went — I cut down all your enemies before you and I gave you great renown, like the renown of the great men of the world.* [10]*I shall yet establish a place for My people, for Israel; I shall plant it there and it shall dwell in its place so that it shall be disturbed no more; iniquitous people will no longer afflict it as in early times,* [11]*and also from the day that I appointed judges over My people Israel — and I shall give you respite from all your enemies. And* HASHEM *informs you that* HASHEM *will establish a dynasty for you.* [12]*When your days are complete and you lie with your forefathers, I shall raise up after you your offspring who will issue*

God will establish David's dynasty, and his son will build the Temple

affairs, unconcerned with where the Ark sojourned. Therefore, although David himself could not be the builder of the Temple, his son would do so, and David would have the merit of preparating for its construction.

7. שִׁבְטֵי יִשְׂרָאֵל — *The leaders of Israel.* This phrase usually means *tribes of Israel*, but the consensus is that the context of our verse refers to leaders, as in שֵׁבֶט, *scepter of royalty*, or *dominion* (*Genesis* 49:10).

8-17. With several variations, *Rashi, Mahari Kara* and *Radak* explain this passage as follows: God took David from his lowly occupation as a shepherd, where he was exposed to the elements and suffered from the cold in winter and the heat in summer, and made him ruler of the Chosen People. Until his time, Israel was never completely secure. Regularly, its borders were violated and it suffered from its hostile neighbors. [This precarious condition was symbolized by the temporary nature of the Tabernacle, which did not have a permanent roof (*Malbim*).] David would reverse this condition. He would subdue Israel's enemies and bring security to the land. Then his successor, Solomon, would preside over a prosperous, tranquil people. That would be the time and he would be the one to build the Temple.

According to *Abarbanel*, verses 8-9 explain why David was not the right person to build the Temple. The relationship between God and David was that of the Benefactor Who raised David from a lowly status and catapulted him to the throne. Though David wished to show his gratitude, it would have been unseemly for him to become the benefactor of God, as it were, by being the one to build the Temple. These verses set forth God's kindnesses to David, which explain why it is not proper for him to build the Temple.

Malbim has a different interpretation. Two conditions were required before the Temple could be built: The first was that the builder had to be a ruler whose position was permanent, not a judge or a king like Saul, whose rule did not go over to his children. Once David was succeeded by his son, there would be an enduring dynasty, and Solomon could therefore build the Temple. The second condition is addressed in verses 10-11.

9. כְּשֵׁם הַגְּדֹלִים אֲשֶׁר בָּאָרֶץ — *Like the renown of the great men of the world.* David's reputation rivaled that of the great emperors of the world (*Radak*), of all time (*Abarbanel*).

The Sages (*Pesachim* 117b) comment that David's *renown* is reflected in the blessing מָגֵן דָּוִד, *the Shield of David*, which is recited after the reading of the *haftarah*. *Abarbanel* adds that the construction of the above blessing, *Shield of David*, is identical to that of *Shield of Abraham*, in the first blessing of *Shemoneh Esrei*. The implication is that David's spiritual level is comparable to that of the Patriarchs.

10-11. This passage gives the reason why the time had not yet come for the Temple to be built.

10. וְשַׂמְתִּי מָקוֹם לְעַמִּי — *I shall yet establish a place for My people.* The Torah (*Deuteronomy* 12:10-11) states that the Temple would be built when [God] *will give you respite from all your enemies all around, and you will dwell securely* (*Deuteronomy* 12:10-11), i.e., there had to be complete peace. True, David would conquer all his enemies, but there would be wars until the end of his reign. His victories prepared the way for Solomon, whose reign was peaceful and secure — the second condition presented by Malbim. (*Abarbanel*; *Malbim*).

11. וּלְמִן־הַיּוֹם אֲשֶׁר צִוִּיתִי שֹׁפְטִים — *And also from the day that I appointed judges.* This phrase is connected to the end of the previous verse: *Iniquitous people will no longer afflict it as in early times* and also during the period of the judges.

A third reason. At the end of his life, David informed Solomon that God had said, *You have shed much blood and waged great wars; you shall not build a house for My Name for you have shed much blood on the ground before Me* (*I Chronicles* 22:8). See above, the introduction to verse 4-17 for several explanations of this verse.

A second part of the prophecy. Having told David that he himself could not build the Temple, God now revealed that that privilege would belong to his son and heir.

When God is ready to bring good fortune to a person, his soul senses it and longs to be a "receptacle" for the blessing. Thus, Nathan told David that his desire to build the Temple was an indication that God was setting the stage for its ultimate construction. Just as David was ready to elevate himself to serve God, God was preparing to bring His Presence down to Israel, by means of the Temple (*Beis Yaakov*).

יג מִמֵּעֶיךָ וַהֲכִינֹתִי אֶת־מַמְלַכְתּוֹ׃ הוּא יִבְנֶה־בַּיִת לִשְׁמִי וְכֹנַנְתִּי אֶת־כִּסֵּא מַמְלַכְתּוֹ
יד עַד־עוֹלָם׃ אֲנִי אֶהְיֶה־לּוֹ לְאָב וְהוּא יִהְיֶה־לִּי לְבֵן אֲשֶׁר בְּהַעֲוֺתוֹ וְהֹכַחְתִּיו בְּשֵׁבֶט
טו אֲנָשִׁים וּבְנִגְעֵי בְּנֵי אָדָם׃ וְחַסְדִּי לֹא־יָסוּר מִמֶּנּוּ כַּאֲשֶׁר הֲסִרֹתִי מֵעִם שָׁאוּל אֲשֶׁר
טז הֲסִרֹתִי מִלְּפָנֶיךָ׃ וְנֶאְמַן בֵּיתְךָ וּמַמְלַכְתְּךָ עַד־עוֹלָם לְפָנֶיךָ כִּסְאֲךָ יִהְיֶה נָכוֹן עַד־
יז עוֹלָם׃ כְּכֹל הַדְּבָרִים הָאֵלֶּה וּכְכֹל הַחִזָּיוֹן הַזֶּה כֵּן דִּבֶּר נָתָן אֶל־דָּוִד׃
יח וַיָּבֹא הַמֶּלֶךְ דָּוִד וַיֵּשֶׁב לִפְנֵי יהוה וַיֹּאמֶר מִי אָנֹכִי אֲדֹנָי יֱהוִה וּמִי בֵיתִי כִּי
יט הֲבִיאֹתַנִי עַד־הֲלֹם׃ וַתִּקְטַן עוֹד זֹאת בְּעֵינֶיךָ אֲדֹנָי יֱהוִה וַתְּדַבֵּר גַּם אֶל־
כ בֵּית־עַבְדְּךָ לְמֵרָחוֹק וְזֹאת תּוֹרַת הָאָדָם אֲדֹנָי יֱהוִה׃ וּמַה־יּוֹסִיף דָּוִד עוֹד לְדַבֵּר

רש״י

(יד) בשבט אנשים. זה הדד ורזון בן אלידע: **ונגעי בני אדם.** זה אשמדאי, שדחהו ממלכותו, והשדים בני אדם הראשון הם, שכל מאה ושלשים שנה שפירש אדם מאשתו במות הבל, היו הרוחות מתייחמות ויולדות הימנו (ילקוט שמעוני רמז קמו): **(יח) וישב לפני ה׳.** לפני הארון: **עד הלם.** שהמלכתני: **(יט) גם אל בית עבדך.** להמליך את בני אחרי: **וזאת תורת האדם.** בתמיה, ראוי להתבשר כן לבשר ודם. דבר אחר, עשית לי כמו שעשית לאדם הראשון, שהראית לו דורות העתידים לצאת ממנו: **(כ) ומה יוסיף דוד עוד לדבר אליך.** מה אשאל עוד:

רד״ק

אשר יצא ממעיך. מכאן שאבשלום ואדניהו לא היו כי כבר נולדו בחברון, ומאשר נולדו עדיין אמר שיהיה מלך, ועדיין לא ידע דוד מי הוא עד שנולד שלמה ושלח לו ביד נתן הנביא שיקרא שמו ידידיה (לקמן יב, כה) אז ידע דוד כי שלמה ימלוך, וזהו שאמר לבת שבע כִּי שְׁלֹמֹה בְנֵךְ יִמְלֹךְ אַחֲרַי (מלכים־א א, ל) או אמר לו בפירוש על ידי נתן הנביא ואף על פי שלא נאמר בנבואת נתן לא בזה הספר ולא בספר דברי הימים, הנה כתוב בדברי הימים (־א כב, ח־ ט) כשהיה מספר דוד הנבואה שאמר לו נתן כמו שאמר וַיְהִי עָלַי דְּבַר ה׳ לֵאמֹר וגו׳ כִּי שְׁלֹמֹה יִהְיֶה שְׁמוֹ וְשָׁלוֹם וָשֶׁקֶט אֶתֵּן עַל יִשְׂרָאֵל בְּיָמָיו: **(יד) בשבט אנשים ובנגעי בני אדם.** כמו שמייסרין בני אדם בניהם בשבט וינגעו אותם בשבט מוסר לא להמיתם, כמו שאמר כִּי תַכֶּנּוּ בַשֵּׁבֶט לֹא יָמוּת (משלי כג, יג) וְאֶל הֲמִיתוֹ אַל תִּשָּׂא נַפְשֶׁךָ (משלי יט, יח), לפיכך אמר אֲנִי אֶהְיֶה לּוֹ לְאָב וְהוּא יִהְיֶה לִּי לְבֵן, ואוכיחנו בהעוותו כמו שמיסר האב את בנו ולא שאסיר חסדי ממנו כמו שעשיתי לשאול שלקחתי ממנו המלכות, אלא המלכות יהיה לבניו עד עולם, ועל כל זרע דוד אמר לא על שלמה לבד אלא על רחבעם ועל היוצאים ממנו בניהם ובני בניהם, ורבותינו ז״ל (תנחומא בראשית כו) דרשוהו על שלמה ואמרו בְּשֵׁבֶט אֲנָשִׁים זה הדד ורזון בן אלידע שנאמר וַיָּקֶם ה׳ שָׂטָן לִשְׁלֹמֹה וגו׳ (מלכים־א יא, ד), וּבְנִגְעֵי בְּנֵי אָדָם אלו המזיקין שטרדוהו ממלכותו כמו שאמרו (גיטין סח, ב) בא אשמדאי וטרדו ממלכותו ופירש בְּנֵי אָדָם כי אמרו (תנחומא שם) כי השדים נולדו מאדם הראשון באותן מאה ושלשים שנה שפירש מאשתו: **(טז) ונאמן ביתך.** נפעל עבר כמו ויתקיים מן ותקעתיו יתד במקום נאמן, וכן תרגם יונתן וְקַיָּים בֵּיתָךְ: **לפניך.** כמו שהוא לפניך היום כסאך נכון כן יהיה עד עולם: **(יח) וישב לפני ה׳.** לפני הארון, ומכאן סמכו רבותינו ז״ל (סוטה מא, ב) שאין ישיבה בעזרה אלא למלכי בית דוד בלבד, ומהם אמרו כי אף למלכי בית דוד אין ישיבה שהרי למעלה אין ישיבה שנאמר שְׂרָפִים עֹמְדִים מִמַּעַל לוֹ (ישעיה ו, ב) וכתיב וְכָל צְבָא הַשָּׁמַיִם עֹמֵד עָלָיו (מלכים־א כב, יט), וכתיב בֵּין הָעֹמְדִים הָאֵלֶּה (זכריה ג, ז), למעלה אין ישיבה ודוד יושב, ומהו וַיֵּשֶׁב לִפְנֵי ה׳ מהם אמרו (מדרש שמואל כז, א) שסמך עצמו ומהם אמרו (מדרש תהלים א, ב) שישב עצמו בתפלה: **מי אנכי.** שהייתי ראוי למלוכה: **ומי ביתי.** בית אבי, או אמר ביתי על בניו כלומר מי בבני שיהיה ראוי למלוכה: **עד הלם.** עד המקום הזה שנתת לי המלוכה ולבני אחרי, ובדרש (שם) מִי אָנֹכִי והלא מן עמוני ומואבי באתי, עַד הֲלֹם לא די שבאתי בקהל אלא שעשיתני מלך, ואין הלום אלא מלכות שנאמר הֲבָא עוֹד הֲלֹם אִישׁ וַיֹּאמֶר ה׳ הִנֵּה הוּא נֶחְבָּא אֶל הַכֵּלִים (לעיל־א י, כב): **(יט) ותדבר גם אל בית עבדך למרחוק.** שהייתי רחוק ונתקרבתי: **ותקטן עוד זאת.** המלכות שנתת לי ולא די בה אלא שדברת לתת המלכות לבית עבדך עד עולם זהו לְמֵרָחוֹק, ויונתן תרגם למרחוק לְעָלְמָא דְאָתֵי: **וזאת תורת האדם.** תכונת האדם, כלומר זאת שדברת עלי תכונת האדם הגדול הוא ולא אדם שפל ונבזה כמוני, כמו שאמר מִי אָנֹכִי וּמִי (ביתי) [חַיַּי] (לעיל־א יח, יח), וכן בדברי הימים (־א יז, יז) וּרְאִיתַנִי כְּתוֹר הָאָדָם הַמַּעֲלָה ויונתן תרגם וְדָא חֲזֵיָא לִבְנֵי אֱינָשָׁא, ובדרש כתור האדם המעולה שבנביאים ואיזהו זה משה רבינו שנאמר וּמֹשֶׁה עָלָה אֶל הָאֱלֹהִים (שמות יט, ג), משה משובח שבנביאים ודוד משובח שבמלכים, אתה מוצא מה שעשה משה עשה דוד, משה הוציא את ישראל ממצרים ודוד הוציא את ישראל משעבוד מלכיות, משה קרע לישראל את הים ודוד קרע לישראל את הנהרות, שנאמר בְּהַצֹּתוֹ אֶת אֲרַם נַהֲרַיִם וגו׳ (תהלים ס, ב), ומשה נתן לישראל חמשה חומשי תורה ודוד נתן לישראל חמשה ספרים שבתהלים (מדרש תהלים א, ב):

מצודת דוד

(יג) הוא יבנה. כי אליו שמורה הגדלת השם בבנין ביתי: **עד עולם.** לזרעו אחריו: **(יד) לאב.** כמו האב המייסר את בנו בשבט, ואל המיתו בל ישא נפשו: **בהעותו.** כשיחטא לפני, אייסרו בשבט ובנגעים שמייסרים להם בני אדם: **(טו) וחסדי.** אבל לא אסיר חסדי ממנו למאוס בו כאשר הסירותי חסדי מעם שאול, אשר בעונו הסירותיו מלפניך, לשתירש אתה את מלכותו: **(טז) ונאמן ביתך.** וקיום ביתך וממלכתך תהיה עד עולם, כמו שהוא היום לפניך, כן יהי כסאך נכון עד עולם: **(יז) כן דבר נתן.** רוצה לומר, עם שמתחילה הסכים על ידו ואמר לו כל אשר בלבבך לך עשה, לא בוש לחזור ולמחות בו בדבר ה׳: **(יח) לפני ה׳.** לפני הארון: **ומי ביתי.** כי הלא מרות המואביה אני בא: **עד הלום.** עד המעלה שאני בה עכשיו: **(יט) ותקטן.** החסד הזה עוד קטנה היא בעיניך, עד שדברת על בית עבדך למרחוק, רצה לומר, לדורות העתידים, בתת המלכות לזרעי עד עולם: **וזאת תורת האדם.** מה שדברת עלי, היא תכונת ותואר האדם הגדול במעלה, המיוחד בבני אדם, ולא תכונת אדם שפל ונבזה כמוני: **(כ) ומה יוסיף.** מעתה אין לי עוד דבר לשאול ממך, לא עלי ולא על זרעי:

מצודת ציון

(יד) בהעותו. מלשון עון: **והוכחתיו.** ענין מוסר ההכאה, כמו (חבקוק א, יב), וצור להוכיח יסדתו: **בשבט.** בשרביט: **ובנגעי.** רצה לומר בהכאה, וכפל הדבר במלות שונות: **(טז) ונאמן.** ענין קיום, כמו (ישעיהו כב, כג), יתד במקום נאמן: **(יז) החזיון.** ענין ראיה, כמו (שמות יח, כא), ואתה תחזה, ורוצה לומר ראיית הנבואה: **(יח) הלום.** הנה, כמו (שם – ה), אל תקרב הלום: **(יט) תורת.** ענין תואר ותכונה, וכן אמר בזה בדברי הימים (א יז, יז) וראיתני כתור האדם המעלה, וקרוב לענין זה (שיר השירים א, י), נאוו לחייך בתורים, ורוצה לומר הפנינים המסודרים בתואר ובתכונה יפה: **האדם.** רצה לומר האדם המיוחד והמעולה:

---

12. אֲשֶׁר יֵצֵא מִמֵּעֶיךָ — *Who will issue from your loins*. The verb *will issue* implies that David's successor would not be a son who was already living — such as Adonijah or Absalom — but one who would be born in the future (*Radak*).

from your loins, and I shall make his kingdom firm. [13]He shall build a Temple for My sake, and I shall make firm the throne of his kingdom forever. [14]I shall be a Father unto him and he shall be a son unto Me, so that when he sins I will chastise him with the rod of men and with afflictions of human beings. [15]But My kindness will not be removed from him as I removed [it] from Saul, whom I removed from before you. [16]Your dynasty and your kingdom will remain steadfast before you forever; your throne will remain firm forever.' " [17]In accordance with all these words and this entire vision, so did Nathan speak to David.

David thanks God ...

[18]King David then came and sat down before HASHEM, and said, "Who am I, O my Lord, HASHEM / ELOHIM, and who is my household, that You should have brought me this far? [19]And yet this was still insufficient in Your eyes, my Lord HASHEM/ELOHIM, so You have spoken even of Your servant's household in the distant future — and that would be fitting for [great] men — O my Lord, HASHEM / ELOHIM. [20]What more can David say

---

13. Not only would Solomon build the Temple, God would make his dynasty permanent. All future kings should be from the Davidic line. *Ramban* conjectures that the reason the entire Hasmonean family was eventually assassinated — even though they brought about the miracle of Chanukah and thereby preserved the Torah among Israel — was because they took the throne for themselves, instead of restoring it to the Davidic dynasty.

14. אֲנִי אֶהְיֶה־לּוֹ לְאָב — *I shall be a Father unto him.* I will chastise Solomon as a father would a son, but not too severely, never abandoning My affection for him and never abrogating My promise concerning the permanence of your dynasty. This promise applied not only to Solomon, but to all of his descendants (*Radak*).

בְּשֵׁבֶט אֲנָשִׁים — *With afflictions of human beings.* When Solomon or any of his successors would sin, they would surely be punished, but it will be in normal, non-extraordinary ways, such as the antagonists named in *I Kings* 14-25 (*Rashi; Mahari Kara*).

Radak and *Abarbanel* translate "afflictions of *sons of men*" — i.e., when God punishes David's heirs, He will do so as fathers punish their sons, with love and compassion, as stated in the beginning of this verse.

16. וְנֶאְמַן בֵּיתְךָ — *Will remain steadfast.* This translation follows *Targum* and most commentators. *Abarbanel,* however, takes the word נֶאֱמַן in its more common meaning of *faithful.* Thus he renders: *If your dynasty . . . will remain faithful . . . your throne will remain firm forever,* i.e., God promised that David's dynasty would be permanent if its kings remained *faithful* to God.

עַד־עוֹלָם — *Forever.* This term appears twice in the verse. The first time, it means that the throne will remain David's as long as he lives; the second means that it will remain with his dynasty (*Mahari Kara).* Although the kingship remained with David's family only until the destruction of the First Temple, the dynasty continued, since descendants of David held the position of *Nasi,* who led the nation, during much of the Second Temple era and its aftermath, and Messiah will reinstate the Davidic dynasty.

17. Nathan did not hesitate to admit that his earlier words of encouragement to David the previous day (v. 3) had been uttered in error (*Abarbanel*).

18-29. David's prayer in response to Nathan's prophecy. With typical modesty and unselfishness, David does not even mention his rejected request to build the Temple. He expresses his gratitude for the blessings that God promised, and prays that his offspring will be worthy of Divine benevolence.

18. וַיֵּשֶׁב לִפְנֵי ה׳ — *And sat down before HASHEM,* i.e., before the Ark (*Rashi*).

Although it is forbidden to sit in the Temple Courtyard, the Talmud derives from this verse that a king from the Davidic line is permitted to do so (*Sotah* 41a). There is another opinion that even a Davidic king is forbidden to sit in the "presence of HASHEM." Accordingly our verse would be rendered *David set* (יָשַׁב) *his mind to pray* (*Yerushalmi, Yoma* 3:2; see *Radak.*)

מִי אָנֹכִי . . . וּמִי בֵיתִי — *Who am I . . . and who is my household?* A person becomes king either because of his extraordinary personal traits (as in Saul's case) or because he was born into a royal family. I have neither family pedigree nor personal perfection, yet You made me king despite my lack of worthiness (*Abarbanel*). According to the Midrash, David was alluding to the fact that he was a descendant of Ruth, a Moabite convert.

With the initiation of the Davidic dynasty, God had bestowed upon David an honor that had not been known among Jews since the time of Aaron the Kohen — a permanent hereditary status (*Daas Sofrim*). It is not surprising, therefore, that David was overwhelmed by the immensity of this distinction.

19. David continued that not only is he overwhelmed that God made him king, but that God, in His unfathomable kindness, considered the blessing to be *insufficient* and extended it even to his posterity!

וְזֹאת תּוֹרַת הָאָדָם — *And that* (i.e., such a blessing) *would be fitting for [great] men,* but David considered himself undeserving of such honor (*Radak*).

Rashi (and apparently *Targum*), however, render the phrase as a rhetorical question: *Is this* [honor] *fitting for a*[n ordinary] *human being?!*

"Some people are righteous and others are wicked, yet You have promised that You will not remove Your goodness and

כא אֵלֶיךָ וְאַתָּה יָדַעְתָּ אֶת־עַבְדְּךָ אֲדֹנָי יֱהֹוִה: בַּעֲבוּר דְּבָרְךָ וּכְלִבְּךָ עָשִׂיתָ אֵת כָּל־
כב הַגְּדוּלָּה הַזֹּאת לְהוֹדִיעַ אֶת־עַבְדֶּךָ: עַל־כֵּן גָּדַלְתָּ אֲדֹנָי יֱהֹוִה כִּי־אֵין כָּמוֹךָ וְאֵין
כג אֱלֹהִים זוּלָתֶךָ בְּכֹל אֲשֶׁר־שָׁמַעְנוּ בְּאָזְנֵינוּ: וּמִי כְעַמְּךָ כְּיִשְׂרָאֵל גּוֹי אֶחָד בָּאָרֶץ
אֲשֶׁר הָלְכוּ־אֱלֹהִים לִפְדּוֹת־לוֹ לְעָם וְלָשׂוּם לוֹ שֵׁם וְלַעֲשׂוֹת לָכֶם הַגְּדוּלָּה
כד וְנֹרָאוֹת לְאַרְצֶךָ מִפְּנֵי עַמְּךָ אֲשֶׁר פָּדִיתָ לְּךָ מִמִּצְרַיִם גּוֹיִם וֵאלֹהָיו: וַתְּכוֹנֵן
לְךָ אֶת־עַמְּךָ יִשְׂרָאֵל ׀ לְךָ לְעָם עַד־עוֹלָם וְאַתָּה יהוה הָיִיתָ לָהֶם לֵאלֹהִים:
כה וְעַתָּה יהוה אֱלֹהִים הַדָּבָר אֲשֶׁר דִּבַּרְתָּ עַל־עַבְדְּךָ וְעַל־בֵּיתוֹ הָקֵם עַד־עוֹלָם
כו וַעֲשֵׂה כַּאֲשֶׁר דִּבַּרְתָּ: וְיִגְדַּל שִׁמְךָ עַד־עוֹלָם לֵאמֹר יהוה צְבָאוֹת אֱלֹהִים

רש"י

אתה ידעת את עבדך. נתת לי כל צרכי, כמו (משלי יב, י), יודע צדיק נפש בהמתו: **(כא) בעבור דברך.** להקים מה שאמרת לשמואל, להמליכני: **וכלבך.** רצונך הוא, ולא שאני כדאי: **להודיע את עבדך.** הבשורה שבשרתני: **(כג) אשר הלכו אלהים.** משה ואהרן, שנאמר (שמות ז, א), נתתיך אלהים לפרעה; וכן תרגם יונתן, דאזלו שלוחין מן קדם ה': **לפדות לו לעם.** כך אמרו השלוחים לישראל, הקב"ה שלחנו לפדות לו לעם, ולשום לו שם, ולעשות לכם הגדולה: **ונוראות.** עשית לארצך לאחר שיצאו משם, ומה הם הנוראות, 'מפני עמך', לגרש עמים ואלהיהם, ומקרא זה חסר 'לגרש', ובדברי הימים (א יז, כא) פירשו, לגרש מפני עמך אשר פדית ממצרים גוים ואלהיו, ואינו חסרון, כי ממשמע שנאמר מפני עמך גוים, אנו שומעין לשון טרודין וגירושין:

רד"ק

(כ) ואתה ידעת את עבדך. אתה ידעת לבב עבדך ולא אדע לדבר מה שבלבי ואתה ידעת, ויונתן תרגם וְאַתְּ עֲבַדְתָּ בָּעוּת עַבְדָךְ פירוש ידעת כמו מָה אָדָם וַתֵּדָעֵהוּ (שם קמד, ג): **(כא) בעבור דברך וכלבך.** בעבור דברך שאמרת לשמואל להמליכני וכלבך וכרצונך עשית כי אינני ראוי לכך אלא שאתה רצית בי, ויתכן לפרש גם כן בעבור דברך ורצונך ויהיה כפל דבר לחזק: **את כל הגדולה.** נכתב בוי"ו עם הדגש וחביריו כתבנו בספר מכלל ובחלק הדקדוק: **להודיע את עבדך.** כלומר רצית להודיע עבדך את כל הגדולה הזאת שדברת עלי ולזרעי אחרי: **(כב) על כן גדלת ה' אלהים.** על כן שאני משיג דעתך ורצונך ידעתי שגדלת על הכל ואין יודע מחשבותיך, וידעתי כי אין כמוך ואין אלהים זולתך: **ככל אשר שמענו באזנינו.** וככל אשר ידענו מלבנו הכרנו שאין כמוך ואין אלהים זולתך, ויונתן תרגם כְּכֹל דִּי שְׁמַעְנָא אָמְרִין קֳדָמָנָא כלומר מה ששמענו אומרים הקדמונים אשר לפנינו, על דרך שְׁאַל אָבִיךָ וְיַגֶּדְךָ זְקֵנֶיךָ וְיֹאמְרוּ לָךְ (דברים לב, ז): **(כג) ומי כעמך כישראל.** כמו שאין כמוך באלהים כן אין כעמך ישראל בעמים: **אשר הלכו אלהים.** הלכו לשון רבים דרך כבוד כמו יִשְׂמַח יִשְׂרָאֵל בְּעֹשָׂיו (תהלים קמט, ב), ובדברי הימים (א־ יז, כא) אֲשֶׁר הָלַךְ הָאֱלֹהִים, ויונתן תרגם דַאֲזַלוּ שְׁלוּחִין מִן קֳדָם ה', ובדרש (קהלת רבה ז, ו) אֲשֶׁר הָלַךְ הָאֱלֹהִים זה הקב"ה אֲשֶׁר הָלְכוּ אֱלֹהִים זה משה ואהרן: **ולשום לו שם.** פירוש לו כלומר לאלהים להגדיל בפי בני אדם אשר לא ידעוהו, כמו פרעה שאמר מִי ה' אֲשֶׁר אֶשְׁמַע בְּקֹלוֹ לְשַׁלַּח אֶת יִשְׂרָאֵל לֹא יָדַעְתִּי אֶת ה' וגו' (שמות ה, ב), לפיכך אמר האל וְאִכָּבְדָה בְּפַרְעֹה (שם יד, ד) וזהו וְלָשׂוּם לוֹ שֵׁם, ובדברי הימים (א־ יז, כא) לָשׂוּם לְךָ שֵׁם: **ולעשות לכם.** כנגד ישראל ידבר: **הגדולה.** גם זה בוי"ו עם הדגש: **לארצך.** כנגד ישראל או כנגד השם, ופירושו עשית להם גדולה ונוראות עד שבאו לארצך, וכן תרגם יונתן עַד דִּי עָלוּ לַאֲרַע בֵּית שְׁכִינְתָךְ דִיהַבְתְּ לְהוֹן: **מפני עמך.** כשבאו לארצך גרשת יושבי הארץ הזאת מפני עמך ונוראות שעשית להם, וכן הוא בדברי הימים (שם) לְגָרֵשׁ מִפְּנֵי עַמְּךָ: **גוים ואלהיו.** פירוש מגוים ומאלהיו, ומ"ם מִמִּצְרַיִם משמשת במקום שנים ושלשה, או פירוש והכית גוים ואלהיו כמו שכתוב וּבְכָל אֱלֹהֵי מִצְרַיִם אֶעֱשֶׂה שְׁפָטִים (שמות יב, יב), או פירוש גּוֹיִם על ישראל כלומר אשר פדית ממצרים גוים וזקיניו וגדוליו, ואמר גּוֹיִם בלשון רבים כלומר משפחות ישראל כמו בִנְיָמִין בַּעֲמָמֶיךָ (שופטים ה, יד) וֵאלֹהָיו כמו אֱלֹהִים לֹא תְקַלֵּל (שמות כב, כז) שפירושו שופטים, ויונתן לא תרגם גוים ואלהיו ואפשר שהיה דעתו כדעת מקצת רבותינו ז"ל (ירושלמי סוכה ד, ג) שפירשו וֵאלֹהָיו על השם יתברך על דרך בְּכָל צָרָתָם לוֹ צָר (ישעיהו סג, ט), ואמרו גּוֹיִם וֵאלֹהָיו כביכול שהוא פדוי עמהם, מפני זה לא תרגמו:

מצודת דוד

ואתה. הואיל ואתה ידעת ורחמת את עבדך לעשות לי כזאת מבלי שאלה ובקשה: **(כא) בעבור דברך.** רצה לומר, הנה אינני ראוי לכל הגדולה הזאת, אולם בעבור גזירתך ורצונך עשית לי הגדולה הזאת, ואף להודיע לי את כל אלה, כאלו באה לתשלום גמול על מעשי, והיה מתמיה בעצמו לומר, וכי לא די לי החסד, עד שגם הודעתני מה שיהיה אחרי: **(כב) על כן.** רצה לומר, בעבור שלא נשיג לדעת עומק מחשבות חסדך, על כן ידענו כי מאוד גדלת, ואין בינת אדם משגת תכלית מעשיך: **כי אין כמוך.** בכדי להעריך ממנו עומק מחשבותיך: **בכל אשר שמענו.** ככל הדברים הנפלאים אשר שמענו: **(כג) ומי כעמך.** רצה לומר, הואיל ואין זולתך, אם כן מי ומי מהגוים מאושר ומשובח כעמך ישראל, אשר המה גוי מיוחד בארץ: **לפדות לו לעם.** לפדות ממצרים להיות לו לעם: **ולשום לו שם.** לפרסם את שמו בעולם: **ולעשות לכם.** לישראל ידבר, בלשון נוכח: **ונוראות לארצך.** לעשות נפלאות נוראות לארצך בעת הכיבוש לגרשם מפני עמך וגו', והוא מקרא קצר: **גוים ואלהיו.** מגוים, והם אנשים מצרים, ומאלהיו, ולא יכלו להחזיק בהם, לא הם ולא אלהיהם: **(כד) עד עולם.** כי לא יחליפם ולא ימיר אותם: **(כה) הקם עד עולם.** שיהיה עד עולם המלכות מזרעו: **(כו) ויגדל שמך.** ובזה יגדל שמך עד עולם, כי יאמרו הכל, שעד עולם הוא אלהי ישראל, ואף בית דוד נכון לפניו למנוחה עד עולם, ואין בו חלילה השתנות לחזור מדבריו:

מצודת ציון

(כ) ידעת. ענין אהבה ורחמים, כמו (עמוס – ב), רק אתכם ידעתי: **(כג) הלכו אלהים.** לפי שבכל מקום נאמר אלהים בלשון רבים, אמר גם הלכו בלשון רבים, לזווג המלות, וכן (שמואל־א ד, ח), האלהים האדירים האלה, וכמוהו רבים. **ממצרים גוים ואלהיו.** המ"ם של ממצרים תשמש על גוים ועל ואלהיו, וכאלו אמר ממצרים מגוים ומאלהיו:

---

love from my offspring, even though some may be wicked!" (*Ralbag*).

20. "What more can I ask of You? You know all my needs and You give me everything!" (*Rashi*).

"I do not have the words to express my feelings; You know that there are a thousands more praises in my heart than thosel have uttered" (*Ralbag*).

21. בַּעֲבוּר דְּבָרְךָ וּכְלִבְּךָ — *It is because of Your word and Your desire*. "That You have bestowed all this greatness [upon me] is not due to any merit of mine, but is only an expression of the Divine will and HASHEM's desire to fulfill His word to Samuel (*Rashi*).

to You; You know Your servant, my Lord, HASHEM/ELOHIM. [21]It is because of Your word and Your desire that You have bestowed all this greatness [upon me], [and] informed Your servant [of it]; [22]because You are great, my Lord HASHEM/ELOHIM, for there is none like You and there is no god besides You, according to all that we have heard with our ears. [23]And who is like Your people, like Israel, a unique nation on earth, whom God went forth to redeem unto Himself for a people — thus gaining Himself renown — and to perform great works for you [Israel] and wonders for Your Land, [driving out] nations and their gods from before Your people, whom You have redeemed for Yourself from Egypt. [24]You have established for Yourself Your people Israel as a people unto You forever, and You, HASHEM, have been a God for them. [25]And now, HASHEM/ELOHIM, may You forever uphold the matter that You have spoken concerning Your servant and his house and do as You have spoken. [26]And may Your Name thereby be glorified forever, saying, 'HASHEM, Master of Legions, is God

... and prays for Israel and his dynasty

לְהוֹדִיעַ אֶת־עַבְדֶּךָ — *[And] informed Your servant of it.* "Not only have You extended such kindness to me, but You have done me the further favor of informing me of Your intentions regarding my descendants" (*Abarbanel*). As the Mishnah (*Avos* 3:14) teaches, *Beloved is man for he was created in God's image; it is indicative of a greater love that it was made known to him that he was created in God's image.*

22. עַל־כֵּן גָּדַלְתָּ — *Because You are great.* The translation follows *Mahari Kara*, who interprets עַל כֵּן as *because*, as in *Genesis* 18:5. The sense of the verse is: "You have bestowed great kindnesses upon me, because You are great."

Others (*Radak*, *Abarbanel*) understand עַל כֵּן in its more usual meaning of *therefore*. They explain David's statement as follows: "[Because I cannot understand why You have chosen me for such greatness,] *therefore* I realize how great and removed from human understanding You are."

בְּכֹל אֲשֶׁר שָׁמַעְנוּ — *According to all that we have heard.* When we personally experience Your greatness it confirms all the wonders of old that we have heard from our forefathers.

23. וּמִי כְעַמְּךָ כְּיִשְׂרָאֵל — *And who is like Your people, like Israel.* These several verses of praise for Israel seem to be out of place in David's prayer of thanksgiving. *Abarbanel* explains that the glory of a king is in direct relation to the station of his subjects [*A multitude of people is a king's glory* (*Proverbs* 14:28)]. The permanence of David's kingship could not be possible unless the permanence of Israel itself were guaranteed. Therefore David recounted how Israel, like him, had been raised by God's grace from the depths of suffering and deprivation to a position of great prominence, and (v. 24) how Israel, like him, had been promised an eternal relationship with God.

Alternatively, David exclaimed, "Since You are the One and Only great God, how fortunate are Your people Israel whom You have chosen to cling to You!" (*Metzudos*).

גּוֹי אֶחָד בָּאָרֶץ — *A unique nation on earth.* It is axiomatic that God, Who is unique and incomparable, should have a nation that, like Him, is unique. That nation is Israel, whose uniqueness is based on its adherence to the Torah. The Torah, too, is unique, because it is it given by God and is not a human product, which is subject to change and modification, based on the whims and needs of those who formulated it (*Netzach Yisrael*).

הָלְכוּ אֱלֹהִים — *God went forth.* The Hebrew verb is in the plural, which is common when referring to God, as a sign of respect for His exaltedness and majesty (*Radak*).

Rashi, following *Targum*, comments that the plural indicates implied words: [*messengers from*] *God went forth.* The *messengers* were Moses and Aaron.

Alternatively, the verse is rendered, *Which single nation in the land is like Your people, like Israel, for whom gods went forth to redeem them?* According to this, the word אֱלֹהִים is not sacred, but profane, a reference to the many idols of the other nations.

וְלַעֲשׂוֹת לָכֶם הַגְּדוּלָּה — *And to perform great works for you.* Although in the rest of this prayer David addresses God directly as *You*, and refers to Israel in third person, here the word "you" refers to Israel (*Radak*). Since this interpretation makes the structure of the sentence awkward, *Abarbanel* suggests that *You* can refer to God: *to perform great works for Yourself* (i.e., *for Your own sake*).

גּוֹיִם וֵאלֹהָיו — *[Driving out] nations and their gods.* The words "driving out" are understood, as indicated by comparison with the parallel verse in *I Chronicles* (17:21), and also from the context of the verse (*Rashi*).

Alternatively, these words modify *Your people*. The word גּוֹיִם refers to the *common people*, and אֱלֹהָיו refers not to gods, but to judges of the Jewish people and other respected elders of the community; judges are called אֱלֹהִים, as in *Exodus* 21:6, 22:7, etc. In other words, David recalls how God redeemed the entire Jewish people from Egypt — lowly and exalted alike. Or the words modify *Egypt*: "You redeemed Your people from Egypt — from the (Egyptian) nation itself and from its gods," for both the people and their gods, as it were, were holding the Jews captive (*Abarbanel*).

25. הַדָּבָר אֲשֶׁר דִּבַּרְתָּ . . . הָקֵם עַד־עוֹלָם — *May You forever uphold the matter that You have spoken.* Why must one pray that God should keep His word — is it not obvious? A Divine promise of beneficence is binding only as long as the beneficiary is deserving of God's grace. Therefore, David prayed for Divine assistance to ensure that his descendants should always be found deserving (*Abarbanel*).

26. When Israel conducts itself in such a way that it is deserving of God's blessing, His Name is glorified,

עַל־יִשְׂרָאֵל וּבֵית עַבְדְּךָ דָוִד יִהְיֶה נָכוֹן לְפָנֶיךָ׃ **כז** כִּי־אַתָּה יְהוָה צְבָאוֹת אֱלֹהֵי יִשְׂרָאֵל גָּלִיתָה אֶת־אֹזֶן עַבְדְּךָ לֵאמֹר בַּיִת אֶבְנֶה־לָּךְ עַל־כֵּן מָצָא עַבְדְּךָ אֶת־לִבּוֹ לְהִתְפַּלֵּל אֵלֶיךָ אֶת־הַתְּפִלָּה הַזֹּאת׃ **כח** וְעַתָּה ׀ אֲדֹנָי יֱהוִה אַתָּה־הוּא הָאֱלֹהִים וּדְבָרֶיךָ יִהְיוּ אֱמֶת וַתְּדַבֵּר אֶל־עַבְדְּךָ אֶת־הַטּוֹבָה הַזֹּאת׃ **כט** וְעַתָּה הוֹאֵל וּבָרֵךְ אֶת־בֵּית עַבְדְּךָ לִהְיוֹת לְעוֹלָם לְפָנֶיךָ כִּי־אַתָּה אֲדֹנָי יֱהוִה דִּבַּרְתָּ וּמִבִּרְכָתְךָ יְבֹרַךְ בֵּית־עַבְדְּךָ לְעוֹלָם׃

ח

א וַיְהִי אַחֲרֵי־כֵן וַיַּךְ דָּוִד אֶת־פְּלִשְׁתִּים וַיַּכְנִיעֵם וַיִּקַּח דָּוִד אֶת־מֶתֶג הָאַמָּה מִיַּד פְּלִשְׁתִּים׃ **ב** וַיַּךְ אֶת־מוֹאָב וַיְמַדְּדֵם בַּחֶבֶל הַשְׁכֵּב אוֹתָם אַרְצָה וַיְמַדֵּד שְׁנֵי־חֲבָלִים לְהָמִית וּמְלֹא הַחֶבֶל לְהַחֲיוֹת וַתְּהִי מוֹאָב לְדָוִד לַעֲבָדִים נֹשְׂאֵי מִנְחָה׃ **ג** וַיַּךְ דָּוִד אֶת־הֲדַדְעֶזֶר בֶּן־רְחֹב מֶלֶךְ צוֹבָה בְּלֶכְתּוֹ לְהָשִׁיב יָדוֹ בִּנְהַר־[פְּרָת ק׳ ולא כ׳]׃

רש״י

(כח) אתה הוא האלהים. שליט, ויש בידך יכולת לקיים: **(כט) הואל.** רצה: **(א) מתג האמה.** ובדברי הימים (א יח, א) כתיב, ויקח דוד את גת מיד פלשתים, והיא נקראת מתג האמה, על שם שהוא מקל רודה בכל הפלשתים, מטרפולין של מלכים, שלא מצינו בכל סרני פלשתים בעזה ובאשדוד ובעקרון ובאשקלון שם מלכות, אלא בגת מצינו, (שמואל-א כא, יא), אכיש מלך גת: **מתג.** אגויילו״ן בלע״ז: **האמה.** הוא המרדע של עץ: **(ב) וימדד שני חבלים להמית.** לפי שהרגו את אביו ואת אמו ואחיו, שנאמר (שמואל-א כב, ד), וינחם את פני מלך מואב, ולא מצינו שיצאו משם: **(ג) בלכתו.** כשהלך הדדעזר: **להשיב ידו.** כתרגומו, לאשנאה תחומיה, שכבש מן הארץ חוץ לגבול ארצו, והרחיב את גבולו:

רד״ק

(כז) בית אבנה לך. כתרגומו מַלְכוּ אֲקַיֵּים לָךְ: **על כן מצא עבדך את לבו.** מצאו מכוון להתפלל אליך: **(כח) ודבריך יהיו אמת.** דרך תפלה אמר, או פירוש הם אמת, וכן תרגם יונתן אִינוּן קְשׁוֹט: **(כט) הואל.** ענין רצון וחפץ, כמו וַיּוֹאֶל מֹשֶׁה (שמות ב, כא) הוֹאֶל נָא וְלִין (שופטים יט, ו) הִנֵּה נָא הוֹאַלְתִּי (בראשית יח, כז; שם לא), ויונתן תרגם לשון התחלה שְׁרֵי כמו שתרגם אונקלוס הִנֵּה נָא הוֹאַלְתִּי הראשון (שם, כז [לא בתרגום שלפנינו]) שְׁרֵיתִי: **להיות לעולם לפניך.** שיהיו עובדים לפניך: **בית עבדך לעולם.** על עצמו אמר כמו האחרים, ויונתן תרגם וּמִבִּרְכָתְךָ יִתְבָּרְכוּן בָּתֵּי עַבְדָךְ צַדִּיקַיָּא לַעֲלָם: **(א) את מתג האמה.** יונתן תרגם יַת תִּיקוֹן אַמְּתָא, אולי היתה אמת המים עוברת בעיר תקנו אותו לבא מחוץ לעיר אל העיר לפיכך נקראת העיר מתג האמה ובמקומו בדברי הימים (א־ יח, א) אֶת גַּת וּבְנֹתֶיהָ מִיַּד פְּלִשְׁתִּים, גת ובנותיה היו נקראים בכלל מתג האמה, ויש בו מדרש בברייתא דרבי אליעזר פרק שלשים וששה, כשבא אבימלך ליצחק ואמר לו רָאוֹ רָאִינוּ כִּי הָיָה ה׳ עִמָּךְ וגו׳ (בראשית כו, כח), אמרו יודעים אנו שעתיד הקב״ה ליתן לך ולזרעך את כל הארצות האלה, כרות עמנו ברית שבועה שאין זרעך יורש את ארץ פלשתים וכרת עמהם ברית שבועה, מה עשה יצחק כרת אמה אחת ממתג החמור שהיה רוכב עליו ונתן להם שיהיה בידם אות ברית שבועה, וכשמלך דוד רצה לבא בארץ פלשתים ולא היה יכול מכח אות הברית משבועת יצחק עד שלקח מהם אותו הברית שנאמר וַיִּקַּח דָּוִד אֶת מֶתֶג הָאַמָּה מִיַּד פְּלִשְׁתִּים, ואחר כך לקח ארץ פלשתים: **(ב) וימדדם בחבל השכב אותם ארצה.** דרך נקמה ובזיון תרגם יונתן חבל עַדְבָא כלומר גורל וחלק. ואמרו בדרש (מדרש תהלים ז, ב) כי עשה זה בעבור שהמיתו אביו ואמו ואחיו כשנחם אותם בארץ מואב כשהיה בורח מפני שאול כמו שאמר וַיַּנְחֵם אֶת פְּנֵי מֶלֶךְ מוֹאָב וגו׳ (לעיל-א כב, ד) וכשיצא דוד משם והלך לעיר חמת הרג מלך מואב אביו ואמו ואחיו חוץ מאחד שברח והחייהו נחש העמוני, הוא החסד שאמר דוד כַּאֲשֶׁר עָשָׂה אָבִיו עִמָּדִי חֶסֶד (לקמן י, ב): **ותהי מואב.** עדת מואב: **נשאי מנחה.** תרגם יונתן נָטְלֵי פְּרַס, כלומר שהיו נושאין לו מס ידוע בכל שנה: **(ג) בלכתו להשיב ידו בנהר פרת.** כשהלך הדדעזר להשיב גבולו בנהר פרת שהיה משיג גבול ישראל להרחיב גבולו בארצם, וכן תרגם יונתן לְאַשְׁנָאָה תְּחוּמֵיהּ ובספר דברי הימים (־א יח, ג) לְהַצִּיב יָדוֹ, אף על פי שהם שני לשונות הענין אחד, והדדעזר עזר בתחלה לישראל ולקח מארצם על כן אמר דוד במזמור, אֱלֹהִים זְנַחְתָּנוּ פְרַצְתָּנוּ ... הִרְעַשְׁתָּ אֶרֶץ פְּצַמְתָּהּ וגו׳ (תהלים ס, ג־ד) ועתה בא להעמיד גבולו עד מקום שכבש מארץ ישראל סמוך לנהר פרת והתחזק דוד עליו ברצון האל והכהו:

מצודת דוד

(כז) כי אתה וכו׳ גליתה. רצה לומר, הואיל והודעתני שתבנה לי בית מלכות, לזה מצאתי את לבי להתפלל עליה, ולולי זאת לא ערב לבי לגשת להתפלל על דבר גדול כזה: **(כח) אתה הוא האלהים.** אם כן בידך הכח למלאות דבריך: **ודיברך יהיו אמת.** גם ידעתי אשר תקיים דבריך: **ותדבר וגו׳.** גם ידעתי שאתה ה׳ דברת עלי הטובה הזאת, כי דברי נתן הנביא דבר ה׳ המה: **(כט) ועתה.** רצה לומר, והואיל וכן הוא, אין צורך מעתה להתפלל עוד על הדבר, אולם שאלתי היא, **הואל נא וברך וגו׳ להיות לעולם לפניך** רצה לומר, ברכם במתנת לב טהור ללכת בתורתך, בכדי שיהיו ראוים לקבל החסד הגדול הזה: **כי אתה וגו׳ דברת.** ולא ישוב ריקם, ואך אשאל שבית עבדיך יבורך מברכותיך לעולם, להיות יראי ה׳ וחושבי שמו, לבל תסור המלוכה בעונם: **(א) מתג האמה.** ובדברי הימים (א יח, א) נאמר, גת ובנותיה, ואולי מתג האמה הוא שם כולל לגת עם בנותיה, ונקראה כן על היותה מטרפולין בארץ פלשתים, ובכל חמשת עריהם הגדולים לא היה מלך, כי אם בגת, וכולם היו סרים למשמעתו ונתונים בידו, כמתג החמור הנתונה באמת ידי איש, להוליכו לכל אשר ירצה: **(ב) וימדדם בחבל.** וחוזר ומפרש איך מדדם, ואמר שהשכיבם בארץ וגו׳: **נושאי מנחה.** היו מביאים לו מנחה שנה בשנה: **(ג) בלכתו להשיב ידו.** כשהלך להשיב מקומו לאחור, להרחיב גבול ארצו:

מצודת ציון

(כז) מצא. ענין הזמנה, וכן (ויקרא ט, יג), ואת העולה המציאו: **(כט) הואיל.** רצה וחפץ, כמו (שמות ב, כא), ויואל משה: **(א) מתג.** הוא כעין רסן עשויה להנהיג בה הבהמה, כמו (משלי כו, ג), מתג לחמור: **האמה.** אמת הזרוע, וכן (דברים – יא), באמת איש: **(ב) ומלא החבל.** מדת חבל שלם: **(ג) להשיב.** מלשון השבה: **ידו.** מקומו:

---

27. Only because You Yourself have told me that You desire to create a dynasty from me have I dared to approach You with the request that the permanence of my house's rule should be ensured (*Mahari Kara*).

28. In conclusion, David stresses that he knows God's word is inviolable, that *You are God and Your words always come true*. Why, then, does he pray to God to fulfill His promise to him? Because, as he explains in the next verse, he is concerned that

over Israel!' And may the house of Your servant David remain firm before You; [27]*for You, HASHEM, Master of Legions, God of Israel, have revealed to the ear of Your servant, saying, 'I shall create a dynasty for you'; therefore Your servant has found it proper in his heart to pray this prayer to You.* [28]*And now, O my Lord, HASHEM/ELOHIM, You are God and Your words will come true, and You have spoken to Your servant of this benevolence.* [29]*And now, may You desire to bless the house of Your servant, that it may remain forever before You, for You, my Lord, HASHEM/ELOHIM, have spoken; and from Your blessing may the house of Your servant be blessed forever."*

8

DAVID SUBDUES FOREIGN ENEMIES 8:1-18

[1]*It happened after this that David struck the Philistines and subdued them. David took Metheg-ha'mmah from the hands of the Philistines.* [2]*He [also] struck Moab. He measured [his captives] with a rope, laying them down on the ground and measuring two ropes' length to be put to death and one rope's length to be kept alive. The Moabites became subjects to David, bearers of tribute.* [3]*David [also] struck Hadadezer son of Rehob, king of Zobah, as he was on the way to extend his control over the Euphrates River.*

---

his future descendants might not be found worthy, therefore he prays that God overlook their shortcomings and let His blessings continue (see commentary above, v. 25) (*Abarbanel*).

Rambam states that the ultimate reason for blessings in this world is to enable people to perform the commandments that will earn them a share in the World to Come. Thus David prayed that God's blessings should always continue so that the Jewish people will be able to serve Him better, even when the level of their service is lacking.

29. This is not a repetition of David's prayer (v. 25) that God fulfill his promise to maintain the House of David forever. Rather, David prays that HASHEM should bless his house with purity of heart and fear of heaven, so that they *remain forever before You* (i.e., in Your service). With God's help, his descendants would be able to continue to walk in the ways of righteousness before God and thus remain deserving of His benevolence.

8.

1-2. An implied command. As noted in the introduction to Chapter 7, David felt that the time had come for the Temple to be built, because Israel had reached the stage of peace and tranquility, but God told him through Nathan that the era of warfare had not yet ended (see commentary above, 7:10). From this, David understood that although there was no direct present threat to Israel, the time of danger was not over and he should continue the conquest of *Eretz Yisrael*. He therefore attacked the Philistines and other real or potential enemies, without first consulting the *Urim v'Tumim*, as he had done in his previous wars against the Philistines.

For a parallel account of the events of this chapter, see *I Chronicles* 18.

1. מֶתֶג הָאַמָּה — *Metheg-ha'amah.* The proper name of the city was Gath, *the primary city-state of the Philistine confederation,* as David's conquest is described in *I Chronicles* (18:1): *He took Gath and its suburbs from the hands of the Philistines.* Although there were five Philistine city-states, only the governor of Gath was called a king (*I Samuel* 21:11), indicating that Gath was the first among equals. It was called *Metheg-ha'ammah,* which means "Harness of the Arm," because, as the Philistine capital, Gath controlled the entire nation, as a harness in the hand of a driver controls an animal (*Rashi*).

Although David captured Gath, he apparently allowed Achish to remain king there, for he is still mentioned as king of Gath in Solomon's time (*I Kings* 2:39). This was perhaps in appreciation for his having given David refuge (*I Samuel* 27-29) when he was in flight from Saul (*Daas Sofrim*).

2. David used this method to choose two-thirds of the Moabites for execution. Scripture does not tell us why the Moabites were singled out for such hostile treatment, nor does it say how many Moabites were involved in this punishment. According to the Midrash, the Moabites had slaughtered David's family after promising them sanctuary (*I Samuel* 22:3-5), and David now punished them for their treachery.

As to the apparently arbitrary nature of this punishment, the *Zohar* teaches that Divine Providence assured that only guilty men fell victim to this selection.

3-14. David's wars against Aram and Edom. Psalm 60, which David composed to commemorate these wars, begins by stating that these nations had made incursions into Israelite territory and that the Jews suffered greatly at their hands until David was able to defeat them decisively (*Radak*).

That psalm illustrates David's profound faith in God. He attributes the victory over Aram and Edom to those who fear God.

3. *Aram* corresponds roughly to today's Syria and Lebanon, and Zobah was a kingdom somewhere within Aram (*Psalms* 60:2). The corresponding verse in *I Chronicles* (18:3) tells us that this battle occurred in (or near) the city of Hamath, which is today's well-known Syrian city of Hamah, about 150 miles north of Damascus.

בְּלֶכְתּוֹ לְהָשִׁיב יָדוֹ בִּנְהַר־פְּרָת — *As he was on the way to extend his control over the Euphrates River.* Hadadezer was trying to expand his empire to the area of the Euphrates River, and in

ד וַיִּלְכֹּ֨ד דָּוִ֜ד מִמֶּ֗נּוּ אֶ֤לֶף וּשְׁבַע־מֵאוֹת֙ פָּֽרָשִׁ֔ים וְעֶשְׂרִ֥ים אֶ֖לֶף אִ֣ישׁ רַגְלִ֑י וַיְעַקֵּ֤ר דָּוִד֙
ה אֶת־כָּל־הָרֶ֔כֶב וַיּוֹתֵ֥ר מִמֶּ֖נּוּ מֵ֥אָה רָֽכֶב׃ וַתָּבֹא֙ אֲרַ֣ם דַּמֶּ֔שֶׂק לַעְז֕וֹר לַהֲדַדְעֶ֖זֶר מֶ֣לֶךְ
ו צוֹבָ֑ה וַיַּ֤ךְ דָּוִד֙ בַּאֲרָ֔ם עֶשְׂרִֽים־וּשְׁנַ֥יִם אֶ֖לֶף אִֽישׁ׃ וַיָּ֨שֶׂם דָּוִ֥ד נְצִבִים֮ בַּאֲרַ֣ם דַּמֶּשֶׂק֒
וַתְּהִ֤י אֲרָם֙ לְדָוִ֔ד לַעֲבָדִ֖ים נוֹשְׂאֵ֣י מִנְחָ֑ה וַיֹּ֤שַׁע יהוה֙ אֶת־דָּוִ֔ד בְּכֹ֖ל אֲשֶׁ֥ר הָלָֽךְ׃
ז־ח וַיִּקַּ֣ח דָּוִ֔ד אֵ֚ת שִׁלְטֵ֣י הַזָּהָ֔ב אֲשֶׁ֣ר הָי֔וּ אֶ֖ל עַבְדֵ֣י הֲדַדְעָ֑זֶר וַיְבִיאֵ֖ם יְרוּשָׁלָֽםִ׃ וּמִבֶּ֥טַח
ט וּמִבֵּרֹתַ֖י עָרֵ֣י הֲדַדְעָ֑זֶר לָקַ֞ח הַמֶּ֧לֶךְ דָּוִ֛ד נְחֹ֖שֶׁת הַרְבֵּ֥ה מְאֹֽד׃ וַיִּשְׁמַ֕ע
י תֹּ֖עִי מֶ֣לֶךְ חֲמָ֑ת כִּ֚י הִכָּ֣ה דָוִ֔ד אֵ֖ת כָּל־חֵ֥יל הֲדַדְעָֽזֶר׃ וַיִּשְׁלַ֣ח תֹּ֣עִי אֶת־יוֹרָם־בְּנ֣וֹ
אֶל־הַמֶּֽלֶךְ־דָּוִ֡ד לִשְׁאָל־ל֣וֹ לְשָׁל֩וֹם וּֽלְבָרְכ֗וֹ עַל֩ אֲשֶׁ֨ר נִלְחַ֤ם בַּהֲדַדְעֶ֙זֶר֙ וַיַּכֵּ֔הוּ כִּֽי־
אִ֛ישׁ מִלְחֲמ֥וֹת תֹּ֖עִי הָיָ֣ה הֲדַדְעָ֑זֶר וּבְיָד֗וֹ הָי֛וּ כְּלֵי־כֶ֥סֶף וּכְלֵי־זָהָ֖ב וּכְלֵ֥י נְחֹֽשֶׁת׃
יא גַּם־אֹתָ֕ם הִקְדִּ֛ישׁ הַמֶּ֥לֶךְ דָּוִ֖ד לַֽיהוָ֑ה עִם־הַכֶּ֤סֶף וְהַזָּהָב֙ אֲשֶׁ֣ר הִקְדִּ֔ישׁ מִכָּל־הַגּוֹיִ֖ם

רש״י

(ד) **ויעקר דוד את כל הרכב.** משום (דברים יז, טז), לא ירבה לו סוסים: **ויותר ממנו מאה רכב.** שהיו צריכין לו לכדי מרכבתו, והרכב ארבעה סוסים, כמו שנאמר (דברי הימים־ב א, יז), מרכבה בשש מאות כסף וסוס בחמשים ומאה, כאן למדנו שהרכב ארבעה סוסים: (ז) **שלטי הזהב.** הם אשפתות שנותנים בהם החצים, כמה דאת אמר (ירמיהו נא, יא), הברו החצים מלאו השלטים. כל הפרשיות הללו סמכן אצל פרשה של בית המקדש, לפי שמכל המלחמות הללו, קיבץ הקדשות לצרכי הבית:

רד״ק

(ד) **וילכד דוד ממנו.** ולא אמר ויך, נראה כי לא הכה מהם אלא אשר הכה בהלחמו עליהם, ובהתגברו עליהם לנצחם לכד מהם הסך הזה שאמר להם ולקח מהם פדיון נפשם, וכן תרגם יונתן וילכד וַאֲסַר כלומר אסרם בכבלים עד שפדו עצמן: **אלף ושבע מאות פרשים ועשרים אלף איש רגלי.** ובדברי הימים (־א יח, ד) אֶלֶף רֶכֶב וְשִׁבְעַת אֲלָפִים פָּרָשִׁים, הנה מנה השרים הגדולים אשר במחנה הדדעזר ושם מנה כל הרכב והפרשים, וכן לא זכר הנה מנין הרכב ושם זכר אותם, והרגלים זכרם הנה ולא זכרם שם: **ויעקר דוד.** לפי שהוא אסור לו להרבות סוס כמו שכתוב לֹא יַרְבֶּה לּוֹ סוּסִים (דברים יז, טז), ולא המיתם כי אסור להשחית דבר נברא דרך השחתה אם לא היה מזיק, או דבר שאסור בהנאה, או למחות זכר כמו בעמלק שנאמר בו מִשּׁוֹר וְעַד שֶׂה מִגָּמָל וְעַד חֲמוֹר (לעיל־א טו, ג), ועקרם כדי שלא יקחו מהם אנשי החיל, והעיקור הותר בסוסי האויבים כדי שלא ילחמו בהם עוד לישראל כמו שצוה האל ליהושע אֶת סוּסֵיהֶם תְּעַקֵּר (יהושע יא, ו) והעקור שהוא מנשל פרסותיה מהארכובה ולמטה שלא תוכל לזוז ממקומה: **ויותר ממנו מאה רכב.** הם ארבע מאות סוס, הותירם לצרכו כדי מרכבתו כי לא אסרה תורה להרבות סוס אלא סוסים בטלים כדי שלא יהיו ישראל רגילים ללכת למצרים כי משם היו מביאין הסוסים, לפיכך לא יהיו לו סוסים בטלים אלא כדי צרכו: (ה) **ארם דמשק.** לפי שיש ארם צובה, ארם נהרים, ארם מעכה, ארם בית רחוב: (ו) **נושאי מנחה.** כתרגומו נַטְלֵי פְּרַס כמו שפירשתי (לעיל פסוק ב): (ז) **שלטי הזהב.** מגיני הזהב אשר היו על עבדי הדדעזר, פירוש אשר לקחם במלחמה ופירוש אֶל עַבְדֵי כמו על עבדי, וכן הוא בדברי הימים (־א יח, ז), והוצרך לומר וַיְבִיאֵם יְרוּשָׁלָם כלומר שלא נתנם לפדיון כמו שנתן הפרשים של עבדי הדדעזר לפדיון כמו שכתוב למעלה וַיִּלְכֹּד (פסוק ד) או אמר וַיְבִאֵם יְרוּשָׁלָם לומר שנתנם באוצר בית ה׳ להקדש: (ח) **ומבטח ומברתי.** ובדברי הימים (שם שם, ח) וּמִטִּבְחַת וּמִכּוּן, שני שמות היו להם, ובטח וטבחת אחד אלא שהפוכות האותיות: (י) **ולברכו.** שיצליחהו האל במלחמותיו, או פירוש ולתת לפניו מנחה כמו שכתוב וּבְיָדוֹ הָיוּ כְּלֵי כֶסֶף וגו׳, כי המנחה נקראת ברכה כמו קַח נָא אֶת בִּרְכָתִי אֲשֶׁר הֻבָאת לָךְ (בראשית לג, יא): (יא) **הקדיש המלך.** לבנין בית המקדש:

מצודת דוד

(ד) **ויעקר.** משום שנאמר (דברים יז, טז), ולא ירבה לו סוסים: (ו) **נציבים.** פקידים וממונים לגבות המס ולמשול בהם: (י) **כי איש מלחמות.** הדדעזר היה שונא ואיש מלחמה עם תועי: **ובידו.** ביד יורם בן תועי: (יא) **גם אותם.** אשר הביאו לו למנחה, הקדיש וגו׳ עם הכסף והזהב אשר הקדיש משלל הגוים אשר כבש, האמור במקרא שלאחריו:

מצודת ציון

(ד) **פרשים.** הם רוכבי הסוסים הרגילים בזה: **ויעקר.** הסיר העיקר, והם הרגלים, שהם העיקר בבהמה, וכן (יהושע יא, ו), סוסיהם תעקר: **רכב.** הם מארבעה סוסים: (ו) **נציבים.** פקידים וממונים: (ז) **שלטי.** כעין מגן: **אל עבדי.** על עבדי:

the process he overran parts of *Eretz Yisrael* (*Radak*). This explanation is difficult because Aram Zobah is far north of the Land and an expedition from there to the Euphrates would not take Hadadezer to *Eretz Yisrael.*

Vilna Gaon to *Chronicles* (ibid.) comments that the one *on the way to . . . the Euphrates* was King David, who was leading an expedition to expand his border to the Euphrates when he battled with Hadadezer. Accordingly, David was intent on expanding Jewish control northward in order to prevent foreign attacks.

4. וַיִּלְכֹּד דָּוִד — *David captured.* The captives were not killed; presumably David released them for a ransom (*Radak*). Apparently David trusted Hadadezer that there would be no further attacks against Israel; otherwise he would not have presented the king with this fighting force. However, Hadadezer had no such peaceful intentions. Chapter 10 relates how he attacked again.

אֶלֶף וּשְׁבַע־מֵאוֹת פָּרָשִׁים — *One thousand seven hundred horsemen.* According to *I Chronicles* (18:4), David captured *seven thousand* horsemen. *Radak* resolves the contradiction by explaining that here only the officers are counted, while *I Chronicles* gives the total number of soldiers.

וַיְעַקֵּר דָּוִד — *David hamstrung.* As mentioned in *I Chronicles* (18:4), David captured a thousand chariots from Hadadezer. David could not return these horses to Hadadezer, because he feared they would be used in further attacks against Israel. He could not keep them all for himself, because the Torah commands (*Deuteronomy* 17:16): *He [the king of Israel] shall not have too many horses for himself* (*Rashi*). He therefore had the horses hamstrung to render them useless to Hadadezer or

[4]David captured from him one thousand seven hundred horsemen, and twenty thousand foot soldiers; David hamstrung all the chariot [horses], but he left over of them [horses for] one hundred chariots. [5]Aram of Damascus came to assist Hadadezer, king of Zobah, and David struck down twenty-two thousand men of Aram. [6]David appointed authorities in Aram of Damascus, and Aram became servants of David, bearers of tribute. HASHEM caused salvation for David wherever he went. [7]David took the golden shields of Hadadezer's servants and brought them to Jerusalem. [8]And from Betah and Berothai — cities of Hadadezer — King David took a great deal of copper.

King Toi pays tribute

[9]Toi, king of Hamath, heard that David had struck down the entire army of Hadadezer. [10]So Toi sent his son Joram to King David to greet him and to wish him well for having fought and defeated Hadadezer, for Hadadezer was a battle foe of Toi; in his hand were silver vessels, gold vessels and copper vessels. [11]King David consecrated them also unto HASHEM, along with the silver and gold of all the nations

other potential aggressors. He did not *kill* the horses because this would have contravened the Torah prohibition against purposeless destruction (ibid. 20:19) (*Radak*).

A further question remains, however. Since the Torah forbids one to inflict unnecessary pain on animals, why was David permitted to hamstring the horses? It may be that this was a necessity to prevent their aggressive use against Israel. Alternatively, David based his decision on God's explicit command to Joshua (11:6), in a similar situation (see *Avodah Zarah* 13a).

מֵאָה רָכֶב — *[Horses for] one hundred chariots.* A chariot requires a team of four horses, so David retained four hundred horses (*Rashi*, from *II Chronicles* 1:17). Although the Torah forbids a king to have *too many horses*, he is permitted to have enough horses to pull a reasonable number of chariots (*Rashi*, based on Mishnah, *Sanhedrin* 21b).

This is another instance of David's faith in God. As a king who was often involved in battle and whose country had enemies on all its frontiers, David could easily have been tempted to maintain a much larger fleet of chariots and a large cavalry. He did not do so because, as he wrote in *Psalms* (20:8), *Some with chariots and some with horses, but we — in the Name of HASHEM*, our God — call out (Psalms 20:8).

5. *Aram of Damascus*, another Aramean kingdom, came to the aid of Hadadezer, only to suffer twenty-two thousand casualties, in an even more crushing defeat than that of Zobah.

6. וַיָּשֶׂם דָּוִד נְצִבִים — *David appointed authorities*. David annexed Aram of Damascus, but Aram of Zobah was not subjugated, since Hadadezer launched another attack against Israel (see ch. 10).

From this time on, the Sages extended some, but not all, of the laws of *Eretz Yisrael* to Syria (Aram) (*Gittin* 8a). *Sifrei (Deuteronomy* 11:24) states that David's conquest was "not in accordance with the Torah," because there were still areas of *Eretz Yisrael* that were held by the Canaanites, and David should have conquered them first before setting his sights elsewhere. Furthermore, David conquered Aram without consulting the Sanhedrin. For these reasons, the Sages referred to Syria as כִּבּוּשׁ יָחִיד, *the conquest of an individual*, as opposed to a conquest undertaken by the entire nation. For this reason, Syria was not given the full status of *Eretz Yisrael*.

7. שִׁלְטֵי הַזָּהָב — *The golden shields*. *Rashi* (here and elsewhere) translates the word שלט as a *quiver* for arrows. Most commentators, however, interpret the word to mean a *shield*.

וַיְבִיאֵם יְרוּשָׁלָם — *And brought them to Jerusalem*. David consecrated the spoils of the war for the construction of the Temple. This is why the account of these wars follows immediately after Nathan's prophecy that David could not build the Temple. If he could not do it himself, he would at least prepare for its construction by Solomon (*Rashi*).

Indeed, David made remarkably extensive preparations for its subsequent construction — assigning the Levite and Kohanite families to groups and rotations, drawing up detailed plans for the construction of the Temple buildings, amassing large amounts of precious materials to be used in the building, and so on, as described in detail in *I Chronicles*, chs. 22-29.

8. נְחֹשֶׁת הַרְבֵּה מְאֹד — *A great deal of copper*. It was from this copper that King Solomon later built the "sea" (i.e., water tank), the two pillars Jachin and Boaz, and the various copper vessels of the Temple (*I Chronicles* 18:8).

9-10. *Hamath* was another Syrian kingdom, which was in a state of war with the aggressive Hadadezer. When King Toi heard that David had defeated his enemy, he sent his son with good wishes and a lavish gift.

10. וּלְבָרְכוֹ — *And to wish him well* [lit. *to bless him*]. Joram expressed his father's wishes that God should continue to grant David success in his wars. Another interpretation of לְבָרְכוֹ is *to bring him a gift*, as in *Genesis* 33:11 (*Radak*).

11. David consecrated not only the spoils of war, but also these personal gifts to be used in the construction of the Temple (*Radak*). *Abarbanel* suggests that David did so in part to avoid the Torah's prohibition, *He (the king of Israel) shall not greatly increase silver and gold for himself* (*Deuteronomy* 17:17).

יב אֲשֶׁר כִּבֵּשׁ: מֵאֲרָם וּמִמּוֹאָב וּמִבְּנֵי עַמּוֹן וּמִפְּלִשְׁתִּים וּמֵעֲמָלֵק וּמִשְּׁלַל הֲדַדְעֶזֶר
יג בֶּן־רְחֹב מֶלֶךְ צוֹבָה: וַיַּעַשׂ דָּוִד שֵׁם בְּשֻׁבוֹ מֵהַכּוֹתוֹ אֶת־אֲרָם בְּגֵיא־מֶלַח
יד שְׁמוֹנָה עָשָׂר אָלֶף: וַיָּשֶׂם בֶּאֱדוֹם נְצִבִים בְּכָל־אֱדוֹם שָׂם נְצִבִים וַיְהִי כָל־
טו אֱדוֹם עֲבָדִים לְדָוִד וַיּוֹשַׁע יהוה אֶת־דָּוִד בְּכֹל אֲשֶׁר הָלָךְ: וַיִּמְלֹךְ דָּוִד עַל־
טז כָּל־יִשְׂרָאֵל וַיְהִי דָוִד עֹשֶׂה מִשְׁפָּט וּצְדָקָה לְכָל־עַמּוֹ: וְיוֹאָב בֶּן־צְרוּיָה עַל־
יז הַצָּבָא וִיהוֹשָׁפָט בֶּן־אֲחִילוּד מַזְכִּיר: וְצָדוֹק בֶּן־אֲחִיטוּב וַאֲחִימֶלֶךְ בֶּן־אֶבְיָתָר

רש״י

(יג) **ויעש דוד שם.** שקבר את ההרוגים שהרג באדום, והוא שם טוב לישראל, שקוברין את אויביהם; וכן הוא אומר במלחמת גוג ומגוג (יחזקאל לט, יג), וקברו כל עם הארץ והיה להם לשם. ומנין שקברן דוד, שנאמר בספר מלכים (א יא, טו), ויהי בהיות דוד את אדום בעלות יואב שר הצבא לקבר את החללים: **שמונה עשר אלף.** ובספר תהלים (ס, ב) הוא אומר, שנים עשר אלף, אמור מעתה, שתי מלחמות היו: (יד) **נציבים.** פקידים לגבות מס: (טו) **ויהי דוד עושה משפט וגו׳ ויואב על הצבא.** דוד גרם ליואב להיות מנליח על הצבא, לפי שעשה משפט וצדקה, ויואב גרם לדוד לעשות משפט וצדקה, לפי שהוא דן, ויואב שוטר ורודה על ידו, ועוד, מתוך שיואב עסק במלחמות, לא היה דוד טרוד בהן, ולבו פתוח לשפוט צדק: (טז) **מזכיר.** מזכיר איזה דין בא לפניו ראשון, לפוסקו ראשון:

רד״ק

(יג) **ויעש דוד שם.** כי נצח מלחמה גדולה ויצא שמו בעמים ורז״ל פירשו שקבר את החללים כמו שנאמר במלכים (־א יא, טו) בַּעֲלוֹת יוֹאָב שַׂר הַצָּבָא לְקַבֵּר אֶת הַחֲלָלִים, וזהו שם גדול לישראל שמקברים את אויביהם, וכן הוא אומר במלחמת גוג ומגוג וְקָבְרוּ כָּל עַם הָאָרֶץ וְהָיָה לָהֶם לְשֵׁם (יחזקאל לט, יג): **את ארם בגיא מלח שמונה עשר אלף.** אבל אותם עשרים ושתים אלף שאמר למעלה היו במקום אחר וזה היה בגיא מלח, ובדברי הימים (־א יח, יב) וְאַבְשַׁי בֶּן צְרוּיָה הִכָּה אֶת אֱדוֹם בְּגֵיא הַמֶּלַח שְׁמוֹנָה עָשָׂר אָלֶף, ובספר תהלים (ס, ב) וַיָּשָׁב יוֹאָב וַיַּךְ אֶת אֱדוֹם בְּגֵיא מֶלַח שְׁנֵים עָשָׂר אָלֶף, הנה בספר הזה אומר ארם ובשני הספרים אומר אדום ובספר תהלים אומר שנים עשר ובשני הספרים שמונה עשר, נראה כי מלחמת אדום היתה כשהיתה מלחמת ארם כי כן כתוב בתהלים (שם) בְּהַצּוֹתוֹ אֶת אֲרַם נַהֲרַיִם וְאֶת אֲרַם צוֹבָה, ומארם ומאדום היו אלה שמונה עשר אלף, ואמר בזה הספר ארם ורצה לומר ואשר עמהם והם אדום, ואמר בשני הספרים אדום ורצה לומר ואשר עמהם והם ארם, ובאומר בדברי הימים כי אבישי עשה מלחמה והכה בהם שמונה עשר אלף ובתלים אמר יואב ואמר שנים עשר אלף איש, אבישי עשה תחלה המלחמה והכה בהם ששה אלפים ואחר כך עשה עמהם יואב מלחמה והכה בהם שנים עשר אלף וזה שכתוב בתהלים וישב יואב כלומר שב אחר כן יואב אחרי אבישי, וזכר בדברי הימים כל המלחמה בשם אבישי לפי שהוא היה תחלת המלחמה וזכר כל השמונה עשר אלף על שמו, ובזה הספר זכר המלחמה בשם דוד כי הוא העיקר. ובדרש (תנחומא דברים ג) אומר כי כשהלך יואב להלחם עם ארם עמדו עליו בני אדום אמרו לו לא כך אמר הכתוב אַל תִּתְגָּרוּ בָם (דברים ב, ה) השיבם יואב ולא כך אמר הכתוב אַתֶּם עֹבְרִים בִּגְבוּל אֲחֵיכֶם (שם שם, ד) הניחו אותנו לעבור ולא רצו, אמר יואב אם נחריב אדום עכשיו אין אנו מוצאין בחזרתינו לא אכילה ולא שתיה, אלא נניח אותם עד שנכה את ארם ונחזור עליהם, לכך נאמר וישב יואב ויך את אדום אמר להם הקב״ה מה אתם מועילין שתכו את אדום קמעא קמעא אבישי בן צרויה הרג שמונה עשר אלף ואתם שנים עשר אלף כשיגיע זמן אני אכלה אותם ואחריבם, ולדברי הדרש הזה היו שתי מלחמות בשני פעמים: (יד) **בכל אדום שם נצבים.** לפי שאמר וַיָּשֶׂם ... נְצִבִים בַּאֲרַם דַּמֶּשֶׂק (פסוק ו), אמר בְּכָל אֱדוֹם שלא תחשוב כי במקום אחר באדום שם נציבים כמו בארם דמשק שלא שם בשאר ארם, אלא בכל אדום שם נציבים: (טו) **וימלך דוד על כל ישראל.** כשנצח כל המלחמות ואפס בית שאול לא היה אדם בישראל מפקפק במלכותו: **משפט וצדקה.** כתרגומו דִּין דִּקְשׁוֹט, וזהו כלומר היה שופט באמת במשפטי הריב אשר בין איש לאיש, גם היה עושה עמם צדקה כמו שהיו צריכין אליו: (טז) **מזכיר**: כתרגומו מְמַנָּא עַל דּוּכְרָנַיָּא, כלומר ממונה על ספר הזכרונות:

מצודת דוד

(יג) **ויעש דוד שם.** עשה גבורה גדולה, וקנה שם: **בשובו.** רוצה לומר, עם כי היה עיף ויגע ממלחמת ארם, עם כל זה הכה בגיא מלח וגו׳ ובתהלים (ס ב) ובדברי הימים (א יח, יב) נאמר, שאותן המוכים היו מבני אדום, ולזה אמר במקרא שלאחריו, ששם באדום נציבים: (יד) **בכל אדום.** ולא נשאר עיר אחת מבלי נציב: (טו) **משפט.** בין איש לאחיו: **וצדקה.** משלו, להצריכים לקבל: (טז) **על הצבא.** היה שר על קבוצת החיל: **מזכיר.** היה ממונה על ספר הזכרונות:

מצודת ציון

(יא) **כבש.** ענין לכידה:

12. **וּמֵעֲמָלֵק** — *From Amalek*. Neither here nor in *Chronicles* is there mention of a war with Amalek after David became king. Presumably this verse refers to the spoils of David's raid against the Amalekites during the time when he was in exile with Achish of Gath (*I Samuel* 30:20) during Saul's reign. Even those spoils were consecrated for the future Temple (*Daas Sofrim*).

13. **וַיַּעַשׂ דָּוִד שֵׁם** — *David earned renown,* i.e., the respect even of his enemies, because, as recounted in *I Kings* 11:15, he showed respect for his enemies by arranging for their dead to be buried (*Rashi*). According to *Mahari Kara,* it was because he fought valiantly there.

Interestingly, *Targum* translates the phrase as "David gathered together battalions" (see below).

אֲרָם בְּגֵיא־מֶלַח — *Aram, at the Valley of Salt*. The Valley of Salt is located in Edom (see *II Kings* 14:7), not Aram. Accordingly, the verse speaks of *another* battle that was fought at the Valley of Salt, as David's army was returning from the war with Aram. Although this verse does not identify the foe in this battle, three other verses identify it as Edom (*Psalms* 60:2; *II Chronicles* 18:12; and, according to *Rashi*, *I Kings* 11:15).

שְׁמוֹנָה עָשָׂר אָלֶף — *Eighteen thousand [men].* These were the casualties of the Edomite war (*Rashi*). This conclusion is further corroborated by the fact that the following verse speaks of David's subjugation of *Edom* (see *Radak*, *Abarbanel*).

Noting that *Psalms* (60:2) speaks of *twelve thousand* casualties, *Rashi* comments that there were two separate battles against Edom; eighteen thousand were killed in one and twelve thousand in the other. According to *Radak* and *Abarbanel* however, the forces of Abishai ben Zeruiah began the battle and killed six thousand, and then his brother Joab took command and killed another twelve thousand. Our verse attributes the victory to David, since both generals were under his command.

he had conquered, which he had already consecrated — [12]from Aram, from Moab, from the Children of Ammon, from the Philistines, from Amalek, and from the spoils of Hadadezer son of Rehob, king of Zobah.

David consolidates his reign

[13]David earned renown upon returning from striking down Aram, at the Valley of Salt — eighteen thousand [men]. [14]He appointed authorities in Edom — throughout Edom he appointed authorities — and all of Edom became subjects of David. HASHEM *caused salvation for David wherever he went.*

[15]David reigned over all of Israel; David administered justice and kindness to his entire people. [16]And Joab son of Zeruiah was in command of the army; Jehoshaphat son of Ahilud was the chronicler; [17]Zadok son of Ahitub and Ahimelech son of Abiathar

---

Violated agreements. Various *Midrashim* refer to the pledge that Jacob and Laban the Aramean made to one another not to battle one another, and to the Torah's commandments that Israel should not initiate hostilities against Moab, Ammon, and Edom. Based on these Scriptural injunctions, the people of Aram, Moab, Ammon, and Edom contended that David's armies had no right to fight them. In each case, David consulted the Sanhedrin, which ruled that since those nations had previously invaded or otherwise attacked Israel, they had nullified their claims to protection.

14. **נְצִבִים** — *Authorities.* David appointed *authorities* to collect taxes (*Rashi*). The verse repeats this to indicate that he appointed authorities repeatedly, year after year, maintaining total and uninterrupted control over Edom (*Abarbanel*).

Kli Yakar notes that this emphasis on authorities is mentioned only with regard to Edom, although David must have had officials in the other conquered lands, as well. He suggests that the other conquered nations are described as sending gifts and paying tribute to David, implying that they submitted to his reign. Edom, however, maintained the historic hostility of its forefather Esau, and therefore it was necessary for David to impose his rule. It was not enough for him to do so in the major towns and crossroads, he had to appoint authorities *throughout Edom.*

Just as David was preparing the way for the eventual construction of the Temple, so too he was laying the spiritual groundwork for the future coming of his descendant, the Messiah. At that time, *The saviors [who will lead Israel out of exile] will ascend Mount Zion to judge Esau's mountain, and the kingdom will be* HASHEM's (Obadiah 1:21). It was revealed to Rebecca, when she was expecting Jacob and Esau, that only one of them could be ascendant at any time; when one would rise, the other would decline. Now, by imposing his rule over Edom, David portended the world order at the End of Days (*Maharal*).

Be'er Moshe extends this concept. God promised Abraham that his offspring would inherit not only the seven Canaanite nations, but also *the Kennite, the Kenizzite, and the Kadmonite (Genesis* 15:19). These three territories will become part of *Eretz Yisrael* with the coming of Messiah. Thus, by subjugating these three nations, David set the stage for the future redemption.

15-18. David names his "ministers." This passage lists the officials whom David appointed to serve him. It is clear from the context that not all of these appointments were made early in his reign or even after the wars mentioned above. The best proof is verse 18, where his sons are named as his senior ministers, but they were young children when he became king, so that they could not have been appointed until much later. Also, in verse 17, Zadok and Ahimelech are named as the heads of the Kohanim, but early in David's reign the Kohen Gadol was still Abiathar (see comm. to v. 17).

15. Saul's family was no longer a competitor to David's rule. This combined with David's overwhelming victories just described, gained him stronger and stronger levels of allegiance from his people.

מִשְׁפָּט וּצְדָקָה — *Justice and kindness.* He administered strict justice when it was called for, but also showed kindness and charity to those who needed it (*Radak*).

Experience shows how difficult it is to combine *justice* with *kindness*, two attributes that are often contradictory. Nevertheless, David's wisdom and integrity enabled him to do so.

He was able to combine charity with justice. If someone owed money, David ruled that he must pay, but if the person was indigent, David gave him the funds he needed (*Avos d'R' Nassan).*

The Sages teach that a judge combines justice with charity by seeking to settle disputes through compromise (*Sanhedrin* 49a).

16. **וְיוֹאָב . . . עַל הַצָּבָא** — *And Joab . . . was in command of the army.* The conjunction *and* at the beginning of this verse suggests a connection with what precedes it. *Rashi* (based on *Sanhedrin* 49a) explains: In the merit of David's righteous justice, God granted Joab the ability to wage war successfully; and because Joab was such a capable commander, David was able to concentrate on ruling his subjects with justice and kindness.

מַזְכִּיר — *The chronicler.* The translation *chronicler* is based on *Targum* and *Radak*. According to *Rashi*, a מַזְכִּיר, literally *one who reminds*, would call the king's attention to which case was next in line to be judged. *Mahari Kara* comments that this official would keep account of how many people lived in each district, and how many were available for military service.

17. Zadok, a descendant of Elazar son of Aaron, was the Kohen Gadol, and Ahimelech, a descendant of Ithamar son of Aaron, through Eli, was his assistant (*Radak*). At this time

יח כֹּהֲנִ֑ים וּשְׂרָיָ֖ה סוֹפֵֽר׃ וּבְנָיָ֙הוּ֙ בֶּן־יְה֣וֹיָדָ֔ע וְהַכְּרֵתִ֖י וְהַפְּלֵתִ֑י וּבְנֵ֥י דָוִ֖ד כֹּהֲנִ֥ים הָיֽוּ׃

ט

א וַיֹּ֣אמֶר דָּוִ֔ד הֲכִ֣י יֶשׁ־ע֔וֹד אֲשֶׁ֥ר נוֹתַ֖ר לְבֵ֣ית שָׁא֑וּל וְאֶעֱשֶׂ֤ה עִמּוֹ֙ חֶ֔סֶד בַּעֲב֖וּר יְהוֹנָתָֽן׃ ב וּלְבֵ֨ית שָׁא֥וּל עֶ֙בֶד֙ וּשְׁמ֣וֹ צִיבָ֔א וַיִּקְרְאוּ־ל֖וֹ אֶל־דָּוִ֑ד וַיֹּ֨אמֶר הַמֶּ֧לֶךְ אֵלָ֛יו הַאַתָּ֥ה צִיבָ֖א וַיֹּ֥אמֶר עַבְדֶּֽךָ׃ ג וַיֹּ֣אמֶר הַמֶּ֗לֶךְ הַאֶ֨פֶס ע֥וֹד אִישׁ֙ לְבֵ֣ית שָׁא֔וּל וְאֶעֱשֶׂ֥ה עִמּ֖וֹ חֶ֣סֶד אֱלֹהִ֑ים וַיֹּ֤אמֶר צִיבָא֙ אֶל־הַמֶּ֔לֶךְ ע֛וֹד בֵּ֥ן לִיהוֹנָתָ֖ן נְכֵ֥ה רַגְלָֽיִם׃ ד וַיֹּֽאמֶר־ל֥וֹ הַמֶּ֖לֶךְ אֵיפֹ֣ה ה֑וּא וַיֹּ֨אמֶר צִיבָ֜א אֶל־הַמֶּ֗לֶךְ הִנֵּה־ה֙וּא֙ בֵּ֣ית מָכִ֣יר בֶּן־עַמִּיאֵ֔ל בְּל֖וֹ דְבָֽר׃ ה וַיִּשְׁלַ֖ח הַמֶּ֣לֶךְ דָּוִ֑ד וַיִּקָּחֵ֗הוּ מִבֵּ֛ית מָכִ֥יר בֶּן־עַמִּיאֵ֖ל מִלּ֥וֹ דְבָֽר׃ ו וַ֠יָּבֹא מְפִיבֹ֨שֶׁת בֶּן־יְהוֹנָתָ֤ן בֶּן־שָׁאוּל֙ אֶל־דָּוִ֔ד וַיִּפֹּ֥ל עַל־פָּנָ֖יו וַיִּשְׁתָּ֑חוּ וַיֹּ֤אמֶר דָּוִד֙ מְפִיבֹ֔שֶׁת וַיֹּ֖אמֶר הִנֵּ֥ה עַבְדֶּֽךָ׃ ז וַיֹּאמֶר֩ ל֨וֹ דָוִ֜ד אַל־תִּירָ֗א כִּ֣י עָשֹׂ֨ה אֶעֱשֶׂ֜ה

רש״י

(יח) ובניהו בן יהוידע והכרתי והפלתי. תרגם יונתן, ובניהו בר יהוידע ממנא על קשתיא ועל קלעיא. ורבותינו אמרו (ברכות ד, א) כרתי ופלתי, אורים ותומים: **כהנים היו.** תרגם יונתן, רברבין הוו:

רד״ק

(יז) כהנים. שרי כהונה, כי הוא מנה צדוק להיות כהן גדול מבני אלעזר ומשנהו אחימלך בן אביתר מבני איתמר, אף על פי שהיה אביתר עדיין חי, כי ראינו כי שלמה גרשו מהיות כהן (מלכים־א ב, כז), נראה כי במצות דוד עשה כי כאשר סדר דוד ראשי האבות סדר צדוק ואחימלך כמו שכתוב בדברי הימים (־א כד, ו) והיה נקרא אחימלך ואבימלך (שם יח, טז) כי שני השמות קרובים: **ושריה סופר.** ובדברי הימים (שם) שַׁוְשָׁא, ושני שמות היו לו: **(יח) ובניהו בן יהוידע והכרתי והפלתי.** תרגם יונתן וּבְנָיָהוּ בֶּן יְהוֹיָדָע מְמַנָא עַל קַשְׁתַּיָא וְעַל קַלְעַיָא ובניהו היה ממונה על הקשתים ועל הקלעים. וי״ו וְהַכְּרֵתִי כמו על, או כמו עם, וכן וְיוֹסֵף הָיָה בְמִצְרָיִם (שמות א, ה) אָוֶן וַעֲצָרָה (ישעיהו א, יג) וכן אומר בדברי הימים (־א יח, יז) עַל הַכְּרֵתִי, ויש מפרשים כרתי ופלתי שתי משפחות היו מישראל שהיו סרים אל משמעת המלך ורואים פניו תמיד ובניהו היה בראשם, ורז״ל פירשוהו (סנהדרין טז, ב) אלו אורים ותומים: **ובני דוד כהנים היו.** כתרגומו וּבְנֵי דָוִד רַבְרְבִין הֲווֹ כלומר גדולים היו וממונים על כלם, ובדברי הימים (־א יח, יז) אומר הָרִאשֹׁנִים לְיַד הַמֶּלֶךְ, ובדברי רבותינו ז״ל (נדרים סב, א) תלמידי חכמים היו, ולמה קראם כהנים מה כהן גדול נוטל חלק בראש אף תלמיד חכם נוטל חלק בראש (יומא יד, א): **(א) הכי יש עוד.** כטעם האם, וכן הֲכִי אָמַרְתִּי הָבוּ לִי (איוב ו, כב), וטעם זכר זה הענין הנה בעבור שנצח המלחמות והיה במנוחה וסדר הפקידים והממונים, שם אל לבו שבועת יהונתן שאם היה בזרעו אדם ראוי והגון היה ממנה אותו כמו שאמר לו יהונתן וְאָנֹכִי אֶהְיֶה לְּךָ לְמִשְׁנֶה לפיכך שאל אם נותר לבית שאול שיעשה עמו חסד בעבור יהונתן: **(ב) ולבית שאול עבד.** עבד כנעני היה והי׳ לשאול ולביתו אחריו כמו שכתוב וְהִתְנַחַלְתֶּם אֹתָם לִבְנֵיכֶם אַחֲרֵיכֶם (ויקרא כה, מו), ובני ציבא ועבדיו כלם עבדים לבית שאול כמו שאמר וְכֹל מוֹשַׁב בֵּית צִיבָא עֲבָדִים לִמְפִיבֹשֶׁת (פסוק יב), כי העבדים הם ובניהם וכל אשר להם היו לאדוניהם, וכן נראה מדברי רז״ל כי ציבא עבד כנעני היה, וכן נראה מהפסוקים, ואם תאמר אם כן מה נתן לו דוד באמרו הִנֵּה לְךָ כֹּל אֲשֶׁר לִמְפִיבֹשֶׁת (לקמן טז, ד) והלא כל מה שקנה עבד קנה רבו, אף על פי כן מצות המלך היה והמלך יכול לקחת מזה ולתת לזה: **(ג) האפס עוד איש.** האין עוד, ותמהתי למה תרגמו יונתן הֲאִית: **חסד אלהים.** בעבור שבועת אלהים שהיתה ביניהם: **נכה רגלים.** כתרגומו לְקֵי בְּתַרְתֵּין רִגְלוֹהִי שהוכה בנפלו ונפסח בשתי רגליו, ונֵכֵה תואר סמוך: **(ד) בלו דבר.** שם מקום:

מצודת דוד

(יז) כהנים. רצה לומר, שרי הכהנים, צדוק היה משוח מלחמה, ואחימלך סגן. ולא חשב את אביתר לכהן גדול, כי לא הועמד עתה כי אם מאז מלך על יהודה, אבל יואב עם שהיה שר הצבא מאז, מכל מקום הועמד עתה להיות שר על כל הצבא, אף משל ישראל. או על שחזר דוד והעמיד את צדוק לכהן גדול, לזה לא חשב את אביתר, כי לא היה דבר המתקיים: **(יח) והכרתי והפלתי.** תרגם יונתן, קשתיא וקלעיא, ורוצה לומר, ובניהו וגו׳ והכרתי והפלתי, היו מתמידים לשבת יחד, כי היה ממונה עליהם, להורותם לירות בקשת ולקלעות באבנים: **כהנים היו.** רוצה לומר, היו ראשים ושרים, ובדברי הימים (שם פסוק יז) נאמר, ובני דוד הראשונים ליד המלך או יאמר ובניהו וגו׳ והכרתי והפלתי ובני דוד, כולם היו שרי המלך, וסרים למשמעתו לכל אשר יצום, ולא היה להם הנהגות מיוחדות, כמו לאלו הנזכרים לפניהם: **(א) הכי יש עוד.** האם יש עוד: **(ב) עבד.** עבד כנעני היה: **עבדך.** רצה לומר, אני עבדך הוא ציבא: **(ג) האפס עוד.** וכי אין עוד איש לבית שאול, בתמיה, הלא בודאי יש עוד, ואעשה עמו חסד גדול ומרובה, כי כשרוצה להגדיל דבר מה, סומכו למלת אלהים, וכן (שמואל־א, טו), ותהי לחרדת אלהים: **עוד בן.** עוד נשאר בן: **נכה רגלים.** שבור ברגלו ופסח: **(ו) הנה עבדך.** כי חשב אשר קרא המלך לנקום בו בעבור שאול, ולזה אמר הנה עבדך מוכן לקבל כל העונש אשר תגזור: **(ז) אל תירא.** רצה לומר, לא קראתיך לגמול עמך רעה, כי אם לגמול עמך חסד בעבור אביך:

מצודת ציון

(יז) ושריה. ובדברי הימים (א יח, טז) קראו שושא, ולמטה (לעיל כ, כה) קראו שוא, ובשלש השמות היה נקרא, והוא כלל גדול בנביאים בכל מקום שנאמר פעם כן ופעם כן: **(יח) כהנים.** רוצה לומר ראשים ושרים: **(א) הכי.** כי משמש במקום אם: **(ג) האפס.** האין, וכן (בראשית מז, טו), אפס כסף: **נכה.** ענין שבירה, וכן (מלכים־ב כג, כט), פרעה נכה: **(ד) איפה.** איה פה: **בית מכיר.** בבית מכיר, ותחסר בי״ת השמוש, וכמוהו הרבה: **בלו דבר.** שם מקום, ׳לו דבר׳:

Abiathar, who had served as the Kohen Gadol (*I Samuel* 22:20) was alive and presumably still held the office, but he was later deposed when the *Urim v'Tumim* did not respond to his questions (15:24), so he is not mentioned here (*Parshiyos b'Sifrei HaNeviim*). According to *Metzudos*, however, Abiathar was still Kohen Gadol, but is not mentioned because he is already known from *I Samuel*.

18. וּבְנָיָהוּ בֶּן־יְהוֹיָדָע וְהַכְּרֵתִי וְהַפְּלֵתִי — *Benaiah son of Jehoiada [was in charge of] the archers and slingers*. The bracketed words are added in accordance with the parallel verse in *I Chronicles* (18:17) and *Targum*. According to this translation, Benaiah was a military commander.

According to the Talmud (*Berachos* 4a), the title כְּרֵתִי וּפְלֵתִי refers to something that renders precise and clear-cut decisions (from כרת, *to cut*) and is distinguished (from מוּפְלָא, *distinguished, special*). Thus the *Cherathi* and the *Pelathi* are

were Kohanim; Seraiah was the scribe; [18]Benaiah son of Jehoiada [was in charge of] the archers and slingers, and David's sons were senior ministers.

9 DAVID AND MEPHIBOSHETH 9:1-13

David learns of Jonathan's young surviving son ...

[1]David inquired, "Is there anyone else who has survived of the House of Saul, so that I may deal kindly with him for the sake of Jonathan?" [2]The House of Saul had a servant named Ziba, and they summoned him to David. The king said to him, "Are you Ziba?" and he answered, "[I am] your servant." [3]The king said, "Is there any man at all left of the House of Saul, so that I may perform Godly kindness with him?" Ziba said to the king, "There remains a son of Jonathan, whose legs are crippled." [4]The king said, "Where is he?" and Ziba said to the king, "Behold, he is in the house of Machir son of Ammiel, in Lo-debar."

[5]King David sent and had him brought from the house of Machir son of Ammiel, from Lo-debar. [6]Mephibosheth son of Jonathan son of Saul came before David and fell upon his face and prostrated himself. David said, "[Are you] Mephibosheth?" and he said, "Behold! [I am] your servant." [7]David told him, "Fear not, for I shall surely deal kindly

---

either the *Urim v'Tumim* or the Sanhedrin. Both give *clear-cut* decisions, and are *distinguished*. Accordingly, Benaiah was the one who helped decide which questions should be presented to the *Urim v'Tumim*, and how they should be phrased, or he was the head of the Sanhedrin.

כֹּהֲנִים — *Senior ministers. Targum* and the commentators unanimously agree that this is how the word כֹּהֲנִים (usually translated as *Kohanim* or *priests*) should be translated in this case. David's sons could not have been actual Kohanim, because he was from the tribe of Judah.

The word "Kohen" refers to "one who serves." In its most common usage, it refers to a Kohen who performs the Temple service, but it is also used properly, as in this case, for one who serves the government.

It seems from the Talmud that they were called by the name כֹּהֲנִים because they, like the Kohanim, were experts in Torah law. The Talmud (*Nedarim* 62a) derives from the use of this word that just as a Kohen is honored by being served before others, so is a Torah scholar.

9.

After having vanquished Israel's enemies and staffed his administration, David was able to turn his attention to less urgent matters. He had promised Jonathan that he would extend kindness to his children (*I Samuel* 20:15), and he had promised Saul that he would not *annihilate* his descendants (ibid. 24:22). All of Saul's sons had been killed — three by the Philistines and Ish-bosheth by assassins — and now David tried to ascertain whether there were any survivors whom he could help or even appoint to positions in his government. All this he wanted to do because of his love for Jonathan.

1. הֲכִי יֶשׁ־עוֹד אֲשֶׁר נוֹתַר לְבֵית שָׁאוּל — *Is there anyone else who has survived of the House of Saul?* Surely David, whose wife Michal was Saul's daughter, must have known if there were any surviving children or grandchildren. According to *Abarbanel,* David's question was whether any of them were qualified to be officials of his government. *Malbim* conjectures that in the aftermath of Ish-bosheth's assassination, Saul's descendants went into hiding, fearing for their lives. Therefore David, not knowing of their whereabouts, wondered if they were still alive. None of them came forward, however.

2. Ziba, a gentile slave of Saul's, would now belong to the king's survivors. David sent for him because he would surely know if there were any living heirs.

3. חֶסֶד אֱלֹהִים — *Godly kindness*, i.e.,, kindness dictated by the oath that I undertook before God (*Radak*).

נְכֵה רַגְלָיִם — *Whose legs are cripled.* As a five-year-old child, his legs were accidentally crippled; see above, 4:4. As will be seen in later chapters, Ziba was not loyal to Mephibosheth, the young prince. Now he disparaged him as someone who was physically unsuited to be appointed to any position of importance in the kingdom (*Malbim*). This son of Jonathan was five years old when Saul died. David was in Hebron for seven years, and the wars described in the last chapter may have taken a few years, so that he was no longer a child.

4. As an heir to Saul's throne, Mephibosheth had gone into hiding with Machir, afraid for his life (*Malbim*).

בְּלוֹ דְבָר — *In Lo-debar.* Machir was a wealthy resident of this city, on the east bank of the Jordan, as mentioned below, 17:27.

The Sages expound this phrase as if it were spelled לֹא, *not.* When David inquired about Mephibosheth, with a view to a royal appointment, the treacherous and disloyal Ziba said the prince is so unqualified that he possesses לֹא דָבָר, *not a word* of Torah knowledge. When David later met Mephibosheth, he discovered that this was untrue; the young man was a scholar of note (*Shabbos* 56a).

7. אַל־תִּירָא — *"Fear not."* Apparently Mephibosheth was apprehensive about why the king had summoned him, so David reassured him (*Metzudos*). *Kli Yakar* gives a very simple reason for the young prince's fear. It was very common even in medieval times for a new king to kill all possible pretenders to the throne — sometimes even his own brothers — to protect himself against revolt. The rationale for such barbaric behavior was always that the stability of the government had to be preserved for the benefit of the people.

עִמְּךָ חֶסֶד בַּעֲבוּר יְהוֹנָתָן אָבִיךָ וַהֲשִׁבֹתִי לְךָ אֶת־כָּל־שְׂדֵה שָׁאוּל אָבִיךָ וְאַתָּה
ח תֹּאכַל לֶחֶם עַל־שֻׁלְחָנִי תָּמִיד: וַיִּשְׁתַּחוּ וַיֹּאמֶר מֶה עַבְדֶּךָ כִּי פָנִיתָ אֶל־הַכֶּלֶב
ט הַמֵּת אֲשֶׁר כָּמוֹנִי: וַיִּקְרָא הַמֶּלֶךְ אֶל־צִיבָא נַעַר שָׁאוּל וַיֹּאמֶר אֵלָיו כֹּל אֲשֶׁר
י הָיָה לְשָׁאוּל וּלְכָל־בֵּיתוֹ נָתַתִּי לְבֶן־אֲדֹנֶיךָ: וְעָבַדְתָּ לּוֹ אֶת־הָאֲדָמָה אַתָּה וּבָנֶיךָ
וַעֲבָדֶיךָ וְהֵבֵאתָ וְהָיָה לְבֶן־אֲדֹנֶיךָ לֶּחֶם וַאֲכָלוֹ וּמְפִיבֹשֶׁת בֶּן־אֲדֹנֶיךָ יֹאכַל
יא תָּמִיד לֶחֶם עַל־שֻׁלְחָנִי וּלְצִיבָא חֲמִשָּׁה עָשָׂר בָּנִים וְעֶשְׂרִים עֲבָדִים: וַיֹּאמֶר
צִיבָא אֶל־הַמֶּלֶךְ כְּכֹל אֲשֶׁר יְצַוֶּה אֲדֹנִי הַמֶּלֶךְ אֶת־עַבְדּוֹ כֵּן יַעֲשֶׂה עַבְדֶּךָ
יב וּמְפִיבֹשֶׁת אֹכֵל עַל־שֻׁלְחָנִי כְּאַחַד מִבְּנֵי הַמֶּלֶךְ: וְלִמְפִיבֹשֶׁת בֵּן־קָטָן וּשְׁמוֹ
יג מִיכָא וְכֹל מוֹשַׁב בֵּית־צִיבָא עֲבָדִים לִמְפִיבֹשֶׁת: וּמְפִיבֹשֶׁת יֹשֵׁב בִּירוּשָׁלִַם כִּי
א עַל־שֻׁלְחַן הַמֶּלֶךְ תָּמִיד הוּא אֹכֵל וְהוּא פִּסֵּחַ שְׁתֵּי רַגְלָיו: **י** וַיְהִי

רש"י

(ט) נתתי לבן אדניך. המלך רשאי להעביר נחלה, שנאמר במשפט המלוכה (שמואל־א ח, יד), ואת שדותיכם ואת כרמיכם וגו׳ יקח ונתן לעבדיו: **(יא) כן יעשה עבדך ומפיבשת אוכל על שלחני**. ציבא אמר, כן יעשה עבדך, ודוד השיב, ומפיבושת אוכל על שלחני: **(יב) מושב בית ציבא.** בניו ועבדיו:

רד"ק

(ז) שדה שאול. שדה שם כלל לנחלתו, וכן תרגם יונתן אַחְסָנַת שָׁאוּל, ומהו זה החסד אם שלו נתן לו כי מפיבשת יורש היה נחלת שאול ולא היה שם יורש אחר מיהונתן ובני רצפה בת איה היו גם כן יורשים של שאול ואף על פי שהם בני פילגש אם כן היאך היה כח בית דוד לתת הכל למפיבשת ואם תאמר מלך יש לו רשות להעביר נחלה מזה ולתת לזה, כמו שכתוב במשפט המלוכה (לעיל־א ח, יד), מה חסד עשה אם נטל משאר יורשים ונתן למפיבשת, אם היה נותן לו משלו זה היה חסד. ועוד, שאמר והשיבותי לך. מלמד כי קודם זה נטלה ממפיבשת נחלתו ומשאר היורשים. ועוד, כי מה שכתוב במשפט המלוכה וְאֶת שְׂדוֹתֵיכֶם וְאֶת כַּרְמֵיכֶם ... יִקָּח (שם) כבר כתבנו בפירושים (שם פסוק טו) מה שפירשו בו רז"ל כי אינו אומר אלא על פירותיהם לפי שעה, ונראה כי הדבר כן מאחאב שבקש מנבות כרמו שימכרנו לו ולא רצה (מלכים־א כא, ג), אילו היה משפט המלוכה לקחת הכרם והשדה הטוב למה לא היה לוקח אותו, זה לא היה נחשב לו לגזלה כי משפט המלוכה היא. ועוד, שאמר במשפט המלוכה שדותיכם וכרמיכם וזיתיכם, ולא אמר בתיכם, מלמד שעל פירותיהם אמר. ועוד, שאמר וְנָתַן לַעֲבָדָיו (־א ח, יד) ולא אמר שיקח לעצמו, ויתכן לפרש כי דוד זכה בכל נחלת שאול לפי שאיש בשת ובית שאול היו מורדים במלכות כי ידוע יהיה בכל ישראל כי דוד היה מלך אחרי מות שאול ונמשח על פי ה׳ ומורד במלכות הוא וכל נכסיו נתחייבו, וכן כתוב וָאֶתְּנָה לְךָ אֶת בֵּית אֲדֹנֶיךָ (לקמן יב, ח), וכיון שהכל שלו ומן הדין זכה בו ואמר להשיב הכל למפיבשת חסד גדול עשה עמו, ועוד שנתנו באוכלי שלחנו כל הימים: **(י) והבאת.** תאסוף מן השדה הביתה ויש מפרשים אותו ענין תבואה כלומר תעבוד לו את האדמה בכל צרכי עבודה עד שתאסוף התבואה: **והיה לבן אדניך.** הוא מיכא בן מפיבשת, כלומר תבואת האדמה יהיה לחם לבן אדוניך מיכא ואכלו: **(יא) ומפיבשת אכל על שלחני.** אף על פי שמפיבשת אוכל על שלחני כאחד מבני המלך ולא יצטרך לכל הדבר הזה אף על פי כן אעשה כמו שצויתני לעבוד כל הנחלה למפיבשת ולבניו ויש מפרשים ומפיבשת אוכל על שלחני דברי דוד, כי אחר שאמר לו ציבא כן יעשה עבדך להכין הכל למיכא בן מפיבשת אמר דוד ומפיבשת יהיה אוכל על שלחני כאחד מבני המלך: **(יב) וכל מושב בית ציבא.** בניו וכל עבדיו וכל בני ביתו:

מצודת דוד

והשיבותי לך. אולי לקחם דוד אחרי מות איש בושת, בעבור אשתו מיכל היורשת אותו, בחשבו שלא נשאר מי היותר קרוב לנחלה: **(ח) מה עבדך.** מה נחשב עבדך למאומה: **(י) ועבדת לו.** לצרכו, תעבוד את האדמה בחרישה וקצירה: **והבאת.** את התבואה תביא אל הבית: **לבן אדניך.** הוא מיכה האמור למטה, שהוא בן מפיבושת אדונו: **בן אדוניך.** בן יהונתן אדוניו: **(יא) ומפיבושת.** אף זה מדברי ציבא, שאמר אנכי אעשה כדבריך, עם היות שעד עתה היה מפיבושת אוכל על שלחני כאחד מבני המלך, ולא הצטרך לכל דבר: **(יב) וכל מושב.** כל היושבים והשוכנים בבית ציבא, היו עבדים וגו׳:

מצודת ציון

(ט) נער. המשרת נקרא נער, על שם שדרך הנער לשרת את הזקן: **(יג) פסח.** חגר:

וַהֲשִׁבֹתִי לְךָ אֶת־כָּל־שְׂדֵה שָׁאוּל אָבִיךָ — *I shall return to you the entire estate of your father Saul.* If there were other heirs to Saul's property, how could David dispossess them in favor of Mephibosheth? And if there were no other heirs, why did David have to "give" Mephibosheth what was already rightfully his?

According to *Rashi*, a king has the right to expropriate property from one person and give it to another, as Samuel said (*I Samuel* 8:14) in his "Protocol of the Monarchy," *He will confiscate your best fields . . . and give them to his servants*. *Radak* rejects this interpretation because he disagrees with *Rashi's* understanding of the king's right to appropriate the property of his subjects. *Radak* contends that the Protocol of the Monarchy permits him only to avail himself of the *produce* of any field, but not to confiscate the property for himself or others. [*Rambam* (*Hil. Melachim* 4:6) agrees.]

Radak holds that the estate in question actually belonged to David, based on the rule that the king is entitled to the property of anyone subject to the death penalty for rebelling against the throne (*Sanhedrin* 48b). Since the entire House of Saul declared its allegiance to Ish-bosheth instead of to David, they were guilty of sedition, and all their property automatically passed to the possession of the king — David. Now, in a gesture of generosity and loyalty to the memory of Jonathan, David transferred this property to Mephibosheth, even if there were other surviving heirs.

Kli Yakar concurs, but suggests that David gave Mephibosheth only his own share of the inheritance, not that of the other heirs. This is why the verse twice mentions the word אָבִיךָ, *your father*, alluding only to Jonathan. Presumably, David would have extended the same generosity to other heirs.

Malbim also writes that the property in question belonged

with you for the sake of your father Jonathan; I shall return to you the entire estate of your father Saul, and you shall eat bread at my table continually." [8]*[Mephibosheth] prostrated himself and said, "What is your servant, that you should pay attention to a dead dog such as myself?"*

[9]*The king then called Ziba, Saul's attendant, and said to him, "I have given all that belonged to Saul and all of his family to your master's son.* [10]*You shall work the land for him — you and your sons and your servants — and bring in [its produce] to be bread for [Mica] the son of your master [Mephibosheth] to eat; but Mephibosheth son of your master [Jonathan] shall always eat at my table." (Ziba had fifteen sons and twenty servants.)* [11]*And Ziba said to the king, "According to all that my lord the king commands his servant, so shall your servant do." [David repeated,] "Mephibosheth will be eating at my table, like one of the king's sons."*

... and orders that he be provided and cared for

[12]*Mephibosheth had a young son whose name was Mica, and all of Ziba's household were servants to Mephibosheth.* [13]*Mephibosheth dwelled in Jerusalem, for he would always eat at the table of the king, and he was lame in both his legs.*

---

to David, but for a different reason. Saul was a poor man when he became king, and the properties he acquired during his reign were not considered his personal possession, but rather "the royal estate," belonging to the king. When David assumed the throne, this property passed to him, and now he graciously transferred it to Mephibosheth.

אָבִיךָ — *Your father.* Although Saul was the grandfather, he is referred to as the *father,* as he is below in verse 9.

As a further token of his warmth to Mephibosheth, David made him a member of the royal household.

8. הַכֶּלֶב הַמֵּת — *A dead dog,* i.e., *a common, unimportant person* (*Targum*).

9. David knew that Ziba regarded himself as *Saul's attendant,* rather than a slave, and therefore might well refuse to be subservient to the young and lame Mephibosheth, David, therefore, made Ziba's position clear. Speaking to Ziba authoritatively as *the king,* David told him clearly that he had assigned Saul's property to Mephibosheth. Since Ziba was a gentile slave and thus part of Saul's inheritance, he was now the property of his former master's grandson (*Kli Yakar*).

10. Although Mephibosheth's personal needs would be provided for as David's permanent guest, the king ordered Ziba and his household to work his master's fields and use the produce to provide for בֶּן־אֲדוֹנֶיךָ, *the son of your master,* i.e., Mica, the young son of Mephibosheth (*Radak*). Ziba's large household would also be supported from the produce of Mephibosheth's estate.

Alternatively, the produce was to provide for Mephibosheth himself. Those who ate at the king's table would not have all their meals there, rather they would eat at home and then come to the king for the conclusion of the meal as a token of honor. Thus, the term *son of your master* refers to Mephibosheth both times it appears in the verse (*Malbim).*

11. The words "David repeated" are inserted in accordance with *Rashi,* that there was a dialogue between Ziba and David.

Radak and *Abarbanel* prefer an interpretation that does not alter the simple reading of the verse: Ziba claimed that he had been faithful to Mephibosheth throughout the years, working for him and supporting him. Thus he told David, "*Mephibosheth eats at my table... like a king's son,* and does not need your generosity. Nevertheless, I will do *according to all that my lord the king commands me,* and I will work Mephibosheth's fields while he moves to Jerusalem."

12-13. Since Mephibosheth was lame and had limited mobility, the only way he could accept David's offer was to live in Jerusalem. Therefore Ziba, whose children and personal servants were the property of Mephibosheth, were in the service of Mica. *Kli Yakar* adds that if Mica had been older, he could have taken over supervision of the slaves, but since he was still a child, Mephibosheth was their master not only legally, but also in the sense that he had to exercise his authority over them. Presumably he would have had to hire someone to exercise this function and also to assure that they managed his properties honestly and efficiently.

10.

☙ Misplaced mercy. This chapter recounts how David acted with noble intentions, but his motive was misunderstood and instead of creating friendship for Israel and himself, his initiative resulted in a bloody war. David wished to show support for Hanun, the new king of Ammon, but in doing so he ignored the Torah's injunction regarding Ammon: *You shall not seek their peace or welfare, all your days, forever (Deuteronomy* 23:7). The Midrash (*Bamidbar Rabbah* 21:5) cites this episode as an illustration of the principle that whoever deals mercifully with the wicked will eventually be embarrassed and will suffer as a result of misplaced compassion.

David surely did not intentionally transgress the commandment. *Rabbi Moshe Eisemann* (ArtScroll comm. to *I Chronicles* 19:2) cites commentators to *Rambam* (*Hil. Melachim* 6:6) that the commandment prohibits only gratuitous favors, but that it is permitted to repay them for their kindnesses, and David had been helped by King Hanun's father. He erred, however, because Hanun himself had not earned such kindness. Alternatively, the prohibition may apply only to the *nation* of

ב אַחֲרֵי־כֵ֔ן וַיָּ֕מָת מֶ֖לֶךְ בְּנֵ֣י עַמּ֑וֹן וַיִּמְלֹ֛ךְ חָנ֥וּן בְּנ֖וֹ תַּחְתָּֽיו׃ וַיֹּ֣אמֶר דָּ֡וִד אֶֽעֱשֶׂה־חֶ֣סֶד ׀ עִם־חָנ֣וּן בֶּן־נָחָ֗שׁ כַּאֲשֶׁ֨ר עָשָׂ֤ה אָבִיו֙ עִמָּדִ֣י חֶ֔סֶד וַיִּשְׁלַ֨ח דָּוִ֧ד לְנַחֲמ֛וֹ ג בְּיַד־עֲבָדָ֖יו אֶל־אָבִ֑יו וַיָּבֹ֙אוּ֙ עַבְדֵ֣י דָוִ֔ד אֶ֖רֶץ בְּנֵ֥י עַמּֽוֹן׃ וַיֹּ֨אמְר֜וּ שָׂרֵ֣י בְנֵֽי־עַמּ֗וֹן אֶל־חָנוּן֙ אֲדֹנֵיהֶ֔ם הַֽמְכַבֵּ֨ד דָּוִ֤ד אֶת־אָבִ֙יךָ֙ בְּעֵינֶ֔יךָ כִּֽי־שָׁלַ֥ח לְךָ֖ מְנַחֲמִ֑ים הֲל֡וֹא בַּעֲב֞וּר חֲק֣וֹר אֶת־הָעִ֗יר וּֽלְרַגְּלָהּ֙ וּלְהָ֣פְכָ֔הּ שָׁלַ֥ח דָּוִ֛ד אֶת־עֲבָדָ֖יו אֵלֶֽיךָ׃ ד וַיִּקַּ֨ח חָנ֜וּן אֶת־עַבְדֵ֣י דָוִ֗ד וַיְגַלַּח֙ אֶת־חֲצִ֣י זְקָנָ֔ם וַיִּכְרֹ֧ת אֶת־מַדְוֵיהֶ֛ם בַּחֵ֖צִי ה עַ֣ד שְׁתוֹתֵיהֶ֑ם וַֽיְשַׁלְּחֵֽם׃ וַיַּגִּ֤דוּ לְדָוִד֙ וַיִּשְׁלַ֣ח לִקְרָאתָ֔ם כִּֽי־הָי֥וּ הָאֲנָשִׁ֖ים ו נִכְלָמִ֣ים מְאֹ֑ד וַיֹּ֣אמֶר הַמֶּ֗לֶךְ שְׁב֤וּ בִֽירֵחוֹ֙ עַד־יְצַמַּ֣ח זְקַנְכֶ֔ם וְשַׁבְתֶּֽם׃ וַיִּרְא֙וּ בְּנֵ֣י עַמּ֔וֹן כִּ֥י נִבְאֲשׁ֖וּ בְּדָוִ֑ד וַיִּשְׁלְח֣וּ בְנֵֽי־עַ֠מּוֹן וַיִּשְׂכְּר֨וּ אֶת־אֲרַ֤ם בֵּית־רְחוֹב֙ וְאֶת־אֲרַ֣ם צוֹבָ֔א עֶשְׂרִ֥ים אֶ֖לֶף רַגְלִ֑י וְאֶת־מֶ֤לֶךְ מַעֲכָה֙ אֶ֣לֶף אִ֔ישׁ וְאִ֣ישׁ ט֔וֹב ז שְׁנֵים־עָשָׂ֥ר אֶ֖לֶף אִֽישׁ׃ וַיִּשְׁמַ֖ע דָּוִ֑ד וַיִּשְׁלַח֙ אֶת־יוֹאָ֔ב וְאֵ֥ת כָּל־הַצָּבָ֖א ח הַגִּבֹּרִֽים׃ וַיֵּֽצְאוּ֙ בְּנֵ֣י עַמּ֔וֹן וַיַּעַרְכ֥וּ מִלְחָמָ֖ה פֶּ֣תַח הַשָּׁ֑עַר וַאֲרַ֨ם צוֹבָ֜א וּרְח֗וֹב

רש״י

(ב) כאשר עשה אביו עמדי חסד. ומהו החסד, כשהיה דוד בורח מפני שאול, באו אליו אביו ואמו ואחיו (שמואל-א כב, ד), ויניחם את פני מלך מואב, ויאמר לו ישב כאן אבי ואמי עמך, והרגם, חוץ מאחד מהם שברח ונמלט לארץ בני עמון אצל נחש. (במדרש רבי תנחומא בוירא אליו): **(ג) המכבד דוד את אביך בעיניך.** הנראה בעיניך שדוד מכבד את אביך, הם מוזהרים לא תדרוש שלומם, והוא ידרוש שלומך: **(ד) מדויהם.** חלוקיהם: **שתותיהם.** העגבות:

רד״ק

(ב) כאשר עשה אביו עמדי חסד. אמרו (תנחומא וירא כה) כי כשהיה בורח דוד ובאו אליו אביו ואמו ואחיו ואמר וַיַּנְחֵם אֶת פְּנֵי מֶלֶךְ מוֹאָב (לעיל-א כב, ד) הרגם מלך מואב אחר שהיו עמו, חוץ מאחד מהם שברח לארץ בני עמון והחיהו נחש מלך בני עמון. ובדרש עוד (תנחומא פנחס ג) לֹא תִדְרֹשׁ שְׁלֹמָם וְטֹבָתָם (דברים כג, ז) אתה מוצא במי שבא אליהם במדת רחמים סוף בא לידי בזיון, ואיזה זה שנאמר אֶעֱשֶׂה חֶסֶד עִם חָנוּן וגו׳ סוף בא לידי בזיון, וַיִּקַּח חָנוּן אֶת עַבְדֵי דָוִד וגו׳ (פסוק ד) ונצטרך להלחם עם ארבע אומות בני עמון וארם צובא ואיש טוב ומלך מעכה, מי גרם לו לדוד כל זה שבקש לעשות טובה עם מי שאמר הקב״ה לֹא תִדְרֹשׁ שְׁלֹמָם וְטֹבָתָם, אמר לו הקב״ה לדוד אתה עובר על תורתי אני כתבתי לֹא תִדְרֹשׁ שְׁלֹמָם וְטֹבָתָם ואתה עושה עמהם חסד, אַל תְּהִי צַדִּיק הַרְבֵּה (קהלת ז, טז) מכאן שלא יהא אדם מוותר על התורה: **אל אביו.** כמו על אביו, וכן אֶל הֶהָרִים לֹא אָכָל (יחזקאל יח, ו): **(ג) המכבד.** תחשוב כי לטובה ולנחמך שלחם לא שלחם אלא לרגל את הארץ: **ולהפכה.** כתרגום וּלְבַדְקָהּ כי בודק הדבר יפה הופך הענין מצד אל צד: **(ד) מדויהם.** כתרגומו לְבוּשֵׁיהוֹן, כמו מִדּוֹ בַד (ויקרא ו, ג), ואם אינם שרש אחד: **בחצי.** בחצי לבושיהם כי עד השתות חצי הלבוש: **עד שתותיהם.** עגבותיהם כמו חֲשׂוּפֵי שֵׁת (ישעיהו כ, ד) ותרגם יונתן עַד אֲתַר בֵּית בְּהָתַתְהוֹן, ואחד הוא כי הוא מקום המבושים: **(ה) עד יצמח זקנכם.** ולא אמר לגלח החצי האחר, כי לא היה מנהגם לגלח הזקן ואפילו במספרים, אלא השפם לבד, אלא אם כן משום צער ואבל כמו שאמר מְגֻלְּחֵי זָקָן וּקְרֻעֵי בְגָדִים (ירמיה מא, ה), וחרפה היא גלוח הזקן אלא שנהגו כן באלה הארצות אשר אנחנו שם: **יצמח.** פועל עומד מן הדגוש, וכן וּשְׂעָרֵךְ צִמֵּחַ (יחזקאל טז, ז): **(ו) נבאשו.** נתעבו כמו שיתעב האדם הדבר הנבאש: **(ז) ואת כל הצבא הגברים.** כמו העם המלחמה או פי׳ הצבא והגבורים: **(ח) ורחוב.** פירושו וארם רחוב, וַאֲרַם צוֹבָא שזכר עומד במקום שנים:

מצודת דוד

(ב) כאשר עשה וגו׳. אמרו רבותינו ז״ל (במדבר רבה יד, א), שהחסד היה שהחיה את אחיו אשר ברח אליו מאת מלך מואב, כשהמית את אביו וביתו אחר שהוליכם אליו מן מערת עדולם, כמו שכתוב בשמואל-א (כב, א): **(ג) המכבד דוד וגו׳ בעיניך.** וכי סבור אתה שדוד מכבד את אביך בעיניך על כי שלח לך מנחמים: **הלוא.** הנה לא שלח כי אם לרגל את הארץ: **(ד) בחצי.** במחצית ארכם, והוא עד שתותיהם: **(ה) וישלח לקראתם.** לאמר להם לשבת ביריחו האמור בסוף המקרא, והפסיק לומר הסיבה למה לא באו למלך, ואמר כי היו נכלמים, ולכן שלח לקראתם: **ושבתם.** לביתכם: **(ח) פתח השער.** מול פתח שער עירם:

מצודת ציון

(ג) ולרגלה. מלשון מרגל ומחפש: **ולהפכה.** תרגם יונתן, ולבדקה, כי הבודק דבר מה, מהפכה מצד אל צד: **(ד) מדויהם.** מלבושיהם, כמו (שמואל-א יז, לח), וילבש שאול וגו׳ מדיו: **שתותיהם.** הם העגבות, שהוא בחצי המלבוש, ודוגמתו (ישעיהו כ, ד), חשופי שת: **(ה) יצמח.** יגדל: **(ו) נבאשו.** נמאסו כדבר הנבאש: **ואיש טוב.** אנשי איש טוב, והוא שם אדון הארץ, וכן (שופטים יא, ג), וישב בארץ טוב: **(ז) הגבורים.** כמו והגבורים:

Ammon, but not to individual people. Even so, David should have realized that the Torah does not approve of friendly approaches to Ammonites.

The Midrash concludes: One should never try to substitute his own judgment for that of God, by being "more righteous (i.e., compassionate)" than the Torah.

David had not sent a delegation to Hanun's father because that might have implied a covenant of friendship, which is certainly forbidden (*Malbim*).

1-5. David's gesture backfires. David sent a delegation to console Hanun, but the new king's advisers instigated him to react with cruel anger.

1. וַיָּמָת מֶלֶךְ בְּנֵי עַמּוֹן — *The king of the Children of Ammon died.* The dead king was Nahash (v. 2), who had threatened the Jews of Jabesh-gilead with a cruel and humiliating atrocity, only to suffer a crushing defeat at the hands of Saul (*I Samuel* 11).

2. כַּאֲשֶׁר עָשָׂה אָבִיו עִמָּדִי חֶסֶד — *Just as his father acted with kindness for me.* Scripture does not tell us what kindness the

10 DAVID DEFEATS AMMON 10:1-11:1

[1] *It happened after this that the king of the Children of Ammon died, and his son Hanun reigned after him.* [2]*David thought, "I shall do an act of kindness for Hanun son of Nahash, just as his father acted with kindness for me." So David sent [a message] to him by the hand of his servants to console him over his father; David's servants arrived in the land of the Children of Ammon.* [3]*The ministers of the Children of Ammon said to their master Hanun, "Do you think that David has sent consolers to you to honor your father? Is it not in order to explore the city, to spy it out and to overthrow it that David has sent his servants to you?"* [4]*So Hanun took David's servants and shaved off half of their beards and cut their garments in half until their buttocks, and sent them away.* [5]*They sent word to David, and he sent [messengers] to them, for the men were deeply humiliated. The king said, "Stay in Jericho until your beards grow back and then return."*

Ammon's gratuitous cruelty

[6]*The Children of Ammon realized that they had become repugnant to David, so the Children of Ammon sent and hired [from] Aram of Beth-rehob and Aram of Zoba, twenty thousand footmen; and [from] the king of Maacah, a thousand men; and [from] Ish-tob, twelve thousand men.* [7]*David heard and he dispatched Joab and all the mighty men of the army.* [8]*The Children of Ammon came out and waged war at the opening of the gateway, while Aram of Zoba and Rehob,*

Ammon hires Aramean mercenaries

---

cruel Nahash had done. The Midrash relates, however, that after the king of Moab murdered David's family (see commentary to 8:2), Nahash protected the only surviving brother, Elihu (see *I Chronicles* 27:18). Perhaps Nahash did so because David was a fugitive from King Saul, who had fought a successful war against Ammon (*Daas Mikra*).

3. Why were Hanun's ministers so suspicious of David's motives? According to the Midrash (quoted by *Rashi*), Hanun's advisers knew that the Torah forbids Israel to make peaceful gestures toward the Ammonites and they did not believe that David would transgress the commandment.

4. Hanun inflicted a bizarre humiliation on David's ambassadors. Clearly this was meant to show contempt for David and his nation. Although the men would easily be able to secure other garments once they were out of Ammon, they could not have simply shaved off the other half of their beards, because Israel considered it disgraceful to be clean shaven. They were thus forced to remain in their humiliated state for several months, until their beards could grow back (*Radak*).

Abarbanel explains the rationale of this strange punishment. On the one hand, Hanun believed that the men probably had come to pay a genuine condolence call; but on the other hand, he also gave credence to his ministers' suspicions that their purpose was espionage. Because the king felt the men had good intentions as well as evil ones, he did not summarily execute them as he would have done if he were convinced they were spies. Instead, he applied a bizarre form of "Solomonic wisdom" and shaved off *half* of their beards and cut *half* of their flowing ministerial robes — administering a "half punishment."

5. Jericho, a relatively uninhabited outpost, was close to the Ammonite border; by remaining there David's servants would have minimal exposure to other people (*Daas Mikra*).

6-12. Ammon prepares for war and David prepares to respond. Realizing that they overreacted, Hanun and his courtiers expected David to attack them to avenge their treatment of his ministers. The Ammonite king knew that his army was no match for David's, so he took the initiative and hired mercenaries to strike against Israel first. David reacted by mobilizing his troops under Joab.

6. וַיִּשְׂכְּרוּ — *Hired*. The parallel verse in *I Chronicles* (19:6) mentions the price that Ammon paid for the services of these four armies — one thousand talents of silver, a huge amount of money.

Aram is the Biblical name for present-day Syria. The three Arams — Beth-rehob, Zoba and Maacah — were thus Syrian kingdoms. (Concerning Zoba, see commentary above, 8:3.) It is not known where exactly Beth-rehob was located. However, in the parallel verse in *I Chronicles* (19:6), Scripture calls this nation Aram *Naharaim*, i.e., Aram Between the Rivers (Euphrates and Tigris). Maacah was another Aramean kingdom (*I Chronicles* 1:6), whose exact location is unknown. Tob was a land somewhere near Gilead (see *Judges* 11:3). According to the *Talmud Yerushalmi* (*Sheviis* 6:1), "The land of Tob is Susita" — a town just east of Lake Kinneret.

To the numbers of men mentioned here, *I Chronicles* 19:7 adds that Hanun hired 32,000 chariots.

7. David appointed Joab to lead the large army, rather than take command himself, as he had done in the past, and would do in the future. He did not want to give the Ammonites the satisfaction of boasting that they had waged war against David, the mighty king of Israel.

8. פֶּתַח הַשָּׁעַר — *At the opening of the gateway*, i.e., the gateway of their main city, Rabbah (modern-day Amman). Knowing that they were too weak to engage the Israelites on the open battlefield, the Ammonites stayed within range of

ט וְאִישׁ־טוֹב וּמַעֲכָה לְבַדָּם בַּשָּׂדֶה: וַיַּרְא יוֹאָב כִּי־הָיְתָה אֵלָיו פְּנֵי הַמִּלְחָמָה מִפָּנִים וּמֵאָחוֹר וַיִּבְחַר מִכֹּל בְּחוּרֵי °בישראל [°יִשְׂרָאֵל ק] וַיַּעֲרֹךְ לִקְרַאת אֲרָם:
י־יא וְאֵת יֶתֶר הָעָם נָתַן בְּיַד אַבְשַׁי אָחִיו וַיַּעֲרֹךְ לִקְרַאת בְּנֵי עַמּוֹן: וַיֹּאמֶר אִם־תֶּחֱזַק אֲרָם מִמֶּנִּי וְהָיְתָה לִּי לִישׁוּעָה וְאִם־בְּנֵי עַמּוֹן יֶחֶזְקוּ מִמְּךָ וְהָלַכְתִּי לְהוֹשִׁיעַ לָךְ:
יב־יג חֲזַק וְנִתְחַזַּק בְּעַד עַמֵּנוּ וּבְעַד עָרֵי אֱלֹהֵינוּ וַיהוָה יַעֲשֶׂה הַטּוֹב בְּעֵינָיו: וַיִּגַּשׁ יוֹאָב
יד וְהָעָם אֲשֶׁר עִמּוֹ לַמִּלְחָמָה בַּאֲרָם וַיָּנֻסוּ מִפָּנָיו: וּבְנֵי עַמּוֹן ׀ רָאוּ כִּי־נָס אֲרָם וַיָּנֻסוּ מִפְּנֵי אֲבִישַׁי וַיָּבֹאוּ הָעִיר וַיָּשָׁב יוֹאָב מֵעַל בְּנֵי עַמּוֹן וַיָּבֹא יְרוּשָׁלָם:
טו־טז וַיַּרְא אֲרָם כִּי נִגַּף לִפְנֵי יִשְׂרָאֵל וַיֵּאָסְפוּ יָחַד: וַיִּשְׁלַח הֲדַדְעֶזֶר וַיֹּצֵא אֶת־אֲרָם אֲשֶׁר מֵעֵבֶר הַנָּהָר וַיָּבֹאוּ חֵילָם וְשׁוֹבַךְ שַׂר־צְבָא הֲדַדְעֶזֶר לִפְנֵיהֶם:
יז וַיֻּגַּד לְדָוִד וַיֶּאֱסֹף אֶת־כָּל־יִשְׂרָאֵל וַיַּעֲבֹר אֶת־הַיַּרְדֵּן וַיָּבֹא חֵלָאמָה וַיַּעַרְכוּ אֲרָם
יח לִקְרַאת דָּוִד וַיִּלָּחֲמוּ עִמּוֹ: וַיָּנָס אֲרָם מִפְּנֵי יִשְׂרָאֵל וַיַּהֲרֹג דָּוִד מֵאֲרָם שְׁבַע מֵאוֹת רֶכֶב וְאַרְבָּעִים אֶלֶף פָּרָשִׁים וְאֵת שׁוֹבַךְ שַׂר־צְבָאוֹ הִכָּה וַיָּמָת
יט שָׁם: וַיִּרְאוּ כָל־הַמְּלָכִים עַבְדֵי הֲדַדְעֶזֶר כִּי נִגְּפוּ לִפְנֵי יִשְׂרָאֵל וַיַּשְׁלִמוּ אֶת־
יא א יִשְׂרָאֵל וַיַּעַבְדוּם וַיִּרְאוּ אֲרָם לְהוֹשִׁיעַ עוֹד אֶת־בְּנֵי עַמּוֹן: וַיְהִי°

רש"י

(טז) ושובך שר צבא הדדעזר. על שם שהיה גבור ועריץ מאוד הזכירו בשמו:

רד"ק

ומעכה. ארם מעכה או מלך מעכה: **לבדם.** להודיע כי מלך בני עמון וכולם היו מבפנים ויצאו לערוך מלחמה, ואלה בני ארם הנשכרים והנזכרים היו בשדה לערוך מלחמה עם ישראל גם כן, וכאשר בא יואב והצבא ויצאו בני עמון עד פתח השער היו לו בני עמון מבפנים וארם שהיו בשדה מאחור: **(ט) כי היתה אליו פני המלחמה.** אמר היתה על המלחמה ואף על פי שזכר פני, וכמוהו קֶשֶׁת גִּבֹּרִים חַתִּים (לעיל־א ב, ד) קוֹל נְגִידִים נֶחְבָּאוּ (איוב כט, י), ופירוש פני הגבורים שהם פני המלחמה שהולכים לפנים וכן תרגם יונתן אֲרֵי תַקִּיפוּ עֲלוֹהִי עַבְדֵי קְרָבָא: **בחורי.** בשו"א הבי"ת והוא מן הקלים ובחורי ישראל הכריע, וכן בחורים שהם בפתח הבית מן הדגושים: **(י) ביד אבשי.** בשוא הבי"ת, ובמסרה בסיפרא לית כותיה וכל דברי הימים כותיה: **(יא) והיתה לי לישועה.** בחסרון היו"ד שהיא במקום למ"ד הפועל מהמכתב: **(יב) בעד עמנו.** שלא יהיו לחרב ולשבי: **ובעד ערי אלהינו.** שלא יכבשו אותם אויבינו וישבו בהם אם יתחזקו עלינו וינצחונו, ואם יעשו כן לא יהיו ערי אלהינו אלא ערי אלהים אחרים: **וה' יעשה הטוב בעיניו.** אנחנו נתחזק בכל כחינו למלחמה, וה' יעשה הטוב בעיניו כי לה' התשועה: **(טז) ושובך.** ובדברי הימים (־א יט, טז) כתיב וְשׁוֹפַךְ, והבי"ת והפ"א קרובים במוצא והם ממוצא אחד, וכן בִּזַּר (תהלים סח, לא) פִּזַּר (שם נג, ו): **(יז) חלאמה.** הוא חֵילָם הנזכר (פסוק טז), וההה"א כה"א מצרימה והאל"ף נוספת למשך: **(יח) שבע מאות רכב וארבעים אלף פרשים.** ובדברי הימים (־א יט, כ) שִׁבְעַת אֲלָפִים רֶכֶב וְאַרְבָּעִים אֶלֶף ...רַגְלִי, מה שאמר בזה הספר שבע מאות רכב רצה לומר רכב בחור ולא מנה שאר הרכב, ובדברי הימים מנה את כל הרכב שהיו שבעת אלפים, ובזה הספר מנה הפרשים ולא מנה הרגלים ושם מנה הרגלים ולא מנה הפרשים: **שר צבאו.** שר צבא הדרעזר הנזכר למעלה:

מצודת דוד

(ט) פני המלחמה. פני אנשי המלחמה: **(יב) חזק ונתחזק.** חזק אתה והעם אשר עמך, וגם אנו נתחזק: **בעד עמנו.** שלא ילכו בשבי: **ובעד ערי וגו'.** שלא יכבשום האויב: **וה' הטוב וגו'.** רצה לומר, ואם בכל ההתחזקות לא נועיל, יעשה ה' הטוב בעיניו, ונקבל באהבה: **(טו) ויאספו יחד.** בחשבם שברבת עם ינצחו הם: **(יט) עבדי הדדעזר.** רוצה לומר, הסרים למשמעתו:

מצודת ציון

(טז) חילם. שם מקום: **(יז) חלאמה.** לחילם: **(יט) וישלימו.** עשו שלום:

their fortified city, so that they could safely retreat behind its walls (*Malbim*).

Though the Ammonites stayed close to home, their mercenary allies were arrayed far from Ammon — *by themselves* — totally cut off from their Ammonite clients (*Malbim*). According to *I Chronicles* 19:7, they encamped outside of Medeba, some fifteen miles from Rabbah.

9-11. Joab's force was caught between the Ammonites and the mercenaries: *the battlefield faced him from the front and from the rear,* so he divided his troops into two forces. He took the better fighters, *the chosen ones of Israel*, and deployed them against Aram, under his command, since the Arameans were the more formidable force. Abishai took command of the rest of the Israelite force and deployed them against the Ammonites, the weaker force. Both forces would go on the offensive, and if either needed reinforcements, the other would come to its aid. As for the third possibility — that Aram would prove too formidable an enemy for Joab to defeat *and also* that Ammon would be too powerful for Abishai to overcome — Joab addressed it in verse 12 (*Abarbanel*).

Malbim, however, understands the strategy differently. Joab first wanted to defeat the Aramean forces, so that the Jewish army would not be trapped between the two enemy armies. He did not fear that the Ammonites would advance to attack from the rear, because the Ammonites had shown

The allies surround Joab's force

and Ish-tob, and Maacah were in the field by themselves. [9]*Joab saw that the battlefield faced him from the front and from the rear, so he selected from among all the chosen ones of Israel, and deployed against Aram.* [10]*He placed the rest of the people in the hand of his brother Abishai, and he deployed against the Children of Ammon.* [11]*He said, "If Aram will overpower me, then you will be my salvation; and if the Children of Ammon will overpower you, I will go to save you.* [12]*Be strong and let us both be strong, for the sake of our people and for the sake of the cities of our God; and* HASHEM *will do what is good in His eyes."*

Joab's successful strategy

[13]*Then Joab, as well as the people who were with him, approached to do battle against Aram, and they fled from him.* [14]*When the Children of Ammon saw that Aram had fled, they also fled from Abishai, and entered the city. Joab then turned back from the Children of Ammon and came to Jerusalem.*

The enemies are subdued and make peace

[15]*Aram saw that they were beaten by Israel and they banded together.* [16]*Hadarezer sent and brought over Aram from the other side of the [Euphrates] River, and they came with their armies, and Shobach, the commander of Hadarezer's army, leading them.* [17]*This was told to David, and he gathered together all of Israel and crossed the Jordan, and came to Helam. Aram deployed against David and fought him.* [18]*Aram fled before Israel, and David slew of Aram seven hundred charioteers and forty thousand horsemen; he struck Shobach, commander of the army, and he died there.* [19]*When all the kings, the subjects of Hadarezer, saw that they were defeated by Israel, they made peace with Israel and became subservient to them. Aram became afraid to save the Children of Ammon any longer.*

---

that they wanted to remain near the security of their fortified city of Rabbah. As a precaution, however, Abishai's army defended the rear, in case of a possible advance from Rabbah. If, however, Joab were unable to defeat the Arameans, Abishai would reinforce him. Then, after Aram was defeated, the joint forces would attack Rabbah, with Abishai in command. If Joab's men were needed in this second battle, they too would join in the attack.

12. **חֲזַק וְנִתְחַזַּק** — *Be strong and let us both be strong.* Joab exhorted his brother, in a message meant for fighters as well, that they must be strong and courageous, because if they did not prevail, *our people* will be taken captive and our cities — which are now *cities of our God* — will be occupied by heathens (*Radak*).

From this exhortation that the troops should strengthen themselves to overcome the enemy, the Sages derive the general rule that members of any profession — not only those in the military — must always exert themselves to do their best and overcome adversity (*Berachos* 32b).

According to *Abarbanel*, Joab was now addressing the third — and frightening — possibility that both Joab and Abishai would face defeat. Joab said that they would do their duty and fight bravely. If it was God's will that they should lose, they would accept it.

13-19. The enemy is routed and David joins the fray.

14. The Ammonites never had much confidence in their ability to fight the Israelites, which was why they hired mercenaries. Once they retreated ignominiously to the safety of their city, Joab felt that they were not a threat and did not bother to lay siege to their fortress.

15-16. In contrast to the cowardly Ammonites, the Arameans called for reinforcements and massed for a counterattack. *Hadarezer* is another name for Hadadezer, king of Zobah (see 8:3ff.).

17. **וַיֻּגַּד לְדָוִד וַיֶּאֱסֹף** — *This was told to David, and he gathered . . .* Whereas David had not deigned to lead the battle against Ammon (see v. 7), the Aramean army was a formidable foe and he took command of his forces.

18. **שְׁבַע מֵאוֹת רֶכֶב** — *Seven hundred charioteers*. The parallel verse in *I Chronicles* states that David killed seven *thousand* charioteers. There were two classes of chariots: here Scripture mentions only those who manned the superior chariots, while the verse in *Chronicles* mentions the total number of chariots, including those that were not menacing (*Radak*). (See also *Exodus* 14:7, where a distinction is made between רֶכֶב בָּחוּר, *choice chariots* and כֹּל רֶכֶב, *all chariots*.) Another possibility is that each chariot had a crew of ten men; by killing the soldiers of seven hundred chariots, David thus slew seven thousand men (*Daas Sofrim*).

וְאַרְבָּעִים אֶלֶף פָּרָשִׁים — *And forty thousand horsemen*. In *Chronicles* the parallel verse mentions forty thousand *foot soldiers*. Perhaps these two statements represent two separate data, and for some reason only the horsemen are enumerated in our verse and only the foot soldiers in *Chronicles*

לִתְשׁוּבַ֨ת הַשָּׁנָ֜ה לְעֵ֣ת ׀ צֵ֣את הַמְּלָאכִ֗ים וַיִּשְׁלַ֣ח דָּוִ֡ד אֶת־יוֹאָ֠ב וְאֶת־עֲבָדָ֨יו
עִמּ֜וֹ וְאֶת־כָּל־יִשְׂרָאֵ֗ל וַיַּשְׁחִ֙תוּ֙ אֶת־בְּנֵ֣י עַמּ֔וֹן וַיָּצֻ֖רוּ עַל־רַבָּ֑ה וְדָוִ֖ד יוֹשֵׁ֥ב
ב בִּירוּשָׁלִָֽם׃ וַיְהִ֣י ׀ לְעֵ֣ת הָעֶ֗רֶב וַיָּ֨קָם דָּוִ֜ד מֵעַ֤ל מִשְׁכָּבוֹ֙ וַיִּתְהַלֵּךְ֙ עַל־גַּ֣ג
ג בֵּית־הַמֶּ֔לֶךְ וַיַּ֥רְא אִשָּׁ֛ה רֹחֶ֖צֶת מֵעַ֣ל הַגָּ֑ג וְהָ֣אִשָּׁ֔ה טוֹבַ֥ת מַרְאֶ֖ה מְאֹֽד׃ וַיִּשְׁלַ֣ח דָּוִ֔ד
וַיִּדְרֹ֖שׁ לָֽאִשָּׁ֑ה וַיֹּ֗אמֶר הֲלוֹא־זֹאת֙ בַּת־שֶׁ֣בַע בַּת־אֱלִיעָ֔ם אֵ֖שֶׁת אוּרִיָּ֥ה הַחִתִּֽי׃
ד וַיִּשְׁלַח֩ דָּוִ֨ד מַלְאָכִ֜ים וַיִּקָּחֶ֗הָ וַתָּב֤וֹא אֵלָיו֙ וַיִּשְׁכַּ֣ב עִמָּ֔הּ וְהִ֥יא מִתְקַדֶּ֖שֶׁת מִטֻּמְאָתָ֑הּ
ה־ו וַתָּ֖שָׁב אֶל־בֵּיתָֽהּ׃ וַתַּ֖הַר הָֽאִשָּׁ֑ה וַתִּשְׁלַח֙ וַתַּגֵּ֣ד לְדָוִ֔ד וַתֹּ֖אמֶר הָרָ֥ה אָנֹֽכִי׃ וַיִּשְׁלַ֤ח
דָּוִד֙ אֶל־יוֹאָ֔ב שְׁלַ֣ח אֵלַ֔י אֶת־אוּרִיָּ֖ה הַחִתִּ֑י וַיִּשְׁלַ֥ח יוֹאָ֛ב אֶת־אֽוּרִיָּ֖ה אֶל־דָּוִֽד׃
ז וַיָּבֹ֥א אוּרִיָּ֖ה אֵלָ֑יו וַיִּשְׁאַ֣ל דָּוִ֗ד לִשְׁל֤וֹם יוֹאָב֙ וְלִשְׁל֣וֹם הָעָ֔ם וְלִשְׁל֖וֹם הַמִּלְחָמָֽה׃
ח וַיֹּ֤אמֶר דָּוִד֙ לְא֣וּרִיָּ֔ה רֵ֥ד לְבֵיתְךָ֖ וּרְחַ֣ץ רַגְלֶ֑יךָ וַיֵּצֵ֤א אֽוּרִיָּה֙ מִבֵּ֣ית הַמֶּ֔לֶךְ

רש"י

(א) **לעת צאת המלאכים.** יש עת בשנה שדרך החיילות לצאת, כשהארץ מלאה קמות, והסוסים מוצאים תבואה בשדה לאכול: (ד) **מטומאתה.** מנדתה: (ו) **שלח אלי את אוריה.** שהיה מתכוין שישכב עם אשתו, ויהא סבור שממנו היא מעוברת:

רד"ק

(א) **לעת צאת המלאכים.** האלף נוספת למשך, ופירושו לסוף השנה שהיא תשובת השמש אל הנקודה ההיא, וחשבון שנה זו מזמן שיצאו אלה המלכים הנזכרים להלחם (לעיל י, ח), ויש מפרשים לעת צאת העם, שדרך המלכים לצאת עם חיילותיהם והוא עת שהקמות בשדות והסוסים מוצאים לאכול, והראשון נכון בעיני: (ב) **מעל הגג.** הוא ראה אותה מעל הגג שהיתה רוחצת בביתה: (ג) **וידרש לאשה.** דרש לאנשי ביתה בעד האשה מי היא אם היא בת שבע בת אליעם: **אוריה החתי.** אפשר כי גר היה, או ישראל היה וקראו חתי לפי שגר עם בני חת, וכן אִתַּי הַגִּתִּי (לקמן טו, יט): (ד) **מתקדשת מטומאתה.** להודיע כי לא שכב עמה והיא נדה כי כבר התקדשה מטומאתה כמו שאמר רֹחֶצֶת (פסוק ב), והודיע כי הרחיצה ההיא להתקדש מן הנדות היתה ולא עבר עליה משום נדה אלא משום אשת איש ורבותינו ז"ל אמרו (שבת נו, א) כל היוצא למלחמת בית דוד גט כריתות כתב לאשתו אם ימות במלחמה לפיכך סבב דוד את מיתת אוריה שתהא מגורשת למפרע: (ו) **שלח אלי את אוריה.** ודעתו כדי שישכב עם אשתו ויאמרו כי מבעלה היתה מעוברת: (ז) **ולשלום המלחמה.** הגבורים העושים המלחמה, וכן תרגם יונתן עַבְדֵי קְרָבָא:

מצודת דוד

(א) **לתשובת השנה.** רוצה לומר, בעת תשובת השמש אל הנקודה ההיא בעצמה שהיתה בה בעת צאת המלכים בשנה העברה, להלחם בישראל ולעזור לבני עמון כמו שכתוב למעלה: (ב) **מעל הגג.** רוצה לומר, מעל הגג שהלך הוא בו, ראה אשה רוחצת למטה: (ג) **וידרש.** שאל ודרש על האשה, מי היא: (ד) **מתקדשת.** היתה טהורה מטומאת נדה, כי טבלה עצמה: (ו) **שלח אלי וגו'.** כי עמו היה במלחמה:

מצודת ציון

(א) **לתשובת.** מלשון השבה: **ויצורו.** מלשון מצור: (ד) **מתקדשת.** רוצה לומר מטהרת:

(*Radak*). Or perhaps the forty thousand men who were killed served as *both* foot soldiers and horsemen (*Abarbanel*).

11.

This chapter relates the story of David and Bath-sheba. On the surface, David's behavior appears to be a grievous sin and an inexplicable moral weakness; a lapse that is inconceivable for a man of his righteousness and moral greatness. On the other hand, the Talmud states clearly that "whoever says David sinned is simply in error" (*Shabbos* 56a) and that Bath-sheba was predestined to be David's wife from the beginning of Creation (*Sanhedrin* 107a).

If, indeed, Bath-sheba was a married woman when David lived with her, he would have been forbidden to marry her even after her husband's death (*Sotah* 27a); how, then, could the righteous David have been permitted to marry Bath-sheba? Furthermore, Bath-sheba was the mother of King Solomon and the matriarch of the Davidic dynasty that will culminate in the king Messiah. Surely it is inconceivable that God would choose the offspring of an illicit match to be His agents in bringing about the spiritual zenith of Creation. These issues will be discussed in the course of the chapter and more fully at its conclusion.

1. David resumes the war against Ammon. In the previous chapter, Joab defeated Ammon, but allowed its army to retreat to its city. Now, David dispatched Joab and his army to resume the battle and end the ongoing threat Ammon posed to the Jewish people.

לִתְשׁוּבַת הַשָּׁנָה — *At the turn of the year,* i.e., summertime. *Kings go forth* on military expeditions when there is abundant hay and pasture in the fields for the horses, and vegetables and fruit for the soldiers (*Rashi*). This explains why the war with the Children of Ammon was not carried to its conclusion immediately after the defeat of the Arameans (as described in the previous chapter). Apparently David and Joab wanted to wait for the summer, when the weather and availability of food would be conducive to a successful siege.

Radak renders, *It happened exactly a year after the [aforementioned] kings went forth [to battle with David],* i.e., when the sun returned to the same place in the sky where it was when the events of the previous chapter began. According to this interpretation, we are not told why David waited a full year before invading Rabbah. Perhaps he wanted to give the Ammonites time to capitulate to the Israelites, but gave up hope for a peaceful solution after a year, had passed.

11

[1] It happened at the turn of the year, at the time when kings go forth, that David had sent Joab along with his servants and all of Israel, and they destroyed the Children of Ammon and besieged Rabbah; and David was staying in Jerusalem.

DAVID AND BATH-SHEBA
11:2-12:25

[2] It happened toward evening that David arose from his bed and strolled on the roof of the king's house. From atop the roof he saw a woman bathing, and the woman was very beautiful. [3] David sent to inquire about the woman, and someone said, "Is this not Bath-sheba daughter of Eliam, the wife of Uriah the Hittite?" [4] David sent messengers and took her. She came to him and he lay with her; she had been cleansing herself from her impurity. She then returned to her house. [5] The woman conceived. She sent [a message in which] she told David, "I have conceived."

[6] David sent [a message] to Joab: "Send me Uriah the Hittite," so Joab sent Uriah to David. [7] Uriah came to him, and David inquired after the welfare of Joab and the welfare of the people and the welfare of the warriors. [8] David then said to Uriah, "Go down to your house and wash your feet." So Uriah left the house of the king,

---

2-4. David and Bath-sheba. By telling us that David did not join the military campaign, verse 1 sets the stage for the following event; had David joined his army he would not have seen Bath-sheba. On the other hand, this liaison would have had to take place sooner or later, because, as *Be'er Moshe* comments, citing the *Zohar*, when the Accuser came to God and condemned David for consorting with a married woman, God replied that Bath-sheba was destined for David from the day the world was created. [For how David could live with her while she was still married, see commentary at the end of the chapter.]

It is logical to assume that David, who had *Ruach HaKodesh,* the Spirit of Holiness, recognized Bath-sheba as his intended when he saw her. That he "happened" to be on the roof when she was bathing and that he was there because he had decided not to lead his army in a major military campaign probably seemed to him to be part of a Divinely ordained pattern that would bring him together with her.

Bath-sheba had a child who died soon after birth, and then she gave birth to Solomon, meaning that about two years elapsed from the time David met her until Solomon was born. Since Solomon became king at the age of twelve and David died at the age of seventy, he was about fifty-eight when Solomon was born, and fifty-six when he first met Bath-sheba (*Parshiyos b'Sifrei HaNeviim*).

2. וַיַּרְא אִשָּׁה רֹחֶצֶת מֵעַל הַגָּג — *From atop the roof he saw a woman bathing*. From his roof he saw her bathing inside her house. (*Radak*).

This implication of the phrase is that David's sin was not that he married Bath-sheba — since she was his intended — but that *he saw.* A man as great as he must guard his eyes (*Ruach Chaim*).

3. וַיִּדְרֹשׁ לָאִשָּׁה — *To inquire about the woman*. David inquired as to whether she was Bath-sheba daughter of Eliam (*Radak).* This seems to imply that David knew that there was a woman by that name who was to become his wife; he asked only whether she was the woman he had glimpsed.

According to *Malbim*, he was trying to ascertain if the woman was married or not. And, according to the Sages' interpretation of this incident (see below), the answer was in the negative.

הַחִתִּי — *Uriah the Hittite*. Uriah was either a proselyte of Hittite descent or an Israelite who used to dwell in a Hittite area (*Radak*).

Uriah appears on the list of David's foremost soldiers, below 23:39.

Although David and Bath-sheba were intended for one another, the time had not yet come for them to marry, so God let her become the *wife of Uriah the Hittite.* Similarly, until the time came for Israel to occupy its Land, it was given to the Canaanites (*Zohar*).

4. מִתְקַדֶּשֶׁת מִטֻּמְאָתָהּ — *She had been cleansing herself from her impurity*. The *bathing* that David had witnessed was her ritual immersion, as required for a women following menstruation. Scripture means to note that although David *seemed* about to live with a married woman [but see below why this was halachically not the case], he did not transgress the Torah's prohibition of having relations with a menstruant woman (*Radak*).

On the other hand, this verse may be seen as another implication that David did not sin, since it seems bizarre for Scripture to say that even though there was adultery, there was no ritual impurity.

5. According to the *Zohar*, Uriah was last at home on 7 Sivan, while Bath-sheba lived with David on 24 Elul, more than three months later, so it was clear that the father was David (*Malbim*).

6-15. David's orders to Uriah. To salvage his reputation and Bath-sheba's, David sent for Uriah and gave him a "furlough" to go home for a time. In the process of the interplay between the king and the soldier, Uriah became liable for disobedience to the throne.

8. David instructed Uriah to go home and refresh himself from his arduous journey. Euphemistically, the king was telling him to live with his wife, so that no one would question the paternity of the child.

ט וַתֵּצֵא אַחֲרָיו מַשְׂאַת הַמֶּלֶךְ: וַיִּשְׁכַּב אוּרִיָּה פֶּתַח בֵּית הַמֶּלֶךְ אֵת כָּל־עַבְדֵי
י אֲדֹנָיו וְלֹא יָרַד אֶל־בֵּיתוֹ: וַיַּגִּדוּ לְדָוִד לֵאמֹר לֹא־יָרַד אוּרִיָּה אֶל־בֵּיתוֹ וַיֹּאמֶר
יא דָּוִד אֶל־אוּרִיָּה הֲלוֹא מִדֶּרֶךְ אַתָּה בָא מַדּוּעַ לֹא־יָרַדְתָּ אֶל־בֵּיתֶךָ: וַיֹּאמֶר
אוּרִיָּה אֶל־דָּוִד הָאָרוֹן וְיִשְׂרָאֵל וִיהוּדָה יֹשְׁבִים בַּסֻּכּוֹת וַאדֹנִי יוֹאָב וְעַבְדֵי אֲדֹנִי
עַל־פְּנֵי הַשָּׂדֶה חֹנִים וַאֲנִי אָבוֹא אֶל־בֵּיתִי לֶאֱכֹל וְלִשְׁתּוֹת וְלִשְׁכַּב עִם־
יב אִשְׁתִּי חַיֶּךָ וְחֵי נַפְשֶׁךָ אִם־אֶעֱשֶׂה אֶת־הַדָּבָר הַזֶּה: וַיֹּאמֶר דָּוִד אֶל־אוּרִיָּה שֵׁב
בָּזֶה גַּם־הַיּוֹם וּמָחָר אֲשַׁלְּחֶךָּ וַיֵּשֶׁב אוּרִיָּה בִירוּשָׁלַםִ בַּיּוֹם הַהוּא וּמִמָּחֳרָת:
יג וַיִּקְרָא־לוֹ דָוִד וַיֹּאכַל לְפָנָיו וַיֵּשְׁתְּ וַיְשַׁכְּרֵהוּ וַיֵּצֵא בָעֶרֶב לִשְׁכַּב בְּמִשְׁכָּבוֹ עִם־
יד עַבְדֵי אֲדֹנָיו וְאֶל־בֵּיתוֹ לֹא יָרָד: וַיְהִי בַבֹּקֶר וַיִּכְתֹּב דָּוִד סֵפֶר אֶל־יוֹאָב וַיִּשְׁלַח
טו בְּיַד אוּרִיָּה: וַיִּכְתֹּב בַּסֵּפֶר לֵאמֹר הָבוּ אֶת־אוּרִיָּה אֶל־מוּל פְּנֵי הַמִּלְחָמָה
טז הַחֲזָקָה וְשַׁבְתֶּם מֵאַחֲרָיו וְנִכָּה וָמֵת: וַיְהִי בִּשְׁמוֹר
יוֹאָב אֶל־הָעִיר וַיִּתֵּן אֶת־אוּרִיָּה אֶל־הַמָּקוֹם אֲשֶׁר יָדַע כִּי אַנְשֵׁי־חַיִל שָׁם:
יז וַיֵּצְאוּ אַנְשֵׁי הָעִיר וַיִּלָּחֲמוּ אֶת־יוֹאָב וַיִּפֹּל מִן־הָעָם מֵעַבְדֵי דָוִד וַיָּמָת גַּם
יח־יט אוּרִיָּה הַחִתִּי: וַיִּשְׁלַח יוֹאָב וַיַּגֵּד לְדָוִד אֶת־כָּל־דִּבְרֵי הַמִּלְחָמָה: וַיְצַו אֶת־

רש"י

(ח) משאת המלך. (תרגום סעודתא דמלכא): **(טו) ונכה ומת.** כדי שתהא מגורשת למפרע, ונמלא שלא בא על אשת איש, שכל היוצא למלחמה, כותב גט לאשתו על תנאי, אם ימות במלחמה (שבת נו, א):

רד"ק

(ח) משאת המלך. כתרגומו סְעוּדָתָא דְמַלְכָּא, כמו וַיִּשָּׂא מַשְׂאֹת מֵאֵת פָּנָיו אֲלֵיהֶם (בראשית מג, לד): **(יא) חיך.** חסר יו"ד הרבים: **וחי נפשך.** חייך בעולם הזה וחי נפשך בעולם הבא: **(טז) בשמור יואב.** בשמרו עת לבא עד העיר להלחם, וכן תרגם יונתן כַּד צַר:

מצודת דוד

(ז) ולשלום המלחמה. לשלום אנשי המלחמה: **(ח) ורחץ רגליך.** הוא כנוי לתשמיש המטה, וכונתו היתה להעלים הדבר, ויחשבו כי ממנו הרתה (ואף שכל היוצא למלחמת בית דוד היה כותב גט כריתות לאשתו, מכל מקום היה הדבר מכוער, כי הדרך היה לנושאה שוב בבוא מן המלחמה, והיתה שומרת עליו): **משאת המלך.** למען ייטב לבו ויבוא על אשתו: **(ט) פתח.** מול הפתח, עם כל עבדי המלך: **(י) הלא מדרך אתה בא.** ואם כן אתה עיף ויגע: **(יא) יושבים בסכות.** במקום המלחמה: **ועבדי אדוני.** רצה לומר, שאר עבדי המלך: **חייך.** הריני נשבע בחיי גופך וחיי נפשך: **(יב) גם היום.** כי חשב כאשר יאכל לפניו, אז ייטיב לבו ביין, וישכב עם אשתו: **וממחרת.** עד אשר שלחו: **(יג) במשכבו.** במקום ששכב בה אתמול, וזהו עם עבדי אדוניו: **(טו) אל מול.** לפני המקום שלוחמים בו בחזקה ובגבורה: **ושבתם מאחריו.** לבל יעזרוהו, ויהיה נכה מבני עמון וימות, וכוונתו היתה לישאנה אחרי זה, למען יחשבו שהרתה אחר הנשואין: **(טז) בשמור.** בעת שמרו את העיר מסביב, לבלי תת יוצא ובא: **אנשי חיל.** מבני עמון:

מצודת ציון

(ח) משאת. מנת ארוחה וסעודה, וכן (בראשית מג, לד), וישא משאות מאת פניו: **(יב) בזה.** במקום הזה: **(טו) הבו.** הזמינו ותנו, כמו (רות – טו), הבי המטפחת: **(טז) אל העיר.** את העיר:

מַשְׂאַת הַמֶּלֶךְ — *A royal feast.* This would put Uriah in good spirits so that he would desire intimacy with his wife (*Mahari Kara*). *Ralbag* renders *a royal torch*, i.e., David sent an escort with a torch to make sure that Uriah would have no trouble finding his way home in the dark.

9. Instead of going home, *Uriah lay down at the entrance to the king's house.* He did not even visit his wife, so that no one would even *think* that he had relations with his wife while his comrades were suffering at the front (*Abarbanel*).

11. Uriah's manner of speech was an act of insubordination to the king for two reasons. Instead of referring to his commanding general as *your servant Joab* (as in 14:19), Uriah insolently referred to him in the king's presence as *my lord;* and Uriah emphatically defied the king's directives.

Maharal explains that although Joab, as Uriah's commanding general was truly his *lord*, Uriah should have referred to Joab as *your servant, my lord Joab.* Although David was technically justified in regarding Uriah's reference as an insult, a man as great as David would not have condemned the miscreant to death for such a trivial remark were it not for his desire to cover up his liaison with Bath-sheba. This is why David is severely criticized for causing Uriah to die. The Talmud (*Shabbos* 56a) states that David should have had Uriah judged in the Sanhedrin; even though the king has the prerogative of acting unilaterally, his failure to bring Uriah to the high court proved that his concern was not for the honor of the throne, but to prevent his relationship with Bath-sheba from becoming public knowledge.

The second reason that Uriah was considered a rebel is that his pious declaration of concern for the Ark, his commander, and his colleagues was an implied rebuke to David, as if to say, "It is I, Uriah, who has the decency not to enjoy the comforts of home when my people are in danger, while my king expects me to indulge my passions at such a time!" He went so far as to

Uriah disobeys David ...

and a royal feast was sent after him. [9]*But Uriah lay down at the entrance to the king's house along with all of his lord's servants, and did not go down to his house.*

[10]*They told David, saying, "Uriah did not go down to his house"; so David said to Uriah, "Are you not coming from a journey? Why did you not go down to your house?"* [11]*Uriah said to David, "The Ark and Israel and Judah are staying in huts, and my lord Joab and the servants of my lord are camping out in the field — shall I then come to my house to eat and to drink and to lie with my wife? By your life and the life of your soul, I will not do such a thing!"*

... and explains why

[12]*David then said to Uriah, "Stay here today also, and tomorrow I will send you off." So Uriah stayed in Jerusalem that day and the next.* [13]*Then David summoned him, and he ate and drank before him; and he made him drunk. He went out in the evening to lie down in his place among his lord's servants, but did not go down to his house.* [14]*And it was in the morning that David wrote a letter to Joab and sent it with Uriah.* [15]*He wrote in the letter, saying, "Place Uriah directly in front of the fierce fighting; then withdraw from behind him so that he shall be struck and die."*

Uriah is sent to the front, and is killed

[16]*So it was that when Joab was besieging the city, he stationed Uriah in a place where he knew that the powerful warriors were.* [17]*The men of the city came out and fought against Joab, and some people from among David's servants fell; and Uriah the Hittite also died.*

[18]*Joab sent and told David all the matters concerning the war.* [19]*He instructed the*

---

swear — *By your life and the life of your soul . . . !* — that he would not obey.

For such disrespect, David was legally entitled to have him put to death, a course of action which in fact he later decided to follow (*Shabbos* 56a).

As noted above, Uriah was disrespectful in referring to Joab as his lord, in the king's presence. Even though Joab was a great man, David's highest officer, and the one whose command of the army made it possible for David to study Torah and serve God, all people are equal in the presence of the king, from the most noble to the most humble (*Sichos Kodesh*).

הָאָרוֹן — *The Ark.* Regarding which Ark was taken to the battlefield, see commentary to *I Samuel* 4:4.

12. David told Uriah to remain for one more day. He would wine and dine him in the royal residence and then, perhaps Uriah's resolve would weaken and he would go home to Bath-sheba. But this plan failed, as well. Uriah remained *in Jerusalem*, i.e., he did not go home (*Abarbanel*).

13. וַיְשַׁכְּרֵהוּ — *He made him drunk.* Since Uriah had sworn that he would not go home to Bath-sheba, David tried to dull his senses with wine, so that he would forget his oath. This tactic failed; again Uriah slept in the city.

14-17. David resorts to the royal prerogative. As noted above, Uriah was liable to death as a מוֹרֵד בְּמַלְכוּת, *rebel against the kingship*. The king may use his own discretion in deciding whether or not to impose the death penalty. Up to now, David tried to avoid doing so, but when Uriah consistently refused to visit Bath-sheba, David decided to do away with him. Even now, he did not wish to execute Uriah; instead he ordered Joab to send him to the front, where his life would be in mortal danger.

It may be that David respected Uriah and wanted him to die as a hero, not as a disgraced rebel. Or David may have put Uriah's fate in the hands of God, since warriors do not necessarily die even when they are exposed to great danger.

Malbim comments that David did not execute Uriah directly because that would have made it very unseemly for David to marry Bath-sheba afterwards.

14. וַיִּשְׁלַח בְּיַד אוּרִיָּה — *And sent it with Uriah.* It is a testimony to Uriah's honesty that David trusted him with the letter and that he did not read it on the way to the front (*Abarbanel*).

15. וְנִכָּה וָמֵת — *That he shall be struck and die.* Through Uriah's death David would accomplish even more than he had originally intended, for, as explained at the end of this chapter, David would then be permitted to marry Bath-sheba without a taint of adultery (*Rashi*).

16. בִּשְׁמוֹר יוֹאָב — *When Joab was besieging* [lit., *when Joab was observing*]. The translation follows *Targum*. Joab was observing the city for purposes of attacking it (*Radak*).

אֲשֶׁר יָדַע כִּי אַנְשֵׁי־חַיִל שָׁם — *In a place where . . . the powerful warriors were*, i.e., where the Ammonite defenders of Rabbah were fighting fiercely. Once Uriah was put in harm's way, Joab was to withdraw the support troops, so that Uriah would be exposed to the enemy. As the battle developed, however (v. 17), this was not necessary, since Uriah and others were killed in the course of an Ammonite attack (*Malbim*).

18-25. Joab informs David. Joab sent a messenger to tell David about the initial setback near the wall, in which Israel suffered casualties. To avoid suspicion on the part of the mes-

כ הַמַּלְאָךְ לֵאמֹר כְּכַלּוֹתְךָ אֵת כָּל־דִּבְרֵי הַמִּלְחָמָה לְדַבֵּר אֶל־הַמֶּלֶךְ׃ וְהָיָה אִם־
תַּעֲלֶה חֲמַת הַמֶּלֶךְ וְאָמַר לְךָ מַדּוּעַ נִגַּשְׁתֶּם אֶל־הָעִיר לְהִלָּחֵם הֲלוֹא יְדַעְתֶּם אֵת
כא אֲשֶׁר־יֹרוּ מֵעַל הַחוֹמָה׃ מִי־הִכָּה אֶת־אֲבִימֶלֶךְ בֶּן־יְרֻבֶּשֶׁת הֲלוֹא־אִשָּׁה הִשְׁלִיכָה
עָלָיו °פֶּלַח רֶכֶב מֵעַל הַחוֹמָה וַיָּמָת בְּתֵבֵץ לָמָּה נִגַּשְׁתֶּם אֶל־הַחוֹמָה וְאָמַרְתָּ גַּם
כב עַבְדְּךָ אוּרִיָּה הַחִתִּי מֵת׃ וַיֵּלֶךְ הַמַּלְאָךְ וַיָּבֹא וַיַּגֵּד לְדָוִד אֵת כָּל־אֲשֶׁר שְׁלָחוֹ
כג יוֹאָב׃ וַיֹּאמֶר הַמַּלְאָךְ אֶל־דָּוִד כִּי־גָבְרוּ עָלֵינוּ הָאֲנָשִׁים וַיֵּצְאוּ אֵלֵינוּ הַשָּׂדֶה
כד וַנִּהְיֶה עֲלֵיהֶם עַד־פֶּתַח הַשָּׁעַר׃ °ויראו המוראים [°וַיֹּרוּ הַמּוֹרִים ק] אֶל־עֲבָדֶיךָ
כה מֵעַל הַחוֹמָה וַיָּמוּתוּ מֵעַבְדֵי הַמֶּלֶךְ וְגַם עַבְדְּךָ אוּרִיָּה הַחִתִּי מֵת׃ וַיֹּאמֶר
דָּוִד אֶל־הַמַּלְאָךְ כֹּה־תֹאמַר אֶל־יוֹאָב אַל־יֵרַע בְּעֵינֶיךָ אֶת־הַדָּבָר הַזֶּה
כִּי־כָזֹה וְכָזֶה תֹּאכַל הֶחָרֶב הַחֲזֵק מִלְחַמְתְּךָ אֶל־הָעִיר וְהָרְסָהּ וְחַזְּקֵהוּ׃

רש"י

(כא) בן ירובשת. הוא גדעון, שעשה מריבה עם הבושת, הוא הבעל: **(כה) החזק מלחמתך אל העיר והרסה.** עד כאן דברי השליחות: **וחזקהו.** דוד אמר למלאך, וחזקהו ליואב בדברי תנחומין, שלא ירך לבו:

רד"ק

(כד) ויראו המוראים. נכתב בשני נחים כמו כֹּל הַבְאִיש (ישעיהו ל, ה) וכפל האותיות לחזק כי הורו חצים ואבנים מאד: **(כה) כזה וכזה.** הראשון בחולם והשני סגול: **וחזקהו.** דוד אמר למלאך שיחזק יואב בדבריו:

מצודת דוד

(כ) אל העיר. להתקרב מאד על העיר: **מעל החומה.** ובקלות ימיתו את הנגשים אל העיר: **(כא) הלוא אשה וגו׳.** ואם כן נקל מאוד להרוג את כל הקרב אל החומה: **ואמרת.** לשכך חמתו תאמר גם עבדך וגו׳, ורצה לומר, עם שהיה איש מלחמה מנעוריו וידע בכל זה ועם כל זה לא שת לבו לזאת, אם כן מהנראה כי מן השמים נהיה הדבר. וכוונתו היתה להודיע שעשה מה שצוה לו בדבר אוריה, ולהסתיר הדבר בפני השליח לא צוהו לאמרו מיד: **(כג) כי גברו.** כאשר גברו עלינו וגו׳, וסוף הדבר היה אשר נהיה אנחנו מתגברים עליהם לרדפם עד פתח השער: **(כד) וירו המורים.** בעת קרבנו אל החומה: **וגם עבדך וגו׳.** כי השליח חשב, למה אמתין עד אשר יעלה חמת המלך ולומר לו אחרי זה ממיתת אוריה, הלא טוב לומר לו מיד, ולא יעלה חמתו (ואף יואב השכיל את זאת אשר השליח יגיד לו מיד, ולזה לא חשש פן לא תעלה חמת המלך ולא יודע לו ממיתת אוריה): **(כה) אל ירע בעיניך.** להכניס מורך בלב בעבור זה: **כי כזה וכזה.** כי דרך המלחמה היא שאוכלת החרב, וכהנה וכהנה, וכאומר הלא מעטים מתו, ודרך המלחמה היא שאף מן המנצחים נופלים הרבה: **החזק מלחמתך.** אחוז במלחמתך ואל ירך לבבך, וידעתי כי תוכל לה והרסה: **וחזקהו.** להשליח אמר, שהוא מעצמו יחזק את לב יואב:

מצודת ציון

(כ) יורו. ישליכו, כמו (שמות טו, ד), ירה בים: **(כא) ירובשת.** הוא ירובעל, וכאשר 'בעל' גם 'בושת' המה כנויי עבודה זרה: **פלח.** כן נקרא אבן הרחים, כמו (איוב מא, טז), כפלח תחתית: **רכב.** הוא האבן העליונה מהרחים, כמו (דברים כד, ו), לא יחבול רחים ורכב: **בתבץ.** שם מקום: **(כב) המלאך.** השליח: **(כד) ויורו המורים.** ענין השלכה: **(כה) כזה.** כמו זה המספר: **והרסה.** ענין נתיצה ושבירה:

senger, he made it seem as if the report of Uriah's death was not the main part of his message. He expected David to understand from the report of casualties that Uriah had been one of them. Only if David became angry — indicating that he might not have understood the implicit message about Uriah — should the messenger tell him.

20-21. **אִם־תַּעֲלֶה חֲמַת הַמֶּלֶךְ** — *If the king's ire flares up*. As the man ultimately responsible for the security of the nation and the safety of his troops, David might have been angered by the loss of life caused by Joab's misconceived tactic of coming so close to the city wall. Since Rabbah was under siege, there was no reason for a frontal assault, thereby exposing soldiers to danger. First, why bring the men within range of the archers *who shoot from atop the wall?* Second, by bringing the men even closer to the wall, Joab exposed them to the danger that objects could be dropped on them from the top of the wall, as happened when a woman *threw a millstone* over a wall, killing Abimelech [see *Judges* 9:50 — 55; see below] (*Malbim*).

If David did not react angrily, it would mean that he understood the news as an indirect message that Uriah had been killed. Joab ordered that in case David became angry, the messenger should tell him about Uriah. As it happened, the messenger did not wait for a reaction; he included Uriah's death in his report.

How did Joab expect the messenger not to become suspicious when he heard that the news about Uriah would calm David's anger over the mishandling of the siege? *Malbim* explains that Uriah was known as an impetuous warrior, who had probably acted on his own in coming too close to the wall. The messenger would assume that this fact would deflect blame from Joab and his other commanders.

אֲבִימֶלֶךְ בֶּן יְרֻבֶּשֶׁת — *Abimelech son of Jerubbesheth*. Abimelech was the son of the judge Gideon, who tried to usurp the leadership of Israel after Gideon's death. Gideon was also called Jerubbaal (*Fighter Against* [the idol] *Baal*; see *Judges* 6:25-32). Since *Baal* is the name of a pagan deity, the name was altered to *Jerubbesheth* (from בֹּשֶׁת, *disgrace)*, as a derisive reference to the idol Baal.

23. Not wishing to arouse the king's ire, as Joab had anticipated, the messenger told David both pieces of news at once (*Malbim*).

messenger, saying, "When you finish telling the king all the matters concerning the war, [20]if the king's ire flares up and he says to you, 'Why did you draw close to the city to fight? Did you not know that they shoot from atop the wall? [21]Who killed Abimelech son of Jerubbesheth — was it not a woman who threw a millstone over the wall so that he died in Thebez? Why, then, did you draw close to the wall?' Then you should say, 'Also your servant Uriah the Hittite died.'"

David hears the news and encourages Joab

[22]The messenger went and came and told David all that Joab had sent him [to say]. [23]The messenger told David, "When the men overpowered us and they came out to us in the field, we repulsed them up to the opening of the gate. [24]The archers shot at your servants from atop the wall, and some of the king's servants died; and your servant Uriah the Hittite also died."

[25]David then told the messenger, "Say thus to Joab: 'Do not let this matter be deemed evil in your eyes, for the sword consumes one way or another. Strengthen your offense against the city and destroy it!' Then encourage him."

---

25. כִּי...תֹּאכַל הֶחָרֶב — *For... the sword consumes.* David told the messenger to console Joab by telling him that there are unavoidable casualties in war. He urged Joab to persevere and conquer the city.

What was David's sin? Although our chapter ends with the clear statement that *The deed that David had done was deemed evil in the eyes of HASHEM*, and the next chapter describes it in even starker terms, the Sages teach that he was not guilty of adultery in the strict halachic sense. As the Talmud puts it "[David's] intentions were sinful, but his actions were not sinful" (*Shabbos* 56a).

The Sages explain that in those days, all men in David's army who went out to war granted their wives a divorce, so that if they were captured or missing, their wives would be able to remarry. According to *Rashi*, the divorce was retroactive, meaning that it would take effect only if the soldier did not return after the war. Since Uriah did not return from combat, Bath-sheba was divorced retroactively, so that she was not a married woman when David lived with her. According to *Tosafos*, the wives were actually divorced before their husbands left for battle, with the understanding that after the war their returning husbands would remarry them. Accordingly, even if Uriah had not died, there would have been no adultery, since Bath-sheba had actually been divorced.

Nevertheless, although David was technically free of sin with Bath-sheba and Uriah was legally guilty of a capital offense, God condemned David as severely as if he were an adulterous rapist and a cold-blooded murderer. *Why have you scorned the word of HASHEM, doing that which is evil in My eyes? You have struck Uriah the Hittite with the sword; his wife you have taken to yourself for a wife...!* (12:9). People of David's caliber are judged much more severely than ordinary human beings. Such people are required to maintain very high standards of conduct, especially because legalistic justifications would not be readily understood and could cause a desecration of God's Name. In this case, whatever Uriah's personal sins of insolence and disobedience, they would not have occurred had David not indulged in misconduct. For this, Scripture still condemned him several generations after his death: *David had done what is proper in the eyes of HASHEM*, and did not veer from all that He had commanded him all the days of his life except for the matter of Uriah the Hittite (I Kings 15:5).

How could it happen? David's unfortunate challenge. David had asked that the daily prayers include him on the same level as the Patriarchs: the God of Abraham, the God of Isaac, the God of Jacob — *and the God of David.* God answered that the Patriarchs had overcome tests of their faith, but David had not been tested. "If so," David responded, "test me, as well." The test was his encounter with Bath-sheba, in which he was found wanting (*Sanhedrin* 107a).

Commentators explain that God does not test people beyond their ability to persevere, which is why David had never been so seriously challenged. Ordinarily, therefore, God affords a degree of protection so that people should not be overwhelmed by a Divinely imposed test, but since David had requested a test that was not part of God's plan, he did not receive Divine help.

Textbook of repentance. As noted above, Bath-sheba had been destined to be David's wife and the mother of King Solomon and the Messianic dynasty. Nevertheless, this rendezvous with destiny hardly necessitated that the two should meet in such strange circumstances, God could have ordained that her marriage to Uriah end before David met her, or even that she should never have married him, so that David could have married her without his reputation being so indelibly stained. Instead, Divine Providence arranged that this incident should evolve as it did, God permitted David to sin so that his repentance would set the example for all other individuals, that no matter how grievously someone erred, the gates of forgiveness are always open (*Avodah Zarah* 4a).

Michtav MeEliyahu explains the profundity of this teaching. God actually *influenced* David to sin with Bath-sheba so that he could subsequently create the model of repentance, both through his own contrition (see the next chapter) and his soul-stirring Psalm 51.

כו־כז וַתִּשְׁמַע אֵשֶׁת אוּרִיָּה כִּי־מֵת אוּרִיָּה אִישָׁהּ וַתִּסְפֹּד עַל־בַּעְלָהּ: וַיַּעֲבֹר הָאֵבֶל וַיִּשְׁלַח דָּוִד וַיַּאַסְפָהּ אֶל־בֵּיתוֹ וַתְּהִי־לוֹ לְאִשָּׁה וַתֵּלֶד לוֹ בֵּן וַיֵּרַע הַדָּבָר אֲשֶׁר־עָשָׂה דָוִד בְּעֵינֵי יְהוָה:

יב א וַיִּשְׁלַח יְהוָה אֶת־נָתָן אֶל־דָּוִד וַיָּבֹא אֵלָיו וַיֹּאמֶר לוֹ שְׁנֵי אֲנָשִׁים הָיוּ בְּעִיר אֶחָת אֶחָד עָשִׁיר וְאֶחָד רָאשׁ: ב לְעָשִׁיר הָיָה צֹאן וּבָקָר הַרְבֵּה מְאֹד: ג וְלָרָשׁ אֵין־כֹּל כִּי אִם־כִּבְשָׂה אַחַת קְטַנָּה אֲשֶׁר קָנָה וַיְחַיֶּהָ וַתִּגְדַּל עִמּוֹ וְעִם־בָּנָיו יַחְדָּו מִפִּתּוֹ תֹאכַל וּמִכֹּסוֹ תִשְׁתֶּה וּבְחֵיקוֹ תִשְׁכָּב וַתְּהִי־לוֹ כְּבַת: ד וַיָּבֹא הֵלֶךְ לְאִישׁ הֶעָשִׁיר וַיַּחְמֹל לָקַחַת מִצֹּאנוֹ וּמִבְּקָרוֹ לַעֲשׂוֹת לָאֹרֵחַ הַבָּא לוֹ וַיִּקַּח אֶת־כִּבְשַׂת הָאִישׁ הָרָאשׁ וַיַּעֲשֶׂהָ לָאִישׁ הַבָּא אֵלָיו:

רש״י

(ד) ויבא הלך. דימה את יצר הרע תחלה להלך, שעובר לדרכו, ואחר כך לאורח, שנעשה אכסנאי, ואחר כך לאיש, שהוא בעל הבית:

רד״ק

(א) שני אנשים. המשל הזה מבואר כי דוד הוא העשיר שהיו לו נשים רבות, ואוריה האיש הרש שלא היתה לו אלא אשתו זאת, ומה שאמר אֲשֶׁר קָנָה (פסוק ג) כי אדם קונה את אשתו בקידושין, ומה שאמר וַתִּגְדַּל עִמּוֹ וְעִם בָּנָיו יַחְדָּו (שם) אמרו כי בנים היו לו מאשה אחרת שהיתה לו ומתה. וְהֵלֶךְ וְאֹרֵחַ (פסוק ד) הוא היצר והלך ואורח אחד, ורבותינו ז״ל דרשוהו כן (סוכה נב, ב) כי יצר הרע בתחילה הוא דומה להלך שעובר על איש ולא ילין עמו, ואחר כך דומה לאורח שעבר על איש ולן עמו, ואחר כך דומה לבעל הבית רוצה לומר שמושל על האיש, ולפיכך קראו איש ויעשה לאיש הבא אליו, ודוד לא הבין כי משל הוא ואמר כי בן מות הוא דרך גוזמא כי לא יתחייב אדם מיתה בעבור גזילה וגנבה, אבל לפי שעשה דבר מכוער אמר כי בן מות הוא האיש העושה זאת, ומה שאמר וְאֶת הַכִּבְשָׂה יְשַׁלֵּם אַרְבַּעְתָּיִם (פסוק ו) כפלים על משפטן, כי גנב אחד משלם ארבע צאן תחת השה אבל זה שהוא עשיר וגנב הכבשה של הרש ראוי לקנוס אותו ולשלם כפלים, עקב אשר עשה את הדבר הזה ועל אשר לא חמל על העני ראוי לקנסו שישלם ארבעה עוד, ויונתן תרגם אַרְבַּעְתָּיִם, עַל חַד אַרְבְּעִין, ומדרך הדקדוק ארבעתים שמנה, ובדברי רז״ל (יומא כב, ב) כי בעונש זה לקה בארבעה הילד ואמנון תמר ואבשלום:

מצודת דוד

(א) שני אנשים. על כי רצה שדוד בעצמו יפסוק הדין על עצמו, לזה אמר לו כאלו קובל לפניו על העול הנעשה בעיר, ושהוא יעשה משפט, וכשיפסוק הדין, אז יאמר לו אתה האיש. ואף כי הרבה בדברים שאין ענין להם עם דבר דוד, אולם כוונתו היתה להעלים ביותר, לבל ירגיש דוד וישמור פיו מלפסוק הדין: **(ג) ויחיה.** היה מפרנסה במזון, והיתה חביבה עליו עד שגדלה עמו בחדרו, והוא מדרך מליצה והפלגה:

מצודת ציון

(כז) ויאספה. הכניסה, כמו (שופטים יט, טו), ואין איש מאסף אותי: **(א) ראש.** עני ודל, כמו (משלי י, ד), ראש עשה כף רמיה: **(ג) אין כל.** לא כלום: **ויחיה.** ענין הספקת הצורך, כמו (בראשית מה, ה), למחיה שלחני: **(ד) הלך.** ההולך בדרך: **לאורח.** הוא ההלך שאמר, והוא האיש הבא אליו אשר יאמר, וליופי המליצה אמר במלות שונות:

⁂ Greatness emerges from sin. "Sometimes a sin improves a man more than a number of good deeds" (*Chovos HaLevavos, Teshuvah* 8). Great as David had been, he now became even greater. His enemies used this incident to drag his name through the mud, but the humble monarch refused to avenge himself or even frighten his opponents into silence. From his Psalms, we hear the echoes of his suffering at the hands of his vilifiers.

The fact that this incident is so openly related in the Scriptures and is described in the worst possible terms is a monument to the truthfulness of the prophetic writers. These books were composed under the reign of the House of David, yet not only do they conceal nothing, but they even blacken the nation's beloved hero in a manner that can be explained only by the extremity of God's wrathfulness in the mouth of His prophets. . . . Not only was the incident proclaimed publicly and inscribed for that generation and for all time, without the least attempt to mitigate the matter, but it was described in the extreme language of the prophets as murdering a man and taking his wife (*Behold a People*).

⁂ The mysterious Messianic pattern. From its very beginning, the process through which the Davidic dynasty and the eventual King Messiah were to come into being has been mysterious and hidden. The nation of Moab — the nation of Ruth, the ancestress of David — came into being when Lot lived incestuously with his daughter (*Genesis* 19:30-38*)*. Peretz, the ancestor of David, was born from the strange relationship of Judah and Tamar (ibid ch. 38). David descended from the marriage of Boaz and Ruth (*Ruth* 4:10), a relationship that some people criticized as being in violation of the halachah. David's dynasty descended from his marriage to Bath-sheba, which was so shrouded in apparent impropriety.

There is constant refrain in Kabbalistic literature that this world is a mixture of good and evil and that man's highest goal is to "extract the sparks of good from the evil." In the words of *Rabbi Moshe Chaim Luzzatto (Megillas Sesarim)*: "Every act of God travels through byways, often in complex, crooked ones . . . For such has occurred to all great souls as they go among the 'shells' of impurity to capture and extract the good."

The concept is difficult, to be sure, but at the very least it proclaims that the Jew has the capacity, and therefore the duty, to search for goodness in his every activity, and "extract the sparks" that can be used to serve God.

For a fuller discussion of this concept, see Overview to ArtScroll's Book of Ruth (pp. xxxvii-lvii).

David marries Bath-sheba, but God is displeased

[26]Uriah's wife heard that her husband Uriah had died, and she mourned over her husband. [27]The mourning passed, and David sent [for her] and brought her into his house, and she became his wife and bore him a son.

The deed that David had done was deemed evil in the eyes of HASHEM.

12 *Nathan's rebuke: A parable of selfish cruelty*

[1]HASHEM sent Nathan to David. He came to him and told him: "There were two men in one city; one rich and one poor. [2]The rich man had very many sheep and cattle, [3]but the poor man had nothing except one small ewe that he had acquired. He raised it and it grew up together with him and his children. It ate from his bread and drank from his cup and lay in his bosom; it became like a daughter to him. [4]A wayfarer came to the rich man. He was reluctant to take from his own sheep or cattle to prepare for the visitor who had come to him, so he took the poor man's ewe and prepared it for the man who had come to him."

12.

Condemnation, repentance, and victory. The prophet Nathan presented David with the "case" of a heartless and greedy rich man who victimized a helpless poor man. David indignantly responded that such a man deserved to die — to which Nathan said that David himself was the "rich man," because of what he had done to Uriah. David was shocked and he reacted in a manner that has become the model of sincere repentance. As noted in the commentary to Chapter 11, technically, David did not sin. And it is apparent from his response to Nathan that he was not even aware that he had sinned, certainly not of the severity of his misdeed. Following this episode, Bath-sheba's baby died despite David's intense prayers. He consoled her, and she later gave birth to Solomon. At the end of the chapter, David leaves his home to lead the army in a successful campaign against Ammon.

1-6. Nathan's parable and David's ruling.

1. Immediately after Bath-sheba gave birth to their child (see *vs.* 14-15), Hashem sent Nathan to relate the following parable to David.

אֶחָד עָשִׁיר וְאֶחָד רָאשׁ — *One rich and one poor.* The rich man corresponds to David; the poor man to Uriah.

2-3. The rich man's *many sheep and cattle* allude to David's many wives; according to 3:1-5, he had six. Uriah, *the poor man,* had only *one small ewe.* Uriah's only wife, Bath-sheba, is represented as a "*small* ewe," because, according to the Talmud (*Sanhedrin* 69b), she was a young girl when these events took place (*Malbim*). Her youth also explains the expression *he raised it and it grew up.*

וְעִם־בָּנָיו יַחְדָּו — *Together with him and his children.* The verse implies that Uriah had children of his own. *Radak* infers, therefore, that Uriah had children from a previous marriage when he married Bath-sheba. *Abarbanel* suggests that Nathan added this detail to the parable to embellish the plight of the victimized poor man; it does not necessarily correspond to the real life of Uriah.

The account of how the ewe became like a part of the family — even like one of the poor man's own children — was also intended to gain David's sympathy for the helpless victim.

4. וַיָּבֹא הֵלֶךְ לְאִישׁ הֶעָשִׁיר — *A wayfarer came to the rich man.* The *wayfarer* represents the *Yetzer Hara*, the Evil Inclination.

The rich man's "guest" is mentioned three times, by three different names. First he is called a הֵלֶךְ (*wayfarer*), then an אֹרֵחַ (*visitor*), and finally an אִישׁ (translated here as *man*, but which also has the connotation of *master*). The Talmud (*Succah* 52a) explains: At first, the Evil Inclination comes as a *wayfarer*, who will not stay long or expect to exert any influence on his host. Once it has succeeded in causing the person to sin, it becomes a *visitor*, who stays for a while. Eventually he becomes the *master* and completely dominates his host.

Abarbanel shows how the Sages' analysis of the *Yetzer Hara* applied to the case of David and Bath-sheba. When he allowed his passion to overpower him, he thought it would be only a one-time relationship, but when Bath-sheba found out she was pregnant, the matter could not be ignored. David attempted to entice Uriah to go home to his wife, and eventually he felt compelled to take the extreme measure of sending Uriah to his death. Thus, the *Yetzer Hara* had managed to infiltrate David's sense of right and wrong.

The parable could have added that the rich man killed the poor man in order to take his sheep away, but Nathan omitted any allusion to the killing of Uriah, which was probably David's most serious offense (see *I Kings* 15:5). The prophet may have felt that if he made the parable too similar to David's actions, the king would recognize himself and be less harsh in condemning the rich man's plunder. Alternatively, the omission was intended to make David's condemnation of the rich man — and therefore of himself — even harsher. When David was so appalled at the oppressor's cruel greed in taking the lamb, i.e., Bath-sheba, that he exclaimed that the man deserved to die — even though the Torah does not prescribe death for even the most heartless robber — Nathan would chastise him, saying that causing Uriah's death is much worse than mere theft, no matter how egregiously it was carried out (*Abarbanel*).

It may also be that the "sentence" of Uriah could be rationalized because he was guilty of disobedience and insolence. Nathan preferred to focus on the way in which David acquired Bath-sheba as his queen.

ה וַיִּחַר־אַף דָּוִד בָּאִישׁ מְאֹד וַיֹּאמֶר אֶל־נָתָן חַי־יהוה כִּי בֶן־מָוֶת הָאִישׁ הָעֹשֶׂה זֹאת׃ ו וְאֶת־הַכִּבְשָׂה יְשַׁלֵּם אַרְבַּעְתָּיִם עֵקֶב אֲשֶׁר עָשָׂה אֶת־הַדָּבָר הַזֶּה וְעַל אֲשֶׁר לֹא־חָמָל׃ ז וַיֹּאמֶר נָתָן אֶל־דָּוִד אַתָּה הָאִישׁ כֹּה־אָמַר יהוה אֱלֹהֵי יִשְׂרָאֵל אָנֹכִי מְשַׁחְתִּיךָ לְמֶלֶךְ עַל־יִשְׂרָאֵל וְאָנֹכִי הִצַּלְתִּיךָ מִיַּד שָׁאוּל׃ ח וָאֶתְּנָה לְךָ אֶת־בֵּית אֲדֹנֶיךָ וְאֶת־נְשֵׁי אֲדֹנֶיךָ בְּחֵיקֶךָ וָאֶתְּנָה לְךָ אֶת־בֵּית יִשְׂרָאֵל וִיהוּדָה וְאִם־מְעָט וְאֹסִפָה לְּךָ כָּהֵנָּה וְכָהֵנָּה׃ ט מַדּוּעַ בָּזִיתָ ׀ אֶת־דְּבַר יהוה לַעֲשׂוֹת הָרַע °בעינו [°בְּעֵינַי ק׳] אֵת אוּרִיָּה הַחִתִּי הִכִּיתָ בַחֶרֶב וְאֶת־אִשְׁתּוֹ לָקַחְתָּ לְּךָ לְאִשָּׁה וְאֹתוֹ הָרַגְתָּ בְּחֶרֶב בְּנֵי עַמּוֹן׃ י וְעַתָּה לֹא־תָסוּר חֶרֶב מִבֵּיתְךָ עַד־עוֹלָם עֵקֶב כִּי בְזִתָנִי וַתִּקַּח אֶת־אֵשֶׁת אוּרִיָּה הַחִתִּי לִהְיוֹת לְךָ לְאִשָּׁה׃ יא כֹּה ׀ אָמַר יהוה הִנְנִי° מֵקִים עָלֶיךָ רָעָה מִבֵּיתֶךָ וְלָקַחְתִּי אֶת־נָשֶׁיךָ לְעֵינֶיךָ וְנָתַתִּי

רש״י

(ה) כי בן מות. הגוזל את העני, כאלו נוטל את נפשו, שנאמר (משלי א, יט), את נפש בעליו יקח: **(ו) ישלם ארבעתים.** כך אירע לו, שלקה בארבעה בנים, הילד ואמנון תמר ואבשלום: **(ח) ואת נשי אדוניך.** מיכל בת שאול: **ואסיפה.** והייתי מוסיף לך:

רד״ק

(ח) את בית אדניך. כמו שכתבנו כי דוד זכה בנחלת שאול אחרי מות איש בשת: **ואת נשי אדניך.** עגלה אשת שאול כמו שפירשנו (לעיל ג, ה) ומיכל בת שאול, ושתי הנשים, של שאול היו, האחת היא אשתו והאחת בתו, או נאמר כי גם רצפה פלגש שאול לקח דוד לאשה כדברי הדרש שכתבנו (שם): **ואם מעט.** ואם מעט עמדת שלא חטאת אני הייתי מוסיף לך כבוד וגדולה כהנה וכהנה, וכבר כתבנו דרש כָּהֵנָּה וְכָהֵנָּה למעלה (פרק ה, יג): **(ט) הכית בחרב.** כאילו אתה הכיתו כיון שצוית את יואב לשומו במקום הסכנה: **ואתו הרגת בחרב בני עמון.** אחר שאמר הִכִּיתָ בַחֶרֶב למה אמר וְאֹתוֹ הָרַגְתָּ בְּחֶרֶב בְּנֵי עַמּוֹן, רצה לומר שתי רעות עשית במיתתו, שהרגתו בחרב בני עמון כלומר שהפלתו ביד שונאי ישראל. ובדברי רז״ל (קידושין מג, א) אף על גב דבכל התורה כולה אין שליח לדבר עבירה כי בכל מקום השולח פטור והשליח חייב, הכא שאני שהכתוב קראו הורג שנאמר וְאֹתוֹ הָרַגְתָּ, והטעם לפי שהיה מלך ואין עובר על מצותו כאילו הוא הרגו, וכן שאול שצוה להרוג נוב עיר הכהנים כאילו הוא הרגם ואף על גב שאין לאדם לעשות מצות מלך בזה הענין וכיוצא בו כמו שכתבנו למעלה (ש״א כב, יז) כָּל אִישׁ אֲשֶׁר יַמְרֶה אֶת פִּיךָ ... יוּמָת (יהושע א, יח) יכול אפילו לדבר עבירה תלמוד לומר רַק (שם), אף על פי כן אין כל אדם נזהר בזה ויודע לדרוש אכין ורקין לפיכך העונש על המלך: **(יא) לעיניך.** כי אפילו תדע לא יהיה בידך למנוע והרי הוא כאילו הוא לעיניך:

מצודת דוד

(ה) ויחר אף דוד. כי חשב שאמת הדבר נעשתה התועבה הזאת: **(ו) ארבעתים.** כמו שכתוב (שמות כא, לז), וארבע צאן תחת השה: **עקב וגו׳.** לזה ישלם כדין התורה: **ועל אשר לא חמל.** רצה לומר, ולזה הוא בן מות, על אשר לא חמל על רוב עניו, ולכן חייב מיתה בחק משפט המלך: **(ז) אתה האיש.** אשר עשה כזאת: **(ח) נשי אדוניך.** מיכל בת שאול. ובמדרש יש (ירושלמי יבמות ב ד, סנהדרין ב, ג) שגם נשא רצפה בת איה, פילגש שאול: **ואם מעט.** ואם עדיין הממשלה הגדולה ההיא מעט בעיניך, שאל ממני ואוסיף לך כהנה וכהנה, רצה לומר, פעמים כמו שיש לך: **(ט) מדוע בזית.** רצה לומר, הלא גמלתיך הטובה, ומדוע בזית את דבר ה׳: **הכית.** רצה לומר, צוית לסבב לו המיתה: **בחרב בני עמון.** וכפולה חטאתך מאלו הרגתו בחרבך: **(י) לא תסור חרב וגו׳.** ורבים מזרעך ימותו בחרב: **בזתני.** להתחלל שם שמים על ידך: **(יא) מביתך.** אחד מאנשי ביתך יעשה לך הרעה: **לעיניך.** על כי ידע מזה ולא היה לאל ידו למחות בדבר, הרי היא כאלו נעשתה לעיניו:

מצודת ציון

(ו) עקב. בעבור, כמו (דברים ז, יב), עקב תשמעון: **(ח) כהנה.** כמו שיש לך: **(יא) מקים.** מעמיד:

5. **חַי־ה׳ כִּי בֶן־מָוֶת הָאִישׁ הָעֹשֶׂה זֹאת** — *"As HASHEM lives, any man who does this deserves to die!"* If one steals from a poor person, it is as if he has taken his life away (*Rashi*). *Mahari Kara* elaborates that ordinarily a thief steals to satisfy his craving, but in this case, the rich man had abundant flocks of his own. That he should be unwilling to cause himself a trivial loss, but instead rob an already destitute person is totally unconscionable, and is tantamount to murder.

Despite the above considerations, the death penalty decreed by David was extralegal, since theft, no matter how cruelly it is done, is not a capital crime. According to *Radak*, David did not mean this literally; he exaggerated to show how seriously he regarded the rich man's heartlessness.

Malbim, however, explains that David meant it quite literally. The fact that Nathan presented this "case" to David rather than bringing it to the courts shows that he wanted David to issue a special royal order to punish the rich man. The courts must apply the law without sentimentality. The law in this case is clear cut: A thief must pay fourfold for a stolen sheep if he slaughters or sells it (*Exodus* 21:37) — no matter what the relative wealth or poverty of the parties involved. Nathan felt that the king's royal prerogative to issue special rulings to preserve a just society should be exercised against the rich man who made a public spectacle of his cruel disregard for a helpless pauper.

6. **וְאֶת־הַכִּבְשָׂה יְשַׁלֵּם אַרְבַּעְתָּיִם** — *And he must pay fourfold for the ewe*. This is the punishment for theft of a sheep prescribed by the Torah (*Exodus* 21:37).

The Talmud (*Yoma* 22b) points out that David was unwittingly issuing his own sentence, for he actually suffered a fourfold punishment for his sin with Bath-sheba, since four of his children were to die: Bath-sheba's baby, Amnon, Tamar and Absalom.

Thus the rich man should be punished separately for two aspects of his crime: For theft of the sheep, he should pay fourfold, which is the normal punishment. For his cruelty, he

[5]David was very indignant about this man, and he said to Nathan, "As HASHEM lives, any man who does this deserves to die! [6]And he must pay fourfold for the ewe, because he did this deed and because he had no pity!"

Nathan accuses David . . .

[7]Nathan then said to David, "You are that man! Thus said HASHEM, God of Israel: 'I anointed you as king over Israel and I saved you from Saul's hand. [8]I gave you the house of your lord, and the women of your lord into your bosom, and I gave over to you the house of Israel and Judah; and if this were not enough I would have increased for you this much and this much again. [9]Why have you scorned the word of HASHEM, doing that which is evil in My eyes? You have struck Uriah the Hittite with the sword; his wife you have taken to yourself for a wife, while him you have killed by the sword of the Children of Ammon! [10]And now, the sword shall not cease from your house forever. Because you have scorned Me and have taken the wife of Uriah the Hittite to be a wife unto you.' — [11]So says HASHEM: 'Behold! — I shall raise evil against you from your own household, I shall take your wives away before your eyes and give them to

. . . and prophesies David's punishment

should be punished by death, because God cannot abide such conduct. Similarly, when Joseph's brothers could not understand what they had done to deserve their persecution by the "viceroy" of Egypt, Reuben said, *"Indeed we are guilty concerning our brother inasmuch as we saw his heartfelt anguish when he pleaded with us and we paid no heed" (Genesis* 42:29). The brothers were still convinced that Joseph was a guilty party, but they admitted that they had sinned in being callous to his pleadings.

7-12. Nathan explains the parable and the punishment. David repents.

7. Nathan explained the true meaning of the parable. David was rich because HASHEM had anointed him as king over Israel and saved him from Saul (*Abarbanel*).

8. בֵּית אֲדֹנֶיךָ — *The house of your lord,* i.e., Saul's royal estate, which had reverted to David.

נְשֵׁי אֲדֹנֶיךָ — *The women of your lord,* a reference to Michal and Merab, Saul's daughters (*Sanhedrin* 19b). Alternatively, according to one opinion, David married Saul's widow Eglah and his concubine Rizpah (*Radak* to 3:5). According to *Abarbanel,* David did not *actually* marry Saul's widows; the prophet is saying that he could do so if he wished.

וְאִם־מְעָט — *And if this were not enough.* If all these riches and good fortune were not enough for you, I would have increased it further (*Abarbanel*). *Radak* renders, *If you would have remained a bit longer* [וְאִם־מְעָט] *without sinning,* I would have increased your wealth and good fortune many times as much: *this much and this much again.*

The Talmud (*Sanhedrin* 21a) interprets the final clause of the verse with regard to David's wives. At this time David had six wives. Now God said, *and if this* [number of wives] *were not enough* to satisfy him, God would have allowed him to marry *this much and this much again* — i.e., six more and another six more, for a total of eighteen. The point is that David had abundant opportunity to satisfy his needs in a *permitted* matter, why did he become involved with Bath-sheba, a married woman? (*Mahari Kara*).

9. אוּרִיָּה הַחִתִּי הִכִּיתָ בַחֶרֶב — *You have struck Uriah the Hittite with the sword.* Although David himself did not kill Uriah, God held him responsible because his orders resulted in Uriah's death. The verse concludes, *while him you have killed by the sword of the Children of Ammon!* — not only did you arrange his death, you had him killed in a humiliating manner, by the despised Ammonites, Israel's mortal enemies (*Radak*). It may be that David was guilty of desecrating God's Name, because he gave the Ammonites cause to gloat over their victory in killing Uriah and repulsing his comrades.

Although Joab was carrying out David's orders in sending Uriah to his death, the halachah considers Joab, not David, to be responsible, because it is forbidden for an agent to violate God's word, even though he is ordered to do so [אֵין שָׁלִיחַ לִדְבַר עֲבֵרָה]. As the Talmud expresses it, if the Master [God] commands one thing, and the student [a human being] commands the opposite, whom should one obey? (*Sanhedrin* 49a). Nevertheless, God held David responsible because an underling would be afraid to disobey his king, even though the halachah requires him to do so (*Radak*). In addition, David was judged by a higher standard, and could not shift the blame to Joab.

וְאֶת־אִשְׁתּוֹ לָקַחְתָּ — *His wife you have taken . . .* Although Bath-sheba was technically permitted to David, as explained in the commentary to the previous chapter, David's conduct was improper and in God's eyes it was equivalent to adultery.

10-12. The sentence. Having listed the accusations against David, Nathan proceeds to pronounce judgment for his sins.

10. לֹא־תָסוּר חֶרֶב מִבֵּיתְךָ — *The sword shall not cease from your house.* This is the punishment for the killing of Uriah by the sword; the sword will avenge the sword. Three of David's sons, and many of his more distant descendants, died by the sword. The account of this bloodshed begins in the next chapter (*Abarbanel*).

עֵקֶב כִּי בְזִתָנִי — *Because you have scorned Me.* This begins the punishment for the second aspect of David's sin — the sin of immorality. As the following verse states, the unlawful taking of David's wives would avenge his improper taking of Uriah's wife.

יב לְרֵעֶ֔יךָ וְשָׁכַב֙ עִם־נָשֶׁ֔יךָ לְעֵינֵ֖י הַשֶּׁ֥מֶשׁ הַזֹּֽאת׃ כִּ֥י אַתָּ֖ה עָשִׂ֣יתָ בַסָּ֑תֶר וַאֲנִ֗י
יג אֶֽעֱשֶׂה֙ אֶת־הַדָּבָ֣ר הַזֶּ֔ה נֶ֥גֶד כָּל־יִשְׂרָאֵ֖ל וְנֶ֥גֶד הַשָּֽׁמֶשׁ׃ וַיֹּ֤אמֶר
דָּוִד֙ אֶל־נָתָ֔ן חָטָ֖אתִי לַֽיהוָ֑ה וַיֹּ֨אמֶר נָתָ֜ן אֶל־דָּוִ֗ד גַּם־יְהוָ֛ה
יד הֶעֱבִ֥יר חַטָּאתְךָ֖ לֹ֥א תָמֽוּת׃ אֶ֗פֶס כִּֽי־נִאֵ֤ץ נִאַ֙צְתָּ֙ אֶת־אֹיְבֵ֣י יְהוָ֔ה בַּדָּבָ֖ר הַזֶּ֑ה גַּ֗ם
טו הַבֵּ֛ן הַיִּלּ֥וֹד לְךָ֖ מ֥וֹת יָמֽוּת׃ וַיֵּ֥לֶךְ נָתָ֖ן אֶל־בֵּית֑וֹ וַיִּגֹּ֨ף יְהוָ֜ה אֶת־הַיֶּ֗לֶד אֲשֶׁ֨ר יָלְדָ֧ה
טז אֵֽשֶׁת־אוּרִיָּ֛ה לְדָוִ֖ד וַיֵּאָנַֽשׁ׃ וַיְבַקֵּ֥שׁ דָּוִ֛ד אֶת־הָאֱלֹהִ֖ים בְּעַ֣ד הַנָּ֑עַר וַיָּ֤צָם דָּוִד֙
יז צ֔וֹם וּבָ֥א וְלָ֖ן וְשָׁכַ֥ב אָֽרְצָה׃ וַיָּקֻ֜מוּ זִקְנֵ֤י בֵיתוֹ֙ עָלָ֔יו לַהֲקִימ֖וֹ מִן־הָאָ֑רֶץ וְלֹ֣א
יח אָבָ֔ה וְלֹא־בָרָ֥א אִתָּ֖ם לָֽחֶם׃ וַיְהִ֥י בַּיּ֖וֹם הַשְּׁבִיעִ֑י וַיָּ֖מָת הַיָּ֑לֶד וַיִּֽרְאוּ֩ עַבְדֵ֨י דָוִ֜ד

רש"י

(יד) כי נאץ נאצת את אויבי. כנוי הוא זה, דרך כבוד למעלה. ויונתן תרגם, ארי מיפתח פתחתא פומא דסנאי עמא דה': **(טו) ויאנש.** לשון חולי: **(טז) ובא ולן ושכב ארצה.** ובא הבית, ולן בלילה שוכב לארץ: **(יז) ולא ברה.** לשון אכילה, כמו (לקמן יג, ו), ואברה מידה:

רד"ק

לרעיך. כתוב ביו"ד והוא לשון יחיד והיו"ד למ"ד הפועל, או פירוש לאחד מרעיך כלומר אחד מאוהביך ואין לאדם אוהב יותר מבנו, או למי שירצה להיות כאילו רעך בשוה בדבר המלוכה: **עם נשיך.** הם הפלגשים: **לעיני השמש הזאת.** בגלוי כי בגלוי נכנס אבשלום עמהן לאהל (לקמן טז, כב), יש לשאול איך גזר האל על אבשלום שיחטא וישכב עם נשי אביו ואם לא חטא דוד לא היה חוטא אבשלום והנה נענש דוד בדבר חטא אבשלום, יש לפרש כי האל לא גזר בפירוש על אבשלום ולא הזכירו בשם ואף על פי שידע האל כי אבשלום יהיה החוטא בעבור תאות נפשו לחטוא, לא שהאל גזר עליו לחטוא, ואם לא חטא דוד היה האל מונע נשי דוד מהמכשול על ידי עבירה, אף על פי שאבשלום סופו לחטוא מפני תאות יצרו לא היה חוטא עם נשי אביו, ועוד כי לא היה חטא גדול בזה כי פלגשי אביו היו ומפותת האב מותרת לבן, אלא לפי שהיו פלגשי מלך אסורות לכל אדם וכל שכן כי לבנו מכוער הדבר, ורבינו סעדיה ז"ל כתב כן כי אלה הדברים אשר ספר נתן לדוד על שני חלקים, אחד מהם מעשה הבורא והוא הגברת אבשלום והשליטו על כל אשר לדוד, ועל זה אמר הִנְנִי מֵקִים עָלֶיךָ רָעָה, והשני מעשה אבשלום בבחירתו והוא מה שכתב וְשָׁכַב עִם נָשֶׁיךָ, ורצה בהקדמתו להודיע לדוד בחירת אבשלום להראות את לבו בזה: **(יג) גם ה' העביר.** גם לרבות על וידויו, כלומר כמו שאתה מתודה כן הוא גם כן קבל תשובתך והתודותיך: **לא תמות.** ואף על פי שאתה חייב מיתה האל קבל התודותיך ותשובותיך ולא תמות אתה, כלומר לא תמות מות רשעים שתרד נפשך בגיהנם כמשפט החוטאין, אבל תענש בעולם הזה בעון הזה, כי עונש הבעילה וְשָׁכַב עִם נָשֶׁיךָ (פסוק יא) ובכלל זה המרד שמרד בו אבשלום כי לא יוכל שישכב עם נשיו אם לא מרד בו בתחלה, ועונש ההריגה לֹא תָסוּר חֶרֶב מִבֵּיתְךָ עַד עוֹלָם (פסוק י), ועוד זה הבן הילוד לך שנולד בעון מות ימות: **(יד) נאץ.** מקור בחירק, וכמוהו אחר חִלֵּץ אֶת הָאֲבָנִים (ויקרא יד, מג): **את איבי ה'.** רצה לומר מכנה את ה', ויונתן פירשו כמשמעו אֲרֵי מִפְתַּח פְּתַחְתָּא פּוּמָא דְסַנְאֵי עַמָּא ה', כלומר שנתת פתחון פה לשונאי ישראל שנעשה בישראל דבר רע כזה: **(טו) וילך נתן אל ביתו.** להודיע שנפרד ממנו תכף שאמר לו הנבואה ולא חלק לו כבוד להאריך ולשבת עמו כדי להראות כי כעס היה עליו, או פירוש תכף שהלך נתן אל ביתו ויגף ה' את הילד: **ויאנש.** חלה חולי כבד, כמו אֲנוּשָׁה מַכּוֹתֶיהָ (מיכה א, ט), ותרגם יונתן וְאִטְעַן: **(טז) ויבקש דוד את האלהים.** שהתפלל בעד הנער, אף על פי שהנביא אמר לו מוֹת יָמוּת (פסוק יד) התפלל בעדו כמו שאמר הוא מִי יוֹדֵעַ וְחַנַּנִי ה' וְחַי הַיָּלֶד (פסוק כב) אף על פי שהיה עונש עונו, הרי עונשו עונש גדול באמרו לו וְשָׁכַב עִם נָשֶׁיךָ, וְלֹא תָסוּר חֶרֶב מִבֵּיתֶךָ, והתפלל לאל שיעביר ממנו עונש הילד: **ובא ולן.** ובא מבית ה' שהיה שם כל היום צם ומתפלל, כשבא לביתו לן בלא אכילה ושכב ארצה: **(יז) ולא ברה אתם לחם.** ולא אכל אפילו אכילה מועטת כי הבריה אכילה מועטת כמו וְאֶבְרֶה מִיָּדָהּ (לקמן יג, ו):

מצודת דוד

לרעיך. כי אבשלום היה אז מלך כמוהו, ולרעהו יחשב: **לעיני השמש.** רצה לומר, בגלוי ובפרסום רב: **(יב) בסתר.** וחשבת שלא תגלה רעתך: **ואני אעשה וגו'.** אשלם הגמול בפרסום רב, ובזה ידעו הכל מעשיך, כי מהגמול ישכילו לדעת העון: **(יג) חטאתי לה'.** כאומר הנה על הריגת אוריה, עונשי אמורה שלא תסור חרב מביתי, אבל עון בת שבע, הלא לה' חטאתי בזה, והוא רחום יכפר עון: **גם ה'.** רצה לומר, לא תחשוב שגמול העונש האמור, שזה הוא לעון הריגת אוריה, לא כן הוא, כי גמול הראוי הוא להיות נפש תחת נפש, אבל רק על מקצת העון שלם ישלם, וגם העביר מחטאתך וכפר מקצתה להיות לך נפשך לשלל ולא תמות: **(יד) אפס וגו'.** רצה לומר, אבל בדבר הזה דבת שבע, חללת את השם, וגרמת שאויבי ה' הרשעים ינאצו נאצות גדולות בלמדם ממך, ולזה תקבל עליו גמול משלם, וכן הבן הילוד ימות, כי ראוי הוא לגמול המעשה: **(טז) ובא ולן.** בא מבית האלהים מאשר התפלל בה, ולן כל הלילה מושכב בארץ: **(יח) ביום השביעי.** לימי החולי, או לימי לידתו:

מצודת ציון

(יג) העביר. הסיר ומחל: **(יד) אפס.** הוא כענין רק, כמו (במדבר כג, יג), אפס קצהו: **נאץ נאצת.** ענין כעס ובזיון, כמו (נחמיה ט, יח), ויעשו נאצות גדולות: **(טו) ויגוף.** היא מכת החולי: **ויאנש.** ענין כבדות החולי, כמו (מיכה א, ט), אנושה מכותיה: **(יז) ברה.** היא אכילה מועטת, כמו (לעיל – לה), להברות את דוד:

---

11. לְעֵינֶיךָ — *Before your eyes.* This refers to the rebellion of David's son Absalom, during which he publicly consorted with some of David's wives (see 16:22).

That obscene act was not actually done *before [David's] eyes,* because he was a fugitive, far away from where the act was done. Nevertheless, Scripture describes it this way because it was public and David could not have prevented it even if he had been present (*Radak*).

לְעֵינֵי הַשֶּׁמֶשׁ הַזֹּאת — *In the sight of this sun,* i.e., in broad daylight, with the knowledge of all Israel.

13-14. David's uncompromising confession and its acceptance. In sharp contrast to Saul, who resisted an admission of sin (see *I Samuel* 13:11, 15:20), David immediately admitted his guilt. He replied to Nathan's onslaught with just two words, חָטָאתִי לַה׳, *I have sinned to* HASHEM.

The *Vilna Gaon* notes that in the Masoretic text there is a space after David's brief confession, even though it is in the middle of a verse. This implies that David wanted to say more about the sincerity of his repentance, but he was so overcome with remorse that he could not speak. He did not have to — Nathan broke in to say that he was forgiven, because his confession was utterly sincere. David could have justified himself; as noted in the commentary to the previous chapter, he was technically free of sin and he knew that his successor

your fellowman, who will lie with them in the sight of this sun. [12]*Though you have acted in secrecy, I shall perform this deed in the presence of all Israel and before the sun!' "*

David confesses and repents

[13]*David said to Nathan, "I have sinned to* HASHEM*!"*

Nathan responded to David, "So, too, HASHEM *has commuted your sin; you will not die.* [14]*However, because you have thoroughly blasphemed the enemies of* HASHEM *in this matter, the son that has been born to you shall surely die."*

Bath-sheba's baby is stricken; David prays and fasts

[15]*Nathan then went to his house; and* HASHEM *struck the child that Uriah's wife had borne to David, and he became gravely ill.* [16]*David pleaded with God on behalf of the boy; David undertook a fast, and when he came in for the night, he lay on the floor.* [17]*The elders of his house stood over him to raise him from the ground, but he would not consent; and he did not eat food with them.*

[18]*It happened on the seventh day that the baby died. David's servants were afraid*

---

would be a son of Bath-sheba — but once he knew that what he had done was wrong, terribly wrong, in the eyes of God, he confessed immediately. Psalm 51 is David's prayer of confession; it is the model of repentance and confession. In it, he says:

I recognize my transgressions, and my sin is before me always. Against You alone did I sin [because, as noted, there was legal justification] *and that which is evil in Your eyes did I do . . . (Psalms* 51:6).

In that psalm, David continued that forgiveness is not enough. He appealed that he be able to resist sin in the future and that he be able to grow spiritually: *A pure heart create for me, O God, and a steadfast spirit renew within me* (v. 12). And far from trying to conceal his disgrace, David wanted others to learn from his experience and know that through sincere repentance an erstwhile sinner can climb the ladder of spiritual elevation: *I will teach transgressors Your ways, and sinners shall repent unto You* (v. 15).

13. גַּם־ה׳ הֶעֱבִיר חַטָּאתְךָ — *HASHEM has commuted your sin.* David had responded to Nathan's parable with the outraged exclamation that the perpetrator should die, and indeed there was validity to the feeling that the nation must be shown that such high-handed cruelty would not be tolerated. But because he had confessed and repented so quickly and sincerely, that death sentence was now commuted; he would not die as a wicked sinner and descend to Gehinnom. Instead, he would be punished in This World, because the rest of Nathan's prophecy — that the sword would plague his descendants and that his wives would be violated — would remain in effect (*Radak*).

According to *Abarbanel*, Nathan meant that God, in His great mercy, had not included the death penalty in David's original punishment, despite David's own declaration that the rich man in Nathan's parable deserved to die.

Or HaChaim (*Leviticus* 16:7) notes that every sin results in the creation of a prosecuting angel that condemns the sinner and advocates Divine punishment (*Avos* 4:11); thus the sin itself exacts the punishment, even death, if the sin warrants it. Sincere repentance erases the sin and therefore eliminates the avenging angel. This is why Nathan was able to tell David that he would not die.

14. כִּי־נִאֵץ נִאַצְתָּ אֶת־אֹיְבֵי ה׳ — *Because you have thoroughly blasphemed the enemies of* HASHEM. According to *Rashi*, the verse means to say, *you have blasphemed* HASHEM, but out of respect for God this expression was altered by the addition of the words *enemies of*. According to *Targum* and *Mahari Kara*, the meaning is, you have *gladdened* the enemies of HASHEM, but out of respect for God, the wording was altered. *Radak* renders *you have caused the enemies of God to blaspheme*, i.e., your deed has provided God's enemies with fuel for their blasphemies.

According to all interpretations, Nathan's message was that David had disgraced God's honor, for his misconduct was a poor reflection on the One Who appointed him to be king of Israel.

15-19. David prays for the newborn baby. Bath-sheba gave birth and the newborn baby fell gravely ill. David fasted and prayed with great intensity for his recovery, but in vain.

15. Scripture states the seemingly unnecessary fact that *Nathan then went to his house,* in order to imply that Nathan did not extend David the courtesy of sitting with him socially. This was to demonstrate to the king that God was angry with him. Alternatively, Scripture implies that David's punishment, in the form of the baby's illness, began immediately (*Radak*).

16. David spent the entire day in prayer at the "House of God" [presumably the tent that he had erected to house the Tablets of the Law], and returned home to sleep. He fasted all day and did not sleep in his bed at night. Although Nathan had prophesied that the baby would die, David did not refrain from earnest prayer, following the principle that prayer and repentance can annul a Divine decree. This was a course later invoked by King Hezekiah, who was told by the prophet Isaiah that he would die. Hezekiah responded, "I have a tradition from our ancestor [David]: 'Even if a sharp sword rests on a man's neck, he should not stop praying for mercy' " (*Berachos* 10b). In Hezekiah's case, his prayers were successful.

18. בַּיּוֹם הַשְּׁבִיעִי — *On the seventh day*, i.e., the seventh day of the baby's life, which could have been a day or two after the illness set in. It cannot mean the seventh day of the baby's illness, for David could not have fasted for seven days (*Radak*).

לְהַגִּיד לוֹ כִּי־מֵת הַיֶּלֶד כִּי אָמְרוּ הִנֵּה בִהְיוֹת הַיֶּלֶד חַי דִּבַּרְנוּ אֵלָיו וְלֹא־שָׁמַע
יט בְּקוֹלֵנוּ וְאֵיךְ נֹאמַר אֵלָיו מֵת הַיֶּלֶד וְעָשָׂה רָעָה: וַיַּרְא דָּוִד כִּי עֲבָדָיו מִתְלַחֲשִׁים
כ וַיָּבֶן דָּוִד כִּי מֵת הַיָּלֶד וַיֹּאמֶר דָּוִד אֶל־עֲבָדָיו הֲמֵת הַיֶּלֶד וַיֹּאמְרוּ מֵת: וַיָּקָם דָּוִד
מֵהָאָרֶץ וַיִּרְחַץ וַיָּסֶךְ וַיְחַלֵּף °שמלתו [°שִׂמְלֹתָיו ק׳] וַיָּבֹא בֵית־יהוָה וַיִּשְׁתָּחוּ
כא וַיָּבֹא אֶל־בֵּיתוֹ וַיִּשְׁאַל וַיָּשִׂימוּ לוֹ לֶחֶם וַיֹּאכַל: וַיֹּאמְרוּ עֲבָדָיו אֵלָיו מָה־הַדָּבָר
הַזֶּה אֲשֶׁר עָשִׂיתָה בַּעֲבוּר הַיֶּלֶד חַי צַמְתָּ וַתֵּבְךְּ וְכַאֲשֶׁר מֵת הַיֶּלֶד קַמְתָּ וַתֹּאכַל
כב לָחֶם: וַיֹּאמֶר בְּעוֹד הַיֶּלֶד חַי צַמְתִּי וָאֶבְכֶּה כִּי אָמַרְתִּי מִי יוֹדֵעַ °יחנני [°וְחַנַּנִי ק׳]
כג יהוָה וְחַי הַיָּלֶד: וְעַתָּה מֵת לָמָּה זֶּה אֲנִי צָם הַאוּכַל לַהֲשִׁיבוֹ עוֹד אֲנִי הֹלֵךְ אֵלָיו
כד וְהוּא לֹא־יָשׁוּב אֵלָי: וַיְנַחֵם דָּוִד אֵת בַּת־שֶׁבַע אִשְׁתּוֹ וַיָּבֹא אֵלֶיהָ וַיִּשְׁכַּב עִמָּהּ
כה וַתֵּלֶד בֵּן °ויקרא [°וַתִּקְרָא ק׳] אֶת־שְׁמוֹ שְׁלֹמֹה וַיהוָה אֲהֵבוֹ: וַיִּשְׁלַח בְּיַד נָתָן
כו הַנָּבִיא וַיִּקְרָא אֶת־שְׁמוֹ יְדִידְיָהּ בַּעֲבוּר יהוָה: וַיִּלָּחֶם

רש"י

(כה) בעבור ה׳. אשר אהבו:

רד"ק

(יח) ועשה רעה. יעשה רעה בגופו: **(כ) ויקם דוד מהארץ.** הרחיצה והסיכה וחלוף הבגדים אסור לאבל בימי אבלו והיאך עשה אותם דוד, יש לפרש כי קודם קבורה עשה כן שלא נתחייב עדיין באבילות, ובעבור שהיה רוצה לבא בית ה׳ להשתחוות ולהודות על הרעה רחץ וסך וחלף שמלות שחייב אדם לברך על הרעה להודות את ה׳ ולקבל בשמחה כשם שהוא מברך על הטובה, שנאמר חֶסֶד וּמִשְׁפָּט אָשִׁירָה (תהלים קא, א) אם חסד אשירה אם משפט אשירה וכתיב כּוֹס יְשׁוּעוֹת אֶשָּׂא וּבְשֵׁם ה׳ אֶקְרָא (שם קטז, יג) צָרָה וְיָגוֹן אֶמְצָא וּבְשֵׁם ה׳ אֶקְרָא (שם שם, ג־ ד), ולא נוכל לפרש כי הרחיצה והסיכה לא היתה ביום המיתה אלא עד הלילה שאחר, שאין חייב באבילות מן התורה אלא יום מיתה בלבד, שהרי אומר ויקם מן הארץ וירחץ ויסך, ויש לפרש עוד כי לא נתחייב דוד באבילות מן התורה כי תוך שלשים יום ללידתו מת הילד והוא ספק נפל אם נולד לשמנה, וזהו שאמר וַיְהִי בַּיּוֹם הַשְּׁבִיעִי וַיָּמָת הַיָּלֶד (פסוק יח) פירוש שביעי ללידתו, כי אם נפרש לחליו רחוק הוא שצם דוד שבעת ימים ושכב ארצה, אלא שביעי ללידתו היה ולא היה חייב באבלות אם לא היה יודע בו שכלו לו חדשיו, לפיכך לא היה חייב באבילות, וכששמע שמת הילד רחץ וסך ובא בית ה׳ כדי להודות ולהשתחוות, ומה שתמהו עליו עבדיו והוא לא היה חייב באבלות, תמהו על שלא נצטער ולא בכה כשאר בני אדם אלא שאל שישימו לו לחם ועשה הנאות גופו שנמנע מהם קודם שמת, ומה שסמכו רז״ל (מועד קטן טו, ב) שאבל אסור בתשמיש המטה מפסוק (כד) וַיְנַחֵם דָּוִד אֵת בַּת שֶׁבַע אִשְׁתּוֹ וַיָּבֹא אֵלֶיהָ, שלא בא אליה אלא בעת תנחומין והוא אחר האבילות, סמך בעלמא אבל היתה קבלה אצלם שהאבל אסור בתשמיש המטה ועשו הפסוק הזה סמך, אבל הפירוש הנכון כמו שכתבנו ופסוק וַיְהִי בַּיּוֹם הַשְּׁבִיעִי מחזק פירושינו כמו שכתבנו, ובו ביום שמת הילד נחם דוד את אשתו שלא תצטער ולא תבכה על הילד, ומה שהוצרך לומר וַיָּבֹא אֵלֶיהָ להודיע כי זה הבן האחר שילדה היה של קיימא, ורצון האל היה בו אחר שדוד עשה תשובה ונחם על חטאו, וזהו שאומר וַה׳ אֲהֵבוֹ (שם) לא כמו הראשון ששנאו לפי שנוצר בעון והמיתו, ויש להעמיד דברי רבותינו ז״ל שאמרו כי דוד נהג אבילות על הילד אך לפירוש שפירשנו וַיְהִי בַּיּוֹם הַשְּׁבִיעִי שביעי ללידתו, כי דוד ידע בילד שכלו לו חדשיו שהרי אומר וַיִּשְׁכַּב עִמָּהּ... וַתָּשָׁב אֶל בֵּיתָהּ (לעיל יא, ד) נראה כי לא שכב עמה אלא אותה הפעם, ובאותה ביאה נתעברה כמו שכתוב וַתַּהַר הָאִשָּׁה (שם פסוק ה), ומאותו יום מנה לו חדשיו: **(כא) בעבור הילד חי.** תרגם יונתן כמו בעוד, עַד דְּרַבְיָא קַיָּים, ויש לפרשו כמשמעו בעבור הילד כשהיה חי צמת: **(כב) וחנני.** כתב ביו״ד וקרי בוי״ו והענין אחד, רצה לומר צומי ובכיתי לא היה אלא דרך תפילה כמו שמתפלל אדם על החולה, אבל אחר שמת למה אצום עליו וכי אתפלל על מת שיחיה וגם הילד איננו כדאי לבכות עליו אחר שמת כמו שבוכים על המתים כי קטן הוא לא בן דעת שיבכה אדם על אבידתו, כי הנה דוד בכה על אמנון (לקמן יג, לו) ועל אבשלום (לקמן יט, א) ולא היתה בכייתו להשיב אלא דרך צער ואבל: **(כד) את בת שבע אשתו.** עתה אמר אִשְׁתּוֹ כי כבר מת אוריה, אבל מתחלה אמר אֲשֶׁר יָלְדָה אֵשֶׁת אוּרִיָּה לְדָוִד (לעיל פסוק טו) כי אשת אוריה היתה עד שמת, ומצאתי ספר אחר כתיב אשו וקרי אשתו וחפשתי בספרים מדוייקים ולא מצאתי כן, וסמכתי על המסרה שמצאתי שאומר במסורה אחד עשר מילין קורין תי״ו, ולא כתיב ומלבד זה אנו מוצאין אותם ואם כדברי הספר הזה הם שני עשר, ויהיה טעם הכתיב אשו כי כמו אש היתה לו כמו שאמר הכתוב הֲיַחְתֶּה אִישׁ אֵשׁ בְּחֵיקוֹ וגו׳ (משלי ו, כז) כֵּן הַבָּא אֶל אֵשֶׁת רֵעֵהוּ לֹא יִנָּקֶה כָּל הַנֹּגֵעַ בָּהּ: **ויבא אליה וישכב עמה.** הכפל להודיע כי לא נתעברה בביאה ראשונה. ובדרש וַיָּבֹא אֵלֶיהָ, בא אליה בטענה כי היתה נמנעה מלהזקק לו, אמרה לו הילד מת מפני העון אפילו יהיה לי בן של קיימא ממך יבוזו אחיו אותו מפני שבאתי אליך בעון מתחילה, אמר לה דוד האל מחל לי העון והבן הראשון שיהיה לי ממך ימלוך אחרי כי כן שלח לי האל על יד הנביא ונשבע לה, וזהו שאמרה לו בת שבע הֲלֹא אַתָּה אֲדוֹנִי הַמֶּלֶךְ נִשְׁבַּעְתָּ לַאֲמָתְךָ ... כִּי שְׁלֹמֹה בְנֵךְ יִמְלֹךְ אַחֲרַי (מלכים־א א, יג): **ויקרא את שמו שלמה.** כן כתיב וקרי וַתִּקְרָא, הכתוב אומר כי הקב״ה קרא אותו שלמה כמו שאמר בדברי הימים (־א כב, ח־ ט) שאמר עליו דוד וַיְהִי עָלַי דְּבַר ה׳ וגו׳ כִּי שְׁלֹמֹה יִהְיֶה שְׁמוֹ וְשָׁלוֹם וָשֶׁקֶט אֶתֵּן עַל יִשְׂרָאֵל בְּיָמָיו, לפיכך אמר וַה׳ אֲהֵבוֹ כמו שאמר הוא יִהְיֶה לִּי לְבֵן וַאֲנִי (אהיה) לוֹ לְאָב (שם שם, י), וקרי וַתִּקְרָא, בת שבע קראה שמו שלמה כמו שאמר לה דוד בשם הנביא, וטעם וַיִּשְׁלַח בְּיַד נָתָן הַנָּבִיא (פסוק כה) למעלה ממנו, למה קראה שמו שלמה כי כן שלח האל ביד הנביא, וכמו וי״ו וַיִּשְׁלַח זו, הֵן אַתָּה קָצַפְתָּ וַנֶּחֱטָא (ישעיהו סד, ד) למה קצפת בעבור כי חטאנו, ומה שאמר וַיִּקְרָא אֶת שְׁמוֹ יְדִידְיָהּ דוד קרא שמו ידידיה מעצמו, לפי שאמר לו הנביא כי ה׳ אהבו:

מצודת דוד

כי מת. אשר מת: **ולא שמע.** בעבור גודל התוגה: **ועשה רעה.** רוצה לומר, יחבל בעצמו: **(כ) ויחלף שמלותיו.** כי שכב ארצה, והיו מעופרים בעפר הארץ: **וישתחו.** לברך על הרעה כמשפט התורה: **וישאל.** שאל בעבור האוכל, וישימו וגו׳: **(כא) בעבור הילד חי.** רוצה לומר, בעבור הילד כשהיה עדיין חי, צמת וגו׳: **(כב) מי יודע.** אם כבר נגזרה עליו המיתה, ואולי עדיין לא, וחנני ה׳ וחי הילד: **(כג) אליו.** רצה לומר, אל הקבר, בעת אמות: **(כד) וינחם.** על מיתת הילד: **שלמה וה׳ אהבו.** רוצה לומר, קראה אותו בשתי השמות, שם שלמה, להורות כי שלום יהיה בימיו, וה׳ אהבו, כמשמעו: **(כה) וישלח.** אבל ה׳ שלח ביד נתן, ויקרא את שמו ידידיה בעבור ה׳, ורוצה לומר, מה שקראה היא שמו בעבור אהבת ה׳ 'וה׳ אהבו', קרא הוא שמו בעבור אהבת ה׳, 'ידידיה':

מצודת ציון

(יט) מתלחשים. מדברים בלחש ובחשאי: **ויבן.** מלשון הבנה: **(כ) ויסך.** משח בשמן: **ויחלף.** ענין תמורה: **(כג) האוכל.** מלשון יכולת: **(כה) ידידיה.** רוצה לומר אהוב לה׳, כי ידיד הוא ענין אהבה:

to tell him that the baby had died, for they said, "Behold! — if when the baby was alive we spoke to him but he would not listen to us, how can we tell him the baby has died — he will do something terrible!" [19]*David saw that his servants were whispering to themselves and David understood that the child had died. David said to his servants, "Is the child dead?" And they answered, "He is dead."*

David ends his fast

[20]*David got up from the floor and bathed and anointed himself and changed his clothes, and he came to the House of* HASHEM *and prostrated himself. He then came to his house and, at his request, they served him food and he ate.* [21]*His servants said to him, "What is this thing that you are doing? For the living baby you fasted and wept — and when the baby died you got up and ate a meal?"* [22]*He said, "While the baby was still alive I fasted and wept, for I thought, 'Who knows? Perhaps* HASHEM *will show me favor and the baby will live.'* [23]*But now that he is dead why should I fast? Can I bring him back again? I will be going to him, but he will not return to me."*

Bath-sheba gives birth to Solomon

[24]*David comforted his wife Bath-sheba, and he came to her and lay with her; she gave birth to a boy and called his name Solomon.* HASHEM *loved him;* [25]*He sent word through Nathan the prophet and he called his name Jedidiah, because of* HASHEM.

וְעָשָׂה רָעָה — *He will do something terrible*, i.e., he will be so upset at the death of the baby — and he has inflicted such suffering upon himself as part of his penitence — that he may harm himself physically (*Radak*).

20-25. David accepts the decree; Bath-sheba gives birth to Solomon.

20. **וַיָּקָם דָּוִד מֵהָאָרֶץ** — *David got up from the floor . . .* The acts mentioned in the verse are forbidden to mourners, and David had evidently refrained from them even during his days of fasting and prayer. There was no technical obligation for David to undergo any ritual period of mourning for the baby, for, as noted above (commentary to v. 18), it died before having lived thirty days, and therefore had the status of a miscarried fetus, for which there is no ritual mourning period. Nevertheless, David's servants were surprised at his lack of any outward display of sadness (*Radak*).

וַיָּבֹא בֵית־ה׳ וַיִּשְׁתָּחוּ — *And he came to the House of* HASHEM *and prostrated himself*. David went immediately to the tent of the Tablets to express his acceptance of God's judgment. This was the reason he bathed and prepared himself, since it is improper to go there in a disheveled state. David carried out the dictum of the Sages that, ideally, one should bless God for bad tidings just as one blesses Him for the good (*Berachos* 45b). Bereaved though he was, David recognized that whatever God does is ultimately for the good.

22-23. Although God had already foretold the death of the baby (above, v. 14), David thought that perhaps because of his sincere prayer and contrition God would spare the baby and allow the other two formidable punishments (in vs. 10-11) to suffice. Now prayers are useless, but weeping and mourning are appropriate even for a week-old baby (*Radak*).

24. At first Bath-sheba did not want to live with David because of what happened to her first child. She said that even if they had a viable child, he would be reviled by his brethren because of the way they had originally met. David comforted her with a promise that their next son would be the prophesied heir to his throne, as foretold above 7:12 (*Radak*; see *I Kings* 1:17). Scripture refers to her as *his wife*, to stress that despite what had happened before and Nathan's harsh description of their original relationship, she was truly his wife and was destined to be the mother of his successor.

וַתֵּלֶד בֵּן — *She gave birth to a boy*. It seems clear from this verse that Solomon was the first son that Bath-sheba bore after the death of the first child. Nevertheless, in *I Chronicles* 3:5 (see also above, 5:14), he is listed fourth and last among the sons of Bath-sheba. Indeed, in his commentary to *Chronicles*, the *Vilna Gaon* comments that Solomon was truly her fourth son.

שְׁלֹמֹה — *Solomon*. The word means *his peace*. The reason for this name is found in *I Chronicles* 22:9, where David explained to Solomon, "The word of HASHEM came to me, saying, '... Behold, a son will be born to you.... His name will be Solomon, and I will bestow peace and tranquility upon Israel in his days.' " Thus, not only was the birth of this child foretold to David (above, 7:12), but also his name and what it symbolizes.

וַה׳ אֲהֵבוֹ — HASHEM *loved him*, as Nathan told David in the next verse.

25. God sent word through Nathan that He loved this child, and that this was the child about whom He had promised David (7:14), *I shall be a Father unto him and he shall be a son unto Me* (*Radak*).

וַיִּקְרָא אֶת־שְׁמוֹ יְדִידְיָה — *And he called his name Jedidiah*. After hearing that the child was beloved to HASHEM, David gave him a second name, Jedidiah (*Beloved of* HASHEM), *because of* HASHEM — that is, because of HASHEM's love for him (*Abarbanel*).

According to *Mahari Kara* and *Metzudos*, God, not David, gave the name Jedidiah.

כז יוֹאָב בְּרַבַּת בְּנֵי עַמּוֹן וַיִּלְכֹּד אֶת־עִיר הַמְּלוּכָה: וַיִּשְׁלַח יוֹאָב מַלְאָכִים אֶל־דָּוִד
כח וַיֹּאמֶר נִלְחַמְתִּי בְרַבָּה גַּם־לָכַדְתִּי אֶת־עִיר הַמָּיִם: וְעַתָּה אֱסֹף אֶת־יֶתֶר הָעָם
כט וַחֲנֵה עַל־הָעִיר וְלָכְדָהּ פֶּן־אֶלְכֹּד אֲנִי אֶת־הָעִיר וְנִקְרָא שְׁמִי עָלֶיהָ: וַיֶּאֱסֹף דָּוִד
ל אֶת־כָּל־הָעָם וַיֵּלֶךְ רַבָּתָה וַיִּלָּחֶם בָּהּ וַיִּלְכְּדָהּ: וַיִּקַּח אֶת־עֲטֶרֶת־מַלְכָּם מֵעַל
רֹאשׁוֹ וּמִשְׁקָלָהּ כִּכַּר זָהָב וְאֶבֶן יְקָרָה וַתְּהִי עַל־רֹאשׁ דָּוִד וּשְׁלַל הָעִיר הוֹצִיא
לא הַרְבֵּה מְאֹד: וְאֶת־הָעָם אֲשֶׁר־בָּהּ הוֹצִיא וַיָּשֶׂם בַּמְּגֵרָה וּבַחֲרִצֵי הַבַּרְזֶל וּבְמַגְזְרֹת
הַבַּרְזֶל וְהֶעֱבִיר אוֹתָם °במלכן [°בַּמַּלְבֵּן ק] וְכֵן יַעֲשֶׂה לְכֹל עָרֵי בְנֵי־עַמּוֹן וַיָּשָׁב
יג א דָּוִד וְכָל־הָעָם יְרוּשָׁלִָם: וַיְהִי אַחֲרֵי־כֵן וּלְאַבְשָׁלוֹם בֶּן־דָּוִד אָחוֹת יָפָה

רש"י

(כו) **את עיר המלוכה.** שני חיזוקי חומה היו בה, חיצונה ופנימית, עיר החיצונה, עיר מלוכה, והפנימית, למבצר ולחוזק: (ל) **את עטרת מלכם.** תועבת בני עמון 'מלכם' שמו, לשון מולך: **ותהי על ראש דוד.** אתי הגתי בטלה (עבודה זרה מד, א): (לא) **מגרה וחריצים ומגזרות.** כמין פלירה פיס שקורין לימ"ה, מיני יסורים הם: **מגרה.** סכין פגום פגימות הרבה תכופות זו לזו. **חריצים.** הוא מורג חרוץ מלא חריצים, כמין פלירה פיס שקורין לימ"ה: **במלבן.** בטיט חוצות, וכן תרגם יונתן, וגרר יתהון בשוקיה: (א) **ולאבשלום אחות יפה.** שהיתה בת אמו:

רד"ק

(כו) **עיר המלוכה.** עיר שהמלך יושב בה והיא נקראת עיר המים שבאותה העיר היו המים ולא בשאר העיר שהיה יושב בה העם, ועיר המים זאת היתה בצד העיר האחרת לא בתוכה, וכבש יואב תחלה עיר המים והאחרת נוחה להכבש אלא שלא רצה ללכדה לכבוד דוד: (ל) **עטרת מלכם.** מלך בני עמון: **ותהי על ראש דוד.** תלויה היתה למעלה מראשותיו בשעה שהיה יושב על הכסא, כי איך היה סובל אותה ומשקלה ככר זהב, ובדברי רבותינו ז"ל (עבודה זרה מד, א) כי אבן יקרה שהיתה בה שוה ככר זהב, ועוד אמרו (שם) אבן שואבת היתה, והיתה מעמידה אותה באויר, ויש לפרש עוד, כי לא היתה על ראשו תמיד אלא פעמים היתה על ראשו, ויכול לסובלה זמן מועט שהיתה על ראשו. ורבותינו ז"ל פירשו עֲטֶרֶת מַלְכָּם כמו מִלְכֹּם שִׁקֻּץ בְּנֵי עַמּוֹן (ראה מלכים־א יא, ה ו־ ז), ועטרת אותו שקוץ היתה, ומה שאמר וַתְּהִי עַל רֹאשׁ דָּוִד והיא אסורה בהנאה, אמרו (עבודה זרה שם) כי אתי הגתי בטלה. ותימה הוא מה הצריכם לומר כי אתי הגתי היה גוי, אם מפני שקראו גתי, הנה עובד אדום הגתי היה לוי וקראו גתי לפי שהתגורר בגת, וכן אתי ישראל היה אלא שהיה מתגורר בגת, ורבים מישראל עמו כמו שאומר כשבא אל דוד כשהיה בורח מפני אבשלום וְכָל הַגִּתִּים שֵׁשׁ מֵאוֹת אִישׁ (לקמן טו, יח) היתכן לומר כי כל אלו היו פלשתים שהיו באים לעזור אל דוד, ועוד שאמר וְכָל הַטַּף אֲשֶׁר אִתּוֹ (שם פסוק כב) בודאי מישראל היו כלם אלא שהיו מתגוררים בגת קודם שלקחה דוד מיד פלשתים או אחר שלקחה, ואם מפני שאמר לו דוד כִּי נָכְרִי אַתָּה (שם, יט) רצה לומר נכרי מארץ אחרת לפי שהיה גר בגת, כמו שאמר לו תְּמוֹל בּוֹאֶךָ וְהַיּוֹם אֲנִיעֲךָ (שם, כ) כי מה טעם שאמר לו שוב עם המלך כי גוי אתה, וכמוהו מַדּוּעַ מָצָאתִי חֵן בְּעֵינֶיךָ לְהַכִּירֵנִי וְאָנֹכִי נָכְרִיָּה (רות ב, י) כלומר מארץ נכריה ואחרת, כי לא היתה נכריה כי כבר נתגיירה כמו שאמרה עַמֵּךְ עַמִּי וֵאלֹהַיִךְ אֱלֹהָי (שם א, טז). ועוד, אפילו לדברי האומרים כי העטרה היתה עבודת גלולים, וכי חסר היה דוד מלבטלה, יאמר לאחד מבני עמו מארץ הגוים שהיה מושל עליהם שיבטלנה ואם לא ירצה יכריחנו, כי עובד גילולים מבטל עבודת גלולים אפילו על כרחו, אם כן למה הוצרכו לומר כי אתי היה גוי ואיך עמד עם דוד כמה שנים ולא נתגייר זהו דבר תימה, ויונתן תרגם עֲטֶרֶת מַלְכָּם כפשוטו כְּלִילָא דְמַלְכֵּיהוֹן: (לא) **וישם במגרה.** תרגום יונתן וּמְסַר יַתְהוֹן בִּמְסָרִין, מענין אִם יִתְגַּדֵּל הַמַּשּׂוֹר עַל מְנִיפוֹ (ישעיהו י, טו) וכן כתב בדברי הימים (־א כ, ג) וַיָּשַׂר בַּמְּגֵרָה, ופירושו וישם שם משפטים במגרה: **ובחרצי הברזל.** צוה שישפטו אותם בהם והמגרה הוא המשור: **ובחרצי הברזל.** כמו מוֹרַג חָרוּץ (ישעיהו מא, טו): **ובמגזרות הברזל.** הם הגרזנים שבוקעין בהם העצים: **והעביר אותם במלבן.** רצה לומר שרפם במקום ששורפים שם הלבנים, וכתוב במלכן בכ"ף רצה לומר במקום המולך באש שהיו מעבירין בני עמון בניהם למולך, כי מלכום שקוץ בני עמון והוא המולך ומלכם ומלכן אחד כי המ"ם והנו"ן יבואו זה במקום זה, כמו כְּמְהֶן (לקמן יט, מא) כְּמְהֶם (שם, לח), מֹף (הושע ט, ו) וּנֹף (ישעיהו יט, יג), ויונתן תרגם וְהֶעֱבִיר אוֹתָם בַּמַּלְבֵּן, וּגְרַר יַתְהוֹן בְּשׁוּקַיָּא רוצה לומר שגררם בחוצות שהם מחופין בלבנים: **לכל ערי בני עמון.** לכל אנשי ערי בני עמון, כלומר לכל הערים שלכד מבני עמון כן עשה לאנשיהם זה המשפט:

מצודת דוד

(כו) **עיר המלוכה.** מקום היכל מלך הסמוך לרבה, ואליה תחשב: (כז) **עיר המים.** היא עיר המלוכה, והיתה מספקת מים לבני רבה: (כח) **על העיר.** היא רבה: **פן אלכוד אני.** כי היה קרוב הדבר, הואיל ולכד את המים, ורצה לומר, כשאלכוד אני, פן יקרא שמי עלי (ה), ודוגמתו (דברים ח, יב), פן תאכל ושבעת וגו' ורם לבבך וגו', ומשפטו, כשתאכל ושבעת, פן יהיה רם לבבך: **ונקרא שמי עליה.** לאמר יואב כבשה, וטוב בעיני ששמך יקרא עליה, להיות לכבוד ולפאר: (ל) **ואבן יקרה.** ובה אבן יקרה: **ותהי על ראש דוד.** למעלה מראשו היתה תלויה כשהוא יושב על הכסא, כי איך סבל על ראשו משא של ככר: (לא) **וישם במגרה.** שם משפטם לייסרם במגרה וגו': **והעביר.** מהם העביר במלבן, רוצה לומר, בכבשן ששורפים בו הלבנים: (א) **אחות.** מן האב ומן האם, כי מעכה בת מלך גשור היתה יפת תואר, ולקחה דוד במלחמה, ובא עליה קודם שנתגיירה, ונתעברה וילדה את תמר, ואת אבשלום ילדה אחר שנתגיירה (סנהדרין כא, א):

מצודת ציון

(כח) **וחנה.** מלשון חניה: (לא) **במגרה.** כלי מלא פגימות עשויה לכרות העצים, ועל כי דרכה לכרות בגרירה, קרויה מגרה, וכן (מלכים־א ז, ט), מגוררות במגרה: **ובחריצי הברזל.** כלי ברזל מלאה חריצים עשויה לדוש בה, כמו שכתוב (ישעיהו כח, כז), כי לא בחרוץ יודש קצח: **ובמגזרות.** הם הגרזנים שמבקעים בהם העצים, והוא מתהפך, כמו כבש כשב: **במלבן.** מלשון לבנים:

26-31. David completes the conquest of Rabbah. Apparently, the siege of Rabbah lasted for a very long time, since it began before David met Bath-sheba and it was still in progress after she gave birth to her second child. Now, Joab gained the upper hand and broke through the first line of defense. He called upon David to come and lead the army so that he would have the honor of being the conqueror.

26. עִיר הַמְּלוּכָה — *The royal city*. Rabbah consisted of two separate but adjacent enclaves — *the royal city* and the main, well-fortified city, where the lay population lived. Joab captured the royal city, but wanted to leave the honor of completing the conquest to David, as the next verse explains.

27. עִיר הַמָּיִם — *The City of Water*. This was another name for the "royal city" section of Rabbah (*Targum*), so called because

DAVID CONQUERS AMMON 12:26-31

[26]Joab fought against Rabbah of the Children of Ammon, and he captured the royal city. [27]Joab sent messengers to David, saying, "I fought against Rabbah and have even captured the City of Water. [28]And now, you gather the rest of the people together and encamp against the city and capture it, lest I capture the city myself and my name will be attached to it."

[29]So David gathered together all the people and he went to Rabbah; he battled it and captured it. [30]He removed their king's crown from his head — it weighed a talent of gold and had a precious stone — and it remained over David's head. He also took out a great deal of booty from the city. [31]He took out the people of the city and punished them with saws, with iron threshing boards and with iron axes, and he had them dragged through muddy streets; and this is what he would do to all the cities of the Children of Ammon. David and all the people then returned to Jerusalem.

13

[1]This is what happened afterwards: Absalom son of David had a beautiful sister

the city's water source was located there (*Abarbanel*).

28. פֶּן־אֶלְכֹּד אֲנִי אֶת־הָעִיר — *Lest I capture the city myself.* Joab was sure he would soon conquer the city, because the people could not long survive without their water supply, but when that happened, Joab, not David, would be hailed as the great conqueror (*Malbim*).

29. David heeded Joab's advice and immediately left with a large force for Rabbah, which is about fifty miles from Jerusalem.

30. עֲטֶרֶת־מַלְכָּם — *Their king's crown.* The translation follows *Targum* and most commentators. *Rashi*, following the Talmudic interpretation (*Avodah Zarah* 44a), translates *the crown of Malcom*, referring to the Ammonite god who is usually called *Milcom* (see *I Kings* 11:5,33). It was their name for Molech, the idol whose worshipers serve it by throwing their own children into a fire. Although it is forbidden to derive benefit from items that were used for idolatry, the halachah allows such benefit if the idolatrous artifact has been renounced [בטול] by a non-Jew. The Talmud explains that this is what happened (see above, 5:21).

כִּכַּר זָהָב — *A talent of gold.* A talent is approximately 112.5 pounds), and the commentators discuss how David could possibly have worn such a heavy crown on his head. (The same question would apply to the Ammonite king himself, according to those who say that it was he — and not the Ammonite deity — who wore the crown before it was taken.) *Radak* suggests that the crown was affixed *over* David's head, above the throne, so that he did not actually wear it. Alternatively, David wore the crown only occasionally, and for short periods of time, for which the weight would be bearable.

The Sages (*Avodah Zarah* 44a) mention two other possibilities: that a talent of gold was the *worth* of the crown (due to the precious stone set in it), not its weight; and that the crown's weight was reduced by means of a magnet that was placed over it, partially suspending the crown over David's head.

31. The commentators discuss what David actually did: he used these tools to torture the people (*Radak*) or to kill them (*Ralbag*). It may also be that David merely pressed the Ammonites into forced labor — cutting and chopping wood, threshing grain and making bricks — using these implements (*Daas Mikra*).

In any case, David's harsh treatment of the Ammonites was intended to frighten other nations and deter them from attacking the Israelites. David knew the Ammonites and their neighbors. Their gratuitous cruelty — of which their treachery in 10:1-4 was a small example, and their human sacrifice to Molech was even more revolting — had to be punished effectively. Such brutes could be deterred only in a matter that they could understand.

בַּמַּלְבֵּן — *Through muddy streets.* The translation follows *Rashi* and *Targum* (וּגְרַר יָתְהוֹן בְּשׁוּקַיָּא, *he dragged them through the streets*). *Radak* explains that streets are called מַלְבֵּן because they are paved with bricks (לְבֵנִים). Most commentators, however, prefer the translation *he had them passed through brick kilns*, so that could experience the pain they inflicted on the victims of their idol Molech, which they called Milcom.

13.

In this chapter, Nathan's prophecy (12:10-12) continues to come true. Earlier, Bath-sheba's baby died. Now two tragedies will strike David — Tamar is violated, and the murder of Amnon. *Abarbanel* points out that these two events, which involved immorality and murder, were Heavenly measure-for-measure punishments for David's taking of Bath-sheba and sending Uriah to his death.

The relationship of Tamar, Absalom, and Amnon. There is much discussion in the Talmud and the commentators regarding the relationship of the three protagonists in this tragic event: Were they full siblings? Half siblings? Were Tamar and Amnon not brother and sister at all? A full discussion of all the opinions and the halachic ramifications is beyond the scope of this commentary. We have adopted a consensus of most commentators, as follows:

David was the father of all three. Absalom and Tamar were full siblings, whose mother was Maacah, daughter of the king of Geshur (3:3); Amnon was their half brother, born from a different mother (ibid.). According to the Talmud (*Sanhedrin* 21a), Maacah was a captive of war [יְפַת תֹּאַר], who was

ב וּשְׁמָהּ תָּמָר וַיֶּאֱהָבֶהָ אַמְנוֹן בֶּן־דָּוִד: וַיֵּצֶר לְאַמְנוֹן לְהִתְחַלּוֹת בַּעֲבוּר תָּמָר
ג אֲחֹתוֹ כִּי בְתוּלָה הִיא וַיִּפָּלֵא בְּעֵינֵי אַמְנוֹן לַעֲשׂוֹת לָהּ מְאוּמָה: וּלְאַמְנוֹן רֵעַ
ד וּשְׁמוֹ יוֹנָדָב בֶּן־שִׁמְעָה אֲחִי דָוִד וְיוֹנָדָב אִישׁ חָכָם מְאֹד: וַיֹּאמֶר לוֹ מַדּוּעַ אַתָּה
כָּכָה דַּל בֶּן־הַמֶּלֶךְ בַּבֹּקֶר בַּבֹּקֶר הֲלוֹא תַּגִּיד לִי וַיֹּאמֶר לוֹ אַמְנוֹן אֶת־תָּמָר
ה אֲחוֹת אַבְשָׁלֹם אָחִי אֲנִי אֹהֵב: וַיֹּאמֶר לוֹ יְהוֹנָדָב שְׁכַב עַל־מִשְׁכָּבְךָ וְהִתְחָל
וּבָא אָבִיךָ לִרְאוֹתֶךָ וְאָמַרְתָּ אֵלָיו תָּבֹא נָא תָמָר אֲחוֹתִי וְתַבְרֵנִי לֶחֶם וְעָשְׂתָה
ו לְעֵינַי אֶת־הַבִּרְיָה לְמַעַן אֲשֶׁר אֶרְאֶה וְאָכַלְתִּי מִיָּדָהּ: וַיִּשְׁכַּב אַמְנוֹן וַיִּתְחָל
וַיָּבֹא הַמֶּלֶךְ לִרְאֹתוֹ וַיֹּאמֶר אַמְנוֹן אֶל־הַמֶּלֶךְ תָּבוֹא־נָא תָּמָר אֲחֹתִי וּתְלַבֵּב
ז לְעֵינַי שְׁתֵּי לְבִבוֹת וְאֶבְרֶה מִיָּדָהּ: וַיִּשְׁלַח דָּוִד אֶל־תָּמָר הַבַּיְתָה לֵאמֹר לְכִי נָא
ח בֵּית אַמְנוֹן אָחִיךְ וַעֲשִׂי־לוֹ הַבִּרְיָה: וַתֵּלֶךְ תָּמָר בֵּית אַמְנוֹן אָחִיהָ וְהוּא שֹׁכֵב
וַתִּקַּח אֶת־הַבָּצֵק °ותלוש [°וַתָּלָשׁ ק׳] וַתְּלַבֵּב לְעֵינָיו וַתְּבַשֵּׁל אֶת־הַלְּבִבוֹת:

רש״י

(ב) להתחלות. עד שנחלה: **כי בתולה היא.** צנועה בבית ואינה יוצאת לחוץ, לפיכך ויפלא בעיני אמנון וגו׳, נכסה ונעלם ממנו מה תואנה יכול לבקש וישכב עמה, כמו (דברים יז, ח), כי יפלא ממך, ארי יתכסי ממך: **(ג) איש חכם** . לרשעה: **(ד) דל.** כחוש, כמו (בראשית מא, יט), דלות ורעות תואר: **(ה) את הבריה.** את הסעודה: **(ח) ותלבב.** ותחלוט, סולת מורבכת במים רותחין תחלה, ואחר כך בשמן:

רד״ק

(א) אחות יפה ושמה תמר. תמר בת יפת תואר היתה כמו שאמרו רבותינו ז״ל (סנהדרין כא, א) והראיה כי לא ימנעני ממך (פסוק יג), והיתה אחות אבשלום מאמו כי מעכה אמו של אבשלום לקחה דוד במלחמה ושכב עמה קודם שנתגיירה כי התורה התירה זה כנגד יצר הרע כמו שכתוב וְרָאִיתָ בַּשִּׁבְיָה אֵשֶׁת יְפַת תֹּאַר וגו׳ (דברים כא, יא) ואינה מותרת לו קודם שנתגיירה אלא ביאה ראשונה בלבד (קידושין כא, ב) ואחר כך אם תרצה להתגייר יקחנה לאשה, ומעכה נתעברה מדוד בביאה ראשונה בעודה נכרית, לפיכך היתה מותרת תמר לאמנון אף על פי שהיתה בת דוד כיון שבגיותה נתעברה מעכה ממנה, ונתגיירה מעכה אחר כן ונשאה דוד לאשה וילדה לו אבשלום, ומה שאמר אמנון תָּבוֹא נָא תָּמָר אֲחֹתִי (פסוק ו) לפי שהיתה בת דוד קראה אחותי: **(ב) להתחלות.** עד שהיה נראה חולה מרוב חשקו בה: **כי בתולה היא.** לפיכך חשק בה חשק יותר חזק, ויש מפרשים כי הוא טעם למלת וַיִּפָּלֵא בְּעֵינֵי אַמְנוֹן אף על פי שהוא עשה באחרונה, כלומר נפלא בעיניו הדבר היאך יוכל לשכב עמה כי לא היתה יוצאה מביתה כי היא בתולה, ודרך הבתולות בישראל להיות צנועות בבית ולא תצאנה החוצה, ויונדב היה חכם ובעל תחבולות ויעץ אמנון תחבולה שתבא לפניו ואמרו (סנהדרין כא, א) וְיוֹנָדָב אִישׁ חָכָם מְאֹד (פסוק ג), חכם להרע ולרשעה: **(ד) דל.** חלוש וכחוש ורע פנים, ומה שאמר בַּבֹּקֶר בַּבֹּקֶר כי בלילה היתה מחשבתו עליה והיה ער בעבורה, ובבקר היו לו פנים רעים: **(ה) והתחל.** הראה עצמך חולה: **ותברני.** ותאכילני: **הבריה.** המאכל: **(ו) ותלבב לעיני שתי לבבות.** תרגומו וְתַחֲלוֹט לְעֵינַי תַּרְתֵּין חֲלִיטָתָא והחלוט ידוע בדברי רבותינו ז״ל (פסחים לז, א) שחולטין הבצק במים רותחין מאד: **(ח) ותקח את הבצק ותלש.** אמר הבצק על שם סופו כי הקמח אחר שנלוש יקרא בצק, וכן וְטַחֲנִי קָמַח (ישעיהו מז, ב) וכן אָפִיתִי עַל גֶּחָלָיו לָחֶם (שם מד, יט):

מצודת דוד

(ב) ויצר לאמנון. היה מיצר ודואג, עד שהיה נראה כחולה מרוב חשקו בה: **אחותו.** מן האב: **כי בתולה היא.** ומדרך הבתולות לשבת בית, ולזה היה מהנמנע בעיני אמנון לעשות לה מאומה ולמלאות תאותו, ולכן נעצב הרבה: **(ג) איש חכם מאד.** חכם להרע: **(ד) בבקר בבקר.** בכל בוקר נראה פניך דל וכחוש, כאלו בלילה לא שכב לבך: **אחות אבשלום.** כאומר הלא היא לבד אחות אבשלום, ומן האם, אבל לא תחשב לאחות מן האב, לא לי ולא לו, על כי נתעברה אמה ממנה בגיותה, ולא תחשב לאבי לבת, ומותרת היא לי, ואני אוהב אותה ובה אני חושב בלילה ונגזלה שנתי: **(ה) והתחל.** עשה עצמך כחולה: **ותברני לחם.** היא תאכיל אותי, כי תעשה את המאכל לעיני, וכשאראה בתיקונו אהיה תאב להמאכל ואכלתי מידה, וכאומר וכאשר תבוא לביתך, עשה כאשר תמצא ידך: **(ו) ותלבב לעיני.** תעשה לפני שתי לביבות: **(ח) ותבשל.** עוד פעם על המחבת בשמן:

מצודת ציון

(ב) ויצר. מלשון צרה ודאגה: **להתחלות.** מלשון חולי: **ויפלא.** ענין מכוסה ומניעה, וכן (דברים יז, ח), כי יפלא ממך דבר: **מאומה.** שום דבר: **(ג) רע.** חבר ואוהב: **(ד) דל.** כחוש ורזה, כמו (בראשית מא, יט), דלות ורעות: **(ה) והתחל.** מלשון חולי: **לראותך.** לבקר אותך, כמו (שמואל־א יט, טו), לראות את דוד. **ותברני הבריה.** ענין אכילה מועטת, כמו (לעיל יב, יז), ולא ברה אתם: **(ו) ותלבב לביבות.** תרגם יונתן, ותחלוט חליטתא. בדברי רבותינו ז״ל (פסחים, ו), חלוט של בעלי בתים והמה נקראים על שם המעשה ששולקין אותם ברותחין: **ואברה.** ואוכל מעט: **(ח) הבצק.** העיסה, ואמר כן על שם סופו, כי אחר הלישה נקרא בצק, וכן (ישעיהו מד, יט), אפיתי על גחליו לחם: **ותלבב.** וחלטה:

The halachah is that the previous familial relationships of a convert are dissolved upon his or her conversion. Thus, Tamar was halachically not related to her biological siblings. David raised her like a daughter, and Absalom, who, like Tamar, was a child of David and Maacah, regarded her like a full sister. Indeed Scripture describes her as Absalom's sister (vs. 1,4). However, although David was the father of both permitted to David one time before her conversion to Judaism, according to the rules laid down in *Deuteronomy* 21:10-14. Tamar was born before her mother converted and was thus halachically non-Jewish at birth, although she later converted. David married Maacah upon her conversion and Absalom was born to them. Amnon was David's son from a different mother.

AMNON LUSTS FOR TAMAR 13:1-13:22

whose name was Tamar, and Amnon son of David loved her. [2]*Amnon lusted to the point of illness for his sister Tamar, for she was a virgin, but it seemed impossible for Amnon to do anything to her.*

Amnon's plot

[3]*Amnon had a friend named Jonadab, the son of David's brother Shimeah, and Jonadab was a very cunning man.* [4]*He said to him, "Why are you so downtrodden, O son of the king, morning after morning? Will you not tell me?" So Amnon said to him, "I love Tamar, my brother Absalom's sister."* [5]*Jonadab said to him, "Lie on your bed and feign illness. When your father comes to visit you, say to him, 'Please, let my sister Tamar come and serve me some food. Let her prepare a light meal in my sight so that I may see and eat from her hand.' "*

[6]*So Amnon lay down and feigned illness, and the king came to visit him. Amnon said to the king, "Please let my sister Tamar come and prepare two dumplings in my sight, so that I may eat from her hand."* [7]*David sent to Tamar, at the house, saying, "Go now to your brother Amnon's house and prepare a light meal for him."*

Tamar serves the "sick" Amnon

[8]*Tamar went to her brother Amnon's house, where he was lying down. She took some dough and kneaded it and prepared it in his sight, and she cooked the dumplings.*

Amnon and Tamar (they had different mothers), she was not his sister halachically, and they would have been permitted to marry, if they wished. This is clearly indicated in verse 13, where Tamar said to Amnon, *Speak to the king, for he would not withhold me from you [in marriage].*

According to another opinion (*Mahari Kara* here; *Tosafos* to *Sanhedrin* ibid.), Tamar was not David's daughter at all, but was Absalom's half sister (from another father), related through their common mother Maacah. Either way, Tamar was not related to Amnon; the verse refers to them as brother and sister (e.g., vs. 5-8) only because they were stepbrother and stepsister to each other, and David raised them as siblings.

1-14. Amnon violates Tamar. Amnon developed an uncontrollable desire for Tamar and, upon the advice of his friend, plotted to violate her by force. Although, as noted above, they were not brother and sister halachically, and he would have been permitted to marry her, he did not pursue the aboveboard course of asking David for permission to do so. *Parshiyos b'Sifrei HaNevi'im* conjectures that Amnon, as David's oldest son, considered himself to be the prime heir to the throne, and did not want to hurt his chances by marrying a "sister" who was of non-Jewish origin.

2. וַיֵּצֶר לְאַמְנוֹן — *Amnon lusted* [lit. *became distressed*]. So great was his desire for this unattainable girl that he became distressed to the point of illness. The verse refers to her as his "sister," because she and the rest of David's children were treated as siblings.

כִּי בְתוּלָה הִיא — *For she was a virgin.* As an unmarried girl she would always be at home and supervised. Thus Amnon was deprived of any possible opportunity to seduce her (*Rashi*). Alternatively, the fact that she was a virgin made her that much more alluring to Amnon, and contributed to his lovesickness (*Radak*).

3. אִישׁ חָכָם מְאֹד — *A very cunning man,* i.e., he was cunning in doing evil (*Rashi,* from *Sanhedrin* 21a).

4. "As a prince, you should be happy and content, *why are you so downtrodden?*" Jonadab asked. Amnon admitted that his feelings for Tamar were so strong that he would lie awake at night, and thus appear haggard in the morning (*Radak*).

תָּמָר אֲחוֹת אַבְשָׁלֹם אָחִי — *Tamar, my brother Absalom's sister.* Amnon had to give this detailed description of Tamar, because Absalom also had a beautiful *daughter* named Tamar (below, 14:27) (*Abarbanel*). She is referred to as Absalom's *sister* both because they shared the same biological parents and because he was her protector.

5. Jonadab's plot. Amnon's cunning friend concocted a plot to put Tamar in Amnon's clutches. Amnon would feign illness, which would include lack of appetite. He would ask David to have Tamar come and prepare food in his presence so that the sight of the preparation would stimulate his appetite. Naturally, David would not suspect his son of having any evil intention, and would not find it unusual that he had affection for his "sister."

Malbim interprets differently. He suggests that Jonadab's intention was not evil; he merely offered a way for Amnon to let David perceive his affection for Tamar, and to ask her privately to marry him. It was Amnon who was the evil one, who used this opportunity to abuse Tamar. [Perhaps *Malbim* prefers his interpretation because Jonadab was David's nephew, and it is unlikely that he would suggest a plot that would bring shame upon his uncle and murderous discord within his family.]

6. לְעֵינַי — *In my sight.* This phrase appears both here and in verse 8. Amnon wanted David to think that he wanted to stimulate his appetite, but in the light of what actually occurred, he meant to stimulate his passion.

שְׁתֵּי לְבִבוֹת — *Two dumplings.* They were made by scalding dough in hot water and then frying it in a pan with oil (*Rashi*).

ט וַתִּקַּח אֶת־הַמַּשְׂרֵת וַתִּצֹק לְפָנָיו וַיְמָאֵן לֶאֱכוֹל וַיֹּאמֶר אַמְנוֹן הוֹצִיאוּ כָל־אִישׁ מֵעָלַי וַיֵּצְאוּ כָל־אִישׁ מֵעָלָיו: י וַיֹּאמֶר אַמְנוֹן אֶל־תָּמָר הָבִיאִי הַבִּרְיָה הַחֶדֶר וְאֶבְרֶה מִיָּדֵךְ וַתִּקַּח תָּמָר אֶת־הַלְּבִבוֹת אֲשֶׁר עָשָׂתָה וַתָּבֵא לְאַמְנוֹן אָחִיהָ הֶחָדְרָה: יא וַתַּגֵּשׁ אֵלָיו לֶאֱכֹל וַיַּחֲזֶק־בָּהּ וַיֹּאמֶר לָהּ בּוֹאִי שִׁכְבִי עִמִּי אֲחוֹתִי: יב וַתֹּאמֶר לוֹ אַל־אָחִי אַל־תְּעַנֵּנִי כִּי לֹא־יֵעָשֶׂה כֵן בְּיִשְׂרָאֵל אַל־תַּעֲשֵׂה אֶת־הַנְּבָלָה הַזֹּאת: יג וַאֲנִי אָנָה אוֹלִיךְ אֶת־חֶרְפָּתִי וְאַתָּה תִּהְיֶה כְּאַחַד הַנְּבָלִים בְּיִשְׂרָאֵל וְעַתָּה דַּבֶּר־נָא אֶל־הַמֶּלֶךְ כִּי לֹא יִמְנָעֵנִי מִמֶּךָּ: יד וְלֹא אָבָה לִשְׁמֹעַ בְּקוֹלָהּ וַיֶּחֱזַק מִמֶּנָּה וַיְעַנֶּהָ וַיִּשְׁכַּב אֹתָהּ: טו וַיִּשְׂנָאֶהָ אַמְנוֹן שִׂנְאָה גְּדוֹלָה מְאֹד כִּי גְדוֹלָה הַשִּׂנְאָה אֲשֶׁר שְׂנֵאָהּ מֵאַהֲבָה אֲשֶׁר אֲהֵבָהּ וַיֹּאמֶר־לָהּ אַמְנוֹן קוּמִי לֵכִי: טז וַתֹּאמֶר לוֹ אַל־אוֹדֹת הָרָעָה הַגְּדוֹלָה הַזֹּאת מֵאַחֶרֶת אֲשֶׁר־עָשִׂיתָ עִמִּי לְשַׁלְּחֵנִי וְלֹא אָבָה לִשְׁמֹעַ לָהּ: יז וַיִּקְרָא אֶת־נַעֲרוֹ מְשָׁרְתוֹ וַיֹּאמֶר שִׁלְחוּ־נָא אֶת־זֹאת מֵעָלַי הַחוּצָה וּנְעֹל הַדֶּלֶת אַחֲרֶיהָ: יח וְעָלֶיהָ כְּתֹנֶת פַּסִּים כִּי כֵן תִּלְבַּשְׁןָ בְנוֹת־הַמֶּלֶךְ הַבְּתוּלֹת מְעִילִים וַיֹּצֵא אוֹתָהּ מְשָׁרְתוֹ הַחוּץ וְנָעַל הַדֶּלֶת אַחֲרֶיהָ: יט וַתִּקַּח תָּמָר אֵפֶר עַל־רֹאשָׁהּ וּכְתֹנֶת הַפַּסִּים אֲשֶׁר עָלֶיהָ

רש״י

(ט) **את המשרת.** תרגום של מחבת, מסריתא: (יג) **כי לא ימנעני ממך.** שמותרת אני לך, לפי שנתעברה בי אמי כשהיא נכרית יפת תואר, שלקחה דוד במלחמה, ומי שיש לו בן או בת מן שפחה, אינו בנו לכל דבר: (טו) **וישנאה אמנון.** אמרו רבותינו (סנהדרין כא, א), נימא נקשרה לו, ועשאתו כרות שפכה: (טז) **אל אודות.** אל תעשה אודות הרעה הזאת של שילוח, הגדולה מן האחרת שעשית עמי ועניתני, ועוד תוסיף רעה ממנה לשלחני:

רד״ק

(ט) **ותקח את המשרת ותצק לפניו.** הַמַּשְׂרֵת היא המחבת, וכן תרגום מַחֲבַת (ויקרא ו, יד) מַשְׂרִיתָא, והמשרת היא שבשלה בה הלביבות ולקחה המשרת ויצקה לפניו בקערה, ובדברי רז״ל (סנהדרין כא, א) שעשתה לו מיני טגן והוא שמטגנים הבצק במחבת עם השמן: (טו) **וישנאה אמנון.** זאת השנאה היתה סבה מאת השם כדי להגדיל החרפה בשלחו אותה מביתו, ויהיה אבשלום יותר שונא אותו עד מות עד שחשב להרגו, וזה המעשה היה עונש דוד על מעשה בת שבע ואוריה שבעונש ההוא נעשית בביתו זמה הבאה לידי חרב לקיים מה שאמר לו הנביא לֹא תָסוּר חֶרֶב מִבֵּיתְךָ (לעיל יב, י), וכן בדבר אבשלום זמה וחרב הכל מדה כנגד מדה. ובדרש (סנהדרין כא, א) מה היה השנאה הזאת נימה קשרה לו בשעת בעילה ועשאתו כרות שפכה: (טז) **אל אודת.** אל יהיה זה הדבר לשלחני כי גדולה הרעה הזאת וחרפה ובזיון יותר מהאחרת שעשית עמי כי אותה בסתר וזאת בגלוי, ויונתן תרגם אַל, עַל: (יח) **מעילים.** תרגום יונתן כַּרְדוּטִין, והמעיל הזה עשוי כתבונת הכתונת כי כן אמר וְעָלֶיהָ כְּתֹנֶת פַּסִּים, לא כמו המעיל הכתוב בתורה (שמות כח, ד), והיה זה המלבוש ידוע ביניהם, ויונתן שתרגם כַּרְדוּטִין כך תרגם אֵפוֹד בָּד כַּרְדוּט דְבוּץ (שמואל־א ב, יח):

מצודת דוד

(ט) **ותצק.** יצקה על הקערה הלביבות עם השמן: (י) **החדר.** לחדר משכבו: **ותבא.** את הלביבות: (יא) **ותגש.** הגישה אליו את הלביבות לאכול: (יב) **אל אחי.** אל תעשה כזאת, אתה אחי: **אל תענני.** אל תאנס אותי: **כי לא יעשה וגו׳.** לאנס את הבתולות, ולזה לא תעשה גם אתה את הנבלה הזאת: (יג) **ואני וגו׳.** עם שיהיה באונס, מכל מקום לחרפה תחשב לי, ואנה אוליכה להסתירה מבני אדם: **ואתה.** ואף אתה תהיה נחשב כאחד הנבלים: **ועתה.** הואיל ותחפוץ בי, דבר נא וגו׳, כי לא ימנעני מלהיות לך לאשה: (יד) **ויחזק.** נתגבר עליה ואנסה: (טו) **וישנאה.** אולי גדפתו בדברים, ומה׳ היתה זאת, לגלות חרפתו בקהל רב: **כי גדולה וגו׳.** השנאה היתה בערכה יותר גדולה מערך האהבה הקדומה: **קומי לכי.** ולא רצה שתשב עוד זמן מה בביתו: (טז) **אל אודות הרעה וגו׳.** רוצה לומר, אל תעשה עסק הרעה הגדולה הזאת, אשר היא יותר גדולה מהאחרת: **אשר עשית.** רוצה לומר, ומה היא הרעה הגדולה, ואמרה אשר אתה עושה עמי לגרשני מביתך, כי מעתה חפצה להנשא לו, לכסות קלונה: (יח) **כי כן תלבשן.** כן היה מנהג מלבושיהן: **מעילים.** היא כתונת פסים, וענינם אחד: (יט) **על ראשה.** רוצה לומר, וזרקה ממעל לראשה דרך צער, ולהודיע לרבים שאנוסה היתה:

מצודת ציון

(ט) **המשרת.** תרגום של מחבת, היא מסריתא: **ותצוק.** מלשון יציקה: **מעלי.** מאצלי: (יב) **תענני.** מלשון עינוי: **הנבלה.** דבר גנאי וכעור: (יג) **אנה.** להיכן: **הנבלים.** הפחותים ושפלים: (טז) **אודות.** עסק: (יז) **ונעול.** סגור במנעול: (יח) **פסים.** מרוקמת ברוחב פס יד, וכן (בראשית לז, ג), ועשה לו כתונת פסים:

9-10. *She then took the pan and poured it before him* in the dining or living area. He refused it there and sent away the people who were with them. He asked her to come and serve him in the bedroom, where there would be privacy and she would not be heard if she cried out.

12-13. Tamar gave Amnon three good reasons why he should desist from his evil plan: (1) Such an act is despicable. Even though she was not actually his sister halachically, so that their relationship would not be incestuous, nevertheless, Jews do not engage in such immoral acts. (2) She would be shamed and dishonored; her reputation would be ruined. (3) Amnon himself would be degraded and branded as a despicable person.

13. וְעַתָּה דַּבֶּר־נָא אֶל־הַמֶּלֶךְ — *So now, speak to the king* . . . That Tamar was confident that David would permit them to marry is the proof that she and Amnon were not halachically brother and sister.

Abarbanel, however, holds that the relationship between

[9]She then took the pan and poured it before him, but he refused to eat. Amnon then said, "Remove everyone from before me"; and everyone went away from before him. [10]Amnon then said to Tamar, "Bring the light meal into the room, so that I may eat from your hand"; so Tamar took the [dish of] dumplings that she had made and brought it to her brother Amnon, into the room. [11]She was serving [them] to him, when he grabbed her and said to her, "Come lie with me, my sister!" [12]But she said to him, "No, my brother; do not violate me, for such things are not done in Israel. Do not commit this despicable act! [13]Where could I go with my shame? And you — you would be considered in Israel as one of the despicable men! So now, speak to the king, for he would not withhold me from you [in marriage]." [14]But he refused to heed her voice. He overpowered her and violated her and lay with her.

He violates her ...

[15]Afterwards Amnon despised her with a great hatred; his hatred was even greater than his love that he had felt for her. So Amnon said to her, "Get up and go away!" [16]But she said to him, "Do not do this greater evil than that which you have already done to me — to send me away!" But he refused to listen to her. [17]He called in his attendant who ministered to him, and said, "Send this [person] out from me now, and lock the door behind her!" [18](She was wearing a fine woolen tunic, for such robes were worn by the maidens among the king's daughters.) His minister took her out and locked the door behind her. [19]Tamar put dirt upon her head and tore the fine woolen tunic that was on her;

... and expels her in disgrace

Amnon and Tamar *was* incestuous. He explains that Tamar, desperate to save herself, tried to avoid imminent disaster by giving Amnon the false hope that the king would permit them to marry. Her plea was in vain.

14. וַיֶּחֱזַק מִמֶּנָּה — *He overpowered her.* Tamar apparently showed considerable physical resistance, and may even have managed to harm Amnon (*Abarbanel*; see *Rashi* to v. 15).

15-22. Amnon casts her out in disgrace. The Sages teach (*Avos* 5:19), "Any love that depends on a specific cause, when the cause is gone the love is gone . . . [such as] the love of Amnon for Tamar." Amnon did not truly love Tamar — he loved himself, and cared only to satisfy his selfish lust. That done, he cast her away like a worn-out vessel (*Tiferes Yisrael*). She was overcome with shame and anguish. Only her brother Absalom tried to comfort and shelter her.

15. וַיִּשְׂנָאֶהָ אַמְנוֹן שִׂנְאָה גְּדוֹלָה מְאֹד — *Afterwards Amnon despised her with a great hatred.* Presumably this extreme hatred was because she resisted him fiercely (see v. 14), or because she rebuked him sharply before his awful deed (v. 13) and possibly even more harshly afterwards (*Ralbag*). *Abarbanel* writes that it is human nature to feel regret and anguish after having committed a degenerate deed. As the saying goes, "The wicked are always full of regrets" — and Amnon channeled these feelings of self-revulsion into hatred of his victim. Now, as before, Amnon was guided by his own selfish interests rather than by the responsibility to do what is proper and decent.

Alternatively, this was part of the Divine plan to bring about the punishments prophesied by Nathan. Amnon violated Tamar and then mistreated her so abysmally that Absalom's hatred was aroused. David's outward apathy enraged him even more, so that eventually he even violated his father's concubines (16:21-22).

16. Tamar begged Amnon not to send her away like unwanted trash. She recognized that Amnon's sudden hatred of her was a result of the sin he had forced upon her, but she pleaded that by sending her away he would be doing an even greater evil than he had done when he molested her, for the latter was done in private, while the former would humiliate her in public (*Radak*).

Tamar wanted Amnon to remove her shame by marrying her (*Rid*), as the Torah (*Deuteronomy* 22:28-29) prescribes for such a deed (*Malbim*). Alternatively, she wanted to stay in Amnon's house until dark so as not to be seen in her present state by everyone, who would realize what had happened to her (*Abarbanel*).

וְלֹא אָבָה לִשְׁמֹעַ לָהּ — *But he refused to listen to her.* Hatred takes the form of such contempt that the hater refuses to converse with or even acknowledge the "other" (*Ralbag*).

18. כְּתֹנֶת פַּסִּים — *A fine woolen tunic.* The translation follows *Rashi* to *Genesis* 37:3.

Malbim renders, *She had on her [only] a tunic, while the dress of the daughters of the king was always to wear robes [over their tunics]*. The verse thus comes to emphasize the shameful way in which Amnon ejected her from his house, throwing her out partly undressed.

19. To publicize the outrage that Amnon had perpetrated against her, *Tamar put dirt upon her head and tore the fine woolen tunic that was on her* (*Abarbanel*). These actions were expressions of her grief (*Metzudas David*).

As a result of this incident, David and his court instituted the law that an unmarried woman may not be secluded with a man (*Sanhedrin* 21a).

כ קָרָ֑עָה וַתָּ֤שֶׂם יָדָהּ֙ עַל־רֹאשָׁ֔הּ וַתֵּ֥לֶךְ הָל֖וֹךְ וְזָעָֽקָה׃ וַיֹּ֨אמֶר אֵלֶ֜יהָ אַבְשָׁל֣וֹם
אָחִ֗יהָ הַאֲמִינ֤וֹן אָחִ֙יךְ֙ הָיָ֣ה עִמָּ֔ךְ וְעַתָּ֞ה אֲחוֹתִ֤י הַחֲרִ֙ישִׁי֙ אָחִ֣יךְ ה֔וּא אַל־תָּשִׁ֥יתִי
כא אֶת־לִבֵּ֖ךְ לַדָּבָ֣ר הַזֶּ֑ה וַתֵּ֤שֶׁב תָּמָר֙ וְשֹׁ֣מֵמָ֔ה בֵּ֖ית אַבְשָׁל֥וֹם אָחִֽיהָ׃ וְהַמֶּ֣לֶךְ דָּוִ֔ד
כב שָׁמַ֕ע אֵ֖ת כָּל־הַדְּבָרִ֣ים הָאֵ֑לֶּה וַיִּ֥חַר ל֖וֹ מְאֹֽד׃ וְלֹֽא־דִבֶּ֧ר אַבְשָׁל֛וֹם עִם־אַמְנ֖וֹן
לְמֵרָ֣ע וְעַד־ט֑וֹב כִּֽי־שָׂנֵ֤א אַבְשָׁלוֹם֙ אֶת־אַמְנ֔וֹן עַל־דְּבַר֙ אֲשֶׁ֣ר עִנָּ֔ה אֵ֖ת תָּמָ֥ר
כג אֲחֹתֽוֹ׃ וַיְהִ֗י לִשְׁנָתַ֙יִם֙ יָמִ֔ים וַיִּהְי֤וּ גֹֽזְזִים֙ לְאַבְשָׁל֔וֹם בְּבַ֥עַל חָצ֖וֹר אֲשֶׁ֣ר
כד עִם־אֶפְרָ֑יִם וַיִּקְרָ֥א אַבְשָׁל֖וֹם לְכָל־בְּנֵ֥י הַמֶּֽלֶךְ׃ וַיָּבֹ֤א אַבְשָׁלוֹם֙ אֶל־הַמֶּ֔לֶךְ וַיֹּ֕אמֶר
כה הִנֵּה־נָ֥א גֹזְזִ֖ים לְעַבְדֶּ֑ךָ יֵֽלֶךְ־נָ֥א הַמֶּ֛לֶךְ וַעֲבָדָ֖יו עִם־עַבְדֶּֽךָ׃ וַיֹּ֨אמֶר הַמֶּ֜לֶךְ אֶל־
אַבְשָׁל֗וֹם אַל־בְּנִי֙ אַל־נָ֣א נֵלֵ֣ךְ כֻּלָּ֔נוּ וְלֹ֥א נִכְבַּ֖ד עָלֶ֑יךָ וַיִּפְרָץ־בּ֔וֹ וְלֹֽא־אָבָ֥ה לָלֶ֖כֶת
כו וַֽיְבָרְכֵֽהוּ׃ וַיֹּ֙אמֶר֙ אַבְשָׁל֔וֹם וָלֹ֕א יֵֽלֶךְ־נָ֥א אִתָּ֖נוּ אַמְנ֣וֹן אָחִ֑י וַיֹּ֤אמֶר לוֹ֙ הַמֶּ֔לֶךְ לָ֥מָּה
כז יֵלֵ֖ךְ עִמָּֽךְ׃ וַיִּפְרָץ־בּ֖וֹ אַבְשָׁל֑וֹם וַיִּשְׁלַ֣ח אִתּ֗וֹ אֶת־אַמְנ֔וֹן וְאֵ֖ת כָּל־בְּנֵ֥י
כח הַמֶּֽלֶךְ׃ וַיְצַ֨ו אַבְשָׁל֜וֹם אֶת־נְעָרָ֣יו לֵאמֹ֗ר רְא֣וּ נָ֠א כְּט֨וֹב לֵב־אַמְנ֤וֹן

רש״י

(כג) ויהיו גוזזים. ודרכם היה לעשות משתה בגזוז צאנם: **(כו) ולא ילך נא אתנו.** ואם אתה לא יכול ללכת, ילך נא עמנו אמנון:

רד״ק

(יט) הלוך וזעקה. עבר במקום בינוני, כלומר הולכת וזועקת, שכך תרגם יונתן וַאֲזָלַת מֵיזַל וּצְוָחַת. ואמרו רבותינו ז״ל (סנהדרין כא, א) בקבלה בידם כי על אותו מעשה באותה שעה גזרו על ייחוד הפנויה, שאמרו בנות מלכים כך בנות הדיוטות על אחת כמה וכמה, בצנועות כך בפרוצות על אחת כמה וכמה, עמדו בית דינו של דוד וגזרו ואסרו להתיחד עם הפנויה: **(כ) האמינון.** דרך בזיון: **ושממה.** הוי״ו ללא תוספת דבר כוי״ו וַיִּשָּׂא אַבְרָהָם אֶת עֵינָיו (בראשית כב, ד) ואדוני אבי ז״ל פירש אלה והדומים להם עם חסרון ענין הדומה ופירוש וְשֹׁמֵמָה עצבה ושוממה: **(כג) גזזים.** מנהגם היה לעשות משתה ביום שהיו גוזזים צאנם, וכן בענין נבל (לעיל־א כב, יא): **עם אפרים.** סמוך לארץ אפרים, וכן וַיֵּשֶׁב יִצְחָק עִם בְּאֵר לַחַי רֹאִי (בראשית כה, יא): **(כה) ולא נכבד עליך.** שלא נהיה כלנו עמך כבדות לרוב ההוצאה: **(כו) ולא.** דרך בקשה, כמו וָלֹא יֻתַּן ... לְעַבְדְּךָ (מלכים־ב ב, יז): **(כז) ויפרץ.** כמו הפוך וַיִּפְצַר (בראשית יט, ג):

מצודת דוד

ותשם ידה וגו׳. כן הוא דרך המצטער: **(כ) היה עמך.** רצה לומר, אנס אותך, ובלשון נקיה דבר: **ועתה.** הואיל וכבר נעשה, החרישי ואל תבזי אותו, כי הלא אחיך הוא, וראוי לך לחוס על כבודו: **אל תשיתי וגו׳.** רוצה לומר, אל תצטערי בעבור זה: **(כב) למרע.** בין דבר רע, בין דבר טוב: **כי שנא וגו׳.** ושמר האיבה בלבו להנקם בו לעת מצוא, ובכדי שלא ירגיש בדבר, לא דבר עמו מאומה: **(כג) ויהיו גוזזים.** והיה מדרכם לעשות משתה ושמחה, וכן בנבל נאמר (שמואל־א כה, ח), על יום טוב באנו: **(כד) עם עבדך.** על עצמו אמר: **(כה) ולא נכבד עליך.** כי כאשר נלך כלנו, יהיה לך לעול כבד וטרחה מרובה: **ויברכהו.** על נדבת לבו: **(כו) ולא ילך.** בשאלה אמר לו, ואם לא, ילך אמנון (עם שקרא לכל בני המלך, לא היה אמנון נכלל עמהם, לפי שהיה הבכור, ועומד הוא במקום אביו המלך): **למה ילך.** כי יכבד עליך: **(כח) כטוב וגו׳.** ואז לא יהיה נשמר:

מצודת ציון

(כ) האמינון. דרך המדברים להוסיף אותיות להקטין הדבר, וכן (דברים לב, י), יצרנהו כאישון עינו, הנקרא כן על שם האיש הקטן הנראה בעין: **החרישי.** ענין שתיקה: **תשיתי.** תשימי: **ושוממה.** הוי״ו יתירה, וכן (תהלים עו, ז), ורכב וסוס: **(כג) לשנתים ימים.** לשתי שנים: **גוזזים.** את הצאן: **עם אפרים.** סמוך לנחלת אפרים, כמו (בראשית כה, יא), עם באר לחי ראי: **(כה) ויפרץ.** ענין הפתוי ברבוי דברים, והוא הפוך מן (שם יט, ג), ויפצר בם:

20. Absalom knew that she had been sent to care for the "ill" Amnon and he understood immediately what had happened. Perhaps he knew of Amnon's base character.

The verse uses the words *brother* and *sister* five times, to emphasize that Absalom wanted to comfort Tamar by stressing love within the family. Aside from his own words, the verse says twice in third person that he and Tamar were brother and sister, to imply that of all the family he was the closest to her and the most concerned with her plight. Similarly, when Jacob's daughter Dinah was violated by Shechem (see *Genesis* ch. 34), Simeon and Levi, who came to avenge her, are described as אֲחֵי דִינָה, *brothers of Dinah* (34:25), because of all her twelve brothers, they were the ones who felt her shame most deeply.

אֲמִינוֹן — *Aminon.* Absalom deliberately altered Amnon's name in scornful derision (*Radak*).

וְעַתָּה אֲחוֹתִי הַחֲרִישִׁי אָחִיךְ הוּא — *Be silent now, my sister. He is your brother.* Do not continue to publicly denounce Amnon's disgraceful conduct; he is, after all, your own brother (*Ralbag*).

Absalom nursed a murderous hatred for the man who so abused his sister, and he was determined to avenge her. Nevertheless, he tried to comfort Tamar.

According to *Malbim*, Absalom said that, abominable though it was, it would have been even more humiliating if it had been done by a stranger. Furthermore, he continued, it is always best to try to forget traumatic incidents and to try to get on with one's life — *do not concern your heart over this matter.*

וַתֵּשֶׁב תָּמָר — *So Tamar dwelled.* Devastated, she languished at home, ashamed to go out to spend time with the other girls of the king's household (*Mahari Kara*).

21. David was furious with Amnon [especially since he, as the firstborn, was widely regarded as the crown prince (*Ralbag*)], but he could not have him punished by a court because there were no witnesses to his deed. Undoubtedly David rebuked

Absalom's kindness to Tamar and hatred of Amnon

she put her hand to her head and left, crying out as she went. [20]*Her brother Absalom said to her, "Has your brother Aminon been with you? Be silent now, my sister. He is your brother; do not concern your heart over this matter." So Tamar dwelled, devastated, in the house of her brother Absalom.*

[21]*King David heard about all these events, and he was very angry.* [22]*Absalom would not speak with Amnon — neither bad nor good — for Absalom hated Amnon because he had violated his sister Tamar.*

ABSALOM'S REVENGE, FLIGHT AND RETURN 13:23-14:33

[23]*It happened two years later that they were shearing Absalom's [sheep] in the Plain of Hazor, which is in Ephraim; and Absalom invited all the king's sons.* [24]*Absalom came to the king and said, "Behold, they are shearing for your servant; let the king and his servants accompany your servant."* [25]*The king said to Absalom, "No, my son, let us not all go, so that we do not overburden you." He importuned but he would not consent to go, but he blessed him.* [26]*Absalom said, "If not, then let my brother Amnon go with us." But David said, "Why should he go with you?"* [27]*Absalom importuned him, so he sent Amnon and all the king's sons along with him.*

[28]*Absalom instructed his servants, saying, "Take note when Amnon's heart is giddy*

---

him severely, although Scripture does not say so explicitly (*Abarbanel*). *Malbim*, however, maintains that David did not censure Amnon, and that this added fuel to Absalom's fury.

Daas Sofrim suggests that David did not punish Amnon publicly because he did not want the event to become public knowledge and create a scandal that would harm the entire family.

22. וְלֹא־דִבֶּר אַבְשָׁלוֹם עִם־אַמְנוֹן — *Absalom would not speak with Amnon.* Although this illustrates the degree of Absalom's rage, it is also a compliment to Absalom's integrity, for he refused to put on a facade of politeness with someone he held in contempt. So, too, Joseph's brothers *could not speak with him peaceably* (*Genesis* 37:4) when they were at odds with him (*Rabbeinu Bachya*).

This is a sign of the most intense hatred, for a person who harbors more moderate animosity will at least confront his enemy or quarrel with him (*Ralbag*).

On the other hand, because Absalom did not openly confront Amnon, many people came to believe that he did not harbor such intense hostility toward his sister's attacker. Absalom may have planned this so that people would not be suspicious as he bided his time until he was ready to act against Amnon.

23-39. Absalom's revenge and its aftermath. The fulfillment of Nathan's prophecy continued. Absalom thirsted for an opportunity to avenge his sister, but he had to wait and plan for the right time and setting. When it came, he acted ruthlessly and became a fugitive.

23. וַיְהִי לִשְׁנָתַיִם יָמִים — *It happened two years later.* Why did Absalom wait two years to settle his score with Amnon? According to the *Talmud Yerushalmi* (*Sotah* 3:4), Amnon involved himself in Torah study, and the merit of that mitzvah protected him for two years. *Abarbanel* suggests that Amnon was on constant guard against possible revenge from Absalom. It was only after two years of calm that Amnon lowered his guard and Absalom thought he could lure him into a trap.

וַיִּקְרָא אַבְשָׁלוֹם — *And Absalom invited.* It was customary to make a large feast upon the occasion of the shearing of one's flock, as in *I Samuel* 25:4-8 (*Rashi*).

24-25. Absalom knew that it was not befitting for the king to attend his celebration, and that David would certainly turn down the offer. He extended the invitation and pleaded with David to attend only to make his invitation to Amnon appear incidental and harmless (*Ralbag*).

26. וָלֹא יֵלֶךְ־נָא אִתָּנוּ אַמְנוֹן אָחִי — *If not, then let my brother Amnon go with us.* Apparently Amnon was not included in Absalom's invitation to *all the king's sons* (v. 23). As David's firstborn and assumed successor, Amnon would probably also deem it inappropriate to attend such a celebration; Absalom therefore beseeched the king to urge him to go (*Abarbanel*).

Although David knew that his successor was to be Solomon, he probably shared this information only with Bathsheba and Nathan, and perhaps a few other trusted confidants. That Solomon's status was not widely known is indicated from the narrative of David's final days, when his son Adonijah had widespread support for his claim to the throne (see *I Kings* Ch.1). It may be that since Solomon was very young — he was only twelve when he became king — David did not want to put pressure on him by announcing that he was crown prince.

28. When Amnon was too inebriated to be vigilant, Absalom ordered his servants to assassinate him. Knowing that they would be reluctant to do so — especially since Amnon was regarded as the crown prince — he encouraged them to be strong and brave. *It is I who have commanded you!* as if to say it is not you, but I, who will be held responsible for the murder (*Abarbanel*).

Halachically, of course, Absalom's reassurance had no standing, because no one is permitted to be an agent to sin;

בַּיַּ֔יִן וְאָמַרְתִּ֧י אֲלֵיכֶ֛ם הַכּ֥וּ אֶת־אַמְנ֖וֹן וַהֲמִתֶּ֣ם אֹת֑וֹ אַל־תִּירָ֔אוּ הֲל֗וֹא כִּ֚י אָנֹכִ֔י
כט צִוִּ֖יתִי אֶתְכֶ֑ם חִזְקוּ֙ וִהְי֖וּ לִבְנֵי־חָֽיִל׃ וַיַּעֲשׂ֞וּ נַעֲרֵ֤י אַבְשָׁלוֹם֙ לְאַמְנ֔וֹן כַּאֲשֶׁ֖ר
ל צִוָּ֣ה אַבְשָׁל֑וֹם וַיָּקֻ֣מוּ ׀ כָּל־בְּנֵ֣י הַמֶּ֗לֶךְ וַֽיִּרְכְּב֛וּ אִ֥ישׁ עַל־פִּרְדּ֖וֹ וַיָּנֻֽסוּ׃ וַֽיְהִי֙ הֵ֣מָּה
בַדֶּ֔רֶךְ וְהַשְּׁמֻעָ֣ה בָ֔אָה אֶל־דָּוִ֖ד לֵאמֹ֑ר הִכָּ֤ה אַבְשָׁלוֹם֙ אֶת־כָּל־בְּנֵ֣י הַמֶּ֔לֶךְ וְלֹֽא־
לא נוֹתַ֥ר מֵהֶ֖ם אֶחָֽד׃ וַיָּ֥קָם הַמֶּ֛לֶךְ וַיִּקְרַ֥ע אֶת־בְּגָדָ֖יו וַיִּשְׁכַּ֣ב
לב אָ֑רְצָה וְכָל־עֲבָדָ֥יו נִצָּבִ֖ים קְרֻעֵ֥י בְגָדִֽים׃ וַיַּ֣עַן יוֹנָדָ֣ב ׀
בֶּן־שִׁמְעָ֣ה אֲחִֽי־דָוִ֡ד וַיֹּ֡אמֶר אַל־יֹאמַ֣ר אֲדֹנִי֩ אֵ֨ת כָּל־הַנְּעָרִ֤ים בְּנֵֽי־הַמֶּ֙לֶךְ֙ הֵמִ֔יתוּ
כִּֽי־אַמְנ֥וֹן לְבַדּ֖וֹ מֵ֑ת כִּֽי־עַל־פִּ֤י אַבְשָׁלוֹם֙ הָיְתָ֣ה °שימה [°שׂוּמָ֔ה ק] מִיּוֹם֙ עַנֹּת֔וֹ אֵ֖ת
לג תָּמָ֥ר אֲחֹתֽוֹ׃ וְעַתָּ֗ה אַל־יָשֵׂם֩ אֲדֹנִ֨י הַמֶּ֤לֶךְ אֶל־לִבּוֹ֙ דָּבָ֣ר לֵאמֹ֔ר כָּל־בְּנֵ֥י הַמֶּ֖לֶךְ
לד מֵ֑תוּ כִּֽי־[אם כ׳ ולא ק׳] אַמְנ֥וֹן לְבַדּ֖וֹ מֵֽת׃ וַיִּבְרַ֖ח אַבְשָׁל֑וֹם
וַיִּשָּׂ֞א הַנַּ֤עַר הַצֹּפֶה֙ אֶת־°עינו [°עֵינָ֔יו ק] וַיַּ֗רְא וְהִנֵּ֨ה עַם־רַ֧ב הֹלְכִ֛ים מִדֶּ֥רֶךְ אַחֲרָ֖יו
לה מִצַּ֥ד הָהָֽר׃ וַיֹּ֤אמֶר יוֹנָדָב֙ אֶל־הַמֶּ֔לֶךְ הִנֵּ֥ה בְנֵֽי־הַמֶּ֖לֶךְ בָּ֑אוּ כִּדְבַ֥ר עַבְדְּךָ֖ כֵּ֥ן הָיָֽה׃
לו וַיְהִ֣י ׀ כְּכַלֹּת֣וֹ לְדַבֵּ֗ר וְהִנֵּ֤ה בְנֵֽי־הַמֶּ֙לֶךְ֙ בָּ֔אוּ וַיִּשְׂא֥וּ קוֹלָ֖ם וַיִּבְכּ֑וּ וְגַ֨ם־הַמֶּ֜לֶךְ וְכָל־
לז עֲבָדָ֗יו בָּכ֛וּ בְּכִ֖י גָּד֥וֹל מְאֹֽד׃ וְאַבְשָׁל֣וֹם בָּרַ֔ח וַיֵּ֛לֶךְ אֶל־תַּלְמַ֥י בֶּן־°עמיחור
לח [°עַמִּיה֖וּד ק] מֶ֣לֶךְ גְּשׁ֑וּר וַיִּתְאַבֵּ֥ל עַל־בְּנ֖וֹ כָּל־הַיָּמִֽים׃ וְאַבְשָׁל֣וֹם בָּרַ֔ח וַיֵּ֖לֶךְ גְּשׁ֑וּר

רש״י

(לב) על פי אבשלום היתה שומה. בציויו של אבשלום היתה שימה זו נשומה על עבדיו, להרוג את אמנון:

רד״ק

(כח) הלוא. המלה הזאת באה פעמים לענין זירוז וחזוק וכן הֲלֹא שְׁלַחְתִּיךָ (שופטים ו, יד) הֲלֹא כִּי מְשָׁחֲךָ (לעיל־א י, א): **(לב) שומה.** פעולה, כלומר הריגת אמנון היתה שומה בפי אבשלום תמיד, כי תמיד היה מספר ברעתו מיום ענותו את תמר אחותו, ויונתן תרגם אֲרֵי בְלִבָּא דְאַבְשָׁלוֹם הֲוַת כְּמָנָא, וכן תרגום אֲשֶׁר שָׂם לוֹ בַּדֶּרֶךְ (שם טו, ב) דִיכְמַן לֵיהּ: **(לד) מדרך אחריו.** זה העם היו בני המלך ושאר העם שנסו באו לירושלים, והצופה רואה אותם באים מדרך שאחרי ההר מצד ההר, ואמר הכנוי טרם הידיעה כמו וַתִּרְאֵהוּ אֶת הַיֶּלֶד (שמות ב, ו) וזולתו: **(לה) ויאמר יונדב.** הצופה אמר לו כי עם בא, והוא אמר למלך כי בני המלך באו: **(לז) אל תלמי.** שהיה אבי אמו: **ויתאבל.** דוד היה מתאבל על אמנון בנו כל הימים שזוכר אחר כן והם שלש שנים שהיה אבשלום בגשור:

מצודת דוד

הלא כי אנכי צויתי. ומידי יבוקש: **חזקו.** אם אולי יעמוד על נפשו: **(ל) בדרך.** עד לא באו העירה: **והשמועה.** קול שמועת שקר: **(לב) אל יאמר.** אל יחשוב: **היתה שומה.** הצואה ההיא הושמה על עבדיו מפי אבשלום, מיום ענות אמנון את תמר: **(לג) דבר לאמר.** השמועה האומרת כל בני וגו׳: **(לד) מדרך אחריו.** כי הצופה היה רואה אל מול הדרך שהלכו בה, והמה נסו בדרך עקלתון, ובאו לעיר מדרך אחורי הצופה: **(לה) הנה בני המלך.** העם הבא בני המלך המה, והיה אם כן כדבר עבדך, שאמנון לבדו מת: **(לז) אל תלמי.** כי הוא היה אבי אמו: **ויתאבל.** המלך התאבל על אמנון בנו, כל ימי חייו: **(לח) ואבשלום ברח וגו׳.** מתחלה אמר שברח ממקומו, ואחר זה אמר שהלך אל תלמי, ועתה בא לומר ששהה שם שלש שנים:

מצודת ציון

(כט) פרדו. הוא הבא מן הסוס והחמור: **(לד) הצופה.** הוא העומד במקום גבוה להביט למרחוק:

the agent is required to refuse such an order, and if he obeys it he is responsible for his actions. Either the servants were too weak to refuse their master, or they took his order to imply that the command was legally valid.

29-31. The princes feared that there was a plot to kill them all. Perhaps Absalom wanted to remove any potential competitors for the throne, so that he would become king when David died. Apparently Absalom had concealed his hatred for Amnon so well that the princes did not see the obvious, that he was avenging the honor of Tamar. In the confusion, a rumor reached David that a mass assassination had taken place and he was grief stricken.

32. *Jonadab was a very cunning man* (v. 3), and he was the villain who had orginated the plot that enabled Amnon to assault Tamar. He knew full well what had happened and why Absalom would nurse his hatred of Amnon, and that Absalom had no motive to kill any of the other princes. Jonadab was uniquely qualified to reassure David.

מִיּוֹם עַנֹּתוֹ — *Since the day [Amnon] violated.* This is not meant literally, since the actual order to kill Amnon was given only at the sheep shearing. Jonadab meant that Absalom planned to kill Amnon all along, and was merely awaiting the right moment.

33. Jonadab reiterated his reassurance lest David think that his other sons had tried to defend Amnon and died in the attempt. Jonadab insisted that there was nothing to fear; Absalom had surely laid his plans well and carried them out efficiently.

34. וַיִּבְרַח אַבְשָׁלוֹם — *Absalom fled.* This piece of information does not seem to fit in at this particular point of the narrative, especially since his flight is discussed below. *Malbim* explains that since the king was preoccupied with trying to determine

with wine. Then, I will tell you, 'Strike down Amnon.' Kill him and fear not! Behold, it is I who have commanded you! Be strong, and be brave men!"

Absalom has Amnon killed and David mourns

[29]*Absalom's servants did to Amnon as Absalom had commanded them. Then all the king's sons arose; each man mounted his mule and fled.* [30]*While they were on the way a rumor reached David, saying, "Absalom has struck down all the king's sons; not one of them survived!"* [31]*The king arose and tore his garments and lay on the ground, and all his servants stood with torn clothing.* [32]*Jonadab, the son of David's brother Shimeah, spoke up and said, "Let my lord not think that they killed all the young men, the king's sons, for Amnon alone is dead; for Absalom had issued that order since the day [Amnon] violated his sister Tamar.* [33]*And now, let my lord the king not take the matter to his heart, saying, 'All the king's sons have died'; for only Amnon is dead."*

[34]*Absalom fled. The lookout soldier raised his eyes and saw that — behold! — a large group of people was traveling on the road behind him, from the direction of the mountain.* [35]*Jonadab then said to the king, "Behold — the king's sons have arrived! Like your servant's word, so it was!"* [36]*Just as he finished speaking, the king's sons came; they raised up their voices and wept; also the king and all his servants wept a very great weeping.*

Absalom goes into exile

[37]*Absalom had fled; he went to Talmai son of Ammihud, the king of Geshur. And [David] mourned for his son [Amnon] many years.* [38]*Absalom had fled; he went to Geshur,*

---

the fate of his sons, he did not immediately give chase after Absalom, enabling him to escape.

עַם־רַב הֹלְכִים מִדֶּרֶךְ אַחֲרָיו — *A large group of people was traveling on the road behind him.* The lookout had expected the party of princes to be coming from the other direction, the direction of Absalom's sheepshearing, but they came riding from the opposite direction, *behind him.* They used a roundabout route to better evade Absalom, who they believed might be after them, since they were still afraid he wanted to assassinate all his brothers (*Rid*). *Radak* renders *traveling on the road behind* it, i.e., behind the mountain.

36. This verse speaks volumes about the character of Jonadab. As the catalyst for the entire chain of tragic incidents, he was in effect responsible for bringing about Amnon's death. Now he gloats to the king how he is the hero of the day (*Daas Sofrim*).

37. Talmai, the king of Geshur, was Absalom's maternal grandfather (3:3), so Absalom was confident he would be granted refuge. Geshur was in the vicinity of Aram, present-day Syria (below, 15:8).

וַיִּתְאַבֵּל עַל־בְּנוֹ כָּל־הַיָּמִים — *And [David] mourned for his son [Amnon] many years* [lit., *all the days*]. This does not mean that David mourned Amnon for the rest of his life, but that he grieved over him for the entire period of three years, which is mentioned in the next verse, for verse 39 states that after three years David became consoled over Amnon (*Radak*). Perhaps Scripture uses the expression *all the days*, although it was in fact only three years, to indicate that David mourned Amnon every single day — *all the days* — even on Sabbaths and festivals (*Ralbag*).

David's constant mourning over Amnon seems to contradict his attitude when Bath-sheba's baby died. Then, when his courtiers were shocked at his apparent indifference to the baby's death, David said, *"While the baby was still alive I fasted and wept, for I thought, 'Who knows? Perhaps HASHEM will show me favor and the baby will live.' But now that he is dead, why should I fast? Can I bring him back again? I will be going to him, but he will not return to me"* (12:22-23). By the same logic, he should not have mourned for Amnon.

According to *Ralbag*, David surely mourned for the baby; he merely explained to his servants that he was no longer fasting, praying, and sitting on the floor. *Abarbanel* disagrees. He contends that David's demeanor after the baby died — immediately bathing, anointing himself, and eating — hardly bespeaks mourning for a death that had just taken place. Rather, *Abarbanel* explains, David mourned for Amnon, who was a grown man with accomplishments and a future. But the newborn infant was sick almost from birth and died within several days.

38. וְאַבְשָׁלוֹם בָּרַח וַיֵּלֶךְ גְּשׁוּר — *Absalom had fled; he went to Geshur.* This clause is not a repetition of verse 37. At first, Absalom had expected to become a member of his grandfather's court. He fled there (v. 37), and kept company with him, traveling throughout the land with the king. Then, when he learned that *David mourned for his son many years*, he feared that David might try to apprehend him and bring him to justice, so that it was no longer safe for him to travel through unprotected parts of the country. Therefore Absalom changed his residence; he fled once again (v. 39), this time to the city of Geshur itself, where he remained, no longer traveling through the country (*Abarbanel*).

לט וַיְהִי־שָׁם שָׁלֹשׁ שָׁנִים: וַתְּכַל דָּוִד הַמֶּלֶךְ לָצֵאת אֶל־אַבְשָׁלוֹם כִּי־נִחַם עַל־אַמְנוֹן כִּי־מֵת:

יד

א וַיֵּדַע יוֹאָב בֶּן־צְרֻיָה כִּי־לֵב הַמֶּלֶךְ עַל־אַבְשָׁלוֹם:
ב וַיִּשְׁלַח יוֹאָב תְּקוֹעָה וַיִּקַּח מִשָּׁם אִשָּׁה חֲכָמָה וַיֹּאמֶר אֵלֶיהָ הִתְאַבְּלִי־נָא וְלִבְשִׁי־נָא בִגְדֵי־אֵבֶל וְאַל־תָּסוּכִי שֶׁמֶן וְהָיִית כְּאִשָּׁה זֶה יָמִים רַבִּים מִתְאַבֶּלֶת עַל־מֵת:
ג וּבָאת אֶל־הַמֶּלֶךְ וְדִבַּרְתְּ אֵלָיו כַּדָּבָר הַזֶּה וַיָּשֶׂם יוֹאָב אֶת־הַדְּבָרִים בְּפִיהָ:
ד וַתֹּאמֶר הָאִשָּׁה הַתְּקֹעִית אֶל־הַמֶּלֶךְ וַתִּפֹּל עַל־אַפֶּיהָ אַרְצָה וַתִּשְׁתָּחוּ וַתֹּאמֶר הוֹשִׁעָה הַמֶּלֶךְ:
ה וַיֹּאמֶר־לָהּ הַמֶּלֶךְ מַה־לָּךְ וַתֹּאמֶר אֲבָל אִשָּׁה־אַלְמָנָה אָנִי וַיָּמָת אִישִׁי:
ו וּלְשִׁפְחָתְךָ שְׁנֵי בָנִים וַיִּנָּצוּ שְׁנֵיהֶם בַּשָּׂדֶה וְאֵין

רש"י

(לט) ותכל דוד. הרי זה מקרא קצר, ותכל נפש דוד; וכן תרגם יונתן, וַחֲמִידַת נַפְשָׁא דְדָוִד, כמו (תהלים פד, ג), נכספה וגם כלתה, לשון תאוה: **כי נחם על אמנון.** קבל תנחומין: **(ב) וישלח יואב תקועה.** אמרו רבותינו (מנחות פה, ב), כי שמן זית מצוי שם, לכך חכמה מצויה שם: **(ה) אבל אשה אלמנה אני.** אבל, בקושטא:

רד"ק

(לט) ותכל דוד. פירושו כתרגומו וַחֲמִידַת נַפְשָׁא דְדָוִד מַלְכָּא לְמִיפַּק עַל אַבְשָׁלוֹם, רצה לומר אותה נפשו לצאת בעבור אבשלום מרוב תאותו לו, על דרך נַפְשִׁי יָצְאָה בְדַבְּרוֹ (שיר השירים ה, ו), והחכם רבי אברהם בן עזרא פירש ותכל אשת דוד והוא פועל יוצא, כלומר אשתו אם אבשלום בקשה דוד מאד עד שהתאוה דוד אל אבשלום התאוה שיצא אחריו אחד מנעריו בעבורו, וזהו שאמר לָצֵאת אֶל אַבְשָׁלוֹם: **(א) וידע יואב.** הכיר מתוך דבריו ויירא מאמור לו בפירוש, ושלח לו הדבר על ידי סבה וגלגול דברים: **(ב) וישלח יואב תקועה.** אמרו רבותינו ז"ל (מנחות פה, ב) מאי שנא תקועה? אמר רבי יונתן מתוך שרגילין בשמן חכמה מצויה בהם, והיתה העיר ההיא רבת זיתי שמן, וכן אמרו (שם) תקוע אלפא לשמן, רצה לומר העיר המשובחת בשמן בארץ ישראל היתה תקוע, לפיכך קורא אותה אלפא לשמן כמו שהאל"ף ראש לאותיות. והיתה העיר בחלקו של אשר דכתיב ביה וְטֹבֵל בַּשֶּׁמֶן רַגְלוֹ (דברים לג, כד) שמושך שמן כמעין: **(ג) וישם יואב את הדברים בפיה.** אמרו אם הוא סדר את המשל בפיה מה היה צריך לאשה חכמה, לפי שתדע להשיב בחכמה למה שאמר לה המלך, כי יואב לא היה יודע מענה המלך שישים בפיה כל הדברים, אלא כלל הדברים סדר לה. ויש לפרש גם כן כי הוא ספר לה המעשה והיא תִקְּנָה המשל: **(ד) ותאמר האשה התקעית אל המלך.** תרגום יונתן ואתת אִיתְּתָא, לפי שאחר כן אמר ותאמר הוֹשִׁעָה הַמֶּלֶךְ ולא אמר ותבא אל המלך, לפיכך תרגם ותאמר הראשון ואתת. ואדוני אבי ז"ל פירשו כן, כי ותאמר הראשון ליושבי השער אמרה, אל המלך אני רוצה להכנס, והם אמרו לה לא ישמע לך המלך כי רבים עומדים עליו, וזהו שאמר כִּי יֵרְאֻנִי הָעָם (פסוק טו) כלומר הפחידוני כי אמרו שלא תשמע דברי, וכשנכנסה אמרה הוֹשִׁעָה הַמֶּלֶךְ כדרך הצועקים: **(ה) אבל אשה אלמנה אני.** כתרגומו בְּקוּשְׁטָא: **וימת אישי.** אחר שאמרה אַלְמָנָה אָנִי ידוע הוא שמת אישה, למה אמרה וַיָּמָת אִישִׁי, אלא כך אמרה, אני אשה אלמנה זה ימים, אבל עתה אחשוב שמת אישי היום אם יהרגו בני הנשאר לי: **(ו) ויכו האחד את האחד.** הכנוי טרם ההודעה, וכן וַיְשַׁנּוּ אֶת טַעְמוֹ (לעיל-א כא, יד), וְזִהֲמַתּוּ חַיָּתוֹ לָחֶם (איוב לג, כ) והדומים להם:

מצודת דוד

(לט) ותכל דוד. כלתה נפש דוד לצאת בעבור אבשלום, והוא ענין תאוה וחשק אל הדבר, כמו (תהלים קיט, פא), כלתה לתשועתך נפשי: **כי נחם.** אף שהתאבל עליו כל הימים, מכל מקום קבל עליו תנחומין מה, כי מת הוא, ונגזר לקבל תנחומין על המתים (סוף מסכת סופרים, בראשית רבה פר, כא): **(א) וידע יואב.** הכיר בהמלך אשר לבו טוב על אבשלום: **(ב) וישלח יואב.** בעבור כי ראה שלב המלך טוב על אבשלום, לזה חשב מחשבות לעורר לבו להשיבו אליו: **תקועה.** אמרו רבותינו ז"ל (מנחות פה, ב), לפי שהיו רגילים שם בשמן זית, לזה החכמה מצויה ביניהם: **התאבלי נא.** עשי עצמך כאבלה: **והיית כאשה וגו'.** רצה לומר, הוי מרבה בקינות וילֵלות, ועשי עצמך כאשה אשר זה ימים רבים מתאבלת, שלמדה לשונה לומר קינות. וכונתו היתה למען יכמרו רחמי המלך עליה, לצדקה במשפטה: **(ג) כדבר הזה.** אמרי אליו דבר דומה כדבר הזה, רצה לומר, למקרה אבשלום עם אמנון, ולשיחשוב המלך שאמת הדבר: **את הדברים.** את המשל האמור למטה שם בפיה, רוצה לומר, הוא אמר לה מלבו כל דברי המשל, והיה בטוח עוד בחכמתה, שאף היא תשיב אמריה בהשכל על כל דברי המלך, וכאשר השיבה באמת: **(ד) ותאמר האשה.** בבואה לפני המלך, אמרה בתחילה מה שראוי לומר להבאים לפני המלך, כמו יחי המלך וכדומה, ואחרי זה נפלה על אפיה: **(ה) אבל אשה אלמנה.** כדרך דברי אלמנה זוכרת בעל נעוריה, דואגת על מיתתו, וכאלו תאמר באמת רואה אנכי ומרגשת בדבר שאשה אלמנה אני, כי אלמלא היה בעלי חי, לא קרה לי כזאת: **וימת אישי.** גם זה מדרך אלמנה, תקונן ותכפיל דברי יללותה:

מצודת ציון

(לט) ותכל דוד. תחסר מלת נפש, ולזה אמר בלשון נקבה, שעל הנפש ידבר, כאלו אמר ותכל נפש דוד: **(ב) תסוכי.** תמשחי: **(ה) אבל.** באמת, כמו (שם מב, כא), אבל אשמים אנחנו: **(ו) וינצו.** ענין מריבה, כמו (שמות ב, יג), שני אנשים עברים נצים:

39. וַתְּכַל דָּוִד הַמֶּלֶךְ לָצֵאת אֶל־אַבְשָׁלוֹם — *Then [the soul of] King David pined for Absalom.* The words "the soul of" are added in accordance with *Targum* and most commentators. The addition is necessary because the word וַתְּכַל, *pined*, is in the feminine, requiring a feminine subject; *soul* [נֶפֶשׁ] is a feminine noun.

The literal meaning of the phrase is: *Then [the soul of] King David longed to go out for Absalom.* David's emotions were so strong it was as if his soul wanted to leave him. A similar expression is found in *Song of Songs* 5:6 (*Radak*).

14.

1-11. The woman of Tekoa. Joab felt that the time had come to attempt a reconciliation between David and Absalom, but he was afraid to speak to David directly (*Radak*). He enlisted the services of a wise and talented woman to arouse David's emotions toward his exiled son.

לֵב הַמֶּלֶךְ עַל־אַבְשָׁלוֹם — *The king's heart was set on Absalom.* Joab could tell from his conversations with David that, as the previous verse puts it, [the soul of] King *David pined for Absalom* (*Radak*). That David did not take the initiative in recalling him may be because he still felt that Absalom should be pun-

and he remained there for three years. [39]*Then [the soul of] King David pined for Absalom, for he had become consoled over Amnon, who had died.*

14 *Joab plans a reunion with Absalom*

[1]*Joab son of Zeruiah perceived that the king's heart was set on Absalom.* [2]*So Joab sent to Tekoa and brought a wise woman from there. He said to her, "If you please, pretend to be a mourner. Wear garments of mourning and do not anoint yourself with oil; be this way for many days, like a woman mourning over a dead person.* [3]*Then come before the king and speak these words to him ..." And Joab put the words into her mouth.*

The wise woman's predicament

[4]*The Tekoaite woman spoke to the king as she fell on her face to the ground and prostrated herself. She said, "Save [me], O king!"* [5]*The king said to her, "What [problem] do you have?" She said, "In truth, I am a widowed woman; my husband has died.* [6]*Your maidservant had two sons. The two of them quarreled in the field, and there was no*

---

ished for his crime or because he did not want to appear to condone Absalom's fratricidal behavior.

Alternatively, David's heart was set *against* Absalom and still wanted to punish him, notwithstanding his longing for him. Joab knew that he would not be able to convince the king by discussing the subject directly, so he arranged the elaborate scheme described below *(Abarbanel).*

Although Absalom was not the actual killer, since his servants had carried out the assassination, David had the royal authority to impose an extrajudicial punishment, since it is the king's responsibility to preserve law and order in the country and take measures to prevent anarchy.

Possible reasons for Joab's effort. Why did Joab take such a keen interest in securing Absalom's return? He may have thought that Absalom's talents would be an asset to David's rule. On the other hand, he may have been afraid that the impetuous and audacious Absalom might pose a danger to David's rule if he were permanently banished from Israel. If so, it would be better to bring him back to Jerusalem, where his behavior could be kept in check.

Perhaps Joab had a selfish reason. He saw in Absalom's revenge of his sister's dignity a reflection of his own murder of Abner in revenge for his brother Asahel's slaying. By convincing David to show leniency toward Absalom for his crime of passion, Joab would in effect assure his own pardon *(R' Yaakov Blinder).*

2-3. **וַיִּשְׁלַח יוֹאָב תְּקוֹעָה** — *So Joab sent to Tekoa,* a town known for the wisdom of its inhabitants. Although Joab orchestrated the entire scenario and instructed the woman on what she should say, the execution of his plan would have failed unless it was carried out by a woman wise enough to play her role convincingly and respond to whatever David would say.

As *Radak* explains, Joab could not predict how David would react to the woman's story. Furthermore, if she failed to execute her assignment properly and implicated Joab in the fiasco, it would rebound unfavorably on his position in the kingdom.

4. **וַתֹּאמֶר . . . וַתֹּאמֶר** — *She said . . . she said.* The verb is repeated, but the first time it appears, we are not told what she said. *Radak* quotes his father that first she told the gatekeepers that she must speak to the king, but they *frightened* her (v. 15), saying that the king had no time for her. After she succeeded in entering David's chamber, she spoke to him directly.

Abarbanel quotes *Ephod* that she spoke to David both times. First she said the usual respectful pleasantries, and than she came to the point, asking for his help.

Abarbanel's own interpretation is that the first phrase refers to the previous verse, i.e., Joab had instructed her regarding what she should say, and our verse begins by confirming that *she said* what she was told. Then Scripture relates what it was that she said.

הוֹשִׁעָה הַמֶּלֶךְ — *Save [me], O king!* The woman asked David to use his royal prerogative to preempt the normal judicial process, for the courts would certainly condemn her son to die *(Abarbanel).* According to others, however, her son was not liable to the death penalty because there were no witnesses to the murder, but the woman wanted the king to save her son from being lynched by blood-avengers.

5. **אִשָּׁה־אַלְמָנָה אָנִי וַיָּמָת אִישִׁי** — *I am a widowed woman; my husband has died.* The phrase is seemingly redundant. It is common for a recently bereaved woman to dwell on the memory of her husband and to say that her current misfortune would not have happened if her husband were still alive *(Metzudos).*

6. The parable was intended to make David rethink the ostracism of Absalom. Unlike the parable of Nathan (12:1-4), which fit the incident of Bath-sheba and Uriah like a glove, this one did not parallel the event of Absalom and Amnon. The commentary will follow *Abarbanel's* explanation of how she would use the parable to make her point.

וַיִּנָּצוּ שְׁנֵיהֶם בַּשָּׂדֶה — *The two of them quarreled in the field.* Since they were in an isolated place, there were no witnesses to warn the murderer of the penalty, and according to Torah law, any crime committed without such warning cannot be punished. The woman meant to intimate that Absalom, who was not warned before his crime, was not culpable *(Abarbanel).* Although the king has the prerogative to impose punishment even in such a case, in order to protect society from wanton criminality, he does so at his discretion and has the right to let the law take its course, if he feels that that course is better. So, too, David could decide that Absalom's exile has been enough to let both society and the prince know that such conduct is unacceptable.

ז מַצִּיל בֵּינֵיהֶם וַיַּכּוּ הָאֶחָד אֶת־הָאֶחָד וַיָּמֶת אֹתוֹ׃ וְהִנֵּה קָמָה כָל־הַמִּשְׁפָּחָה עַל־
שִׁפְחָתֶךָ וַיֹּאמְרוּ תְּנִי ׀ אֶת־מַכֵּה אָחִיו וּנְמִתֵהוּ בְּנֶפֶשׁ אָחִיו אֲשֶׁר הָרָג וְנַשְׁמִידָה
גַּם אֶת־הַיּוֹרֵשׁ וְכִבּוּ אֶת־גַּחַלְתִּי אֲשֶׁר נִשְׁאָרָה לְבִלְתִּי °שום [°שִׂים־ ק] לְאִישִׁי
ח שֵׁם וּשְׁאֵרִית עַל־פְּנֵי הָאֲדָמָה׃ וַיֹּאמֶר הַמֶּלֶךְ אֶל־הָאִשָּׁה
ט לְכִי לְבֵיתֵךְ וַאֲנִי אֲצַוֶּה עָלָיִךְ׃ וַתֹּאמֶר הָאִשָּׁה הַתְּקוֹעִית אֶל־הַמֶּלֶךְ עָלַי אֲדֹנִי
י הַמֶּלֶךְ הֶעָוֺן וְעַל־בֵּית אָבִי וְהַמֶּלֶךְ וְכִסְאוֹ נָקִי׃ וַיֹּאמֶר
יא הַמֶּלֶךְ הַמְדַבֵּר אֵלַיִךְ וַהֲבֵאתוֹ אֵלַי וְלֹא־יֹסִיף עוֹד לָגַעַת בָּךְ׃ וַתֹּאמֶר יִזְכָּר־נָא
הַמֶּלֶךְ אֶת־יְהוָה אֱלֹהֶיךָ °מהרבית [°מֵהַרְבַּת ק] גֹּאֵל הַדָּם לְשַׁחֵת וְלֹא יַשְׁמִידוּ
יב אֶת־בְּנִי וַיֹּאמֶר חַי־יְהוָה אִם־יִפֹּל מִשַּׂעֲרַת בְּנֵךְ אָרְצָה׃ וַתֹּאמֶר הָאִשָּׁה תְּדַבֶּר־
יג נָא שִׁפְחָתְךָ אֶל־אֲדֹנִי הַמֶּלֶךְ דָּבָר וַיֹּאמֶר דַּבֵּרִי׃ וַתֹּאמֶר

רש"י

(ט) **עלי אדני המלך העון.** כנוי הוא לכבודו, כלומר אתה מדחה אותי לאמר אני מצוה עליך ואני אלך לדרכי, ואתה לא תלוה עלי, ובני יהרג, על מי העון הזה: (יא) **יזכר נא המלך את ה׳.** שהקפיד על אורך הדרך להציל נפשות, שנאמר (דברים יט, ו), והשיגו כי ירבה הדרך, וזהו מהרבות גואל הדם לשחת, ואתה דוחה אותי:

רד"ק

(ז) **גם את היורש.** כמו שמת היורש האחד, זהו רבוי גם: **לבלתי שום לאישי שם ושארית.** בני המשפחה מתכוונין שלא ישאר לאישי שם ולהשמיד את היורש כדי שיהיו הם יורשים נכסי בעלי, כי אין עליהם דין ומשפט להמיתו אף על פי שהרג את אחיו כי לא היו שם עדים, כמו שאמר הכתוב וְאֵין מַצִּיל בֵּינֵיהֶם, ואין דין בני מסור להם אלא לשמים ולא לבית דין, ואם תאמר הם גואלי הדם וחם לבבם ולא ילכו אחר הדין, כי הבורא יתברך חשש על ההורג בשוגג שאין דינו מסור לבני אדם אף על פי כן אמר פֶּן יִרְדֹּף גֹּאֵל הַדָּם אַחֲרֵי הָרֹצֵחַ כִּי יֵחַם לְבָבוֹ (דברים יט, ו), אבל אלו אין לבבם חם על זה אבל כונתם להרוג את היורש כדי שירשו הם הנחלה, ואני אשאר בלא בן: **וכבו את גחלתי.** המאירה לי אחרי מות אישי ובני האחד: (ח) **אצוה עליך.** אצוה בני המשפחה עליך שלא יגעו בבנך: (ט) **עלי אדני המלך העון.** בהפוך רצתה לומר אלא שכנתה לכבוד המלך, כלומר עליך יהיה העון אם נבטח אני ובני עליך ולא ישמר מהם ויהרגוהו בני המשפחה: (י) **המדבר אליך.** מבני המשפחה תביאי אותו אלי ואני אצוה לו ולא יוסיף עוד לגעת בך. ואמר וַהֲבֵאתוֹ והיה לו לומר מדרך הדקדוק והבאתיו בחירק התי״ו כי לנקבה הוא מדבר, אבל אמר וַהֲבֵאתוֹ כנגד אחד מנעריו העומדים שם, כי האשה לא היתה יכולה להביאו אם לא עם אחד מנערי המלך: (יא) **יזכר נא המלך.** רצתה לומר שיוציא שבועה מפיו שלא יומת בנה, ולמה, מֵהַרְבַּת גּוֹאֵל, כלומר שהיו רבים גואלים הדם ואם יצוה המלך לאחד יבא האחר ויהרגנו, אבל אם ישבע המלך שלא יומת ישמעו הגואלים השבועה וייראו שלא יגעו בו, ויונתן תרגם יִדְכַּר כְּעַן מַלְכָּא מַה דִכְתִיב בְּסֵפֶר אוֹרַיְיתָא דַה׳ אֱלָהָךְ בְּדִיל לְאַסְגָאָה אוֹרְחָא קֳדָם גָאֵיל דְמָא לְחַבָּלָא: **משערת בנך ארצה.** כתרגומו מִסְעַר רֵישׁ בְּרִיךְ: (יב) **תדבר נא.** אחרי אשר נתן לה מה ששאלה ממנו רצתה לגלות לו קצת הדברים ברמיזה כדי שיבין כי על דבר אבשלום באה:

מצודת דוד

(ו) **ואין מציל.** לא היה ביניהם איש נכרי להציל המוכה מיד מכהו: (ז) **בנפש.** בעבור שהרג נפש אחיו, ועם שלא היה בעדים והתראה: **גם את היורש.** רוצה לומר, כמו שהשמיד הוא את אחיו מורישו, כן נשמיד גם אותו, שהוא היורש את אחיו: **וכבו את גחלתי.** ובזה יכבו מעט האורה הנשארה לי, כי אישי מת, ואחיו איננו, והוא לבדו נשאר, ואם גם אותו ימיתו, לא ישאר מאומה: **לבלתי שים.** רוצה לומר, כוונת המשפחה היא, לבל יושם לאישי שארית, לשהם ירשו נחלת אישי: (ח) **אצוה עליך.** אצוה את מי מאנשי, לדרוש ולחקור בדבר, אם האמת אתך: (ט) **עלי אדוני המלך העון וגו׳.** כאלו תאמר, יאמין לי שהאמת אתי, ומיד תזכהו, ואם יודע לאחר זה שלא כן הוא, אזי יהיה העון עלי על שהטעיתי את המלך, אבל המלך וכסאו יהיה נקי מעון זה, רוצה לומר, לא יעונש, לא בגופו ולא בדבר המלוכה, היות כי מהראוי להאמין לי בזה, כי שניהם ילדי הם: (י) **המדבר אליך.** על כי ראה המלך אשר כנים אמריה, חזר ואמר לה, מי המדבר אליך מאז, אשר תמסור לו בנך להמיתו, אותו תביאו אלי, ואזהירו שלא יוסיף לגעת בך ולכופך למסור את בנך: (יא) **יזכר נא המלך וגו׳.** כאלו חששה פן כאשר יבוא גואל הדם לפני המלך, ולפי רוב גדלו ישא לו המלך פנים ולא ירחם עוד על בנה, ולזה אמרה, יזכר נא את ה׳, ולדבק במעשיו, מה הוא רחום וכו׳, מבלי להגדיל לישא פני גואל הדם הבא לשחת, ולא ישמידו את בני: **חי ה׳.** הריני נשבע שלא יעשה לו מאומה רע: (יב) **תדבר נא.** שאלה רשות לדבר דבריה, עם שאינם נוגעים אליה:

מצודת ציון

(ט) **וכסאו.** רוצה לומר המלכות: (יא) **מהרבת.** ענין גדולה וחשיבות, כמו (אסתר א, ח), על כל רב ביתו: **גואל הדם.** קרוב הנרצח הרוצה לנקום נקמת דמו, נקרא גואל הדם, שהוא כאלו נחשב לדם לגאולה: **משערת בנך.** אמר דרך הפלגה, כדרך שאומרים הבריות:

וְאֵין מַצִּיל — *And there was no rescuer.* If only someone had been there to mediate between the brothers and to cool their tempers, the tragedy could have been avoided. The implication was that if David had shown emphatically that he strongly disapproved of Amnon's conduct and had reprimanded him accordingly, Absalom would not have felt compelled to retaliate so violently.

וַיַּכּוּ הָאֶחָד אֶת־הָאֶחָד — *One struck the other...* This could also be translated as: *One struck the other and killed him,* i.e., brother A struck brother B, and then brother B struck back and killed brother A. [*Malbim* derives the same interpretation from the word וַיַּכּוּ, *he struck him,* rather than וַיַּכֶּה, *he struck.*] In other words, the brother who committed murder could justify himself by saying that he hit his brother in self-defense. Here too, Absalom could argue that by assaulting Tamar, Amnon had committed aggression against Absalom's family; Absalom was merely responding to the initial "blow" of the fight.

7. *The entire family rose up against your maidservant;* although I am the victim's mother, they think they have a right to be more passionate over his death than I. Further-

rescuer between them. One struck the other and killed him. [7]Now behold! the entire family rose up against your maidservant and said, 'Hand over the one who struck down his brother and we shall put him to death for the life of his brother whom he murdered; we shall also destroy [this] heir!' They would thus extinguish my last remaining coal, not leaving for my husband a name and a remnant on the face of the earth!"

David promises to help her

[8]The king said to the woman, "Go home, and I will issue a command concerning you."

[9]The woman of Tekoa said to the king, "The sin will be upon me and upon my father's family, my lord the king; the king and his throne are innocent!" [10]The king replied, "Whoever speaks [ill] to you, bring him to me, and he will no longer harm you." [11]She said, "May the king remember HASHEM, your God, [to protect me] from the many destructive blood-avengers, so that they not destroy my son!" And he said, "As HASHEM lives, not one hair of your son shall fall to the ground!" [12]The woman then said, "May your maidservant speak a word to my lord the king?" And he said, "Speak."

---

more, these "relatives" could have mediated between the feuding brothers to prevent the bloodshed. Why were they indifferent before, but so disproportionately interested now in seeing justice done, when it was too late?

וְנַשְׁמִידָה גַּם אֶת־הַיּוֹרֵשׁ — *We shall also destroy [this] heir!* Just as my first heir was killed, so too they seek to deprive me of my second and sole remaing heir. *Radak* and *Abarbanel* see great significance in the woman's description of the accused son as an *heir*. She was intimating that greed was the true motive behind the "zealousness" of the family members. By eliminating the woman's last son (her *heir*), these "pursuers of justice" would become entitled to inherit the estate of the widow and her deceased husband. The application to our case, *Abarbanel* explains, is that apparently there were several family members who convinced David to punish Absalom, and these people were instrumental in forming David's uncompromising attitude to keep him in exile. Their true motive, she insinuated, was not sincere moral outrage, but a desire to eliminate the popular Absalom as a possible successor to the throne, thereby increasing their own power base.

Alternatively, the family argued that it was immoral for the murderer, who was the slain brother's heir, to benefit from his crime.

וְכִבּוּ אֶת־גַּחַלְתִּי אֲשֶׁר נִשְׁאָרָה — *They would thus extinguish my last remaining coal.* The surviving son is compared to a glowing coal because he was like a ray of light, of brightness and joy, after the death of her husband and other son (*Radak*). He would also provide her with some warmth in the declining years of her old age (*Abarbanel*).

8. David assured her that her son would not be killed. She should go back home and David would order her relatives to desist.

9-11. The dialogue between the wise woman and David. There are many interpretations offered by the commentators for the enigmatic conversation between the Tekoaite woman and King David. Our commentary will follow *Radak*, along with selections from other commentaries.

9. The woman intimated that if her son were harmed after this royal guarantee of safety, it would be David's fault. Since it would be very disrespectful for her to say such a thing directly, she said it euphemistically, saying that the blame would fall on *her* — when she really meant that the fault would be David's (*Rashi, Radak*). She wanted David to assure her that he would do his utmost to protect her son.

Alternatively, "If anything happens to my son it will be *my* loss, while the king and his throne will not suffer." That is, it is easy for *you* to say, "Go home and don't worry!" but I need more reassurance than that.

10. Accepting her argument, the king replied, *"Whoever speaks [ill] to you, bring him to me."* Thus David assured the woman that he would take a personal interest in her case.

11. יִזְכָּר־נָא הַמֶּלֶךְ אֶת־ה׳ — *May the king remember HASHEM.* If the blood-avengers, who wish to kill my son, should ever come before you and present the other side of the case, may you remember the Divine merciful attributes of *HASHEM*, and reject their demands for punishment (*Abarbanel*, quoting *Ephod*).

Radak translates: *Let the king mention [the name of] HASHEM*, your God, i.e., she asked David to affirm his commitment to her with an oath, taken in the Name of *HASHEM*. David complied, as the verse goes on to say: *And he said, "As HASHEM lives, not one hair of your son shall fall to the ground!"*

Targum (followed by *Rashi*) renders: *May the king remember what is written in the Torah of HASHEM*, your God, concerning the length of the distance. She referred to the commandment (*Deuteronomy* 19:1-9) that conveniently located cities of refuge must be available to unintentional murderers, so that they could easily escape from the blood-avengers of the victim. So too, the woman beseeched, may you emulate God's concern for the perpetrator and not let my only son fall victim to the avengers.

12-17. The woman reveals the intent of her parable. Having been allowed to speak her piece regarding her "case," she now requested permission to speak about a different matter — the true intent of her case. She would now reveal that it had been a parable for David's treatment of Absalom (*Abarbanel*).

הָֽאִשָּׁה֙ וְלָ֣מָּה חָשַׁ֣בְתָּה כָּזֹ֔את עַל־עַ֖ם אֱלֹהִ֑ים וּמִדַּבֵּ֨ר הַמֶּ֜לֶךְ הַדָּבָ֤ר הַזֶּה֙ כְּאָשֵׁ֔ם
יד לְבִלְתִּ֛י הָשִׁ֥יב הַמֶּ֖לֶךְ אֶת־נִדְּחֽוֹ׃ כִּֽי־מ֣וֹת נָמ֔וּת וְכַמַּ֙יִם֙ הַנִּגָּרִ֣ים אַ֔רְצָה אֲשֶׁ֖ר לֹ֣א
טו יֵאָסֵ֑פוּ וְלֹֽא־יִשָּׂ֤א אֱלֹהִים֙ נֶ֔פֶשׁ וְחָשַׁב֙ מַֽחֲשָׁב֔וֹת לְבִלְתִּ֛י יִדַּ֥ח מִמֶּ֖נּוּ נִדָּֽח׃ וְעַתָּ֡ה
אֲשֶׁר־בָּ֜אתִי לְדַבֵּ֨ר אֶל־הַמֶּ֤לֶךְ אֲדֹנִי֙ אֶת־הַדָּבָ֣ר הַזֶּ֔ה כִּ֥י יֵרְאֻ֖נִי הָעָ֑ם וַתֹּ֤אמֶר
טז שִׁפְחָֽתְךָ֙ אֲדַבְּרָה־נָּ֣א אֶל־הַמֶּ֔לֶךְ אוּלַ֗י יַעֲשֶׂ֛ה הַמֶּ֖לֶךְ אֶת־דְּבַ֥ר אֲמָתֽוֹ׃ כִּ֚י יִשְׁמַ֣ע
הַמֶּ֔לֶךְ לְהַצִּ֥יל אֶת־אֲמָת֖וֹ מִכַּ֣ף הָאִ֑ישׁ לְהַשְׁמִ֨יד אֹתִ֤י וְאֶת־בְּנִי֙ יַ֔חַד מִנַּחֲלַ֖ת
יז אֱלֹהִֽים׃ וַתֹּ֙אמֶר֙ שִׁפְחָ֣תְךָ֔ יִֽהְיֶה־נָּ֛א דְּבַר־אֲדֹנִ֥י הַמֶּ֖לֶךְ לִמְנוּחָ֑ה כִּ֣י ׀ כְּמַלְאַ֣ךְ
יח הָאֱלֹהִ֗ים כֵּ֣ן אֲדֹנִ֤י הַמֶּ֙לֶךְ֙ לִשְׁמֹ֙עַ֙ הַטּ֣וֹב וְהָרָ֔ע וַיהוָ֥ה אֱלֹהֶ֖יךָ יְהִ֥י עִמָּֽךְ׃ וַיַּ֣עַן

רש״י

(יג) ולמה חשבתה כזאת. שחשדת לישראל, שיבאו להרוג את השני בלא עדים והתראה: **ומדבר המלך הדבר הזה כאשם**. והדבר הזה שהראית לאחרים, שאמרת לי לא יפול משערת בנך ארצה, עכשיו שאגלה לך שאין הדבר הזה אלא על שני בניך, אל תתחרט לאמר דברתי זה כאשם, והנני חוזר בי, לבלתי השיב המלך את אבשלום בנו שנדחה ממנו וברח לו: **ומדבר המלך**. אוקיונ״ן פרלטי״ש בלע״ז: **(יד) כי מות נמות.** ודיינו באותו עונש: **ולא ישא אלהים נפש.** איש מן המיתה, לפיכך וחשב המלך מחשבות לבלתי ידח ממנו נדח: **(טו) ועתה אשר באתי לדבר אל המלך אדני את הדבר הזה.** בכינוי עלי ועל בני: **כי יראוני העם.** הפחידוני מלבקש את אדוני על בנו, פן יכעוס עלי: **ותאמר שפחתך אדברה נא.** כענין זה, אולי יעשה וגו׳: **(טז) כי ישמע המלך להציל את אמתו מכף האיש.** הבא להרוג את בני, ולהשמידנו יחד מנחלת אלהים: **(יז) ותאמר שפחתך.** מאחר שילוה המלך עלי, יהיה דברו למנוחה לבני, כי לא ישוב מדברו הטוב, כי כמלאך ה׳ אדני המלך, ולא יחזירנו כעס ושנאה מדברו הטוב:

רד״ק

(יג) ולמה חשבתה. כי לא יאמינו שאתה נשבעת שלא ימות בני, אבל יאמרו אם דבר המלך הדבר הזה באשם ובשוגג דבר אותו שהרי הוא אינו משיב אבשלום שהוא ברח מפני שהרג אמנון אחיו ואיך נשבע הוא שזה שהרג אחיו לא יומת ולא יודח: **(יד) כי מות נמות.** כלנו סופנו למות וכמו המים הנגרים ארצה אשר לא יאספו אחרי השפכם במקום מדרון שנגרים, כן נפשות בני אדם לא יאספו עוד אל הגוף מדרך הטבע אלא במעשה נס בתחיית המתים: **ולא ישא אלהים נפש.** שלא יוציאנה מן הגוף, כלומר לא ישא פני כל איש כי כלנו נמות ואין על האדם להרבות שפיכות דם אלא למעטו כמו שיוכל, ואם יהרוג אדם חבירו לא צוה המקום להרגו אם לא הרגו במזיד בעדים ובהתראה כדי למעט שפיכות הדם, ואם הרגו שוגג צוה שיגלה עד זמן ידוע, ולא יהרגו אותו אפילו הרגו מזיד אם אין שם עדים והתראה, וזה שאמרה וְחָשַׁב מַחֲשָׁבוֹת לְבִלְתִּי יִדַּח מִמֶּנּוּ נִדָּח, אלהים חשב מחשבות ושם משפטים לבלתי ידח ההורג, ויש לפרש וְחָשַׁב מַחֲשָׁבוֹת על המלך, כלומר אחר שכן הוא שכלנו סופנו למות יחשוב המלך מחשבות שלא ידח ממנו נדח ואם מת אחד לא יומתו שנים, ויונתן תרגם אלהים דַיָּינָא, ותרגם הפסוק כן הֲרֵי מִיתָא דְמָאִית וּכְמַיָּא דְמִתְאַשְׁדִין וגו׳: **(טו) כי יראני העם.** כבר פירשנו בו פירוש אחד בתחילת הפרשה (פסוק ד) כי על נערי המלך השוערים אמרה. והפירוש הנכון בעיני כי על כל בני עירה אמרה כי הפחידוני העם שלא תועיל צעקתי לפני המלך בדבר הזה: **(יז) למנחה.** שיניחני מדאגתי ומעצבי: **לשמע הטוב והרע.** כלומר שתשפט האמת לפי מה שתשמע:

מצודת דוד

(יג) ולמה חשבתה. רוצה לומר, איך עלתה על דעתך להאמין דברי, לחשוב על בני המשפחה עם ה׳, להתאכזר על בני להרגו מבלי עדים והתראה, והיה לך להשכיל אמיתת הענין, שלמשל נאמר, ובנועם אמריה הפליגה ברוב מעשה הריגת הרוצח מבלי עדים והתראה: **ומדבר המלך.** רוצה לומר, עוד אתמה, מה שדבר המלך הדבר הזה שלא יפול משערת וגו׳, אשר הוא כאשם וכשגגה היוצאת, על בלתי משיב המלך את אבשלום אשר נדח בארץ נכריה, כי הלא הוא דומה בדומה, כי גם לאבשלום לא התרו, ועוד דברים כאלה שאין לו משפט מות (ועל כי חששה פן יחזור המלך מדבריו ולומר כי באמת שגגה היא, לזה הקדימה אמריה ותאמר, למה חשבת כזאת וגו׳, לומר שהדין דין אמת, ועם אבשלום נעשה השגגה, ולחלוק כבוד למלכות, תלתה השגגה בהאמירה, ולא בהמעשה): **(יד) כי מות נמות.** חזרה להביא טענות לטובת אבשלום, ואמרה, הלא כולנו מות נמות, ואם כן ההומת קודם זמנו, אין לו תרעומות רב כל כך, אחרי שסופו למות, ואם כן אין להמית הרוצח בעבור זה, הואיל ולא חייבה התורה, כי בלא התראה נהיתה: **וכמים וגו׳.** רוצה לומר, ועוד, בשלמא הגוזל ממון חבירו, אז כשישיב הגזילה באה היא ליד בעליו, אבל השופך דם אדם, מה שעשה עשוי, ולא תוחזר אליו הנפש עם שפיכת דם הרוצח, וישאר אם כן מת כשהיה, והרי הוא כמים הנגרים ארצה, שאי אפשר לאספם להחזירם למקומם, כי נבלעו בעפר הארץ: **ולא ישא אלהים נפש.** רוצה לומר, ועוד, הלא אין אלהים נושא פנים לשום נפש, ושלם ישלם לאיש כמפעלו, ולטובת האדם חושב מחשבות לשלם גמול בזה העולם, לבל יהיה האדם הנדח במעשיו, מוטרד ונדח ממנו יתברך, כי בהצרף סיגיו יזכה לחזות בנועם ה׳, ואם כן בהשגחה היתה מיתת אמנון, לכפר העון אשר חטא, ואבשלום היה שליח ההשגחה, ואין להאשימו כל כך, בהיות כי לא התרו בו, והתורה פטרתו: **(טו) ועתה.** רוצה לומר, הואיל וכל דברי למשל נאמרו להמליץ טוב על אבשלום, פן תאמר למה את ממשלת משלים, היה לך לדבר דבריך כאשר המה, לזה אמרה, ועתה מה שבאתי לדבר הדבר הזה להיות למשל, כל זה היה לפי שכל העם הפחידוני, לומר, שהמלך יגער בך כאשר תחלי לדבר, כי הליועץ למלך נתנוך: **ותאמר.** לזה אמרתי אדבר דברי בדומה לו, ואולי על ידי זה ימלא שאלתי: **(טז) כי ישמע.** כאשר ישמע המלך להציל אותו מיד האיש הגואל הדם הרוצה להשמיד אותי להיות שכולה מבני: **יחד.** כי במיתתו יושמד הוא, ואני אהיה שכולה ממנו: **מנחלת אלהים.** מהנחלה הניתן לנו מן השמים, לשירשו הם: **(יז) ותאמר.** אז אמרה שפחתך, יהיה דבר המלך למנוחה לבנו, כמו שהציל את בני לפי מחשבתו שבאמת נעשתה הדבר, כמו כן ינוח לבנו, על כי היותה בדומה לו: **כי כמלאך.** רוצה לומר, הן ידעתי שבל יתחלף מעשיך למאמריך, ולא יחזירך הכעס והשנאה מדבריך הטובים והישרים אשר דברת עד כה, כי כמלאך האלהים שאין בו התחלפות מצד עצמו, כן אדוני, כי נפשו משכלת להבין מהו הטוב ומהו הרע, וישכיל אם כן אשר ההתחלפות רעה היא, ויחדל ממנה: **וה׳.** כהתימה לדבר דבריה, רצתה להפטר ממנו, ואמרה לו, וה׳ אלהיך יהיה עמך, כדרך הנפטרים:

מצודת ציון

(יג) כאשם. ענין שגגה: **(יד) הנגרים.** ענין הזלה ונטיפה, כמו (מיכה א, ד), כמים מוגרים במורד:

---

13. וְלָמָּה חָשַׁבְתָּה כָּזֹאת עַל־עַם אֱלֹהִים — *"Why do you think such a thing about God's people?"* Surely you must understand that my story is only a parable, for it is impossible to attribute such cruel behavior to God's people! They would never seek to kill a man who had committed murder without being warned and without eyewitnesses to the crime. Given that you have

The woman turns the tables

[13]The woman said, "Why do you think such a thing about God's people? And let the king not say now about this matter that he was mistaken, in order for the king not to return his own banished one. [14]For we shall all die, like water flowing along the ground that cannot be collected, God spares no one. [Let the king, therefore,] ponder thoughts so that no one be banished from him. [15]And now, the reason I have come to speak to the king, my lord, in this manner is because the people frightened me; so your maidservant thought, 'I shall speak to the king and perhaps the king will carry out the word of his maidservant. [16]For the king would listen, to save his maidservant from the clutches of "that man" [who wishes] to obliterate me and my son alike from the heritage of God.' [17]So your maidservant said, 'Let the word of my lord the king bring about tranquility [for his own son].' For like an angel of God, so is my lord, the king, listening to the good and the bad. May Hashem *your God be with you!"*

---

responded to my parable by promising to guarantee the safety of my "guilty son," you should now carry out your verdict by bringing Absalom back. Whatever you said about my son should apply equally to your son (*Rashi*).

Abarbanel renders: *From the king's speaking of these words, he is like a guilty person*, i.e., it follows from your own judgment (that the son in the parable should be pardoned), that your conduct regarding Absalom is wrong.

14. The woman continued to press her argument, saying that there was no need for David to be the judge and the agent of the court in punishing Absalom. Death is inevitable and irreversible, just as it is impossible to gather up running water. It is man's responsibility to preserve life, not take it. The Torah prescribes when a murderer is liable to the death penalty, but if someone killed without warning and witnesses, we must leave his punishment to the Omniscient God (*Radak*).

According to *Abarbanel*, she presented four points in this verse, in which she combined emotion with logic. Her first two arguments had no legal basis, but were emotional pleas: (1) *We shall all die* — Amnon would not have lived forever; Absalom only hastened the inevitable. (2) Amnon's lost life is like *water* irretrievably *flowing along the ground.* Killing or exiling Absalom will not bring Amnon back. (3) Her logical/legal argument was that *God spares no one.* In a case like Absalom's, where one is not subject to execution because there were no warnings and witnesses, God will exact His own judgment, in one way or another, sooner or later. If so, David should leave Absalom's fate in God's hands. (4) Another emotional plea: God wishes *that no one be banished from Him*, i.e., His desire is that all people, even sinners, be able to enjoy the rewards of the World to Come. To make this possible, He often punishes people in this life so that they will be spared the agony of Gehinnom. Thus it may be that Amnon deserved to die for what he did to Tamar; Absalom was merely the agent and should not be made to suffer inordinately.

14. לְבִלְתִּי יִדַּח מִמֶּנּוּ נִדָּח — *So that no one be banished from him.* In addition to its meaning in this verse, the phrase alludes to God's guidance of history so that it will lead to the End of Days, when all will recognize His sovereignty and realize that all events were part of His plan. During this process, God wants everyone to have a share in the ultimate Redemption (*Daas Tevunos*).

Even when someone has drifted so far from God's will that he can be described as *banished*, God never gives up hope, The gates of repentance always remain open (*Yismach Yisrael*).

God's desire that no one be *banished from Him* is illustrated by the twelve spies whom Moses sent to bring back a report about *Eretz Yisrael.* Only Caleb and Joshua had faith that God would help[the Jews overcome any obstacl es, but the other ten spies delivered a frightening and libelous report about the Land. They influenced the nation to spurn *Eretz Yisrael (*see *Numbers* chs. 13-14). So grievous was their sin that they were denied a share in the World to Come (*Sanhedrin* 108b). It seems strange, therefore that the rule that the most sacred prayers [דָּבָר שֶׁבִּקְדֻשָּׁה] require a quorum of ten is derived directly from the fact that there were ten evil spies. Why should such sinful and undeserving people be related to the holiest moments of prayer? However, as noted above, God wants everyone to share in spiritual heights, even the spies. Their *own* deeds disqualified them, but the merit of countless Jews participating in communal prayer — with the laws of the quorum derived from the spies — will accrue for them the merit needed to ascend to the World to Come (*Devarim Nechmadim*).

15-16. The Tekoaite woman explained why she had not spoken directly about Absalom, instead using a roundabout parable. *And now, the reason I have come to speak to the king, my lord, in this manner is because the people frightened me*, that had I come with an open appeal for Absalom, you would have been angry with me (*Rashi*). I thought, *"I shall speak to the king* — through a parable, and then — *perhaps the king will carry out the word of his maidservant*. Therefore I decided to present my arguments this way, so that *the king would listen, to save his maidservant from the clutches of 'that man'* — i.e., the fictitious family of the parable — *[who wishes] to obliterate me*."

17. כִּי כְּמַלְאַךְ הָאֱלֹהִים כֵּן אֲדֹנִי הַמֶּלֶךְ — *For like an angel of God, so is my lord, the king*. Like the angels, who have no passions and who exist solely to carry out God's will, you would never allow emotions such as anger or hatred to change your favorable decision (*Rashi*).

It is difficult for a human being to make completely objective decisions, because people are influenced by their preju-

הַמֶּלֶךְ וַיֹּאמֶר אֶל־הָאִשָּׁה אַל־נָא תְכַחֲדִי מִמֶּנִּי דָּבָר אֲשֶׁר אָנֹכִי שֹׁאֵל אֹתָךְ
יט וַתֹּאמֶר הָאִשָּׁה יְדַבֶּר־נָא אֲדֹנִי הַמֶּלֶךְ: וַיֹּאמֶר הַמֶּלֶךְ הֲיַד יוֹאָב אִתָּךְ בְּכָל־זֹאת
וַתַּעַן הָאִשָּׁה וַתֹּאמֶר חֵי־נַפְשְׁךָ אֲדֹנִי הַמֶּלֶךְ אִם־אִשׁ ׀ לְהֵמִין וּלְהַשְׂמִיל מִכֹּל
אֲשֶׁר־דִּבֶּר אֲדֹנִי הַמֶּלֶךְ כִּי־עַבְדְּךָ יוֹאָב הוּא צִוָּנִי וְהוּא שָׂם בְּפִי שִׁפְחָתְךָ אֵת כָּל־
כ הַדְּבָרִים הָאֵלֶּה: לְבַעֲבוּר סַבֵּב אֶת־פְּנֵי הַדָּבָר עָשָׂה עַבְדְּךָ יוֹאָב אֶת־הַדָּבָר הַזֶּה
כא וַאדֹנִי חָכָם כְּחָכְמַת מַלְאַךְ הָאֱלֹהִים לָדַעַת אֶת־כָּל־אֲשֶׁר בָּאָרֶץ: וַיֹּאמֶר
הַמֶּלֶךְ אֶל־יוֹאָב הִנֵּה־נָא °עָשִׂיתִי אֶת־הַדָּבָר הַזֶּה וְלֵךְ הָשֵׁב אֶת־הַנַּעַר אֶת־ °נ״א עָשִׂיתָ
כב אַבְשָׁלוֹם: וַיִּפֹּל יוֹאָב אֶל־פָּנָיו אַרְצָה וַיִּשְׁתַּחוּ וַיְבָרֶךְ אֶת־הַמֶּלֶךְ וַיֹּאמֶר
יוֹאָב הַיּוֹם יָדַע עַבְדְּךָ כִּי־מָצָאתִי חֵן בְּעֵינֶיךָ אֲדֹנִי הַמֶּלֶךְ אֲשֶׁר־עָשָׂה הַמֶּלֶךְ
כג אֶת־דְּבַר °עבדו [°עַבְדֶּךָ ק׳]: וַיָּקָם יוֹאָב וַיֵּלֶךְ גְּשׁוּרָה וַיָּבֵא אֶת־אַבְשָׁלוֹם
כד יְרוּשָׁלָם: וַיֹּאמֶר הַמֶּלֶךְ יִסֹּב אֶל־בֵּיתוֹ וּפָנַי לֹא יִרְאֶה וַיִּסֹּב אַבְשָׁלוֹם
כה אֶל־בֵּיתוֹ וּפְנֵי הַמֶּלֶךְ לֹא רָאָה: וּכְאַבְשָׁלוֹם לֹא־הָיָה אִישׁ־יָפֶה בְּכָל־
כו יִשְׂרָאֵל לְהַלֵּל מְאֹד מִכַּף רַגְלוֹ וְעַד קָדְקֳדוֹ לֹא־הָיָה בוֹ מוּם: וּבְגַלְּחוֹ אֶת־רֹאשׁוֹ
וְהָיָה מִקֵּץ יָמִים לַיָּמִים אֲשֶׁר יְגַלֵּחַ כִּי־כָבֵד עָלָיו וְגִלְּחוֹ וְשָׁקַל אֶת־שְׂעַר רֹאשׁוֹ

רש״י

(יט) אם אש. כמו אם יש, כמו היש, וכן (מיכה ו, י), עוד האש בית רשע, כמו היש: **(כ) לבעבור סבב.** לגלגל, עד שיצא דבר בנו של המלך לאור: **ואדני חכם.** והבנת כי מאת יואב יצאת:

רד״ק

(יט) היד יואב. עצתו ודברו: **אם אש להמין ולהשמיל.** אש חסר יו״ד והוא כמשמעו ויונתן תרגם אִם, אִית, כמו היש, וכן הַאִשׁ בֵּית רָשָׁע (מיכה ו, י) שהוא חסר, תרגם האית, ופירוש הפסוק לדעת יונתן אם יש לנטות ימין ושמאל מכל אשר דברת אלא כן הוא כמו שאתה אומר כי עבדך יואב צוני. ואם נפרש איש כמשמעו יהיה פירושו כן, אם איש אחר צוני להימין ולהשמאיל מכל הדברים האלה אלא כאשר דבר אדוני המלך כן הוא כי עבדך יואב הוא היה שצוני, ויהיה פירוש אֲשֶׁר כמו כאשר, וכן תֹּאכַל מַצּוֹת אֲשֶׁר צִוִּיתִךָ (שמות לד, יח) כאשר צויתיך, ויהיה מִכֹּל אֲשֶׁר דִּבֶּר נסתר עמו, ופירושו מכל מה אשר אמרתי, וכמוהו רבים במקרא להיות מלה חסרה מן הענין בהיות הדבר מובן מן הענין הקודם, כמו שכתבנו בספר מכלל: **(כ) לדעת את כל אשר בארץ.** בין בדבריך בין בדברים אחרים: **(כא) הנה נא עשיתי.** ששמעת לדברי האשה המדברת אלי במצותיך, ונסחא מדוייקת מצאתי כתוב עשיתי וקרי עָשִׂיתָ, ופירוש לאותה הנסחא אתה עשית את הדבר הזה לשלוח לי התקועית לסבב פני הדבר על אבשלום, לך השיבו כדברך: **(כב) אל פניו.** כמו על פניו, כמו אֶל הֶהָרִים לֹא אָכָל (יחזקאל יח, ו) על ההרים: **עבדו.** כתיב עַבְדֶּךָ קרי, והענין אחד הוא: **(כה) וכאבשלום לא היה איש יפה.** סמוך לסיפור המרד שמרד באביו ספר מה גרם לו זה, כי היה יפה ובכל ישראל לא היה כמוהו, ונתגאה ביופיו ובשערו וחשב כי אין ראוי למלוכה מבני דוד כמוהו, ומרד, אולי שמע כי בלב המלך להמליך שלמה אחריו ומרד על אביו בחייו וגנב לב ישראל: **(כו) ובגלחו.** אמרו רז״ל (נזיר ד, ב) כי אבשלום נזיר עולם היה כן היתה קבלה בידם, כי מן הפסוקים לא ראו זה כי אפשר כי הוא היה מגדל שערו ליופי שערו להתגאות בו ולהתנאות ומשנה לשנה כשהיה כבד עליו שלא יוכל לסבלו היה מגלחו, אבל הם ז״ל קבלו כי בנזירות היה מגדל אותו, ולמדו מזה כי מי שנדר בנזיר עולם כל ימי חייו כשהכביד שערו מיקל בתער משנים עשר חדש לשנים עשר חדש, שנאמר וְהָיָה מִקֵּץ יָמִים לַיָּמִים זהו משנה לשנה, כי ימים הוא שנה כמו יָמִים תִּהְיֶה גְאֻלָּתוֹ (ויקרא כה, כט):

מצודת דוד

(יח) אל נא תכחדי. אל תעלימי ממני אמיתת הדבר אשר אשאל אותך: **(יט) היד יואב.** האם כח חכמת יואב עם כל דבריך: **אם אש להמין.** אם יש לנטות לימין או לשמאל מכל דברי אדוני אשר ידבר בכל עת, כי מזה נראה גודל החכמה אשר בו: **הוא צוני.** ללכת אל אדוני: **והוא שם וגו׳.** כל דברי המשל, שם הוא בפי: **(כ) לבעבור סבב.** רוצה לומר, ומה ששלח אותי ולא הלך בעצמו, כי לבעבור סבב וגו׳ עשה הדבר הזה לשלחני במקומו, כי אני הלא יכולה הייתי לדבר בדומה לו, להסב ממנו דבר הנרצה, והוא פני הדבר ותחלת המחשבה, אבל יואב עצמו, לא היה לו מקום לסבב הדבר הנרצה בזה האופן, ולא רצה גם הוא לדבר הדבר באר היטב: **לדעת וגו׳.** כי השכלת לדעת ממי יצאו הדברים, והנה בעבור רוב החכמה שבך, אין לנטות מדבריך ימין ושמאל: **(כא) עשיתי וגו׳.** לשלח את התקועית, לזה לך והשיבו, כי המתחיל בדבר עליו לגמרו: **(כה) להלל מאד.** הראוי להלל מאוד: **(כו) והיה.** עת גלוחו היה מסוף שנה לסוף שנה:

מצודת ציון

(יח) תכחדי. ענין העלמה, כמו (תהלים סט, ו), ואשמותי ממך לא נכחדו: **(יט) אש.** הוא כמו יש, וכן (מיכה ו, י), עוד האש בית רשע: **להמין ולהשמיל.** מלשון ימין ושמאל: **(כ) פני הדבר.** תחילת הדבר: **(כו) ימים.** שנה:

dices and desires. David, however, had repented so intensely after the sin of Bath-sheba that he could say of himself in all honesty that he had completely conquered his evil inclination (*Berachos* 61b). Thus the woman could justly say of him that he had the objectivity of an angel (*Beer Moshe*).

18-20. David deduces Joab's involvement. It was clear to David that this woman had no reason to speak in defense of Absalom, whom she did not know, so he immediately suspected Joab as being behind the plan (*Abarbanel*).

18. אַל־נָא תְכַחֲדִי מִמֶּנִּי — *Do not conceal from me.* David wanted to be sure that she would not continue to deceive him by pretending that it was her own idea to come with her parable. She might feel that she was not at liberty to reveal who had sent her, so he ordered her to respond truthfully.

David deduces Joab's involvement ...

[18]*The king then spoke up and said to the woman, "Do not conceal from me anything of that which I ask of you"; and the woman said, "Let my lord, the king, speak."* [19]*The king asked, "Is Joab's hand [involved] with you in all this?" The woman spoke up and said, "As your soul lives, my lord, the king, one cannot veer right or left from all that my lord, the king, has spoken; for your servant Joab was the one who instructed me, and he put all these words into the mouth of your maidservant;* [20]*your servant Joab did this thing to lead up to the matter [of Absalom] in a roundabout way. My lord is wise like the wisdom of an angel of God, knowing everything in the land!"*

... and sends Joab to bring Absalom back

[21]*The king then said to Joab, "Behold now! — I have done this thing, so go and bring back the lad, Absalom."* [22]*Joab then fell upon his face to the ground, and he prostrated himself and blessed the king. Joab said, "Today your servant realizes that I have found favor in your eyes, my lord, the king, for the king has carried out the request of your servant."*

[23]*Joab then got up and went to Geshur, and brought Absalom to Jerusalem.* [24]*The king said, "Let him go around to his house, but let him not see my face!" So Absalom went around to his house and did not see the king's face.*

Absalom's physical beauty

[25]*There was no one in all of Israel as praiseworthy for his beauty as Absalom; from the bottom of his foot to the top of his head there was no blemish in him.* [26]*When he would have his head barbered — at the end of every year he would have his hair barbered, because it became heavy upon him and he had it barbered — the hair of his head weighed*

---

19. Not only did Joab send me, he prepared me for the king's reaction and even for the king's recognition that the parable was his, because no one knows the king better than he (*Malbim*).

20. She said that Joab had orchestrated her performance *in a roundabout way,* because he knew that a direct plea for Absalom would not have succeeded.

She exclaimed, "*My lord is wise like the wisdom of an angel of God, knowing everything in the land!*" because David had recognized Joab's hand in her ploy (*Rashi*).

21-24. The king sends for Absalom, but . . . The external exile would end, but David was not ready to "rehabilitate" Absalom.

21. הִנֵּה־נָא עָשִׂיתִי אֶת־הַדָּבָר הַזֶּה — *Behold now! — I have done this thing.* I have consented to forgive Absalom. An alternate reading in some editions is עָשִׂיתָ, *you have done*, i.e., "*You, Joab*, have arranged this elaborate scheme" (*Radak*). In most editions, the word is spelled with a *yud, I have done,* but pronounced without it, *you have done.* The two versions may imply that David said, "The decision is mine, but it was taken because of you."

24. יִסֹּב אֶל־בֵּיתוֹ וּפָנַי לֹא יִרְאֶה — "*Let him go around to his house, but let him not see my face.*" In order to prevent Absalom's return from being perceived as a triumphant procession and a vindication of his deplorable conduct, David issued two orders: (1) that Absalom not reenter his house through the main streets; and (2) that he never enter into the presence of the king.

25-33. Absalom's ambition and his tactic to force a reunion with David. Ever conscious of his physical beauty and craving for high royal status, Absalom chafes at his isolation from David. He wants recognition as the crown prince and works to gain a following. Finally, his violent streak reemerges.

25-26. Absalom was unusually handsome, the most attractive-looking man in the country. This made him admired, but also vain. He considered himself far and away the eligible candidate to succeed David, and may have been jealous and resentful if he had heard that Solomon was David's designated heir. These facts serve as an introduction to the next chapter, which deals with Absalom's attempt to depose David and seize the throne (*Radak).*

Abarbanel disagrees. If this passage introduces the next chapter, he contends, it should not have been inserted in the middle of this narrative of Absalom's efforts to regain David's favor. He therefore suggests that Scripture means to tell us that despite Absalom's attractiveness, which undoubtedly endeared him all the more to David as it did to all of Israel, the king still refused to so much as gaze at him. If so, David's refusal to see him is a tribute to the king's righteousness. He would not let Absalom's popularity and attractiveness — or even fatherly love — sway him. Absalom's heinous crime disqualified him from royal status.

26. וּבְגַלְּחוֹ אֶת־רֹאשׁוֹ — *When he would have his hair barbered.* Absalom had taken a vow to be a Nazirite for his entire life, and was therefore permitted to trim his hair only when it became uncomfortably heavy, which is every twelve months. When this was done, such a Nazirite also brings the offerings prescribed by the Torah (*Nazir* 4b; see *Numbers* 6:5).

Abarbanel, however, believes that according to the plain meaning of the text, Absalom grew his hair long not for religious reasons, but out of sheer vanity.

כז מָאתַיִם שְׁקָלִים בְּאֶבֶן הַמֶּלֶךְ: וַיִּוָּלְדוּ לְאַבְשָׁלוֹם שְׁלוֹשָׁה בָנִים וּבַת אַחַת וּשְׁמָהּ
כח תָּמָר הִיא הָיְתָה אִשָּׁה יְפַת מַרְאֶה: וַיֵּשֶׁב אַבְשָׁלוֹם בִּירוּשָׁלַםִ שְׁנָתַיִם
כט יָמִים וּפְנֵי הַמֶּלֶךְ לֹא רָאָה: וַיִּשְׁלַח אַבְשָׁלוֹם אֶל־יוֹאָב לִשְׁלֹחַ אֹתוֹ אֶל־הַמֶּלֶךְ
ל וְלֹא אָבָה לָבוֹא אֵלָיו וַיִּשְׁלַח עוֹד שֵׁנִית וְלֹא אָבָה לָבוֹא: וַיֹּאמֶר אֶל־עֲבָדָיו רְאוּ
חֶלְקַת יוֹאָב אֶל־יָדִי וְלוֹ־שָׁם שְׂעֹרִים לְכוּ והוצתיה [וְהַצִּיתוּהָ ק׳] בָאֵשׁ וַיַּצִּתוּ
לא עַבְדֵי אַבְשָׁלוֹם אֶת־הַחֶלְקָה בָּאֵשׁ: וַיָּקָם יוֹאָב וַיָּבֹא אֶל־אַבְשָׁלוֹם
לב הַבָּיְתָה וַיֹּאמֶר אֵלָיו לָמָּה הִצִּיתוּ עֲבָדֶיךָ אֶת־הַחֶלְקָה אֲשֶׁר־לִי בָּאֵשׁ: וַיֹּאמֶר
אַבְשָׁלוֹם אֶל־יוֹאָב הִנֵּה שָׁלַחְתִּי אֵלֶיךָ ׀ לֵאמֹר בֹּא הֵנָּה וְאֶשְׁלְחָה אֹתְךָ אֶל־
הַמֶּלֶךְ לֵאמֹר לָמָּה בָּאתִי מִגְּשׁוּר טוֹב לִי עֹד אֲנִי־שָׁם וְעַתָּה אֶרְאֶה פְּנֵי הַמֶּלֶךְ
לג וְאִם־יֶשׁ־בִּי עָוֹן וֶהֱמִתָנִי: וַיָּבֹא יוֹאָב אֶל־הַמֶּלֶךְ וַיַּגֶּד־לוֹ וַיִּקְרָא אֶל־אַבְשָׁלוֹם
וַיָּבֹא אֶל־הַמֶּלֶךְ וַיִּשְׁתַּחוּ לוֹ עַל־אַפָּיו אַרְצָה לִפְנֵי הַמֶּלֶךְ וַיִּשַּׁק הַמֶּלֶךְ
טו א לְאַבְשָׁלוֹם: וַיְהִי מֵאַחֲרֵי כֵן וַיַּעַשׂ לוֹ אַבְשָׁלוֹם מֶרְכָּבָה וְסֻסִים וַחֲמִשִּׁים

רש״י

(ל) **אל ידי.** סמוך לרשותי, במקום שאני יכול להזיק: **אל ידי.** אינמי״ש אוש״ט בלע״ז: (לב) **והמיתני.** ויהרוג אותי המלך:

רד״ק

באבן המלך. כתרגום בְּמַתְקְלָא דְמַלְכָּא, כמו לֹא יִהְיֶה לְךָ בְּכִיסְךָ אֶבֶן וָאָבֶן (דברים כה, יג) שהוא משקל: (ל) **אל ידי.** סמוך למקום שדותי, וכן תרגם יונתן דִסְמִיכָא לְדִילִי: **לכו והציתוה.** הכתוב הוא על דרך נחי הפ״א למדבר בעדו, רצה לומר שהוא עצמו ילך עמהם, והקרי הוא על דרך חסרי הפ״א והוא צווי לרבים, ושניהם ענין אחד אלא שהקרי יותר קרוב: (לב) **ואם יש בי עון.** כי לא לחנם הרגתי אמנון כי הוא ענה את תמר אחותי ובזה אותה בתכלית הבזיון:

מצודת דוד

מאתים. והיו במשקל מאתים שקלים: (ל) **ראו.** הסתכלו לדעת חלקת יואב אשר היא אל ידי, סמוכה למקום חלקתי: (לב) **בא הנה וגו׳.** ועל שלא באת, צויתי להצית החלקה, בכדי שתבוא הנה: **למה באתי.** מה תועלת בביאתי אם אינני רואה פני המלך: **טוב לי וגו׳.** כי שם הייתי רואה פני המלך אבי אמי: **ואם יש בי עון.** רוצה לומר, בראותי פניו, אשיב אמרים על מה הרגתי את אמנון, ואם אף על פי כן ימצא בי עון כי לא יקבל אמרי, אזי מקבל אני עלי המיתה, והנני אמות: (א) **מאחרי כן.** אחר שמחל לו אביו על עונו:

מצודת ציון

באבן המלך. במשקל המלך, כמו (דברים כה, יג), לא יהיה לך בכיסך אבן ואבן על שם שדרכה להיות מאבן: (ל) **חלקת.** אחוזת שדה, כמו (בראשית לג, יט), ויקן את חלקת השדה: **אל ידי.** אל מקומי: **והציתוה.** מלשון הצתה והבערה: (א) **ויעש.** ענין אסיפה וקנין, כמו (שם יב, ה), הנפש אשר עשו בחרן: **מרכבה.** עגלה לרכוב בו:

בְּאֶבֶן הַמֶּלֶךְ — *By the king's weight.* The term *shekel* in the times of Scripture had more than one weight, or value. Therefore the verse defines which shekel weight was used for Absalom's hair.

Why did Absalom bother to weigh his hair? Perhaps he donated an equal weight of gold or silver to the Temple or to the poor; or perhaps he simply wanted to show off how extensive his remarkable hair growth was (*Ralbag*).

The weight of Absalom's shorn hair, *two hundred shekels*, was somewhat over four pounds, according to the calculations of the *Chazon Ish*. This was a prodigious weight, which is mentioned because it increased people's admiration for Absalom's physical beauty. His quest for recognition may have motivated him to make a ritual of his haircutting.

⁂ **The symbolism of the hair.** *Maharal* explains what the hair represents and why Scripture mentions it. Hair has no real life and is extraneous to the life or health of a person. That Absalom attached such significance to his hair indicates that he valued things that were excessive and were not part of his essence. Such a person could attempt to seize the throne, something to which he had no right and which had no connection to his inner essence.

27-28. Even though Absalom had given David four grandchildren, the king would not see him. According to one opinion (see comm. to 18:18), Absalom's children had died and David did not come to console him, thus making it even clearer that the king would not do anything that could imply that he condoned Absalom's killing of Amnon (*Malbim*).

29. וַיִּשְׁלַח אַבְשָׁלוֹם אֶל־יוֹאָב . . . וְלֹא אָבָה לָבוֹא — *Absalom then sent for Joab . . . but he refused to come.* Joab knew what Absalom wanted of him, but, knowing that he could not effect a reconciliation between David and Absalom, he did not want to become involved (*Malbim*). Furthermore, although Joab was the one who brought Absalom back, the prince's behavior may have convinced him that Absalom was too ambitious and a potential menace to the stability of the country (*Parshiyos b'Sifrei HaNeviim*).

30. רְאוּ חֶלְקַת יוֹאָב אֶל־יָדִי. . . לְכוּ וְהַצִּיתוּהָ -- *Take note of Joab's field that is next to mine . . . and go and set it on fire.* Through this shocking criminal act, Absalom was sending a message that he considered it a grave injustice — deserving of a ruthless reaction — that Joab had brought him back to Jerusalem only for him to be subject to the humiliation of being ostracized by the king (see v. 32). This persuaded Joab to approach

two hundred shekels by the king's weight. [27]*To Absalom were born three sons and one daughter, named Tamar, who was a beautiful woman.*

Absalom forces a reunion with David

[28]*Absalom lived in Jerusalem for two full years and did not see the king's face.* [29]*Absalom then sent for Joab, in order to send him to the king, but he refused to come to him. He sent again, but he refused to come.* [30]*He then said to his servants, "Take note of Joab's field that is next to mine, where he has barley, and go and set it on fire." So Absalom's servants set the field on fire.* [31]*Joab then arose and went to Absalom, into the house, and said to him, "Why did your servants set my field on fire?"* [32]*Absalom answered Joab, "Behold! — I sent for you, saying, 'Come here that I may send you to the king to say, "Why have I come from Geshur? It would be better for me if I were still there!' " And now, let me see the king's face, and if I am guilty of a sin, let him put me to death!"*

[33]*So Joab came to the king and told him. He summoned Absalom and he came to the king, prostrating himself upon his face to the ground before the king, and the king kissed Absalom.*

15

[1]*It happened after this that Absalom prepared for himself chariot and horses and fifty*

---

the king with Absalom's request (*Malbim*).

32. **טוֹב לִי עֹד אֲנִי־שָׁם** — *It would be better for me if I were still there!* In Geshur, Absalom's enemies would say, "We dare not harm this man, for perhaps his father, the king of Israel, still loves him." But now that I am in Jerusalem and my father has so demonstratively shunned me, I am vulnerable to attack from anyone who seeks to kill me (*Mahari Kara*).

Alternatively, in Geshur I had the prestige of living in the court of the king, my maternal grandfather (*Metzudos*).

וְאִם־יֶשׁ־בִּי עָוֹן וֶהֱמִתָנִי — *And if I am guilty of a sin, let him put me to death!* I shall explain to him why I was justified in killing Amnon, and he will acknowledge that I was right. If David still holds me culpable for Amnon's death, let him execute me; if not, let him resume normal relations with me (*Radak*).

33. **וַיִּשַּׁק הַמֶּלֶךְ לְאַבְשָׁלוֹם** — *And the king kissed Absalom.* The prefix *lamed* [**לְאַבְשָׁלוֹם**, *to Absalom*] implies that the kiss was not on the lips, that it was without warmth and affection (*Ralbag*). Thus the "reconciliation" was perfunctory, which set the stage for Absalom's treachery in the next chapter.

15.

Absalom's rebellion. In what is surely one of the saddest episodes in Scripture, the next four chapters describe Absalom's attempt to usurp the throne [and, according to most commentators, to kill his own father]. The rebellion involved killing and sexual immorality, which were a measure-for-measure response for David's conduct with Uriah and Bath-sheba; it was the final segment of David's punishment for that sin (*Abarbanel*).

Absalom was nearly successful. Most of the nation backed him and David was forced to leave Jerusalem with but a small group of loyal followers. On the surface, it seems incomprehensible that the nation of God could turn against its greatest king, the Sweet Singer of Israel, the man whom tradition places on a plane with the Patriarchs and Moses and Aaron. Probably, this was God's way of punishing David. In the plain sense of the narrative, the popularity of the rebellion may be seen as a reflection of the extraordinarily high standards expected of people as great as David and the exacting way in which their conduct is judged. The nation may have thought that David's conduct in the affair of Bath-sheba disqualified him from leadership. However, he emerged from this catastrophe with renewed support and respect.

Parshiyos b'Sifrei HaNeviim conjectures as to why the narrative goes into very great detail. He explains that the prophet wishes to show how God's providence saved David and to demonstrate how his response to the rebellion and to the former "friends" who turned against him exemplifies his sterling character and total faith in God. His lack of rancor and absolute refusal to let his followers retaliate illustrates his spiritual greatness. In addition to Absalom's reprehensible behavior, Scripture recounts the counsel of Ahithophel, the brilliant but treacherous adviser to David, who changed his allegiance and joined Absalom. The rationale of Absalom and Ahithophel was that David had forfeited his right to the throne as a result of his sin with Bath-sheba, but that Absalom was eminently qualified to become king.

1-6. Absalom connives to gain a following. Absalom's delusion of grandeur was ready to assert itself in the form of a usurpation. Cleverly and imperceptibly, he began acting like a king, and making himself popular with the masses. When he was ready to make his move, he would have an army of followers who would consider him worthy of the throne.

1. **וַיַּעַשׂ לוֹ אַבְשָׁלוֹם מֶרְכָּבָה וְסֻסִים** — *Absalom prepared for himself chariot and horses.* That the verse mentions horses implies that Absalom purchased horses in great numbers. Even Jewish kings avoided having more horses than necessary, in accordance with the Torah's commandment of *Deuteronomy* 17:16. For Absalom, not a king, to do so was highly irregular (*Ralbag*).

ב אִישׁ רָצִים לְפָנָיו: וְהִשְׁכִּים אַבְשָׁלוֹם וְעָמַד עַל־יַד דֶּרֶךְ הַשָּׁעַר וַיְהִי כָּל־הָאִישׁ
אֲשֶׁר־יִהְיֶה־לּוֹ־רִיב לָבוֹא אֶל־הַמֶּלֶךְ לַמִּשְׁפָּט וַיִּקְרָא אַבְשָׁלוֹם אֵלָיו וַיֹּאמֶר
ג אֵי־מִזֶּה עִיר אַתָּה וַיֹּאמֶר מֵאַחַד שִׁבְטֵי־יִשְׂרָאֵל עַבְדֶּךָ: וַיֹּאמֶר אֵלָיו אַבְשָׁלוֹם
ד רְאֵה דְבָרֶךָ טוֹבִים וּנְכֹחִים וְשֹׁמֵעַ אֵין־לְךָ מֵאֵת הַמֶּלֶךְ: וַיֹּאמֶר אַבְשָׁלוֹם מִי־
יְשִׂמֵנִי שֹׁפֵט בָּאָרֶץ וְעָלַי יָבוֹא כָּל־אִישׁ אֲשֶׁר־יִהְיֶה־לּוֹ רִיב וּמִשְׁפָּט וְהִצְדַּקְתִּיו:
ה־ו וְהָיָה בִּקְרָב־אִישׁ לְהִשְׁתַּחֲוֺת לוֹ וְשָׁלַח אֶת־יָדוֹ וְהֶחֱזִיק לוֹ וְנָשַׁק־לוֹ: וַיַּעַשׂ
אַבְשָׁלוֹם כַּדָּבָר הַזֶּה לְכָל־יִשְׂרָאֵל אֲשֶׁר־יָבֹאוּ לַמִּשְׁפָּט אֶל־הַמֶּלֶךְ וַיְגַנֵּב
ז אַבְשָׁלוֹם אֶת־לֵב אַנְשֵׁי יִשְׂרָאֵל: וַיְהִי מִקֵּץ אַרְבָּעִים שָׁנָה וַיֹּאמֶר
אַבְשָׁלוֹם אֶל־הַמֶּלֶךְ אֵלְכָה נָּא וַאֲשַׁלֵּם אֶת־נִדְרִי אֲשֶׁר־נָדַרְתִּי לַיהוָה בְּחֶבְרוֹן:
ח כִּי־נֵדֶר נָדַר עַבְדְּךָ בְּשִׁבְתִּי בִגְשׁוּר בַּאֲרָם לֵאמֹר אִם־ישיב [יָשׁוֹב ק] יְשִׁיבֵנִי
ט יהוה יְרוּשָׁלַם וְעָבַדְתִּי אֶת־יהוה: וַיֹּאמֶר־לוֹ הַמֶּלֶךְ לֵךְ בְּשָׁלוֹם וַיָּקָם וַיֵּלֶךְ
י חֶבְרוֹנָה: וַיִּשְׁלַח אַבְשָׁלוֹם מְרַגְּלִים בְּכָל־שִׁבְטֵי יִשְׂרָאֵל לֵאמֹר כְּשָׁמְעֲכֶם

רש״י

(א) וחמשים איש וגו'. כולם נטולי טחול, וחקוקי כפות רגלים: **(ב) והשכים אבשלום.** בכל בקר: **מאחד שבטי ישראל עבדך.** משבט פלוני: **(ד) והצדקתיו.** (תרגום) ואדיננה בקושטא: **(ז) מקץ ארבעים שנה.** משאלו ישראל מלך משמואל, נתגלגל דבר מרד והשפלה במלכות: **אלכה נא.** לחברון: **ואשלם את נדרי.** אמרו רבותינו (סוטה לד, ב), להביא כבשים מחברון, כי שם היו כבשים שמנים:

רד״ק

(ב) והשכים. כן היה מנהגו בכל בקר ובקר: **על יד דרך השער.** על מקום שהיה בדרך השער, ויונתן תרגם על כִּבַשׁ אוֹרַח תַּרְעָא, רצה לומר מסילת הדרך: **(ד) ועלי יבוא.** כמו ואלי, ורבים על במקום אל: **והצדקתיו.** כתרגומו וְאֲדִינְנֵיהּ בְּקוּשְׁטָא: **(ה) בקרב איש.** הבי״ת מעמדת בגעיא והרי״ש חטופה: **והחזיק לו.** כמו בו, וכן לִפְנֵיכֶם לֶחָרֶב (ויקרא כו, ז) כמו בחרב: **(ז) ויהי מקץ ארבעים שנה.** אמרו רז״ל (תמורה יד, ב) ארבעים שנה מזמן ששאלו להם מלך, ואמרו אותה שנה ששאלו להם מלך עשירית של שמואל היתה ושאול מלך עם שמואל שנה אחת ושתים שמלך שאול בעצמו הרי שלש ושלשים ושבע של דוד הרי ארבעים, כי בשלשים ושבע של דוד מרד אבשלום, ואמר זמן זה במרד אבשלום כלומר כי לקץ ארבעים שנה ששאלו להם ישראל מלך יצא מרד במלכותם ונהרגו כמה מישראל: **ואשלם את נדרי.** אמר שיקריב קרבן נדרו בחברון אשר נדר בגשור, כי שעת היתר הבמות היה והיה האדם מקריב בכל מקום שירצה אף על פי שאהל מועד היה בגבעון, ומן הנראה מה שהלך לחברון להקריב, לפי שהיה דעתו למרות ולמלוך בחר המקום שהוקם בו אביו למלך. ובדברי רבותינו ז״ל (שם) לא הלך אלא להביא כבשים מחברון להקריב שם כי שם היו הכבשים הטובים, והקשו על האומר זה ואמרו בְּחֶבְרוֹן מחברון מבעי ליה: **(ח) אם ישיב ישיבני.** ישיב כתיב וקרי יָשׁוֹב, ישיב לשון תשובה והקרי יָשׁוֹב לשון ישיבה והוא מקור, רצה לומר אם ישיבני ירושלם שאשב בה:

מצודת דוד

רצים. ברגלים: **(ב) והשכים.** כן היה דרכו בכל בוקר: **על יד.** על מקום שהיה בדרך השער: **לבוא.** והלך לבוא אל המלך: **אי מזה.** הוא מדרך חיבה, לשאול את האדם מקומו וענינו: **מאחד שבטי.** כל אחד היה משיב כפי השבט שהיה ממנו, אבל לא העיר, כי לא היו כל ערי ישראל נכרים לאבשלום, ואם ששאל גם על העיר, זה היה להראות חיבה יתירה: **(ג) ראה וגו'.** כאשר ספר לו דבר המשפט, אמר לו, ראה בראיית הלב שטובים דבריך, והדין עמך, אבל לא הועמד מהמלך איש חכם לשמוע לך, רוצה לומר, להבין הדבר: **(ד) והצדקתיו.** רצה לומר, הייתי מצדיק את הדין לדונו בצדק, כי מאד הייתי נותן לב להבין דבר המשפט: **(ה) בקרב.** כאשר קרב מי להשתחות לו, אחז בו ונשקו: **(ו) ויגנב.** רוצה לומר, בחלקלקות אמריו המשיך אליו לב ישראל: **(ז) ארבעים שנה.** אמרו רבותינו ז״ל (תמורה יד, ב), שהוא מזמן אשר שאלו להם מלך. ותלה בה, כי תחת השאלה באה מרד במלכות, ונהרגו מהם ובהם: **בחברון.** להקריב על הבמה העומדת בחברון: **(ח) ועבדתי.** עם הבאת קרבנות:

מצודת ציון

(ב) ריב. משפט: **אי מזה.** איזה העיר שתאמר מזה אני: **(ג) ונכוחים.** צודקים שראוי להתוכח בהם, כמו (משלי כד, כו), משיב דברים נכוחים: **(ד) ועלי.** כמו ואלי:

וַחֲמִשִּׁים אִישׁ — *And fifty men*, to run before him as a royal honor guard (*Mahari Kara*).

2. עַל־יַד דֶּרֶךְ הַשָּׁעַר — *Alongside the way to the gate*, i.e., the gate of the city, where courts of law would be located (see *Deuteronomy* 16:18, 25:7, *Ruth* 4:1) (*Abarbanel*). Alternatively, the verse refers to the gate of the king's palace (*Ralbag*). According to either translation, Absalom meant to garner good will by showing the people that he was their friend and was interested in their problems.

It is possible that Absalom's interest in these matters was a pretense, designed to enhance his popularity, but it is also conceivable that Absalom's concern for the benefit of others was genuine, and that his desire for power stemmed — originally, at any rate — from an honest belief that he could better serve the people's interests (*Daas Sofrim*). As time went on, however, his lust for power and acclaim corrupted him.

3. וְשֹׁמֵעַ אֵין־לְךָ מֵאֵת הַמֶּלֶךְ — *But there is no one before the king to understand you.* With this statement Absalom accomplished two purposes: He flattered his interlocutors by telling them their claims were just, and he undermined the people's confidence in David's ability or willingness to judge fairly (*Abarbanel*).

4-5. Absalom stopped short of calling for the ousting of the king. He spoke only of his desire to be made a supreme judge in the land, who would administer justice more efficiently

ABSALOM'S REBELLION
15:1-19:9

Absalom connives to gain a following

men to run before him. [2]Absalom would arise early and stand alongside the way to the gate; and it happened when any man who would have a dispute to bring to the king for judgment, Absalom called to him and said, "Which city are you from?" And he said, "Your servant is from such and such tribe of Israel." [3]Then Absalom said to him, "Look, your words are good and proper, but there is no one before the king to understand you." [4]Then Absalom said, "If only someone would appoint me judge in the land, and any man who had a dispute or a judgment could come to me — I would judge him fairly!" [5]And it was that whenever anyone came near him to prostrate himself before him, he would stretch out his hand and take hold of him and kiss him. [6]Absalom did this sort of thing to all of Israel who would come for judgment to the king; and Absalom stole the hearts of the men of Israel.

[7]It happened at the end of forty years that Absalom said to the king, "I would like to go now and pay my vow that I made to HASHEM, in Hebron. [8]For your servant took a vow, when I lived in Geshur in Aram, saying, 'If HASHEM shall return me to Jerusalem, I shall worship unto HASHEM.' " [9]The king said to him, "Go in peace," and he arose and went to Hebron.

[10]Absalom then sent spies throughout all the tribes of Israel saying, "When you hear

---

than David, who was preoccupied with many other matters. By not letting people bow to him, and by showing lavish affection for them, Absalom demonstrated his supposed humility and democratic leanings (*Abarbanel*).

6. **וַיְגַנֵּב . . . אֶת־לֵב** — *Absalom stole the hearts*, i.e., he "stole" their loyalty from David and took it for himself (*Ralbag*).

7-11. Absalom's rebellion begins. Absalom now felt that his courting of the masses had made him popular enough to overthrow his father. Most commentators agree that Absalom planned to assassinate his father to consolidate his hold on the throne.

Abarbanel, however, has a more charitable view. According to him, Absalom did not wish to actually depose David and certainly not to kill him. He knew through רוּחַ הַקֹּדֶשׁ, *the spirit of holiness* (which is a level of revelation below prophecy), that David would reign for forty years. After the death of Amnon — which Absalom thought was justified — Absalom was David's oldest son and he felt entitled to be David's successor. Knowing that David had promised Bath-sheba that her son Solomon would be the next king, Absalom wanted to preempt him.

7. **מִקֵּץ אַרְבָּעִים שָׁנָה** — *At the end of forty years*. This cannot mean the fortieth year of David's reign, since that was the year he died and, as the later chapters show, he lived for at least three years (*Radak*) or five years (*Mahari Kara*) after the rebellion. According to the Talmud, it was forty years since the people had demanded that Samuel appoint a king (*Nazir* 5a); thus these events happened in the thirty-fifth or thirty-seventh year of David's forty-year reign.

The reason this forty-year span is mentioned is to stress that it was just forty years after the people had asked Samuel to appoint a king that the monarchy suffered a humiliating blow to its integrity. *Tosafos* (ibid.) explains that because Israel's request for a king was considered a rebellion against the authority of God (see *I Samuel* 8:7), Scripture dates Absalom's rebellion against their king from that time.

According to *Abarbanel*, *forty years* was Absalom's age at the time.

בְּחֶבְרוֹן — *In Hebron*. Absalom requested permission to go to Hebron in fulfillment of his vow to bring offerings. Although the main sanctuary was in Gibeon at that time, it was permitted to bring offerings on private altars, which is what Absalom said he wished to do (*Radak*). *Radak* and *Mahari Kara* suggest that Absalom chose Hebron as the site of his rebellion because it was there that David became king (2:4), and symbolically, it would be the most suitable place for Absalom to assume the throne.

9. **לֵךְ בְּשָׁלוֹם** — "*Go in peace*." David meant to say, "You may go, but make sure your trip is for peaceful purposes, unlike the last time I gave you leave, when you murdered your brother" (*Abarbanel*).

Absalom's trip ended tragically, for his rebellion resulted in his violent death. Therefore the Sages teach that one should never bid farewell to a living person by using David's expression **לֵךְ בְּשָׁלוֹם**, *Go in peace, for this is the expression that David used in seeing off Absalom. Instead, one should say,* **לֵךְ לְשָׁלוֹם**, *Go to peace*, which is how Jethro bid farewell to Moses (*Exodus* 4:18), who was blessed with outstanding success. David's expression is used when bidding farewell to a dead person (*Berachos* 64a).

Maharsha explains the difference between the two terms. When a living person goes on a journey, he hopes to succeed in his new venue; it is *there* that he hopes for peace, i.e., a positive situation, and therefore it is appropriate to wish one that he go **לְשָׁלוֹם**, to *peace*, i.e., that he encounter only peace and success. In parting from a dead person, however, the wish is not that one find favorable circumstances in the grave, where there are no obstacles or desires. Rather the intention is that his soul go to its final rest *in peace*, i.e., that there be no spiritual impediments blocking his way to eternal bliss.

יא אֶת־קוֹל הַשֹּׁפָר וַאֲמַרְתֶּם מָלַךְ אַבְשָׁלוֹם בְּחֶבְרוֹן: וְאֶת־אַבְשָׁלוֹם הָלְכוּ מָאתַיִם
יב אִישׁ מִירוּשָׁלַםִ קְרֻאִים וְהֹלְכִים לְתֻמָּם וְלֹא יָדְעוּ כָּל־דָּבָר: וַיִּשְׁלַח אַבְשָׁלוֹם
אֶת־אֲחִיתֹפֶל הַגִּילֹנִי יוֹעֵץ דָּוִד מֵעִירוֹ מִגִּלֹה בְּזָבְחוֹ אֶת־הַזְּבָחִים וַיְהִי הַקֶּשֶׁר
יג אַמִּץ וְהָעָם הוֹלֵךְ וָרָב אֶת־אַבְשָׁלוֹם: וַיָּבֹא הַמַּגִּיד אֶל־דָּוִד לֵאמֹר הָיָה לֶב־
יד אִישׁ יִשְׂרָאֵל אַחֲרֵי אַבְשָׁלוֹם: וַיֹּאמֶר דָּוִד לְכָל־עֲבָדָיו אֲשֶׁר־אִתּוֹ בִירוּשָׁלַםִ
קוּמוּ וְנִבְרָחָה כִּי לֹא־תִהְיֶה־לָּנוּ פְלֵיטָה מִפְּנֵי אַבְשָׁלוֹם מַהֲרוּ לָלֶכֶת פֶּן־יְמַהֵר
טו וְהִשִּׂגֻנוּ וְהִדִּיחַ עָלֵינוּ אֶת־הָרָעָה וְהִכָּה הָעִיר לְפִי־חָרֶב: וַיֹּאמְרוּ עַבְדֵי־
טז הַמֶּלֶךְ אֶל־הַמֶּלֶךְ כְּכֹל אֲשֶׁר־יִבְחַר אֲדֹנִי הַמֶּלֶךְ הִנֵּה עֲבָדֶיךָ: וַיֵּצֵא הַמֶּלֶךְ
יז וְכָל־בֵּיתוֹ בְּרַגְלָיו וַיַּעֲזֹב הַמֶּלֶךְ אֵת עֶשֶׂר נָשִׁים פִּלַגְשִׁים לִשְׁמֹר הַבָּיִת: וַיֵּצֵא
יח הַמֶּלֶךְ וְכָל־הָעָם בְּרַגְלָיו וַיַּעַמְדוּ בֵּית הַמֶּרְחָק: וְכָל־עֲבָדָיו עֹבְרִים עַל־יָדוֹ וְכָל־

רש״י

(יא) קרואים והולכים לתמם. מפורש במסכת סוטה ירושלמית (א, ח) שבקש מאביו שיכתוב לו, שכל שני בני אדם שיבקש שילכו עמו, ילכו. והיה מראהו אותו לשנים כאן, ואחר כך לשנים אחרים, וכן הרבה: **(יז) בית המרחק.** (תרגום) באתר דרחיק: **(יח) על ידו.** אצלו, הוא עומד והם עוברים:

רד״ק

(י) כשמעכם. בכ״ף: **(יא) קראים והלכים לתמם.** קראם שילכו עמו לחברון שילך שם להקריב קרבן והם לא ידעו דבר המרד שהיה בלבו וזהו לְתֻמָּם, כמו מָשַׁךְ בַּקֶּשֶׁת לְתֻמּוֹ (מלכים־א כב, לד) שלא היה יודע כי מלך ישראל הוא. ובדרש (במדבר רבה ט, כד) כי אמר לאביו שיכתוב לו בכתב מצותו לשני האנשים שיבחר שילכו עמו, והיה מראה הכתב ההוא לשני אנשים ואחר כך לשני אנשים אחרים ולא היו יודעים אלו באלו, כן עשה עד שהיו עמו מאתים איש, הדא הוא דכתיב קְרֻאִים וְהֹלְכִים לְתֻמָּם, קרואים מדוד והולכים לתומם מאבשלום: **(יב) מעירו מגלה בזבחו את הזבחים.** בחברון שלח לאחיתופל שיצא מעירו מגלה, או פירושו וישלח אבשלום ויקח את אחיתופל מעירו מגלה ויבא אליו וקשר עמו: **(יד) קומו ונברחה.** כי אם לא נהיה בעיר לא יבא אל העיר ואם יבא אל העיר וימצא אותנו בעיר לא תהיה לנו פליטה ממנו ויכה את העיר זהו שאמר פֶּן יְמַהֵר קודם שיעשה דבר אחר ובא אל העיר שיחשוב שימצאני הנה לפיכך נמהר אנחנו לברוח, ובדרש (מדרש תהלים ג, ג) (וְהִדִּיחַ...) שלא ידון אותנו כעיר הנדחת, ועוד אמרו נטל בעל הכוס להדיח את הכוס אינו זז עד שימרקנו, כלומר כיון שהתחיל הפורענות לבא ירא אני שלא נכלה ממנו: **(יז) ברגליו.** עמו, וכן וְכָל הָעָם אֲשֶׁר בְּרַגְלֶיךָ (שמות יא, ח), וכן תרגם יונתן עַמֵּיהּ: **בית המרחק.** כתרגומו בַּאֲתַר דְּרָחִיק, כלומר מקום שהיה רחוק מירושלים. ובדרש (מדרש שמואל (בובר) ח ; ילקוט שמעוני רמז צה) מלמד שנדוהו, הדה הוא דכתיב יָשׁוּבוּ לִי יְרֵאֶיךָ (תהלים קיט, עט) מלמד שפרשו ממנו: **(יח) על ידו.** כמו לפניו, כמו שאמר עַל פְּנֵי הַמֶּלֶךְ:

מצודת דוד

(י) וישלח. טרם הלכו לחברון, שלח מרגלים לחקור דעת העם, ואמר להם כאשר תשמעו קול השופר שיתקעו בהמלכתי, תאמרו שמלך אבשלום, ותשמעו מה בפיהם: **(יא) קרואים.** היו קרואים מאבשלום על הזבח, והלכו בתום לבבם, ולא ידעו מכל זה: **(יב) את אחיתופל.** רוצה לומר, להביא את אחיתופל מעירו: **בזבחו.** בעת זבחו וגו׳: **הולך ורב.** בכל עת היו נוספים ומתרבים: **(יד) כי לא תהיה וגו׳.** כי רב העם אשר אתו, ואי אפשר להנצל מפניו במעוז העיר: **והשגנו.** עודנו בתוך העיר, ובעבורינו ידיח הרעה על כל בני העיר, ואת כולם יכה: **(טו) הנה עבדיך.** הנה אנחנו עבדיך, ואליך נשמע: **(יז) בית המרחק.** בהבית שהיה יותר רחוק מהבתים העומדים מחוץ להחומה: **(יח) על ידו.** סמוך למקום מעמדו:

מצודת ציון

(יא) קרואים. מזומנים, וכן (שמואל־א ט, יג), ואחרי כן יאכלו הקרואים: **(יב) הקשר.** המרד, על שם שבעלי המרד יתקשרו באגודה אחת, וכן (שם כב, ח), כי קשרתם כולכם: **אמיץ.** חזק: **(יד) פליטה.** הצלה, כמו (לקמן כב, ב), ומפלטי לי: **והדיח.** מלשון דחיה: **(יז) ברגליו.** עם מהלכו ואחריו, כמו (שופטים ח, ה), לעם אשר ברגלי:

---

11. Absalom invited two hundred men from Jerusalem to join him at his feast. *Rashi* quotes *Talmud Yerushalmi* that David gave Absalom written permission to take along two men to accompany him to Hebron. Absalom proceeded to show the document to a hundred different pairs of men, until he had gathered a large group.

וְהֹלְכִים לְתֻמָּם — *And went along innocently*. The implication is that these two hundred guests were not part of Absalom's conspiracy. Rather they were loyal supporters of David, and Absalom invited them to Hebron in order to avoid any suspicion by David. By the time David would be informed of Absalom's rebellion, it would be too late for him to stop it (*Malbim*).

12. Ahithophel. Ahithophel was renowned for his wisdom and sagacious advice (see 16:23), and had been one of David's most trusted advisers. Either he was part of the conspiracy (*Malbim*), or Absalom succeeded in enlisting him during the celebration in Hebron (*Abarbanel*).

The reason for Ahithophel's betrayal of David remains a mystery. On the one hand, Ahithophel was Bath-sheba's grandfather — her father was Eliam (11:3), who was a son of Ahithophel (23:34) — and it may be that the famed counselor turned against David because of how he mistreated her. On the other hand, David and Bath-sheba had since married and their son Solomon was David's designated successor, so that Ahithophel should not have continued to nurse his anger for so long.

Michtav MeEliyahu cites Midrashic sources that Ahithophel was a very great man who was compared to an angel. He saw through Divine inspiration [רוּחַ הַקֹּדֶשׁ] that the kingship would be in his family. Sure that it was he who was worthy of the throne, he connived to have Absalom kill David and then he, Ahithophel, would do away with Absalom and succeed to the

Absalom declares his rebellion

the sound of the shofar, announce, 'Absalom has become king in Hebron.'" [11]*With Absalom went two hundred men from Jerusalem, who were invited and went along innocently; they did not know anything [of Absalom's intention].* [12]*And Absalom sent for Ahithophel the Gilonite, David's adviser, from his city, from Giloh, when he slaughtered the sacrifices. The conspiracy was powerful, and the people with Absalom continually increased.*

David goes into exile

[13]*The bearer of news came to David saying, "The heart of [every] man of Israel has turned to Absalom."* [14]*David then said to all his servants who were with him in Jerusalem, "Arise, let us flee; for there will be no escape for us from before Absalom! Hurry to leave, lest he hurry and catch up to us and thrust evil upon us, and smite the city by the blade of the sword."* [15]*The king's servants said to the king, "Whatever my lord the king decides, your servants are ready!"*

His servants prove their loyalty

[16]*The king left, and all his household [went] with him, but the king left ten concubine wives to keep the house.* [17]*The king left, and all the people [went] with him. They stopped at a faraway house.* [18]*All his servants passed near him, along with all the*

---

thone. What he failed to realize was that the Divine message referred to his great-grandson Solomon, who would succeed David. How remarkable, *Michtav MeEliyahu* concludes, that unbridled ambition could cause a man of such high caliber to stoop so low!

As to the two hundred men from Jerusalem who escorted Absalom, they may have remained loyal to David, but were unable to help him from afar; or perhaps Ahithophel, who had enormous prestige and probably persuasive powers too, convinced them to join Absalom (*Parshiyos b'Sifrei HaNeviim*).

13-18. David goes into exile. In his descent from the Holy City, David's greatness shines through. Great warrior that he was, he could have marshaled his loyal forces under Joab and defended Jerusalem and his throne, as actually happened in the end, when David's army defeated Absalom and put down the rebellion. But David did not choose this course. This righteous man, the epitome of humility and repentance, would not put his personal interests above those of his people. When he heard that Absalom had won the hearts of the people and Jerusalem would be attacked if he remained there, David refused to let carnage come to the capital. And if Absalom had the support of the people, then perhaps, indeed, David was no longer worthy of the throne. The prophet Nathan had warned him that he would be punished for his misdeed with Bathsheba and Uriah; David knew that his current plight was part of the punishment, and, if so, he would not fight God's will.

Throughout this narrative of the most dismal episode of David's life, his humility and faith in God shines through, most of all in his unwillingness to impose hardship on his friends and in his refusal to let his loyalists defend him against personal calumny.

14. קוּמוּ וְנִבְרָחָה — *Arise, let us flee.* This verse and much of the succeeding narrative implies that Absalom would have executed David if he had been able to apprehend him. The need to do so for the success of the rebellion is obvious. The usurper's halachic justification would have been that David — like Uriah — was a rebel against Absalom, the new king. This would be a logical part of the Divine punishment prophesied against David.

Abarbanel, however, holds that Absalom never intended to kill his father; he merely wished to become the active ruler, taking over the throne in David's lifetime, as Solomon indeed did several years later, before David's death. There are numerous examples in history — both Jewish and non-Jewish — *Abarbanel* argues, where a king who is too old to govern effectively abdicates in favor of his son. David was now in the final years of his life and his physical capacities were in decline. Absalom may have felt that David would stand aside for his successor, but, knowing that Solomon was the chosen heir, Absalom sought to take the throne by force. David knew that his life was not in danger; he fled only because he feared that he and his most prominent supporters would be jailed or exiled, in retaliation for the years that he had forced Absalom into isolation and exile.

וְהִכָּה הָעִיר — *And smite the city.* If I remain here, the people in Jerusalem will undoubtedly rally to my side and oppose Absalom, leading to an armed confrontation, which will destroy a large part of the city (*Abarbanel*).

16. בְּרַגְלָיו — *With him* (lit. *by foot*). This translation follows *Targum* and *Radak*, meaning that followers walked along with David. *Ralbag*, however, renders literally that *The king and all his household went by foot*. *Ralbag* explains that David did not ride a horse or mule to avoid calling attention to the flight from the city. The Talmud (*Yoma* 77a) also assumes that David took flight on foot.

17. וְכָל־הָעָם — *And all the people*, i.e., all the people who were close to David; obviously the entire population did not desert the city.

18. עֹבְרִים עַל־יָדוֹ — *Passed near him.* Having traveled a safe distance from the city, the king paused to review his retinue.

הַכְּרֵתִי֙ וְכָל־הַפְּלֵתִ֔י וְכָל־הַגִּתִּ֗ים שֵׁשׁ־מֵא֣וֹת אִ֔ישׁ אֲשֶׁר־בָּ֣אוּ בְרַגְל֔וֹ מִגַּ֖ת עֹבְרִ֥ים
יט עַל־פְּנֵ֥י הַמֶּֽלֶךְ׃ וַיֹּ֤אמֶר הַמֶּ֙לֶךְ֙ אֶל־אִתַּ֣י הַגִּתִּ֔י לָ֛מָּה תֵלֵ֥ךְ גַּם־אַתָּ֖ה
כ אִתָּ֑נוּ שׁ֣וּב וְשֵׁ֤ב עִם־הַמֶּ֙לֶךְ֙ כִּֽי־נָכְרִ֣י אַ֔תָּה וְגַם־גֹּלֶ֥ה אַתָּ֖ה לִמְקוֹמֶֽךָ׃ תְּמ֣וֹל ׀ בּוֹאֶ֗ךָ
וְהַיּ֞וֹם °אנועך [°אֲנִיעֲךָ֤ ק׳] עִמָּ֙נוּ֙ לָלֶ֔כֶת וַאֲנִ֣י הוֹלֵ֔ךְ עַ֥ל אֲשֶׁר־אֲנִ֖י הוֹלֵ֑ךְ שׁ֧וּב
כא וְהָשֵׁ֛ב אֶת־אַחֶ֥יךָ עִמָּ֖ךְ חֶ֥סֶד וֶאֱמֶֽת׃ וַיַּ֧עַן אִתַּ֛י אֶת־הַמֶּ֖לֶךְ וַיֹּאמַ֑ר חַי־יְהֹוָה
וְחֵי֙ אֲדֹנִ֣י הַמֶּ֔לֶךְ כִּ֠י [אם כ׳ ולא ק׳] בִּמְק֞וֹם אֲשֶׁ֣ר יִהְיֶה־שָּׁ֣ם ׀ אֲדֹנִ֣י הַמֶּ֗לֶךְ אִם־
כב לְמָ֙וֶת֙ אִם־לְחַיִּ֔ים כִּי־שָׁ֖ם יִהְיֶ֥ה עַבְדֶּֽךָ׃ וַיֹּ֧אמֶר דָּוִ֛ד אֶל־אִתַּ֖י לֵ֣ךְ וַעֲבֹ֑ר וַיַּעֲבֹ֞ר אִתַּ֤י
כג הַגִּתִּי֙ וְכָל־אֲנָשָׁ֔יו וְכָל־הַטַּ֖ף אֲשֶׁ֥ר אִתּֽוֹ׃ וְכָל־הָאָ֗רֶץ בּוֹכִים֙ ק֣וֹל גָּד֔וֹל וְכָל־הָעָ֖ם
עֹבְרִ֑ים וְהַמֶּ֙לֶךְ֙ עֹבֵ֣ר בְּנַ֣חַל קִדְר֔וֹן וְכָל־הָעָם֙ עֹבְרִ֔ים עַל־פְּנֵי־דֶ֖רֶךְ אֶת־הַמִּדְבָּֽר׃
כד וְהִנֵּ֨ה גַם־צָד֜וֹק וְכָל־הַלְוִיִּ֣ם אִתּ֗וֹ נֹֽשְׂאִים֙ אֶת־אֲרוֹן֙ בְּרִ֣ית הָאֱלֹהִ֔ים וַיַּצִּ֙קוּ֙

רש״י

(יט) עם המלך. עם אבשלום: **כי נכרי אתה.** ואנחנו בורחים מאין לידה ומזון, ומתוך שאתה נכרי לא תמצא מרחמים: **וגם גולה אתה למקומך.** וגם אם גולה אתה מעם המלך שאינך רוצה להיות עמו, למקומך חזור לך, כי לא טוב לכתך עמי, שהרי תמול באת: **(כ) והיום אניעך עמנו.** ואין לי מקום שאוכל להושיבך שם ולהמלט, כי אני הולך אל אשר יקרני המקרה ללכת, יום יום כשאשמע שהרודפים כאן, אני בורח כאן, וכן תרגם יונתן 'וגם גולה אתה למקומך', ואף אם גלי את אזיל לך לאתרך: **חסד ואמת.** אני מחזיק בך טובת חסד ואמת שעשית עמדי: **(כב) לך ועבור.** עם שאר העם, אחר אשר אינך רוצה להפרד ממני: **(כג) וכל העם עוברים.** מן המלך והלאה, לפי שהוא עומד, קורא אותם עוברים: **(כד) ויציקו.** כמו ויציגו, (תרגום) ואקימו ית ארונא, העמידוהו לצד אחד, והעם עוברים, שהיה דוד רוצה לשאתו עמו:

רד״ק

וכל הכרתי וכל הפלתי. תרגם יונתן וְכָל קַשָּׁתַיָּא וְכָל קַלָּעַיָּא, ואפשר שהיו משפחות ידועות בישראל. ורבותינו ז״ל פירשו (ברכות ד, א) אלו אורים ותומים, ומלת כל קשה לפירוש: **וכל הגתים.** אמרו (עבודה זרה מד, א) כי גוים היו וכן אתי הגתי גוי היה, ולפי דעתי כי ישראלים היו שהיו מתגוררים בגת ובאו עתה לעזרת דוד, וזהו שאמר אֲשֶׁר בָּאוּ בְרַגְלוֹ מִגַּת פירוש בעבורו, כמו וַיְבָרֶךְ ה׳ אֹתְךָ לְרַגְלִי (בראשית ל, ל) בעבורי, וכבר פירשתי עוד למעלה (יב, ל) בענין הגתים בדבר עטרת מלכם, ותרגם יונתן בְּרַגְלוֹ, עִמֵּיהּ רצה לומר עם אתי הגתי, ואף על פי שלא נזכר ידוע כי אתי הגתי היה ראש לשש מאות איש אלה, וכן אמר וַיַּעֲבֹר אִתַּי הַגִּתִּי וְכָל אֲנָשָׁיו: **(יט) שוב ושב עם המלך.** פירוש עם אבשלום המלך שרצו ישראל להמליכו: **כי נכרי אתה.** לפי שהתגורר בגת ימים רבים ואולי נולד שם, ועתה באת מקרוב כי נכרי אתה עדיין וגולה אתה איך אניעך עוד, ופירוש גולה מטלטל, כי לשון גלות יש שהוא טלטול השבי והוא הרוב ויש שהוא טלטול בלא שבי אלא ממקום למקום כמו זה, וכן וַיַּגְלוּם אֶל מָנָחַת (דברי הימים־א ח, ו) ומלת לִמְקוֹמֶךָ דבק עם שׁוּב וְשֵׁב שוכר, כאילו אמר שוב למקומך ושב עם המלך ומקומו היה ירושלים כי שם בא לשבת כשבא מגת, ובענין הזה תרגם יונתן אלא שלא הדביקו עם שוב אלא הוסיף בו ואמר וְאַף אִם גָּלֵיא אַתְּ אֱזֵיל לָךְ לְאַתְרָךְ: **(כ) אניעך.** כתוב בוי״ו וקרי ביו״ד והענין אחד אלא שזה מן הקל וזה מן הכבד: **ואני הולך על אשר אני הולך.** על כמו אל, כמו וַתִּתְפַּלֵּל עַל ה׳ (לעיל־א א, י), כלומר אני הולך אל המקום אשר אני הולך במקרה כי לא אדע אנה אלך כאדם בורח, כתרגומו וַאֲנָא אָזֵיל לַאֲתַר דְּלֵית אֲנָא יָדַע לְאָן אֲנָא אָזֵיל: **את אחיך עמך.** הם הגתים שש מאות איש שבאו עמו מגת: **חסד ואמת.** אני מחזיק לך חסד ואמת על מה שעשית ואני מכיר כי לבך טוב עמי, ויונתן תרגם וַאֲתֵיב יַת אֲחָךְ עִמָּךְ וַעֲבֵיד עִמְּהוֹן טֵיבוּ וּקְשׁוֹט: **(כא) כי אם במקום.** אם כתיב ולא קרי, והמלות האלה דכתיבין ולא קורין או דקורין ולא כתיבין וכן קרי וכתיב, נראה כי בגלות הראשון אבדו הספרים ונטלטלו והחכמים יודעי המקרא מתו ואנשי כנסת הגדולה שהחזירו התורה ליושנה מצאו מחלוקת בספרים הנמצאים והלכו בהם אחר הרוב לפי דעתם, ובמקום שלא השיגה דעתם על הברור כתבו האחד ולא נקדו או כתבו מבחוץ ולא כתבו מבפנים או כתבו אחד מבחוץ ואחד מבפנים: **(כג) וכל הארץ בוכים.** פירוש וכל אנשי ארץ, וכן וְכָל הָאָרֶץ בָּאוּ מִצְרַיְמָה (בראשית מא, נז): **על פני דרך את המדבר.** כמו אל המדבר, וכן וְהָרְאָה אֶת הַכֹּהֵן (ויקרא יג, מט) כלומר עוברים אל המדבר על פני הדרך שהיה שם, כלומר שלא עברו דרך הנחל, או פירושו וכל העם גם כן עוברים בנחל קדרון כמו שהיה המלך עובר, וכלם מגמת פניהם אל המדבר כמו שאמר דוד אָנֹכִי מִתְמַהְמֵהַּ בְּעַרְבוֹת הַמִּדְבָּר (פסוק כח), ומדבר יקרא מרעה הבהמות בין קרוב לעיר בין רחוק לעיר לפיכך אמר וְרָעוּ כְבָשִׂים כְּדָבְרָם (ישעיהו ה, יז) כְּעֵדֶר בְּתוֹךְ הַדָּבְרוֹ (מיכה ב, יב) והוא מתרגם וַיִּנְהַג וּדְבַר (בראשית לא, יח), מקום שהרועה נוהג שם המקנה: **(כד) ויצקו.** כמו ויעמידו וכן וַיַּצִּקֻם לִפְנֵי ה׳ (יהושע ז, כג):

מצודת דוד

אשר באו ברגלו. אשר באו עמו מגת, שישבו עמו שמה עוד היה נרדף משאול: **(יט) עם המלך.** על אבשלום יאמר, שמלך עתה: **כי נכרי אתה.** הלא אתה מארץ נכריה, ואינך מעבדי לשתתירא מפני אבשלום: **וגם גולה.** ואפילו תרצה להיות גולה מעל פני אבשלום מבלי לשבת אתו, אזי חזור למקומך לגת, ותהיה גולה שמה לשבת בה כמאז: **(כ) תמול בואך.** זה מקרוב באת אלי מגת, ומיד אניע אותך ללכת נד ונד: **ואני הולך.** רצה לומר, וכי הולך אני למקום ידוע שתלך גם אתה עמדי, הלא אני הולך על אשר וגו׳, רצה לומר, אינני הולך אל המקום אשר אחשוב ללכת שמה, כי אין מחשבותי ללכת למקום ידוע, כי אם כאשר יזדמן: **חסד ואמת.** רצה לומר, והנה כוונתך הטובה חשובה בעיני לחסד ואמת: **(כא) אם למות.** אם המקום תהיה סיבה למות וגו׳: **(כב) לך ועבור.** עם עבדי ויתר העם: **(כג) וכל הארץ.** אנשי הארץ אשר עבר בה דוד: **וכל העם.** אשר עם דוד: **על פני דרך.** לרוחב הדרך, לשום פניהם אל המדבר: **(כד) ויציקו.** העמידו את הארון, ואביתר עלה עמו לצד מיוחד, עד שעברו כולם מן העיר. ורבותינו ז״ל אמרו (יומא עג, ב), שאז נסתלק אביתר מכהונה גדולה, כי שאל באורים ולא עלתה, ולצדוק עלתה, ומנהו תחתיו, ולא להיות מיד כהן גדול, כי הלא שלמה גרשו לאביתר מכהונה גדולה, כמו שכתוב במלכים־א (ב, כז), אלא שעתה סלקו מלשמשו, ובימי שלמה מנהו לצדוק לשמש אז:

מצודת ציון

(יח) הכרתי והפלתי. תרגם יונתן, קשתיא וקלעיא: **הגתים.** האנשים שהתגוררו בגת בעוד שהיה דוד שם: **ברגלו.** עם מהלכו: **על פני.** לפני: **(יט) גולה.** ענין טלטול ונוע, ואם הוא בלא שבי, וכן (דברי הימים א ח, ו), ויגלום אל מנחת: **(כ) אחיך.** רעיך הבאים אתך: **ואמת.** הוא כענין חסד: **(כד) ויציקו.** ענין העמדה, כמו (שמואל־א ב, ח), כי לה׳ מצוקי ארץ, ורוצה לומר היסודות והעמודים שהארץ עומדת עליהם, והוא כמו ויציגו, כי אותיות גיכ״ק מתחלף:

archers and all the slingers; and all the Gittites — six hundred men who had come with him from Gath — passed before the king.

[19]*The king said to Ittai the Gittite, "Why should you also go with us? Go back and remain with the [new] king, for you are a foreigner and also an exile; [return] to your place.* [20]*You arrived just yesterday; shall I displace you today to take flight with us, while I go wherever I go? Return, and take your brethren back with you — [your offer is] kindness and truth."* [21]*But Ittai answered the king and said, "As* HASHEM *lives, and by the life of my lord the king, [I swear] that in whatever place my lord the king will be — whether for death or for life — there your servant will be."*

[22]*David then said to Ittai, "Go, then, pass ahead." So Ittai the Gittite passed ahead with all his men and all the children who were with him.* [23]*The entire land was crying in a loud voice, and all the people were passing by. The king was passing through the Kidron Valley and all the people were passing along the road, toward the wilderness.* [24]*Behold, also Zadok and all the Levites with him were carrying the Ark of the Covenant of God. They set down*

וְכָל־הַכְּרֵתִי וְכָל־הַפְּלֵתִי — *All the archers and all the slingers.* [The translation follows *Targum*.] According to the Talmud (*Berachos* 4a), the phrase refers to something that renders "precise and clear-cut" decisions (from כרת, *to cut*) and that is "distinguished" (from מוּפְלָא, *distinguished, special*). Thus the *Cherathi* and the *Pelethi* are the *Urim v'Tumim* or the Sanhedrin. *Radak* notes, however, that in the context of this verse, it is unlikely that it refers to the *Urim v'Tumim*. Rather, it refers to the Sanhedrin, i.e., the greatest scholars of the land. [Accordingly, the two hundred sages who accompanied Absalom to Hebron — and who were not given this title — were of lesser stature.]

Alternatively, these were the names of two distinguished families of scholars (*Radak, Ralbag*).

וְכָל־הַגִּתִּים — *And all the Gittites.* According to some commentators, these were Philistine adherents of David, from the city of Gath; others hold that they were Jewish men who had settled in the Philistine city Gath. They had become attached to David when he was hiding from Saul in Gath (*I Samuel* 27:2), and they remained by his side ever since (*Metzudas David*).

19-37. David's supporters and the beginning of a strategy. More friends and supporters arrived to pledge their allegiance to the beleaguered king. With a view toward undermining Absalom and winning back the throne, David assigned some of them to pose as Absalom's supporters so that they could both report to the king and counteract the pretender's plans.

19. אִתַּי הַגִּתִּי — *Ittai the Gittite*, i.e., the leader of the Gittites mentioned in the previous verse.

Radak cites an opinion that Ittai was a non-Jew, who presumably became an admirer of David when the future king was in Gath, to escape Saul's pursuit (*I Samuel* Ch. 27). David told him that it was foolhardy for him to travel into exile with a contingent that had no food or shelter, and would have to rely on the generosity of sympathetic fellow Jews. As a foreigner, Ittai would find it harder than the Jewish members of David's party to find charity in the countryside. Therefore, David urged him to return to Jerusalem and accept Absalom as his king — but if he did not wish to do so, he had the option of returning to his native Gath.

Radak's own opinion is that Ittai was a Jew who was either born in Gath or had lived there for many years. David told him, "You have gone through enough wandering on my account; I do not wish to cause you any more inconvenience."

Abarbanel interprets: As a foreigner, you will not be suspect in the eyes of Absalom, so there is no reason for you to leave Jerusalem.

20. תְּמוֹל בּוֹאֶךָ — *You arrived just yesterday*, i.e., recently.

David continued that it was not fair for him to let Ittai accompany him *wherever I go,* when he did not even have a definite destination or place of refuge. Therefore David urged him to take his fellow Gittites with him and return to safety, lest they be identified as rebels against the new king and suffer the consequences.

חֶסֶד וֶאֱמֶת — *[Your offer is] kindness and truth.* The bracketed words follow *Mahari Kara's* interpretation. *Targum* renders "*. . . take your brethren back with you, [thus doing with them] kindness and truth.*" That is, the kind and fair thing to do is to let your followers stay in peace in Jerusalem.

Rashi translates, "[I am obligated to repay you for your] *kindness and truth.*" The other place this term is found in Scripture is in *Genesis* 47:29, where Jacob asked Joseph to do kindness and truth by not burying him in Egypt. There *Rashi* comments that it refers to a purely altruistic kindness, one that the recipient will never be able to repay. Perhaps David meant to imply that since he had been deposed as king, he would never be able to repay Ittai adequately for his kindness

21. Ittai insisted that it is immoral to desert a friend when he is in danger; he would remain with David no matter what (*Malbim*).

23. וְכָל־הָאָרֶץ בּוֹכִים — *The entire land was crying*, i.e., the people of the land where David and his people were traveling (*Radak*). Apparently, David had many supporters in the countryside.

24. *Abarbanel* (see also *Rid*) writes that the Kohanim and Levites brought the Ark on their own initiative, to afford David protection during his wanderings. David, however,

כה אֶת־אֲרוֹן הָאֱלֹהִים וַיַּעַל אֶבְיָתָר עַד־תֹּם כָּל־הָעָם לַעֲבוֹר מִן־הָעִיר: וַיֹּאמֶר הַמֶּלֶךְ לְצָדוֹק הָשֵׁב אֶת־אֲרוֹן הָאֱלֹהִים הָעִיר אִם־אֶמְצָא חֵן בְּעֵינֵי יהוה וֶהֱשִׁבַנִי וְהִרְאַנִי אֹתוֹ וְאֶת־נָוֵהוּ: כו וְאִם כֹּה יֹאמַר לֹא חָפַצְתִּי בָּךְ הִנְנִי יַעֲשֶׂה־לִּי כַּאֲשֶׁר טוֹב בְּעֵינָיו: כז וַיֹּאמֶר הַמֶּלֶךְ אֶל־צָדוֹק הַכֹּהֵן הֲרוֹאֶה אַתָּה שֻׁבָה הָעִיר בְּשָׁלוֹם וַאֲחִימַעַץ בִּנְךָ וִיהוֹנָתָן בֶּן־אֶבְיָתָר שְׁנֵי בְנֵיכֶם אִתְּכֶם: כח רְאוּ אָנֹכִי מִתְמַהְמֵהַּ °בעברות [°בְּעַרְבוֹת ק] הַמִּדְבָּר עַד בּוֹא דָבָר מֵעִמָּכֶם לְהַגִּיד לִי: כט־ל וַיָּשֶׁב צָדוֹק וְאֶבְיָתָר אֶת־אֲרוֹן הָאֱלֹהִים יְרוּשָׁלָם וַיֵּשְׁבוּ שָׁם: וְדָוִד עֹלֶה בְמַעֲלֵה הַזֵּיתִים עֹלֶה ׀ וּבוֹכֶה וְרֹאשׁ לוֹ חָפוּי וְהוּא הֹלֵךְ יָחֵף לא וְכָל־הָעָם אֲשֶׁר־אִתּוֹ חָפוּ אִישׁ רֹאשׁוֹ וְעָלוּ עָלֹה וּבָכֹה: וְדָוִד הִגִּיד לֵאמֹר אֲחִיתֹפֶל בַּקֹּשְׁרִים עִם־אַבְשָׁלוֹם וַיֹּאמֶר דָּוִד סַכֶּל־נָא אֶת־עֲצַת אֲחִיתֹפֶל יהוה:

רש"י

ויעל אביתר עד תם וגו'. הרי זה מקרא מסורס, ויליכו את ארון האלהים עד תום כל העם לעבור: **ויעל אביתר.** אותו היום נסתלק מן הכהונה, ששאל באורים ותומים ולא נענה, ונכנס צדוק תחתיו. וכן שנינו בסדר עולם ובסדר יומא (עג, ב): **(כז) הרואה אתה.** אם רואה אתה שעלה נכונה היא, שוב העיר וגו': **שני בניכם אתכם.** בידם תוכלו להודיעני מה שתשמעו מבית המלך, לפי מה שתודיעוני אמלט: **(ל) במעלה הזיתים.** בהר הזיתים: **חפוי.** מכורך, כדרך האבלים: **חפו.** (תרגום) כריכו: **(לא) ודוד הגיד.** ולדוד הגיד המגיד: **סכל.** קלקל, כמו (קהלת י, יד), הסכל ירבה דברים:

רד"ק

ויעל אביתר. לפי פשט הכתוב יראה כי פירוש וַיַּעַל אֶבְיָתָר נסתלק לצד אחד עם הארון עד תום כל העם לעבור מן העיר, רצה לומר מירושלים, אבל רבותינו ז"ל (סדר עולם רבה, יד) קבלו כי באותו היום נסתלק אביתר מכהונה גדולה והכניסו צדוק תחתיו, שנאמר וַיֹּאמֶר הַמֶּלֶךְ לְצָדוֹק הָשֵׁב אֶת אֲרוֹן הָאֱלֹהִים הָעִיר (פסוק כה), ולמה נסתלק באותו היום כי שאל באורים ותומים ולא נענה ושאל צדוק ונענה, כמו שפירש בספר יהושע (יז, יד) כי השואל באורים ותומים, הכהן הנשאל רוח הקדש שורה עליו ובה היה מכוין ומשיב השאלה עם מה שהיה נראה לו באורים ותומים כמו שפירשתי בספר שופטים (כ, כח), וכיון שראה דוד שנסתלקה רוח הקדש מאביתר ידע שהגיע זמן הקללה שקלל הקב"ה זרע עלי, ואביתר היה מזרע עלי שהיה מבני איתמר וצדוק מזרע פנחס ונתקיימה בו ברכה שברכו הב"ה כמו שכתוב וְהָיְתָה לוֹ וּלְזַרְעוֹ אַחֲרָיו בְּרִית כְּהֻנַּת עוֹלָם (במדבר כה, יג), אבל לא נמשח צדוק לכהן גדול עדיין אלא שנתמנה לכהן גדול עד יום מלוך שלמה שמשחוהו, כמו שכתוב וַיִּמְשְׁחוּ שלמה לַה' לְנָגִיד וּלְצָדוֹק לְכֹהֵן (דברי הימים־א כט, כב), כי הקללה היתה תלויה עד מלוך שלמה כמו שכתוב וַיְגָרֶשׁ שְׁלֹמֹה אֶת אֶבְיָתָר מִהְיוֹת כֹּהֵן (מלכים־א ב, כז), כי הכתוב אומר וְהִבַּטְתָּ צַר מָעוֹן (לעיל־א ב, לב) והמעון הוא בית המקדש, ובית המקדש לא נבנה עד מלוך שלמה: **(כה) והראני אתו ואת נוהו.** הבית שהיה שם הארון, ופירוש אֹתוֹ שישיבני לאהבתו ויחפוץ בי כי עתה בלקחו עונש עונו היה מרוחק ממנו כאדם שמעלים עיניו משונאו ואינו רואהו, ויונתן תרגם וְיַחְזִינַנִי קֳדָמוֹהִי וְאֶפְלַח קֳדָמוֹהִי בְּבֵית מַקְדְּשֵׁיהּ: **(כו) הנני.** כלומר אקבל גזירותיו באהבה: **(כז) הרואה אתה.** אם רואה אתה בעיניך כלומר בעצתך, ויונתן תרגם חֶזְוָיָא אַתְּ תּוּב לְקַרְתָּא, כלומר נביא אתה שראה שרתה עליו רוח הקדש ונענה אותו היום באורים ותומים, ואמר לו טוב הוא שתשוב העיר והודיעני משם כל דבר: **(כח) בעברות המדבר.** כן כתיב וקרי בְּעַרְבוֹת, ופירוש הכתוב בעבר נחל קדרון, ופירוש הקרי כתרגומו בְּמֵישְׁרֵי מַדְבְּרָא ושניהם נכונים בענין אלא שהקרי יותר קרוב: **(ל) במעלה הזיתים.** כתרגום בְּמַסְקָנָא דְטוּר זֵיתַיָּא, ועלה שם להשתחוות לה' משם כי מהר הזיתים יראה אדם מקום בית המקדש, ואף על פי שלא היה שם אז בית גם מקום הבית בעצמו לא היה יודע עד שאמר גד הנביא לדוד (לקמן כד, יח) שיבנה מזבח בגורן ארונה, אף על פי כן גבול המקום היה יודע בקבלה כי בהר המוריה יבנה בית ה' אבל לא היו יודעים באיזה מקום עד שאמר גד לדוד. ויש מפרשים כי מהר הזיתים היה רואה האהל שהיה בו הארון: **(לא) ודוד הגיד לאמר.** חסר למ"ד השמוש, ופירוש ולדוד הגיד המגיד וכמוהו בחסרון למ"ד השמוש הָיוּ בֶן שָׁאוּל (לעיל ד, ב) כָּל אֵלֶּה בְּנֵי מָכִיר (דברי הימים־א ב, כג) וכמוהו בחסרון המגיד וַיַּגֵּד לְיַעֲקֹב (בראשית מח, ב) וַיֹּאמֶר לְיוֹסֵף (שם שם, א):

מצודת דוד

(כה) והשיבני. אז ישיב אותי לירושלים ואראה אותו ואת מקדשו: **(כו) לא חפצתי בך.** עוד מעתה: **הנני.** רצה לומר, הנה מוכן אני לקבל באהבה: **(כז) הרואה אתה.** אם עצתי נראה בעינך אשר תשוב אל העיר (ועם שגם את אביתר צוה לשוב העירה, היה דבריו לצדוק, על כי מינהו לכהן גדול, מן הראוי היה ליחד אליו הדבור, ולזה הקדימו מעתה לאביתר בכל דבריו): **אתכם.** יהיו מוכנים עמכם, ועל ידם תודיעוני דבר: **(כח) עד בוא.** על ידי בניכם: **דבר.** רצה לומר, ידיעה ברורה: **(ל) במעלה הזיתים.** במעלה הר הזיתים: **חפוי.** מכוסה בבגד, והוא דרך צער: **יחף.** מבלי מנעלים, וגם הוא דרך צער: **(לא) ודוד הגיד.** המגיד הגיד לדוד לאמר וגו': **סכל נא וגו'.** רצה לומר, אתה ה', סכל עצתו לבל ייעץ בחכמה. או רצה לומר, שיתן בלב אבשלום, לחשוב אשר עצת אחיתופל היא עצה סכלה:

מצודת ציון

(כה) נוהו. מדורו: **(כח) מתמהמה.** מתעכב, כמו (תהלים קיט, ס), חשתי ולא התמהמהתי: **בערבות.** מלשון ערבה ומישור: **(ל) חפוי.** מכוסה: **יחף.** בלי מנעלים: **(לא) בקושרים.** בין אגודת המורדים: **סכל.** ענין טפשות:

immediately voiced his disapproval (vs. 25-26), for he considered it disrespectful to carry the Ark about from place to place.

וַיַּעַל אֶבְיָתָר — *And Abiathar came up* [*as well*]. In the plain sense of the verse, Abiathar is numbered among David's loyalists. He was the son of Ahitub, the Kohen Gadol who was executed with the Kohanim of Nob, and when David was in flight from Saul, Abiathar joined him in Ke'ilah (*I Samuel* 23:6).

According to *Seder Olam* (cited by *Rashi* and *Radak*), this phrase should be translated *and Abiathar departed*, because it was at this point that David understood that Abiathar should be removed from his position as Kohen Gadol. [Abiathar was actually deposed when Solomon became king, as related in *I Kings* 2:35 (*Radak*).] The reason Abiathar lost his position was that David asked him to inquire of the *Urim v'Tumim*, but it did

the Ark of God — and Abiathar came up [as well] — until all the people of the city finished passing from the city.

The Ark is returned to Jerusalem

[25]The king said to Zadok, "Return the Ark of God to the city. If I find favor in HASHEM's eyes He will bring me back and let me behold Him and His Abode. [26]And if He says thus, 'I desire you not,' then I am prepared; let Him do with me as He sees fit."

[27]The king then said to Zadok the Kohen, "Do you agree? Return to the city in peace, your son Ahimaaz and Jonathan son of Abiathar — your two sons — going with you. [28]See, I am remaining in the Plains of the Wilderness, until word comes from you to inform me." [29]So Zadok and Abiathar returned the Ark of God to Jerusalem, and they stayed there.

[30]David was going up on the ascent of [the Mount of] Olives, crying as he ascended, with his head wrapped, going barefoot. And all the people with him wrapped their heads and went up, crying as they ascended.

Ahithophel's treachery

[31]Someone told David, saying, "Ahithophel is among the conspirators with Absalom." And David said, "Please confound the advice of Ahithophel, O HASHEM!"

---

not respond to him. Then Zadok made the inquiry, and it responded. This was a Divine indication that Zadok, not Abiathar, was qualified for the exalted position. The reason for Abiathar's disqualification was that he was a descendant of Eli, and God's refusal to respond to him indicated that the time had come to fulfill the curse issued against Eli and his family (*I Samuel* 2:27-36). Zadok, on the other hand, was a descendant of Phinehas, to whom God had promised eternal priesthood (*Numbers* 25:13). This is why, in the following verses, David addresses himself to Zadok, not to Abiathar.

Neither Scripture nor the Sages tell us what question was put to the *Urim v'Tumim*. *Malbim* says the question was "Will I ever see Jerusalem again?" And the answer was that he would.

25. וֶהֱשִׁבַנִי וְהִרְאַנִי אֹתוֹ — *He will bring me back and let me behold Him*. One cannot, of course, *see* HASHEM (*Exodus* 33:20). The figure of speech is that when two people are enemies, they do not look each other in the eye. Thus, the expression "*He will . . . let me behold Him*" means "He will restore me to His favor."

Targum renders *He will see me before Him and I will worship in His Temple*. The "Temple" refers to the temporary structure that David had built for the Ark, as mentioned above 6:17 (*Ralbag*).

26. יַעֲשֶׂה־לִּי כַּאֲשֶׁר טוֹב בְּעֵינָיו — *Let Him do with me as He sees fit.* Taking the Ark with us will not accomplish anything if God has chosen to reject me (*Abarbanel*).

This shows David's faith that whatever God does is correct and he is ready to accept it. Especially now, in his time of distress and humiliation, David showed his most loyal followers an example of how to accept God's judgment. An even more extraordinary example is found below, 16:10-13.

27. David had already instructed Zadok to return the Ark to Jerusalem, but that was for the honor of the Ark and so that the people of Jerusalem should not be deprived of its presence. Now David spoke to Zadok as a loyal supporter who wished to help him. He asked Zadok to remain in Jerusalem in order to act as a spy and informant. David presented the two missions — for the Ark and for himself — in two separate statements, in order not to mingle the honor of the Ark with a favor for himself.

הֲרוֹאֶה אַתָּה — *Do you agree* (lit. *do you see*) *with* my plan? (*Rashi*). *Ralbag* renders, *"You will be able to see things for us,"* i.e., you will be an effective spy for our cause if you stay with Absalom.

Targum renders *You are a seer*, meaning that since David had witnessed Zadok's prophetic spirit when he inquired of the *Urim v'Tumim* (see commentary to v. 24), the king said that Zadok's Divine insight could be most useful if he remained in Jerusalem and acted as an informant.

To facilitate Zadok's mission, David said that he should take two young men with him, Ahimaaz and Jonathan, who would be his couriers when he wanted to send information to David (*Rashi*). The two Kohanim probably had other sons, but David picked the two who were sophisticated enough for this potentially dangerous mission (*Ralbag*).

30. The Mount of Olives is opposite Jerusalem on the east, across the Kidron Valley. Why David went there is discussed by the commentators: He prostrated himself to the Tent of the Ark, which was visible from the summit (*Rashi*). According to *Radak*, the Mount of Olives overlooked Mount Moriah, where David knew the Temple would eventually be built. He went there to bow to the site of the future Temple Mount as part of his prayers and repentance (*Radak*). The Mount of Olives had holiness in its own right, because of its proximity to the Temple Mount (*Ralbag*).

Alternatively, *Abarbanel* maintains that David went to the Mount of Olives because it was on the way to his place of refuge, or because it overlooked Jerusalem and allowed him to observe what was happening in the city. It was there that he composed Psalm 3: *A psalm by David, as he fled from Absalom his son* (*Abarbanel*)

חָפוּי . . . יָחֵף — *Wrapped . . . barefoot*. Wrapping one's head with a scarf is a traditional sign of mourning (*Rashi*; see *Leviticus* 13:45, *Ezekiel* 24:17, *Esther* 6:12), as is walking barefoot (*Rid*; see *Ezekiel* ibid.).

31. אֲחִיתֹפֶל בַּקֹּשְׁרִים עִם־אַבְשָׁלוֹם — *"Ahithophel is among the*

לב וַיְהִי דָוִד֙ בָּ֣א עַד־הָרֹ֔אשׁ אֲשֶׁר־יִשְׁתַּחֲוֶ֥ה שָׁ֖ם לֵאלֹהִ֑ים וְהִנֵּ֤ה לִקְרָאתוֹ֙ חוּשַׁ֣י
לג הָאַרְכִּ֔י קָר֙וּעַ֙ כֻּתָּנְתּ֔וֹ וַאֲדָמָ֖ה עַל־רֹאשֽׁוֹ׃ וַיֹּ֥אמֶר ל֖וֹ דָּוִ֑ד אִ֚ם עָבַ֣רְתָּ אִתִּ֔י וְהָיִ֥תָ עָלַ֖י
לד לְמַשָּֽׂא׃ וְאִם־הָעִ֣יר תָּשׁ֗וּב וְאָמַרְתָּ֤ לְאַבְשָׁלוֹם֙ עַבְדְּךָ֙ אֲנִ֣י הַמֶּ֣לֶךְ אֶֽהְיֶ֔ה עֶ֣בֶד אָבִ֤יךָ
לה וַאֲנִי֙ מֵאָ֔ז וְעַתָּ֖ה וַאֲנִ֣י עַבְדֶּ֑ךָ וְהֵפַרְתָּ֣ה לִ֔י אֵ֖ת עֲצַ֥ת אֲחִיתֹֽפֶל׃ וַהֲל֤וֹא עִמְּךָ֙ שָׁ֔ם
צָד֥וֹק וְאֶבְיָתָ֖ר הַכֹּהֲנִ֑ים וְהָיָ֗ה כָּל־הַדָּבָר֙ אֲשֶׁ֤ר תִּשְׁמַע֙ מִבֵּ֣ית הַמֶּ֔לֶךְ תַּגִּ֕יד לְצָד֥וֹק
לו וּלְאֶבְיָתָ֖ר הַכֹּהֲנִֽים׃ הִנֵּה־שָׁ֤ם עִמָּם֙ שְׁנֵ֣י בְנֵיהֶ֔ם אֲחִימַ֣עַץ לְצָד֔וֹק וִיהוֹנָתָ֖ן לְאֶבְיָתָ֑ר
לז וּשְׁלַחְתֶּ֤ם בְּיָדָם֙ אֵלַ֔י כָּל־דָּבָ֖ר אֲשֶׁ֥ר תִּשְׁמָֽעוּ׃ וַיָּבֹ֛א חוּשַׁ֥י רֵעֶ֥ה דָוִ֖ד הָעִ֑יר

טז

א וְאַבְשָׁל֔וֹם יָבֹ֖א יְרוּשָׁלִָֽם׃ וְדָוִ֗ד עָבַ֣ר מְעַט֮ מֵהָרֹאשׁ֒ וְהִנֵּ֥ה צִיבָ֛א
נַ֥עַר מְפִיבֹ֖שֶׁת לִקְרָאת֑וֹ וְצֶ֨מֶד חֲמֹרִ֜ים חֲבֻשִׁ֗ים וַעֲלֵיהֶם֩ מָאתַ֨יִם לֶ֜חֶם וּמֵאָ֧ה
ב צִמּוּקִ֛ים וּמֵ֥אָה קַ֖יִץ וְנֵ֥בֶל יָֽיִן׃ וַיֹּ֥אמֶר הַמֶּ֛לֶךְ אֶל־צִיבָ֖א מָה־אֵ֣לֶּה לָּ֑ךְ וַיֹּ֣אמֶר צִ֠יבָא
הַחֲמוֹרִ֨ים לְבֵית־הַמֶּ֜לֶךְ לִרְכֹּ֗ב °ולהלחם [°וְהַלֶּ֤חֶם ק] וְהַקַּ֙יִץ֙ לֶאֱכ֣וֹל הַנְּעָרִ֔ים וְהַיַּ֕יִן
ג לִשְׁתּ֥וֹת הַיָּעֵ֖ף בַּמִּדְבָּֽר׃ וַיֹּ֥אמֶר הַמֶּ֖לֶךְ וְאַיֵּ֣ה בֶּן־אֲדֹנֶ֑יךָ וַיֹּ֨אמֶר צִיבָ֜א אֶל־הַמֶּ֗לֶךְ

רש"י

(לב) בא עד הראש. (תרגום) עד ריש טורא: **אשר ישתחוה שם לאלהים.** אשר היה רגיל להשתחות שם כשהיה בא לירושלים, היה רואה משם את האהל שהארון בתוכו, והיה משתחוה: **(לד) עבד אביך ואני מאז.** כמו ואני עבד אביך מאז, ומקרא מסורס הוא: **(לז) יבוא ירושלים.** נתן לבו שיבא לירושלים: **(א) ומאה קיץ.** (תרגום) ומאה מנן דבילתא:

רד"ק

(לב) עד הראש. ראש הזיתים וכן תרגומו עד רֵישׁ טוּרַיָא. **אשר ישתחוה שם.** שהיה רצונו שישתחוה שם כמו שאמר עוֹלֶה בְּמַעֲלֵה הַזֵּיתִים (פסוק ל), ועשה כן לפי שהיה נפרד ממקום המקדש ולא היה יודע אם ישוב עוד, כאדם הלוקח רשות מאוהבו בגלותו: **חושי הארכי.** על שם מקומו נקרא כן והוא הנזכר בתחלת בני יוסף אֶל גְּבוּל הָאַרְכִּי עֲטָרוֹת (יהושע טז, ב): **קרוע כתנתו.** כמו לָבוּשׁ (ה)בַּדִּים (דניאל י, ה) חָגוּר אֵפוֹד בָּד (לעיל ו, יד) וכולם יחסרו אות השמוש, כי בלא חסרון היה משפט פ"א הפועל בשוא כדרך הסמוכים: **(לג) והית עלי למשא.** ביו"ד אחד לבדו והיא עי"ן הפועל, ופירוש לְמַשָּׂא לטורח כי רבים אשר עתה עמי לצער ולדאגה שאני בהם ומן העיר תועילני בעצתך: **(לד) עבדך אני המלך אהיה.** מהיום ואילך אהיה עבדך כמו שהייתי עבד אביך מאז ועתה אני אהיה עבדך, וי"ו וַאֲנִי נוספת כוי"ו וַיִּשָּׂא אַבְרָהָם אֶת עֵינָיו (בראשית כב, ד) וזולתה, וכן דרך הלשון בהרבה מקומות וכן דרך לשון הערב בפה: **(לז) רעה דוד.** תרגומו שׁוֹשְׁבִינָא דְדָוִד, כלומר אוהבו וריעו שהיה עמו תמיד ובעל עצתו, וכן אמר בדברי הימים (־א כז, לג) בספור שרי דוד וְחוּשַׁי הָאַרְכִּי רֵעַ הַמֶּלֶךְ: **יבוא ירושלם.** כשבא חושי הארכי באותה שעה היה אבשלום נכנס לירושלם: **(א) מאתים לחם.** כך תרגם יונתן הפסוק מָאתָן גְרִיצָן דִלְחֵים וּמְאָה אִתְכְּלִין דְעִנְבִין יְבֵשִׁין וּמְאָה מָנַן דְבֵילְתָא וּגְרַב דַחֲמַר, ופירוש וּמְאָה מָנַן דְבֵילָתָא מאה ליטרין של תאנים יבשים, ונקרא דבלת שמכבשין הרבה מן התאנים יחד ועושין מהם כמו ככר לחם, ונקרא דבלת תאנים: **(ב) לבית המלך לרכב.** לנשי המלך כי לא הניח אחת מנשיו אלא עשר פלגשים לשמור הבית, ולא לקחו בצאתם מרכבה לנשים כי בחפזון יצאו כמו שאמר קוּמוּ וְנִבְרָחָה (לעיל טו, יד) ואמר מַהֲרוּ לָלֶכֶת (שם): **ולהלחם והקיץ.** כן כתיב בלמ"ד ואינה נקראת, וכבר כתבנו דעתינו במלות האלה ובדומיהן (לעיל טו, כא) והלמ"ד הכתובה אין לה טעם בשמוש והיא כלמ"ד הרגו לאבנר (לעיל ג, ל) הַשְּׁלִשִׁי לְאַבְשָׁלוֹם (דברי הימים־א ג, ב) לַאֲמוֹת חָמֵשׁ (שם־ב ג, יא) והדומים להם, ואמר וְהַקַּיִץ ובכללו הצמוקים כי הפירות היבשים כלם פירות קיץ הם:

מצודת דוד

(לב) עד הראש. בגבהי הר הזיתים, אשר משם היה נראה מקום הארון, והיה מדרך הבא שם להשתחות מול הארון: **קרוע כתנתו.** בעבור כי היה מיצר בצרת דוד: **(לג) למשא.** על היותו זקן וכחו תש, ולמשא יחשב להולך עמו: **(לד) עבדך אני המלך אהיה.** רצה לומר, מהיום אהיה עבדך, כמו שמאז היית עבד אביך, וכן עתה אהיה אני עבדך: **והפרתה לי.** רצה לומר, כשתשוב העיר ותאמר לאבשלום כדברים האלה, יבוא לי תועלת רב, כי אז תוכל להפר לטובתי את עצת אחיתופל, כי על פי הדברים האלה יבטח בך, ותהיה גם אתה מאנשי עצתו: **(לז) יבוא ירושלים.** באותה שעה שבא חושי, בא גם הוא: **(א) מהראש.** של הר הזיתים: **(ב) מה אלה לך.** רצה לומר, למה הבאתה כל אלה: **לבית המלך.** לנשיו וילדיו: **היעף.** מעמל הדרך:

מצודת ציון

(לב) הארכי. שם מקום: **(לד) ואני ואני.** הווי"ן נוספות בשניהם: **(לז) רעה.** חבר, ועל כי ישב עמו בתמידות, קראו רעה: **(א) וצמד.** זוג, על שם שהולכים צמודים וחבורים יחד, והוא מלשון (במדבר יט, טו), צמיד פתיל **חבושים.** חגורים באוכף לרכוב בהם, כמו (בראשית כב, ג), ויחבוש את חמורו: **מאה צמוקים.** מאה אשכלות ענבים יבשים: **ומאה קיץ.** מאה לטרין תאנים יבשים: **ונבל.** ונאד:

conspirators with Absalom." This was a shock to David. Ahithophel was a brilliant man and a famous counselor (see 16:23), and his involvement in the conspiracy was a potentially serious blow. David referred to this when he wrote "*HASHEM, how numerous are my tormentors! The great rise up against me!" (Psalms* 3:2). Furthermore, Ahithophel had been a close confidant of David's and was familiar with his every thought and habit, which could jeopardize David's position even more (*Abarbanel*).

According to the Midrash, in addition to Psalm 3, David also composed Psalm 55, an impassioned plea for help against treacherous foes, with reference to Ahithophel's defection (see *Abarbanel*).

32. See commentary to verse 30. David approached *the summit* to prostrate himself toward the holy place on Mount Moriah, as he always did when he was on the Mount of Olives. According to *Abarbanel*, he prayed over the bad news that Ahithophel had joined Absalom's rebellion. *Yalkut Shimoni*

Hushai becomes David's secret agent

[32]David was approaching the summit where he would prostrate himself to God, and there before him was Hushai the Archite, with his tunic torn and dirt upon his head. [33]David said to him, "If you pass over with me you will be a burden to me, [34]but if you return to the city and say to Absalom, 'I shall be your servant, O king; I have always been your father's servant and now I am your servant,' you will be able to nullify Ahithophel's counsel for me. [35]Are not Zadok and Abiathar the Kohanim there with you? And it will be that anything you hear from the king's house, you will tell to Zadok and Abiathar the Kohanim. [36]Behold, their two sons are there with them — Zadok's Ahimaaz and Abiathar's Jonathan; send me by their hand any word you may hear." [37]So Hushai, David's friend, came to the city, as Absalom was about to enter Jerusalem.

16

Ziba condemns Mephibosheth

[1]David had just passed beyond the summit, and, behold, Ziba, Mephibosheth's servant, was in front of him, with a pair of donkeys laden with two hundred breads, a hundred [clusters of] raisins, a hundred [portions of] dried figs and a container of wine. [2]The king asked Ziba, "Why do you have these things?" And Ziba answered, "The donkeys are for the king's household to ride upon, the bread and the dried figs are for the youths to eat, and the wine is for the exhausted one in the desert to drink." [3]The king then said, "And where is your master's son [Mephibosheth]?" Ziba said to the king,

---

notes that no sooner had David offered his supplication than the answer to his prayer arrived: *Hushai the Archite*, who would prove to be the antidote to Ahithophel, arrived at that very moment, *with his tunic torn*.

חוּשַׁי הָאַרְכִּי — *Hushai the Archite*. The *Archite* was an area in the province of the Tribe of Joseph (*Joshua* 16:2). Hushai came with his tunic torn and dirt upon his head, because he shared David's mourning and wished to join him in his flight.

The Talmud (*Sanhedrin* 107a) makes the astounding statement that David intended to worship an idol, but Hushai talked him out of it. The commentators are unanimous that this is meant figuratively, and there are various explanations. According to *Yad Ramah* and *Maharal*, David wanted to avoid the major desecration of God's Name that would be caused if he were to be murdered without cause by his own son. He decided that he would *pretend* to worship an idol, so that people would say he deserved to die. That, too, would be a desecration, but David felt that it be a lesser one than if God "permitted" His anointed one to be killed. Hushai convinced him that such a deed by the righteous David would be worse than the grievous sin committed by the evil Absalom (see ibid.).

Alternatively, David wished to abdicate his throne and abandon *Eretz Yisrael*. The Sages (*Kesubos* 110b) state that one who lives outside the Land of Israel is as if he has no God (*Yaaros Devash*).

33. David refused to let Hushai join him, either because his growing group of exiles was growing unwieldy (*Radak*), or because Hushai was elderly or feeble, and would not be able to maintain the pace of the others (*Ralbag*).

34-37. Clearly, Hushai was a wise and respected sage. Now David asked him to pose as a loyal subject of Absalom, so that he could neutralize the counsel of the traitorous Ahithophel. His allies would be Zadok and Abiathar; their two sons would be his couriers.

37. חוּשַׁי רֵעֶה דָוִד — *Hushai, David's friend*. Here, in the next two chapters and in *I Chronicles*, Hushai is referred to ten times as *David's friend*. Apparently they had been especially close for some time. *Abarbanel* suggests that the word רֵעֶה means more than *friend*; it is a kind of title or rank, signifying a warm and trusting relationship.

16.

1-4. A false report. David expected one more person to rally to his support: Mephibosheth, the lame son of his beloved friend, Jonathan. David had plucked Mephibosheth from hiding and guaranteed him safety and security and had assigned Ziba, a gentile slave of Saul's family, to look after his property (see ch. 9), so it would have been natural for Mephibosheth to come to David in this time of need. Instead, Ziba came with a generous supply of food and much-needed donkeys — and a slanderous story.

2. In response to the king's question, Ziba answered grandiosely that he was solicitous not only of David's advisers and fighters, but also of his wives and children. David had fled with his family (except for the concubines, who had been left behind), but they had left in such haste that no chariots or animals had been brought for the women and children. Ziba brought donkeys to fill this need, at least partially.

As it emerged from Ziba's account, he took all these provisions without the permission of his master, which raises the question of how David was legally permitted to accept this stolen property. Presumably, David acted under the right given to kings (see *I Samuel* 8:11-17) to tax or expropriate property in order to conduct their wars (*Parshiyos b'Sifrei HaNeviim*).

הִנֵּה֙ יוֹשֵׁ֣ב בִּירוּשָׁלִַ֔ם כִּ֣י אָמַ֔ר הַיּ֗וֹם יָשִׁ֤יבוּ לִי֙ בֵּ֣ית יִשְׂרָאֵ֔ל אֵ֖ת מַמְלְכ֥וּת אָבִֽי׃ (ד) וַיֹּ֤אמֶר הַמֶּ֙לֶךְ֙ לְצִבָ֔א הִנֵּ֣ה לְךָ֔ כֹּ֖ל אֲשֶׁ֣ר לִמְפִיבֹ֑שֶׁת וַיֹּ֤אמֶר צִיבָא֙ הִֽשְׁתַּחֲוֵ֔יתִי אֶמְצָא־חֵ֥ן בְּעֵינֶ֖יךָ אֲדֹנִ֥י הַמֶּֽלֶךְ׃ (ה) וּבָ֛א הַמֶּ֥לֶךְ דָּוִ֖ד עַד־בַּֽחוּרִ֑ים וְהִנֵּ֣ה מִ֠שָּׁם אִ֨ישׁ יוֹצֵ֜א מִמִּשְׁפַּ֣חַת בֵּית־שָׁא֗וּל וּשְׁמוֹ֙ שִׁמְעִ֣י בֶן־גֵּרָ֔א יֹצֵ֥א יָצ֖וֹא וּמְקַלֵּֽל׃ (ו) וַיְסַקֵּ֤ל בָּֽאֲבָנִים֙ אֶת־דָּוִ֔ד וְאֶת־כָּל־עַבְדֵ֖י הַמֶּ֣לֶךְ דָּוִ֑ד וְכָל־הָעָם֙ וְכָל־הַגִּבֹּרִ֔ים מִימִינ֖וֹ וּמִשְּׂמֹאלֽוֹ׃ (ז־ח) וְכֹה־אָמַ֥ר שִׁמְעִ֖י בְּקַֽלְל֑וֹ צֵ֥א צֵ֛א אִ֥ישׁ הַדָּמִ֖ים וְאִ֥ישׁ הַבְּלִיָּֽעַל׃ הֵשִׁ֨יב עָלֶ֜יךָ יהוה כֹּ֣ל ׀ דְּמֵ֣י בֵית־שָׁא֗וּל אֲשֶׁ֤ר מָלַ֙כְתָּ֙ °תחתו [°תַּחְתָּ֔יו ק] וַיִּתֵּ֣ן יהוה אֶת־הַמְּלוּכָ֔ה בְּיַ֖ד אַבְשָׁל֣וֹם בְּנֶ֑ךָ וְהִנְּךָ֙ בְּרָ֣עָתֶ֔ךָ כִּ֛י אִ֥ישׁ דָּמִ֖ים אָֽתָּה׃ (ט) וַיֹּ֨אמֶר אֲבִישַׁ֤י בֶּן־צְרוּיָה֙ אֶל־הַמֶּ֔לֶךְ לָ֣מָּה יְקַלֵּ֞ל הַכֶּ֤לֶב הַמֵּת֙ הַזֶּ֔ה אֶת־אֲדֹנִ֖י הַמֶּ֑לֶךְ אֶעְבְּרָה־נָּ֖א וְאָסִ֥ירָה אֶת־רֹאשֽׁוֹ׃ (י) וַיֹּ֣אמֶר הַמֶּ֔לֶךְ מַה־לִּ֥י וְלָכֶ֖ם בְּנֵ֣י צְרֻיָ֑ה °כי [°כֹּ֣ה ק] יְקַלֵּ֗ל °וכי [°כִּ֤י ק] יהוה֙ אָ֤מַר לוֹ֙ קַלֵּ֣ל אֶת־דָּוִ֔ד וּמִ֣י יֹאמַ֔ר מַדּ֖וּעַ עָשִׂ֥יתָה

רש"י

(י) **כה יקלל.** כן יקלל: **ה' אמר לו.** אפשר אדם כמותו שהוא ראש לסנהדרין, יקלל את המלך אם לא שנאמר לו מאת הקב"ה:

רד"ק

(ה) **בחורים.** עיר מבני בנימין ונקראה בדברי הימים (־א ו, מה) עָלֶמֶת, וכן תרגם יונתן עַלְמַת, ועלמת ובחורים אחד הוא: (ו) **ויסקל באבנים.** השליך אבנים כמו פועל הקל וּסְקַלְתּוֹ בָאֲבָנִים (דברים יג, יא) ואינו הפך הקל כמו שכתב רבי יונה, כי פירוש סַקְּלוּ מֵאֶבֶן (ישעיהו סב, י) סקלו המסילה באבנים, שתשליכו שם מפני הטיט והטיט הוא מכשול הדרכים, וזה שאמר הָרִימוּ מִכְשׁוֹל מִדֶּרֶךְ עַמִּי (שם נז, יד) ומ"ם מאבן במקום בי"ת כמו מִסִּינַי בָּא (דברים לג, ב), או תהיה המ"ם כמשמעה ויהיה פירושו סקלו המסלה מאבנים גדולות: **מימינו ומשמאלו.** כל העם והגבורים שהיו מימין דוד ומשמאלו היה מסקל באבנים: (ז) **איש הדמים.** תרגום יונתן גְּבַר דְּחַיָּיב קְטוֹל, ויש לפרש שחשדו בדמי איש בשת ובדמי אבנר, וזה שאמר לו הֵשִׁיב עָלֶיךָ ה' כֹּל דְּמֵי בֵית שָׁאוּל אֲשֶׁר מָלַכְתָּ תַּחְתָּיו (פסוק ח), כלומר הרגת ביתו ומלכת תחתיו, ויונתן תרגם כֹּל דְּמֵי בֵּית שָׁאוּל, כֹּל חוֹבֵי בֵּית שָׁאוּל: (י) **כי יקלל.** כן כתיב וקרי כֹּה ושניהם קרובים בענין: **וכי ה'.** כתיב בוי"ו וקרי בלא וי"ו: **ה' אמר לו.** כאילו אמר לו קלל את דוד כי הוא רצה בטלטולי זה, או פירושו הוא העיר את רוחו לבזות אותי לענוש עוני:

מצודת דוד

(ג) **היום ישיבו לי.** בראותם מהומות רבות בבני המלך, האחד הרג את אחיו וקם על אביו, מה שלא היה בבני שאול: (ה) **עד בחורים.** סמוך לעיר בחורים: (ו) **ויסקל.** זרק אבנים על דוד וגו': (ז) **צא.** רצה לומר, צא ממלכותך, אתה האיש השופך דמים, כאומר, הנה בעצתך נהרג אבנר ואיש בושת: (ח) **השיב.** ה' השיב עליך גמול עון דמי בית שאול, כי בעצתך נהרג איש בושת בנו, לשתמלוך תחתיו: **והנך ברעתך.** הנה אתה בהרעה הראויה למעשיך: (ט) **למה יקלל.** כאומר, וכי אתה הרגת לשאול ולבניו: (י) **מה לי ולכם.** רצה לומר, מה האיבה והשנאה אשר בינינו, מה עשיתם לי, ומה עשיתי לכם, ולמה אם כן תעשו דברים אשר לא אחפוץ בהם: **כה יקלל.** הלא אשר יקלל, כה הוא, כי ה' אמר לו קלל, והוא העיר רוחו לזה, ומי יאמר לשמעי מדוע עשית כן, הלא הוא שלוחו של מקום:

מצודת ציון

(ה) **ומקלל.** ענין דברי קלון וחרפה, וכן (שמואל־א ־ יג), כי מקללים להם בניו:

3. הַיּוֹם יָשִׁיבוּ לִי בֵּית יִשְׂרָאֵל אֵת מַמְלְכוּת אָבִי — *"Today the House of Israel will restore my father's kingdom to me."* The *father* is Saul, who was actually Mephibosheth's *grand*father (see above 9:7 and commentary there).

How would Absalom's rebellion result in the restoration of Saul's kingdom? Absalom would certainly kill his father, Mephibosheth reasoned (or so Ziba claimed), and this heinous crime would incriminate Absalom in the eyes of the people. They would then depose him and return the kingship to the House of Saul (*Malbim*).

4. הִנֵּה לְךָ כֹּל אֲשֶׁר לִמְפִיבֹשֶׁת — *"Behold — everything that Mephibosheth owns is now yours!"* David did not consider the possibility that Ziba was lying about Mephibosheth, which was actually the case (see below, ch. 19). *Abarbanel* suggests that David was too weary and bitter to give Mephibosheth the benefit of the doubt.

The Talmud (*Shabbos* 56a, see *Maharsha*) records a dispute regarding whether or not David sinned by accepting this slanderous report [לְשׁוֹן הָרַע]. Rav says that he believed Ziba's lie, which was a sin. Although he had reasonable grounds for doing so, it was still wrong. Shmuel contends that David did not accept the slander. Although he said that Mephibosheth's assets would be turned over to Ziba, this was to take effect only on the condition that Ziba's charge turned out to be correct. Proof of this is that Ziba responded, *"May I find favor . . .,"* in the future tense. Since he did not say "I have *found* favor," the implication is that he was hoping for a favorable outcome in the future.

5-14. Shimei tests David's awesome humility, Shimei was an outstanding sage and the teacher of Solomon (*Berachos* 8a). That such a great man could behave so reprehensibly shows that Saul's kinsmen had not made complete peace with the loss of the throne to a member of the tribe of Judah. Although it was now nearly thirty years since David had been accepted by all twelve tribes, people like Shimei now had grounds to declare David to be unworthy. They still suspected that he had ordered the murders of Abner (ch. 3) and Ish-bosheth (ch. 4). His behavior in the unsavory affair of Bath-sheba and Uriah, Amnon's assault on Tamar, Absalom's killing of Amnon, and now Absalom's rebellion led Shimei to cast doubt on David's legitimacy as king. Even if he had once been entitled to the kingship, he was now disqualified.

David, in his incredible humility, accepted Shimei's curses and insults as ordained by God, and refused to allow his men to act against the insolent rebel (*Parshiyon b'Sifrei HaNeviim*).

David is described in Kabbalah literature as מַלְכָּא מְהֵימְנָא,

"Behold, he is staying in Jerusalem, for he said, 'Today the House of Israel will restore my father's kingdom to me.' " [4]*The king then said to Ziba, "Behold — everything that Mephibosheth owns is now yours!" And Ziba said, "I prostrate myself; may I find favor in the eyes of my lord the king!"*

Shimei reviles David ...

[5]*King David came until Bahurim, and behold — a man of Saul's family was coming out from there, his name was Shimei son of Gera, and he was cursing as he was coming out.* [6]*He pelted David and all of King David's servants with stones, as well as all the people and the soldiers, to his right and to his left.* [7]*And this is what Shimei said as he cursed, "Go out, go out, you man of bloodshed, you base man!* [8]*HASHEM is repaying you for all the blood of the House of Saul, in whose stead you have reigned, and has given over the kingdom into the hand of Absalom your son. Behold — you are now afflicted because you are a man of bloodshed!"* [9]*Abishai son of Zeruiah said to the king, "Why should this dead dog curse my lord the king? I will go on ahead and take off his head!"*

... but David shields him

[10]*But the king said, "What does it matter to me or to you, O sons of Zeruiah? So shall he curse, for HASHEM has said to him, 'Curse David.' Who can then say, 'Why have you done*

---

the faithful king, meaning that he was totally devoted to God, without any personal considerations, in contrast to Saul, who wanted to be honored even after he was repudiated by God and Samuel (see *I Samuel* 15:30). When David was called upon to leave his sheep and become king, he accepted because that was God's will. And when he fled in disgrace from Absalom, he accepted his fate with equanimity, bacause that was God's will. Even when Shimei cursed and stoned him, he accepted it calmly *(Yismach Yisrael)*.

5. **בַּחוּרִים** — *Bahurim*, a city near Jerusalem in Benjamin's territory (*Radak*).

6. Shimei must have had considerable backing for his sentiments from the population of Bahurim, or he would not have dared to single-handedly assault such a large party of people, with armed soldiers among them. Perhaps he interpreted David's lack of response to his curse as a sign of powerlessness *(R' Yaakov Blinder)*.

7. **אִישׁ הַדָּמִים וְאִישׁ הַבְּלִיָּעַל** — *You man of bloodshed, you base man!* By calling David a *man of bloodshed*, Shimei intimated that David had ordered the killing of Abner and Ish-bosheth, as implied in the following verse. Although David took great pains to demonstrate to all that he had no part in those assassinations (see above, chs. 3 and 4), there was apparently still a fair amount of bitterness and skepticism among the people, especially among Saul's family members. By *base man*, Shimei was alluding to David's taking of Bath-sheba. It is also possible that *man of bloodshed* was an allusion to the killing of Uriah (*Abarbanel*).

Parashas Derachim adds that Shimei accused David of causing the deaths of the Kohanim of Nob by making them appear to be rebels against Saul (see *I Samuel* 21:1-10; 22:9-19).

8. Shimei's diatribe showed clearly that he — and presumably many others in the tribe of Benjamin — still resented David's assumption of the throne.

וְהִנְּךָ בְּרָעָתֶךָ — *Behold — you are now afflicted*, i.e., you are now suffering because of your sins.

Alternatively, *here you are in your evil.* Shimei accused David of never having changed; he was evil in the past and he is evil now (*Mahari Kara*). The Midrash explains that Shimei meant to attack David for keeping Bath-sheba as his wife after he sinned with her and after the death of Uriah.

Shimei repudiated David's right to the throne, which was a denial not only of the Davidic dynasty and the eventual Redemption, but of God Himself, Who had selected David. David could forgive personal insults, but not such blasphemy. This is why David commanded Solomon to find a legitimate pretext to execute Shimei.

9. **הַכֶּלֶב הַמֵּת הַזֶּה** — *This dead dog.* Shimei has the impudence of a dog and he deserves to die for it! (*Kli Yakar*).

אֲדֹנִי הַמֶּלֶךְ — *My lord the king.* Abishai emphasized that his anger at Shimei was for the honor of his *lord the king*. Although Abishai was David's nephew, the son of David's sister Zeruiah, he spoke up now not as a relative, but as a loyal servant who could not tolerate the affront to his king (ibid.).

10. **מַה־לִּי וְלָכֶם** — *What does it matter to me or to you?* I.e., Shimei's curses are not causing any harm *to me or to you*, so why bother with him? (*Abarbanel).*

Alternatively, What [enmity] is there between me and you? "Why do you seek to do things that are against my will? What have I done to deserve such contemptuous treatment from you?" (*Metzudos*).

Reishis Chochmah explains David's attitude toward Shimei's curses. Someone who feels attached to God is unconcerned with the insults of human beings. His aspirations are spiritual, and the insults of human beings are meaningless to him. When a servant standing before the king is reviled by bystanders, he does not respond. To do so would in itself be disrespectful to his master.

בְּנֵי צְרֻיָה — *O sons of Zeruiah*. The plural *sons* implies that Abishai's brother Joab was involved in this conversation also, although his name is not mentioned.

כִּי ה' אָמַר לוֹ קַלֵּל אֶת־דָּוִד — *For HASHEM has said to him, 'Curse David.'* God, Who has ordained that I suffer this degrading exile as punishment for my sins, has made Shimei the agent

יא כֵּן: וַיֹּאמֶר דָּוִד אֶל־אֲבִישַׁי וְאֶל־כָּל־עֲבָדָיו הִנֵּה בְנִי אֲשֶׁר־יָצָא מִמֵּעַי מְבַקֵּשׁ אֶת־נַפְשִׁי וְאַף כִּי־עַתָּה בֶּן־הַיְמִינִי הַנִּחוּ לוֹ וִיקַלֵּל כִּי־אָמַר לוֹ
יב יהוה: אוּלַי יִרְאֶה יהוה בעוני [בְּעֵינִי ק׳] וְהֵשִׁיב יהוה לִי טוֹבָה תַּחַת קִלְלָתוֹ
יג הַיּוֹם הַזֶּה: וַיֵּלֶךְ דָּוִד וַאֲנָשָׁיו בַּדָּרֶךְ וְשִׁמְעִי הֹלֵךְ בְּצֵלַע הָהָר
יד לְעֻמָּתוֹ הָלוֹךְ וַיְקַלֵּל וַיְסַקֵּל בָּאֲבָנִים לְעֻמָּתוֹ וְעִפַּר בֶּעָפָר: וַיָּבֹא
טו הַמֶּלֶךְ וְכָל־הָעָם אֲשֶׁר־אִתּוֹ עֲיֵפִים וַיִּנָּפֶשׁ שָׁם: וְאַבְשָׁלוֹם וְכָל־הָעָם אִישׁ
טז יִשְׂרָאֵל בָּאוּ יְרוּשָׁלָם וַאֲחִיתֹפֶל אִתּוֹ: וַיְהִי כַּאֲשֶׁר־בָּא חוּשַׁי הָאַרְכִּי רֵעֶה
יז דָוִד אֶל־אַבְשָׁלוֹם וַיֹּאמֶר חוּשַׁי אֶל־אַבְשָׁלֹם יְחִי הַמֶּלֶךְ יְחִי הַמֶּלֶךְ: וַיֹּאמֶר
יח אַבְשָׁלוֹם אֶל־חוּשַׁי זֶה חַסְדְּךָ אֶת־רֵעֶךָ לָמָּה לֹא־הָלַכְתָּ אֶת־רֵעֶךָ: וַיֹּאמֶר חוּשַׁי אֶל־אַבְשָׁלֹם לֹא כִּי אֲשֶׁר בָּחַר יהוה וְהָעָם הַזֶּה וְכָל־אִישׁ יִשְׂרָאֵל
יט לא [לוֹ ק׳] אֶהְיֶה וְאִתּוֹ אֵשֵׁב: וְהַשֵּׁנִית לְמִי אֲנִי אֶעֱבֹד הֲלוֹא לִפְנֵי בְנוֹ כַּאֲשֶׁר
כ עָבַדְתִּי לִפְנֵי אָבִיךָ כֵּן אֶהְיֶה לְפָנֶיךָ: וַיֹּאמֶר אַבְשָׁלוֹם אֶל־
כא אֲחִיתֹפֶל הָבוּ לָכֶם עֵצָה מַה־נַּעֲשֶׂה: וַיֹּאמֶר אֲחִיתֹפֶל אֶל־אַבְשָׁלֹם בּוֹא אֶל־פִּלַגְשֵׁי אָבִיךָ אֲשֶׁר הִנִּיחַ לִשְׁמוֹר הַבָּיִת וְשָׁמַע כָּל־יִשְׂרָאֵל כִּי־נִבְאַשְׁתָּ
כב אֶת־אָבִיךָ וְחָזְקוּ יְדֵי כָּל־אֲשֶׁר אִתָּךְ: וַיַּטּוּ לְאַבְשָׁלוֹם הָאֹהֶל עַל־הַגָּג

רש״י

(יב) יראה ה׳ בעיני. דמעת עיני: **(יד) וינפש שם.** בבחורים: **(כא) וחזקו ידי כל אשר אתך.** כי עתה ידם רפה לעזור לך, שאומרים בלבם הבן יתרצה אל אביו, ואנו נהיה שנואים למלך:

רד״ק

(יב) אולי יראה ה׳ בעיני. כמו בענִיני שאני בו, וכן בדברי רז״ל (ברכות כט, א) מעין כל ברכה וברכה כמו מענין, ויונתן תרגם דִמְעַת עֵינִי, והכתיב הוא בעוני כלומר בעניי: **תחת קללתי.** כתיב ביו״ד וקרי בוי״ו והענין אחד כי הכנוי דבק עם הפעל ועם הפעול, וכן בְּבֵית תְּפִלָּתִי (ישעיהו נו, ז) שָׁמַעְתִּי אֶת תְּפִלָּתְךָ (מלכים־א ט, ג): **(יג) באבנים לעמתו.** כי לא היו משיגים אותו האבנים והעפר כי רחוק היה ממנו אלא לעומתו היה מסקל: **ועפר בעפר.** הכפל לחזק הענין כי די היה לו אם אמר ועפר לבדו או השליך עפר, וכמוהו מְקַרְקַר קִר (ישעיהו כב, ה) וַתַּשְׁרֵשׁ שָׁרָשֶׁיהָ (תהלים פ, י): **(יד) וינפש שם.** בבחורים כמו שאמר למעלה (פסוק ה) וּבָא הַמֶּלֶךְ דָּוִד עַד בַּחוּרִים: **(יח) לא אהיה.** כתיב באל״ף וקרי בוי״ו ופירוש הכתוב דרך תמיה והקרי כמשמעו: **(יט) והשנית.** והטענה השנית למה באתי אליך: **למי אני אעבד.** כלומר משני פנים היה הדין עלי לבא אליך: **(כ) הבו לכם.** לשון תפארת, או פירוש אתה והחכמים אשר אתך: **(כב) ויטו לאבשלום האהל.** הטו לו אהלים על הגג שיבואו שם הפלגשים וישכב אבשלום עמהן תוך האהלים, וזהו לפני כל ישראל כי כלם ראו שנכנס עמהן בסתר תוך האהלים, ותרגומו וּנְגַדוּ לְאַבְשָׁלוֹם קִינוּפִין עַל אִיגָּרָא, ובדברי רבותינו ז״ל פירשו קְנוּפִין שמעמידין ארבע עמודי עצים ונוטלים עליהם וסביבותיהם יריעות, והוא אהל נטוי:

מצודת דוד

(יא) הנה בני וגו׳. רצה לומר, הלא בדרך הטבע שהבן חס על אביו, והנכם רואים שהוא מבקש נפשי, ומזה נראה שיד ה׳ עשתה זאת: **ואף כי עתה.** ומכל שכן עתה שאני בורח ומעונה, ושמעי הוא מבני הימיני אשר המה לי לאויבים, שיותר המה מוכנים לעשות בי גזירתו של מקום, בראותם קושי מזלי נרדף מבן בטני, ולזה הניחו לו, כי ה׳ אמר לו: **(יב) בעיני.** בדמעת עיני, הזלה מחרפת אנוש: **והשיב.** בעבור העלבון הזה, ישיב לי ה׳ טובה במקום הקללה: **(יד) ויבא המלך.** אל בחורים שזכר למעלה: **(יז) זה חסדך.** וכי זהו החסד שעשית לרעך לדוד לעזבו ביום צרתו, למה לא הלכת עמו: **(יח) לא.** רצה לומר, לא היה מהראוי שאלך עם אביך, כי אל המלך אשר בחר ה׳, והעם היושבים פה, וכל איש ישראל אשר איננו פה, לו אהיה לעבד, ועמו אשב. וכאומר, הנה אהבתי לאביך לא היתה מצד עצמו, כי אם מצד המלוכה: **(יט) והשנית.** רצה לומר, ואף אם הייתי לו לאוהב מצד עצמו, מכל מקום אין זה בגידה בו, כי למי אעבוד, וכי למשפחת בית שאול אויביו, הלא לפני בנו אעבוד, ולזה כאשר עבדתי לפני אביך, כן אהיה לפניך, ולא יחשב לבגידה: **(כ) הבו.** אתה והזקנים שעמך, התייעצו ביניכם מה נעשה: **(כא) וחזקו.** על כי עדיין נרפים הם, בחושבם פן ישלימו האב והבן וינקמו מאתנו, אבל בזה ידעו כי נבאשת את אביך, ויתחזקו ידיהם להיות עמך: **(כב) לעיני וגו׳.** כולם ראו הכנסו אל האהל והתיחדו עמהן:

מצודת ציון

(יב) אולי. הלואי, כמו (ישעיהו לז, ד), אולי ישמע: **(יג) בצלע.** בעבר ובצד, כמו (שמות כז, כו), צלע המשכן: **לעומתו.** נגדו: **ועפר.** זרק עפר, ולתוספת ביאור אמר בעפר, וכן (תהלים פ, י), ותשרש שרשיה: **(יד) וינפש.** ענין מנוחה ומרגוע המשיב את הנפש, כמו (שמות לא, יז), שבת וינפש: **(כ) הבו.** הזמינו, כמו (בראשית יא, ז), הבה נרדה: **(כא) נבאשת.** ענין תיעוב ומאוס, כדבר הנבאש:

to augment my suffering (*Radak*). *Rashi* notes that Shimei was no ordinary citizen; he was the head of the Sanhedrin, and such a great man could not be doing such a thing if he had not received Divine inspiration to do so.

11. David saw that his arguments for ignoring Shimei were not very convincing to the zealous Abishai, since one who curses the king is in fact liable to the death penalty, even though the curse causes no physical harm. Similarly, the fact that everything that happens is ordained by God does not absolve anyone from punishment for a crime. David therefore adduced a third, more compelling reason: It would be absurd to issue a punishment for this relatively minor infraction of the king's honor in the face of the more major events which are taking place at this time (*Abarbanel*).

this?' " [11]*David then said to Abishai and all his servants, "Here my own son, who has issued from my innards, seeks my life, so what now of this Benjamite? Let him be; let him curse, for HASHEM has told him to.* [12]*Perhaps HASHEM will see [the tears in] my eye and HASHEM will repay me with goodness instead of his curse this day."* [13]*David and his men continued on the way, with Shimei walking along the side of the mountain, opposite him; continuously cursing and flinging stones toward him and throwing dirt.*

[14]*The king and all the people who were with him arrived [in Bahurim] exhausted, and they rested there.*

Hushai wins Absalom's trust

[15]*Absalom and all the people, [every] man of Israel, came to Jerusalem, and Ahithophel with him.* [16]*When Hushai the Archite, David's friend, came to Absalom, he said, "May the king live! May the king live!"* [17]*Absalom then said to Hushai, "Is this your kindness to your friend? Why did you not go with your friend?"* [18]*Hushai said to Absalom, "No! Rather, he whom HASHEM — as well as this people and every man of Israel — has chosen, his shall I be and with him shall I stay!* [19]*Secondly, whom shall I be serving — is it not [my friend's] son? Just as I served before your father so shall I be before you!"*

Ahithophel's immoral counsel

[20]*Absalom said to Ahithophel, "Give counsel; what should we do?"* [21]*Ahithophel advised Absalom, "Consort with your father's concubines, whom he left to keep the house. All of Israel will hear that you have totally repudiated your father, and all who are with you will strengthen their resolve."* [22]*So they pitched a tent on the roof for Absalom,*

---

12. בְּעֵינִי — *[The tears in] my eye*. The bracketed words are added in accordance with *Targum* and several commentators. According to *Radak*, עֵינִי means *my matter* or *predicament*.

13. בַּדֶּרֶךְ — *On the way.* David's *way* was to accept God's will without question. His example prevailed on his men to do the same (*Be'er Moshe*).

15-19. Hushai gains Absalom's trust. David's plan succeeded. Although Absalom was suspicious at first of Hushai's "disloyalty" to David, Hushai's logic — perhaps combined with Absalom's vanity — convinced him. Later, Hushai was to play a key role in the downfall of Absalom and Ahithophel.

15. וַאֲחִיתֹפֶל אִתּוֹ — *And Ahithophel with him*. That Ahithophel is the only supporter mentioned by name implies how important he was to Absalom, as an adviser and as a symbol of David's loss of support. Nevertheless, the word אִתּוֹ suggests that Ahithophel's loyalty was less than perfect, for although the words אִתּוֹ and עִמּוֹ both mean *with him*, there is a subtle difference between them. The word עִמּוֹ means that the two parties are together not only physically, but are united in goals and values. The word אִתּוֹ, however, implies *physical* unity, but not a commonality of goals and values. Thus, our verse implies that Ahithophel went *with* Absalom, but he was not completely at one with him. Ahithophel's loyalty had limitations; he served David when it suited him and he switched to Absalom when it suited him.

18. Hushai spoke like a civil servant — his words were intended to convey that his loyalty was not to the person, but to the institution of the monarchy, whomever God and Israel chose as the leader.

19. In response to Absalom's suggestion that it was disloyal for him to shift his allegiance from David, Hushai contended that Absalom was the natural successor to his father.

From Hushai's contention that there was no contradiction between his former loyalty to David and his present changeover to Absalom's side, *Abarbanel* sees support for his theory that Absalom did not at first intend to kill David, but only to ascend the throne (by force) in his lifetime. Hushai would not have spoken as he did if Absalom meant to assassinate his father.

20-23. Ahithophel's immoral counsel. The counselor advises Absalom to commit a reprehensible act, but one that would prove that his relations with David had been completely ruptured.

20. Now that Absalom and his supporters had occupied Jerusalem, Absalom did not know what to do next to consolidate his control of the country.

הָבוּ לָכֶם עֵצָה — *Give counsel*. The Hebrew is in the plural, so Absalom was apparently addressing several advisers, although Ahithophel was the primary one. Another possibility is that the plural is used as a form of respectful address, even to a single person (*Radak*).

21. Ahithophel said that until Absalom did something to irrevocably sever his ties to David, he would not have the full support of the people, who would naturally fear that the prince would become reconciliated with David, leaving his ardent supporters branded as traitors (*Rashi*).

Why did Ahithophel turn so bitterly against David, and why did he instigate the performance of this vulgar act? *Radak* suggests that Ahithophel was incensed at David's treatment of Bath-sheba, who was his granddaughter (see above 11:3 and below 23:34; see also *Sanhedrin* 69b).

22. וַיַּטּוּ לְאַבְשָׁלוֹם הָאֹהֶל עַל־הַגָּג — *So they pitched a tent on the roof for Absalom*. The public saw Absalom and the concubines enter the tent alone and they understood what was hap-

כג וַיָּבֹא אַבְשָׁלוֹם אֶל־פִּלַגְשֵׁי אָבִיו לְעֵינֵי כָּל־יִשְׂרָאֵל: וַעֲצַת אֲחִיתֹפֶל אֲשֶׁר יָעַץ בַּיָּמִים הָהֵם כַּאֲשֶׁר יִשְׁאַל־[אִישׁ ק׳ ולא כ׳] בִּדְבַר הָאֱלֹהִים כֵּן כָּל־עֲצַת אֲחִיתֹפֶל גַּם־לְדָוִד גַּם־לְאַבְשָׁלֹם:

יז א וַיֹּאמֶר אֲחִיתֹפֶל אֶל־אַבְשָׁלֹם אֶבְחֲרָה נָּא שְׁנֵים־עָשָׂר אֶלֶף אִישׁ וְאָקוּמָה וְאֶרְדְּפָה אַחֲרֵי־דָוִד הַלָּיְלָה: ב וְאָבוֹא עָלָיו וְהוּא יָגֵעַ וּרְפֵה יָדַיִם וְהַחֲרַדְתִּי אֹתוֹ וְנָס כָּל־הָעָם אֲשֶׁר־אִתּוֹ וְהִכֵּיתִי אֶת־הַמֶּלֶךְ לְבַדּוֹ: ג וְאָשִׁיבָה כָל־הָעָם אֵלֶיךָ כְּשׁוּב הַכֹּל הָאִישׁ אֲשֶׁר אַתָּה מְבַקֵּשׁ כָּל־הָעָם יִהְיֶה שָׁלוֹם: ד וַיִּישַׁר הַדָּבָר בְּעֵינֵי אַבְשָׁלֹם וּבְעֵינֵי כָּל־זִקְנֵי יִשְׂרָאֵל: ה וַיֹּאמֶר אַבְשָׁלוֹם קְרָא נָא גַּם לְחוּשַׁי הָאַרְכִּי וְנִשְׁמְעָה מַה־

רש״י

(ג) **כשוב הכל.** אליך: **האיש אשר אתה מבקש.** יעשה בו בקשתך ויהרג, ואחר כך כל העם יהיה שלום, וזה מקרא קצר: (ד) **ובעיני זקני ישראל.** זקני אשמאי:

רד״ק

(כג) **כאשר ישאל איש בדבר האלהים.** איש קרי ולא כתיב, והכתיב רצה לומר על דוד כן היתה עצתו נכונה ומתאמתת לדוד כמו אם היה דוד שואל בדבר האלהים, כי אחיתופל יועץ היה לדוד כמו שאומר בדברי הימים (־א כז, לג) וַאֲחִיתֹפֶל יוֹעֵץ לַמֶּלֶךְ, וקרי אִישׁ, כלומר לכל אדם המתיעץ בו, ומה שאמר לְדָוִד כי לא היה לו יועץ תמיד, ומה שאמר גַּם לְדָוִד גַּם לְאַבְשָׁלֹם האחד לרבות על חבירו, כמו גַּם צֹאנְכֶם גַּם בְּקַרְכֶם קְחוּ (שמות יב, לב) כי עתה שב להיות יועץ אבשלום כמו שהיה יועץ דוד. ובדרש איש קרי ולא כתיב לא היה איש אלא מלאך: **גם לאבשלם.** ואף על פי שזה היתה עצתו תחילה לאבשלום, דבר הפלגשים עצה נכונה היתה ואף על פי שהיתה לרעה, כי בדבר ההוא חזקו ידי כל אשר אתו וידעו כי לא יעשה עוד אביו שלום עמו, וגם העצה הזאת האחרת היתה נכונה ואילו נעשתה היה נהרג דוד כדבריו אלא שהקב״ה צוה להפר העצה: **(א) שנים עשר אלף.** אלף מכל שבט ושבט: **(ג) כשוב הכל.** כשוב כל דבר שירצה אדם להשיב אליו כן נקל לי להשיב אליך כל העם ויונתן תרגם כַּד יְתוּבוּן כֻּלְהוֹן: **האיש אשר אתה מבקש.** אחר אשר אהרג האיש אשר אתה מבקש רעתו והוא דוד כמו שאמר וְהִכֵּיתִי אֶת הַמֶּלֶךְ לְבַדּוֹ וכן תרגם יונתן בָּתַר דְּיִתְקְטֵל גַּבְרָא דְּאַתְּ בָּעֵי, ואמרו כי השנאה הגדולה הזאת שהיה שונא אחיתופל את דוד שיעץ הריגתו ובזהו בדבריו שאמר אַחֲרֵי דָוִד (פסוק א) ולא אמר אחרי המלך דוד, מפני המעשה שעשה בבת שבע, ואמרו כי בת שבע היתה בת בנו של אחיתופל דכתיב הֲלוֹא זֹאת בַּת שֶׁבַע בַּת אֱלִיעָם (לעיל יא, ג) וכתיב אֱלִיעָם בֶּן אֲחִיתֹפֶל הַגִּלֹנִי (לקמן כג, לד):

מצודת דוד

(כג) **בימים ההם.** אשר הועמד להיות יועץ: **כאשר.** כמו השואל מה מדבר אלהים, בטוח הוא שהתשובה היא נאמנה, כן היתה עצת אחיתופל בטוחה, להשיג על ידה הדבר הנרצה: **גם לאבשלום.** כי לפי מחשבתם הרעה, היתה העצה בדבר הפלגשים עצה טובה, ואף עצתו בדבר הרדיפה אחר דוד, עצה נכונה היתה, אבל ה׳ הפרה: **(א) אבחרה וגו׳.** כי לקבץ את כל ישראל יתאחר זמן רב, ובתוך כך ימלט דוד על נפשו: **ואקומה.** כי אם ילך אבשלום, פן יחמול עליו כשיראה פניו: **הלילה.** בעודו עיף ויגע: **(ב) ורפה ידים.** כי זה היום נטרד מן המלוכה, ועדיין לא לקח עצה מה לעשות: **והחרדתי אותו.** בהיות הדבר פתאום ובלילה: **ונס כל העם.** בעבור החרדה ינוסו, זה בכה וזה בכה, ולא ישארו עם המלך ללחום בעבורו, ואז אוכל להכות אותו לבדו, מבלי שאצטרך להמית מי מאנשיו, הואיל ולא יעמדו למלחמה, כי ינוסו ואינם: **(ג) ואשיבה.** ואז אשיב אליך כל העם אשר עם אביך: **כשוב הכל.** כמו ששבו אליך כל המון ישראל, וקבלו אותך למלך: **האיש אשר וגו׳.** רצה לומר, לא יפקד מהם כי אם האיש אשר אתה מבקש, כי הוא לבדו יומת, אבל לכל העם שעמו יהיה שלום, ולא יפקד מהם איש:

מצודת ציון

(ב) ורפה ידים. ענין מורך לב ויאוש: **(ד) ויישר.** מלשון יושר, רוצה לומר הוטב בעיניו:

---

pening inside (*Radak*).

This bizarre and insulting act of immorality fulfilled Nathan's prophecy of 12:11-12: *"Behold! I shall raise evil against you from your own household, I shall take your wives away in front of your eyes and give them to your fellowman, who will lie with them in the sight of this sun. Though you have acted in secrecy, I shall perform this deed in the presence of all Israel and before the sun"* (*Ralbag*). Ironically, this punishment took place on the very rooftop from which David first saw Bath-sheba (*Daas Sofrim*).

Ralbag points out that although Absalom's conduct was abhorrent, it was not technically incestuous, for concubines are not actually considered married to their "husbands" (*Sanhedrin* 21a, according to one reading). Accordingly, a father's mistress is not technically forbidden to his son (*Yevamos* 97a).

23. In order to explain why Hushai and the other advisers did not speak out against Ahithophel's immoral plan, the verse mentions the awesome respect that people had for Ahithophel's counsel. His advice was held in such high regard that opposition would be futile. Furthermore, they feared they might be suspected of sympathizing with David if they voiced opposition (*Abarbanel*).

In the past, Ahithophel's advice had been corroborated by the *Urim v'Tumim* (*Sanhedrin* 16:a-b), which explains why Absalom and the others did not question his counsel now.

It may be that Hushai remained silent because a protest at this point would have been interpreted as proof that he was still loyal to David. By acquiescing now, Hushai gave the impression that he was objective, so that he would have credibility when he disagreed in the future.

The greater a person is, the greater his punishment if he stumbles into sin. Because Ahithophel's counsel was almost equivalent to the word of God, the outrage of his betrayal is all the greater. He died in disgrace and lost his share in the World to Come (*Tanna d'Vei Eliyahu*).

17.

1-4. Ahithophel's plan. The unparalleled adviser to kings proposed a plan that would rally the nation behind Absalom and destroy David's hope of returning to the throne.

and Absalom consorted with his father's concubines in front of all of Israel.

[23]Now the counsel of Ahithophel that he advised in those days was as if someone would inquire of the word of God; such was all the counsel of Ahithophel both to David and to Absalom.

17 *Ahithophel proposes a surprise attack on David ...*

[1]Ahithophel told Absalom, "Let me please choose twelve thousand men, and I will arise and chase after David tonight! [2]I will come upon him while he is exhausted and weak handed; I will frighten him so that all the people who are with him will flee, and I will strike down only the king. [3]Then I will return all the people to you. When everyone will have returned, the man whom you are seeking [will be dead] and all the people will be at peace." [4]This proposal was proper in the eyes of Absalom and in the eyes of all the elders of Israel.

[5]Absalom then said, "Call now Hushai the Archite also; let us also hear what

---

1. Ahithophel wanted to choose and lead a force that would pursue and attack David, without delay. He wanted twelve thousand men, one thousand from each tribe (*Radak*), so that Absalom's insurrection would be seen as a united undertaking, with the participation of all of Israel (*Daas Torah*).

Abarbanel sees a five-point plan of action in Ahithophel's words, which will be noted in the course of the commentary. The first point was that a relatively small force of 12,000 should be sent to fight David's army, before the fugitive king organized his men into a disciplined and effective fighting force. To mobilize the entire nation into an overwhelming army would have taken so long that David could have escaped completely.

Accordingly, Ahithophel did not intend to gather men from all twelve tribes, because that, too, would have taken a very long time. His choice of the number 12,000 was to *symbolize* the unity of the tribes, although all the tribes were not equally represented.

Ahithophel knew the power of David's prayer and therefore wanted to lull him into thinking he could defeat Absalom's force without seeking God's help. Therefore the shrewd counselor proposed a relatively small force, one that David would think he could defeat on his own (*Mei HaShiloach).*

וְאָקוּמָה — *And I will arise.* This is the second part of Ahithophel's plan. He, rather than Absalom, would lead the expedition, for two reasons: First, he did not want Absalom's life to be endangered on the battlefront; second, he knew that Absalom would not permit his men to kill David, but Ahithophel would have no compunctions about doing so (*Abarbanel*).

הַלָּיְלָה — *Tonight!* The third item of Ahithophel's agenda was that the chase should begin immediately (*tonight*), for the reasons he gave in the following verse.

2. "David and his men are physically weakened from flight and by the lack of provisions, and they are demoralized by the demeaning situation into which they have been thrust. If we attack immediately, before they have a chance to revitalize themselves, they will crumble. Furthermore, through an attack in the dead of night *I will frighten him*, further weakening his ability to resist" (*Abarbanel*).

וְהִכֵּיתִי אֶת־הַמֶּלֶךְ — *And I will strike down only the king.* The fourth — and central — component of Ahithophel's plan was that David had to be killed, for as long as he was alive, Absalom would never gain full recognition from his countrymen (*Abarbanel*). This was something that Absalom had never even contemplated, according to *Abarbanel.*

3. וְאָשִׁיבָה כָל־הָעָם אֵלֶיךָ — *Then I will return all the people to you.* The fifth and final point of Ahithophel's strategy was to spare all of the men who had served David, bring them back and induce them to serve Absalom. It would strengthen Absalom immeasurably if David's own loyalists were to accept him as king (*Abarbanel*).

כְּשׁוּב הַכֹּל — *When everyone will have returned,* i.e., when all of David's men will be brought over to your side, *the man whom you are seeking [will be dead] and all the people will be at peace.* This translation follows *Rashi* and *Targum*. There are many other interpretations of this rather difficult phrase (see *Radak, Abarbanel, Malbim*).

4. זִקְנֵי יִשְׂרָאֵל — *The elders of Israel.* Usually this term refers to the greatest spiritual leaders of the people; here it refers to unworthy, unethical counselors, co-conspirators of Absalom (*Rashi*, based on *Sanhedrin* 102b).

5-13. Hushai repudiates Ahithophel's plan. Absalom asked Hushai for his opinion of Ahithophel's plan, a surprising development. Verse 4 says that Absalom approved of Ahithophel's plan — if so, why did he need Hushai's opinion? This is especially surprising given Ahithophel's universally acknowledged status as the all-wise counselor. *Abarbanel* explains that although Absalom approved of the general thrust of the plan, he was upset by Ahithophel's insistence on killing David. He therefore turned to Hushai, who was David's friend, in the hope that he might offer a different approach.

Ahithophel's premise was that David's exhausted, dispirited army would be demoralized if they were unexpectedly attacked. But not all people react the same way to attack. Ahithophel, who was born after David became king — according to the Sages, he was 33 years old at this time — could not

ו בְּפִיו גַּם־הוּא׃ וַיָּבֹא חוּשַׁי אֶל־אַבְשָׁלוֹם וַיֹּאמֶר אַבְשָׁלוֹם אֵלָיו לֵאמֹר כַּדָּבָר הַזֶּה
ז דִּבֶּר אֲחִיתֹפֶל הֲנַעֲשֶׂה אֶת־דְּבָרוֹ אִם־אַיִן אַתָּה דַבֵּר׃ וַיֹּאמֶר חוּשַׁי אֶל־
ח אַבְשָׁלוֹם לֹא־טוֹבָה הָעֵצָה אֲשֶׁר־יָעַץ אֲחִיתֹפֶל בַּפַּעַם הַזֹּאת׃ וַיֹּאמֶר חוּשַׁי אַתָּה
יָדַעְתָּ אֶת־אָבִיךָ וְאֶת־אֲנָשָׁיו כִּי גִבֹּרִים הֵמָּה וּמָרֵי נֶפֶשׁ הֵמָּה כְּדֹב שַׁכּוּל בַּשָּׂדֶה
ט וְאָבִיךָ אִישׁ מִלְחָמָה וְלֹא יָלִין אֶת־הָעָם׃ הִנֵּה עַתָּה הוּא־נֶחְבָּא בְּאַחַת הַפְּחָתִים
אוֹ בְּאַחַד הַמְּקוֹמֹת וְהָיָה כִּנְפֹל בָּהֶם בַּתְּחִלָּה וְשָׁמַע הַשֹּׁמֵעַ וְאָמַר הָיְתָה מַגֵּפָה
י בָּעָם אֲשֶׁר אַחֲרֵי אַבְשָׁלֹם׃ וְהוּא גַם־בֶּן־חַיִל אֲשֶׁר לִבּוֹ כְּלֵב הָאַרְיֵה הִמֵּס יִמָּס
יא כִּי־יֹדֵעַ כָּל־יִשְׂרָאֵל כִּי־גִבּוֹר אָבִיךָ וּבְנֵי־חַיִל אֲשֶׁר אִתּוֹ׃ כִּי יָעַצְתִּי הֵאָסֹף יֵאָסֵף
עָלֶיךָ כָל־יִשְׂרָאֵל מִדָּן וְעַד־בְּאֵר שֶׁבַע כַּחוֹל אֲשֶׁר־עַל־הַיָּם לָרֹב וּפָנֶיךָ הֹלְכִים
יב בַּקְרָב׃ וּבָאנוּ אֵלָיו °באחת [°בְּאַחַד ק] הַמְּקוֹמֹת אֲשֶׁר נִמְצָא שָׁם וְנַחְנוּ עָלָיו

רש"י

(ח) ואביך איש מלחמה. ויודע עניני מלחמה וטכסיסיה וטיב מארב, ובטוח הוא שתרדוף הלילה לבא עליו, לפיכך לא ילין עם שאר העם: **(ט) הנה עתה הוא נחבא.** וכשתבא על מחנה העם אשר אתו, הוא לא יהיה שם שתהרגנו: **והיה כנפול בהם בתחלה.** אני אמרתי לך כי אנשיו גבורים ומרי נפש, ואם יהרגו בעמך, תהיה בם מפלה במלחמה זו שהיא ראשונה, ושמע השומע מכל ישראל הבאים להתחבר אליך, ואמר היתה מגפה בעם של אבשלום: **(י) והוא גם בן חיל.** ואותו השומע אפילו הוא בן חיל ולבו כלב האריה, המס ימס בפחד ורעדה, ולא יתקשר עוד אליך, כי יאמר כבר התחיל ליפול ונענש הוא על אביו, ולא יצליח: **(יא) כי יעצתי.** כי זאת עצתי: **ופניך הולכים בקרב.** בראש, (תרגום) ואת תהי אזיל בריש כולנא: **(יב) ונחנו עליו.** ונחנה עליו, לשון חנייה, כמו (שמות י, יד), וינח בכל גבול מצרים, (ישעיהו ז, ב), נחה ארם על אפרים:

רד"ק

(ז) בפעם הזאת. אף על פי שכל עצותיו נכונות בפעם הזה חטא בעצתו: **(ח) כדוב שכול.** שהוא מר נפש כשהרגו לו גורותיו והוא נלחם עם אדם אשר ימצא בחזקה ובמרירות לב: **ולא ילין את העם.** כי הוא איש יודע מלחמה ויירא הוא שמא תבא עליו פתאום: **ולא ילין את העם.** כמו עם העם, אלא יחבא באחת הפחתים ולא ידע אדם מקומו, אם כן מה שאמר אחיתופל וְהִכֵּיתִי אֶת הַמֶּלֶךְ לְבַדּוֹ (פסוק ב) זה לא יהיה, אם כן עצתו בטלה: **(ט) באחת הפחתים.** זכר פחת בלשון נקבה שאמר באחת, ובמקום אחר זכר פחת בלשון זכר אֶל הַפַּחַת הַגָּדוֹל (לקמן יח, יז), והפחת הוא חפירה ותרגומו בְּחַד מִן קוּמְצַיָּא כמו חֹפֵר גּוּמָּץ (קהלת י, ח): **או באחד המקומות.** שיוכל להחבא שם: **ושמע השמע.** כי המלחמה הנעשת בלילה לא יבחין אדם בין מערכה זו למערכה אחרת אשר כנגדה, והראשונים מאלו שנים עשר אלף שיפלו על ידי חיל דוד, וחיל דוד נשמרים ועומדים על עמדם וילחמו כנגד הנופלים עליהם ותהיה הצעקה ביניהם, וישמע השומע מאלו שנים עשר אלף מהאחרונים שבהם כשישמעו הצעקה וידעו כי חיל דוד הם גבורים ומרי נפש ונלחמים בחזקה, ויאמר השומע היתה מגפה בעם אשר אחרי אבשלום והם הם המנוצחים כי לא יבחנו בלילה: **(י) והוא גם בן חיל.** פירוש והוא אחיתופל שהוא בן חיל שאמר אֶבְחֲרָה נָּא שְׁנֵים עָשָׂר אֶלֶף (פסוק א), אף על פי שהוא בן חיל ולבו כלב האריה, שבחו כדי שלא יראה כי כדי לגנותו הוא מדבר, כלומר אפילו אחיתופל שלבו כלב האריה המס ימס לקול השמועה שישמע ויחשוב כי אנשיו הם המנוצחים וימס לבבו, אלא יעצתי שתהיה המלחמה ביום ובידיעת כל ישראל שיאספו מדן ועד באר שבע ובגלוי תהיה המלחמה: **(יא) ופניך הלכים בקרב.** אתה תהיה במלחמה, לא כמו שאמר אחיתופל שילך הוא עם שנים עשר אלף איש ותשב אתה בירושלים והוא ישיב לך כל ישראל, לא טובה עצתו כי טוב שתלך אתה במלחמה כי יתחזקו ישראל להלחם כשתהיה אתה במלחמה, ופירוש וּפָנֶיךָ הֹלְכִים בַּקְרָב שתלך אתה בעצמך ולא תשלח אחר במקומך, וכן אִם אֵין פָּנֶיךָ הֹלְכִים (שמות לג, טו), ואמרו כנוי ההליכה בפנים כי בהם השמירה וההשגחה כאשר ילך האדם, ויונתן תרגם וְאַתְּ תְּהֵי אָזֵיל בְּרֵישׁ כּוּלָּנָא: **(יב) באחת המקומת.** כתיב באחת בתי"ו וקרי באחד בד"לת:

מצודת דוד

(ה) גם הוא. עם שהוא רעה דוד וחשוד בעיני, עם כל זה יאמר גם הוא עצתו: **(ז) בפעם הזאת.** וכאלו אמר, אבל עצתו בדבר הפלגשים טובה היתה, ועל כי כבר עברה, לכך שבחה בעיניו, למען יאמין בו: **(ח) כי גבורים המה.** ואינם חרדים מהמיית מלחמה, עם שהיא פתאום ובלילה: **ומרי נפש המה.** וכל שכן שהמה עתה מרי נפש, דואגים על קושי זמנם, ויפעלו גבורות כדוב שכול מבניו בהיותו רודף בשדה לחפש אחריהם, יטרוף במר נפשו כל הקרב אליו: **ואביך איש מלחמה.** רצה לומר, יודע הוא טכסיסי המלחמה, ויבין מדעתו שרק עליו מחריש הרעה ופתאום יבואו להחריד את העם אשר עמו, והואיל ויבין את זאת, לא ילין הוא עם העם במקום אחד: **(ט) הנה עתה הוא נחבא.** עתה בהיות לילה, החביא עצמו במקום נבדל מהעם אשר אתו, ואם כן אף אם יחריד העם, לא ימצא את המלך לשיכה אותו: **והיה כנפול.** כאומר, לא די שלא יועיל, אלא שעוד יזיק, שהרי אמר שלא להכות בהעם, והם הלא יכו כרצונם, וכאשר יפילו חללים מאנשיך בתחילת המלחמה, רצה לומר, במלחמה הראשונה: **ושמע השומע.** וכאשר ישמע מי מהנפילה ההיא, אז יאמר הן היתה מגפה בעם אבשלום, ונראה אם כן שה' עזבם למקרה: **(י) והוא גם בן חיל.** ואף אם השומע יהיה בן חיל, אשר לבו כלב האריה, מכל מקום ימס לבבו בקרבו, על כי ידוע לכל, שאביך הוא גבור מלחמה, והעם אשר אתו המה בני חיל, ואם הדבר נעזב למקרה, בודאי יתגברו הם וירפו ידיהם ולא יאבו לרדת עוד למלחמה (ואף שאם לא יעשו לבד בזה כעצת אחיתופל, אלא שגם אנשי אבשלום יכו באנשי דוד כמוהם, לא יהיה אם כן מקום לחשש הזה, מכל מקום הרחיב הדבור לסכל עצתו, להראות לכל כי לא בחכמה ידבר): **(יא) כי יעצתי.** אלא כן אני מייעץ, האסף וגו', ובעבור רבת העם נתגבר במלחמה: **ופניך וגו'.** כי אז כולם יפעלו גבורות, למצוא חן בעיניך: **(יב) ובאנו אליו.** רצה לומר, בהיות העם רב, בודאי נבוא באחד המקומות אשר החביא עצמו, כי נהיה חונים עליו כמו הטל המכסה כל פני האדמה מבלי מקום ריק ממנו, כן נתפזר בכל המקומות לבקשו, זה בכה וזה בכה, ובודאי נמצא אותו:

מצודת ציון

(ו) אם אין. אם לאו: **(ח) שכול.** מי שבניו אבודים קרוי שכול, כמו (שם מג, יד), כאשר שכלתי שכלתי: **(ט) הפחתים.** בורות וחפירות, כמו (לקמן יח, יז), אל הפחת הגדול: **מגפה.** רצה לומר מכת חרב: **(יא) ופניך.** אתה בעצמך: **בקרב.** במלחמה, כמו (תהלים קמד, א), המלמד ידי לקרב: **(יב) ונחנו.** מלשון חניה:

... but Hushai disputes him

he says." [6]*So Hushai came to Absalom. Absalom said to him, saying, "In this manner has Ahithophel spoken; shall we follow his word? If not, then you speak up."* [7]*Hushai said to Absalom, "This time the advice that Ahithophel suggested is not good."* [8]*Hushai said, "You know your father and his men, that they are mighty men and that they are as embittered as a bereaved bear in the field. Your father is a skilled warrior; he will not sleep with the people.* [9]*Behold, he is now hiding in one of the pits or in one of the [other hiding] places; when the first soldiers fall, whoever hears will say, 'There has been a calamity among the people who are with Absalom' —* [10]*even if someone is a valiant man whose heart is like a lion's heart, it will certainly melt — for all of Israel knows that your father is a mighty man, as are the soldiers who are with him.* [11]*I would suggest that all of Israel should be gathered unto you, from Dan to Beer-sheba, numerous as the sand upon the sea, and that you should personally lead the battle.* [12]*Then we will come upon him in one of the places where he is [hiding], and descend upon him*

---

know how David and his men would respond, despite their physically weakened state. David had been in a similar situation when he was a fugitive from Saul. If a cornered warrior has the character and courage, he fights even more fiercely when the odds are against him, and he inspires his men to do the same, as David had indeed done in the perilous months before Saul died. The elderly Hushai, who was David's friend when they were fugitives from Saul, would know more than anyone about what David would do when confronted by Ahithophel's forces (*Parshiyos b'Sifrei HaNeviim*).

It should be clear that whatever rationale one gives, God's hand was guiding history to restore David to the throne. The Divine wisdom determined that David had been punished enough for the sins with Bath-sheba and Uriah, and now the pendulum was being swung in his direction. Thus, God was bringing David's plan to fruition. The king had sent some of his most trusted people to Absalom, and they became the instruments to doom the insurrection.

6. In Absalom's question to Hushai, *Abarbanel* sees a virtual invitation to voice disapproval of Ahithophel's plan.

7. **בַּפַּעַם הַזֹּאת** — *This time,* i.e., although Ahithophel's advice has always been the best, *this time* he is mistaken (*Radak*).

8. Ahithophel's contention that David's party is too weak and weary to fight is wrong; they are certainly capable of putting up a good fight. In fact, their bitterness and anger makes them even *more* formidable now than usual (*Abarbanel*).

וְאָבִיךָ אִישׁ מִלְחָמָה וְלֹא יָלִין אֶת־הָעָם — *Your father is a skilled warrior; he will not sleep with the people.* As for Ahithophel's assertion that it will be easy to isolate and kill David, this, too, is wrong. As a skilled warrior, David will anticipate an attack tonight and will not sleep with his men, but in a separate, hidden location *in one of the pits . . .* (*Rashi; Radak*).

Abarbanel renders: *"He and the people will not sleep [tonight]."* They will be on the lookout all night and will not be taken by surprise.

9. **כִּנְפֹל בָּהֶם בַּתְּחִלָּה** — *When the first soldiers fall.* Having said that David and his men would fight ferociously, Hushai contended that Ahithophel's force would inevitably suffer casualties, and when that happened, it would be Absalom's army, not David's, that would be demoralized. In other words: "This being our first battle, it is essential not to experience any setbacks, for this would cause substantial damage to the morale of those who are now dedicated to you" (*Rashi*).

Radak renders: "*When the first soldiers attack . . .*" Since Ahithophel plans to attack at night, people might mistake the cries of anguish among *David's* camp for shouts of defeat on the part of *Ahithophel's* soldiers — for everyone knows that David is a mighty man — and this will cause widespread terror among Ahithophel's soldiers.

10. In concluding his criticism of Ahithophel's counsel, Hushai warned against sending only twelve thousand soldiers against David, in the overconfident expectation that the campaign would be a romp. The heart is the seat of emotions, such as fear and heroism, and emotions by their nature are often mercurial. An army can have high morale going into a battle it is confident of winning, but a sudden turn of events can make it panic and flee. Logically, an army should not break ranks when it suffers casualties, because casualties are always to be expected, but someone *whose heart* — as opposed to his disciplined mind — *is like a lion's heart,* may become fearful when faced with unexpected adversity.

11. **כִּי יָעַצְתִּי** — *I would suggest . . .* Having discredited Ahithophel's strategy, Hushai offers his own. Whereas Ahithophel was opposed to gathering an overwhelming force from all the tribes, Hushai insisted that that is precisely what must be done. His true intention was to stall for time, and prevent an assault on David.

מִדָּן וְעַד־בְּאֵר שֶׁבַע — *From Dan to Beer-sheba,* i.e, from the northern extremity of *Eretz Yisrael* to the south.

וּפָנֶיךָ הֹלְכִים בַּקְרָב — *And that you should personally lead the battle.* The people will fight more bravely if you, their king, are present. A leader must lead; the troops will doubt your right to authority if you seem to be afraid of battle. (Here Hushai rejects the second point of Ahithophel's strategy.) By challenging Absalom to enter the fray, Hushai may have wanted to make it possible for him to be captured if David was victorious — as actually happened.

כַּאֲשֶׁר יִפֹּל הַטַּל עַל־הָאֲדָמָה וְלֹא־נוֹתַר בּוֹ וּבְכָל־הָאֲנָשִׁים אֲשֶׁר־אִתּוֹ גַּם־אֶחָד:
יג וְאִם־אֶל־עִיר יֵאָסֵף וְהִשִּׂיאוּ כָל־יִשְׂרָאֵל אֶל־הָעִיר הַהִיא חֲבָלִים וְסָחַבְנוּ אֹתוֹ
עַד־הַנַּחַל עַד אֲשֶׁר־לֹא־נִמְצָא שָׁם גַּם־צְרוֹר:
יד וַיֹּאמֶר אַבְשָׁלוֹם
וְכָל־אִישׁ יִשְׂרָאֵל טוֹבָה עֲצַת חוּשַׁי הָאַרְכִּי מֵעֲצַת אֲחִיתֹפֶל וַיהוָה
צִוָּה לְהָפֵר אֶת־עֲצַת אֲחִיתֹפֶל הַטּוֹבָה לְבַעֲבוּר הָבִיא יהוָה אֶל־אַבְשָׁלוֹם אֶת־
הָרָעָה:
טו וַיֹּאמֶר חוּשַׁי אֶל־צָדוֹק וְאֶל־אֶבְיָתָר הַכֹּהֲנִים כָּזֹאת וְכָזֹאת יָעַץ
אֲחִיתֹפֶל אֶת־אַבְשָׁלֹם וְאֵת זִקְנֵי יִשְׂרָאֵל וְכָזֹאת וְכָזֹאת יָעַצְתִּי אָנִי:
טז וְעַתָּה שִׁלְחוּ
מְהֵרָה וְהַגִּידוּ לְדָוִד לֵאמֹר אַל־תָּלֶן הַלַּיְלָה °בעברות [°בְּעַרְבוֹת ק׳] הַמִּדְבָּר וְגַם
עָבוֹר תַּעֲבוֹר פֶּן יְבֻלַּע לַמֶּלֶךְ וּלְכָל־הָעָם אֲשֶׁר אִתּוֹ:
יז וִיהוֹנָתָן וַאֲחִימַעַץ
עֹמְדִים בְּעֵין־רֹגֵל וְהָלְכָה הַשִּׁפְחָה וְהִגִּידָה לָהֶם וְהֵם יֵלְכוּ וְהִגִּידוּ לַמֶּלֶךְ דָּוִד
כִּי לֹא יוּכְלוּ לְהֵרָאוֹת לָבוֹא הָעִירָה:
יח וַיַּרְא אֹתָם נַעַר וַיַּגֵּד לְאַבְשָׁלֹם וַיֵּלְכוּ
שְׁנֵיהֶם מְהֵרָה וַיָּבֹאוּ ׀ אֶל־בֵּית־אִישׁ בְּבַחוּרִים וְלוֹ בְאֵר בַּחֲצֵרוֹ וַיֵּרְדוּ שָׁם:
יט וַתִּקַּח
הָאִשָּׁה וַתִּפְרֹשׂ אֶת־הַמָּסָךְ עַל־פְּנֵי הַבְּאֵר וַתִּשְׁטַח עָלָיו הָרִפוֹת וְלֹא נוֹדַע דָּבָר:

רש״י

(יג) חבלים. (תרגום) משריין, כמו (שמואל-א י, ה), חבל נביאים (תהלים קיט, סא), חבלי רשעים: **עד הנחל.** חומת העיר נסחוב אל הגי: **(טז) וגם עבור תעבור**. את הירדן: **פן יבולע למלך.** שלא יעלתיו לטובה, ויעשה כדברי אחיתופל: **יבלע.** יאמר לו בסתר ובבליעה: **(יז) בעין רוגל.** (תרגום) בעין קצרא, כובסי בגדי צמר, שכובסין אותם בס, שבועטים אותם ברגל: **(יט) את המסך.** וילון: **הרפות.** חטין כתושות, כמו (משלי כז, כב), בתוך הריפות:

רד״ק

כאשר יפל הטל. שמכסה כל פני האדמה כן נחנה עליו: **ולא נותר בו.** כמו ולא יותר עבר במקום עתיד ורבים כמוהו: **(יג) והשיאו.** דרך גוזמא אמר כל כך יהיו ישראל רבים שאפילו ירימו חבלים אל העיר למשכה ולסחבה עד הנחל יוכלו לעשות עד אשר לא ישאר בעיר אפילו אבן אחת, מה שאמר אתו וזכר עיר שהיא לשון נקבה, אתו אמר על מגדל שיהיה בתוך העיר כלומר אפילו יהיה מגדל עוז בתוך העיר שיאסוף אליה הכל יסחבו העיר והמגדל, ויונתן תרגם וְהִשִּׂיאוּ, וְיִתְכַּנְשׁוּן כָּל יִשְׂרָאֵל עַל קַרְתָּא הַהִיא וְיַקְפּוּנַהּ מַשִׁרְיַין וגו׳ כבעמוד, תרגם חֲבָלִים, מַשְׁרְיַין כמו חֶבֶל נְבִיאִים (לעיל-א י, ה), או דעתו על חבלי האהלים אשר במחנה: **(טז) שלחו.** לפניכם יהונתן ואחימעץ שהיו חוץ לעיר: **והגידו.** על ידיהם הגידו לדוד: **תעבור.** את הירדן: **פן יבלע למלך.** פן ישחת כמו אִם יְבַלְּעֶנּוּ מִמְּקוֹמוֹ (איוב ח, יח), כי ירא אני שמא יעשו עצת אחיתופל, אף על פי שאמרו כי טובה עצתי מעצתו אולי תתהפך דעתם עדיין לעצת אחיתופל, לכן לא תלין הלילה בערבות המדבר שנודעת שם אלא עבור הלילה הירדן, ויונתן תרגם פֶּן יְבֻלַּע, דִּילְמָא יִתַּהֲנֵי לְמַלְכָּא ולא ידעתי דעתו: **(יז) בעין רגל.** תרגם יונתן בְּעֵין קַצְרָא, וקצרא הוא הכובס ובעין הזה היו מכבסין בגדים, ונקרא הכובס רוגל לפי שמשפשף הבגדים ברגליו: **והלכה השפחה.** שפחה של בית צדוק הלכה לעין רוגל למקום שהיה שם יהונתן ואחימעץ והגידה להם שהם ילכו ויגידו לדוד הדברים שדבר חושי: **(יט) על פני הבאר.** כמו על פי הבאר, וכן תרגם יונתן עַל פּוּמָא דְבֵירָא, והוא מן שלשה דסבירין פי וקורין פני, והענין אחד כי פי הבאר הוא פניו: **הרפות.** החטים הכתושים יקראו הריפות, וכן בְּתוֹךְ הָרִיפוֹת בַּעֱלִי (משלי כז, כב) והוא מן עַמּוּדֵי שָׁמַיִם יְרוֹפָפוּ (איוב כו, יא) ויונתן תרגם הָרִפוֹת, דְּקִילָן:

מצודת דוד

ובבל האנשים. כי פן התנכר עצמו ללבוש כאחד מאנשיו, לזה לא נותיר מכולם איש, ויומת גם הוא עם התנכרו: **(יג) ואם אל עיר יאסף.** כאומר, ואם יש חשש, פן בהתאחר הדבר עד נקבץ כל ישראל, ימלט על נפשו בעיר מבצר עומדת בהר, ויתחזק במעוז העיר, ואמר, הנה עם כל זה לא ימלט, כי הלא ברוב העם אשר אתנו, אף אם יאסף אל עיר, הכח בנו לשאת חבלים על העיר, לגררה מן ההר עד הנחל, עד שלא ישאר אף צרור בהעיר ההיא, ואמר בדרך גוזמא והפלגה, לומר שאף בעיר מבצר לא יתחזק מול העם הרב אשר אתנו. ולבל ירגיש בערמתו, המתיק אמריו דרך נאות ובבל חלקי הסותר, אולם עצם כוונתו היתה, למען יתאחר הדבר עד שיתקבצו כולם, ובתוך כך ישלח אמריו אליו להמלט על נפשו, וכאשר עשה באמת: **(יד) וה׳ צוה.** רוצה לומר, לא לפי שעצת חושי היתה באמת טובה מעצת אחיתופל, ולזה ישרה עצתו בעיניהם, כי באמת עצת אחיתופל היתה הדרך האמתי להגעת תכלית הנרצה, אולם מה׳ היתה זאת, כי הוא גזר להפר עצת אחיתופל הטובה וגו׳: **(טו) כזאת וכזאת וגו׳.** רוצה לומר, אמר להם שתי העצות, של אחיתופל ושלו: **(טז) אל תלן.** כי פן יעשה כעצת אחיתופל, ובערמה אמרו שעצתי ישרה, למען לא אודיע לדוד להמלט הלילה: **וגם עבור תעבור**. את הירדן: **פן יבולע.** פן ישחת מה לדוד ולעמו, כאשר ירדפו אחריו הלילה: **(יז) והם ילכו.** בכדי שהם ילכו וגו׳: **כי לא יוכלו.** יהונתן ואחימעץ לא יוכלו להראות עצמם לבוא העיר, פן ירגישו בהם: **(יח) וירא אותם.** בעין רוגל: **וילכו.** כי הרגישו אשר הנער ראה אותם, ולזה הלכו מעין רוגל אל מאהבם אשר בבחורים: **(יט) האשה.** אשת האיש: **עליו.** על המסך: **ולא נודע דבר**. לא היה ניכר מהבאר, שמתחת להמסך:

מצודת ציון

(יג) יאסף. יכנס: **והשיאו.** והגביהו: **וסחבנו.** ענין גרירה והמשכה, כמו (ירמיהו כב, יח), סחוב והשלך: **הנחל.** העמק: **צרור.** חתיכת עפר גסה, כמו (עמוס ט, ט), ולא יפול צרור ארץ: **(יד) להפר.** לבטל: **(טז) יבולע.** ענין השחתה, כמו (לקמן כ, יט), למה תבלע נחלת ה׳: **(יט) המסך.** וילון, כמו (שמות כו, לו), ועשית מסך: **ותשטח.** ופרשה, כמו (יחזקאל כו, יד), משטח חרמים: **הרפות.** חטים כתושים ונקלפים, כמו (משלי כז, כב), בתוך הרפות בעלי, והוא מלשון רפיון, כי נרפו ונקלפו מקליפותיהם:

12. כַּאֲשֶׁר יִפֹּל הַטַּל — *As the dew falls*. Just as dew covers the entire surface of the earth, so will a huge army completely overwhelm him (*Radak*). *Abarbanel* interprets the phrase to mean that Hushai suggested that the battle take place not at night, as Ahithophel had counseled, but in the morning — *as the dew falls* — for a daytime battle would be less risky. (Here

as the dew falls upon the earth, and there will not be even one person left of him of all the men who are with him. [13]*And if he will be brought into a city, all of Israel will muster battalions to that city, and we will drag [its wall] to the ravine, until not even a pebble will be found there!"*

Absalom sides with Hushai

[14]*Absalom and all the men of Israel said, "Hushai the Archite's suggestion is better than Ahithophel's suggestion." For HASHEM had ordained to nullify the good advice of Ahithophel, in order for HASHEM to bring a calamity upon Absalom.*

Hushai sends informers to David

[15]*Hushai then told Zadok and Abiathar the Kohanim, "Such and such has Ahithophel advised Absalom and the elders of Israel, and such and such I myself advised.* [16]*So now, send quickly and tell David saying, 'Do not spend the night in the Plains of the Wilderness, but you must cross over [the Jordan], lest the king — along with all the people who are with him — be swallowed up.'* [17]*Jonathan and Ahimaaz are staying in En-rogel; let the maidservant go and tell them so that they may go and tell King David, for they should not be observed entering the city."*

The informers elude capture and warn David

[18]*But a youth saw them and he told Absalom; so they both left quickly and came to the house of a man in Bahurim. He had a well in his courtyard, into which they descended.* [19]*His wife took a curtain and spread it over the opening of the well and she scattered some groats upon it, so that nothing could have been suspected.*

Hushai dismisses Ahithophel's third point.)

וְלֹא־נוֹתַר בּוֹ . . . גַּם־אֶחָד — *And there will not be even one person left of him.* The plain sense of the verse is that David and his entire force will be exterminated. *Abarbanel*, however, interprets differently: Unlike Ahithophel, Hushai did not speak explicitly of killing David while sparing his men; he called only for the king to be treated like his men, i.e., for all of them to be taken prisoner. Hushai surmised — correctly — that this strategy would appeal more to Absalom, since, as has been noted, *Abarbanel* holds that Absalom never intended to kill David.

(In this verse the fourth and fifth points of Ahithophel's plan are rejected by Hushai.)

13. Hushai argued that the very large army he advocated would make it impossible for David to win or escape. If he seeks refuge in a city, all of Israel *will muster battalions to that city*. If the city is protected by a wall, *we will drag [its wall] to the ravine*, leaving *not even a pebble* intact, so that he will be completely defenseless.

14-22. Hushai wins and sends word to David. God caused the people to reject Ahithophel's advice and accept Hushai's. However, not certain that he would prevail, Hushai sends a warning to David of possible danger.

14. אַבְשָׁלוֹם וְכָל־אִישׁ יִשְׂרָאֵל — *Absalom and all the men of Israel* — but not the elders (v. 4), who had already given their support to Ahithophel's plan (*Ralbag*).

Scripture states explicitly that the real reason they chose Hushai's plan was that *HASHEM* had ordained to nullify the good advice of Ahithophel, in order for HASHEM to bring a calamity upon Absalom — otherwise it would have been sheer foolishness to reject Ahithophel's plan of a quick surprise attack. Hushai's alternative that they mobilize all the tribes would take weeks to carry out, and no one could predict whether the entire nation would reject David, their beloved and righteous king of over thirty-five years.

Abarbanel explains how Absalom and his advisers rationalized their decision. The rebel king preferred Hushai's strategy because it avoided killing his father (see commentary above, v. 12), and *the men of Israel*, i.e., the soldiers who would be risking their lives in battle, liked Hushai's plan because it was less risky to be part of a very large force than to be in a relatively small force, as advocated by Ahithophel (*Abarbanel*).

15-16. Hushai wanted both plans to be relayed to David. As mentioned above (previous verse), Hushai was concerned that Absalom might change his mind and follow Ahithophel's suggestion to launch an immediate attack and *swallow up* David and his men. Consequently, Hushai warned David to cross the Jordan at once, lest he be defeated by Ahithophel's force (*Radak*).

Rashi renders פֶּן יְבֻלַּע וגו׳, *lest it be secretly told to the king [Absalom] and all the people with him [that my plan is inferior to Ahithophel's].*

17. *En-rogel* is just south of the wall of Jerusalem, at the edge of the Valley of the Son of Hinnom (see *Joshua* 15:7).

It would have appeared very suspicious if the two young Kohanim had come into the city to meet with their fathers and then dashed off in the direction of David's camp. This is why the message had to be sent to them in En-rogel, through the maidservant (*Abarbanel*).

18. Knowing that they had been observed and that a search would surely be under way before they could escape to safety, Jonathan and Ahimaaz went into hiding — but the place they chose was potentially even more dangerous than the open road, because, as the verse continues, they went to . . .

בֵּית־אִישׁ בְּבַחוּרִים — *The house of a man in Bahurim.* According

כ וַיָּבֹאוּ עַבְדֵי אַבְשָׁלוֹם אֶל־הָאִשָּׁה הַבַּיְתָה וַיֹּאמְרוּ אַיֵּה אֲחִימַעַץ וִיהוֹנָתָן וַתֹּאמֶר לָהֶם הָאִשָּׁה עָבְרוּ מִיכַל הַמָּיִם וַיְבַקְשׁוּ וְלֹא מָצָאוּ וַיָּשֻׁבוּ
כא יְרוּשָׁלִָם׃ וַיְהִי ׀ אַחֲרֵי לֶכְתָּם וַיַּעֲלוּ מֵהַבְּאֵר וַיֵּלְכוּ וַיַּגִּדוּ לַמֶּלֶךְ דָּוִד וַיֹּאמְרוּ אֶל־דָּוִד קוּמוּ וְעִבְרוּ מְהֵרָה אֶת־הַמַּיִם כִּי־כָכָה יָעַץ עֲלֵיכֶם אֲחִיתֹפֶל׃
כב וַיָּקָם דָּוִד וְכָל־הָעָם אֲשֶׁר אִתּוֹ וַיַּעַבְרוּ אֶת־הַיַּרְדֵּן עַד־אוֹר הַבֹּקֶר עַד־אַחַד לֹא
כג נֶעְדָּר אֲשֶׁר לֹא־עָבַר אֶת־הַיַּרְדֵּן׃ וַאֲחִיתֹפֶל רָאָה כִּי לֹא נֶעֶשְׂתָה עֲצָתוֹ וַיַּחֲבֹשׁ אֶת־הַחֲמוֹר וַיָּקָם וַיֵּלֶךְ אֶל־בֵּיתוֹ אֶל־עִירוֹ וַיְצַו אֶל־בֵּיתוֹ וַיֵּחָנַק וַיָּמָת וַיִּקָּבֵר
כד בְּקֶבֶר אָבִיו׃ וְדָוִד בָּא מַחֲנָיְמָה וְאַבְשָׁלֹם עָבַר אֶת־הַיַּרְדֵּן הוּא
כה וְכָל־אִישׁ יִשְׂרָאֵל עִמּוֹ׃ וְאֶת־עֲמָשָׂא שָׂם אַבְשָׁלֹם תַּחַת יוֹאָב עַל־הַצָּבָא וַעֲמָשָׂא בֶן־אִישׁ וּשְׁמוֹ יִתְרָא הַיִּשְׂרְאֵלִי אֲשֶׁר־בָּא אֶל־אֲבִיגַל בַּת־נָחָשׁ אֲחוֹת
כו־כז צְרוּיָה אֵם יוֹאָב׃ וַיִּחַן יִשְׂרָאֵל וְאַבְשָׁלֹם אֶרֶץ הַגִּלְעָד׃ וַיְהִי

רש"י

(כ) מיכל המים. איני יודע לו פתרון במחברת כל, ופתרונו לפי ענינו, כמו שבולת הנהר: **(כה) בת נחש.** הוא ישי אבי דוד, רבותינו אמרו (בבא בתרא יז, א), שמת בלא עון, בעטיו של נחש:

רד"ק

(כ) מיכל המים. אין לו חבר ולפי ענינו פלג מים, ויונתן תרגם עֲבָרוּ יַרְדְּנָא: **(כג) אל ביתו אל עירו.** יש ספרים ואל עירו ובספר מוגה אל עירו: **ויצו אל ביתו.** כדרך אדם קרוב למיתה שמצוה לבני ביתו מה יהיה אחריו מדבר ביתו ונחלתו: **ויחנק.** בחר להמית עצמו הוא ולא ימיתהו דוד כי ידע כי כיון שלא נעשתה עצתו כי אבשלום וכל אשר עמו יפלו ביד דוד: **(כה) ועמשא בן איש.** רצה לומר בן איש גדול, כמו וְחָזַקְתָּ וְהָיִיתָ לְאִישׁ (מלכים־א ב, ב) כלומר לאיש טוב וירא אלהים, וכן כֻּלָּם אֲנָשִׁים (במדבר יג, ג) אנשים גדולים: **יתרא הישראלי.** ובדברי הימים (־א ב, יז) יֶתֶר הַיִּשְׁמְעֵאלִי, ישראל היה אלא שגר בארץ ישמעאל לפיכך נקרא ישראלי וישמעאלי ישמעאלי על הגירות וישראלי שלא יחשוב אדם כי הוא ישמעאלי, ואדוני אבי ז"ל כתב כי כשהיה בארץ ישמעאלים קורין אותו ישראלי שם וכשהיה בא משם לארץ ישראל קורין אותו ישמעאלי, ובדברי רבותינו ז"ל (יבמות עז, א) יש דרש למה קראו ישמעאלי לפי שחגר חרבו כישמעאל כשהיה שאול רוצה לפסול את דוד למלכות, לפי שבא מרות המואביה עמד הוא וחגר את חרבו ואמר כל מי שאינו שומע הלכה זו ידקר בחרב, כך מקובלני מבית דינו של שמואל עמוני ולא עמונית מואבי ולא מואבית מאי טעמא עַל דְּבַר אֲשֶׁר לֹא קִדְּמוּ אֶתְכֶם (דברים כג, ה) איש דרכו לקדם ואשה אין דרכה לקדם: **אשר בא אל אביגל בת נחש.** הוא ישי אבי דוד, ושני שמות היו לו ישי ונחש וכמוהו רבים, וטעם אֲשֶׁר בָּא ולא אמר איש אביגל אפשר שבא אליה קודם שישאנה וילדה לעמשא לפיכך אמר אֲשֶׁר בָּא ורז"ל דרשו (יבמות עז, א) כי לפיכך נקרא ישי נחש לפי שמת בלא עון בעטיו של נחש, רצה לומר בעצתו של נחש שיעץ לחוה לאכול מעץ הדעת ואז נקנסה מיתה על אדם וחוה ולא היה לישי עון אחר שמת בעבורו. ואדוני אבי ז"ל פירש כי קראו נחש לפי שיצאו ממנו צפעונים שהרגו באומות העולם, וכן כתוב כִּי מִשֹּׁרֶשׁ נָחָשׁ יֵצֵא צֶפַע (ישעיהו יד, כט) כי משרש ישי שנקרא נחש יצא צפע והוא חזקיהו:

מצודת דוד

(כ) איה. כי הוגד להם שבאו הביתה: **ויבקשו.** בבית האשה. או עברו מיכל המים לבקשם: **(כב) עד אחד וגו'.** רוצה לומר, כשבא אור הבוקר, אפילו אחד לא היה נעדר אשר וגו': **(כג) אל עירו.** רוצה לומר, אל ביתו אשר בעירו, לא לבית מלונו אשר בירושלים: **ויצו.** עשה צואה אל ביתו: **ויחנק.** חנק את עצמו, כי האמין מעתה שדוד יחזור למלכותו, ויהרגו כמורד במלכות, ויהיו עוד נכסיו למלך כדין מורד במלכות, ולזה חנק עצמו, להציל נכסיו ליורשיו: **(כה) על הצבא.** לשר על הצבא: **בן איש.** רצה לומר, בן אדם חשוב ומעולה, כמו (שמואל־א כו, טו), הלא איש אתה: **הישראלי.** ובדברי הימים (א ב, יז) אמר הישמעאלי, לפי שהתגורר בארץ ישמעאל: **נחש.** אמרו רבותינו ז"ל (שבת נה, ב), הוא ישי, ונקרא נחש, על שמת בעטיו של נחש ומבלי עון. (ויתכן לומר, שנולדה מאשת ישי מבעלה הראשון, ושמו נחש, ולזה אמר אחות צרויה, ולא אמר אחות דוד, כי צרויה היתה אחותה גם מן האב, וכאשר אמרנו בשמואל א טז, י):

מצודת ציון

(כ) מיכל המים. ענינו פלג המים, ואין לו חבר: **(כב) נעדר.** נחסר, כמו (ישעיהו מ, כו), איש לא נעדר: **(כג) ויחבוש.** חגר האוכף:

to the Midrash, this man was none other than Shimei son of Gera, a resident of Bahurim, the man who had stoned David and cursed him bitterly (see above, 16:5-13). Thus David's loyal servants were sheltered by the wife of a man who hated him bitterly, but she did not share her husband's animosity and did not report them to her husband or Absalom's soldiers. This, too, was part of Divine Providence to protect David.

19. וַתִּשְׁטַח עָלָיו הָרִפוֹת — *And she scattered some groats upon it*. Groats are usually spread to dry in the sun. She put groats on the curtain to give the impression that the curtain had been there for some time (*R' Yaakov Blinder)*.

20. מִיכַל הַמָּיִם — *The body of water*. The commentators all note that this unfamiliar term is found nowhere else in Scripture. From the context, *Rashi* and others assume that it is a river or a flowing body of water. *Targum* translates the words simply as *the Jordan*. On the surface this seems difficult because the Jordan is a considerable distance from Jerusalem, and she could not have known that they crossed it. Presumably she meant that they went to the west with the *intention* of crossing the Jordan, in order to get away from Absalom's forces.

Absalom's servants *searched* the house and the surrounding area, but did not look into the covered well.

21. The word אַחֲרֵי usually refers to something that happened much later, implying that before the two messengers could resume their journey, they had to wait to be sure that the search party was gone and would not return. When they

[20]When Absalom's servants came to the woman, into the house, and said, "Where are Ahimaaz and Jonathan?" the woman said to them, "They crossed the body of water." They searched but could not find them, so they returned to Jerusalem. [21]It happened after their departure that they ascended from the well and they went and told King David. They said to David, "Arise and quickly cross the water, for such has Ahithophel advised concerning you." [22]So David arose — along with all the people who were with him — and they crossed the Jordan; by morning's light not one person was missing who had not crossed the Jordan.

Ahithophel's suicide

[23]When Ahithophel saw that his advice was not carried out, he saddled the donkey and arose and went to his house, to his city. He instructed his family and strangled himself; he died and was buried in his father's grave.

Absalom and David face off

[24]David arrived at Mahanaim. Absalom crossed the Jordan, he and every man of Israel with him. [25]Absalom appointed Amasa over the army in place of Joab; Amasa was the son of a man named Ithra the Israelite, who consorted with Abigal daughter of Nahash, the sister of Joab's mother Zeruiah. [26]Israel and Absalom encamped in the land of Gilead.

---

reached David, *they told King David* what had happened to them so that he would see that just as God had protected them, He would surely protect David and his men. Then *they said to David* what the potential danger was and relayed Hushai's recommendation that he *cross the water* (*Kli Yakar*). In this case, the reference was definitely to the Jordan, as stated in the next verse.

Up to now, the king had been referred to as David, without his title. Here he is called *King David*, perhaps to imply that God had now set in motion the chain of events that would restore him to the throne, undisputably.

23. Ahithophel commits suicide. Ahithophel realized that he had irrevocably lost his influence, and was so distressed that he dispensed with his servants. *He saddled the donkey* himself and rode home alone, despondent and disgraced, and certain that Hushai's plan would not succeed and that David would regain power. When that happened Ahithophel would almost certainly be executed as a traitor, so he decided to take his own life (*Radak*).

Abarbanel offers another reason for the suicide. Ahithophel saw God's hand in Absalom's decision to repudiate his advice, and it was clear to him that God was bringing David back to the throne. The halachah is that when a rebel is put to death, his assets revert to the king, meaning that Ahithophel's family would lose his entire estate. In order to protect his heirs, therefore, Ahithophel killed himself so that they would inherit him.

וַיְצַו אֶל־בֵּיתוֹ — *He instructed his family*, i.e., he gave his last will and testament, and distributed his assets. The Sages teach that he gave his children three instructions: (1) Do not become involved in disputes; (2) do not rebel against the Davidic kingdom; and (3) if the weather is favorable during the festival of Shavuos, plant wheat [which *Maharsha* interprets as an allegorical way of describing the primacy of Torah study] (*Bava Basra* 147a).

24-29. The stage is set for battle. David crossed the Jordan and appointed commanders for the inevitable battle, and Absalom followed him across. Why Absalom did so is strange, since he had accepted Hushai's advice not to attack David until he had the support of the entire nation. Although verse 24 states that he went with *every man of Israel*, it is unlikely that he had had sufficient time to raise the huge army that Hushai said was necessary. More likely it means that he took along all the supporters who were with him in Jerusalem. The very fact that Absalom reversed himself now and crossed the Jordan is further proof that David had been punished enough and that God was in the process of ending his exile.

24. מַחֲנָיְמָה — *At Mahanaim*, the former capital of Ish-bosheth, on the east bank of the Jordan.

25. For over thirty years, Joab had been the commander of the royal army. Now that he had remained loyal to David, Absalom replaced him with Amasa. Indicative of the extent of the cleavage caused by Absalom's rebellion, is the startling fact that Amasa and Joab were cousins, and both were nephews of David. See below.

וַעֲמָשָׂא בֶן־אִישׁ — *Amasa was the son of a man.* Commenting on the unusual statement that Amasa was the *son of a man*, *Radak* explains that אִישׁ often connotes an important, influential man, and that the verse intends to tell us that Amasa's father was a leading figure in Israel. For his identity, see below.

יִתְרָא הַיִּשְׂרְאֵלִי — *Ithra the Israelite*. In *I Chronicles* 2:17 he is called *Jether the Ishmaelite*. *Radak* explains that he was an Israelite who dwelt in the land of Ishmael, and therefore was known by both names. *Radak*'s father suggests that among the Ishmaelites he was known as *the Israelite* because of his nationality, while among the Israelites he was known as *the Ishmaelite* because of his place of residence.

אֲבִיגַל בַּת־נָחָשׁ אֲחוֹת צְרוּיָה — *Abigal daughter of Nahash, the sister of Zeruiah. Zeruiah* was a daughter of Jesse (David's father), so if Abigal was her sister, it follows that she was also a daughter of Jesse. In fact, in *I Chronicles* 2:16 Abigal is explicitly listed among the children of Jesse. Thus the opposing generals, Amasa and Joab, were cousins and nephews of David. Accordingly, *Nahash*, which means *serpent*, is another

כְּבוֹא דָוִד מַחֲנָיְמָה וְשֹׁבִי בֶן־נָחָשׁ מֵרַבַּת בְּנֵי־עַמּוֹן וּמָכִיר בֶּן־עַמִּיאֵל מִלֹּא דְבָר
כח וּבַרְזִלַּי הַגִּלְעָדִי מֵרֹגְלִים: מִשְׁכָּב וְסַפּוֹת וּכְלִי יוֹצֵר וְחִטִּים וּשְׂעֹרִים וְקֶמַח וְקָלִי
כט וּפוֹל וַעֲדָשִׁים וְקָלִי: וּדְבַשׁ וְחֶמְאָה וְצֹאן וּשְׁפוֹת בָּקָר הִגִּישׁוּ לְדָוִד וְלָעָם אֲשֶׁר־
יח א אִתּוֹ לֶאֱכוֹל כִּי אָמְרוּ הָעָם רָעֵב וְעָיֵף וְצָמֵא בַּמִּדְבָּר: וַיִּפְקֹד דָּוִד אֶת־הָעָם אֲשֶׁר
ב אִתּוֹ וַיָּשֶׂם עֲלֵיהֶם שָׂרֵי אֲלָפִים וְשָׂרֵי מֵאוֹת: וַיְשַׁלַּח דָּוִד אֶת־הָעָם הַשְּׁלִשִׁית
בְּיַד־יוֹאָב וְהַשְּׁלִשִׁית בְּיַד אֲבִישַׁי בֶּן־צְרוּיָה אֲחִי יוֹאָב וְהַשְּׁלִשִׁת בְּיַד אִתַּי
ג הַגִּתִּי וַיֹּאמֶר הַמֶּלֶךְ אֶל־הָעָם יָצֹא אֵצֵא גַּם־אֲנִי עִמָּכֶם: וַיֹּאמֶר הָעָם
לֹא תֵצֵא כִּי אִם־נֹס נָנוּס לֹא־יָשִׂימוּ אֵלֵינוּ לֵב וְאִם־יָמֻתוּ חֶצְיֵנוּ לֹא־יָשִׂימוּ
אֵלֵינוּ לֵב כִּי־עַתָּה כָמֹנוּ עֲשָׂרָה אֲלָפִים וְעַתָּה טוֹב כִּי־תִהְיֶה־לָּנוּ מֵעִיר °לעזר
ד [°לַעְזוֹר ק׳]: וַיֹּאמֶר אֲלֵיהֶם הַמֶּלֶךְ אֲשֶׁר־יִיטַב בְּעֵינֵיכֶם אֶעֱשֶׂה

רש״י

(כז) **ושבי בן נחש.** הוא חנון בן נחש. (כח) **משכב.** מלעות: **וספות.** כלי תשמיש הם, כמו (מלכים־ב יב, יד), ספות כסף: **וקלי.** מיני קליות, אמרו רבותינו (עבודה זרה לח, ב), שני מיני שתיתא הקריב ברזילי לדוד, אחד של חטים, ואחד של עדשים, כענין האמור כאן; ׳קמח וקלי׳, הוא של דגן, ׳ופול ועדשים וקלי׳, ממינים של קטניות שמייבשין אותן בתנור כשהן לחין, והם מתוקין לעולם, וטוחנין אותן, ועושין מהם מאכל שקורין שתיתא: (כט) **ושפות בקר.** (תרגום) וגובנין דחלב: (ג) **לא ישימו אלינו לב.** לא יהיה דבר חשוב בעיניהם להתגבר ולהתהלל, מאחר שאין אתה במלחמה: **כי עתה.** בהיותך בכבודך, חשוב אתה כמונו. **עשרת אלפים.** כעשרת אלפים איש כמונו: **כי תהיה לנו מעיר לעזור.** (תרגום) וכען טב ארי תלי עלנא מן קרתא למסעד:

רד״ק

(כז) **ושבי בן נחש מרבת בני עמון.** ישראל היה והיה גר ברבת בני עמון אחר שכבשה דוד, והדרש (מדרש תהלים ג, ג) שאומר כי הוא חנון בן נחש מלך בני עמון רחוק הוא שהחיה אותו דוד, הלא בכל העם אשר ברבה ובכל ערי בני עמון עשה משפטים, אף כי חנון המלך אשר הוביש את עבדיו (לעיל י, ד), ואפשר כי נתגייר והחייהו: **הגלעדי מרגלים.** מארץ הגלעד היה מכיר מעיר ששמה רוגלים: (כח) **משכב וספות.** כלי ששופכין ממנו לידים, מִשְׁכָּב לשון שפיכה, וכן וַתַּעַל שִׁכְבַת הַטָּל (שמות טז, יד) וְנִבְלֵי שָׁמַיִם מִי יַשְׁכִּיב (איוב לח, לז), ויש מפרשים מטה ונקראת משכב לפי ששוכב אדם עליה, ויונתן תרגם מַכְבִּין פירוש סדינין, ותרגום וְהָרְדִידִים (ישעיהו ג, כז) וּכְבִנָתִין, וכן בדברי רז״ל (בבא בתרא קנא, ב) תנתן כבנתי לבתי, ופירוש וְסַפּוֹת כמו מזרקים, וכן מִן הַדָּם אֲשֶׁר בַּסָּף (שמות יב, כב), ויונתן תרגם וְקוּלִין וכן וְאֶת הַסִּפִּים דירמיה (נב, יט) וְיַת קוּלַיָא, ותרגום וְכַדָּהּ עַל שִׁכְמָהּ (בראשית כד, טו) וְקוּלְתַא. וקלי הסמוך לקמח הוא קלי מן חטים והסמוך לעדשים הוא קלי ממיני קטניות דבר הלמד מענינו: (כט) **ושפות בקר.** תרגום יונתן וְגוּבְנִין דַחֲלַב תּוֹרִין, נקראו הגבינות שפות לפי שנעשות על ידי עשוי, מן וְשֻׁפּוּ עַצְמוֹתָיו (איוב לג, כא): **רעב.** אמרו רעבים היו העם במדבר וצריך לקדמם במזונות, כי לא הוציאו עמם ספוקם מן ירושלם כי בחפזון יצאו וברחו: **ועיף.** מן הדרך, וכן אמר למעלה עֲיֵפִים וַיִּנָּפֵשׁ שָׁם (טז, יד), ורז״ל דרשו (יומא עז, א) עיף (מרציחה) [מרחיצה], וצמא כי במדבר אף על פי שהוא בין היישוב שהוא מקום מרעה הבהמות לא ימצא שם מים ברוב: (ג) **לא ישימו אלינו לב.** אם ננוס לפניהם או אם ימותו חציינו במלחמה לא ישימו אלינו לב אלא אליך, כלומר לא יחשב בעיניהם דבר אם ינצחו אותנו עד שיהרגוך, כי כן דעתם כמו שיעץ אחיתופל וְהִכֵּיתִי אֶת הַמֶּלֶךְ לְבַדּוֹ (לעיל יז, ז) כי כל מחשבותם עליך, אפילו יהיו עתה כמונו עשרת אלפים לא ישימו לב אם ינצחונו אלא לך לבדך ישימו לב כי אליך לבם: **ועתה טוב.** הוא שתהיה בעיר ומן העיר תעזרנו בעצתך ובתפלתך, ויש מפרשים אתה חשוב כנגד כולנו ואם היינו עשרת אלפים, לפיכך צריך שנשמור אותך מלצאת למלחמה ותהיה לנו מעיר לעזור, ויונתן תרגם כִּי עַתָּה כָמֹנוּ עֲשָׂרָה אֲלָפִים, אֲרֵי כְעַן אַתְּ יָכִיל לְמִסְעַד כְּוָתָנָא עַשְׂרָה אַלְפִין, ותרגם כִּי תִהְיֶה לָנוּ, אֲרֵי תְּצַלֵּי עֲלָנָא מִן קַרְתָּא לְמִסְעַד, רצה לומר יותר תעזרנו אתה בתפלתך בעיר ממה שיהיו עמנו כמונו עשרת אלפים עוד יותר תעזרנו אתה בתפלתך, וכתיב לעזיר ביו״ד וקרי לַעְזוֹר בוי״ו, והקרי מבואר והכתיב מבנין הפעיל להעזיר והוא יוצא לשלישי, פירוש שתעזיר אתה אותנו על ידי האל, כלומר שתתפלל לאל שיעזרנו:

מצודת דוד

(כט) **הגישו.** שלשת האנשים ההם, הגישו משכב וגו׳ דבש וגו׳: **במדבר.** בעבור שהלכו במדבר, לא מצאו לא לאכול ולא לשתות, ונתיגעו מטורח הדרך: (ג) **אם נוס ננוס וגו׳.** רצה לומר, הן אם ננוס, לא ישימו לב לרדוף אחרינו, והן אם ימיתו חצינו, לא ישימו לב להתהלל בהנצחון, כי הנפילה בידם וההצלה מידם, שוה בעיניהם: **כי עתה.** רצה לומר, בהמלחמה אשר אנחנו עתה בה אשר היא בעבור המלוכה, אף אם היינו עשרה אלפים פעמים כמונו היום, לא יחוש עלינו, כשאינך בינינו, ולזה מוטב שלא תלך: **ועתה.** במלחמה כזאת, טוב יותר לשבת אתה בעיר, ומשם תעזור לנו בתפלה אל ה׳, ובעצתך עלינו:

מצודת ציון

(כח) **משכב.** מצעות לשכב עליהם: **וספות.** מזרקים, כמו (שמות יב, כב), בדם אשר בסף: **וכלי יוצר.** כלים מיוצר חרס: **וקלי.** קמח משבלים צלוים: **ופול ועדשים.** הם מיני קטניות: **וקלי.** הוא קמח מקטניות צלוים: (כט) **ושפות בקר.** גבינות העשויות מחלב הבקר, ועל כי נעשית על ידי עשוי וכתישה, נקראו שפות, והוא מלשון (איוב לב, כא), ושופו עצמותיו: (א) **ויפקוד.** מנה אותם: (ג) **נס ננוס.** נברח:

---

name for Jesse. The strange use of this name for Jesse is explained by the Talmud (*Shabbos* 55b). He was called *Nahash* because all his life he had never sinned, so that his death could not be understood as a punishment for sin. If so, why did he die? Only because the curse of death had been brought upon mankind as a result of the treachery of the נָחָשׁ הַקַּדְמוֹנִי, *the primeval [nahash] serpent* (*Genesis* Ch. 3) in the Garden of Eden (*Rashi*). The Talmud (*Shabbos* 55b) states that there were only four people who never sinned: Benjamin son of Jacob; Amram, the father of Moses; Jesse, and Kilav.

Metzudos suggests that Nahash and Jesse were different people. Accordingly, Zeruiah and Abigal were sisters of David (*I Chronicles* 2:16) because they all had the same mother. The two women were daughters of Nahash, while David was a son of Jesse by the same mother.

At any rate, Amasa and Joab were first cousins to each other, and nephews of David.

27. **וְשֹׁבִי בֶן־נָחָשׁ** — *Shobi son of Nahash*. According to the

David's loyalists bring provisions

[27]It happened that when David came to Mahanaim, Shobi son of Nahash from Rabbah the [capital] of the Children of Ammon and Machir son of Ammiel from Lo-debar and Barzillai of Gilead from Roglim [28][took] bedding, bowls, pottery, wheat, barley, flour, toasted grain, beans, lentils, toasted legumes, [29]honey, butter, sheep, and cows' [milk] cheeses [and] they brought [them] to David and to the people with him to eat, for they said, "The people are hungry and exhausted and thirsty in the desert."

18

David plans his strategy ...

[1]David counted the people who were with him and appointed over them officers of thousands and officers of hundreds. [2]David then sent the people away — a third under the hand of Joab, a third under the hand of Abishai son of Zeruiah, Joab's brother, and a third under the hand of Ittai the Gittite. The king then said to the people, "I shall also go forth with you." [3]But the people said, "You should not go forth! For if we will have to flee they will not care about us. If half of us die they will not care about us, even if we would be ten thousand times as many as we are. So now it is better that you help us from the city." [4]The king replied to them, "Whatever is best in your eyes I shall do."

Midrash (*Shocher Tov* 3), Shobi is identified with Hanun son of Nahash from Rabbah (mentioned above, ch. 10), who converted and became an adherent of David (*Rashi*), *Radak* contends that this aggadic interpretation is difficult to resolve with the plain meaning of the text. *Abarbanel* suggests that Shobi was a Jew who settled in Rabbah after it was conquered by David.

וּמָכִיר בֶּן־עַמִּיאֵל — *Machir son of Ammiel.* Machir had been a sympathizer of Ish-bosheth (see above 9:4). Clearly, therefore, even former supporters of the House of Saul were loyal to David (*Daas Sofrim*).

At this point we sense a dramatic turn in David's fortunes. *Malbim* explains that having suffered banishment and being virtually ousted from the kingship, and after undergoing the humiliation of having his concubines violated by his own son, David's sins had been atoned for and he was restored to God's grace.

18.

1-8. The battle begins without David. The two forces, Absalom's and David's, arrayed against each other and a bloody battle ensued. David appointed three generals to lead his troops while he, at their request, stayed behind.

1. וַיִּפְקֹד דָּוִד אֶת־הָעָם אֲשֶׁר אִתּוֹ — *David counted the people who were with him.* Although David had had an army since he became king, about thirty-five years before this, he was now facing a new situation. When the rebellion began, there had been many defections from his forces, but since the rebellion lasted for six months (*Yerushalmi, Rosh Hashanah* 1:1) many others may have become disenchanted with Absalom and rallied to David. This meant that he had to know how many troops he had at his disposal and install a new command structure. Tight discipline was even more important now than it ordinarily is in battle because he was probably outnumbered and his forces had become disorganized due to shifting loyalties, so he appointed commanders over smaller companies and battalions, and divided his entire force into three divisions, under his leading generals.

2. יָצֹא אֵצֵא גַּם־אֲנִי עִמָּכֶם — *I shall also go forth with you.* David mentioned himself only after assigning command to his generals. His manner of expression implied that he would join them as an individual, not as king or commander (*Abarbanel*).

3. The translation follows *Radak.* David's men contended that the war was over the throne, so that the objective of Absalom's forces was mainly to kill David. Once he was out of the way, there would be no serious opposition to Absalom and he would be king by default.

לֹא־יָשִׂימוּ אֵלֵינוּ לֵב — *They will not care about us.* Since you are their objective, we will be safer if you do not come with us, for then they will not bother to fight us enthusiastically *if we will have to flee.* If we are defeated and retreat — *even if half of us die* — they will not exert themselves to pursue the survivors. *Even if we would be ten thousand as many as we are,* i.e., many times as numerous as we are, the enemy would not concentrate on us, for they are interested only in you (*Radak*).

Rashi interprets: *For now [you] are like ten thousand of us,* i.e., you are 10,000 times as important as any of us, and because of that, we will not let you endanger yourself on the battlefield.

Alternatively, David's force numbered ten thousand, and the men meant to say that he was equivalent to all of them put together (*Mahari Kara*).

וְעַתָּה טוֹב כִּי־תִהְיֶה־לָּנוּ מֵעִיר לַעְזוֹר — *So now it is better that you help us from the city,* with your prayers, which will contribute immeasurably to our victory (*Rashi*; *Targum*); or with your military advice (*Radak*).

4. אֲשֶׁר־יִיטַב בְּעֵינֵיכֶם אֶעֱשֶׂה — *"Whatever is best in your eyes I shall do."* David acceded to their request that he stay behind. Reflecting the opinion cited above that the people wanted David to remain behind to pray for them, the Sages teach that when David parted from Joab and the rest of the forces, he composed Psalm 20, as a prayer for their success. Among its many inspiring passages are: *May HASHEM answer you on the day of distress; may the Name of Jacob's God make you impregnable . . . May we sing for joy at your salvation . . . Some with chariots and some with horses, but we call out in the Name of HASHEM, our God . . . May the King answer us on the day we*

ה וַיַּעֲמֹד הַמֶּלֶךְ אֶל־יַד הַשַּׁעַר וְכָל־הָעָם יָצְאוּ לְמֵאוֹת וְלַאֲלָפִים: וַיְצַו הַמֶּלֶךְ אֶת־יוֹאָב וְאֶת־אֲבִישַׁי וְאֶת־אִתַּי לֵאמֹר לְאַט־לִי לַנַּעַר לְאַבְשָׁלוֹם וְכָל־הָעָם שָׁמְעוּ
ו בְּצַוֹּת הַמֶּלֶךְ אֶת־כָּל־הַשָּׂרִים עַל־דְּבַר אַבְשָׁלוֹם: וַיֵּצֵא הָעָם הַשָּׂדֶה לִקְרַאת
ז יִשְׂרָאֵל וַתְּהִי הַמִּלְחָמָה בְּיַעַר אֶפְרָיִם: וַיִּנָּגְפוּ שָׁם עַם יִשְׂרָאֵל לִפְנֵי עַבְדֵי
ח דָוִד וַתְּהִי־שָׁם הַמַּגֵּפָה גְדוֹלָה בַּיּוֹם הַהוּא עֶשְׂרִים אָלֶף: וַתְּהִי־שָׁם הַמִּלְחָמָה °נפצית [°נָפֹצֶת ק׳] עַל־פְּנֵי כָל־הָאָרֶץ וַיֶּרֶב הַיַּעַר לֶאֱכֹל בָּעָם מֵאֲשֶׁר אָכְלָה
ט הַחֶרֶב בַּיּוֹם הַהוּא: וַיִּקָּרֵא אַבְשָׁלוֹם לִפְנֵי עַבְדֵי דָוִד וְאַבְשָׁלוֹם רֹכֵב עַל־הַפֶּרֶד וַיָּבֹא הַפֶּרֶד תַּחַת שׂוֹבֶךְ הָאֵלָה הַגְּדוֹלָה וַיֶּחֱזַק רֹאשׁוֹ בָאֵלָה וַיֻּתַּן בֵּין הַשָּׁמַיִם
י וּבֵין הָאָרֶץ וְהַפֶּרֶד אֲשֶׁר־תַּחְתָּיו עָבָר: וַיַּרְא אִישׁ אֶחָד וַיַּגֵּד לְיוֹאָב וַיֹּאמֶר הִנֵּה
יא רָאִיתִי אֶת־אַבְשָׁלֹם תָּלוּי בָּאֵלָה: וַיֹּאמֶר יוֹאָב לָאִישׁ הַמַּגִּיד לוֹ וְהִנֵּה רָאִיתָ
יב וּמַדּוּעַ לֹא־הִכִּיתוֹ שָׁם אָרְצָה וְעָלַי לָתֶת לְךָ עֲשָׂרָה כֶסֶף וַחֲגֹרָה אֶחָת: וַיֹּאמֶר הָאִישׁ אֶל־יוֹאָב °ולא [°וְלוּא ק׳] אָנֹכִי שֹׁקֵל עַל־כַּפַּי אֶלֶף כֶּסֶף לֹא־אֶשְׁלַח

רש״י

(ה) לאט לי לנער. אם יקרא לפניכם במלחמה, חמלו עליו: **(ו) ביער אפרים.** ומהיכן היה יער לאפרים בעבר הירדן מזרחה, שלא ניתן שם חלק אלא לבני גד ולבני ראובן ולמנשה, אלא מתוך שהתנה יהושע שיהיו מרעין בחורשין, והיה אותו היער סמוך לאפרים, אלא שהירדן מפסיק, והיו מרעין שם בהמותיהם, היה נקרא יער אפרים: **(ח) וירב היער לאכול בעם.** חיות רעות שביער, כן תרגם יונתן: **(ט) ויקרא אבשלום.** לשון מקרה ופגע: **ויתן בין השמים ובין הארץ.** אמרו רבותינו (סוטה י, ב), שלף חרבו לקוץ שערו, וראה גיהנם פתוחה תחתיו:

רד״ק

(ד) אל יד השער. אל מקום הישיבה בשער העיר מחנים: **וכל העם יצאו.** יצאו לפניו למאות ולאלפים: **(ה) לאט לי לנער לאבשלום.** אם תפגעו בו במלחמה לאט לו בעבורי ואל תהרגוהו שלא אראה ברעתו, כי אף על פי שהרע לי אני אב לרחם, ופירוש לְאַט בנחת כלומר לא תבואו בכעס וברוגז להכותו כמו שהיה ראוי שמרו לו בעבורי: **את כל השרים.** אף על פי שצוה את הראשים שהם יואב ואבישי ואתי, כן צוה גם כן שרי האלפים ושרי המאות, לפיכך שמעו כל העם: **(ו) ביער אפרים.** וכי מניין היה לבני אפרים יער מעבר לירדן, פירשו רז״ל לפי שמעשר תקנות שתקן יהושע (בבא קמא פא, א) אחת מהן היא שיהו מרעין בהמותיהם בחורשין כלומר שלא יהיו קפדין אם בהמות שבט זה ירעו ביער של שבט אחר, ונחלת בני אפרים היתה בארץ כנען סמוכה לירדן כמו שכתוב בספר יהושע (טז, א) ונגד נחלתם היה מעבר לירדן יער והירדן מפסיק ביניהם, והיו מעבירים בני אפרים בהמותיהן שם ומרעין אותן באותו יער, לפיכך היה נקרא על שמם יער אפרים: **(ז) עשרים אלף.** העונש הזה על שמרדו בדוד שהיה מלך על פי ה׳ וכל שכן שהחזיקו יד בנו המורד בו: **(ח) נפצת.** הכתב נפצות לשון רבות והקרי נָפֹצֶת לשון יחידה, והכתב אומר על הגבורים והגדודים מזה ומזה שהיו נפוצים על פני כל היער, והקרי אומר בכלל על המלחמה: **וירב היער.** תרגום יונתן וַאֲסְגִיאַת חֵיוַת חוּרְשָׁא לְקַטָּלָא בְעַמָּא, ויתכן לפרש היער עצמו שהיו נפוצים ונפצעים בעצי היער בברחם: **(ט) ויקרא אבשלום.** כתרגום וְאִיתְעֲרַע: **שובך האלה.** סוכת העץ מסתבכת ענף בענף נקראת שובך ונאחז בו ראש אבשלום שהיה לו שיער רב, ואמרו רז״ל (סוטה ט, ב) לפי שנתגאה בשערו נתלה בשערו: **(יא) עשרה כסף.** כתרגומו עֲסַר סִלְעִין דִּכְסַף: **(יב) ולוא אנכי שקל על כפי.** ולא כתיב, כלומר לא הייתי לוקח אלף כסף בדבר הזה ואתה אמרת שהיית נותן לי עשרה כסף, והקרי הוא וְלוּ כלומר אפילו היית מוצא מי שיתן לי אלף כסף בדבר הזה ואשקלם על ידי בהכרעה לא אשלח ידי אל בן המלך:

מצודת דוד

(ד) למאות. מאה מאה לבד: **(ה) לאט לי וגו׳.** רצה לומר, למעני, בואו עם אבשלום בנחת, ולא תעשו לו מאומה רע: **(ו) ביער אפרים.** אף שנחלת אפרים היתה בעבר הירדן המערבי, כי אמרו רבותינו ז״ל (בבא קמא פא, א) שיהושע תקן שלא יקפידו השבטים זה על זה מבלי תת לרעות הבהמות בארץ לא לו, ובני אפרים רעו את בהמתם בהעיר ההיא, ונקרא על שמם: **(ח) נפוצת.** היתה מפוזרת על כל הארץ אשר הם עליה: **וירב היער וגו׳.** יותר הכה בהם היער בהכשלם בו, מאשר הכו בהם אנשי דוד בחרב: **(ט) ויקרא.** במקרה נזדמן אבשלום וגו׳, והיה רוכב על הפרד, ובנוסו מפניהם בא עם הפרד תחת ענף האלה, ונסתבך בה שער ראשו, ונשאר תלוי באויר, כי הפרד עבר מתחתיו: **(יא) והנה ראית.** כאומר מה לי בראיה, מדוע לא הרגתו והיה אם כן עלי לתת לך וגו׳, רצה לומר, היה לך לדעת, שאם הרגתו היית מקבל ממני מתן: **(יב) ולו אנכי שוקל וגו׳.** אפילו אם אנכי הייתי שוקל וגו׳, רצה לומר, אפילו אם כבר שקלו אל כפי, ואפילו אלף כסף, לא אשלח ידי וגו׳:

מצודת ציון

(ד) אל יד. אל מקום: **(ה) לאט.** ענין נחת, כמו (בראשית לג, יד), אתנהלה לאטי: **(ח) וירב.** מלשון רבוי: **(ט) ויקרא.** מלשון מקרה: **שובך.** בסמ״ך, והוא ענין ענף, כמו (שם כב, יג), בסבך בקרניו ויקרא כן על שם שנאחזים ומסובבים זה בזה: **האלה.** שם אילן מה: **(יא) עשרה כסף.** תרגם יונתן, עסר סלעין דכסף: **(יב) ולו אנכי.** ואם אנכי, וכן (שופטים ח, יט), לו החייתם אותם:

call (*Abarbanel*).

אֶל־יַד הַשַּׁעַר — *Near the gate*, i.e., the city gate of Mahanaim, where David had encamped (*Radak*).

5. לְאַט־לִי — *For my sake, be gentle.* Despite everything Absalom had done to him and despite Absalom's current intention to kill his own father, David did not wish to see any harm done to him. "Even though he did me harm, I have the mercy of a father to his son" (*Radak*).

Ralbag renders *conceal him for my sake*. David wanted his commanders and officers to capture Absalom and spirit him away to a safe place where he would be spared from retribution. David was convinced that the rebellion was part of his punishment for what he had done to Bath-sheba and Uriah, and Absalom was merely a tool in God's hands. If so, Absalom was not entirely culpable for what he had done and should be spared. Understood this way, David's order to conceal Absa-

So the king stayed near the gate, while all the people went forth by their hundreds and thousands. [5]*The king commanded Joab and Abishai and Ittai, saying, "For my sake, be gentle with the boy Absalom"; and the people all heard as the king commanded all the officers concerning Absalom.*

... and his army defeats Absalom's

[6]*The people went out to the field, toward [the army of] Israel; the battle took place in the forest of Ephraim.* [7]*The people of Israel were defeated by David's servants; the casualties were heavy on that day — twenty thousand.* [8]*The battle spread out from there all across the land; the forest consumed more people than the sword consumed on that day.*

Absalom is spared at David's orders ...

[9]*Absalom chanced upon David's servants. Absalom was riding upon a mule, and the mule came under the thick branches of a large elm tree; his head became entangled in the elm, and he was suspended between the heavens and the earth, while the mule that was under him moved on.* [10]*One man saw and told Joab; he said, "Behold I saw Absalom hanging from an elm!"* [11]*Joab then said to the man who had told him, "And if you saw this, why did you not strike him there down to the ground? I would have been obligated to reward you with ten silver pieces and one belt!"* [12]*The man said to Joab, "Even if I were weighing out a thousand silver pieces upon my hands, I would not send*

---

lom can be seen as part of his repentance; he took full responsibility for his actions and their outgrowths.

Not content to instruct only his generals regarding Absalom, David made sure that *the people all heard as the king commanded all the officers concerning Absalom*. Since the king could not know who might encounter Absalom, David wanted everyone to know that he should not be harmed (*Mahari Kara*). Indeed this order of David's almost succeeded in saving Absalom's life (see v. 12).

6. **בְּיַעַר אֶפְרָיִם** — *In the forest of Ephraim*. This seems to be difficult, because the opposing sides had encamped on the *east* bank of the Jordan, as related in the preceding chapter (17:24), and Ephraim's territory was on the *west* bank. *Rashi* explains that the "forest of Ephraim" got its name from the fact that the neighboring Ephraimites would bring their animals across the Jordan to graze in that area, for Joshua made the allocation of the Land conditional on the tribes' agreement to let flocks graze in one another's forests.

7. The disastrous death toll, *twenty thousand*, was a Divine punishment for the people's support of the rebellion against David, God's anointed king (*Radak*).

8. **הַמִּלְחָמָה נָפֹצֶת** — *The battle spread out*. This explains, at least partially, why Absalom's forces suffered such a disastrous defeat: The soldiers spread themselves out too much, and thus made themselves much more vulnerable than they would have been had they concentrated their forces. After their initial reverses, they made matters even worse for themselves by scattering further into the forest, thus becoming isolated and more vulnerable (*Abarbanel*).

וַיֶּרֶב הַיַּעַר לֶאֱכֹל בָּעָם — *The forest consumed more people ...* The soldiers were attacked by the wild animals that inhabited the forest (*Targum*). According to *Radak*, the soldiers constantly became entangled in and bruised by the thick branches of the trees.

9-13. Absalom tries to escape, but is trapped and discovered.

9. Absalom's forces thinned out due to their retreat and massive casualties, leaving Absalom alone and undefended when he ran into David's troops (*Ralbag*).

וַיֶּחֱזַק רֹאשׁוֹ בָאֵלָה — *His head became entangled in the elm*, because of his long hair. Absalom's fate was apt and ironic: "He became haughty because of his hair, so he was hanged by his hair" (*Sotah* 9b).

וַיֻּתַּן בֵּין הַשָּׁמַיִם וּבֵין הָאָרֶץ — *And he was suspended between the heavens and the earth*. Why did not Absalom simply take his sword and cut himself free? He was indeed about to do so, but then he saw a vision of Gehinnom (Hell), so he stopped (*Sotah* 10b, quoted by *Rashi*). *Pirkei d'Rabbi Eliezer* explains that when he was faced with this mortal danger, Absalom suddenly realized the gravity of his sins and desired atonement. He was sure that he would be discovered and executed by David's officers, and he hoped that this fate would bring him expiation for his sins. Rather than escape and eventually face the damnation that would await his soul in the next world, he awaited his fate, suspended from the tree.

10-11. Absalom was seen by one of David's soldiers, who informed Joab of his discovery. Joab expressed surprise at the man's timidity; he could have become a celebrated and well-rewarded hero by killing Absalom.

11. **וַחֲגֹרָה אֶחָת** — *And one belt*. The belt was probably of military decoration, like a medal or sash that denotes heroism.

12. **וְלוּא אָנֹכִי שֹׁקֵל עַל־כַּפַּי אֶלֶף כֶּסֶף** — *Even if I were weighing out a thousand silver pieces upon my hands*. In ancient times, coins had to be weighed, since their content of precious metal was not always uniform. The soldier was saying that even if he were to be rewarded with a hundred times as much money as Joab proposed, he still would not have dared harm Absalom,

יָדִי אֶל־בֶּן־הַמֶּלֶךְ כִּי בְאָזְנֵינוּ צִוָּה הַמֶּלֶךְ אֹתְךָ וְאֶת־אֲבִישַׁי וְאֶת־אִתַּי לֵאמֹר
יג שִׁמְרוּ־מִי בַּנַּעַר בְּאַבְשָׁלוֹם: אוֹ־עָשִׂיתִי °בנפשו [°בְנַפְשִׁי ק׳] שֶׁקֶר וְכָל־דָּבָר
יד לֹא־יִכָּחֵד מִן־הַמֶּלֶךְ וְאַתָּה תִּתְיַצֵּב מִנֶּגֶד: וַיֹּאמֶר יוֹאָב לֹא־כֵן אֹחִילָה לְפָנֶיךָ
וַיִּקַּח שְׁלֹשָׁה שְׁבָטִים בְּכַפּוֹ וַיִּתְקָעֵם בְּלֵב אַבְשָׁלוֹם עוֹדֶנּוּ חַי בְּלֵב הָאֵלָה:
טו־טז וַיָּסֹבּוּ עֲשָׂרָה נְעָרִים נֹשְׂאֵי כְּלֵי יוֹאָב וַיַּכּוּ אֶת־אַבְשָׁלוֹם וַיְמִיתֻהוּ: וַיִּתְקַע יוֹאָב
יז בַּשֹּׁפָר וַיָּשָׁב הָעָם מִרְדֹף אַחֲרֵי יִשְׂרָאֵל כִּי־חָשַׂךְ יוֹאָב אֶת־הָעָם: וַיִּקְחוּ
אֶת־אַבְשָׁלוֹם וַיַּשְׁלִיכוּ אֹתוֹ בַיַּעַר אֶל־הַפַּחַת הַגָּדוֹל וַיַּצִּבוּ עָלָיו גַּל־אֲבָנִים
יח גָּדוֹל מְאֹד וְכָל־יִשְׂרָאֵל נָסוּ אִישׁ °לאהלו [°לְאֹהָלָיו ק׳]: וְאַבְשָׁלֹם לָקַח וַיַּצֶּב־
לוֹ °בחיו [°בְחַיָּיו ק׳] אֶת־מַצֶּבֶת אֲשֶׁר בְּעֵמֶק־הַמֶּלֶךְ כִּי אָמַר אֵין־לִי בֵן בַּעֲבוּר
הַזְכִּיר שְׁמִי וַיִּקְרָא לַמַּצֶּבֶת עַל־שְׁמוֹ וַיִּקָּרֵא לָהּ יַד אַבְשָׁלֹם עַד הַיּוֹם
יט הַזֶּה: וַאֲחִימַעַץ בֶּן־צָדוֹק אָמַר אָרוּצָה נָּא וַאֲבַשְּׂרָה אֶת־הַמֶּלֶךְ

רש״י

(יב) שמרו מי בנער. כל מי שיבא לידו ישמרנו: **(יד) לא כן אוחילה לפניך.** לא אבקש עוד בקשה ממך, כי אני אלך: **(יח) כי אמר אין לי בן.** ממלא מקומי, ויהיה חשוב כמותי: **בעבור הזכיר שמי.** אקים לי מצבת אבן, ובנין חשוב היה:

רד״ק

שמרו מי בנער. מי יגע בנער, כלומר שמרו שלא יגע אדם בו: **(יג) או עשיתי בנפשו שקר.** בנפשו כתיב פירוש בנפשו של אבשלום, אם הייתי הורג אותו שקר הייתי עושה בעצמו כי המלך צוה עליו, והקרי הוא בְנַפְשִׁי כלומר אפילו לא יודע הדבר הייתי עושה שקר בעצמי כי אני יודע כי המלך צוה עליו, ופירושו או תאמר שהייתי עושה זה שקר והייתי הורג אותו אי אפשר שלא יבא הדבר לידי ידיעה כי כל דבר לא יכחד מן המלך: **ואתה תתיצב מנגד.** שלא תושיעני מיד המלך: **(יד) לא כן אחילה.** לא טוב שאיחל אותך ואדבר אליך שתלך ותכהו אני אלך: **שלשה שבטים.** ולהב בראשיהם כמו חניתות היו אלא שהדקות נקראו שבטים, ויונתן תרגם גַסיסין, ואמרו רז״ל (שם) לפי שגנב שלשה לבבות לבב אביו ולבב בית דין ולב אנשי ישראל לפיכך נתנו בו שלשה שבטים, ולפי שבא על עשר פילגשי אביו לפיכך נתנו בו עשר לנוביות עשר נערי יואב, ולב בית דין שאמר על מאתים איש שהלכו עמו הלכו לתומם ואמרו (ירושלמי סוטה א, ח) כי מאתים ראשי סנהדרין היו: **עודנו חי בלב האלה.** טעם בלב האלה דבק עם בלב אבשלום פירוש תקע השבטים בלבו עד שעברו גופו ונתקעו בלב האלה, על דרך אַכֶּה בְדָוִד וּבַקִּיר (לעיל־א יח, יא) אַכֶּנּוּ נָא בַּחֲנִית וּבָאָרֶץ (שם כו, ח), ופירש בְּלֵב הָאֵלָה באמצע האלה כמו עַד לֵב הַשָּׁמַיִם (דברים ד, יא), ופירוש עוֹדֶנּוּ חַי אחר שתקע בלבו שלשה השבטים עדיין היה חי, על כן הכוהו עוד נערי יואב עד שהמיתוהו: **(טו) ויסבו.** עמדו סביביו להכותו: **(טז) מרדף.** המ״ם בחירק שלא כמנהג, וכמוהו מְרֻדָּף אַחֲרֵי דָוִד (לעיל־א כג, כח) מֵעָצְבְּךָ וּמֵרָגְזֶךָ (ישעיהו יד, ג): **(יז) אל הפחת הגדול.** חפירה גדולה שהיתה ביער: **מאד.** אמר מאד לפי שהפחת היה גדול ומלאוהו באבנים על אבשלום ועוד מעל הארץ הציבו הגל הגדול: **לאהלו.** חסר כתיב בלא יו״ד הרבים, ויש בו דרש לפי שהיו נכלמים מן המרד שעשו לא התחברו יחד אלא כל אחד נס לאהלו: **(יח) ואבשלם לקח.** פירוש לקח זאת העצה בעצמו להזכיר את שמו, וכן וַיִּקַּח קֹרַח (במדבר טז, א), ואמרו כי בזה המקום נזכר אחר כך כי הוציאו עצמותיו מן הפחת הגדול (וקרבו) [וקברו] אותו בזה המקום, כי לכך נתכוין הוא שהציב שם מצבה בחייו: **ויצב לו בחיו.** חסר יו״ד הרבים כמו לאהלו שזכרנו (פסוק יז) וכמוהו רבים, ויש בו דרש כי חסרו חיי אבשלום עשר שנים על ששכב עם עשר פלגשי אביו, לפיכך חסר יו״ד שהוא בחשבון עשרה: **כי אמר אין לי בן.** ולמעלה (יד, כז) כתיב וַיִּוָּלְדוּ לְאַבְשָׁלוֹם שְׁלוֹשָׁה בָנִים וּבַת אַחַת, היו לו אלא שמתו לפיכך עשה לו המצבה הזאת להיות לו לזכרון אחר מותו שהיו אומרים יד אבשלום, ויד פירושו מקום וכמוהו רבים, ובדברי רבותינו ז״ל (סוטה יא, א) יש מי שאמר שהיה לו בן אלא שלא היה הגון למלכות, ומהם אמרו גמירי שכל השורף תבואתו של חבירו אינו מניח בן ליורשו, והוא שרף תבואתו של יואב (לעיל יד, ל), ויונתן תרגם לֵית לִי בַר קַיָּים בְּדִיל לְאַדְכָּרָא שְׁמִי:

מצודת דוד

שמרו מי. מי שיבוא לידו, שמרו בו לבוא עמו בנחת: **(יג) או עשיתי.** רצה לומר, ואף אם הייתי מעלים הדבר לבל יודע, הלא אם עשיתי אותה, הייתי עושה שקר בנפשי, כי המרד בדבר המלך ולשקר בו, יחשב לעון נפש: **וכל דבר.** רצה לומר, אף הלא שום דבר לא יהיה נעלם מן המלך, כי יחקור לדעת מי הרגו, וכשיודע לו, ידעתי שאתה תעמוד מנגד מבלי הציל אותי מידו: **(יד) לא כן.** לא טוב ונכון שאבקש עוד לפניך, כי ידי רב לי: **עודנו חי.** עם שתקע בו שלשת השבטים, היה עוד חי, תלוי מול לב האלה: **(טז) ויתקע וגו׳.** לסימן אשר יחדלו מלרדוף: **כי חשך יואב.** אבל לא חדלו מעצמם: **(יז) וכל ישראל.** אשר עם אבשלום: **(יח) לקח.** רוצה לומר, לקח לעצמו זאת העצה לזכרון שמו, ודוגמתו (במדבר טז, א), ויקח קרח: **אין לי בן.** כי בניו הנזכרים למעלה כבר מתו: **בעבור הזכיר שמי.** אין לי בן לשיזכר שמי על ידו, לזאת הציב מצבה וקראה על שמו, לזכרון:

מצודת ציון

(יג) או עשיתי. אם עשיתי: **יכחד.** ענין העלמה: **מנגד.** מרחוק: **(יד) כן.** ענין טוב ונכון, כמו (שם יב, ו), ולא יכין לדבר כן: **אוחילה.** אבקש, כמו (מלכים־ב ה, ג), אחלי אדוני: **שבטים.** שרביטים: **ויתקעם.** ותחבם: **בלב האלה.** באמצעית האלה, ועל כי הלב הוא באמצע הגוף, הושאל המלה ההיא לכל מצוע, וכן (דברים ד, יא), עד לב השמים: **(טו) כלי יואב.** כלי זיינו: **(טז) חשך.** מנע, כמו (בראשית כב, טז), ולא חשכת: **(יז) הפחת.** בור וחפירה: **גל.** תל גדול. **(יח) מצבת.** מלשון מצבה, רוצה לומר בנין גבוה: **יד אבשלום.** מקום אבשלום: **(יט) ארוצה.** ענין מהירות ההליכה:

because, as he went on to explain, it was known that David had ordered the army not to harm him.

13. The soldier continued that it was not only David's order that prevented him from killing Absalom, but also the conviction that David would surely know of it — perhaps because someone would have told him or perhaps because God would have revealed it to him. So much was David revered by his men that they would not dream of disobeying him or of thinking that anything could be concealed from him. Surely the soldier remembered what David had done to the Philistine who had killed Saul, David's enemy (Ch. 1). Certainly a dire fate would await the one who dared kill his son!

forth my hand against the king's son, for in our own earshot the king commanded you and Abishai and Ittai saying, 'Whoever [finds him], take care of the boy, of Absalom.' [13]*Even if I had acted deceitfully on my own, nothing remains hidden from the king — and you would stand aside."*

... but then Joab kills him

[14]*Joab then said, "I will not beg you any more!" He then took three staves in his hand and thrust them into Absalom's heart — yet he was still alive in the midst of the elm.* [15]*Ten soldiers, the armor-bearers of Joab, circled around and beat Absalom, and killed him.* [16]*Joab then blew the shofar, and the people refrained from chasing after Israel, for Joab restrained the people.* [17]*They took Absalom's [body] and threw it in the forest, into the great pit, and they erected a very large mound of stones. Meanwhile all of Israel fled, each man to his tent.*

Absalom's monument

[18]*(Absalom had undertaken in his lifetime and erected for himself the pillar that is in the Valley of the King; for he said, "I have no son; [this is] in order that my name should be remembered." He called the pillar by his name, and it is called "Absalom's Monument" until this day.)*

Runners hurry to tell David

[19]*Ahimaaz son of Zadok said, "I shall run and tell the king the news — that*

וְעַתָּה תִּתְיַצֵּב מִנֶּגֶד — *And you would stand aside.* If I had done what you wanted, in violation of David's wishes, you would not have protected me from his punishment (*Radak*).

14-18. Joab executes Absalom. What was his justification? Turning away from the soldier, Joab did what he had demanded of him. He killed Absalom. On the surface it would seem that Joab was simply an angry warrior dispatching his enemy, but there is more to it than this. Joab was a distinguished Jew who could not have done such a thing unless he thought it halachically correct. In David's last will and testament to Solomon, he told him that Joab must be punished for his sins, but the king did not include the killing of Absalom among them (*I Kings* 2:2-6). Clearly there must have been a reason — wrong or disputable though it was — why he felt his deed was justified.

Parshiyos b'Sifrei HaNeviim suggests that since the state of war still existed, Joab felt that as long as Absalom was still alive — even if he were taken prisoner — his men would counterattack and the ensuing battles would result in heavy casualties. Thus, by killing Absalom, Joab felt that he would stop the rebellion and therefore bring an end to the bloody hostilities.

14. לֹא כֵן אֹחִילָה לְפָנֶיךָ — *"I will not beg you any more."* As noted above and as is clear from his actions, he was convinced that it was permitted and imperative to kill Absalom. Consequently, he dismissed the recalcitrant soldier and did it himself (*Rashi; Radak*). *Mahari Kara* renders, *"It is not so,"* i.e., your claim that I would not defend you before David is not true. However, since you refuse to carry out the deed, *"I beg of you"* to lead me to Absalom, and I will do what has to be done.

וַיִּתְקָעֵם בְּלֵב אַבְשָׁלוֹם — *And thrust them into Absalom's heart.* Had the spears actually penetrated his heart, he would surely have died immediately. Presumably, Joab thrust them into the chest area, near the heart. For the reason Joab did not kill him without delay, see below.

15. The Mishnah comments, "Because he violated his father's ten concubines, he was beaten with ten spears (by Joab's ten armor-bearers); because he stole the heart of (i.e., deceived) three parties — his father (see above, 15:7-9), the court (ibid. 15:11; see commentary there), and Israel (ibid., 15:6) — "he had three staves thrust into his heart" (*Sotah* 9b). Thus the manner in which Joab had Absalom killed was calculated to provide him with expiation for his sins. This explains why Joab did not kill Absalom immediately.

18. Absalom's pride was evinced in another way. He built his own memorial, an impressive monument that, according to tradition, is the one found in the Kidron Valley, east of Jerusalem. As to why Scripture mentions it here, there are essentially two lines of thought. According to *Radak*, the verse means to tell us that Absalom's body was removed from the great pit in the forest and reinterred in the burial place he had prepared during his lifetime.

Abarbanel disagrees, since the verse does not say Absalom was reburied at his memorial. Rather the verse is meant to stress the irony of his delusions of grandeur. He prepared an elaborate memorial in the place where he intended to be laid to rest, and in the end his battered body was dumped into a pit and covered by a mound of stones. *Malbim* adds that it could not be called קֶבֶר אַבְשָׁלוֹם, *the burial place of Absalom,* because he remained buried in the forest; therefore it was called יַד אַבְשָׁלוֹם, *Absalom's monument.*

אֵין־לִי בֵן — *I have no son.* This seems to contradict 14:27, which states that Absalom had three sons and a daughter (14:27). The Talmud (*Sotah* 11a) offers two possible solutions: (a) Absalom's sons had died before this; or (b) Absalom meant to say that he "had no sons who were worthy of taking his place." According to Josephus (*Antiquities*), Absalom's sons were indeed alive and well, but he was so vain that he built the monument in case all his descendants might perish.

19-23. Ahimaaz insists on bringing the news to David.

19. Ahimaaz was totally devoted to David and was ready to endanger himself in order to bring him the good news that the

כ כִּי־שְׁפָטוֹ יהוה מִיַּד אֹיְבָיו: וַיֹּאמֶר לוֹ יוֹאָב לֹא אִישׁ בְּשֹׂרָה אַתָּה הַיּוֹם הַזֶּה וּבִשַּׂרְתָּ בְּיוֹם אַחֵר וְהַיּוֹם הַזֶּה לֹא תְבַשֵּׂר כִּי עַל־[כֵּן ק׳ ולא כ׳] בֶּן־הַמֶּלֶךְ מֵת:

כא וַיֹּאמֶר יוֹאָב לַכּוּשִׁי לֵךְ הַגֵּד לַמֶּלֶךְ אֲשֶׁר רָאִיתָה וַיִּשְׁתַּחוּ כוּשִׁי לְיוֹאָב וַיָּרֹץ:

כב וַיֹּסֶף עוֹד אֲחִימַעַץ בֶּן־צָדוֹק וַיֹּאמֶר אֶל־יוֹאָב וִיהִי מָה אָרֻצָה־נָּא גַם־אָנִי אַחֲרֵי הַכּוּשִׁי וַיֹּאמֶר יוֹאָב לָמָּה־זֶּה אַתָּה רָץ בְּנִי וּלְכָה אֵין־בְּשׂוֹרָה מֹצֵאת:

כג וִיהִי־מָה אָרוּץ וַיֹּאמֶר לוֹ רוּץ וַיָּרָץ אֲחִימַעַץ דֶּרֶךְ הַכִּכָּר וַיַּעֲבֹר אֶת־הַכּוּשִׁי:

כד וְדָוִד יוֹשֵׁב בֵּין־שְׁנֵי הַשְּׁעָרִים וַיֵּלֶךְ הַצֹּפֶה אֶל־גַּג הַשַּׁעַר אֶל־הַחוֹמָה וַיִּשָּׂא

כה אֶת־עֵינָיו וַיַּרְא וְהִנֵּה־אִישׁ רָץ לְבַדּוֹ: וַיִּקְרָא הַצֹּפֶה וַיַּגֵּד לַמֶּלֶךְ וַיֹּאמֶר הַמֶּלֶךְ

כו אִם־לְבַדּוֹ בְּשׂוֹרָה בְּפִיו וַיֵּלֶךְ הָלוֹךְ וְקָרֵב: וַיַּרְא הַצֹּפֶה אִישׁ־אַחֵר רָץ וַיִּקְרָא הַצֹּפֶה אֶל־הַשֹּׁעֵר וַיֹּאמֶר הִנֵּה־אִישׁ רָץ לְבַדּוֹ וַיֹּאמֶר הַמֶּלֶךְ גַּם־זֶה מְבַשֵּׂר:

כז וַיֹּאמֶר הַצֹּפֶה אֲנִי רֹאֶה אֶת־מְרוּצַת הָרִאשׁוֹן כִּמְרֻצַת אֲחִימַעַץ בֶּן־צָדוֹק

כח וַיֹּאמֶר הַמֶּלֶךְ אִישׁ־טוֹב זֶה וְאֶל־בְּשׂוֹרָה טוֹבָה יָבוֹא: וַיִּקְרָא אֲחִימַעַץ וַיֹּאמֶר אֶל־הַמֶּלֶךְ שָׁלוֹם וַיִּשְׁתַּחוּ לַמֶּלֶךְ לְאַפָּיו אָרְצָה וַיֹּאמֶר בָּרוּךְ יהוה אֱלֹהֶיךָ

כט אֲשֶׁר סִגַּר אֶת־הָאֲנָשִׁים אֲשֶׁר־נָשְׂאוּ אֶת־יָדָם בַּאדֹנִי הַמֶּלֶךְ: וַיֹּאמֶר הַמֶּלֶךְ שָׁלוֹם לַנַּעַר לְאַבְשָׁלוֹם וַיֹּאמֶר אֲחִימַעַץ רָאִיתִי הֶהָמוֹן הַגָּדוֹל

רש״י

(כ) ובשרת ביום אחר. בשורת תשועה אחרת: **כי על כן.** כי על אשר בן המלך מת, לפיכך לא טובה לך הבשורה זאת: **(כב) ולכה אין בשורה מוצאת.** אין מתת שכר בשורה מלויה היום: **(כג) ויהי מה.** כלומר ומה בכך אם אין לי שכר: **ויעבור.** (תרגום) וקדים ית כושי: **(כט) ראיתי ההמון הגדול.** הומים וכעים במלחמה: **לשלוח את עבד המלך יואב ואת עבדך.** הרי זה מקרא מסורס, לשלוח יואב את עבד המלך ואת עבדך, לאחר ששלח יואב את עבד המלך זה הרץ אחרי:

רד״ק

(כ) ובשרת ביום אחר. תשועה אחרת שתזדמן לישראל כי זאת התשועה לא תהיה שלימה בעיני המלך על אשר מת בנו: **כי על כן בן המלך מת.** כן קרי ולא כתיב, והקרי הוא יותר קרוב כאלו אמר כי על אשר בן המלך מת אין אתה ראוי לבשר ויש בו דרש (אוצר המדרשים אייזנשטיין תקב) כי על כן ועל יושר מת, שמרד באביו: **(כא) לכושי.** מבני כוש היה ונתגייר, או אפשר שהיה ישראל והוא שחור ככושי לפיכך היו קוראים אותו כושי: **(כב) ולכה אין בשורה מצאת.** תרגם יונתן וְלָךְ לֵית בְּשׂוֹרְתָא מִתְיְהֲבָא, כלומר למה אתה רוצה ללכת לא לך יהיה שכר מזאת הבשורה, ומוֹצֵאת כמו מזדמנת כמו וַיַּמְצִאוּ בְּנֵי אַהֲרֹן (ויקרא ט, יח): **(כג) ויהי מה.** יהיה מה שיהיה על כל פנים ארוץ, וכן וְיַעֲבֹר עָלַי מָה (איוב יג, יג) יעבר עלי מה שיעבור איני חושש: **(כד) בין שני השערים.** שהיה לעיר חומה לפנים מחומה ושער לפנים משער ובין שני השערים היה מקום הישיבה כמו שנאמר למעלה אֶל יַד הַשַּׁעַר (פסוק ד): **(כז) ואל בשורה טובה.** כמו ובבשורה, וכן אֶל הָאָרֹן תִּתֵּן אֶת הָעֵדֻת (שמות כה, כא) כמו ובארון: **(כח) סגר.** מסר את האנשים וסגרם בידך, ואפשר כי בי״ת בַּאדֹנִי הַמֶּלֶךְ עומד במקום שנים:

מצודת דוד

(יט) כי שפטו ה׳. עשה משפטו, לנקום נקמתו מיד אויביו: **(כ) לא איש בשורה.** לא ראוי לך לבשר בשורה כזאת: **ביום אחר.** בעת יזדמן תשועה אחרת: **כי על כן.** כי הבשורה ההיא תהיה על אשר הומת בן המלך, ולא תחשב לבשורה טובה: **(כא) אשר ראיתה.** בנצחון המלחמה, וממיתת אבשלום: **וישתחו.** בחשבו שעשה עמו חסד לשלחו בבשורה: **(כב) ויהי מה.** רצה לומר, אף אם לא אשמחו במיתת אבשלום, מכל מקום בנצחון המלחמה הלא ישמח: **למה זה.** רצה לומר, למה תעמול לרוץ אליו, הואיל ולכה לא יהיה נמצא מתן בשורה, כי אף אם יתן מתן, הלא להכושי יתננה, כי כבר רץ הוא ויבוא אליו ראשון: **(כג) ויהי מה.** חזר אחימעץ ואמר, ואם לא אקבל מתן, עם כל זה ארוץ: **דרך הככר.** והוא הדרך היותר קרוב, ולזה עבר את הכושי והקדים לבוא: **(כד) בין שני השערים.** כי היה להעיר חומה לפנים מחומה, והשערים זה מול זה, והיה יושב בין השערים: **אל החומה.** אשר ממעל להשער: **(כה) אם לבדו.** ואין כן דרך הנסים מן המלחמה: **(כו) אל השוער.** אל שומר השער: **הנה איש.** הנה עוד איש: **ויאמר המלך.** כשמוע דבר הצופה: **גם זה מבשר.** הואיל וגם הוא לבדו בא: **(כז) את מרוצת הראשון.** רצה לומר, הנהגת מרוצתו, שהוא כמנהג מרוצת אחימעץ, ובודאי הוא הוא: **איש טוב זה וגו׳.** כי איש טוב, נוטה טבעו לחשוק לבשר טוב: **(כח) אשר סגר.** ביד יואב ואנשיו: **אשר נשאו וגו׳.** למרוד במלך: **(כט) שלום.** כמו השלום, ובלשון שאלה אמר: **ראיתי ההמון הגדול.** ראיתי כי נתקבצו כל העם הרב, שיואב ישלח את עבד המלך והוא הכושי, וגם לשלוח אותי, ולזה מהרתי אני לרוץ להקדימו ולבשר, ולא נמסר לי כל פרטי הדברים, ולא ידעתי מה נעשה בבנך, אבל הכושי יודע הוא, וכחש לו, לפי שלא רצה לבשרו הרעה:

מצודת ציון

(כב) ויהי מה. רצה לומר יהיה מה שיהיה, ודוגמתו (איוב יג, יג), ויעבור עלי מה, ופירושו יעבור מה שיעבור: **(כג) הככר.** המישור, והוא ככר הירדן: **(כח) סגר.** מסר, כמו (עמוס א, ו), להסגיר לאדום: **(כט) ההמון.** העם הרב:

---

time when the news would be undilutedly good; "You should not be the bearer of news *today*." *Abarbanel* explains: You are a good man and a Kohen of HASHEM — as David himself said of him (v. 27), "He is a good man; he is coming with good news." — it is fitting for you to be the bearer only of good news.

rebellion had been put down and Absalom killed. Apparently he did not know how much David wanted Absalom to be spared.

20. Joab did not want Ahimaaz to go because there was bad news as well as good. Better that Ahimaaz should go another

HASHEM has granted him justice from his enemies!" [20]*But Joab told him, "You should not be the bearer of news today. You can bring news another day; but do not bring news today, for the king's son is dead."* [21]*Joab then said to the Cushite, "Go tell the king what you have seen"; and the Cushite prostrated himself to Joab and ran off.* [22]*Ahimaaz son of Zadok continued to persist, and said to Joab, "Whatever happens — please let me also run after the Cushite." But Joab said, "Why should you run, my son? This news will not provide any [benefit] for you."* [23]*"Whatever happens — let me run!" So he said to him, "Run." Ahimaaz ran by the route of the plain and overtook the Cushite.*

[24]*David was sitting between the two gates [of the city]. The lookout went up to the roof of the gate, to the wall; he raised his eyes and looked — and behold, a man running alone!* [25]*The lookout called out and told the king. The king said, "If he is alone, there is news in his mouth," and he kept drawing closer.* [26]*Then the lookout saw another man running; the lookout called out to the gatekeeper and said, "Behold, [another] man is running alone!" The king said, "This man is also a herald!"* [27]*The lookout said, "I recognize the first one's stride as the stride of Ahimaaz son of Zadok." And the king said, "He is a good man; he is coming with good news."* [28]*Ahimaaz called out and said to the king, "Peace!" and he prostrated himself to the king with his face to the ground. Then he said [further], "Blessed is HASHEM, your God, Who has delivered [into our hands] the men who lifted up their hand against my lord the king!"* [29]*The king then asked, "Is it well with the boy Absalom?" Ahimaaz replied, "I saw the great commotion*

David hears the good news first ...

21. לַכּוּשִׁי — *To the Cushite*. This man was either a proselyte from the land of Cush, or an Israelite who resembled a Cushite (African) because of his dark complexion (*Radak*). According to *Targum*, Cushi was the man's name.

The Sages (*Moed Katan* 16b) often interpret the designation "Cushite" to be an allusion to a person's extraordinary character. For instance, when the Torah speaks of Moses' "Cushite wife" the Talmud explains: "Just as a Cushite (African) is exceptional in his skin, so was Moses' wife remarkable in her good deeds." Here too, the Midrash (*Pirkei d'Rabbi Eliezer*) interprets the appellation *Cushite* in a similar vein. The Cushite here is identified with the soldier who had refused to follow Joab's order to kill Absalom (above, vs. 10-12). "Just as a Cushite is exceptional in his skin, so too was this man remarkable in his principles, for he said he would not disobey the king's order even if he were paid a thousand shekels."

22. וַיהִי מָה — *Whatever happens*. Ahimaaz did not care that part of his report would displease David. Perhaps he felt that such unpleasant news should be brought by a loyal friend rather than a stranger, and that he could present it more delicately than the Cushite.

וּלְכָה אֵין־בְּשׂוֹרָה מֹצֵאת — *This news will not provide any [benefit] for you*, for two reasons: First, the news will upset the king. Secondly, the Cushite has already left with the message, and you will not be considered a bearer of news at all (*Abarbanel*).

In contrast to Ahimaaz, whose interest was how he could serve David, Joab kept insisting that the only factor to consider was whether it would bring Ahimaaz personal gain.

23. וִיהִי־מָה — *Whatever happens*, i.e., "So what if there is no reward for me in this mission?" (*Rashi*).

24-32. David learns of Absalom's death. The two heralds, Ahimaaz and the Cushite, came to David, and Ahimaaz realized how much David wanted Absalom to be spared.

24. בֵּין־שְׁנֵי הַשְּׁעָרִים — *Between the two gates* [*of the city*]. The city was surrounded by two walls, for extra protection. David was sitting between the aligned gates of the two walls (*Radak*).

25. אִם־לְבַדּוֹ בְּשׂוֹרָה בְּפִיו — *If he is alone, there is news in his mouth*. If many people were running it would mean that they are defeated soldiers fleeing from the battle. Now that a single runner was seen, however, he must be bearing an important message (*Abarbanel*).

26. David was sure that the second runner was also a herald. If it had been a retreat from the front, there would have been many more. Even though there are now two people running, this is still too small a number to be anything but heralds (*Abarbanel*).

27. אִישׁ־טוֹב זֶה וְאֶל־בְּשׂוֹרָה טוֹבָה יָבוֹא — *"He is a good man, he is coming with good news."* Knowing that Ahimaaz was a good person and that he was racing toward David, the king had no doubt that he was coming with good news. This shows that if someone has such information for a person — and surely if he can warn someone against danger — he should hasten to inform him without delay. This falls under the category of loving another person as one loves oneself (*Shelah*).

28. Ahimaaz began with the good news, in order to soften the blow when he presented the news about Absalom.

29. שָׁלוֹם לַנַּעַר לְאַבְשָׁלוֹם — *Is it well with the boy Absalom?* When Ahimaaz realized that the king was more interested in hearing about Absalom's welfare than about his own soldiers' victory, he suddenly understood the wisdom of Joab's warning and claimed ignorance of the details of the battle (*Ralbag*).

ל לִשְׁלֹחַ אֶת־עֶבֶד הַמֶּלֶךְ יוֹאָב וְאֶת־עַבְדֶּךָ וְלֹא יָדַעְתִּי מָה: וַיֹּאמֶר הַמֶּלֶךְ סֹב
לא הִתְיַצֵּב כֹּה וַיִּסֹּב וַיַּעֲמֹד: וְהִנֵּה הַכּוּשִׁי בָּא וַיֹּאמֶר הַכּוּשִׁי יִתְבַּשֵּׂר אֲדֹנִי הַמֶּלֶךְ
לב כִּי־שְׁפָטְךָ יהוה הַיּוֹם מִיַּד כָּל־הַקָּמִים עָלֶיךָ: וַיֹּאמֶר הַמֶּלֶךְ
אֶל־הַכּוּשִׁי הֲשָׁלוֹם לַנַּעַר לְאַבְשָׁלוֹם וַיֹּאמֶר הַכּוּשִׁי יִהְיוּ כַנַּעַר אֹיְבֵי אֲדֹנִי
יט א הַמֶּלֶךְ וְכֹל אֲשֶׁר־קָמוּ עָלֶיךָ לְרָעָה: וַיִּרְגַּז הַמֶּלֶךְ וַיַּעַל
עַל־עֲלִיַּת הַשַּׁעַר וַיֵּבְךְּ וְכֹה ׀ אָמַר בְּלֶכְתּוֹ בְּנִי אַבְשָׁלוֹם בְּנִי בְנִי אַבְשָׁלוֹם מִי־
ב יִתֵּן מוּתִי אֲנִי תַחְתֶּיךָ אַבְשָׁלוֹם בְּנִי בְנִי: וַיֻּגַּד לְיוֹאָב הִנֵּה הַמֶּלֶךְ בֹּכֶה וַיִּתְאַבֵּל
ג עַל־אַבְשָׁלֹם: וַתְּהִי הַתְּשֻׁעָה בַּיּוֹם הַהוּא לְאֵבֶל לְכָל־הָעָם כִּי־שָׁמַע הָעָם בַּיּוֹם
ד הַהוּא לֵאמֹר נֶעֱצַב הַמֶּלֶךְ עַל־בְּנוֹ: וַיִּתְגַּנֵּב הָעָם בַּיּוֹם הַהוּא לָבוֹא הָעִיר
ה כַּאֲשֶׁר יִתְגַּנֵּב הָעָם הַנִּכְלָמִים בְּנוּסָם בַּמִּלְחָמָה: וְהַמֶּלֶךְ לָאַט אֶת־פָּנָיו וַיִּזְעַק
ו הַמֶּלֶךְ קוֹל גָּדוֹל בְּנִי אַבְשָׁלוֹם אַבְשָׁלוֹם בְּנִי בְנִי: וַיָּבֹא
יוֹאָב אֶל־הַמֶּלֶךְ הַבָּיִת וַיֹּאמֶר הֹבַשְׁתָּ הַיּוֹם אֶת־פְּנֵי כָל־עֲבָדֶיךָ הַמְמַלְּטִים אֶת־
ז נַפְשְׁךָ הַיּוֹם וְאֵת נֶפֶשׁ בָּנֶיךָ וּבְנֹתֶיךָ וְנֶפֶשׁ נָשֶׁיךָ וְנֶפֶשׁ פִּלַגְשֶׁיךָ: לְאַהֲבָה אֶת

רש"י

ואת עבדך. על עלמו הוא אומר, ולא ידעתי מה היה אחרי כן: **(ל) סב התיצב כה**. פנה לצד אחר והתיצב כה, ונשמע מה יאמר זה: **(א) בני בני**. שמנה פעמים, אמרו רבותינו (סוטה י, ב), שבעה דאסקיה משבעה מדורי גיהנם, וחד דאייתיה לעלמא דאתי: **(ה) לאט את פניו**. (תרגום) כריך ית אפוהי, כמשפט האבלים: **לאט**. כמו (מלכים־א יט, יג), וילט פניו באדרתו; (שמואל־א כא, י), הנה היא לוטה בשמלה:

רד"ק

(כט) **לשלח את עבד המלך יואב**. לשלוח יואב את עבד המלך, כלומר ראיתי ההמון הגדול וראיתי שהיה משתדל יואב לשלוח את עבד המלך והוא הכושי: **ואת עבדך**. אמר על עצמו ומפני מהירות יואב לשלוח אותנו לא נתעכבנו לדעת מה: (ל) **ויאמר המלך סב התיצב כה**. פה לצד אחד והתיצב כה ונשמע מה יאמר זה: (א) **על עלית השער**. בשער העיר היה עלייה על השער ועל גג אותה עלייה היה עומד הצופה כמו שאמר למעלה (יח, כד) אֶל גַּג הַשַּׁעַר: **בני בני**. כן דרך הנוהים לכפול דבריהם, וכן מֵעַי מֵעַי אוֹחִילָה (ירמיה ד, יט). ובדרש (סוטה י, ב) כי שמנה פעמים אמר בני, בשבעה פעמים העלהו משבעה מדורי גיהנם ובשמיני הביאהו לגן עדן: (ג) **נעצב**. נפעל עבר כי הוא פתח: (ה) **לאט**. כתרגומו כְּרִיךְ, כי כן דרך האבלים להתעטף:

מצודת דוד

לשלוח את וגו'. הוא הפוך, וכאלו יאמר לשלוח יואב את עבד המלך: **(ל) התיצב כה**. עד בוא הכושי, ונשמע מה בפיו: **(לב) יהיו כנער וגו'**. רצה לומר, הלואי כל אויביך והקמים עליך יהיו כנער, שימותו כמוהו: **(א) בני אבשלום וגו'**. אמרו רבותינו ז"ל (סוטה יב) שאמר שמונה פעמים בני, שבעה להעלותו משבעה מדורי גיהנם, והשמיני להביאו לגן עדן. ולפי פשוטו, כן דרך המיללים לכפול דבריהם, כמו (ירמיהו ד, יט), מעי מעי אוחילה: **מי יתן וגו'**. הלואי והייתי אני מת במקומך: **(ג) לאבל**. נהפך לאבל: **(ד) ויתגנב**. לא באו לעיר ביד רמה ובשמחה כדרך המנצחים, כי אם בהסתר כגנב, וכדרך ביאת הנסים מן המלחמה, הנכלמים לבוא בפרסום: **(ה) לאט את פניו**. דרך צער ואבל: **(ו) הובשת היום**. במעשך ביישת את עבדיך אשר מלטו אותך ובניך וגו', והוא במה שהיה מתאבל על אבשלום: **(ז) לאהבה**. להיות אוהב את שונאיך להתאבל על מותו, וממילא שנואים לך אוהביך הממלטים נפשך, על כי רע בעיניך הריגתם אותו:

מצודת ציון

(ל) סוב. מלשון סבוב והפנה: **כה**. הנה: **(א) וירגז**. ויחרד: **עלית**. מלשון עלה: **וכה**. וכן: **(ה) לאט**. עטף וכסה, כמו (מלכים־א יט, יג), וילט פניו באדרתו:

Malbim suggests that Absalom's death may not have been made known immediately to all the soldiers, and Ahimaaz was really telling the truth.

30. Knowing that the second runner was on the way, David told Ahimaaz to stand aside until they heard what news the second runner was bringing.

32. Without saying explicitly that Absalom was dead, the Cushite implied clearly that such was the case. He could not have meant simply that Absalom had been defeated because he had already said so in the previous verse.

19.

1-5. Consumed by grief. The news that Absalom was dead shocked David and plunged him into inconsolable grief, so much so that his loyalists avoided him. As will be seen below, they felt wounded that they, who had risked their lives to save David and his kingdom, should not be appreciated for what they had done, while the king mourned the one who had betrayed him and even violated his concubines in public.

In the Wilderness, Aaron, the Kohen Gadol, also suffered a tragedy when his two oldest sons, Nadab and Abihu, died at the same time, and he, like David, was surely grief stricken, but there is a sharp contrast between David and Aaron. When Aaron's sons died, he remained silent (*Leviticus* 10:3), in stoic and faithful acceptance of God's decree. Was David a lesser *tzaddik*, that his mourning was so extreme and he apparently did not accept God's judgment? The obvious answer is that Aaron's sons were clearly taken by the hand of God, which Aaron accepted, while Absalom was murdered by the hand of man.

1. וַיִּרְגַּז הַמֶּלֶךְ — *The king trembled.* David knew that Absalom's death was, at least in part, a punishment for his own sin with Bath-sheba (see above, 12:10), so he felt person-

when Joab sent the [Cushite] servant of the king and [myself,] your servant, and I do not know what happened." [30]*The king then said, "Move aside and stand here," so he moved aside and stood.* [31]*Then behold — at that point the Cushite arrived. The Cushite said, "Let my lord the king be informed that* HASHEM *has granted you justice today from all those who rose up against you!"* [32]*Then the king asked the Cushite, "Is it well with the boy Absalom?" The Cushite replied, "May the enemies of my lord the king be like the boy, as well as all others who rise up against you to do you harm!"*

... and then hears of the fate of Absalom

19

[1]*The king trembled. He ascended to the upper chamber of the gateway and wept; and thus he said as he went: "My son, Absalom! My son, my son, Absalom! If only I could have died in your place! Absalom, my son, my son!"* [2]*It was told to Joab, "Behold, the king is crying and lamenting over Absalom!"*

The people join David's grief

[3]*The salvation of that day was transformed to mourning for all the people, for the people heard it said on that day, "The king is saddened over his son."* [4]*The people stole themselves into the city on that day, as those people who are ashamed would steal away when they run from the battle.* [5]*The king wrapped his face, and the king cried out in a loud voice, "My son, Absalom! Absalom, my son, my son!"*

[6]*Joab then came to the king, into the chamber, and said, "Today you have humiliated the faces of all your servants who saved your soul and the soul of your sons and daughters and the soul of your wives and the soul of your concubines,* [7]*by expressing love for*

---

ally responsible for his bitter fate (*Ralbag*). If so, then David also felt that the carnage of the battle was at least partly because of him.

This would also explain why David, unlike Aaron, did not accept the outcome silently: his grief was an expression of repentance. Furthermore, David wept over the sins that had condemned Absalom to his fate. — the immorality of living with David's concubines, murder of Amnon, and instigating the war that left many dead. A father's tears over a child's misdeeds can help win him atonement (*Yismach Moshe*).

Alternatively, *Abarbanel*, followed by *Malbim*, holds that Absalom did not intend to kill David, only to capture him and strip him of the crown. If so, his death was thus unnecessary.

עֲלִיַּת הַשַּׁעַר — *The upper chamber of the gateway.* The practice was to build an upper story over the gateway to the city, and the lookouts would stand on top of it (*Radak*). David went to mourn in private. Perhaps he understood that the rest of the people, who had been in mortal combat with Absalom's forces, could hardly be expected to share his grief at the pretender's death.

בְּנִי בְנִי — *My son, my son . . .* In this mournful passage, David said *my son* eight times, in order to raise Absalom's soul up from the seven levels of Gehinnom, and then to raise him into *Gan Eden* (*Sotah* 10b). David was in a particularly auspicious position to atone for Absalom's soul, for, as noted above, it was his own sin that was — at least in part — responsible for bringing about Absalom's death (*Maharsha*, ibid.). This also explains why David wished he could have died instead of Absalom, since the tragedy happened because of him.

3-4. The people, especially those who had no hand in Absalom's death, expected the day to be one of celebration. Instead they were shocked and chagrined at David's behavior. Not knowing how he would react to their presence and fearing that he would be angry with anyone who approached him, they tried to avoid him.

5. וְהַמֶּלֶךְ לָאַט אֶת־פָּנָיו — *The king wrapped his face*, in a traditional gesture of mourning (see above, 15:30, and commentary there).

6-9. Joab reproaches David. As David's loyal senior commander and as his nephew, Joab felt close enough to the king to tell him that his behavior was unfair to those who had stood by him in his time of travail. Joab knew that David would not punish him for his impertinence; he was sure that David would react with the same humble objectivity he had shown when he accepted the sharp criticism of the prophet Nathan in the matter of Bath-sheba.

6. הֹבַשְׁתָּ הַיּוֹם אֶת־פְּנֵי כָל־עֲבָדֶיךָ — *Today you have humiliated the faces of all your servants*, by displaying indifference and ingratitude toward them. Joab made three points in this verse:

(1) David's warriors had endangered themselves to save his kingdom and his life. Even if, as *Abarbanel* maintains, Absalom did not intend to kill David, no one can guarantee anyone's safety in the heat of battle.

(2) The king's behavior was unfair to his own children, who had been loyal to him. Rather than be happy that they are now out of danger, David grieves over the son who betrayed him and might well have killed his siblings to eliminate any pretenders to the throne. How are David's own children to understand a father who cares more about the son who was disloyal than about the children who risked their lives to support him?

(3) Absalom had gone so far as to publicly violate David's

שֹׂנְאֶיךָ וְלִשְׂנֹא אֶת־אֹהֲבֶיךָ כִּי ׀ הִגַּדְתָּ הַיּוֹם כִּי אֵין לְךָ שָׂרִים וַעֲבָדִים כִּי ׀ יָדַעְתִּי
ח הַיּוֹם כִּי °לא [°לוּ ק׳] אַבְשָׁלוֹם חַי וְכֻלָּנוּ הַיּוֹם מֵתִים כִּי־אָז יָשָׁר בְּעֵינֶיךָ: וְעַתָּה
קוּם צֵא וְדַבֵּר עַל־לֵב עֲבָדֶיךָ כִּי בַיהוָה נִשְׁבַּעְתִּי כִּי־אֵינְךָ יוֹצֵא אִם־יָלִין אִישׁ
אִתְּךָ הַלַּיְלָה וְרָעָה לְךָ זֹאת מִכָּל־הָרָעָה אֲשֶׁר־בָּאָה עָלֶיךָ מִנְּעֻרֶיךָ עַד־
ט עָתָּה: וַיָּקָם הַמֶּלֶךְ וַיֵּשֶׁב בַּשָּׁעַר וּלְכָל־הָעָם הִגִּידוּ לֵאמֹר הִנֵּה הַמֶּלֶךְ
י יוֹשֵׁב בַּשַּׁעַר וַיָּבֹא כָל־הָעָם לִפְנֵי הַמֶּלֶךְ וְיִשְׂרָאֵל נָס אִישׁ לְאֹהָלָיו: וַיְהִי
כָל־הָעָם נָדוֹן בְּכָל־שִׁבְטֵי יִשְׂרָאֵל לֵאמֹר הַמֶּלֶךְ הִצִּילָנוּ ׀ מִכַּף אֹיְבֵינוּ וְהוּא
יא מִלְּטָנוּ מִכַּף פְּלִשְׁתִּים וְעַתָּה בָּרַח מִן־הָאָרֶץ מֵעַל אַבְשָׁלוֹם: וְאַבְשָׁלוֹם אֲשֶׁר
מָשַׁחְנוּ עָלֵינוּ מֵת בַּמִּלְחָמָה וְעַתָּה לָמָה אַתֶּם מַחֲרִשִׁים לְהָשִׁיב אֶת־
יב הַמֶּלֶךְ: וְהַמֶּלֶךְ דָּוִד שָׁלַח אֶל־צָדוֹק וְאֶל־אֶבְיָתָר הַכֹּהֲנִים לֵאמֹר
דַּבְּרוּ אֶל־זִקְנֵי יְהוּדָה לֵאמֹר לָמָּה תִהְיוּ אַחֲרֹנִים לְהָשִׁיב אֶת־הַמֶּלֶךְ אֶל־בֵּיתוֹ
יג וּדְבַר כָּל־יִשְׂרָאֵל בָּא אֶל־הַמֶּלֶךְ אֶל־בֵּיתוֹ: אַחַי אַתֶּם עַצְמִי וּבְשָׂרִי אַתֶּם וְלָמָּה
יד תִהְיוּ אַחֲרֹנִים לְהָשִׁיב אֶת־הַמֶּלֶךְ: וְלַעֲמָשָׂא תֹּמְרוּ הֲלוֹא עַצְמִי וּבְשָׂרִי אָתָּה

רש״י

(ח) **כי אינך יוצא.** אם אינך יוצא: (ט) **וישראל נס.** אותם שהיו עם אבשלום: (י) **כל העם נדון.** מתווכחים זה עם זה: (יב) **ודבר כל ישראל בא אל המלך.** כל זה מדברי שליחותו: (יד) **ולעמשא.** שהוא שר צבא, תאמרו; הלא בן אחותי אתה:

רד״ק

(ז) **כי הגדת.** כלומר בזה הדבר שאתה עושה כאילו אתה מגיד ואומר לכל כי אין לך שרים: **ישר.** תואר כי הוא כולו קמוץ: (ח) **כי אינך יוצא.** כי אם אינך יוצא, וכן וְצָמִת וְהָלַכְתְּ (רות ב, ט) ואם צמית, וְנָתַן לָכֶם ה׳ לֶחֶם צַר (ישעיהו ל, כ) ואם נתן, וַתְּמָאֵן לְשַׁלְּחוֹ (שמות ד, כג) ואם תמאן: **ורעה לך זאת.** פועל עבר מוסב לעתיד מפני הוי״ו וכן וְרָעָה עֵינְךָ (דברים טו, ט): (י) **נדון.** נשפטים זה עם זה ומתווכחים להשיב את המלך, וכן תרגם יונתן מִתְוַכְּחִין: **מעל אבשלום.** שלא יהיה עלינו וכנגדו להלחם עמו, ותרגם יהונתן מִלְוַת אַבְשָׁלוֹם: (יג) **אחי אתם.** תכלית הדברים ששלח לצדוק ולאביתר שידברו הדברים האלה אל זקני יהודה, ובעוד שהיה משים דוד הדברים האלה בפי השליח בא דבר כל ישראל אל המלך אל ביתו על ידי שלוחים וספרים להשיבו, ובעבור זה הפסיק בין הדברים ודבר כל ישראל בא: (יד) **תמרו.** חסר אל״ף, וכן אֲשֶׁר יֹמְרֻךָ לִמְזִמָּה (תהלים קלט, כ):

מצודת דוד

כי הגדת היום. רצה לומר, באבלך זה, כאלו תגיד שאין לך שרים ועבדים, רצה לומר, שאינם חשובים לכלום, כמוהם כאין, ואין לך ביוש גדול מזה: **כי ידעתי היום.** בצערך זה, יודע אני שהיה ישר בעיניך שאבשלום ישאר חי, וכולנו נמות, כי הלא אי אפשר אשר שנינו נגבר במלחמה, כי אם האחד יפול, והואיל ואתה מיצר בנפילת בנך, יורה שהיה ישר בעיניך בהפכו, ונראה מזה שאין אנו חשובים בעיניך לכלום, ולכלימה תחשב לנו: (ח) **על לב עבדיך.** רצה לומר, דברים טובים המקובלים על הלב, בעבור נצחון המלחמה: **כי אינך.** תחסר מלת אם, ומשפטו, כי אם אינך יוצא, אזי נשבעתי אם ילין איש אתך הלילה, רצה לומר, לא ילין מי אתך, כי כולם ימאסו בך וילכו להם: **ורעה לך.** הדבר הזה יגרום לך רעה, יותר מכל הרעה וגו׳: (ט) **הגידו.** הרואים אותו יושב בשער: **ויבא כל העם.** בא לראות פניו: **וישראל.** אותם שהיו עם אבשלום: (י) **כל העם נדון.** היו מתוכחים זה עם זה, ולתוספת ביאור אמר שהויכוח היה בכל שבטי ישראל: **ועתה.** רצה לומר, עם היות ידיו רב לו מול אויבינו, עם כל זה ברח מעל אבשלום, וזה יורה לשלמותו, שלא נתן מקום לבנו לחטוא נגדו ביותר: (יא) **מת במלחמה.** ומזה נראה שעדיין דוד בהצלחתו עומד: (יב) **למה תהיו אחרונים.** רצה לומר, הלא סוף הדבר יהיה שגם אתם תחזירו אותו, ואם כן למה יקדימו ישראל ואתם אחריהם, הלא דבר ישראל כבר בא אל המלך לשוב אל ביתו, כמו שכתוב למעלה ויהי כל העם נדון וגו׳, ושלחו מיד אחריו ואף כי לא נזכר, וכן נאמר למטה שאמרו ישראל, ולא היה דברי ראשון וגו׳: (יג) **אחי אתם.** במקום דוד יאמרו, שהמה לו לאחים מבני שבט אחד, ובהיות כן הראוי להם להקדים, ולא להתאחר: (יד) **עצמי ובשרי.** בן אביגיל אחותי:

מצודת ציון

(ז) **לו אבשלום.** אם אבשלום, כמו (שופטים ח, יט), לוא החייתם: (ח) **ילין.** מלשון לינה: (י) **נדון.** מלשון דין וויכוח: (יא) **מחרישים.** שותקים: (יד) **תמרו.** כמו תאמרו באל״ף:

concubines. This implies contempt for the wives as well. Normally a husband is enraged at such behavior — yet, by lamenting the death of the violator, David seems to give tacit approval to what he did! (*Abarbanel*).

7. Joab continues his outspokenly harsh criticism. *By expressing love for those who hate you*, i.e., Absalom, *and hatred for those who love you*, i.e., your soldiers . . . The contrast between David's feelings regarding Absalom and his indifference to the devotion and heroism of his troops is tantamount in their eyes to a display of hatred for them.

כִּי הִגַּדְתָּ הַיּוֹם כִּי אֵין לְךָ שָׂרִים וַעֲבָדִים — *For you have declared today that you do not have officers or servants*. By ignoring your men this way, you have given them the impression that you consider them to be of little worth.

כִּי לוּ אַבְשָׁלוֹם חַי וְכֻלָּנוּ הַיּוֹם מֵתִים כִּי־אָז יָשָׁר בְּעֵינֶיךָ — *Were Absalom alive and all of us dead today, it would be preferable in your eyes*. This was perhaps Joab's sharpest rebuke. In war only one side can win; by lamenting Absalom's death, you are implying that you had wanted Absalom's side to win the war. If so, we would have been the vanquished (*Abarbanel*).

8. Joab urged David to go out and speak warmly to his men and express his gratitude for what they had done. Otherwise

those who hate you and hatred for those who love you; for you have declared today that you do not have officers or servants, for today I know that were Absalom alive and all of us dead today, it would be preferable in your eyes! [8]So now, arise, and go out; speak to the heart of your servants, for I swear by HASHEM that if you do not go out, no man will stay to spend the night with you; and this will be worse for you than any harm that has ever come upon you from your youth until this day!" [9]So the king arose and sat at the [city] gate. They told all the people, saying, "Behold, the king is sitting at the gate"; and all the people came before the king. Meanwhile [the army of] Israel had run away, each man to his tents.

David accepts Joab's protest

DAVID'S RETURN TO JERUSALEM
19:10-44

The people return to David ...

[10]Then it happened that all the people, among all the tribes of Israel, were debating, saying, "The king rescued us from the hand of our enemies, and he delivered us from the hand of the Philistines. Now he has fled from the land, from before Absalom, [11]and Absalom, whom we had anointed over us, has died in the battle; and now, why are you silent regarding bringing back the king?"

... and he regains Judah's loyalty

[12]King David then sent [a message] to Zadok and Abiathar, the Kohanim, saying, "Speak to the elders of Judah, saying, 'Why should you be last to return the king to his house? The word of all of Israel has come to the king, [to return him] to his house. [13]You are my brothers, you are my bone and my flesh — so why should you be last to return the king? [14]And to Amasa say, 'Are you not my bone and my flesh?

Joab was ready to swear that David would forfeit the loyalty of his soldiers and become isolated.

וְרָעָה לְךָ זֹאת מִכָּל־הָרָעָה אֲשֶׁר־בָּאָה עָלֶיךָ — *This will be worse for you than any harm that has ever come upon you!* By alienating those who are devoted to you, you will find yourself alone, without any supporters, a position that is worse than anything you have ever experienced before.

9. וַיָּקָם הַמֶּלֶךְ וַיֵּשֶׁב בַּשָּׁעַר — *So the king arose and sat at the [city] gate.* By appearing in the most public part of the city, David showed the people that he welcomed their company. The news spread quickly through the city and the people rushed to see him — and be seen by him — thus displaying their love and loyalty.

וְיִשְׂרָאֵל נָס אִישׁ לְאֹהָלָיו — *Meanwhile [the army of] Israel had run away, each man to his tents,* i.e., the army that had fought on behalf of Absalom had dispersed and gone home (*Rashi*). In this verse and in most of the remainder of the chapter, the name *Israel* indicates — as it does in many other places in *Tanach* — the ten tribes excluding Benjamin and Judah.

10-16. Bringing David back to power. Although Absalom had been defeated, the fact remained that David had been driven from the throne and exiled. Since there was a power vacuum, he could probably have returned to Jerusalem and taken the reins of government, but he did not wish to do so unless the nation — not merely his own loyalists — signified that they wanted him as their king.

10-11. This passage summarizes the argument of those who wanted to pledge their loyalty to David once again. They felt remorseful that they had ever turned against him, since he had done so much for them in the past. "Even if Absalom were still alive," they said, "we should be supporting David. He was the one who had saved us from our enemies time and time again, while Absalom had never had any solid achievements to his credit. It was foolish of us to have followed Absalom in the first place. Now that he is gone, we should surely return to David" (*Malbim*).

Alternatively, they were defending David from a charge that his flight from Absalom showed him to be a coward. David had amply proven his courage in the past by fighting and winning against superior forces. Why then had he fled from the rebellion? Because he fled *from before Absalom*, i.e., he did not want a son to be fighting his father. Had the usurper been anyone else, David would have fought and defeated him. Thus, his flight, far from cowardice, was further proof of David's noble character (*Abarbanel*).

10. בְּכָל־שִׁבְטֵי יִשְׂרָאֵל — *Among all the tribes of Israel,* i.e., the tribes that were allied with Absalom (*Metzudos*). As will be seen below, Judah, David's own tribe, was not part of the general debate.

11. Even if there had been some justification for following Absalom in the past, now that he is dead we should surely rally back to David.

12. Having been informed that the tribes of Israel were moving toward a reconciliation with him, David wanted his own tribe of Judah to take the lead, so he sent the trustworthy young men who had served him faithfully.

Although the people were supporting him, David knew that the nation's elders were the ones who could best restore him to the throne. Consequently he sent his request to the *elders of Judah* (*Malbim*).

14. עַצְמִי וּבְשָׂרִי אָתָּה — *My bone and my flesh.* Amasa was David's nephew (see commentary above, 17:25).

כֹּה יַעֲשֶׂה־לִּי אֱלֹהִים וְכֹה יוֹסִיף אִם־לֹא שַׂר־צָבָא תִּהְיֶה לְפָנַי כָּל־הַיָּמִים תַּחַת יוֹאָב:
טו וַיַּט אֶת־לְבַב כָּל־אִישׁ־יְהוּדָה כְּאִישׁ אֶחָד וַיִּשְׁלְחוּ אֶל־הַמֶּלֶךְ שׁוּב אַתָּה וְכָל־עֲבָדֶיךָ:
טז וַיָּשָׁב הַמֶּלֶךְ וַיָּבֹא עַד־הַיַּרְדֵּן וִיהוּדָה בָּא הַגִּלְגָּלָה לָלֶכֶת לִקְרַאת הַמֶּלֶךְ לְהַעֲבִיר אֶת־הַמֶּלֶךְ אֶת־הַיַּרְדֵּן:
יז וַיְמַהֵר שִׁמְעִי בֶן־גֵּרָא בֶּן־הַיְמִינִי אֲשֶׁר מִבַּחוּרִים וַיֵּרֶד עִם־אִישׁ יְהוּדָה לִקְרַאת הַמֶּלֶךְ דָּוִד:
יח וְאֶלֶף אִישׁ עִמּוֹ מִבִּנְיָמִן וְצִיבָא נַעַר בֵּית שָׁאוּל וַחֲמֵשֶׁת עָשָׂר בָּנָיו וְעֶשְׂרִים עֲבָדָיו אִתּוֹ וְצָלְחוּ הַיַּרְדֵּן לִפְנֵי הַמֶּלֶךְ:
יט וְעָבְרָה הָעֲבָרָה לַעֲבִיר אֶת־בֵּית הַמֶּלֶךְ וְלַעֲשׂוֹת הַטּוֹב °בעינו [°בְּעֵינָיו ק׳] וְשִׁמְעִי בֶן־גֵּרָא נָפַל לִפְנֵי הַמֶּלֶךְ בְּעָבְרוֹ בַּיַּרְדֵּן:
כ וַיֹּאמֶר אֶל־הַמֶּלֶךְ אַל־יַחֲשָׁב־לִי אֲדֹנִי עָוֹן וְאַל־תִּזְכֹּר אֵת אֲשֶׁר הֶעֱוָה עַבְדְּךָ בַּיּוֹם אֲשֶׁר־*יָצָא אֲדֹנִי־הַמֶּלֶךְ מִירוּשָׁלָם לָשׂוּם הַמֶּלֶךְ אֶל־לִבּוֹ:
כא כִּי יָדַע עַבְדְּךָ כִּי אֲנִי חָטָאתִי וְהִנֵּה־בָאתִי הַיּוֹם רִאשׁוֹן לְכָל־בֵּית יוֹסֵף לָרֶדֶת לִקְרַאת אֲדֹנִי הַמֶּלֶךְ:
כב וַיַּעַן אֲבִישַׁי בֶּן־צְרוּיָה וַיֹּאמֶר הֲתַחַת זֹאת לֹא יוּמַת שִׁמְעִי כִּי קִלֵּל אֶת־מְשִׁיחַ יהוה:
כג וַיֹּאמֶר דָּוִד מַה־לִּי וְלָכֶם בְּנֵי צְרוּיָה

*נקוד על יצא

רש״י

(יח) וצלחו הירדן. (תרגום) בקעוהו בתריסהון: **(יט) ועברה העברה.** ספינת המעברה שעוברים בה את עבר רוחב הנהר: **(כא) ראשון לכל בית יוסף.** כל ישראל חטאו לך, ואני יותר מכולם, והנני באתי לבקש מחילה, אם תקבלני, בטוחים כל ישראל שתקבלם, ואם לאו, יהיו יראים לשוב אליך עוד:

רד״ק

תחת יואב. כי שנא דוד את יואב על שהרג את אבשלום ורצה להסירו שלא יהיה שר צבאו: **(טו) ויט את לבב כל איש יהודה.** עמשא הטה את לבב כל איש יהודה, ויונתן שתרגם וְאִתְפְּנֵי דומה שהיה קורא אותו ויט בצרי היו״ד, והמסרה מעיד עליו שהוא בפתח היו״ד ואמרה כי שנים הם בפתח וַיַּט עָלֵינוּ חֶסֶד (עזרא ט, ט) וזה: **(יח) וצלחו.** כמו ועברו, וכן תרגם יהונתן וְגָזוּ, ותרגם עַל הַמַּעְבָּרוֹת (יהושע ב, ז) עַל מְגִיזָתָא, או פירוש ובקעו וכמוהו פֶּן יִצְלַח כָּאֵשׁ בֵּית יוֹסֵף (עמוס ה, ו), ותרגם וַיְבַקַּע עֲצֵי עֹלָה (בראשית כב, ג) וְצַלַּח יָת אָעֵי דַעֲלָא, כלומר עברו ברגליהם כי היה מקום בירדן בעת ההיא שהיו עוברים שם ברגל: **לפני המלך.** לבא לפני המלך: **(יט) ועברה העברה לעביר.** כמו להעביר, וכן לַשְׁמִיד מָעֻזְנֶיהָ (ישעיהו כג, יא) כמו להשמיד, ופירוש הָעֲבָרָה הספינה שעוברים בה את הירדן, ולפיכך נקראת עברה: **את בית המלך.** הנשים והקטנים שלא היו יכולין לעבור ברגליהם, ויש לפרש הָעֲבָרָה שם לחברת האנשים, וכן תרגם יונתן כמשמעו מְגִיזְתָא, ואפשר שהוא קרא הספינה העוברת מגיזתא וכן הוא ולפיכך תרגם וְעָבְרָה, וַעֲבָרוּ: **בעברו בירדן.** כשבא המלך לעבור את הירדן בא שמעי ונפל לו שיכפר לו על עונו: **(כא) לכל בית יוסף.** לפי שהיה משבט בנימין ושבט בנימין ואפרים ומנשה נקראים בית יוסף כי הוא היה הראש, ויש בו דרש (מדרש תהלים ג, ג) אמר לו שמעי לדוד אחיו של יוסף גמלו אותו רעה והוא גמלם טובה, כך אני, אני גמלתיך רעה גמלני אתה טובה. ויש דרש אחר קרוב מזה (שם) כל ישראל נקראו יוסף כמו שכתוב אוּלַי יֶחֱנַן ה׳ ... צְבָאוֹת שְׁאֵרִית יוֹסֵף (עמוס ה, טו) וכן רֹעֵה יִשְׂרָאֵל הַאֲזִינָה נֹהֵג כַּצֹּאן יוֹסֵף (תהלים פ, ב), אמר לו שמעי לדוד כל ישראל גמלו אותך רעה ואני יותר מכולם, וכל ישראל יושבים ומצפים לראות מה אתה עושה עמי, אם אתה מקבל אותי כל ישראל באים אליך כאחד ומשלימים לך: **(כב) התחת זאת.** אם בעבור ההכנעה הזאת שעשה שמעי תכפר לו שלא ימות והוא חטא חטא גדול שקלל את משיח ה׳:

מצודת דוד

כה יעשה וגו׳. הוא ענין שבועה, וגזם ולא אמר, וכמוהו רבים במקרא: **תחת יואב.** כי על שהרג לאבשלום, רצה להעבירו: **(טו) ויט.** בהדברים האלה הטה דוד את לבב כולם, כאשר יטו בנקל לבב איש אחד: **(טז) בא הגלגלה.** התקבצו לגלגל, והיא בעבר הירדן המערבי: **(יז) וימהר שמעי.** מיהר לבוא מכל בית יוסף: **(יח) וצלחו הירדן.** עברו הירדן לפניו, כעבדים לפני האדון: **(יט) ועברה העברה.** רצה לומר, ועוד עשתה העדה ההיא, שעברה הספינה להעביר בה את בית המלך, והם הנשים והטף, וזהו לעשות הטוב בעיניו, להחניפו שימחול לשמעי את מעלו: **בעברו בירדן.** בעת עברו בירדן: **(כ) אל יחשב לי אדוני עון.** במה שהייתי בקושרים לנטות אחרי אבשלום, וכאומר הלא כמעט כולם נטו אחריו, ולמה יחשב לי לעון יותר מכולם: **ואל תזכור.** אף בדבר הקללה אשר העויתי אני לבדי, שאלתי לבל יזכרם לשומם על לבו: **(כא) כי ידע.** יודע אני בעצמי שחטאתי, ומתחרט אני עליו: **ראשון.** להראות הכנעה גדולה: **לכל בית יוסף.** כל ישראל קרואים בית יוסף, כמו שכתוב (עמוס ה, טו), אולי יחנן וגו׳ שארית יוסף, ועל שכלכלם במצרים, נקראו על שמו: **(כב) התחת זאת.** וכי בעבור הכנעה קטנה כזאת, לא יומת על אשר קלל משיח ה׳: **(כג) מה לי ולכם.** רצה לומר, מה האיבה אשר בינינו, מה עשיתם לי, ומה עשיתי לכם, אשר תהיו לי היום לשטן ולמקטרג לאבד המלוכה על ידי זה, וכי מהראוי שהיום יומת איש בישראל, הלא מכיר אני בדבר, שהוא כאלו היום היתה התחלת מלכותי, ואם אנקום בו, הלא כולם יחשבו שאקח מהם נקם על אשר מרדו בי, ותהיה סיבה לשלא ימליכוני מעתה:

מצודת ציון

(יח) וצלחו. ועברו, ודוגמתו (שם יד, ו), ותצלח עליו רוח ה׳: **(יט) העברה.** רוצה לומר ספינה שעוברים בה רוחב המים: **לעביר.** כמו להעביר: **(כ) העוה.** מלשון עון: **(כב) התחת.** האם במקום: **קלל.** מלשון קלות ובזיון:

תַּחַת יוֹאָב — *In place of Joab.* David dismissed Joab from his post because he killed Absalom (*Radak*). As for David's appointment of Amasa, who had led Absalom's mutinous army in its vicious attack, *Ralbag* suggests that this was meant as a sign to the nation that David sought reconciliation rather than retribution from the former insurgents. According to *Abarbanel*, David tried to win Amasa to his side so that he should not influence the elders of Judah to spurn David's entreaty.

Alternatively, *Malbim* renders תַּחַת יוֹאָב, *under Joab*,

Such may God do to me and such may He do further, if I do not make you commander of the army before me always, in place of Joab.' " [15]*[Amasa] thus turned the hearts of all the men of Judah as one man; and they sent [a message] to the king, "Return, you and all your servants."*

Shimei comes to beg for mercy

[16]*So the king returned, and he reached the Jordan, and [the people of] Judah came to Gilgal, to go and greet the king, to escort him across the Jordan.* [17]*Shimei son of Gera, the Benjamite who was from Bahurim, hastened and went down with the men of Judah to greet King David.* [18]*With him were a thousand men from Benjamin, and Ziba, the attendant of the House of Saul, with his fifteen sons and twenty servants, and they forded the Jordan [to go] before the king.* [19]*When the ferry crossed over to bring across the household of the king and to do whatever was proper in his eyes, Shimei son of Gera fell before the king, as he was crossing in the Jordan.*

[20]*He said to the king, "Let my lord not consider it an iniquity for me, and do not remember that which your servant sinned on the day when my master the king left Jerusalem, that the king should take it to his heart.* [21]*For your servant knows that I have sinned, and here I have come today, first among all the House of Joseph, to come down and greet my master the king."* [22]*Abishai son of Zeruiah then spoke up and said, "Shall Shimei not be put to death, despite this [apology]? For he has cursed the anointed one of HASHEM!"* [23]*David then said, "What does it matter to me or to you, O sons of Zeruiah,*

---

meaning that Amasa would become Joab's deputy.

15. *Amasa*, the newly appointed commander of the army — and former supporter of the rebellion — was able to turn the hearts of Judah back to David (*Radak*).

16. וַיָּשָׁב הַמֶּלֶךְ — *So the king returned*, i.e., David *began* the journey back to Jerusalem.

הַגִּלְגָּלָה — *To Gilgal*. Gilgal is very close to the Jordan. It was in the territory of Benjamin, and it was there that Saul had been crowned. It is significant, therefore, that Gilgal was the place where David's reign was renewed.

17-24. Shimei comes to beg for David's mercy. Shimei was the one who had the audacity to curse and throw stones at the downtrodden king when he was trudging into exile in the face of Absalom's rebellion (16:5-9). Now that David was again ascendant, Shimei rightfully feared for his life and he came to declare his support of David.

17. וַיְמַהֵר שִׁמְעִי — *Shimei . . . hastened.* In his effort to curry favor with David, Shimei hurried to be the first one of his group of tribes to greet him and accept his authority (*Metzudos).*

18. Shimei brought this large contingent of kinsmen along with him in order to dissuade David from giving him the punishment he deserved. He felt that David would not risk alienating such a large segment of Benjamin, the potentially most troublesome tribe since it may have felt loyalty to the family of its kinsman, Saul. Cleverly, Shimei also recruited Ziba, who had brought David a generous gift of food and donkeys at the start of his flight. Surely David's gratitude to Ziba would evoke a sympathetic attitude from the king toward Shimei, as well (*Abarbanel*).

19. The men of Benjamin and Ziba's entourage crossed the Jordan to ferry David's household across the river. Specifically, they went to bring the women and children, who could not ford the river on foot (*Radak*).

21. אֲנִי חָטָאתִי — *I have sinned.* An essential component of repentance is to confess the sin and beg forgiveness, which is how Shimei began his plea.

לְכָל־בֵּית יוֹסֵף — *All the House of Joseph*. Although Shimei was from Benjamin, the *House of Joseph* includes all of Rachel's descendants, namely the tribes of Manasseh, Ephraim and Benjamin. Alternatively, it is a collective term for all of Israel, with the exception of Judah (see, e.g., *Amos* 5:15, *Psalms* 80:2) (*Radak*).

Rashi (quoting the Midrash) suggests that Shimei was insinuating to David that, as the first non-Judahite to greet the king, he would be viewed as a "test case" by all of Israel. Absalom's followers knew that David had a right to punish them for their disloyalty and they feared that he would treat them harshly. Shimei's crime was even greater, for he had cursed and pelted David with stones. Therefore, if David were to treat him kindly, demonstrating his goodness and lack of malice, the rest of Absalom's followers would rally to David's side. It should be remembered that Shimei was accompanied by a large contingent of Benjamites, who were witnessing this exchange.

22. Abishai protested that Shimei was not worthy of mercy. He had rebelled against the king in a repulsive and cowardly manner, and had richly earned the punishment of a rebel, which is death.

His sin is too grave to be atoned for by a simple apology (*Radak*), which is probably insincere.

23. מַה־לִּי וְלָכֶם — *What does it matter to me or to you.* David said the same thing when Abishai wanted to kill Shimei as he was cursing . See 16:10 for a discussion of this expression.

כִּי־תִהְיוּ־לִי הַיּוֹם לְשָׂטָן הַיּוֹם יוּמַת אִישׁ בְּיִשְׂרָאֵל כִּי הֲלוֹא יָדַעְתִּי כִּי הַיּוֹם
כד אֲנִי־מֶלֶךְ עַל־יִשְׂרָאֵל: וַיֹּאמֶר הַמֶּלֶךְ אֶל־שִׁמְעִי לֹא תָמוּת וַיִּשָּׁבַע לוֹ
כה הַמֶּלֶךְ: וּמְפִבֹשֶׁת בֶּן־שָׁאוּל יָרַד לִקְרַאת הַמֶּלֶךְ וְלֹא־עָשָׂה רַגְלָיו
וְלֹא־עָשָׂה שְׂפָמוֹ וְאֶת־בְּגָדָיו לֹא כִבֵּס לְמִן־הַיּוֹם לֶכֶת הַמֶּלֶךְ עַד־הַיּוֹם אֲשֶׁר־
כו בָּא בְשָׁלוֹם: וַיְהִי כִּי־בָא יְרוּשָׁלַ͏ִם לִקְרַאת הַמֶּלֶךְ וַיֹּאמֶר לוֹ הַמֶּלֶךְ לָמָּה לֹא־
כז הָלַכְתָּ עִמִּי מְפִיבֹשֶׁת: וַיֹּאמַר אֲדֹנִי הַמֶּלֶךְ עַבְדִּי רִמָּנִי כִּי־אָמַר עַבְדְּךָ אֶחְבְּשָׁה
כח לִּי הַחֲמוֹר וְאֶרְכַּב עָלֶיהָ וְאֵלֵךְ אֶת־הַמֶּלֶךְ כִּי פִסֵּחַ עַבְדֶּךָ: וַיְרַגֵּל בְּעַבְדְּךָ אֶל־
כט אֲדֹנִי הַמֶּלֶךְ וַאדֹנִי הַמֶּלֶךְ כְּמַלְאַךְ הָאֱלֹהִים וַעֲשֵׂה הַטּוֹב בְּעֵינֶיךָ: כִּי לֹא הָיָה כָּל־
בֵּית אָבִי כִּי אִם־אַנְשֵׁי־מָוֶת לַאדֹנִי הַמֶּלֶךְ וַתָּשֶׁת אֶת־עַבְדְּךָ בְּאֹכְלֵי שֻׁלְחָנֶךָ
ל וּמַה־יֶּשׁ־לִי עוֹד צְדָקָה וְלִזְעֹק עוֹד אֶל־הַמֶּלֶךְ: וַיֹּאמֶר לוֹ הַמֶּלֶךְ לָמָּה
לא תְּדַבֵּר עוֹד דְּבָרֶיךָ אָמַרְתִּי אַתָּה וְצִיבָא תַּחְלְקוּ אֶת־הַשָּׂדֶה: וַיֹּאמֶר מְפִיבֹשֶׁת
אֶל־הַמֶּלֶךְ גַּם אֶת־הַכֹּל יִקָּח אַחֲרֵי אֲשֶׁר־בָּא אֲדֹנִי הַמֶּלֶךְ בְּשָׁלוֹם אֶל־

רש"י

(כג) **היום יומת איש.** בתמיה, כי היום אני מלך, עד עכשיו הייתי סבור, לא זלזל בי אדם גדול כזה אלא אם כן נפסקה מלכותי מאת המקום והוא אמר לו קלל את דוד, אבל עכשיו שהוא מתחרט, ידעתי כי מלך אני: (כה) **ולא עשה רגליו.** לשון תקון הוא, העברת שער שבין הרגלים: **שפמו.** גרנו"ן בלע"ז: (כו) **למה לא הלכת עמי.** לצאת מירושלים כשיצאתי: (כז) **כי פסח עבדך.** ואיני יכול לילך ברגלי:

רד"ק

(כה) **ולא עשה רגליו ולא עשה שפמו.** כתרגומו וְלָא שְׁטַף רַגְלוֹהִי וְלָא סַפֵּר סִפְמֵיהּ, כלומר לא רחץ אפילו רגליו ואין צריך לומר כל גופו, ולא גלח אפילו שפמו והוא השער שעל השפה: (כו) **כי בא ירושלם לקראת המלך.** פירוש כאשר בא דוד ירושלם בא מפיבושת לקראתו ובָא שזכר עומד במקום שנים: (כז) **עבדי רמני.** שהלך בלא ידיעתי ואני אמרתי אחבשה לי את החמור ובתוך כך הלך הוא: **וארכב עליה.** אתון היתה וחמור כולל זכר ונקבה: (כח) **וירגל בעבדך.** ענין רכילות, וכן מן הקל לֹא רָגַל עַל לְשֹׁנוֹ (שם טו, ג): (כט) **ומה יש לי עוד צדקה.** מה לבקש עוד ממך צדקה שתעשה עמי ולזעק אליך שתעזרני כי די לך ששמת אותי באוכלי שולחנך: (ל) **תחלקו את השדה.** השדה כולל לכל הנחלה, ובדברי רבותינו ז"ל (שבת נו, ב) כשאמר דוד אתה וציבא תחלקו את השדה יצאת בת קול ואמרה ירבעם ורחבעם יחלקו את המלכות, כי קבל לשון הרע מפי ציבא ולא קבל הצטדקות מפיבושת לפניו ואמר לו לָמָּה תְּדַבֵּר עוֹד דְּבָרֶיךָ והכתוב מעיד עליו וְלֹא עָשָׂה רַגְלָיו וְלֹא עָשָׂה שְׂפָמוֹ וְאֶת בְּגָדָיו לֹא כִבֵּס (פסוק כה):

מצודת דוד

(כד) **לא תמות.** בעבור העון הזה: (כה) **ולא עשה רגליו.** לא רחץ רגליו ולא תקן שער שעל השפה וגו׳, כי נתעצב בצרת דוד: (כו) **כי בא ירושלים.** רוצה לומר, כאשר בא דוד לירושלים, יצא מפיבושת לקראת המלך: **למה לא הלכת עמי.** כאשר הלכו שאר אוהבי: (כז) **רמני.** רימה אותי, כי אמרתי אחבשה החמור לרכוב בה, כי פסח אני ולא אוכל ללכת ברגלי, ובתוך כך, הלך הוא לבדו, ולא יכולתי ללכת יחידי: (כח) **וירגל.** והן ידעתי שאמר עלי דברי רכיל. **כמלאך אלהים.** לדעת האמת והשקר, ולזה עשה כאשר טוב בעיניך, כי ודאי לא תטה מן האמת: (כט) **אנשי מות.** על ששאול בקש נפשך, ועם כל זאת עשית עמי צדקה להיות מאוכלי שלחנך, בעבור צדקת אבי יהונתן: **ומה יש לי.** זולת זה מה יש לי עוד צדקה ולזעוק עוד בעבורה, להטיב עמי בדבר הנחלה: (ל) **למה תדבר וגו׳.** למה תרבה דברים, הן אמרתי וגזרתי, שיחולק בין שניכם: (לא) **גם את הכל יקח.** אף אם ציבא יקח הכל אינני חושש, אחרי שבא אדוני בשלום, כי בזה אני שמח יותר מבנחלה:

מצודת ציון

(כג) **לשטן.** למקטרג: (כה) **בן שאול.** אף בן הבן יקרא בן: **עשה.** תקן, וכן (בראשית יח, ז), וימהר לעשות אותו: **שפמו.** שער שעל השפה, וכן (ויקרא יג, מה), ועל שפם יעטה: (כז) **רמני.** מלשון רמאות: **אחבשה.** ענין תקון האוכף: **לי.** לצרכי: **פסח.** חגר: (כח) **וירגל.** ענין רכילות ולשון הרע, כמו (תהלים טו, ג), לא רגל על לשונו: (כט) **אנשי מות.** רצה לומר חייבי מיתה: **ותשת.** ותשם: (ל) **השדה.** הוא כולל כל הנחלה: (לא) **אחרי.** הוא כענין הואיל, כמו (יחזקאל כ, לט), ואחר אם אינכם שומעים:

הַיּוֹם יוּמַת אִישׁ בְּיִשְׂרָאֵל כִּי הֲלוֹא יָדַעְתִּי כִּי הַיּוֹם אֲנִי־מֶלֶךְ עַל־יִשְׂרָאֵל — *Shall a man of Israel be put to death today? For do I not know that today I am king over Israel?* "Until now I thought that a man of Shimei's stature (he was the head of the Sanhedrin — see 16:10) could not be cursing me unless God ordained that he do so, and that my legitimate right to rule has come to an end. Now that he is expressing regret for his actions, I realize that I am indeed the king of Israel (*Rashi*), and it is not appropriate for a king to sentence someone to death on the day of his ascension — or, in my case, reascension — to the throne" (*Malbim*).

According to *Abarbanel*, David said, "It is only today that I have regained my throne — I cannot afford to pass strict judgment against my antagonists before fully reinstating my reign with a solid base."

The sons of Zeruiah argued that a king has no right to forgive a slight to his honor (*Kiddushin* 32b). David responded that the reason for that is that a king's honor is the honor of the nation, and therefore he has no right to let himself and the entire nation be impugned. But the nation had been following Absalom — David had but six hundred followers.

25-31. The event recorded in this passage occurred later, when the lame Mephibosheth greeted King David in Jerusalem (see v. 26), and not at the Jordan. Presumably the narrative was interposed here as the counterpoint to Ziba, the servant of Mephibosheth, who brought a contingent to greet

David spares Shimei

that you should be an adversary unto me today? Shall a man of Israel be put to death today? For do I not know that today I am king over Israel?" [24]*So the king said to Shimei, "You shall not die"; and the king swore to him.*

Mephibosheth refutes Ziba's slander

[25]*Mephibosheth son of Saul came down to greet the king. He had not bathed his feet and had not trimmed his mustache, he had not laundered his clothing from the day the king left until the day that he returned in peace.* [26]*And it happened that when he came to Jerusalem to greet the king, that the king said to him, "Why didn't you go with me, Mephibosheth?"* [27]*He replied, "My lord the king, my servant [Ziba] tricked me; for your servant said, 'I shall saddle up the donkey and ride upon it and go with the king,' for your servant is lame.* [28]*He then slandered your servant to my lord the king. My lord the king is like an angel of God; do what is proper in your eyes.* [29]*For my entire father's family was nothing but condemned men before my lord the king, and yet you placed your servant among those who eat at your table. So what further justification have I to cry out further to the king?"* [30]*The king then said to him, "Why do you still speak your words? I hereby declare that you and Ziba should divide the property."* [31]*Mephibosheth replied to the king, "Let him take it all, since my lord the king has arrived safely to his house."*

David at the Jordan, and who had previously portrayed his master as a traitor to David (16:3). Here we hear from Mephibosheth, that he had never rebelled against David and, quite the opposite, that he mourned over the exile of his true king.

25. וּמְפִבֹשֶׁת בֶּן־שָׁאוּל — *Mephibosheth son of Saul.* Actually he was Saul's *grand*son. See commentary above 9:7.

וְלֹא־עָשָׂה רַגְלָיו. . . — *He had not bathed his feet. . .* He did not wash *even* his feet; and surely did not wash the rest of his body either. Similarly, *he had not trimmed* [even] *his mustache* [although a mourner may trim it if intereferes with his eating] and certainly not the rest of his beard (*Radak*). Abstention from bathing, cutting hair and laundering clothes are symbols of mourning or grief.

According to the Talmud (*Yevamos* 48a), the first phrase is rendered *he had not done his feet*, i.e., he did not cut his toenails, which is also a sign of mourning.

27. עַבְדִּי רִמָּנִי — *My servant [Ziba] tricked me.* Mephibosheth insisted that he wanted to join David in exile. Being a cripple, however, he could not saddle the donkey himself, and he depended on Ziba to prepare him for the journey. Instead, Ziba deserted him and went to David himself.

28. וַיְרַגֵּל בְּעַבְדְּךָ אֶל־אֲדֹנִי הַמֶּלֶךְ — *He then slandered your servant to my lord the king.* Not only did Ziba not obey my request to prepare the donkey for me, he slandered me to you (*Abarbanel*), saying I would welcome Your downfall, since it would enable me to regain Saul's throne (16:3). As a result of Ziba's story, David expropriated all the property that he had granted Mephibosheth (see 9:7) and awarded it to Ziba (16:4).

כְּמַלְאַךְ הָאֱלֹהִים — *Like an angel of God.* Mephibosheth said that David was as wise as an angel (*Targum*); therefore he trusted the king's judgment to deal with him as *is proper in your eyes.*

30. David was not sure whether to believe Mephibosheth or Ziba, so he compromised, giving half to each.

Why was David reluctant to believe Mephibosheth, especially since it was obvious that he had been in mourning during David's absence? *Abarbanel* suggests two reasons: (a) Even if Ziba had stolen the donkey, Mephibosheth could have borrowed an animal from a neighbor or friend and found a way to join David. (b) By waiting until David's arrival in Jerusalem to greet him, rather than joining the thousands of others who went to the Jordan to welcome the king, Mephibosheth seemed to indicate that he indeed harbored some hostility toward David. Another factor in David's decision, *Abarbanel* contends, is that Ziba and his family did, after all, work the lands in question, and it was reasonable to award him a share in those fields.

Regarding David's treatment of Mephibosheth, Rav and Shmuel differ in the Talmud (*Shabbos* 56a). According to Rav, David is faulted for not having given Mephibosheth the benefit of the doubt — if not when Ziba first told the story (above 16:3), then at least when David saw the grieving prince and heard his case. Because David believed Ziba's slanderous tale and divided the property that rightfully belonged to Mephibosheth, David's own kingdom was split in two during the days of his grandson Rehoboam. Shmuel disagrees. He maintains that David had a right to believe Ziba's original accusation because he felt there was sufficient evidence of Mephibosheth's ill will to warrant giving credence to Ziba's story.

According to Rav's view that David sinned by accepting Ziba's slander, *Malbim* comments that Scripture inserts the story of Mephibosheth at this point to draw an unfavorable comparison between David's treatment of Shimei and his ungenerous treatment of Mephibosheth.

31. Mephibosheth declared that his joy at seeing David's return is so great that matters of property and estates are insignificant to him. Scripture does not tell us whether he actually lost the estate.

לב בֵּיתוֹ: וּבַרְזִלַּי הַגִּלְעָדִי יָרַד מֵרֹגְלִים וַיַּעֲבֹר אֶת־הַמֶּלֶךְ הַיַּרְדֵּן לְשַׁלְּחוֹ
לג אֶת־°בירדן [°הַיַּרְדֵּן ק]: וּבַרְזִלַּי זָקֵן מְאֹד בֶּן־שְׁמֹנִים שָׁנָה וְהוּא־כִלְכַּל אֶת־
לד הַמֶּלֶךְ בְּשִׁיבָתוֹ בְמַחֲנַיִם כִּי־אִישׁ גָּדוֹל הוּא מְאֹד: וַיֹּאמֶר הַמֶּלֶךְ אֶל־בַּרְזִלָּי אַתָּה
לה עֲבֹר אִתִּי וְכִלְכַּלְתִּי אֹתְךָ עִמָּדִי בִּירוּשָׁלִָם: וַיֹּאמֶר בַּרְזִלַּי אֶל־הַמֶּלֶךְ כַּמָּה יְמֵי
לו שְׁנֵי חַיַּי כִּי־אֶעֱלֶה אֶת־הַמֶּלֶךְ יְרוּשָׁלִָם: בֶּן־שְׁמֹנִים שָׁנָה אָנֹכִי הַיּוֹם הַאֵדַע ׀ בֵּין־
טוֹב לְרָע אִם־יִטְעַם עַבְדְּךָ אֶת־אֲשֶׁר אֹכַל וְאֶת־אֲשֶׁר אֶשְׁתֶּה אִם־אֶשְׁמַע עוֹד
לז בְּקוֹל שָׁרִים וְשָׁרוֹת וְלָמָּה יִהְיֶה עַבְדְּךָ עוֹד לְמַשָּׂא אֶל־אֲדֹנִי הַמֶּלֶךְ: כִּמְעַט יַעֲבֹר
לח עַבְדְּךָ אֶת־הַיַּרְדֵּן אֶת־הַמֶּלֶךְ וְלָמָּה יִגְמְלֵנִי הַמֶּלֶךְ הַגְּמוּלָה הַזֹּאת: יָשָׁב־נָא
עַבְדְּךָ וְאָמֻת בְּעִירִי עִם קֶבֶר אָבִי וְאִמִּי וְהִנֵּה ׀ עַבְדְּךָ כִמְהָם יַעֲבֹר עִם־אֲדֹנִי
לט הַמֶּלֶךְ וַעֲשֵׂה־לּוֹ אֵת אֲשֶׁר־טוֹב בְּעֵינֶיךָ: וַיֹּאמֶר הַמֶּלֶךְ אִתִּי יַעֲבֹר
כִּמְהָם וַאֲנִי אֶעֱשֶׂה־לּוֹ אֶת־הַטּוֹב בְּעֵינֶיךָ וְכֹל אֲשֶׁר־תִּבְחַר עָלַי אֶעֱשֶׂה־לָּךְ:
מ וַיַּעֲבֹר כָּל־הָעָם אֶת־הַיַּרְדֵּן וְהַמֶּלֶךְ עָבָר וַיִּשַּׁק הַמֶּלֶךְ לְבַרְזִלַּי וַיְבָרְכֵהוּ וַיָּשָׁב
מא לִמְקֹמוֹ: וַיַּעֲבֹר הַמֶּלֶךְ הַגִּלְגָּלָה וְכִמְהָן עָבַר עִמּוֹ וְכָל־עַם יְהוּדָה
מב °ויעברו [°הֶעֱבִירוּ ק] אֶת־הַמֶּלֶךְ וְגַם חֲצִי עַם יִשְׂרָאֵל: וְהִנֵּה כָּל־אִישׁ יִשְׂרָאֵל
בָּאִים אֶל־הַמֶּלֶךְ וַיֹּאמְרוּ אֶל־הַמֶּלֶךְ מַדּוּעַ גְּנָבוּךָ אַחֵינוּ אִישׁ יְהוּדָה וַיַּעֲבִרוּ
מג אֶת־הַמֶּלֶךְ וְאֶת־בֵּיתוֹ אֶת־הַיַּרְדֵּן וְכָל־אַנְשֵׁי דָוִד עִמּוֹ: וַיַּעַן כָּל־אִישׁ

רש״י

(לב) לשלחו. ללותו: **(לג) כי איש גדול הוא.** בעושר: **(לה) כמה ימי שני חיי.** אשר יש לי לחיות: **כי אעלה וגו׳.** הלא מעט הם, ומה הנייה יש לי בכלכולך: **(לו) האדע בין טוב לרע.** בין מאכל טוב למאכל רע. ואמרו רבותינו ז״ל (שבת קנב, א), שטוף בזמה היה, לפיכך קפצה עליו זקנה: **(לז) כמעט יעבר עבדך.** הלויה מועטת יעבור עבדך ללותך, אחר שתעבור את הירדן: **הגמולה הזאת.** שאינה טובה לי: **(לח) עבדך כמהם.** בנו היה:

רד״ק

(לב) לשלחו את בירדן. כתרגומו לְאַלְוָיוּתֵיהּ יַת יַרְדְּנָא, וכתיב בירדן וקרי הַיַּרְדֵּן ושניהם קרובים: **(לג) בשיבתו במחנים.** כמו בישיבתו במחנים וחסר פ״א הפועל מן השם כמו שחסר מן המקור בְּשִׁבְתּוֹ (תהלים לג, יד): **(לז) כמעט יעבר.** אעבור מעט עמך מן הירדן ואילך אחר כך אשוב לעירי: **(לח) ישב נא.** אחר שאעבר עמך תרצה שאשוב בעירי: **עם קבר אבי ואמי.** אמות בעירי ואקבר עם קבר אבי ואמי: **(מא) ויעבירו.** כן כתיב וקרי הֶעֱבִירוּ ושניהם קרובים: **חצי עם ישראל.** קצת עם ישראל, שהרי אמר אחר כן וכל ישראל באים אל המלך אם כן אותם שעברו עמו מישראל מעטים היו, ולא היו אלא אותם שהיו בין בני יהודה שעברו עמו בברחו ואלה אלף איש שעברו עם שמעי בן גרא מבנימין, ולשון חצי ומחצה ומחצית אינו אלא חלוק החלק מהכלל, פעמים הוא חלק בחלק בשוה וזהו ברוב, ופעמים אינו בשוה כמו חֶצְיוֹ שָׂרַפְתִּי בְמוֹ אֵשׁ (ישעיהו מד, יט) וכן אומר עַד צַוָּאר יֶחֱצֶה (שם ל, כח) והצואר אינו חצי הגוף בשוה וממנו ולמעלה אינו אלא קצת מעט מהגוף: **(מב) גנבוך.** שהעבירוך בסתר להשיבך אל המלכות בלא רשותינו ומראים כאילו אין אנו רוצים במלכותך יותר אנו רוצים מהם אלא לבזותינו עשו: **וכל אנשי דוד עמו.** כמו וכל אנשיך עמך כי עמו היו מדברים, וכמוהו וְאֶת יִפְתָּח וְאֶת שְׁמוּאֵל (לעיל-א יב, יא) כאילו אמר ואותי:

מצודת דוד

(לב) לשלחו. ללותו את הירדן: **(לג) בשיבתו.** בעת אשר ישב במחנים: **איש גדול.** בעושר רב: **(לה) כמה ימי שני חיי.** אשר יש לי לחיות עוד, וכי רבים המה לשאעלה עם המלך להתענג בהם: **(לו) בן שמנים וגו׳.** ואם כן עוד מעט יש לי לחיות: **האדע.** ועוד מה תועלת שבתי עמו, אם לחלוק לי כבוד להיות מאנשי עצתו, וכי אדע בין טוב לרע לגודל זקנתי, ואם להאכילני מעדנים, וכי אטעם טעם מאכל ומשקה להיות מתהנה במאכל ומשקה משובח, ואם לשמח לבבי בקול שרים ושרות, האם אשמע עוד, הלא אזני כבדה משמוע מתשות הזקנה: **עוד למשא.** לא די שלא יתענג להתעלס בי, כי עוד למשא אחשב לו: **(לז) כמעט.** דרך מועט יעבר עבדך עמך מן הירדן ואילך, ואחרי זה אשוב לביתי: **הגמולה הזאת.** כאומר אם חפצו לגמול עמי חסד, למה יעשה הגמולה הזאת שאינה טובה לי: **(לח) ישב.** לזאת אשוב ואמות בעירי, ואקבר עם קבר אבי: **והנה עבדך כמהם.** בנו היה, ואמר לו הלא כִמְהָם עמנו, ויעבור הוא עמך, ובזה ישולם הגמול, בעשות עמו החסד שתרצה: **(לט) אתי יעבור כמהם.** כאומר, אף אם לא שאלת, יעבור עמי מרצון עצמי, ואף אעשה עמו הטוב בעיניך, ועם כל זה לא יחשב לתשלום גמול, כי אם כל אשר תבחר לצוות עלי, אעשה לך: **(מא) העבירו.** את הירדן: **חצי עם ישראל.** רצה לומר, מקצת מעם ישראל, שהרי נאמר אחרי זה וכל איש ישראל באים וגו׳, כי לפעמים יאמר חצי, על חלק הנחלק אם מעט ואם הרבה, כמו (בראשית לג, א), ויחץ את הילדים: **(מב) באים.** לגלגל: **מדוע גנבוך.** רוצה לומר, מדוע בני יהודה הביאוך בהסתר ובחשאי, והעבירו את הירדן, גם את המלך, גם ביתו ואנשיו אשר עמו. (ואף שדברו עם המלך, אמרו וכל אנשי דוד, ולא אמרו ואנשיך, כי הסבו פניהם גם מול בני יהודה):

מצודת ציון

(לב) את המלך. עם המלך: **לשלחו.** ענין לויה: **(לג) כלכל.** ענין ספוק המזון, כמו (בראשית מה, יא), וכלכלתי אותך: **(לה) כמה.** מהו המספר: **(לו) שרים ושרות.** משוררים ומשוררות: **(לז) יגמלני.** ענין השבת הטובה:

32-41. Barzillai of Gilead. As mentioned above (17:27-29), Barzillai was one of those who brought food and supplies to David and his men when they were in flight. Now, when they were triumphantly returning to Jerusalem, Barzillai came

David rewards Barzillai

[32]Barzillai of Gilead came down from Roglim, and he crossed the Jordan with the king, to see him off at the Jordan. [33]Barzillai was very old — eighty years of age. He had sustained the king when he dwelt in Mahanaim, for he was a very wealthy man. [34]The king said to Barzillai, "You cross over with me and I shall sustain you with me in Jerusalem." [35]But Barzillai said to the king, "How many are the days [remaining] of the years of my life that I should go up with the king to Jerusalem? [36]I am eighty years old today; can I distinguish good from bad; does your servant taste what I eat or what I drink? Can I still hear the sound of male or female singers? Why then should your servant be a burden any longer on my lord the king? [37]I will accompany the king across the Jordan for a bit, but why should the king reward me with this benefit? [38]Let your servant return and I will die in my own city, near the grave of my father and my mother. Behold, your servant Chimham will cross with my lord the king; do with him what is proper in your eyes." [39]The king said, "Chimham will cross with me, and I shall do for him what is proper in your eyes; anything you choose for me I shall do for you."

[40]All the people then crossed the Jordan, and the king crossed. The king kissed Barzillai and blessed him, and he returned to his place. [41]The king crossed over to Gilgal, and Chimham crossed over with him; all the people of Judah brought the king across, and also part of the people of Israel.

[42]Then behold! — all the men of Israel came to the king, and said to the king, "Why have our brethren, the men of Judah, abducted you? They have brought the king and his household across the Jordan, and all of David's men with him." [43]And all the men

---

again to share in the joy, and David showed his gratitude.

33. כִּי־אִישׁ גָּדוֹל הוּא מְאֹד — *For he was a very wealthy* (lit. *great*) *man.* The translation follows *Rashi.* This phrase explains how Barzillai could afford to sustain David and his many followers. In the literal sense, Barzillai is described as a *great man*, for his extraordinary generosity in supporting David when his fortunes were at their lowest ebb.

34. David wanted to show his gratitude in two ways: (a) Barzillai would be the king's escort in crossing the Jordan; and (b) he would have the honor of dining at the royal table for the rest of his life (*Malbim*). As noted above, Barzillai was very wealthy and certainly did not need David to feed him; this offer was purely showering prestige on him as a gesture of gratitude.

35. Barzillai refused David's offer, saying that he was an old man who did not have long to live, and he would not have much time to enjoy David's hospitality (*Rashi*).

36. הַאֵדַע בֵּין־טוֹב לְרָע — *Can I distinguish good from bad?* I cannot even tell the difference between good food and bad food (*Rashi*). According to *Abarbanel*, Barzillai was responding to David's invitation for him to live in Jerusalem. He was saying that he could render no useful advice to David: "If you want me to live in Jerusalem to be a royal adviser, it will be of no avail, for I am so old that I do not even know a good idea from a bad one."

Self-deprecatingly, Barzillai went on to say that he had lost the ability to enjoy life, and did not wish to be a burden on the king.

37-38. Barzillai agreed to accompany David across the Jordan, but he wanted to return to his ancestral home afterwards. In his place, he would send his son Chimham to go with David, and the king would determine how he could best utilize Chimham's talents.

39. David responded that he would have taken Chimham even without Barzillai's request; however, he would have preferred to repay Barzillai personally for his kindness, by *doing for you anything you choose.*

41-44. Strife amid revelry. The tribe of Judah took the lead in bringing David across the Jordan to return to Jerusalem, but the other tribes resented being relegated to a secondary status.

41. וְכָל־עַם יְהוּדָה . . . וְגַם חֲצִי עַם יִשְׂרָאֵל — *All the people of Judah . . . and also part* (lit. *half*) *of the people of Israel.* The sense of the phrase is that the entire tribe of Judah was represented, not that every single member of the tribe came to the Jordan. As for the other eleven tribes, only a small representation brought the king across — namely, the thousand Benjamites who came with Shimei (v. 18) (*Radak*), and presumably some individuals from other tribes (*Abarbanel*). *Radak* adduces other instances where the word חֲצִי means "part," not "half."

42. The other tribes were offended, and accused Judah of monopolizing the royal welcome, as if to insinuate that only they welcomed David's return. The other tribes should have been notified, so that they, too, could show their loyalty to David (*Radak*).

43. The Judahites answered they were accused unjustly. They had not sought special treatment from David; they dominated the welcome only because David was their own kinsman.

יְהוּדָ֜ה עַל־אִ֣ישׁ יִשְׂרָאֵ֗ל כִּֽי־קָר֤וֹב הַמֶּ֙לֶךְ֙ אֵלַ֔י וְלָ֤מָּה זֶּה֙ חָרָ֣ה לְךָ֔ עַל־הַדָּבָ֖ר הַזֶּ֑ה
מד הֶאָכ֤וֹל אָכַ֙לְנוּ֙ מִן־הַמֶּ֔לֶךְ אִם־נִשֵּׂ֖את נִשָּׂ֥א לָֽנוּ׃ וַיַּ֣עַן אִֽישׁ־יִשְׂרָאֵ֡ל
אֶת־אִ֣ישׁ יְהוּדָה֩ וַיֹּ֨אמֶר עֶֽשֶׂר־יָד֙וֹת לִ֣י בַמֶּ֗לֶךְ וְגַם־בְּדָוִד֙ אֲנִ֣י מִמְּךָ֔ וּמַדּ֙וּעַ֙ הֱקִלֹּתַ֔נִי
וְלֹא־הָיָ֨ה דְבָרִ֥י רִאשׁ֛וֹן לִ֖י לְהָשִׁ֣יב אֶת־מַלְכִּ֑י וַיִּ֙קֶשׁ֙ דְּבַר־אִ֣ישׁ יְהוּדָ֔ה מִדְּבַ֖ר אִ֥ישׁ
כ
א יִשְׂרָאֵֽל׃ וְשָׁ֨ם נִקְרָ֜א אִ֣ישׁ בְּלִיַּ֗עַל וּשְׁמוֹ֙ שֶׁ֣בַע בֶּן־בִּכְרִ֔י אִ֖ישׁ יְמִינִ֑י וַיִּתְקַ֣ע בַּשֹּׁפָ֗ר
וַ֠יֹּאמֶר אֵֽין־לָ֨נוּ חֵ֜לֶק בְּדָוִ֗ד וְלֹ֤א נַֽחֲלָה־לָ֙נוּ֙ בְּבֶן־יִשַׁ֔י אִ֥ישׁ לְאֹהָלָ֖יו יִשְׂרָאֵֽל׃ וַיַּ֜עַל
ב כָּל־אִ֤ישׁ יִשְׂרָאֵל֙ מֵאַחֲרֵ֣י דָוִ֔ד אַחֲרֵ֖י שֶׁ֣בַע בֶּן־בִּכְרִ֑י וְאִ֤ישׁ יְהוּדָה֙ דָּבְק֣וּ בְמַלְכָּ֔ם
ג מִן־הַיַּרְדֵּ֖ן וְעַד־יְרוּשָׁלָֽ͏ִם׃ וַיָּבֹ֨א דָוִ֣ד אֶל־בֵּיתוֹ֮ יְרוּשָׁלַ͏ִם֒ וַיִּקַּ֣ח הַמֶּ֡לֶךְ אֵ֣ת עֶֽשֶׂר־
נָשִׁ֣ים ׀ פִּלַגְשִׁ֣ים אֲשֶׁ֣ר הִנִּ֣יחַ לִשְׁמֹ֣ר הַבַּ֡יִת וַֽיִּתְּנֵ֣ם בֵּית־מִ֠שְׁמֶרֶת וַֽיְכַלְכְּלֵ֔ם וַאֲלֵיהֶ֖ם
ד לֹא־בָ֑א וַתִּהְיֶ֧ינָה צְרֻר֛וֹת עַד־י֥וֹם מֻתָ֖ן אַלְמְנ֥וּת חַיּֽוּת׃ וַיֹּ֤אמֶר

רש״י

(מג) כי קרוב המלך אלי. משבטי הוא: **אם נשאת.** כמו (בראשית מג, לד), משאת, פרס מבית המלך: **(מד) עשר ידות לי במלך.** שאנו עשרה שבטים: **וגם בדוד.** אף על פי שהוא קרוב לכם, אני משוך בו יותר ממך, שאני עשר ידות: **ומדוע הקלותני.** להיות אתה קודם, וכי לא היה דברי ראשון להשיב את מלכי, וקודם לכן בא דברינו אליו להשיבו, כמו שכתוב למעלה (פסוק יב), ודבר כל ישראל בא אל המלך: **ויקש דבר איש יהודה.** לשון (צפניה ב, א), התקוששו. נראה והושוה דבר איש יהודה, שהראם אגרת ששלח להם דוד, 'למה תהיו אחרונים להשיב את המלך' וגו', כך מפרש באגדה. ויש לפרש, 'ויקש', לשון 'קושי וחוזק', וכן תרגם יונתן, ותקיף: **(א) ושם נקרא.** נזדמן, לשון (צפניה א, ז), הקדיש קרואיו; (לעיל יג, כג), ויקרא אבשלום לכל בני המלך, לשון זימון:

רד״ק

(מג) אם נשאת. כמו משאות, אם נשאתי פרס מבית המלך, ויש לומר אם נשאתי מנחה כמו וַיִּשָּׂא מַשְׂאֹת (בראשית מג, לד), והוא שם בשקל יֹשְׁבוֹת עַל מִלֵּאת (שיר השירים ה, יב): **(מד) עשר ידות.** לפי שהם עשרה שבטים כי בנימין עם יהודה ועוד כי אלף איש מבנימין עם שמעי העבירו המלך את הירדן: **וגם בדוד אני ממך.** כתרגומו וְאַף בְּדָוִד אֲנָא רָעֵינָא מִמָּךְ, כלומר אף על פי שהוא משבטך אני רוצה בו יותר ממך: **ויקש דבר איש יהודה.** קשה דברם וחזק יותר מדבר איש ישראל, ודברו איש יהודה לאיש ישראל קשות והמלך היה שותק להם, לפיכך חרה לאיש ישראל והלכו אחרי שבע בן בכרי כשתקע בשופר ואמר אִישׁ לְאֹהָלָיו יִשְׂרָאֵל: **(ג) ואליהם לא בא.** נחלקו רז״ל (ירושלמי סנהדרין ב, א) מהם אמרו כי מותרות היו לו אלא שכבש את יצרו מהם תמורת מה שהשביע יצרו במה שהיה אסור לו מנע עתה יצרו ממה שהיה מותר לו, ומהם אמרו אסורות היו לו, אמרו ומה כלי הדיוט שנשתמש בו מלך אסור להדיוט כלי מלך שנשתמש בו הדיוט אינו דין שיהא אסור למלך: **צררות.** קשורות, שלא היה להם עוד היתר, ויונתן תרגם נְטִירִין, וכן תרגם צוֹר תְּעוּדָה (ישעיהו ח, טז) טַר: **עד יום מתן.** כתרגומו מִתְקַרְיָן עַד יוֹם מוֹתַן אַרְמְלָן דְּבַעְלֵיהֶן קַיָּים:

מצודת דוד

(מג) כי קרוב וגו׳. כי הוא מבני שבט יהודה: **ולמה זה חרה לך.** רוצה לומר, ועוד מה מזיקך שבאתי ראשון, וכי אכלנו משל המלך, וכי קבלנו ממנו תשורה ומתן לשתאמרו לא השארתם לנו מאומה: **(מד) עשר ידות וגו׳.** הלא יש לי עשר חלקים במלך, כי אנחנו עשרה שבטים. (אבל מבנימין באו מקצתם, והם האלף שעם שמעי, ולא יוחשבו, לא לאלה ולא לאלה): **וגם בדוד.** אף שהוא מבני שבטך, מכל מקום רוצה אני בו יותר ממך: **ומדוע הקלתני.** בזית אותי, כאלו אין ממש בנו והכל ממך: **ולא היה דברי ראשון.** וכי לא בא אליו דברי בתחילה שישוב אל ביתו, כמו שכתוב למעלה (פסוק יב), ודבר כל ישראל בא וגו׳: **לי להשיב.** רצה לומר, אם כן מהראוי לי להשיב את מלכי, ולא לכם, שאתם המעט ואיחרתם עד כה: **ויקש.** אנשי יהודה דברו קשות לישראל, יותר מישראל ליהודה **(א) ויתקע.** להיות סימן על המרד: **אין לנו חלק.** כלפי שהיו בני יהודה וישראל מתוכחים למי יש חלק יותר בדוד, אמר הוא, למה תריבו כולכם, אנו אין לנו חלק כלל, ולכו איש לאהליו: **(ב) דבקו במלכם.** הלכו עמו, מהירדן עד בואו לירושלים: **(ג) בית משמרת.** במקום משומר, לבל יבוא מי עליהן, כי אסורות לכל אדם, על היותן פילגשי המלך: **ואליהם לא בא.** רבותינו ז״ל (ירושלמי סנהדרין ב, ג) נחלקו בדבר, מהם אמרו, שהיה אסור בהן, על שבא אבשלום עליהן, ומהם אמרו, שמעצמו מנע מהן, לא בעבור איסור: **צרורות.** קשורות מבלי היתר להנשא לאיש: **עד יום מותן וגו׳.** כתרגומו, ומתקרין עד יום מותהן ארמלן דבעליהן קיים:

מצודת ציון

(מג) על איש ישראל. אל איש ישראל: **נשאת נשא.** ענין תשורה ומתן, כמו (אסתר ב, י), ויתן משאת כיד המלך: **(מד) ידות.** חלקים: **הקלתני.** מלשון קלות ובזיון: **ויקש.** מלשון קשה: **(א) נקרא.** מלשון מקרה: **בליעל.** בלי עול שמים, רוצה לומר רשע: **נחלה.** הוא חלק, וכפל הדבר במלות שונות: **(ב) ויעל.** ענין סלוק, כמו (במדבר ט, כא), ונעלה הענן: **(ג) ויכלכלם.** הספיק מזונם: **צרורות.** קשורות, כמו (בראשית מב, לה), צרורות כספיהם:

---

44. עֶשֶׂר־יָדוֹת לִי בַמֶּלֶךְ — *I have ten times as much share in the king*, for we represent ten tribes, while you are only one tribe. The Israelites did not include the Benjamites with themselves in their grievance against Judah, because there was in fact a substantial delegation of Benjamites (v. 18) with the king. This is why they referred to themselves as "ten tribes" (the twelve tribes of Israel, minus Judah and Benjamin) (*Radak*).

וְגַם־בְּדָוִד — *Though he be David.* "Even though this king is from your tribe of Judah, we still represent the great majority of Israel." Not only that, the ten tribes reminded the Judahites that it was at their initiative that David was returned to the throne.

וַיִּקֶשׁ דְּבַר־אִישׁ יְהוּדָה — *But the words of the men of Judah were harsher*. The men of Judah responded harshly to the comments of the men of Israel, but the content of their response is not recorded here (*Abarbanel*).

Rashi renders the word וַיִּקֶשׁ as *were more correct*. He explains that according to the Midrash, the men of Judah showed the letter that David had sent to them through Zadok and Abiathar (vs. 12-13) urging them to come and greet him. As such, they vindicated their contention that they had not acted improperly in greeting the king.

20.

1-3 A new crisis. No sooner had David's return to the throne

of Judah [as one] answered the men of Israel, "Because the king is related to me. Why, then, are you angry over this matter? Have we partaken of the king's [food]? Has he granted us special portions?"

Israel protests that Judah slights them

[44]But the men of Israel [as one] answered the men of Judah and said, "I have ten times as much share in the king — though he be David — I [have more] than you [do], so why do you slight me? Was it not my initiative to bring back my king?" But the words of the men of Judah were harsher than the words of the men of Israel.

20

SHEBA SON OF BICHRI'S REBELLION 20:1-26

[1]There happened to be there a certain base man by the name of Sheba son of Bichri, a Benjamite; he sounded the shofar and said, "We have no part in David and we have no heritage in the son of Jesse! Every man [back] to his tents, O Israel!" [2]So all the men of Israel went up from behind David, and followed Sheba son of Bichri. But the men of Judah clung to their king, from the Jordan to Jerusalem.

David returns home

[3]David arrived at his house in Jerusalem. The king took the ten concubine wives whom he had left behind to keep the house, and put them up in a guarded house and sustained them, but he no longer lived with them; they were bound up in living widowhood until the day they died.

---

been greeted joyously and unanimously than a new rebellion erupted. A factor in instigating it was the acrimonious dispute between the tribe of Judah and the other tribes (19:42-44). David did not take the part of the ten tribes, implying that he might agree that his allegiance to his tribe of Judah took precedence over his responsibility to the other tribes. This gave an opening to *a base man* (v. 1) to reignite the spirit of rebellion that had seemingly been crushed in the aftermath of Absalom's defeat.

1. בְּלִיַּעַל — *A base man.* The word is a contraction of בְּלִי עוֹל, *without the yoke* [of heaven], in others words, a wicked person (*Metzudos*). In this case he showed his wickedness by exploiting grievances and inciting a bloody rebellion.

שֶׁבַע בֶּן־בִּכְרִי אִישׁ יְמִינִי — *Sheba son of Bichri, a Benjamite.* Although the Benjamites were not involved in the harsh exchange of words between Judah and the ten tribes — since a sizable contingent from Benjamin welcomed David — the instigator of the revolt was from Benjamin. Although it was many years since Saul died, many Benjamites nursed a grievance against David, feeling that he unjustly "usurped" the kingship that should have remained in the family of Saul, their kinsman. This bitterness always lurked just beneath the surface, ready to erupt (*Mahari Kara*).

בְּבֶן־יִשַׁי — *In the son of Jesse.* Reference to a person by only his father's name is a gesture of contempt (see *Rashi* to *Numbers* 13:30).

Sheba argued that the people had *no part in David*, because his own tribe of Judah had claimed that they had a greater claim on him than all the other tribes put together. And they had *no heritage* in him because he was not a descendant of a dynasty; his father was Jesse, a commoner, like the rest of Israel. If so, what claim could David have on their allegiance? (*Malbim*).

אִישׁ לְאֹהָלָיו יִשְׂרָאֵל — *Every man [back] to his tents, O Israel!* Sheba hoped to become king himself (*Rashi*, v. 14). According to *Abarbanel*, however, Sheba did not seek the kingship for himself; he was an anarchist, believing that there was no need for a king at all; each man was capable of ruling "in his own tent."

Our verse is listed as one of the eighteen examples of תִּקּוּן סוֹפְרִים, *scribal emendation*, in which one word is written in the text, but another word is the intended meaning (see commentary to *I Samuel* 3:13). In our case, what Sheba meant was not that every man should go לְאֹהָלָיו, *to his tents,* but that each should go לֵאלֹהָיו, *to his god*, i.e., he denied not only the validity of David's reign, but ר״ל that of God Himself.

2. The people responded to Sheba's urging and deserted David to follow Sheba. They were dismayed by David's silence in the face of Judah's harsh words toward them (*Radak*), but the tribe of Judah remained loyal to their king and accompanying him in joyous procession *from the Jordan to Jerusalem.*

3. When Absalom deposed David, he demonstrated his claim to the throne with a deplorably brazen act: he violated the ten concubines whom David had assigned as caretakers of his home (16:2). These were the concubines with whom David no longer had relations, but assumed responsibility for their upkeep.

⋄§ Why David refrained from living with his concubines. There is no prohibition for a man to resume relations with his wife or concubine if she was violated by force; only if she committed adultery, by willingly living with another man, does the Torah require a dissolution of the marriage. If so, why did David not continue to live with his concubines? In answer to this question, *Talmud Yerushalmi* (*Sanhedrin* 2:3) cites two opinions: (a) David refrained from having relations with them as a measure of self-discipline to atone for his sin with Bath-sheba, since he recognized that Absalom's rebellion was a punishment for that sin. (b) It is halachically forbidden for a king to live with a woman who, after having been his wife or concubine, had relations with another, under any circumstances.

אַלְמְנוּת חַיּוּת — *Living widowhood.* They were like widows since they no longer had relations with a husband, but their marriage was *living* since their husband was alive. One can only

הַמֶּלֶךְ אֶל־עֲמָשָׂא הַזְעֶק־לִי אֶת־אִישׁ־יְהוּדָה שְׁלֹשֶׁת יָמִים וְאַתָּה פֹּה
ה עֲמֹד: וַיֵּלֶךְ עֲמָשָׂא לְהַזְעִיק אֶת־יְהוּדָה וייחר [וַיּוֹחֶר ק] מִן־הַמּוֹעֵד אֲשֶׁר
ו יְעָדוֹ: וַיֹּאמֶר דָּוִד אֶל־אֲבִישַׁי עַתָּה יֵרַע לָנוּ שֶׁבַע בֶּן־בִּכְרִי מִן־אַבְשָׁלוֹם
אַתָּה קַח אֶת־עַבְדֵי אֲדֹנֶיךָ וּרְדֹף אַחֲרָיו פֶּן־מָצָא לוֹ עָרִים בְּצֻרוֹת וְהִצִּיל עֵינֵנוּ:
ז וַיֵּצְאוּ אַחֲרָיו אַנְשֵׁי יוֹאָב וְהַכְּרֵתִי וְהַפְּלֵתִי וְכָל־הַגִּבֹּרִים וַיֵּצְאוּ מִירוּשָׁלַם לִרְדֹּף
ח אַחֲרֵי שֶׁבַע בֶּן־בִּכְרִי: הֵם עִם־הָאֶבֶן הַגְּדוֹלָה אֲשֶׁר בְּגִבְעוֹן וַעֲמָשָׂא בָּא לִפְנֵיהֶם וְיוֹאָב
חָגוּר ׀ מִדּוֹ לְבֻשׁוֹ ועלו [וְעָלָיו ק] חֲגוֹר חֶרֶב מְצֻמֶּדֶת עַל־מָתְנָיו בְּתַעְרָהּ וְהוּא
ט יָצָא וַתִּפֹּל: וַיֹּאמֶר יוֹאָב לַעֲמָשָׂא הֲשָׁלוֹם אַתָּה אָחִי וַתֹּחֶז יַד־יְמִין יוֹאָב

רש"י

(ד) **הזעק לי את איש יהודה.** שיהו כאן עד שלשה ימים: **ואתה פה עמוד.** לסוף שלשת ימים הוי זהיר להיות עומד כאן לפני, כי חפץ היה לרדוף אחרי שבע בן בכרי: (ה) **ויוחר מן המועד.** אשכחינהו לרבנן דפתחו במסכתא, כדאיתא בסנהדרין (מט, א): (ו) **אתה קח את עבדי אדוניך.** אחרי אשר איחר עמשא שר הצבא, ולא הביא את צבא יהודה, קח אתה מן המלאים סביבי, ורדוף אחריו: **והציל עינינו.** והציל עצמו מעינינו, והרי זה מקרא קצר: (ח) **מצומדת על מתניו.** סמוכה מאוד לגופו לרוחב מתניו, שלא כדרך חוגרי חרב, כדי שתהא נוחה ליפול, ולא יצטרך להוציאה מתערה: **והוא יצא.** כנגד עמשא: **ותפול.** החרב מתערה, לפי שהיתה חלקה ולטושה, ואינה תלויה לצד ירכו אלא לרוחב מתניו, וכמעט ששח עצמו לצד הארץ, נפלה מתערה ואחזה בימינו, ולא הכיר עמשא בדבר:

רד"ק

(ד) **הזעק לי.** אספם לי, שירדפו אחרי שבע בן בכרי: **שלשת ימים.** עד שלשה ימים תאספם אלי: **ואתה פה עמד.** כלומר שתשוב עמהם ודעתו היה למנותו שר צבא כמו שיעד לו, וכששמע יואב קנא בדבר לפיכך הרגו: (ה) **ויוחר מן המועד.** כתוב ביו"ד וקרי בוי"ו, והכתוב הוא מנחי הפ"א מן הקל מאותם שפ"איהם יו"ד כמו מן ייטב ויטב והקרי הוא מאותם שפ"איהם אלף והוא בשקל וַיֹּסֶף עוֹד דָּוִד (לעיל ו, א), ופירוש אחר שלא בא לשלשת הימים, וכשראה דוד שלא בא אמר לאבישי שירדוף אחרי שבע בן בכרי, ולא אמר ליואב כי בלבו היה להסירו שלא יהיה שר צבאו מפני שהרג אבשלום: (ו) **ירע לנו שבע בן בכרי.** פועל עומד ופירוש ירע לנו דבר שבע בן בכרי יהיה פועל יוצא שאמר אחריו ויצאו אנשי יואב: **עבדי אדניך.** על יואב אמר וקראו אדוניו כי גדול היה ונכבד ממנו, וזה שכתוב וַיֵּצְאוּ אַחֲרָיו אַנְשֵׁי יוֹאָב (פסוק ח) וגם יואב יצא אחר כן אלא שאבישי יצא במצות דוד: **פן מצא לו.** כמו ימצא עבר במקום עתיד ורבים כמוהו, וכן תרגם יונתן דִילְמָא יַשְׁכַּח: **והציל עיננו.** יסור ראותנו ודעתנו שלא נדע באיזה עיר ישגב אם לא נמהר לרדוף אחריו, או פירוש הבטחתינו והשגחתינו שהייתי בוטח כי שבתי אל מלכותי, והנה עתה הלכו אחריו ישראל ואם ישגב באחת הערים הבצורות יהיה לו פנאי למשוך לב ישראל אליו וצריכים אנו למהר לרדוף אחריו ולהרגו, ויונתן תרגם וְהִצִּיל עֵינֵנוּ, וְיָעִיק לָנָא: (ז) **והכרתי והפלתי.** כבר פירשנוהו (לעיל ח, יח): (ח) **עם האבן.** סמוך לה וכן עַם בְּאֵר לַחַי רֹאִי (בראשית כה, יא): **חגור מדו לבשו.** וי"ו מִדּוֹ נוספת כוי"ו מִדּוֹ בַד (ויקרא ו, ג), וסמך מדו אל לבושו ולבוש הוא שם כולל ומדו פורט לאחד מן הלבושים ידוע אצלם תכונתו, ויונתן תרגם אֲסִיר מְזָרֵיז לְבוּשׁוֹהִי: **מצמדת.** דבוקה: **בתערה.** הוא תיק החרב: **והוא יצא ותפל.** יצא מהמקום שהיו בו עם האבן הגדולה או מגבעון העיר, ובצאתו נפלה החרב מתערה ולקחה בידו השמאלית כדי שלא יהא נשמר עמשא שבא להכותו, ונתן לו שלום ואחזו בזקנו ביד ימינו לנשק לו:

מצודת דוד

(ד) **שלשה ימים.** עד שלשת ימים: **ואתה פה עמוד.** שוב עמהם לעמוד פה, כי רצה להעמידו לשר הצבא תחת יואב: (ה) **ויוחר.** נתאחר יותר מהזמן שקבע לו: (ו) **אל אבישי.** לא רצה מעתה לצוות ליואב, כי היה כועס עליו, על הרגו את אבשלום: **ירע לנו.** יעשה לנו רעה יותר מן אבשלום: **עבדי אדוניך.** רצה לומר, עבדי המלך, ולא אמר עבדי, כי כן דרך המקרא, וכן (בראשית ד, כג), נשי למך, עם כי למך עצמו אמר: **פן מצא.** כמו פן ימצא, עבר במקום עתיד: **והציל עיננו.** יציל עצמו מעינינו. או יפריש עינינו ממנו: (ז) **אנשי יואב.** הגבורים אשר היו סרים למשמעתו, והלכו עמו מאז אל המלחמה: (ח) **הם עם האבן וגו'.** כשבאו הם סמוך להאבן וגו': **ועליו.** על הלבוש היה חגור חרב מצומדת על מתניו לרוחב, לא תלויה על הירך כדרכה, וכוונתו היתה, שתפול מתערה בשחיה מועטת, לבל ירגיש בה עמשא: **והוא יצא.** מהאבן הנזכר, ונפלה מתערה בשחיה מועטת, אשר שחה לתקן מנעלו, כמו שכתוב במלכים־א (ב, ה) ולקחה מהארץ בשמאלו:

מצודת ציון

(ד) **הזעק.** אסוף בקול זעקה: (ה) **ויחר.** מלשון איחור ועכוב: **המועד.** הזמן: **יעדו.** ענין קביעות, כמו (מיכה ו, ט), שמעו מטה ומי יעדה: (ו) **והציל.** מלשון הצלה. או הוא מענין הפרשה, כמו (בראשית לא, טז), אשר הציל אלהים: (ז) **והכרתי והפלתי.** תרגם יונתן, קשתיא וקלעיא: (ח) **עם האבן.** סמוך להאבן: **מדו לבושו.** היא היא, וכפל המלה בשמות נרדפים, כמו (דניאל יב, ב), אדמת עפר: **מצומדת.** מחוברת, כמו (במדבר יט, ט), צמיד פתיל: **בתערה.** היא תיק החרב: (ט) **ותוחז.** מלשון אחיזה:

imagine the heartbreak of these women, living alone with no hope of establishing a new family.

Why David's first act was to establish the status of his concubines. Following the opinion that David ceased his relations with them because they had lived with a commoner, *Malbim* explains that David wished to demonstrate that Absalom's kingship had never been legitimate and that he remained a commoner; even though the people had chosen and even anointed him, he never gained royal status. David's act had the further effect of intimating that Sheba, the new pretender to the throne, was no king and he would be dealt with as an ordinary traitor.

4-7. David assigns Amasa to put down the rebellion. David did not pursue Sheba immediately after his inciteful pronouncement so as not to ruin the festive atmosphere that sur-rounded his triumphant return to Jerusalem from exile (*Abar-banel*). Now he assigned Amasa the responsibility to put down the rebellion, because he had promised Amasa that he would be appointed commander of the army in place of Joab (19:24). After three days, Amasa was to report back to David.

5. וַיּוֹחֶר מִן־הַמּוֹעֵד — *But he was late for the appointed time*. The third day arrived, but Amasa did not. The Sages (*Sanhedrin* 49a) explain why Amasa was delayed. Some of the Judahites he was commanded to assemble were engaged in Torah study, and Amasa — basing himself on a Scriptural inference — was not permitted to disturb them. Similarly, when Joshua was poised for the conquest of Jericho, he was reproached by an angel for letting the preparations for battle

David sends a force to subdue Sheba

[4]The king then said to Amasa, "Muster for me the men of Judah within the next three days, and you [also] stand here [then]." [5]So Amasa went to muster [the men of] Judah; but he was late for the appointed time which [the king] had set for him. [6]David then said to Abishai, "Now Sheba son of Bichri will do more harm to us than Absalom! So you take your lord's servants yourself and chase after him, lest he find himself some fortified cities and rescue [himself before] our eyes." [7]Joab's men went after him, as well as the archers and the slingers and all the mighty men; they left Jerusalem to chase after Sheba son of Bichri.

[8]When they were at the Great Stone that is in Gibeon, Amasa was coming toward them. Joab was girded with his battle garments, and had a sword girded upon himself, which was fastened upon his loins in its scabbard; and as he moved forward, it fell out. [9]Joab then said to Amasa, "Is all well with you, my brother?" And Joab's right hand grabbed

---

prevent the people from studying Torah that night (see comm. to *Joshua* 5:14). This illustrates the importance of Torah study in the life of Israel, for Israel triumphs in battle with the help of God, and there is no greater good deed than engaging in the study of His Torah.

6. וַיֹּאמֶר דָּוִד אֶל־אֲבִישַׁי — *David then said to Abishai.* In the absence of Amasa, David turned to Abishai, who was Joab's brother and one of the generals of the army (see above, 18:2). David did not turn to his veteran general, Joab, because he had repudiated Joab after he murdered Absalom (19:24) (*Rid*).

וְעַתָּה יֵרַע לָנוּ . . . מִן־אַבְשָׁלוֹם — *Now [Sheba] will do more harm to us than Absalom!* We must act immediately; we cannot afford to wait for Amasa's return, so you must command the force. Perhaps David considered Sheba to be very dangerous because he had capitalized on the people's resentment of Judah and their anger that David seemed to side with his own tribe, rather than treat all the tribes equally.

עַבְדֵי־אֲדֹנֶיךָ — *Your lord's servants.* By *your lord,* David meant himself. "Since Amasa has not yet arrived with the men of Judah, we must fight the battle with the soldiers who are here with me" (*Rashi, Abarbanel*).

Alternatively, *your lord* refers to Joab, who, though deposed as commander, was still Abishai's senior in age and stature (*Radak*). By referring to Joab this way, David may have meant to imply that Joab had been stripped of his position, as if to say, "Amasa, you are to take away the troops from your former master."

David's fear was that Sheba would find *fortified cities* where he could consolidate his power and be safe from attack.

Several commentators interpret the word וְהִצִּיל to be related to a similar word in *Genesis* 31:9, where it means *to take away*. Thus, *Radak* explains, "and he will take away our eyes," i.e., he will evade us, and we will not be able to find him. *Ralbag* suggests: "he will take away what our eyes are set upon," i.e., he will hinder us from achieving our goal, to restore my kingdom over all of Israel.

7. Although Joab himself was not given any formal position in this campaign, his men went to fight, apparently under Abishai's command. Joab himself also went to battle (see v. 9), although not in an official capacity.

וְהַכְּרֵתִי וְהַפְּלֵתִי — *The archers and the slingers.* In the plain sense of the verse, which speaks of warriors, *Ralbag* comments that they were two distinguished families, some of whose members were on the Sanhedrin. All of them joined Abishai's force.

According to the Talmud (*Berachos* 4a), the phrase refers to something that renders precise and clear-cut decisions (from כרת , *to cut*) and is distinguished (from מופלה , *distinguished, special*). Thus the *Cherathi* and the *Pelethi* are the Sanhedrin.

8-13. Another assassination. Jealous of his lost position as commander of the army and resentful of Amasa's ascension to leadership, Joab killed Amasa. His pretext was that Amasa was guilty of defying the king by not returning within the three days, as requested by David. Benayah, the head of the Sanhedrin, refuted Joab's contention, based on Scriptural exegesis that showed Amasa to have been justified in not interrupting Torah study to recruit his army. Although Joab was wrong, he was not liable to the death penalty because he had acted in good faith (*Sanhedrin* 49a).

8. When Abishai's force reached *the Great Stone that is Gibeon*, they met Amasa, who was on his way to Jerusalem with the Judahite army that he had mustered (*Abarbanel*).

מִדּוֹ לְבֻשׁוֹ — *His battle garments.* The word מִדּוֹ is found twice in Scripture, here and in *Leviticus* 6:3, which speaks of the Kohen commencing the Temple service of the day. This word can also be rendered *his measure,* a term that can refer both to the size of a garment and to a person's personal character traits. In the case of a Kohen, his character trait — indeed, the mission of his priesthood — is to inspire Divine mercy upon the Jewish people. In our verse, the word refers to the mission of Joab, the commanding general, whose task was to inspire strict Divine justice upon the enemy (*Agra d'Callah*).

וְהוּא יָצָא וַתִּפֹּל — *And as he moved forward, it [the sword] fell out.* Instead of having his sword hang downwards from his loins as is usual, Joab fastened the scabbard across his loins hori-zontally, so that the sword could "fall" out easily without being drawn. Now Joab intentionally moved in such a way that the horizontally positioned sword should slip out of its sheath (*Rashi*).

Had Joab moved to draw his sword in the normal manner, Amasa — himself a great warrior — would have been vigilant and warded off the blow. But since the sword would fall out "accidentally," Amasa would be caught off guard.

9. הֲשָׁלוֹם אַתָּה אָחִי — *Is all well with you, my brother?* Amasa was Joab's first cousin (see commentary above, 17:25).

י בִּזְקַ֥ן עֲמָשָׂ֖א לִנְשָׁק־לֽוֹ׃ וַעֲמָשָׂ֨א לֹֽא־נִשְׁמַ֜ר בַּחֶ֣רֶב ׀ אֲשֶׁ֣ר בְּיַד־יוֹאָ֗ב וַיַּכֵּ֩הוּ֩ בָ֨הּ אֶל־הַחֹ֜מֶשׁ וַיִּשְׁפֹּ֨ךְ מֵעָ֥יו אַ֛רְצָה וְלֹא־שָׁ֥נָה ל֖וֹ וַיָּמֹ֑ת וְיוֹאָב֙ וַאֲבִישַׁ֣י

יא אָחִ֔יו רָדַ֕ף אַחֲרֵ֖י שֶׁ֥בַע בֶּן־בִּכְרִֽי׃ וְאִ֗ישׁ עָמַ֤ד עָלָיו֙ מִנַּעֲרֵ֣י יוֹאָ֔ב

יב וַיֹּ֗אמֶר מִ֠י אֲשֶׁ֨ר חָפֵ֧ץ בְּיוֹאָ֛ב וּמִ֥י אֲשֶׁר־לְדָוִ֖ד אַחֲרֵ֥י יוֹאָֽב׃ וַעֲמָשָׂ֛א מִתְגֹּלֵ֥ל בַּדָּ֖ם בְּת֣וֹךְ הַֽמְסִלָּ֑ה וַיַּ֨רְא הָאִ֜ישׁ כִּֽי־עָמַ֣ד כָּל־הָעָ֗ם וַיַּסֵּ֨ב אֶת־עֲמָשָׂ֤א מִן־הַֽמְסִלָּה֙

יג הַשָּׂדֶ֔ה וַיַּשְׁלֵ֤ךְ עָלָיו֙ בֶּ֔גֶד כַּאֲשֶׁ֣ר רָאָ֔ה כָּל־הַבָּ֥א עָלָ֖יו וְעָמָֽד׃ כַּאֲשֶׁ֖ר הֹגָ֣ה מִן־הַֽמְסִלָּ֑ה עָבַ֤ר כָּל־אִישׁ֙ אַחֲרֵ֣י יוֹאָ֔ב לִרְדֹּ֕ף אַחֲרֵ֖י שֶׁ֥בַע בֶּן־בִּכְרִֽי׃

יד וַיַּעֲבֹ֞ר בְּכָל־שִׁבְטֵ֣י יִשְׂרָאֵ֗ל אָבֵ֛לָה וּבֵ֥ית מַעֲכָ֖ה וְכָל־הַבֵּרִ֑ים °ויקלהו [°וַיִּקָּ֣הֲל֔וּ ק׳]

טו וַיָּבֹ֖אוּ אַף־אַחֲרָֽיו׃ וַיָּבֹ֜אוּ וַיָּצֻ֣רוּ עָלָ֗יו בְּאָבֵ֙לָה֙ בֵּ֣ית הַֽמַּעֲכָ֔ה וַיִּשְׁפְּכ֤וּ סֹֽלְלָה֙ אֶל־הָעִ֔יר וַֽתַּעֲמֹ֖ד בַּחֵ֑ל וְכָל־הָעָם֙ אֲשֶׁ֣ר אֶת־יוֹאָ֔ב מַשְׁחִיתִ֖ם לְהַפִּ֥יל הַחוֹמָֽה׃

רש״י

(יב) **כאשר ראה כל הבא עליו ועמד.** כאשר ראה האיש, שכל הבא עליו היה עומד: (יג) **כאשר הוגה.** כאשר הומשך, כמו (משלי כה, ד), הגו סיגים מכסף; וכמו (שם פסוק, ה), הגו רשע לפני מלך: (יד) **ויעבר בכל שבטי ישראל.** שבע בן בכרי, לפתותם שימליכוהו עליהם: **וכל הברים.** לא ידעתי מהו: (טו) **ותעמוד בחל.** (תרגום) ואקיפו משריין. ויש פותרים, ותעמוד בחל, לשון (איכה ב, ח), חיל וחומה, הפילו החומה החיצונה, ונתחזקה לעמוד על ידי הפנימית:

רד״ק

(י) **ועמשא לא נשמר.** כלומר שלא שמר עצמו מן החרב: (יא) **עמד עליו.** לזרז הבאים שלא יעמדו על החלל אלא ילכו אחרי יואב, וכאשר ראה האיש שלא הועילה הזהרתו לאנשים הבאים אלא היו עומדים על החלל הסירו מן המסילה שלא יראוהו העוברים: (יג) **כאשר הגה.** הוסר שרשו הגה על דעת אדוני אבי ז״ל, והוא מן שלא נזכר פעלו מן המרובע ומענינו ומשרשו הָגָה בְּרוּחוֹ הַקָּשָׁה (ישעיהו כז, ח) הָגוֹ סִיגִים (משלי כה, ד), ועל דעת רבי יהודה ורבי יונה שרשו יגה מבנין (הפעיל) [הָפְעַל] משפטו בתשלומו הוגה בשקל הָגְלָה (אסתר ב, ו): (יד) **ויעבר.** שבע בן בכרי שהיה בורח כששמע שרודפין אחריו עבר בכל שבטי ישראל עד אבלה ובא בעיר להמלט בה, ויש לפרש וַיַּעֲבֹר על יואב: **אבלה ובית מעכה.** שני מקומות סמוכים היו, ואחר שאמר בְּאָבֵלָה בֵּית הַמַּעֲכָה (פסוק טו) נראה כי היה אבל אחר וזה היה סמוך לבית המעכה והיו סומכים אותו אליו: **וכל הברים.** מקומות הסמוכות לבארות שהיו לבנימין נקראים ברים, ואמר כי עבר כל אלה המקומות ובסוף נכנס באבל שהיא עיר ומבצר וחשב להשגב בה: **ויקלהו.** כן כתיב וקרי וַיִּקָּהֲלוּ, ושניהם אחד כי מלים שוים באותיות הפוכות רבים במקרא כמו כֶּבֶשׂ וכֶשֶׂב, שִׂמְלָה ושַׂלְמָה קְהִלַּת לַהֲקַת, ומזה יאמר קלהת והקרי הוא נמצא ומבואר: **ויבאו אף אחריו.** פירוש אחרי יואב, ובאמרו אַף לפי שהלכו אחרי שבע בן בכרי מתחלה, ובראותם כי רדפו יואב ואנשיו אחריו במקומות שהיה עובר יואב לרדוף אחרי שבע בן בכרי, היו נקהלים אנשי המקומות ההם ובאים גם אחריו לרדוף אחרי שבע בן בכרי: (טו) **סללה.** כתרגומו מַלְיָתָא והוא תל עפר, ובדברי רז״ל מוליא ברינא, ושפיכת הסוללה הוא למלא החפירות אשר סביב העיר עפר ולעשות תל להגיע אל החומה: **ותעמד בחל.** עמדה העיר להכבש בחומה כי מלאו החפירות עפר ולא היה להם אלא להפיל החל והוא החומה כמו שפירשו רז״ל (פסחים פו, א) חֵל וְחוֹמָה (איכה ב, ח) שורא ובר שורא, או פירש בַּחֵל בחפירה כתרגום בְּגֵי (ישעיהו כב, ה) בְּחֵלְתָא, ופירוש, אחר ששפכו הסוללה וסתמו החפירה עמדו אנשי מלחמה בחיל לרגלי החומה וחשבו להפילה, ופירוש וַתַּעֲמֹד לשון נקבה על המלחמה. ויונתן תרגם בַּחֵל כמו בחיל ואקיפא מַשְׁרְיָן: **משחיתם.** משחיתים בכלי המנפץ האבנים להפיל החומה, ויונתן תרגם מִתְעַשְׁתִּין לְחַבָּלָא שׁוּרָא וענין מַשְׁחִיתִם כתרגומו משחיתים בלבם, כלומר חושבים ומתכוונים היאך יפילו החומה:

מצודת דוד

(י) **לא נשמר.** לא היה נשמר מהחרב וגו׳, כי ראה אשר מעצמה נפלה מתערה, ולקחה בשמאלו: **אל החומש.** אל צלע החמישית מקום שכבד ומרה תלוין (סנהדרין מט, א): **מעיו.** בני מעיו. **ולא שנה לו.** לא הוצרך להכותו שנית, כי בראשונה הומת: **רדף.** כל אחד רדף: (יא) **עליו.** אצל החלל: **אשר לדוד.** אשר אוהב לדוד: **אחרי יואב.** ילך אחרי יואב, ולא יעמוד פה על החלל: (יב) **מתגולל.** היה מתגלגל בדמו, באמצע המסילה: **וירא האיש.** העומד על החלל, ראה אשר כל מי שבא למקום החלל, היה נשאר עומד, ולא הועילה אזהרתו: **השדה.** גררו השדה מרוחק מהמסילה, וכסהו בבגד, בראותו שעומד עליו כל הבא: (יג) **כאשר הוגה.** אחר שהוסר מן המסלה, עברו כולם אחרי יואב: (יד) **ויעבור.** יואב עבר בכל שבטי ישראל, ללכת עמו אבלה ובית מעכה, והיא אבלה ובית מעכה שנסגר בה שבע בן בכרי: **וכל הברים.** גם עבר יואב כל הברים, והוא שם מחוז, ובה מקומות רבות ואנשים מרובים: **ויקהלו.** משבטי ישראל ואנשי הברים, נקהלו ויבואו אחרי יואב: (טו) **עליו.** על שבע בן בכרי: **וישפכו סוללה.** דרך כובשי עיר, לשפוך עפר מול החומה, לעשות תל גבוה, ועולים עליה להלחם עם העיר, ועל שם שכובשים אותה במקלות וברגלי בני אדם, קרויה סוללה, מלשון מסילה: **ותעמוד בחל.** אחרי זה קרבה עדת המלחמה אל העיר, ועמדה על החל, והיא החומה הנמוכה שאצל הגבוה, כמו (איכה ב, ח), חל וחומה: **משחיתים.** התחילו להשחית החומה, כי קרבו אליה לעמוד על החל:

מצודת ציון

(יב) **המסלה.** דרך הכבושה: (יג) **הוגה.** הוסר, כמו (ישעיהו כז, ח), הגה ברוחו הקשה: (טו) **ויצורו.** מלשון מצור:

With his right hand, Joab drew Amasa close to kiss him, so that Amasa had no reason to suspect that anything was amiss.

10. Since a warrior usually holds his sword in his right hand — and Joab's right hand was "lovingly" hugging his *brother* Amasa — the victim was entirely unprepared for his cousin's assault.

אֶל־הַחֹמֶשׁ — *Into his fifth rib.* See commentary to 2:23.

11. One of Joab's attendants stood over Amasa to prevent people from staring at the gory sight, and to urge them to go forward (*Radak*).

מִי אֲשֶׁר חָפֵץ בְּיוֹאָב וּמִי אֲשֶׁר־לְדָוִד — *Whoever approves of Joab and whoever is for David.* There were undoubtedly many men — especially from Amasa's force — who felt revulsion at Joab's dastardly behavior. Had the people been able to stand

Joab kills Amasa and assumes command

hold of Amasa's beard, to kiss him. [10]*Amasa was not vigilant of the sword in Joab's [left] hand, and he struck him with it, into his fifth rib, and spilled his innards out onto the ground; he did not [need to] repeat [the blow], and he died. Joab and his brother Abishai then took up the chase after Sheba son of Bichri.*

[11]*A man, one of Joab's attendants, stood over [Amasa] and said, "Whoever approves of Joab and whoever is for David, follow Joab."* [12]*But Amasa was wallowing in blood in the middle of the road, and the man saw that all the people stood still; so he moved Amasa from the road into the field, and threw a garment over him, when he saw that everyone who came to it stood still.* [13]*Once he was removed from the road, all the men passed and followed Joab, to chase after Sheba son of Bichri.*

[14]*He passed through all the tribes of Israel, to Abel and to Beth-maacah and to all the Berites; they gathered together, and they too followed him.* [15]*They came and besieged him at Abel-beth Maacah; they poured a ramp against the city until it remained secure through the inner wall, and all the people who were with Joab began demolishing, to topple the main wall.*

---

and see what the jealous Joab had done, and to discuss it, many more would have been outraged, so Joab's attendant urged them to hurry to the main task at hand — the defeat of Sheba and the salvation of David's reign. Joab's soldier proclaimed that there was no time for quibbling, and that all the soldiers — whether they considered themselves followers of Joab or they were simply loyal to David — should acknowledge that the king's future was now in Joab's hands. Everyone had to unite and follow Joab's leadership in the battle against Sheba's insurrection.

12. Despite the urgings of Joab's attendant, the crowd that gathered around Amasa's body were stunned by the grisly sight, and remained standing there, so the attendant moved the body from the road into a field and covered it (*Radak*). He was undoubtedly afraid that if the onlookers continued to congregate and discuss Joab's act, they might turn violently against Joab.

14-22. A wise woman saves her city and ends Sheba's insurrection. Joab's army trapped Sheba in a fortified city and besieged it. They were on the verge of attacking the city, when a woman both saved her townspeople and ended the rebellion.

14. וַיַּעֲבֹר בְּכָל־שִׁבְטֵי יִשְׂרָאֵל — *He passed through all the tribes of Israel.* The verse does not identify who *passed through.* According to *Rashi* and *Radak,* Sheba passed throughout Israel to incite the populace against David. According to an alternative interpretation of *Radak* and of *Abarbanel,* the subject of the verse is Joab, who went throughout the country enlisting people to fight against Sheba (*Radak*).

אָבֵלָה — *To Abel.* If the verse is speaking about Sheba, he went to Abel, which was fortified, in search of safety from Joab's force. If the subject is Joab, he knew that Sheba was hiding in Abel, and Joab went to confront him there and defeat him.

Verse 15 implies that *Abel* and *Beth-maacah* were two names for the same place (*Ralbag*). *Radak*, however, comments that they were two different cities, and that Abel in verse 15 was a different town by the same name. *Daas Sofrim* suggests that they were two adjacent towns that expanded and eventually merged into one.

The place is mentioned again in *I Kings* 15:20, where it is clearly one city, and where the context indicates that it was located in the far north of the country. *Radak* and *Ralbag*, however, write that it was in Benjamite territory.

וְכָל־הַבֵּרִים — *And to all the Berites*. This refers to a group of towns in the area of Beeroth of Benjamin (see above, 4:2) (*Radak*), or to the people of the town of Beeroth (*Ralbag*).

וַיָּבֹאוּ אַף־אַחֲרָיו — *And they too followed him*, i.e., either the citizens of the nearby towns were supporters of Sheba and they joined him in Abel, or the people of these towns followed Joab in support of his pursuit of Sheba.

15. Joab's men came and besieged Sheba. There are three ways to conquer a walled city. It could be besieged until the inhabitants ran out of food and water and were forced to surrender; the attackers could build an earthen ramp next to the wall so that they could ascend to the top of the wall and enter the city, which is how the Romans conquered the impregnable Masada; or they could try to demolish the wall

וַתַּעֲמֹד בַּחֵל — *It remained secure through the inner wall*. Most commentators base their interpretations on understanding the word חֵל to mean an inner wall. Cities often built two walls for extra protection; the outer one was called חוֹמָה, and the inner one חֵל. Thus, "It [the city] remained secure through the inner wall," i.e., the outer wall was breached by means of the ramp, which enabled the attackers to break through the top of the wall, but they still could not enter Abel because the inner wall remained intact. Therefore they began to demolish the remaining wall.

Abarbanel renders: "It [the mound] was stopped at the city wall" — that is, for some reason the pouring of the ramp failed to breach the city's defenses, so they abandoned it in favor of actually toppling the wall.

טז וַתִּקְרָא אִשָּׁה חֲכָמָה מִן־הָעִיר שִׁמְעוּ שִׁמְעוּ אִמְרוּ־נָא אֶל־יוֹאָב קְרַב עַד־הֵנָּה
יז וַאֲדַבְּרָה אֵלֶיךָ: וַיִּקְרַב אֵלֶיהָ וַתֹּאמֶר הָאִשָּׁה הַאַתָּה יוֹאָב וַיֹּאמֶר אָנִי וַתֹּאמֶר
יח לוֹ שְׁמַע דִּבְרֵי אֲמָתֶךָ וַיֹּאמֶר שֹׁמֵעַ אָנֹכִי: וַתֹּאמֶר לֵאמֹר דַּבֵּר יְדַבְּרוּ בָרִאשֹׁנָה
יט לֵאמֹר שָׁאֹל יְשָׁאֲלוּ בְּאָבֵל וְכֵן הֵתַמּוּ: אָנֹכִי שְׁלֻמֵי אֱמוּנֵי יִשְׂרָאֵל אַתָּה מְבַקֵּשׁ
כ לְהָמִית עִיר וְאֵם בְּיִשְׂרָאֵל לָמָּה תְבַלַּע נַחֲלַת יְהוָה: וַיַּעַן
כא יוֹאָב וַיֹּאמַר חָלִילָה חָלִילָה לִּי אִם־אֲבַלַּע וְאִם־אַשְׁחִית: לֹא־כֵן הַדָּבָר כִּי
אִישׁ מֵהַר אֶפְרַיִם שֶׁבַע בֶּן־בִּכְרִי שְׁמוֹ נָשָׂא יָדוֹ בַּמֶּלֶךְ בְּדָוִד תְּנוּ־אֹתוֹ
לְבַדּוֹ וְאֵלְכָה מֵעַל הָעִיר וַתֹּאמֶר הָאִשָּׁה אֶל־יוֹאָב הִנֵּה רֹאשׁוֹ מֻשְׁלָךְ אֵלֶיךָ
כב בְּעַד הַחוֹמָה: וַתָּבוֹא הָאִשָּׁה אֶל־כָּל־הָעָם בְּחָכְמָתָהּ וַיִּכְרְתוּ אֶת־רֹאשׁ

רש"י

(יז) האתה יואב. שנאמר בך (לקמן כג, ח), יושב בשבת תחכמוני: **(יח) דבר ידברו בראשונה לאמר.** היה לך לדבר לשלום בראשונה, אם שלום יענוך ויפתחו לך, לא היה לך להלחם עליהם: **שאול ישאלו באבל.** אם שאלו בני חילך בשלום העיר הזאת, ששמה אבל: **וכן התמו.** מיד היו בני העיר משלימים עמכם: **(יט) אנכי שלומי אמוני ישראל.** אני מבני העיר, ששלמים ונאמנים לישראל ולמלך. ומדרש אגדה (בראשית רבה לד ט, ובילקוט שמעוני, כא), סרח בת אשר היתה, אני השלמתי נאמן לנאמן, על ידי נגלה ארונו של יוסף למשה, אני הגדתי ליעקב כי יוסף חי: **(כ) חלילה חלילה לי.** חלילה למלך: **(כא) נשא ידו במלך בדוד.** במלך אפילו אינו דוד, חייב מיתה, ובדוד אפילו אינו מלך, חייב מיתה, וכל שכן במלך בדוד, כך נדרש במדרש קהלת (ט, יח): **(כב) ותבא האשה אל כל העם בחכמתה.** שנינו בתוספתא (תרומות סוף פרק, ז), אמרה להם, הואיל והוא נהרג והם נהרגין, תנוהו להם, אם היה יכול להנצל, כגון שהוא מבפנים ואתם מבחוץ, ואתם בסכנה והוא יכול להמלט, אין דוחין נפש מפני נפש להורגו בשביל הצלתכם, אבל עכשיו שגם הוא יהרג עמכם, הואיל ונהרסו החומות ואין כח להמלט, מוטב ימות לבדו ואל תמותו עמו. רבי שמעון אומר, כך אמרה להם, המורד במלכות בית דוד חייב מיתה:

רד"ק

(טז) ותקרא אשה חכמה. בדרש (מדרש שמואל לב, ג) מי היתה אשה זאת, סרח בת אשר. אמרה, דַּבֵּר יְדַבְּרוּ בָרִאשֹׁנָה, שָׁאֹל יְשָׁאֲלוּ בְּאָבֵל וְכֵן הֵתַמּוּ (פסוק יח) כאן תמו דברי תורה, כלומר תמו דברי תורה כאן שאין יודעים אותן, אני שמעתי דבר זה ממשה רבינו כשהיו באים להלחם על עיר שיהיו פותחין לשלום, שְׁלֻמֵי אֱמוּנֵי יִשְׂרָאֵל (פסוק יט) אני השלמתי נאמן לנאמן, על ידי נגלה ארונו של יוסף למשה, אני הגדתי ליעקב כי יוסף חי. ותימה הוא אם האריכה ימים כל כך סרח בת אשר אף על פי שראינו שהאריכה ימים רבים שהרי נמנית עם באי מצרים (בראשית מו, יז) ונמנית עם באי הארץ (במדבר כו, מו) והיו שנותיה אז לפחות מאתים וחמשים שנה: **(יח) דבר ידברו בראשונה.** שמעתי שהיו מדברים בראשונה וכן התמו עדיין, כלומר מאז ועד עתה כן שמענו אומרים כי בכל עיר שבאים להלחם ישאלו אם תשלים, אפילו באומות העולם, כל שכן באבל שהיא עיר גדולה והיא משלומי אמוני ישראל שאיננה מורדת במלך, ויונתן תרגם אֵידְכַּר כְּעַן וגו': **נחלת ה'.** (תרגום) אַחֲסָנַת עַמָּא דַה': **(כא) במלך בדוד.** דרשו בו (בראשית רבה צד, ט) במלך אפילו לא היה בדוד המורד בו חייב מיתה כל שכן במלך בדוד שהוא אפילו לא היה מלך המורד בו חייב מיתה, ולפי הפשט כי אף על פי שמרד אבשלום דוד היה המלך וכל המורד בו חייב מיתה ויהרג כמו שנהרג אבשלום: **(כב) בחכמתה.** לפי שהיתה העיר מבני בנימין היתה

מצודת דוד

(טז) שמעו שמעו. כפלה דבריה, כדרך הצועק בבהלה, וקראה לאנשי המלחמה שהם ישמעו לה, אשר אמריה תאמר, אמרו ליואב שיקרב אלי, ואדברה אליו: **(יח) ותאמר לאמר.** רוצה לומר, אמרה ושאלה להשיב על דבריה: **דבר וגו'.** רוצה לומר, היה לכם לדבר בראשונה לשלום, לשמוע מה יאמרו הם, כמו שכתוב בתורה (דברים כ, י), וקראת אליה לשלום: **שאול ישאלו באבל.** רוצה לומר, דע לך שאם ישאלו שאלת מה באנשי אבל, והיא אבלה: **וכן התמו.** רוצה לומר, באשר שאלו, כן היו משלימים השאלה, מבלי שנוי כלל: **(יט) אנכי שלומי אמוני ישראל.** אמרה בשם כל בני העיר, הן אנכי מעולם מבעלי השלום והנאמנים שבישראל, ולא נמצא בי מעולם מרד לשקר במלך: **אתה מבקש.** למה אתה מבקש להמית וגו', כי תמאן לשאול שאלתך, הלא שאל ונתנה לך: **ואם.** רוצה לומר, עיר גדולה, אשר קטנות סביב לה וניזונות ממנה, כי כמו שהעיירות הקטנות נקראות בנות הגדולה, כמו שכתוב (יהושע טו, מה), עקרון ובנותיה, כן נקראה הגדולה אם הקטנות: **נחלת ה'.** היא העיר שהנחיל להם המקום בנחלתם: **(כ) אם אבלע וגו'.** רוצה לומר, גם העיר גם אנשיה: **(כא) לא כן הדבר.** שאני בוחר ומבקש להמית ולהשחית, אלא פה נמצא איש וגו': **נשא ידו.** רוצה לומר, מרד במלך: **בעד החומה.** דרך החומה ממעל לה: **(כב) בחכמתה.** באמרה, אם יכבשו את העיר, יהרגו את כולם, בעבור החזיקו בידי המורד: **ויכרתו.** ולא מסרוהו חי, כי פחדו שלא יגלה לדוד ואנשיו, שגם הם היו בקשר המרד:

מצודת ציון

(יח) התמו. מלשון תם והשלמה: **(יט) תבלע.** תשחית, כמו (שם כה, ז), ובלע בהר הזה: **(כ) חלילה.** חולין וגנאי, וכפל המלה לרוב הזרות אצלו:

---

16. **אִשָּׁה חֲכָמָה** — *A wise woman*. According to the Midrash, this woman was Serah, daughter of Asher and granddaughter of Jacob (see *Genesis* 46:17). Jacob had once blessed her with a very, very long life. If the woman was Serah, she would have been at least 684 years old at this time (*Abarbanel*).

18. Our translation follows the interpretation of *Rashi* and *Mahari Kara*, which is based on *Targum*. The sense of the wise woman's statement was that she was shocked that Joab had not followed the Torah's rule that before a city is besieged it must be given a chance to surrender (*Deuteronomy* 20:10). *Rashi* adds (quoting from *Midrash Tanchuma*) that this is what the woman meant when she said, "Are you Joab?" (v. 17) — that is, "Are you the great Joab, of whom it is said (below, 23:8), 'He sits in the assembly, a man of [Torah] wisdom'? If so, you should have followed the procedure outlined in the Torah for besieging a city!"

וְכֵן הֵתַמּוּ — *For they would have made peace.* Had Joab given an ultimatum to the city, the people would have surrendered and *made peace*.

19. **שְׁלֻמֵי אֱמוּנֵי יִשְׂרָאֵל** — *The loyal, faithful people of Israel.* We are not supporters of Sheba; we are, and always have been, loyal to David.

Kabbalistically, the word שְׁלֻמֵי has the connotation of completion — from שלם, *complete*. In the ladder of spiritual

A wise woman saves her city ...

[16]*A wise woman called out from the city, "Listen! Listen! Please say to Joab, 'Come close to here, so that I may speak to you.' "* [17]*So he drew close to her, and the woman said, "Are you Joab?" He replied, "I am." She said, "Hear the words of your maidservant!" and he said, "I am listening."* [18]*She spoke [on], saying, "[Your men] should have spoken at the start, saying, 'Let them inquire in Abel [about surrender],' for they would have made peace.* [19]*I [represent] the loyal, faithful people of Israel. You are seeking to annihilate a city and a metropolis in Israel! Why will you swallow up the heritage of HASHEM?"* [20]*Joab answered and said, "Far be it, far be it from me, that I should swallow up or destroy!* [21]*The matter is not so. Rather a man from Mount Ephraim, his name is Sheba son of Bichri, has raised up his hand against the king, against David. Turn over him alone, and I will go away from the city." The woman then said to Joab, "Behold, his head will be thrown to you over the wall!"*

... by executing Sheba

[22]*In her wisdom, the woman then went to all the people and they cut off the head of*

growth and revelation, this "completion" is provided by the last of the Ten Divine Emanations [סְפִירוֹת], which is מַלְכוּת, *Kingship*. In this context, Kingship means that the Divine message contained in the Emanations has traversed the ten steps needed to reveal it to the nation, just as a king's rule is public and unchallenged. However, the completion signified by Kingship is not simply that it is number 10 on the list; if that were the case, then the other nine should also convey this message, because each of them is indispensable to the total of ten. Rather it means that in addition to its position as the last of the ten, Kingship is necessary for all the others, to complete their role in the universe, i.e., only when God's omnipotence is revealed uncontrovertibly can each of the other Emanations be said to have fulfilled its mission (*Likutei Sichos*).

עִיר וְאֵם בְּיִשְׂרָאֵל — *A city and a metropolis* (lit. *a mother*) *in Israel.* Abel is not only a city in its own right, it is also the hub of a metropolitan area, since it is surrounded by outlying towns. The towns around a large city are called בָּנוֹת, literally, *daughters*; thus, the central city is called אֵם, literally, *mother* (*Ralbag; Abarbanel*). (Interestingly, the word metropolis means "mother city" in Greek.)

Alternatively, *Mahari Kara* renders, *a city that is praised* [i.e., highly regarded] *in Israel*. The Midrash interprets the phrase as follows: You are seeking to annihilate a *city* (i.e., Abel) and a *mother in Israel* (i.e., me).

נַחֲלַת ה׳ — *The heritage of HASHEM*. We are faithful to God's chosen king, David, and as such we are the *heritage* [i.e., faithful followers] *of HASHEM* (*Abarbanel*). *Targum* renders *the heritage of* [*the people*] *of HASHEM*, i.e., this city, which was given by HASHEM as an inheritance to the people who live here (*Metzudos*).

20. חָלִילָה חָלִילָה לִי — *Far be it, far be it from me*, i.e., far be it from the king, and far be it from me [to destroy a city unjustly, without offering it a chance to make peace]! (*Rashi*, quoting the Midrash. For further explanation of this word, see the ArtScroll *Bereishis,* p. 662).

21. לֹא־כֵן הַדָּבָר — *The matter is not so.* You have judged me wrongly. My siege is not meant against the entire city. There is a traitor among you, and it is only him that I seek (*Abarbanel*).

Alternatively, you are not all *loyal, faithful people of Israel* as you claim (v. 19), for you are harboring the chief traitor. This was Joab's reply to her charge that he was remiss in not giving the city a chance to surrender peacefully. He retorted that they were rebels and as such were not entitled to an offer of peace before the siege began (*Malbim*).

אִישׁ מֵהַר אֶפְרַיִם — *A man from Mount Ephraim*. Sheba's tribe was Benjamin, not Ephraim, but the mountain range known as Mount Ephraim extended into Benjamin's territory. (See *Judges* 4:5 and *I Samuel* 1:1.)

בַּמֶּלֶךְ בְּדָוִד — *Against the king, against David*. He would be liable to the death penalty for defying the king of Israel, even if that king would have been someone else, and he would be liable to severe punishment for rebelling against David even if he were not the king of Israel, because of his stature as a great Torah scholar (*Rashi*, quoting from *Koheles Rabbah*). In his Introduction to *Mishneh Torah*, *Rambam* lists David as the primary Torah authority of his generation.

☙ The halachah derived from this incident. The *Tosefta* (*Terumos* 7:23; see also *Talmud Yerushalmi*, *Terumos* 8:4) derives a halachic conclusion from the wise woman's conduct:

If a group of people is approached by non-Jews who say, "Hand over one person to be killed, or we will kill you all" — they may not hand anyone over, but must allow themselves to be killed. But if the [non-Jews] demand a specific individual, he may be handed over, as in the case of Sheba son of Bichri.

In our case, Sheba was liable to the death penalty because he was a rebel against the throne. According to one view, it is only in such a case that the person may be handed over to the enemy, but if he were guiltless, it would not have been permitted to send him to his death. The other view holds that even if he had not committed a capital offense, as long as the enemy specified whom they wanted, it would be permitted to save everyone else by turning him over (*Talmud Yerushalmi* ibid.). *Rambam* (*Hil. Yesodei HaTorah* 5:5) rules that the law applies only if the fugitive is liable to the death penalty, but other commentators disagree. *Rema* (*Yoreh Deah* 157:1) cites both opinions.

22. בְּחָכְמָתָהּ — *In her wisdom*. Since the city was in Benjamite territory (see comment to v. 14) and Sheba was their kinsman,

שֶׁבַע בֶּן־בִּכְרִי וַיַּשְׁלִכוּ אֶל־יוֹאָב וַיִּתְקַע בַּשּׁוֹפָר וַיָּפֻצוּ מֵעַל־הָעִיר אִישׁ לְאֹהָלָיו
כג וְיוֹאָב שָׁב יְרוּשָׁלַם אֶל־הַמֶּלֶךְ: וְיוֹאָב אֶל כָּל־הַצָּבָא יִשְׂרָאֵל וּבְנָיָה
כד בֶּן־יְהוֹיָדָע עַל־°הכרי [°הַכְּרֵתִי ק] וְעַל־הַפְּלֵתִי: וַאֲדֹרָם עַל־הַמַּס וִיהוֹשָׁפָט בֶּן־
כה־כו אֲחִילוּד הַמַּזְכִּיר: °ושיא [°וּשְׁוָא ק] סֹפֵר וְצָדוֹק וְאֶבְיָתָר כֹּהֲנִים: וְגַם עִירָא הַיָּאִרִי
כא א הָיָה כֹהֵן לְדָוִד: וַיְהִי רָעָב בִּימֵי דָוִד שָׁלֹשׁ שָׁנִים שָׁנָה אַחֲרֵי שָׁנָה

רש"י

(כג) **ויואב אל כל הצבא.** אף על פי שאמר דוד על עמשא (לעיל יט, יד), כי שר צבא אשימך תחת יואב, עכשיו שמת עמשא, לא זז יואב ממקומו, ועל ידי יואב הוזקק למנות את חביריו: (כו) **עירא היארי.** תרגם יונתן, עירא יאירא דמן תקוע. וכן הוא קרוי בספר הזה (לקמן כג, כו), עירא בן עיקש התקועי. ו'יאירי' נקרא, על שם ששנינו במנחות (פה, ב), תקוע אלפא לשמן, ששמן זית מצוי לשם, שממנו מדליקין הנרות: **היה כהן לדוד.** לו היה נותן כל מתנות כהונה שלו, כך אמרו רבותינו (עירובין סג, א). ופשוטו של מקרא, שעשאו שר ושופט:

רד"ק

צריכה לפתותם בדברי חכמה שיהרגו שבע בן בכרי לבדו ואל יהרגו כלם, אמרה להם הנה העיר קרובה להכבש ויואב יחשוב אותנו כולנו כמורדים במלכות ואחר שיכבוש העיר בחזקה ולא נשלם עמו יהרוג כולנו, כי המורד במלכות חייב מיתה שנאמר כָּל אִישׁ אֲשֶׁר יַמְרֶה אֶת פִּיךָ וגו׳ יוּמָת (יהושע א, יח) וכן אמרו תְּנוּ אֶת הָאֲנָשִׁים ... וּנְמִיתֵם (שופטים כ, יג) אלא ששאול מחל על כבודו ואף על פי שאין כבודו מחול הוא צוה שלא יומתו, ואפילו בדברי זקנים שנאמר הֵן לְמוֹת הֵן לִשְׁרֹשִׁי הֵן לַעֲנָשׁ נִכְסִין וְלֶאֱסוּרִין (עזרא ז, כו), ובדברי רז״ל (תוספתא תרומות ז, כ) סיעה של בני אדם שאמרו להם תנו לנו אחד מכם ונהרוג אותו ואם לאו הרי אנו הורגים את כלכם יהרגו כלם ואל ימסרו להם נפש אחת, ואם ייחדוהו להם כגון שייחדו לשבע בן בכרי יתנוהו להם ואל יהרגו כולם, אמר רבי יהודה אימתי בזמן שהוא מבפנים והם מבחוץ כמו שעשו בני יהודה בשמשון (שופטים טו, יג), פירוש שהיה יכול להמלט שמשון שהיה מבפנים בסלע לפיכך לא נתנוהו אלא מדעתו, אבל הוא והם מבפנים הואיל והוא נהרג והם נהרגין יתנוהו להם ואל יהרגו כולם כגון שהוא אומר וַתָּבֹא הָאִשָּׁה אֶל כָּל הָעָם בְּחָכְמָתָהּ, אמרה להם הואיל והוא נהרג והם נהרגין תנוהו להם ואל תהרגו כלכם, רבי שמעון אומר כך אמרה להם כל המורד במלכות בית דוד חייב מיתה. נוסחא אחרינא רבי שמעון אומר והוא שנתחייב מיתה כשבע בן בכרי, ועוד בדבריהם (בראשית רבה צד, ט) אתו אמרין ליה ליהויקים נבוכדנצר בעי לך, אמר להם אפשר כן וכי דוחין נפש מפני נפש אתון מחיין ית נפשכון וממיתים לדילי, אמרו ליה לא כן עשו אבותינו בשבע בן בכרי הִנֵּה רֹאשׁוֹ מֻשְׁלָךְ אֵלֶיךָ: (כג) **ויואב אל כל הצבא.** למעלה (ח, טז־יח) כתוב גם כן מספר השרים אשר לו כשהניח ה׳ לו מכל המלחמות ואפסו כל בית שאול ומלך על כל ישראל ספר כל השרים אשר לו, ועתה כאשר שב אל מלכותו שמת אבשלום ומת שבע בן בכרי שחשב למרוד בו להסיר המלוכה ממנו ספר גם כן השרים אשר לו כאילו עתה תחילת מלכותו, ומה שאמר אֶל כָּל הַצָּבָא מה שלא אמר כן במקום אחר לפי שהיה בלב דוד להסירו ולשום במקומו עמשא או בכל הצבא או במקצתו, והנה עתה מת עמשא ויואב הרג שבע בן בכרי שהיה מורד במלכותו נתגאה יואב בזה הדבר כנגד דוד ולא יכול דוד להשיבו ומנהו על כל הצבא ושמר לו עוונו עד אחר מותו: **על הכרי ועל הפלתי.** כן כתיב וקרי הַכְּרֵתִי והם קרובים בלשון, וכבר פרשנו (לעיל ח, יח) מי הם ודעת יונתן גם כן שתרגם קַשְׁתַיָּא וְקַלָעַיָּא: (כד) **על המס.** להעלות מס על ישראל כשהיה צריך לתת לחייליו או לעשות רצונו כי הוא משפט המלוכה כמו שכתוב וְאַתֶּם תִּהְיוּ לוֹ לַעֲבָדִים (לעיל־א ח, יז) ופירשו רז״ל שיוכל להטיל עליהם מס כתיב הכא לעבדים וכתיב התם יִהְיוּ לְךָ לָמַס וַעֲבָדוּךָ (דברים כ, יא), ולמעלה (ח, טז־יח) לא כתב שר על המס כי היה תחלת מלכותו ולא היה מטיל מס על ישראל עדיין: **המזכיר.** תרגום מְמַנָּא עַל דוּכְרָנַיָּא, כלומר על ספר הזכרונות: (כה) **כהנים.** שרי הכהונה, אף על פי שנסתלק אביתר (לעיל טו, כד) לא נסתלק מכל וכל מהכהונה עד שמלך שלמה וגרשו (מלכים־א ב, כז): (כו) **וגם עירא היארי.** תרגום יונתן וְאַף עִירָא דְמִתְּקוֹעַ, הוא עירא הנמנה עם הגבורים שנאמר עליו עִירָא בֶן עִקֵּשׁ הַתְּקוֹעִי (לקמן כג, כו), אם כן היאירי הוא שם משפחתו כי אביו או זקנו היה שמו יאיר, ועוד יש לפרש כי קראו יאיר לפי שהיה מתקוע והיה תקוע רבת השמן כמו שכתבנו בדבר התקועית (לעיל יד, ב), והשמן נקרא יִצְהָר (במדבר יח, יב), ויאיר ויצהר אחד הוא: **היה כהן לדוד.** כתרגומו הֲוָה רַב לְדָוִד כלומר גדולו ובעל עצתו, וכן אמר בשלמה וְזָבוּד בֶּן נָתָן כֹּהֵן רֵעֶה הַמֶּלֶךְ (מלכים־א ד, ה) וכבר זכר הכהנים, אלא כהן רצה לומר גדולו ובעל עצתו כמו שכתוב רֵעֶה הַמֶּלֶךְ, כן בכאן זכר כהן אחר הזכר הכהנים, אם כן רצה לומר גדולו ובעל עצתו, ועוד שאמר לְדָוִד ואם כהן כמשמעו כן היה כהן לכל ישראל למה אמר לדוד, וכן אמר וּבְנֵי דָוִד כֹּהֲנִים הָיוּ (לעיל ח, יח) שפירושו שרים וגדולים כמו שפירשנו (שם), ורז״ל פירשוהו (עירובין סג, א) כהן ממש ומלת וְגַם מסייע לדבריהם, ופירשו כֹּהֵן לְדָוִד פירוש שהיה מכירו ונותן לו מתנות כהונה היוצאים מביתו, ודרשו סמוכים ואמרו כל המשגר מתנות לכהן אחד מביא רעב לעולם שנאמר וְגַם עִירָא הַיָּאִרִי הָיָה כֹּהֵן לְדָוִד, וכי לדוד היה כהן לכולי עלמא לא היה כהן, אלא שהיה משגר לו כל מתנותיו וכתיב וַיְהִי רָעָב בִּימֵי דָוִד:

מצודת דוד

ויתקע. לסימן שילכו מן העיר: (כג) **אל כל הצבא.** לפי שרצה דוד להעמיד את עמשא תחתיו להיות שר הצבא, ולזה אמר כאשר הומת עמשא, נשאר יואב בשררותו על כל הצבא, כמו שהיה: **ובניה.** אף שכבר חשבו למעלה, חשבו כאן, על כי חשב שאר השרים: (כד) **על המס.** לגבות המס מישראל, ועל שמרדו בו בעצת אבשלום, ראה להטיל עליהם מס: **המזכיר.** היה ממונה על ספר הזכרונות: (כה) **כהנים.** רוצה לומר, שרי הכהנים, צדוק היה ממונה לכהן גדול לשמש בימי שלמה, ואביתר היה סגן, במקום בנו אחימלך הנזכר למעלה: (כו) **וגם עיר וגו׳.** גם הוא היה שר לדוד ובעל עצתו, נוסף על האמורים למעלה, כמו (לעיל ח, יח), ובני דוד כהנים היו. או שהעמידו למשוח מלחמה במקום צדוק, כשישמש בכהונה גדולה בימי שלמה. ובדברי רבותינו ז״ל (עירובין סג, א), שהיה משגר לו מתנותיו:

מצודת ציון

(כב) **ויפצו.** ענין פזור:

a good deal of persuasion was necessary to convince the townsmen to hand him over (*Radak*).

What words of wisdom did the woman use to convince the people of the city to hand him over? *Rashi* paraphrases the *Tosefta*: She said to them, "If he were able to escape but we were in danger, it would be forbidden for us to hand him over to save ourselves. But since we, as well as Sheba, are in danger of being killed — because we would be regarded as rebels against the king for harboring Sheba — we are permitted to turn him over." According to another opinion in *Tosefta*, the woman simply explained to the townspeople that Sheba was in fact deserving of the death penalty for having rebelled against the kingship of David (*Rashi; Radak*). For the halachic ramifications of this matter, see below.

Mahari Kara (based on the Midrash) suggests that she used a different approach in convincing the people to surrender Sheba. She told them that Joab demanded a hundred citizens to be executed, and they promptly told her that this was out of the question. She pretended to negotiate with Joab again and again until she "bargained him down" to a demand only for

Sheba son of Bichri and threw it to Joab. He sounded the shofar and they all disbanded from the city, every man to his tents. And Joab then returned to Jerusalem, to the king.

The leaders of David's court

[23]Joab was [commander] of the entire army of Israel; with Benaiah son of Jehoiada over the archers and the slingers; [24]Adoram over the tax; Jehoshaphat son of Ahilud the chronicler; [25]Sheva the scribe; Zadok and Abiathar the Kohanim; [26]and also Ira the Jairite was a Kohen unto David.

21

THE THREE-YEAR FAMINE
21:1-14

[1]In the days of David there was [once] a famine for three years, year after year.

Sheba. Gratified with their success, the people consented.

וַיִּכְרְתוּ אֶת־רֹאשׁ שֶׁבַע — *They cut off the head of Sheba*. Joab had demanded that Sheba be delivered alive; why did the townsmen execute him? Perhaps they feared that Joab's troops would torment Sheba before executing him and they wished to spare him this agony (perhaps at his own request). Alternatively, they were afraid that Sheba, in revenge for being handed over, would implicate them in his rebellion, and thereby put them all in mortal danger (*Abarbanel*).

With the end of Sheba's rebellion, Joab *sounded the shofar*, to proclaim an end to the siege.

23-26. The list of David's officers. Although David's chief officers were enumerated once before (above, 8:16-18) this list is repeated here, with some minor changes. It was originally presented when David became king over all of Israel. Now, when David's kingship was reinstated, in a sense, after the rebellions of Absalom and Sheba, the officers are named again (*Radak*). Alternatively, the list is repeated because Joab was newly appointed as commander of the army after having been replaced by Amasa. Once this information is recorded, the entire list from Chapter 8 is repeated.

It is remarkable that thirty years after these officials were originally named, the list is virtually unchanged.

23. Although David had replaced Joab with Amasa, now that Amasa was dead, it was necessary once again to find a suitable army commander (see *Rashi*). But why would the king choose Joab, whom he despised for killing Absalom, especially after he had also murdered Amasa? *Radak* explains that after Joab's spectacular handling of the Sheba affair, David felt he had no choice but to reinstate him as commander. Eventually, however, David instructed Solomon to punish Joab for his barbaric and treacherous acts (*I Kings* 2:5-6).

Malbim suggests that David would have wanted to appoint Benaiah, as Solomon later did, but Joab had returned in triumph from his pursuit of Sheba, and he was so popular with the people that David could not afford to alienate him. Once before (3:39), David had lamented that he lacked the strength to deal with Joab as he deserved.

עַל־הַכְּרֵתִי וְעַל־הַפְּלֵתִי — *Over the archers and the slingers*. See commentary above, v. 7.

24. וַאֲדֹרָם עַל־הַמַּס — *Adoram over the tax*. This position was not mentioned in ch. 8. *Radak* explains that at the beginning of his reign, David did not yet have the need to levy taxes.

25. Sheva the scribe is identical with Seraiah in 8:17 (*Abarbanel*).

Both *Zadok and Abiathar* were *Kohanim*. Although according to the Sages Abiathar had been dismissed as Kohen Gadol (see commentary to 15:24), the dismissal did not take effect until after David's death (*Radak*).

26. עִירָא הַיָּאִרִי הָיָה כֹהֵן לְדָוִד — *Ira the Jairite was a Kohen unto David*. Others translate *a senior officer* (*Targum*), as above 8:18. If Ira was an officer, his title "the Jairite" can be understood to indicate that he was a descendant of Jair son of Manasseh. If he was a Kohen, however, he could not have been from Manasseh (for Kohanim descend from Levi). If so, we must assume that *Jairite* is some sort of surname, perhaps deriving from the name of an ancestor (*Radak*). Or perhaps related to the word יָאִיר, *glowing*, for Ira's hometown of Tekoa was well known for its olive oil (see above, 14:2) (*Rashi*; *Abarbanel*). In fact, *Targum* (in the more accurate editions) translates הַיָּאִירִי (*the Jairite*) as *from Tekoa*.

If Ira was actually a Kohen, why is he referred to as *a Kohen unto David*? Was he not a Kohen for the rest of the nation as well? The Talmud (*Eruvin* 63a) explains that David would always give his priestly portions to Ira, so that he was regarded as David's "personal Kohen." David is criticized for this behavior, because it is considered to be more proper to give one's priestly portions to several different Kohanim. Apparently David felt that Ira was especialy deserving.

Radak notes that the word *also* in the beginning of the verse would seem to indicate that Ira's position was similar to that of the men mentioned previously — i.e., that he was an actual Kohen.

21.

The last four chapters of the Book recount several events during David's reign, many of which caused him considerable anguish. These events are not presented in chronological order (see *Rashi* to v. 18, *Mahari Kara* to v. 15). Rather, as will be noted in the course of the commentary, they are grouped according to the subjects they discuss. For example, this chapter begins with a long drought. Since it follows the report that David's "personal" Kohen was Ira (which the Sages interpret to mean that David gave his priestly gifts exclusively to Ira [see above]) the Sages comment that the nation's prosperity is negatively effected by a failure to distribute priestly gifts fairly to more than one Kohen. If someone gives exclusively to only one, thus depriving others of their livelihood, it is fitting that he should be deprived of his own livelihood.

1. וַיְהִי רָעָב בִּימֵי דָוִד — *In the days of David there was* [*once*] *a famine*. According to *Pirkei d'Rabbi Eliezer*, this famine began a year after Saul's death. However, *Rashi* (to *Yevamos* 79a, s.v. תריסר) comments that it took place approximately thirty years into David's reign, which implies that the famine preceded the

וַיְבַקֵּשׁ דָּוִד אֶת־פְּנֵי יְהֹוָה וַיֹּאמֶר יְהֹוָה אֶל־שָׁאוּל וְאֶל־בֵּית הַדָּמִים עַל־

רש״י

(א) אל שאול. על עון שאול שנקבר פתאום בהחבא, שגנבוהו אנשי יבש גלעד וקברוהו, ולא נספד לפי כבודו: **ואל בית הדמים.** שהרג נוב עיר הכהנים:

רד״ק

(א) ויבקש דוד את פני ה׳. יש לשאול מפני מה לא בקש עד השנה השלישית פירש רבינו סעדיה גאון ז״ל שנה ראשונה חשב מקרה הוא כדרך העולם, שניה חשב כי בעון פסל מיכה היה ובער כל מה שמצא, כשהיה רעב בשנה השלישית ידע כי עון אחר היה ובקש את פני ה׳ לדעת מה זה. ויש לשאול אנה הרג שאול את הגבעונים, ונשיב כי בהכותו נוב עיר הכהנים היו שם הגבעונים עמהם חוטבי עצים ושואבי מים, והרגום הכהנים. ומה שכתוב וְהַגִּבְעֹנִים לֹא מִבְּנֵי יִשְׂרָאֵל הֵמָּה כִּי אִם מִיֶּתֶר הָאֱמֹרִי (פסוק ב) לפי שהכהנים מחלו על דם אחיהם והם לא רצו למחול, ומה שכתוב יֻתַּן לָנוּ שִׁבְעָה אֲנָשִׁים מִבָּנָיו (פסוק ו) לפי שלא נשארו מן ההורגים אלא אלו השבעה ועליהם אמר וְאֶל בֵּית הַדָּמִים, ואמרו אֵין לָנוּ כֶּסֶף וְזָהָב עִם שָׁאוּל (פסוק ד) אין אנו רוצים לקחת ממון אלא נפשות בעבור הנפשות שהרגו ונשיאי העדה נשבעו להם, ומה שכתוב וַיַּחְמֹל הַמֶּלֶךְ עַל מְפִיבֹשֶׁת פירש רב סעדיה גאון וישמח, כי מפיבשת לא היה מן ההורגים כי קטן היה כמו שכתב הכתוב (לעיל ד, ד) כי בן חמש שנים היה בבוא שמועת שאול ויהונתן, לפיכך פירש וַיַּחְמֹל וישמח, כמו וְחָמַלְתִּי עֲלֵיהֶם כַּאֲשֶׁר יַחְמֹל אִישׁ עַל בְּנוֹ הָעֹבֵד אֹתוֹ (מלאכי ג, יז), כי הבן העובד אין צריך חמלה אלא אדם שמח בבנו העובד אותו וכן פירש וַיַּחְמֹל וישמח, ושמח עליו שלא נכשל בדבר על הברית והשבועה שהיה בינו ובין יהונתן וכי היה אוהבו מאד לפיכך שמח על בנו שלא נכשל בזה הדבר ונצל ממיתה זו. ומה שלא הורידו אותם מהעצים כמצות התורה לֹא תָלִין נִבְלָתוֹ עַל הָעֵץ (דברים כא, כג), פירש כי המלך צוה לתלותם וחשב המלך כי הורידום בערב מהעצים ולא עשו כן, כי אמרו המלך צוה לתלותם והוא יצוה להורידם, אך כאשר עברו ימי הקציר ובאו ימי הגשמים בקשו מהמלך שיצוה להורידם בעבור צדקת רצפה שהיתה שומרת עליהם ולא נתנה עוף השמים לנוח עליהם. ומה שכתוב חֲמֵשֶׁת בְּנֵי מִיכַל (פסוק ח) בני מירב היו אלא שגדלה אותם מיכל ונקראו על שמה, ומוכיח זה אֲשֶׁר יָלְדָה לְעַדְרִיאֵל (שם) ומיכל לא היתה אשת עדריאל אלא מירב היתה אשתו כמו שנאמר אֲשֶׁר נִתְּנָה לְעַדְרִיאֵל הַמְּחֹלָתִי (לעיל־א יח, יט), אלה השאלות והתשובות כך סידרן רבינו סעדיה גאון ז״ל. ומה שפירשו רבותינו ז״ל (יבמות עח, ב) בענין זה זהו שנה ראשונה אמר להם דוד לישראל שמא עובדי עבודת גילולים יש בכם דכתיב וַעֲבַדְתֶּם אֱלֹהִים אֲחֵרִים וְהִשְׁתַּחֲוִיתֶם וגו׳ וְעָצַר אֶת הַשָּׁמַיִם (דברים יא, טז־יז) בדקו ולא מצאו, שנייה אמר להם שמא עוברי עבירה יש בכם דכתיב וַיִּמָּנְעוּ רְבִבִים וּמַלְקוֹשׁ לוֹא הָיָה וּמֵצַח אִשָּׁה זוֹנָה הָיָה לָךְ (ירמיה ג, ג), בדקו ולא מצאו, שלישית היה רעב אמר אין הדבר תלוי אלא בי, מיד וַיְבַקֵּשׁ דָּוִד אֶת פְּנֵי ה׳ מאי היא ששאל באורים ותומים: **ויאמר ה׳ אל שאול ואל בית הדמים.** אל שאול שלא נספד כהלכה ואל בית הדמים שהמית את הגבעונים (יבמות שם), והיכן מצינו שהמית שאול את הגבעונים, אלא מתוך שהרג נוב עיר הכהנים שהיו מספיקים להם מים ומזון מעלה עליו הכתוב כאילו הרגם, אמר דוד שאול נפקו ליה תריסר ירחי שתא ולאו אורח ארעא למספדיה גבעונים נקרינהו ונפייסינהו מיד וַיִּקְרָא הַמֶּלֶךְ לַגִּבְעֹנִים: **יותן לנו שבעה אנשים מבניו.** אמר דוד שלשה סימנין יש באומה זו ישראל רחמנים וביישנים וגומלי חסדים, רחמנים דכתיב וְנָתַן לְךָ רַחֲמִים וגו׳ (דברים יג, יח), ביישנים דכתיב (למען) [וּבַעֲבוּר] תִּהְיֶה יִרְאָתוֹ עַל פְּנֵיכֶם לְבִלְתִּי תֶחֱטָאוּ (שמות כ, יז), גומלי חסדים דכתיב כִּי יְדַעְתִּיו לְמַעַן אֲשֶׁר יְצַוֶּה וגו׳ (בראשית יח, יט), כל שיש בו שלשה סימנים הללו ראוי לקרבו, וכל שאין בו שלשה סימנים אלו אין ראוי לידבק באומה זו, מיד גזר עליהם שלא יבואו בקהל שנאמר וְהַגִּבְעֹנִים לֹא מִבְּנֵי יִשְׂרָאֵל הֵמָּה, ואף על פי שיהושע גזר עליהם שלא לבא בקהל, יהושע לא גזר עליהם אלא כל זמן שבית המקדש קיים, כמו שאומר לְבֵית אֱלֹהָיו (יהושע ט, כז), בא דוד וגזר עליהם לעולם, כמו שכתוב בספר עזרא (נחמיה יא, כא) כי הנתינים היו מתאחדים וקראם נתינים לפי שנתנו לעבודה ולא לבא בקהל, וכן כתוב וּמִן הַנְּתִינִים שֶׁנָּתַן דָּוִיד וְהַשָּׂרִים לַעֲבֹדַת הַלְוִיִּם (עזרא ח, כ): **ויקח המלך את שני בני רצפה בת איה.** מאי שנא הני, אמר רב הונא שהעבירום לפני הארון כל שהארון קולטו למיתה, והא כתיב וַיַּחְמוֹל הַמֶּלֶךְ עַל מְפִיבֹשֶׁת שלא העבירו לפני הארון, וכי משוא פנים יש בדבר אלא שבקש רחמים שלא יקלטנו הארון, והא כתיב לֹא יוּמְתוּ אָבוֹת עַל בָּנִים וּבָנִים לֹא יוּמְתוּ עַל אָבוֹת (דברים כד, טז) ולמה המיתו הבנים בעון שאול, אמר רבי יוחנן מוטב שתעקר פרשה אחת מן התורה ולא יתחלל שם שמים בפרהסיא, כלומר שנשבעו להם נשיאי העדה בימי יהושע: **עד נתך מים עליהם.** והא כתיב לֹא תָלִין נִבְלָתוֹ עַל הָעֵץ (שם כא, כג), אמר רבי יוחנן מוטב שתעקר פרשה אחת מן התורה ויתקדש שם שמים בפרהסיא, שהיו עוברין ושבין אומרים מה טיבן של אלו בני מלכים מה עשו פשטו ידיהם בגרים גרורים, מה היו אומרים אין לך אומה ראויה להדבק בה אלא זו, מיד נתוספו על ישראל מאה וחמשים אלף דכתיב וַיְהִי לִשְׁלֹמֹה שִׁבְעִים אֶלֶף נֹשֵׂא סַבָּל וּשְׁמֹנִים אֶלֶף חֹצֵב בָּהָר (מלכים־א ב, כט) וכתיב וַיִּמָּצְאוּ מֵאָה וַחֲמִשִּׁים אֶלֶף גֵּרִים (דברי הימים־ב ב, טז) ואמרו (ירושלמי קידושין ד, א) גדול קדוש השם מחלול השם בחלול השם כתיב לֹא תָלִין נִבְלָתוֹ עַל הָעֵץ ובקדוש השם כתיב ויהיו תלויים מִתְּחִלַּת קָצִיר עַד נִתַּךְ מַיִם עֲלֵיהֶם מלמד שהיו תלויים משישה עשר בניסן עד שבעה עשר במרחשון, ועוד אמרו (שם) למה בקשו ממנו שבעה אנשים כי שבעה אנשים הרגו מהגבעונים עם הכהנים שני חוטבי עצים ושני שואבי מים ושמש וחזן וסופר, ולפי פשט הפסוקים נראה כי לא נאמר דבר הגבעונים על נוב עיר הכהנים שהרגם שאול בכלל הכהנים, שהרי אמרו הָאִישׁ אֲשֶׁר כִּלָּנוּ וַאֲשֶׁר דִּמָּה לָנוּ (פסוק ה) נראה כי להם לבדם כלה ודמה, ועוד שאמר בְּקַנֹּאתוֹ (לבית) [לִבְנֵי] יִשְׂרָאֵל וִיהוּדָה שגזר שלא יהיו הגבעונים חוטבי עצים ושואבי מים לבית ה׳ כי אמר מוטב שיהיו מישראל שמשים לפני ה׳, ועוד מפני שרמו את ישראל וגנבו את דעתם ובטעות נשבעו להם נשיאי העדה, וקנא שאול בדבר זה והרג מהם וגירש מהם הנשארים שלא ישבו בארץ ישראל, וזהו שאמר נִשְׁמַדְנוּ מֵהִתְיַצֵּב בְּכָל גְּבֻל יִשְׂרָאֵל, ואף על פי שנראה כי לכוונה טובה עשה זה שאול נענש על המעשה הזה כי יהושע נביא ה׳ נתנם להיות חוטבי עצים ושואבי מים לבית ה׳, וכדי לקיים השבועה שנשבעו להם לא רצה להרגם אף על פי שבטעות נשבעו להם כדי שלא יהיה בדבר חלול ה׳, כי יאמרו השומעים הנה נשבעו להחיותם ואחר כך הרגום אין שבועת ה׳ חשובה בעיניהם ויהיה בדבר חלול השם, וכל שכן בימי שאול שהרי כמה דורות היה להם שנשתקעו בישראל שהיה בהריגתם חלול השם גדול, ושאול לא חשש לחלול השם על השבועה לפיכך נענש זרעו בדבר זה. ואם תאמר מפני מה נענש זרעו במה שחטא הוא, יתכן כי אלו הבנים היו מההורגים הגבעונים, גם יתכן כי לא היו אלה השבעה מההורגים שהרי קטנים היו אז כי שאול לא מלך אלא שתי שנים ומירב נתנה לעדריאל לאשה מעת שחשב לתתה לדוד, ואם נאמר כי קודם מלכות שאול נתנה לעדריאל וחשב שאול להכריחו לגרשה לתתה לדוד זה רחוק, אבל זה העונש לא היה מידי אדם כי כשאמר הכתוב לֹא יוּמְתוּ אָבוֹת עַל בָּנִים וּבָנִים לֹא יוּמְתוּ עַל אָבוֹת (דברים כד, טז) לא אמר אלא במיתה בידי אדם שאין לבית דין לענוש האב על הבן ולא הבן על האב, אבל בידי שמים כתיב פֹּקֵד עֲוֹן אָבוֹת עַל בָּנִים וגו׳ (שמות לד, ז), והוא כשהבנים אינם צדיקים כמו שאמרו (סנהדרין כז, ב) כשאוחזין מעשה אבותיהם בידיהם, וזו המיתה אף על פי שהיתה בידי אדם במצות האל היתה והרי היא כמיתה בידי שמים, ומה שאמר וַיַּחְמֹל הַמֶּלֶךְ עַל מְפִיבֹשֶׁת (פסוק ז) כיון שלא בקשו הגבעונים אלא שבעה מבני שאול והיו בהם שבעה זולתי מפיבשת חמל עליו על השבועה אשר היתה בינו ובין יהונתן ולא נתנו בידם, ועוד כי נראה לו שהיה טוב מהאחרים ואין ראוי ליפול עליו עונש שאול זה הוא הנראה בעיני בענין הזה:

מצודת דוד

(א) ויבקש דוד וגו׳. שאל באורים: **אל שאול.** אמרו רבותינו ז״ל (יבמות עח, ב) על העון הנעשה בשאול שלא נספד לפי כבודו, שמהרו לקוברו בהחבא: **ואל בית הדמים.** ועל מה שהיו בית שאול בית הדמים, כי דם שפך, ולא מיחו בו ישראל, וחוזר ומפרש מהו הדם ששפך, ואמר על אשר המית את הגבעונים כי כשהרג כהני נוב הרג אז גם הגבעונים, שהיו בה חוטבי עצים ושואבי מים לבית ה׳ (ירושלמי סנהדרין ו, ז), אבל מה שהמית כהני נוב לא יוכלו למחות בו, באמרו שמרדו בו והיו בקושרים עם דוד:

---

rebellions of Absalom and Sheba, and took place after David's thirtieth year. Accordingly, the narratives are not in chronological order, since the story of those rebellions began in Chapter 15. *Abarbanel*, however, believes that this incident followed the rebellions, in the order that they are recorded by Scripture.

David inquired of HASHEM, and HASHEM said, "It is for Saul and for the House of Blood, for

⟢ **The famine.** There was a disastrous drought that lasted for three years and that caused a famine in the Land. David, whose life and thought processes were spiritually elevated, knew without a doubt that Divine blessing results from virtue and punishment follows transgression, and if so the drought could only be a punishment for serious sin. His first instinct was that the cause must be idolatry in the Land, and he instituted a thorough investigation — which showed that idolatry did not exist among the Jewish people. Consequently, he assumed that the drought was a natural phenomenon and he expected that it would end with the next rainy season, in the autumn. When the drought persisted for a second year, David assumed that it resulted because of sexual immorality. Again he investigated and discovered that the people were not guilty of that sin. The third year, he suspected that the cause was that people were not paying their pledges to charity. Again, this was discovered not to be the case. Then David was certain that the sin — or, at least, the failure to fulfill a responsibility — must be his. At that point, he inquired of the *Urim v'Tumim* (*Yevamos* 78b).

The above narrative indicates two things: (a) The nation as a whole was essentially righteous and free from sin. (b) When a calamity occurs, the community must investigate its conduct before seeking Divine intervention; freedom from sin must precede freedom from punishment.

⟢ **Two reasons for the famine.** According to the plain meaning of God's reply, He told David that the famine was a punishment for a sin that Saul had committed many years before. He had killed Gibeonites. The Gibeonites were part of the Amorites, one of the seven Canaanite inhabitants of *Eretz Yisrael.* Rather than make peace with Joshua, leave the country, or fight and be killed, the Gibeonites disguised themselves as people from a far-off land who had come to convert to Judaism. Believing them, Joshua and the Israelites showed them great hospitality and swore to accept and protect them. Since the oath had been obtained under false pretenses it was legally not valid. Nevertheless, when the duplicity of the Gibeonites was uncovered, Joshua insisted that the oath be honored, because it would have been a desecration of God's Name were the "oath" not to be honored. However, Joshua assigned them to be woodchoppers and water drawers for the Tabernacle (see *Joshua* ch. 9).

The Talmud (*Yevamos* 78b) interprets God's reply to consist of two reasons, as follows:

אֶל־שָׁאוּל — *It is for Saul.* Despite his shortcomings, Saul was a great and righteous man, and the nation had not mourned him sufficiently after his tragic death in battle. Furthermore, the Midrash elaborates, "Saul was anointed with the sacred anointing oil, idolatry was not tolerated during his reign, and his position in the Next World is next to none other than the prophet Samuel. For such a great man to be buried outside of *Eretz Yisrael* proper is sinful." Jabesh-gilead, where Saul's body was interred [*I Samuel* 31:12-13], is east of the Jordan. The famine was a punishment of the people of Israel for not having accorded Saul the respect that he deserved.

That David's moving eulogy over Saul (1:17-27) was considered insufficient testifies to the greatness of Saul. It may also be that David fulfilled his obligation to pay tribute to Saul, but the rest of the people did not. *Rabbi Yaakov Kamenetsky* suggests that David's eulogy for Saul was part of his dirge for Jonathan and the defeat of Israel by the Philistines. Saul should have been accorded his own eulogy.

וְאֶל־בֵּית הַדָּמִים עַל אֲשֶׁר־הֵמִית אֶת־הַגִּבְעֹנִים — *And for the House of Blood, for his having killed the Gibeonites.* The second reason for God's anger was that Saul had killed Gibeonites. Nowhere does Scripture state that Saul killed Gibeonites, but the Sages offer two explanations of what he did. (a) Since the Gibeonites were condemned by Joshua to perpetual servitude in the House of God, they were dependent for their food and basic subsistence upon the Kohanim who served in the Tabernacle, which was located at Nob during Saul's reign. Since Saul killed all these Kohanim (see *I Samuel* ch. 22), he deprived the Gibeonites of their sole source of support. Scripture considers this deprivation of their livelihood as if he had actually killed them (*Yevamos*, ibid.). (b) Saul actually killed seven Gibeonites in the course of the massacre of Nob (*Yerushalmi Sanhedrin* 6:7).

Radak and others comment that the plain meaning of this verse, as well as verses 2 and 5, seems to state clearly that Saul attempted to annihilate the Gibeonites. Accordingly, these commentators assert that Saul actually wanted to abrogate Joshua's oath and do away with the Gibeonites. Perhaps he felt that the honor of providing water and wood for the Tabernacle should belong to native Israelites; this is implied by "in his *zeal for the Children of Israel and Judah*" (v. 2). [*Mahari Kara* adds that Saul was zealous to fulfill the commandment: *From the cities of these peoples that HASHEM . . . gives you as an inheritance, you shall not allow any person to live* (*Deuteronomy* 20:16), which applied to the seven degenerate Canaanite nations, to which the Gibeonites belonged.] Saul did not feel bound by Joshua's oath to the Gibeonites since it was obtained through deception. In this, the king erred, because Joshua had decided to honor the covenant (see above), and his decision should have been honored by Saul, especially after the Gibeonites had, for so many years, lived in peace alongside the Israelites.

R' Saadiah Gaon (cited by *Radak*) writes that a great many Gibeonites were killed by Saul along with the Kohanim of Nob. Based on this, *Malbim* submits that Saul considered the Gibeonites of Nob to be traitorous, and felt that they should be eliminated from Israel. He did not fully realize this plan, but he created an atmosphere in which the Gibeonites were subjected to harrassment by the populace. It was this intolerable situation that the Gibeonites demanded to be stopped by some far-reaching, dramatic punitive measures against their tormentors.

Malbim's comment explains why the population at large was punished for Saul's sin: the nation as a whole was guilty of mistreating the Gibeonite minority. *Abarbanel* comments that by not protesting Saul's killing of the Gibeonites, the entire nation became complicit in his guilt. The punishment was measure for measure: The Gibeonites supplied water

ב אֲשֶׁר־הֵמִית אֶת־הַגִּבְעֹנִים: וַיִּקְרָא הַמֶּלֶךְ לַגִּבְעֹנִים וַיֹּאמֶר אֲלֵיהֶם וְהַגִּבְעֹנִים לֹא מִבְּנֵי יִשְׂרָאֵל הֵמָּה כִּי אִם־מִיֶּתֶר הָאֱמֹרִי וּבְנֵי יִשְׂרָאֵל נִשְׁבְּעוּ לָהֶם וַיְבַקֵּשׁ שָׁאוּל לְהַכֹּתָם בְּקַנֹּאתוֹ לִבְנֵי־יִשְׂרָאֵל וִיהוּדָה: ג וַיֹּאמֶר דָּוִד אֶל־הַגִּבְעֹנִים מָה אֶעֱשֶׂה לָכֶם וּבַמָּה אֲכַפֵּר וּבָרְכוּ אֶת־נַחֲלַת יהוה: ד וַיֹּאמְרוּ לוֹ הַגִּבְעֹנִים אֵין־°לי [°לָנוּ ק׳] כֶּסֶף וְזָהָב עִם־שָׁאוּל וְעִם־בֵּיתוֹ וְאֵין־לָנוּ אִישׁ לְהָמִית בְּיִשְׂרָאֵל וַיֹּאמֶר מָה־אַתֶּם אֹמְרִים אֶעֱשֶׂה לָכֶם: ה וַיֹּאמְרוּ אֶל־הַמֶּלֶךְ הָאִישׁ אֲשֶׁר כִּלָּנוּ וַאֲשֶׁר דִּמָּה־לָנוּ נִשְׁמַדְנוּ מֵהִתְיַצֵּב בְּכָל־גְּבֻל יִשְׂרָאֵל: ו °ינתן־ [°יֻתַּן־ ק׳] לָנוּ שִׁבְעָה

רש״י

על אשר המית את הגבעונים. כשהרג נוב עיר הכהנים, המית מהם שבעה, שני חוטבי עצים, ושני שואבי מים, ושמש וחזן וסופר, כך מפורש בגמרא ירושלמית בסנהדרין. ורבותינו אמרו, מתוך שהרג את הכהנים שהיו מספיקין להם מזון, העלה עליו הכתוב כאלו המיתם. ואל תתמה שהרי היה הקב״ה תובע כבודו ותובע סרחונו, שכך כתוב (צפניה ב, ג), אשר משפטו פעלו באשר משפטו, שם פעלו כך שנינו ביבמות (עח, ב): **(ב) ויאמר אליהם.** דברי ריצוי, שיעברו על מדותיהם וימחלו לשאול ולביתו: **והגבעונים לא מבני ישראל המה.** כלומר והן הראו בעצמם מדת אכזריות, שאינן מזרעו של אברהם אבינו, ואינן ראויין לידבק בישראל, ולכך גזר עליהם דוד שלא יבואו בקהל, אמר, שלשה סימנים יש באומה זו, רחמנים וביישנים וגומלי חסדים, מי שיש בו שלשה סימנים הללו, ראוי לידבק בו: **נשבעו להם.** בימי יהושע כשנתנום חוטבי עצים ושואבי מים למזבח (יהושע ט, טו): **בקנאתו לבני ישראל.** בתתו לב לנקות ולטהר את ישראל ולעשות צרכיהם, בקש להרגם. וקנאה זו לטובה, כמו (במדבר יא כט,) המקנא אתה לי; וכן (מלכים־ב י, טז), בקנאתי לה׳ דיהוא זהו פשוטו. ולפי מדרשו, לא אמר להרוג אלא את הכהנים, וקנאה זו האמורה כאן, אינה לטובה כי אם לרעה, שידע שלא תמשוך מלכותו מיום שלא שמר מצות הקב״ה בעמלק, ומאז נתקנא בהם: **(ג) וברכו את נחלת ה׳.** התפללו עליהם: **(ד) אין לנו כסף וזהב עם שאול.** כי אם נפשות, ביקש לפייסם בממון, ולא רצו, אמר שמא הם מתביישין זה מזה, הלך ופייס כל אחד ואחד לעצמו, ולא נתפייסו, לכך כתיב, אין לי כסף וזהב וגו׳, לשון יחיד, זו ראיתי בירושלמי (סנהדרין ו, ז): **ואין לנו איש להמית.** בכל שאר בני ישראל, שלא חטאו לנו: **(ה) ואשר דמה לנו נשמדנו.** אשר אמר בלבו, שנשמדנו על ידו מהתיצב וגו׳, שחשב להשמידנו: **דמה לנו.** חשב עלינו להשמידנו:

רד״ק

(ב) ויאמר אליהם. אמר להם מה רצונם שיעשה להם כמו שאמר מָה אֶעֱשֶׂה לָכֶם (פסוק ד), והפסיק הענין לפרש מה היה ענין תלונתם, ופירש גם כן שהיו מיתר האמורי ולא מבני ישראל שיחמולו על דמם ואמר וְהַגִּבְעֹנִים לֹא מִבְּנֵי יִשְׂרָאֵל הֵמָּה, ואמרו רז״ל כל שאינו מקבל פיוס אינו מבני ישראל שנאמר וְהַגִּבְעֹנִים לֹא מִבְּנֵי יִשְׂרָאֵל הֵמָּה: **ויבקש שאול להכתם.** פירוש והכם, וכן לְהָרְגוֹ בְעָרְמָה (שמות כא, יד) והרגו, לִשְׁכַּב אֶת בַּת יַעֲקֹב (בראשית לד, ז) ושכב: **בקנאתו.** כבר פירשנוהו (פסוק א): **(ד) אין לי כסף וזהב.** לי כתיב וקרי לָנוּ, והענין אחד כי כן דרך מקרא לדבר בלשון רבים פעם בלשון כלל פעם לשון פרט. ויש בו דרש (במדבר רבה ח, ד) שבקש מהם שימחלו דם אחיהם ויתן להם ממון ולא רצו, אמר דוד אבקש מכל אחד לבדו שמא הם מתביישין זה מזה לקחת ממון בדבר זה, ועשה כן וכל אחד אמר לו אין לי כסף וזהב עם שאול ועם ביתו: **(ו) ינתן לנו.** כן כתיב וקרי יֻתַּן ושניהם ענין אחד, אך כי הכתוב ינתן מבנין נפעל והקרי יֻתַּן מבנין הפעל, ויש מעט הפרש ביניהם כי פירוש הכתוב ינתן אף על פי שלא תתנו אותם הב״ה יפרע לנו מהם, ופירוש הקרי יֻתַּן שתתנו אותם:

מצודת דוד

(ב) ויאמר אליהם. דברי ריצוי, למחול הדבר לבני ישראל ולברך אותם, לא לקבול ולעורר דין עליהם: **לא מבני ישראל המה.** רצה לומר, לא חמלו עליהם, על כי לא היו מבני ישראל, כי אם מיתר האמורי, ולאויבים המה לישראל: **ובני ישראל נשבעו להם.** רצה לומר, עם שהתורה אמרה על אנשי האמורי (דברים כ, טז), לא תחיה כל נשמה, עם כל זאת בעל כרחם החיו אותם, כי בני ישראל נשבעו להם בימי יהושע להחיותם: **ויבקש שאול להכותם.** בקש להרוג את כולם בעת אשר קנא לכעוס על ישראל ויהודה, על מה שלא גלו אזנו בדבר מרידת דוד, ומצא אז עילה עליהם, לומר שגם הם ידעו ממרידת דוד בהיותו בעירם בנוב, ולזה בקש להכות את כולם, ולא עלתה בידו, והרג מקצתם, והנשארים ברחו לנפשם: **(ג) מה אעשה לכם.** מהו המשפט שאעשה בעבורכם, ובמה אכפר לבטל מכם הכעס, אם בלקיחת נקם, אם בממון: **וברכו.** בכדי שתברכו ותתפללו על נחלת עם ה׳, אשר הארץ תתן יבולה: **(ד) אין לנו כסף וגו׳.** רוצה לומר, לא לקח מי מידינו כלום, לשנבקש כסף וזהב, ואין לנו דבר עם ישראל להמית מהם איש: **מה אתם אומרים.** רצה לומר, ומה המשפט שאתם חפצים, אמרו נא ואעשנה: **(ה) האיש.** משפט האיש אשר כלה אותנו מהארץ ההיא, וחשב להכות אותנו, ועל ידי זה נשמדנו מלהתיצב בכל גבול ישראל, כי בעל כרחנו יצאנו ממנה, למלט את נפשותינו: **(ו) יתן לנו.** משפט הראוי הוא, שיתן לנו שבעה אנשים מבניו, נפש תחת נפש, כי שבעה אנשים הרג שאול מהגבעונים, כן אמרו רבותינו ז״ל (ירושלמי סנהדרין ו, ז):

מצודת ציון

(ב) בקנאתו. ענין כעס, כמו (דברים לב, כא), הם קנאוני בלא אל: **(ג) אכפר.** ענין בטול הרוגז, כמו (בראשית לב, כ), אכפרה פניו: **(ה) דמה.** חשב, כמו (שופטים כ, ה), אותי דמו להרוג: **נשמדנו.** מלשון השמדה וכליון:

(*Joshua* 9:21), so the Israelites were punished through the loss of water from the people, in the form of a drought.

Since both sins — the failure to mourn Saul properly and his treatment of the Gibeonites — were committed decades earlier, why did God delay punishment for thirty years or more? The Midrash explains that God knew that Saul's generation was too weak to endure an extended food shortage, while in David's time the people's health and economic situation were more sturdy.

2-9. The Gibeonites' grisly demand. David could not correct the slight to Saul's honor, in that he had not been properly eulogized, because it is inappropriate to eulogize the dead more than twelve months after their passing (*Yevamos* 78b). As to the injustice against the Gibeonites, they demanded a terrible price for their forgiveness, which would end the drought. David felt that he had to comply for the sake of the hungry nation, and he overrode the normal judicial process

2. וַיִּקְרָא הַמֶּלֶךְ לַגִּבְעֹנִים — *So the king called the Gibeonites.* Without delay, David set out to atone for Saul's sin against the Gibeonites. He pleaded with them to forgive Saul's sin against them (*Rashi*).

וְהַגִּבְעֹנִים לֹא מִבְּנֵי יִשְׂרָאֵל הֵמָּה — *The Gibeonites were not of the Children of Israel.* This parenthetical insertion explains the Gibeonites' cruel response to David's friendly question in

his having killed the Gibeonites."

[2]So the king called the Gibeonites and spoke to them. (The Gibeonites were not of the Children of Israel, but from the remnant of the Amorite; the Children of Israel had sworn [not to harm] them, but Saul had tried to strike them down in his zeal for the Children of Israel and Judah.) [3]David said to the Gibeonites, "What can I do for you, and how can I atone [for this sin], so that you will bless the heritage of HASHEM?" [4]The Gibeonites replied to him, "We have no [claim of] silver or gold against Saul nor against his house, and we have no [innocent] man in Israel to put to death." He then said [to them], "Whatever you say I will do for you."

The Gibeonites cruel demand

[5]They said to the king, "The man who annihilated us and who schemed against us that we be eliminated from remaining within the entire border of Israel — [6]let seven

verse 3. By their vengeful, malevolent behavior they proved that they were descendants of Canaanites and heirs of their malevolent nature (*Rashi*). According to *Mahari Kara*, this explains why Saul wanted to eradicate the Gibeonites — because they were . . . *from the remnant of the Amorite*.

The Talmud teaches (*Yevamos* 79a) that those who lack the character traits of mercy, humility and kindness [רַחֲמָנִים בַּיְשָׁנִים וְגוֹמְלֵי חֲסָדִים] do not have Jewish roots and are not fitting to become attached to the Jewish people. Consequently, David decreed that the Gibeonites would never be permitted to intermarry with Jews; thus they would never be *of the Children of Israel*.

בְּקַנְּאתוֹ — *In his zeal.* Saul meant to purify the nation and the land by ridding them of the Gibeonites (*Rashi*), who had gained acceptance only by deceiving Joshua and whose base character was about to be demonstrated by their vicious concept of vengeance.

According to *Abarbanel,* Saul's zealotry was because he accused them of being disloyal to him, since they did not inform him of the whereabouts of David.

3. וּבָרְכוּ אֶת־נַחֲלַת ה׳ — *So that you will bless the heritage of HASHEM?* After gaining atonement and forgiveness from the Gibeonites, David asked that they pray to God that Israel should no longer be punished on their account. The *heritage of HASHEM* refers to the Israelite nation (*Rashi*), or to *Eretz Yisrael* (*Mahari Kara*; see below).

4. Self-righteously, the Gibeonites replied, "We have no monetary claims against Israel, because Saul did not take money from us; if he had, we would settle for compensation. But since his crime against us involved the taking of human life, the only possible redress to our grievance can be through the taking of life." Superficially, this argument was entirely reasonable, for the Torah states, "The Land will not have atonement for the blood that was spilled in it, except through the blood of the one who spilled it" (*Numbers* 35:33). Since David sought atonement for the Land (the *heritage of HASHEM*; see commentary in previous verse), the only way to effect this would be through the execution of those responsible for the bloodshed (*Mahari Kara*).

Rashi quotes *Talmud Yerushalmi's* interpretation: At first David tried to appease the Gibeonites with a settlement of gold and silver, asking "What would you gain by putting them to death?" — but the Gibeonites stubbornly refused to settle for anything less than blood revenge. Noting that the words pronounced אֵין לָנוּ, *We have no,* are spelled **אֵין לִי**, ***I** have*, changing from the plural to the singular, the *Yerushalmi* explains that David reasoned that when the Gibeonites came *en masse*, none of them would be ready to undermine their unity by accepting the king's offer, but if he spoke to each of them privately, he would be able to convince them one by one to accept monetary compensation. This strategem failed when the individual Gibeonites insisted, "I *have no [claim of] silver or gold.*"

וְאֵין־לָנוּ אִישׁ לְהָמִית בְּיִשְׂרָאֵל — *And we have no [innocent] man in Israel to put to death,* i.e., we have no desire to execute any *innocent* people (*Rashi*).

Alternatively, *"We have not the power to put any man to death in Israel,"* i.e., "We do not have the authority to kill anyone in Israel," therefore it is up to the king to hand over the guilty parties and let us deal with them.

5. The Gibeonites claimed that since Saul was the one responsible for their plight their claim was only against his family.

בְּכָל־גְּבֻל יִשְׂרָאֵל — *Within the entire border of Israel.* Those Gibeonites who did not die were driven from the country (*Radak*).

6. The Gibeonites asked for seven descendants of Saul whom they would hang publicly. This would show the entire nation that harassment of the Gibeonites would not be tolerated. If seven princes were executed because of what Saul had done to a despised minority, surely such behavior would not be tolerated if done by commoners (*Abarbanel*).

Why the number *seven*? Apparently because Saul had killed seven Gibeonites (*Yerushalmi*, cited above). *Rav Saadiah Gaon* explains that the Gibeonites identified seven people who were involved in the killings, but *Radak* shows that the seven victims were either young children or yet unborn in Saul's time. *Abarbanel* writes that seven Gibeonites were killed through Saul, so the Gibeonites wanted the same number executed.

Malbim comments that the Gibeonites wanted *all* the offspring of Saul, who numbered eight, including Jonathan's son Mephibosheth, but they did not demand the right to kill Mephibosheth because they knew that Jonathan, an ally of

אֲנָשִׁים֙ מִבָּנָ֔יו וְהוֹקַעֲנ֙וּם֙ לַֽיהוָ֔ה בְּגִבְעַ֥ת שָׁא֖וּל בְּחִ֣יר יְהוָ֑ה וַיֹּ֥אמֶר
ז הַמֶּ֖לֶךְ אֲנִ֥י אֶתֵּֽן: וַיַּחְמֹ֣ל הַמֶּ֔לֶךְ עַל־מְפִיבֹ֖שֶׁת בֶּן־יְהוֹנָתָ֣ן בֶּן־שָׁא֑וּל עַל־
ח שְׁבֻעַ֤ת יְהוָה֙ אֲשֶׁ֣ר בֵּֽינֹתָ֔ם בֵּ֣ין דָּוִ֔ד וּבֵ֖ין יְהוֹנָתָ֥ן בֶּן־שָׁאֽוּל: וַיִּקַּ֣ח הַמֶּ֗לֶךְ אֶת־
שְׁנֵי֩ בְּנֵ֨י רִצְפָּ֤ה בַת־אַיָּה֙ אֲשֶׁ֣ר יָלְדָ֣ה לְשָׁא֔וּל אֶת־אַרְמֹנִ֖י וְאֶת־מְפִבֹ֑שֶׁת
וְאֶת־חֲמֵ֗שֶׁת בְּנֵי֙ מִיכַ֣ל בַּת־שָׁא֔וּל אֲשֶׁ֥ר יָלְדָ֛ה לְעַדְרִיאֵ֥ל בֶּן־בַּרְזִלַּ֖י הַמְּחֹלָתִֽי:
ט וַֽיִּתְּנֵ֞ם בְּיַ֣ד הַגִּבְעֹנִ֗ים וַיֹּקִיעֻ֤ם בָּהָר֙ לִפְנֵ֣י יְהוָ֔ה וַֽיִּפְּל֖וּ °שבעתים [°שְׁבַעְתָּ֣ם ק׳]
יָ֑חַד °והם [°וְהֵ֣מָּה ק׳] הֻמְת֞וּ בִּימֵ֤י קָצִיר֙ בָּרִ֣אשֹׁנִ֔ים °תחלת [°בִּתְחִלַּ֖ת ק׳]
י קְצִ֥יר שְׂעֹרִֽים: וַתִּקַּ֣ח רִצְפָּ֣ה בַת־אַ֠יָּה אֶת־הַשַּׂ֜ק וַתַּטֵּ֧הוּ לָ֣הּ אֶל־הַצּ֗וּר

רש״י

(ו) **והוקענום.** תלייה: **לה׳.** לשמו של מקום, להודיע משפטו: **בחיר ה׳.** בת קול יצאה ואמרה, בחיר ה׳ (ברכות יב, ב): (ז) **ויחמל המלך.** בקש רחמים שלא יקלטנו הארון, שהעבירם לפני הארון, כל שהארון קולטו, למיתה (יבמות עט, א): (ח) **בני מיכל בת שאול אשר ילדה לעדריאל.** וכי מיכל ילדה, והלא מירב ילדה לו, אלא מירב ילדה, ומיכל גדלה, לפיכך נקרא על שמה, והמגדל יתום ויתומה בתוך ביתו, כאלו ילדו ונקרא על שמו (סנהדרין יט, ב): (ט) **בתחלת קציר.** בימי ניסן:

רד״ק

והוקענום. ונתלה אותם כתרגום וניצלובינון, ובקשו להם זו המיתה כדי שיראו כל ישראל נקמתם וישמרו ישראל מנגוע בהם עוד: **לה׳.** להודיע משפטו כי הוא רוצה לנקום נקמתינו מהם: **בחיר ה׳.** שהאל בחרו למלך, ובדרש (ברכות יב, ב) הם לא אמרו בחיר ה׳ אלא בת קול יצתה ואמרה בחיר ה׳ כלומר שנתכפרו לו עוונותיו: (ז) **ויחמל המלך.** כבר פירשנוהו (פסוק א): (ח) **את ארמני.** ברי״ש: **בני מיכל.** בני מירב היו אלא שמיכל גדלה אותם ונקראו על שמה כענין שנאמר יֻלַּד בֵּן לְנָעֳמִי (רות ד, יז), וכן הוא תרגום בְּנֵי מֵירַב דְּרַבִּיאַת מִיכַל, וכן הוא אומר אֲשֶׁר יָלְדָה לְעַדְרִיאֵל ומירב היא שהיתה אשת עדריאל לא מיכל כמו שכתוב על מירב וְהִיא נִתְּנָה לְעַדְרִיאֵל הַמְּחֹלָתִי (לעיל־א יח, יט) וכן כתוב אֵלֶּה תּוֹלְדֹת אַהֲרֹן וּמֹשֶׁה (במדבר ג, א) ולא זכר אלא בני אהרן אלא שמשה גדלם ולמדם כאילו הם תולדותיו: (ט) **לפני ה׳.** כי הארון היה שם ואורים ותומים כשנתקבצו דוד וישראל לשאול את ה׳ על הרעב ולא נפרדו משם עד שקראו לגבעונים ונגמר המעשה: **ויפלו שבעתים.** ביו״ד כתיב, רצה לומר שתי פעמים שבעה כמו שִׁבְעָתַיִם יֻקַּם קָיִן (בראשית ד, טו), ואמר שבעתים לפי שלא נשאר מהם זרע כן נדרש הכתוב, ודרש אחר (במדבר רבה ח, ד) אומר על מפיבושת בן יהונתן שחסר מהם, והקרי הוא שִׁבְעָתָּם רצה לומר הם השבעה, כמו וַיֵּצְאוּ שְׁלָשְׁתָּם (במדבר יב, ד) הם השלשה, ומה שאומר שנפלו יחד כי יחד הוקעו והנפילה היא היא המיתה: **והם.** כתיב וקרי וְהֵמָּה ושניהם אחד, וכבר כתבתי בזה ובדומיהם כי נסחאות נמצאו אחר הגלות והלכו בקריאה אחר הרוב, וכן כתיב תחלת קְצִיר שְׂעֹרִים וקרי בִּתְחִלַּת, כתיב תלום שם הפלשתים (פסוק יב) וקרי תְּלָאוּם שָׁמָּה פְּלִשְׁתִּים ושניהם ענין אחד: **בראשנים.** בימים הראשונים של קציר שעורים כמו שפירש בִּתְחִלַּת קְצִיר שְׂעֹרִים: (י) **ותטהו לה אל הצור.** על הצור היו נתלים כמו שאמר וַיֹּקִיעֻם בָּהָר והטתה השק אל הצור להתכסות תחתיו יום ולילה. ובדרש מהו וַתַּטֵּהוּ לָהּ אֶל הַצּוּר שאמר הַצּוּר תָּמִים פָּעֳלוֹ (דברים לב, ד) שהצדיקה עליה את הדין:

מצודת דוד

לה׳. בעבור ה׳, כי ישראל נשבעו בה׳ להחיותם, ובא שאול ועבר על השבועה: **בגבעת שאול.** מקום עיר מלכותו, למען ידעו הכל אשר בניו המה: **בחיר ה׳.** אמרו רבותינו ז״ל (ברכות יב, ב), הם אמרו בגבעת שאול, ובת קול יצאה ואמרה, בחיר ה׳ הוא: **אני אתן.** לא תבחרו אתם כי אם אני, והיתה כונתו לחמול על מפיבושת: (ז) **בן יהונתן.** רוצה לומר, בעבור שהיה בן יהונתן, ראוי לחמול עליו, כי לא היה מדעת יהונתן להרוג את הגבעונים, ובעבור דוד, כי אוהב היה לדוד, על כי היה שבועת ה׳ בינותם, וחוזר ומפרש בין דוד וגו׳: (ח) **בני מיכל.** הנה מיכל לא ילדה, אף לא היתה נשאת לעדריאל כי אם מירב אחותה, והיא ילדתם, ומיכל אחותה גדלתם, ובעבור זה נקראו על שמה (סנהדרין יט, ב): (ט) **בהר.** אשר בגבעת שאול: **לפני ה׳.** ברשותו, כי העבירום לפני הארון ונלכדו, כן אמרו רבותינו ז״ל (יבמות עט, א): **ויפלו.** הומתו כאחד: **בראשונים.** בימים הראשונים מימי הקציר, וחוזר ומפרש, בתחלת קציר השעורים, שהם נקצרים ראשון לכל קציר: (י) **ותטהו לה.** נטתה ופרשה לעצמה את השק לשבת תחתיו, לשמור התלוים מן החיות והעופות: **הצור.** הוא ההר שנתלו בו:

מצודת ציון

(ו) **והוקענום.** ענין תליה, כמו (במדבר כה, ד), והוקע אותם לה׳: (ז) **בינותם.** כמו ביניהם: (ט) **ויוקיעום.** ותלאום: **שבעתים.** מלשון שבע: (י) **השק.** יריעה עבה: **הצור.** הסלע:

David, was not involved in the massacre of Nob. We may also assume that the Gibeonites knew that David would never surrender Mephibosheth, whom he had sworn to protect.

וְהוֹקַעֲנוּם לַה׳ — *We will hang them for the sake of* HASHEM. By hanging them publicly we will prove that God's judgment applies to everyone, regardless of rank (*Rashi*). The seven men passed before the Holy Ark or the Altar, and there was a Divine indication that they were liable (*Yevamos* 79a).

For the sake of HASHEM means that God commanded in the Torah that we should be kind to proselytes, and Saul disregarded this precept (*Bamidbar Rabbah* 8:4).

בְּגִבְעַת שָׁאוּל — *In the Gibeah of Saul*. The Gibeonites wanted the execution to be carried out near Saul's home, in order to make a greater impression on those who saw it: "If this is what happens to a king, then how much more so is the punishment that awaits a commoner who commits such an injustice!" (ibid.).

בְּחִיר ה׳ — *The chosen one of* HASHEM, i.e., the man God chose to be king of Israel (*Radak*). This accolade was uttered by the Gibeonites who hated Saul. The prophetic author of the Book added it out of respect for Saul (*Berachos* 12b).

וַיֹּאמֶר הַמֶּלֶךְ אֲנִי אֶתֵּן — *The king then said, "I will give* [*them to you*]." By emphasizing that *he* would be the one to turn over the seven, David meant to clarify that only the royal prerogative could permit such a thing; this execution was not permitted by the regular justice system, but the king has the right to override the process when it is necessary (*Rambam, Hil. Melachim* 3:10). Otherwise, it would have been illegal to do so for

men of his sons be given to us and we will hang them for the sake of HASHEM in the Gibeah of Saul (the chosen one of HASHEM)." The king then said, "I will give [them to you]."

David designates seven victims

[7]The king had mercy on Mephibosheth son of Jonathan son of Saul, because of the oath of HASHEM that was between them — between David and Jonathan son of Saul. [8]So the king took the two sons of Rizpah daughter of Aiah, whom she bore to Saul — Armoni and Mephibosheth — and the five sons of Michal daughter of Saul, whom she bore to Adriel son of Barzillai the Meholathite. [9]He delivered them into the hand of the Gibeonites, and they hanged them on the mountain before HASHEM; all seven of them fell together. They were put to death during the first days of the harvest, at the beginning of the barley harvest.

Rizpah's vigil

[10]Rizpah daughter of Aiah took a sackcloth and spread it for herself over a rock,

three reasons: (a) Two people may not be executed by the same court in one day (*Sanhedrin* 45b). (b) Children cannot be held responsible for the sins of their fathers (*Deuteronomy* 24:16). (c) No human corpse, even that of an executed criminal, may be left hanging overnight (ibid. 21:23).

Radak explains that the Torah's exhortation not to punish children for their father's sins applies only to justice administered by a human court of law, but the execution of these seven men fell under the category of "Divine justice," because, as noted above, they were chosen for punishment through a Divine indication. In the case of Divine justice, however, the Torah states that God "visits the sin of fathers upon children to the third and fourth generations" (*Exodus* 20:5) — but only if these descendants have followed in the sinful footsteps of their forebears or condoned their evil (*Sanhedrin* 27b). Such judgments are beyond the competence of a human court; only God can know what is in someone's heart.

7. וַיַּחְמֹל הַמֶּלֶךְ עַל־מְפִיבֹשֶׁת — *The king had mercy on Mephibosheth.* Since the Gibeonites had asked for seven victims, and there were seven without Mephibosheth, David spared him because of the oath to Jonathan. See *I Samuel* 20:12-17. Perhaps David knew that Mephibosheth was an especially righteous person and did not deserve to die for his forefather's sins (*Radak*).

The Talmud (*Yevamos* 79a) asks how David was permitted to favor Mephibosheth at the expense of someone else's life; any of the seven condemned men had as much right as he did to be spared. The Talmud explains that the ultimate choice was God's, since all of Saul's descendants passed before the Ark or Altar, as did Mephibosheth (see above). David *had mercy* only in the sense that he prayed that Mephibosheth not be chosen.

As mentioned above, some commentators hold that the seven people who were turned over to the Gibeonites were personally active in the slaying of the Gibeonites, and it was for this reason that they were singled out for punishment. Based on this approach, *Rav Saadiah Gaon* (cited by *Radak*) translates this phrase as *David rejoiced over Mephibosheth,* since he was not involved in the persecution of the Gibeonites.

Malbim's view on the subject of the sparing of Mephibosheth was discussed above (see commentary to v. 6).

8. מְפִבֹשֶׁת — *Mephibosheth.* This Mephibosheth should not be confused with Jonathan's son by the same name.

וְאֶת־חֲמֵשֶׁת בְּנֵי מִיכַל — *And the five sons of Michal.* Michal had no children (above 6:23). Furthermore, it was Michal's sister Merab who was married to Adriel (*I Samuel* 18:19), not Michal. The Talmud (*Sanhedrin* 19b) explains that Merab died after giving birth to five children, and they were adopted and raised by Michal. Therefore Michal was regarded as their mother. Thus Merab's five sons were David's own nephews and stepsons.

9. בָהָר — *On the mountain,* i.e., in the Gibeah of Saul (*Metzudos*).

לִפְנֵי ה׳ — *Before HASHEM.* David and a multitude of Jews, the Ark, and the *Urim v'Tumim* — which were brought to identify which people should be hanged — were still there. The Gibeonites took possession of the seven victims and hanged them immediately (*Radak*; see also commentary above, v. 6, on *for the sake of HASHEM*).

בִּתְחִלַּת קְצִיר שְׂעֹרִים — *At the beginning of the barley harvest,* i.e., in the month of Nissan (early spring) (*Rashi*). According to the Midrash, the exact date was Nissan 16, the second day of Passover, which is when a small amount of barley is harvested for the *Omer* offering in the Temple. It is the first meal-offering from the new crop.

The beginning of the harvest season, with little in the field to reap, brought home the severity of the three-year drought and prompted David to inquire of HASHEM (v. 1). Immediately, he addressed the causes of the calamity (*Malbim*).

10-14. The bodies are disgraced, then honored, and the drought is ended. The Gibeonites were not satisfied with the execution of Saul's offspring; they wanted the bodies to remain hanging in disgrace. Finally the rains came and the bodies of not only the seven victims, but also of Saul and Jonathan, were duly honored.

10. רִצְפָּה בַת־אַיָּה — *Rizpah daughter of Aiah.* Rizpah, the mother of two of the victims, took it upon herself to protect the bodies from birds and animals. She made a makeshift shelter for herself and remained there twenty-four hours a day, until the ordeal finally ended (*Radak*).

מִתְּחִלַּת קָצִיר עַד נִתַּךְ־מַיִם עֲלֵיהֶם מִן־הַשָּׁמָיִם וְלֹא־נָתְנָה עוֹף הַשָּׁמַיִם לָנוּחַ
יא עֲלֵיהֶם יוֹמָם וְאֶת־חַיַּת הַשָּׂדֶה לָיְלָה: וַיֻּגַּד לְדָוִד אֵת אֲשֶׁר־עָשְׂתָה רִצְפָּה בַת־
יב אַיָּה פִּלֶגֶשׁ שָׁאוּל: וַיֵּלֶךְ דָּוִד וַיִּקַּח אֶת־עַצְמוֹת שָׁאוּל וְאֶת־עַצְמוֹת יְהוֹנָתָן בְּנוֹ
מֵאֵת בַּעֲלֵי יָבֵישׁ גִּלְעָד אֲשֶׁר גָּנְבוּ אֹתָם מֵרְחֹב בֵּית־שַׁן אֲשֶׁר °תלום שם
הפלשתים [°תְּלָאוּם שָׁמָּה פְּלִשְׁתִּים ק׳] בְּיוֹם הַכּוֹת פְּלִשְׁתִּים אֶת־שָׁאוּל בַּגִּלְבֹּעַ:
יג וַיַּעַל מִשָּׁם אֶת־עַצְמוֹת שָׁאוּל וְאֶת־עַצְמוֹת יְהוֹנָתָן בְּנוֹ וַיַּאַסְפוּ אֶת־עַצְמוֹת
יד הַמּוּקָעִים: וַיִּקְבְּרוּ אֶת־עַצְמוֹת־שָׁאוּל וִיהוֹנָתָן־בְּנוֹ בְּאֶרֶץ בִּנְיָמִן בְּצֵלָע בְּקֶבֶר
קִישׁ אָבִיו וַיַּעֲשׂוּ כֹּל אֲשֶׁר־צִוָּה הַמֶּלֶךְ וַיֵּעָתֵר אֱלֹהִים לָאָרֶץ אַחֲרֵי־
טו כֵן: וַתְּהִי־עוֹד מִלְחָמָה לַפְּלִשְׁתִּים אֶת־יִשְׂרָאֵל וַיֵּרֶד דָּוִד וַעֲבָדָיו

רש״י

(י) עד נתך מים. בימות הגשמים בתשרי, שלא נתנו לקבורה. והלא כתיב (דברים כא, כג), לא תלין נבלתו, אלא אמרו מוטב תיעקר אות אחת מן התורה, ויתקדש שם שמים בפרהסיא, שהיו עוברין ושבין אומרים, מה טיבן של אלו, אומרים להם, מבני מלכים הם, ומה עשו, פשטו ידם בגרים גרורים, אומרים, אין לך אומה ראויה לידבק בה כאומה זו (יבמות עט, א): **(יב) ויקח את עצמות שאול.** שנאמר לו עליהם 'אל שאול', שלא נספד כהלכה: **(יג) ויאספו את עצמות.** שבעה המוקעין: **(יד) כל אשר צוה המלך.** להספיד עליהם בכל ערי ישראל:

רד״ק

(יא) ויגד לדוד. כי דבר גדול עשתה ומפני זה נכמרו רחמיו וצוה לקברם, ובדרש ראה כי אשת חיל היתה ולקחה לאשה, וכבר כתבנו (לעיל פסוק א ד״ה עד נתך) מה שפירשו רבותינו ז״ל (ירושלמי קידושין ד, א) כי היו נתלים משׁשה עשר בניסן עד שבעה עשר במרחשון שהוא זמן הגשמים, וכל כך למה כדי שיתקדש שם שמים על ידיהם, ונראה כי רצון האל היה בזה שיהיו מוקעים עד זמן גשמים כדי שיודע כי בעונם היה עצירת גשמים, ומה שאמר עַד נִתַּךְ מַיִם, עליהם ירדו גשמים מעט להודיע שיקברו אותם, ואחר שקברו אותם נעתר האלהים לארץ וירדו גשמים הרבה כמו שכתוב ויעתר אלהים לארץ אחרי כן (פסוק יד): **(יד) בצלע.** מלרע והוא שם מקום הנזכר בספר יהושע (יח, כח) וְצֵלַע הָאֶלֶף: **ויעשו כל אשר צוה המלך.** להביא העצמות ולקברם כמו שאמר לא הוסיף דבר אלא שכן דרך המקרא לכפול הדברים בהתחזק המעשה. ובדרש (במדבר רבה ח, ד) כי זה בא להוסיף שצוה המלך להספידם בכל מקום שהיו עוברים שם בערי ישראל:

מצודת דוד

עד נתך מים. שמרה אותם מעת נתלו, עד נתך המים עליהם, כי אז הורידום, ובהשגחת המקום ירד גשם מעט, למען יורידום, ולמען דעת אשר בעון אביהם היתה עצירת הגשמים, בראותם אשר לאחר שנעשה משפט, התחילו הגשמים לרדת: **ולא נתנה.** בעוד שהיו תלוים: **(יב) וילך דוד.** כשמוע החסד שעשתה רצפה עם המתים, ואשר עדיין קיימים הם, ולא נאכלו מן החיות והעופות, לזה התעורר אף הוא לעשות חסד עמהם, לקברם עם עצמות שאול ויהונתן: **ויקח את עצמות שאול.** על כי נאמר לו 'אל שאול', שלא נספד כראוי כי נקבר בהחבא, לזאת לקח עצמותיו לקברו שנית בקבר אביו, ולהספידו כראוי: **מרחוב.** ובסוף שמואל־א נאמר, מחומת, כי החומה פנתה להרחוב: **(יג) ויעל משם.** דוד העלה מיבש גלעד את עצמות וגו׳: **המוקעים.** אשר נתלו בגבעת שאול: **(יד) ויקברו את עצמות שאול.** עצמות המוקעים, קבר עם עצמות שאול וגו׳: **כל אשר צוה.** להספידו כראוי לפי כבודו, ודוד עצמו הספידו מאז, כמו שכתוב (לעיל א, יז), ויקונן דוד וגו׳ על שאול. **אחרי כן.** אחר שעשה משפט הגבעונים, ואחר אשר הספידו לשאול כראוי, נתרצה להם המקום, וירד הגשם די ספוקם: **(טו) ותהי עוד וגו׳.** רוצה לומר, לבד המלחמה שנזכר למעלה, שנלחמו ישראל אלו באלו בדבר אבשלום, היה עוד מלחמה, לפלשתים עם ישראל:

מצודת ציון

נתך. נפשך, כמו (שמות ט, לג), ומטר לא נתך ארצה **לנוח.** רוצה לומר להתעכב: **(יב) בעלי.** אדוני: **(יג) המוקעים.** התלואים: **(יד) בצלע.** שם מקום: **ויעתר.** ענין רצוי, כמו (בראשית כה, כא), ויעתר לו ה׳:

עַד נִתַּךְ־מַיִם עֲלֵיהֶם מִן־הַשָּׁמָיִם — *Until water fell down on them [i.e., the corpses] from heaven.* The bodies remained hanging on the gallows until the rainy season began, in early autumn (*Rashi*). The Midrash gives the date as Marcheshvan 17; thus the corpses were left for seven months.

Ordinarily, such disrespect of the dead is forbidden by the Torah (*Deuteronomy* 21:23), which speaks of people who are subject to the death penalty. Their corpses were to be hanged, as a warning to onlookers not to repeat their misdeeds, but it is prohibited to leave them suspended on a gallows beyond the end of the day. In fact, as a sign of respect for the body even of a criminal, the practice of the courts was that a prisoner's body was hanged just before sunset and immediately lowered, so that it was suspended only momentarily.

The Talmud (*Yevamos* 79a) explains that HASHEM decreed that the bodies of the seven should be left there for a lengthy time so that the severity of Saul's deed could become well known to all, and so that no one should ever again seek to take advantage of powerless strangers. As a result of this, onlookers would say, "There is no nation in the world with which it is more befitting to become associated than this nation! . . . If this is how they defend the honor of the foreigners among them, how much greater is the honor due Israelites!" As a result, 150,000 gentiles converted and became Jews.

Of course, the laws of the Torah may not be violated even in order to achieve a great spiritual accomplishment; there is no greater spiritual accomplishment than obedience to the Law of God. It must be remembered that all the events in this story — the executions and the leaving of the bodies — were carried out by Divine instruction. (*Tosafos Rid*).

Ramban (*Deuteronomy* 21:22) explains that Israel was not culpable for the sin of letting the bodies hang for so long, because neither David nor the court sanctioned it. David turned the seven men over to the Gibeonites and it was they who committed the desecration. [According to *Ramban*, as well, David and the court could not have abdicated their

from the beginning of the harvest until water fell down on them [i.e., the corpses] from heaven; she did not allow the birds of the heaven to descend upon them during the day, nor the beasts of the field during the night. [11]*David was told what Rizpah daughter of Aiah, Saul's concubine, had done;* [12]*and David went and took the bones of Saul and the bones of his son Jonathan from the inhabitants of Jabesh-gilead, who had stolen them from the square of Beth-shan, where the Philistines had hanged them on the day that the Philistines defeated Saul at Gilboa.* [13]*He brought up from there the bones of Saul and the bones of his son Jonathan. They gathered together the bones of those who were hanged;* [14]*and they buried the bones of Saul and his son Jonathan in the land of Benjamin, in Zela, in the grave of [Saul's] father, Kish. They did all that the king commanded, and God was responsive to the prayers of the land after that.*

THE GIANT'S CHILDREN
21:15-22

[15]*The Philistines again made war with Israel. David and his servants went down and fought with the Philistines, and David became faint.* [16]*Ishbi-benob — who was one*

responsibilty to protect the dignity of the bodies unless they knew it was God's will.]

Abarbanel interprets the verses differently. According to him, the bodies had been hanging for only a few days, when the spring rain started to fall, signifying that the three-year drought was over. The rainfall — especially since it came during the spring, when it almost never rains in *Eretz Yisrael* — signified that God had accepted the people's prayers and contrition.

11-12. These two verses imply that Rizpah's dedication to the honor of the dead influenced David to bury them and to disinter the remains of Saul and Jonathan to give them a respectful burial. Originally, David thought that it was too late to make amends for the lack of sufficient respect shown to Saul upon his death (see commentary to v. 2). Now that he saw Rizpah's exceptional efforts to show respect for the dead, he was deeply moved and ordered that the bodies of Saul and Jonathan should be given a respectful burial (*Bamidbar Rabbah*). Although David had maintained that after a lapse of twelve months it is too late to eulogize the dead, he was now able to eulogize them at the same time as he eulogized the seven men hanged by the Gibeonites. Thus he and his fellow Jews were able to atone for their failure to mourn Saul properly (*Kli Yakar*).

12. וַיֵּלֶךְ דָּוִד — *And David went.* Inspired by Rizpah's extraordinary dedication, David went to gather the remains of the seven martyrs. Furthermore, the beginning of the rains showed David that Israel's sin had been fully atoned for, and that there was no longer a need to display the bodies (*Radak*).

Tosafos Rid offers another explanation for the connection between the two verses. David believed that after seven months of exposure to the summer heat and the ravages of birds and animals, the bodies had by now surely been completely decomposed and consumed. However, when he heard that Rizpah had painstakingly protected the bodies, he arranged for a proper burial.

בַּעֲלֵי יָבֵשׁ גִּלְעָד — *The inhabitants of Jabesh-gilead.* For the heroism of these people, see *I Samuel* 31:10-12.

13. David ordered that Saul's casket be taken from place to place throughout the cities of Israel, to enable all the people to pay proper tribute to their former king *(Rashi),* and thus remedy the sin of not having mourned Saul as he deserved.

14. וַיִּקְבְּרוּ — *They buried.* David had all of them buried in Zela, which is adjacent to Jerusalem (*Joshua* 18:28): Saul, Jonathan, the seven martyrs who were hanged in Gibeah (*Metzudos*)), and, presumably, Saul's other two sons who fell in battle with him and were buried in Jabesh-gilead with him, as related in *I Samuel* 31:6.

וַיֵּעָתֵר אֱלֹהִים לָאָרֶץ אַחֲרֵי־כֵן — *And God was responsive to the prayers of the land after that,* because both causes for the famine had been corrected: the Gibeonites had been mollified and Saul had been properly honored.

15-22. Four more wars. The Jewish people fought four more battles, three of them with their bitter enemies, the Philistines. The Philistine wars are described in *I Chronicles* 20:4-8, but there are several variations between the two accounts, as will be mentioned in the course of the commentary. In these frays, the Philistines were led by gigantic warriors, all of them from the family of Goliath, whom David had killed when he first emerged as a savior of Israel. These giants are described in this passage as יְלִידֵי הָרָפָה, which, in the plain sense and following *Targum* and *Radak*, we translate *the children of the giant*.

The Sages (*Sotah* 42b), however, teach that *Haraphah* was the name of their ancestress, whom they identify as the Moabite princess Orpah (see *Ruth* Ch. 1). Orpah and Ruth were daughters-in-law of Naomi, who had come to Moab from *Eretz Yisrael.* All three women became impoverished widows, and Naomi decided to return to *Eretz Yisrael*. Orpah kissed her goodbye, but Ruth insisted on going with her, no matter what their fate would be. Goliath and the other Philistine giants descended from Orpah, while David descended from Ruth. In a beautiful and pithy expression, the Sages describe the victory of Ruth's offspring over Orpah's as יָבֹאוּ בְּנֵי הַנְּשׁוּקָה וְיִפְּלוּ בְּיַד בְּנֵי הַדְּבוּקָה, *Let the offspring of the one who kissed* [i.e., Orpah] *fall victim to the offspring of one who remained attached* [i.e, Ruth].

טז עִמּ֛וֹ וַיִּלָּ֥חֲמ֖וּ אֶת־פְּלִשְׁתִּ֑ים וַיָּ֖עַף דָּוִֽד׃ °וישבו [°וְיִשְׁבִּ֣י ק׳] בְּנֹ֡ב אֲשֶׁ֣ר ׀ בִּילִידֵ֣י הָרָפָ֗ה וּמִשְׁקַ֤ל קֵינוֹ֙ שְׁלֹ֤שׁ מֵאוֹת֙ מִשְׁקַ֣ל נְחֹ֔שֶׁת וְה֖וּא חָג֣וּר חֲדָשָׁ֑ה וַיֹּ֖אמֶר לְהַכּ֥וֹת אֶת־דָּוִֽד׃ יז וַיַּֽעֲזָר־לוֹ֙ אֲבִישַׁ֣י בֶּן־צְרוּיָ֔ה וַיַּךְ֙ אֶת־הַפְּלִשְׁתִּ֖י וַיְמִיתֵ֑הוּ אָ֣ז נִשְׁבְּעוּ֩ אַנְשֵׁי־דָוִ֨ד ל֜וֹ לֵאמֹ֗ר לֹֽא־תֵצֵ֨א ע֤וֹד אִתָּ֙נוּ֙ לַמִּלְחָמָ֔ה וְלֹ֥א תְכַבֶּ֖ה אֶת־נֵ֥ר יִשְׂרָאֵֽל׃ יח וַיְהִי֙ אַחֲרֵי־כֵ֔ן וַתְּהִי־ע֧וֹד הַמִּלְחָמָ֛ה בְּג֖וֹב עִם־פְּלִשְׁתִּ֑ים אָ֣ז הִכָּ֗ה סִבְּכַי֙ הַחֻ֣שָׁתִ֔י אֶת־סַ֕ף אֲשֶׁ֖ר בִּילִדֵ֥י הָרָפָֽה׃ יט וַתְּהִי־ע֧וֹד הַמִּלְחָמָ֛ה בְּג֖וֹב עִם־פְּלִשְׁתִּ֑ים וַיַּ֡ךְ אֶלְחָנָן֩ בֶּן־יַעְרֵ֨י אֹרְגִ֜ים בֵּ֣ית הַלַּחְמִ֗י אֵ֚ת גָּלְיָ֣ת הַגִּתִּ֔י

רש"י

(טז) **ומשקל קינו.** הוא כמו תיק שבראש בית יד הרומח שקורין ארישטויי"ל בלע"ז, ועשוי ככובע, ויש דוגמתו בזבחים (פח ב, עיין שיטה מקובצת שם), רמוני המעיל למה הם דומין, כמין קולסות שבראשי התינוקות, 'קולסות' היילמ"ש בלע"ז: **והוא חגור.** חגורה חדשה. ושמעתי, שאותו היום נתחנך ללבוש כלי מלחמה, ודרך המחונכים לעשות נצחון וגבורה ביום חינוכם, לקנות שם, לכך ויאמר להכות את דוד: (יז) **ויעזר לו.** שעזרו בתפלה, כדאיתא בחלק (סנהדרין צה, א): (יח) **ותהי עוד המלחמה.** כבר קדמה זו לכולן, ולא מנאה כאן, אלא לצרף מיתת ארבעה בני ערפה: (יט) **אלחנן.** דוד: **בן יערי אורגים.** שהיו משפחתו אורגים פרוכת למקדש הקרוי יער:

רד"ק

(טו) **ויעף דוד.** בפתח פ"א הפעל להקל הקריאה, וכן וַיָּעַף הָעָם (לעיל־א יד, כח), אבל וַיָּעָף אֵלַי אֶחָד (ישעיהו ו, ו) בקמץ להבדיל ביניהם כמו שענינם מובדל: (טז) **וישבי בנב.** כך היה שמו וכתוב בוי"ו וקרי ביו"ד, ובדרש (סנהדרין צה, א) ישבי בנוב איש שבא על עסקי נוב, כלומר כי בא על דבר נוב עיר הכהנים שהיה דוד סבת הריגתם קרה לו לדוד שהיה בסכנה, ודרשו (שם) וַיַּעֲזָר לוֹ אֲבִשַׁי, שעזרו בתפלה וכל זה רחוק, ומהם אמרו (שם) עזרו ממש, ואמר כי קפצה לפניו הארץ כי לא היה שם אבישי עם דוד כי הוא ויואב היו נלחמים בבני עמון, ועברה יונה לפני אבישי מטרפה בכנפיה וידע כי דוד היה בסכנה ובצרה וקפצה לפניו הארץ, והלך שם ועזר לדוד והרג את ישבי בנוב: **הרפה.** כמו הענק והוא אחד מן רפאים ונכתב בה"א ובאל"ף כן כתב אדוני אבי ז"ל, וכן תרגם יונתן גִּבָּרָא, וכבר כתבנו דעת הדרש למעלה שהוא שם האם: **קינו.** הוא עץ החנית וכן נקרא בערבי עץ החנית אלקנה, ולא אמר המשקל על קינו אלא על להבת החנית, וקראו קינו בכלל הלהבת עם העץ ועל הלהבת אמר שהיה משקלו שלש מאות משקל נחשת, כי על העץ לא יאמר משקל, וכן אמר בגלית וְלַהֶבֶת חֲנִיתוֹ שֵׁשׁ מֵאוֹת שְׁקָלִים בַּרְזֶל (לעיל־א יז, ז), ומשקל הברזל והנחשת אינו שוה כי לכל אחד משקל מיוחד וכן לכסף ולזהב, ויונתן תרגם וּמַתְקַל סוֹפִינֵיהּ מַתְקַל תְּלַת מְאָה סִילְעִין דִנְחָשָׁא: **והוא חגור חדשה.** חרב חדשה וכמוהו וּמַאֲכָלוֹ בְּרִיאָה (חבקוק א, טז) רצה לומר שה בריאה, וכן דרך המקרא בהרבה מקומות והחסרון יתבונן לפי הענין: **ויאמר להכות את דוד.** כשראה כי עיף דוד חשב להכותו ועזר לו אבישי: (יח) **בגוב עם פלשתים.** ובדברי הימים (־א כ, ד) כתוב בְּגֶזֶר, שני שמות היו לאותו המקום וכמוהו רבים, וכן כתב פה סף ושם סִפַּי וקרובים הם: (יט) **אלחנן בן יערי ארגים בית הלחמי את גלית הגתי.** ובדברי הימים (שם שם, ה) כתוב אֶלְחָנָן בֶּן יעור אורגים אֶת לַחְמִי אֲחִי גָּלְיָת הַגִּתִּי וקרי יָעִיר, וְיָעִיר וְיַעְרֵי אחד, ופירוש אֵת גָּלְיָת אשר אמר הנה, את מי שהיה עם גלית והוא אחיו הרגו אלחנן בגוב, וגלית הרגו דוד באפס דמים (לעיל־א יז, א; ז), ואלחנן זה מבית לחם היה לפיכך קראו בית הלחמי, וכן מה שכתוב בדברי הימים (שם) אֶת לַחְמִי כמו מלחמי, כלומר מבני לחמי רצה לומר מהגבורים המתיחסים לבית לחם, וכן יאמר שם (יב, ט) וּמִן הַגָּדִי נִבְדְּלוּ אֶל דָּוִיד לַמְצַד רצה לומר מן המתיחסים לגד, או פירוש עם בית הלחמי והוא דוד רצה לומר כי דוד עזרו, וזה שכתוב שם את לחמי עם דוד שהוא לחמי שעזרו והרגו, ולדעת יונתן אלחנן זהו דוד וכן תרגם הפסוק וּקְטַל דָּוִד בַּר יִשַׁי מוֹחֵי פָּרוֹכֶת בֵּית מַקְדְּשָׁא דְּמִבֵּית לֶחֶם יַת גָּלְיַת קרא ישי יַעְרֵי לפי שהיה אורג פרוכות הצריכות לבית המקדש ובית המקדש, נקרא יער שכתוב יַעַר הַלְּבָנוֹן (מלכים־א ז, ב) מְצָאנוּהָ בִּשְׂדֵה יָעַר (תהלים קלב, ו), אבל מה שקרא דוד אלחנן לא ידעתי לו טעם:

מצודת דוד

ויעף דוד. נתייגע ונחלש: (טז) **אשר בילידי הרפה.** אשר היה מילידי הענקה: **משקל נחושת.** שקל ששוקלין בו נחושת: **והוא חגור חדשה.** בהמלחמה ההיא חגר חרב חדשה, ומדרך אנשי המלחמה הגבורים, להתאמץ בכל עוז לעשות גבורות, בעת יחגרו חרב חדשה: **ויאמר.** חשב בדעתו ועשה התפעלות, להראות גבורה ולהכות את דוד, בעבור כי ראה אותו עיף ויגע: (יז) **לו.** על דוד נשבעו, לבלי תת אותו לצאת עוד במלחמה: **את נר.** כי המלך דומה הוא להנר המאיר ומשפיע לכל:

מצודת ציון

(טז) **וישבי בנוב.** כן היה שמו: **הרפה.** הענקה, כמו (שם יד, ה), ויכו את רפאים: **קינו.** שם כלי זיין, ואין לו חבר: (יח) **בגוב.** הוא גזר האמור בדברי הימים (א כ, ד): **סף.** ובדברי הימים (שם) נאמר ספי, והוא הוא: (יט) **יערי אורגים.** כן שם אביו, ובדברי הימים (שם פסוק, ה) נאמר בן יעיר, והוא הוא: **בית הלחמי.** רוצה לומר הכה את בית הלחמי, והוא לחמי האמור בדברי הימים (שם): **את גלית.** עם גלית, ורוצה לומר אף שהיה מלחמה עם גלית, לא יוכל לעזור לו, ובדברי הימים (שם) נאמר שהיה אחי גלית:

Virtually all the commentators follow the interpretation of the Sages that these wars are not recorded in chronological order and that at least one of them took place even before David became king, as will be explained in the course of the commentary. Although the stories are separated by about forty years, they are mentioned together because they all involved descendants of the same family. *Abarbanel*, virtually alone, holds that all the events are recorded in chronological order, and that these battles took place after the war against Ammon and the rebellion of Absalom.

The Sages expound that the name Ishbi-benob alludes to the sin for which David was punished by nearly being killed. The name is a contraction of the words אִישׁ שֶׁבָּא עַל עִסְקֵי נוֹב, *A man who came because of the matter of Nob*, referring to Saul's massacre of the Kohanim of Nob. That tragedy happened because the Kohen Gadol, Ahimelech, helped David and therefore was accused by Saul of being complicit in David's "disloyalty." Thus David was indirectly responsible for the massacre and was punished for it here. This is another instance of the very exacting standards by which the righteous

of the children of the giant, and the weight of his spear [was] three hundred copper weights and who was girded with a new [sword] — declared that he would strike down David. [17]*Abishai son of Zeruiah came to his aid and he struck the Philistine, killing him. Then David's men swore to him, saying, "You shall not go out to war with us anymore, so that you not extinguish the lamp of Israel!"*

[18]*It happened after this that there was another war with the Philistines in Gob. It was then that Sibbecai the Hushathite struck down Saph, who was one of the children of the giant.*

[19]*There was another war with the Philistines in Gob, and Elhanan son of Jaare-oregim the Bethlehemite struck down [the brother of] Goliath of Gath who had a spear with a shaft like a weaver's beam.*

---

are judged (see *I Samuel* Ch. 23). This would also explain why Scripture records the story immediately after the revenge of the Gibeonites, whose travails began after Saul killed the Kohanim of Nob.

15-17. David in mortal danger. In this battle with Ishbi-benob, David was defeated and on the verge of death until Abishai came to his assistance. Therefore it is presented soon after the rebellion of Absalom, when David was similarly menaced and nearly vanquished (*Mahari Kara*).

This confrontation is not recorded in *Chronicles*, since that Book was written for the express purpose of serving as a tribute to David. (See also above, Ch 11.) Since this episode speaks of David becoming weakened and facing certain death, it is omitted from *Chronicles* (*Abarbanel*).

15. וַיָּעַף דָּוִד — *And David became faint.* Because he became exhausted from the battle, he fell behind his troops and was therefore vulnerable to attack (*Ralbag*).

16. וְיִשְׁבִּי בְּנֹב — *Ishbi-benob. Targum* translates הָרָפָה as גִּבָּרָא (*the mighty man*), the same translation used for עֲנָק and רָפָא (*giant*), and this is also how the commentators understand it; thus Ishbi-benob's father (or mother) was *the Giant*.

וּמִשְׁקַל קֵינוֹ... — *And the weight of his spear [was]...* The translation follows *Radak*, who writes that קַיִן is the wooden handle of a spear, and that the word is used here to indicate the spear as a whole. *Rashi* interprets the word to mean an elaborate metal spear handle. According to *Kara*, it is a helmet. The massive weight of the spear, or helmet, is recorded to give an indication of the immense strength of Ishbi-benob.

וְהוּא חָגוּר חֲדָשָׁה — *And who was girded with a new [sword]*. A new warrior was expected to prove his valor by performing an act of bravery or daring. When Ishbi-benob donned his *new sword*, he declared that he would prove himself by killing the illustrious warrior king of Israel.

17. נֵר יִשְׂרָאֵל — *The lamp of Israel.* David was given this title because all of Israel received an extra measure of Divine Providence through his merit. If he were to be killed, this source of merit would become *extinguished* (*Ralbag*). A king like David is like a Godly lamp that spreads its spiritual light to the entire nation and its land. They could ill afford the loss of David and therefore swore that now, in the weakness of his old age, they would no longer permit him to endanger himself on the battlefield (*Abarbanel*).

Rambam refers to the king as "the heart of the nation." Now that David had passed his physical prime, his loyal commanders would not permit him to risk his life; just as people do everything possible to protect their heart, so Israel took every precaution to protect David.

18. According to *Rashi*, this battle was the first of the Philistine wars, and it is mentioned here among the others since they all involved the death of one of the giants. However, *Parshiyos b'Sifrei HaNeviim* contends that this is surely a copyist's error, and the comment belongs with verse 19, since this verse states clearly that the battle *happened after* the one described in verses 15-17. The war described in verse 19, however, as it is explained by *Rashi*, clearly was the first of David's Philistine battles.

19. וַיַּךְ... אֵת גָּלְיָת הַגִּתִּי — *Struck down [the brother of] Goliath of Gath*. The bracketed words are added in accordance with most commentators (*Mahari Kara*, *Radak*, etc.), in order to coordinate this verse with the parallel verse in *Chronicles*, where the slain giant is referred to as *Lahmi, brother of Goliath of Gath*. Goliath himself, of course, was slain by David, even before he became king (*I Samuel* 17).

Radak reconciles the two verses without adding bracketed words, and to avoid distorting the plain sense of our verse, which states clearly that Goliath was killed, not his brother. He explains that the word אֵת in the phrase אֵת גָּלְיָת can be rendered according to its other, less frequent meaning — "*with*," yielding the translation *he struck down the one* who was *with Goliath* — i.e., his brother.

Targum and the Talmud (*Sotah* 42b), followed by *Rashi*, interpret the verse literally; meaning that the giant in our verse was Goliath himself. If so, *Elhanan* must be another name for David, who was the killer of Goliath. This alternate name is explained as follows: Elhanan is a combination of the words אֵל חָנַן, *God has graced [him]* (*Midrash*), a descriptive name for David, who was chosen and graced by God. The verse identifies him as בֶּן־יַעֲרֵי אֹרְגִים, *son of a forest-weaver*, which *Targum* renders *the son of Jesse, the weaver of curtains for the Temple*. *Rashi* explains that the Temple is referred to as *forest* (in the Talmud, *Yoma* 39b, based on *I Kings* 7:2).

Rashi points out that according to the Midrashic interpretation of the Sages, this episode is clearly not in chronological order, for David slew Goliath long before any of the other Philistine wars.

כ וְעֵץ חֲנִיתוֹ כִּמְנוֹר אֹרְגִים׃ וַתְּהִי־עוֹד מִלְחָמָה בְּגַת וַיְהִי ׀ אִישׁ °מדין [°מָדוֹן ק] וְאֶצְבְּעֹת יָדָיו° וְאֶצְבְּעֹת רַגְלָיו שֵׁשׁ וָשֵׁשׁ עֶשְׂרִים וְאַרְבַּע מִסְפָּר וְגַם־הוּא יֻלַּד לְהָרָפָה׃ כא וַיְחָרֵף אֶת־יִשְׂרָאֵל וַיַּכֵּהוּ יְהוֹנָתָן בֶּן־°שמעי [°שִׁמְעָה ק] כב אֲחִי דָוִד׃ אֶת־אַרְבַּעַת אֵלֶּה יֻלְּדוּ לְהָרָפָה בְּגַת וַיִּפְּלוּ בְיַד־דָּוִד וּבְיַד עֲבָדָיו׃

כב

HAFTARAS PARSHAS HAAZINU *(when it is read after Yom Kippur):*

א וַיְדַבֵּר דָּוִד לַיהוָה אֶת־דִּבְרֵי הַשִּׁירָה הַזֹּאת בְּיוֹם הִצִּיל יהוָה אֹתוֹ מִכַּף כָּל־אֹיְבָיו וּמִכַּף שָׁאוּל׃

ב־ג וַיֹּאמַר יהוָה סַלְעִי וּמְצֻדָתִי וּמְפַלְטִי־לִי׃ אֱלֹהֵי
צוּרִי אֶחֱסֶה־בּוֹ מָגִנִּי וְקֶרֶן יִשְׁעִי מִשְׂגַּבִּי

רש״י

כמנור אורגים. (תרגום) כאכסן דגרדאין, הקרוי אינשובל״א בלע״ז, תבא אריגה ותעמוד כנגד אריגה: **(כ) איש מדון.** כתרגומו, גבר דמשחן. שאין עיקר התיבה אלא מ״ם ודלי״ת, כמו (תהלים סה, ח) ׳משאון׳ שי״ן ואל״ף (בראשית יז, ד), ומ׳המון׳, ה״א ומ״ם. ובדברי הימים (א יח, כג) כתיב, איש מדה, כלומר גבוה מאוד, שאומדין כמה מדתו: **שש ושש וגו׳.** פירשו רבותינו בבכורות (מה, ב) שהוצרך לומר עשרים וארבע, שלא תאמר אצבעות שתי ידיו אינן אלא שש, ואצבעות רגליו אינן אלא שש, לכך נאמר עשרים וארבע. ואם כתב עשרים וארבע ולא אמר שש ושש, הייתי אומר שבעה באחת, וחמשה באחת, ומהו ׳מספר׳, שכולן היו נספרות בסדר האצבעות בגב היד: **(א) ביום הציל ה׳ אותו.** לעת זקנתו, לאחר שעברו עליו כל צרותיו וניצול מכולם: **ומכף שאול.** והלא שאול בכלל היה, אלא שהיה אויבו ורודפו מכולם. כיוצא בו (לעיל ב, ל), תשעה עשר איש ועשהאל, כיוצא בו (יהושע ב, א), לכו ראו את הארץ ואת יריחו וכיוצא בו (מלכים־א יא, א), והמלך שלמה אהב נשים נכריות ואת בת פרעה (מלכים־א יא, א): **(ב) סלעי ומצודתי.** לשון חוזק הם, ׳סלע׳ כמשמעו, ׳מצודה׳ היא מצודת יערים, שקורין פליישאי״ן בלע״ז. ועל שם הנס שנעשה לו בסלע המחלוקת (שמואל־א כג, ח), והמצודות בחורשה: **ומפלטי לי.** מפלטי עם לצאת ישראל במלחמה, ופעמים שהוא מפלט לי כשאני לבדי, כגון מן ישבי בנוב (לעיל כא, יז): **(ג) צורי.** לשון סלע, שהסלע מחסה לעוברי דרך, מן המטר והרוחות, אבריא״ס בלע״ז: **אחסה.** לשון כיסוי, שהייתי מתכסה לעזרה: **משגבי.** סומכי:

רד״ק

כמנור ארגים. (תרגום) כְּאַכְסַן דְּגַרְדָּאִין והוא העץ שמקפל עליו האורג הבגד בארגו וגרדאין הם אורגין, ותרגום ירושלמי מַעֲשֵׂה אֹרֵג (שמות כח, לב) עוֹבַד דְּגַרְדָּאֵי, וכן בדברי רז״ל נקרא האורג גרדי, וכן מְנוֹר אֹרְגִים הוא מכלי האורג בדבריהם באמרם (שבת קה, א) העושה שתי בתי נירין בנירים ובקירוס: **(כ) איש מדון.** כתב ביו״ד וקרי בוי״ו ואחד הוא בדברי הימים (־א כ, ו) אִישׁ מִדָּה, וכן תרגם יונתן גְּבַר דְּמִשְׁחָן, ואם כן הנח אשר במדון הוא מקום הדגש במדה: **שש ושש עשרים וארבע.** אלו אמר שש ושש ולא אמר עשרים וארבע הייתי אומר שבין ידיו ובין רגליו לא היו אלא שש ושש לכך צריך עשרים וארבע ואילו אמר עשרים וארבע ולא אמר שש ושש הייתי אומר חמש באחת ושבע באחת לכך נאמר שש ושש (בכורות מה, ב): **להרפה.** לענק ובא בה״א הידיעה עם למ״ד השמוש כמשפט אלא שברוב נפלה ה״א הידיעה להקל, וכמוה לְהָעָם הַזֶּה (דברי הימים־ב י, ז) לְהַגְּדוּד אֲשֶׁר בָּא אֵלָיו (שם כה, י): **(א) וידבר דוד לה׳.** שירה זאת חברה דוד בסוף ימיו כשהניח ה׳ לו מכל אויביו, ואמר וּמִכַּף שָׁאוּל כי הוא היה שקול כנגד כל אויביו, וכתובה שירה זו בספר תהלים (פרק יח) ומתחלפת במקומות במלים והענין אחד, ויונתן תרגם השירה הזאת על הצלת ישראל מאויביהם, גם דבר פרעה זכר בפסוק עלה עשן באפו (שם, ט): **(ב) סלעי ומצדתי.** שהייתי נשגב בו מאויבי: **ומפלטי לי.** הוא קל הלמ״ד וכמוהו רבים מבנין הדגוש, ומה שאמר לי אחר יו״ד הכינוי הוא תוספת ביאור כי די באחד מהם, או תהיה יו״ד של וּמְפַלְטִי נוספת ואיננה לכינוי כיו״ד הַמַּגְבִּיהִי לָשָׁבֶת (שם קיג, ה) הַיּוֹשְׁבִי בַּשָּׁמָיִם (שם קכג, א): **(ג) אלהי צורי.** אחר שאלהי סמוך יהיה צורי שם לא תואר ובתהלים אֵלִי צוּרִי (שם יח, ג) ושניהם תואר, ואפשר כי צורי לעולם שם רצה לומר כי הוא החזוק שלי, וכל צור עוֹלָמִים (ישעיהו כו, ד) חוזק העולמים וקיומם: **וקרן ישעי.** דרך המקרא לכנות החוזק בקרן כמו וְקַרְנֵי רְאֵם קַרְנָיו (דברים לג, יז) לפי שהאיל והשור והראם חזקם וכחם בקרניהם שהם מנגחים בהם:

מצודת דוד

(יט) ועץ חניתו. הוא בית יד של החנית: **(כ) שש ושש.** לכל אחת היו שש, ולשלא נחשב שבשתי ידיו היו שש, וכן בשתי רגליו, שלש לכל אחת, לזה חזר ופירש, עשרים וארבע מספר: **(כא) ויחרף.** חרף את ישראל בדברים: **(א) ביום הציל.** רוצה לומר, לעת זקנותו, שניצול מכל התלאות, ועבדיו מנעוהו מלרדת עוד במלחמה כמו שכתוב למעלה, אז אמר השירה הזאת. או רוצה לומר, בכל עת שבאה עליו צרה וניצל ממנה, אז היה שר השירה הזאת: **(ב) ה׳ סלעי.** ה׳ מחסי, כבנין מסלע, וכמצודה: **(ג) צורי.** ה׳ הוא חזקי, אשר אחסה בו: **וקרן ישעי.** הוא לי לישע ועזר, כמו קרן לבעל הקרנים:

מצודת ציון

כמנור אורגים. תרגם יונתן, כאכסן דגרדאין, וכמו כן תרגם (שופטים טז, יד), על יתד הארג, והוא העץ העגול שלפני האורג, יכרוך עליו חוטי השתי, ובמשנה יקראו כובד (שבת קיג, א): **(כ) מדון.** מלשון מדה, ורוצה לומר בעל מדה גדולה, וכן (במדבר יג, לב), אנשי מדות: **(כא) ויחרף.** ענין בזיון: **(א) מכף.** מיד: **(ב) ומצודתי.** מבצר חזק: **ומפלטי.** מצילי, ואמר ׳לי׳, לתוספת ביאור: **(ג) צורי.** מלשון צור וסלע, וכפל דבריו במלות שונות כדרך השיר:

כִּמְנוֹר אֹרְגִים — *Like a weaver's beam*. According to the opinion that the Philistine of this verse was actually Goliath, the verse tells us that he met his fate in an appropriate manner: "Let the son of the weaver come and strike down Goliath whose spear was like a weaver's beam" (*Mahari Kara*; *Rashi*).

21. The fourth giant emulated Goliath, who challenged Israel by ridiculing the nation and its God. That David's brother slew him is an indication of the greatness of Jesse's other children. It is no wonder, therefore, that the prophet Samuel thought that all of David's older brother's were worthy of being anointed.

22. בְּיַד־דָּוִד וּבְיַד־עֲבָדָיו — *By the hand of David and by the hand of his servants*. According to *Targum* and *Rashi*, that one of the giants was Goliath and that David was the one who killed him, this phrase is technically correct: David was one of those who killed the giants. According to the other commentators, David is credited with killing the giants because he was the king, and those who did the fighting were acting on his orders.

[20]*There was another war, in Gath. There was a man of huge dimensions, whose fingers and toes were six each, twenty-four in number; he, too, was born to the giant.* [21]*He ridiculed Israel, and Jonathan, the son of David's brother Shimea, struck him down.*

[22]*These four were born to the giant in Gath, and they fell by the hand of David and by the hand of his servants.*

22 **SONG OF GRATITUDE** 22:1-51

[1]*David spoke to HASHEM the words of this song on the day that HASHEM delivered him from the hand of all his enemies and from the hand of Saul.* [2]*He said:*
HASHEM is my Rock, my Fortress, and my Rescuer.
[3]*God, my Rock in Whom I take shelter, my Shield,*
and the Horn of my Salvation, my Stronghold and my Refuge.

22.

This is David's inspiring and soaring Song of gratitude to God for all His goodness. It is typical of David that he focuses not on the travails, pursuits, suffering, and rebellions that marred his life. To him, everything, even the difficulties, were signs of God's kindness, because he was firm in his belief that everything that God does is for the good, even though we do not understand how.

With many slight variations (*Abarbanel* notes seventy-four), this Song is Psalm 18, in the Book of *Psalms*. Of the 150 chapters in David's *Psalms,* many are related to events recorded in the Book of *Samuel* — why, then, is this the only song of David that was chosen for inclusion in the Book of *Samuel*? *Abarbanel* explains that while David's other songs relate to isolated incidents in his life, this song refers to the general theme of salvation from adversity. It is because of its universal relevance that it was included in our Book.

Abarbanel also explains why the version of *Psalms* differs from that of *Samuel.* Since David composed both versions under Divine inspiration, how could two disparate versions be correct? He explains that the version in our Book was the one sung by David throughout his life, whenever he experienced a victory. This is one reason why verse 1 speaks of David's rescue from Saul: David sang it after his escapes from Saul as he did after all the other times that God helped him. At the end of his life, David wished to make this Song broadly applicable to everyone in any situation. To do so, David edited the original version that he had composed to apply to his own situation. The version found in *Psalms* — like the rest of that Book — is meant to provide inspirational words of prayer and encouragement for any individual at any time who wishes to meditate in personal times of trouble and find the means to express his gratitude to God.

Yalkut Shimoni (*Joshua* 20) lists this song as one of the ten sacred songs of history. The tenth will be sung when the Messiah arrives.

Abarbanel divides the song into four parts. The first section (vs. 1-3) introduces the theme of the song — that God is man's protector. The second part (vs. 4-28) describes how God saved David from his enemies. The third part (vs. 29-46) describes how God not only delivered David from misfortune, but also granted him the strength to overcome and vanquish his enemies. The fourth part (v. 47 to the end) declares his praises to God.

1-3. The first part of the Song — God protects righteous people.

1. בְּיוֹם הִצִּיל ה׳ אֹתוֹ — *On the day that HASHEM delivered him.* According to *Rashi*, David composed this song in his old age, after he had been delivered from all his enemies. The Midrash (*Shocher Tov* 18) seems to agree with *Rashi's* approach. *Abarbanel*, on the other hand, believes that the song was written early in David's life as noted above, whenever God saved him from an enemy.

וּמִכַּף שָׁאוּל — *And from the hand of Saul.* Saul is singled out because he pursued David more intensely than any of his other foes (*Rashi*). The Midrash adds the poignant observation that having an enemy who is a fellow Jew is often more devastating than having several enemies from among the other nations!

Alshich explains that Saul is singled out because his danger to David was of an entirely different order than all the other foes. David could strike back to defend himself against his other enemies, but he never retaliated against Saul. Even when Saul was asleep and could have been killed easily, David refused to harm the righteous "anointed of God." The Midrash states that just as David prayed that he should not fall into Saul's hands, so he prayed that Saul should not fall into his hands.

Targum translates *for all the days when HASHEM saved* Israel *from their enemies, and He also saved David from the sword of Saul.* Accordingly, David thanked God for the victories of the entire nation and for his personal salvation from Saul. This explains why Saul is mentioned separately.

2. סַלְעִי וּמְצֻדָתִי — *My Rock, my Fortress.* Both terms signify strength. In the context of David's experiences, they allude to two times when God saved him from Saul: סֶלַע הַמַּחְלְקוֹת, *the Rock of Divisions* (*I Samuel* 23:24-28), and בַּמְּצָדוֹת, *the strongholds* or *fortresses* (ibid. 23:14ff) (*Rashi*).

וּמְפַלְטִי־לִי — *My rescuer*, lit. *my rescuer for me. Rashi* explains the double possessive as follows: God was *My rescuer*, when I joined the army of Israel in war; and God rescued *for me*, when I stood in battle alone, as in the case of Ishbi-benob (above, 21:16).

3. צוּרִי אֶחֱסֶה־בּוֹ — *My Rock in whom I take shelter.* God is a refuge, like a large rock behind which one takes shelter from

HAFTARAS SEVENTH DAY OF PESACH 22:1-51

ד וּמְנוּסִי מֹשִׁעִי מֵחָמָס תֹּשִׁעֵנִי׃ מְהֻלָּל
ה אֶקְרָא יהוה וּמֵאֹיְבַי אִוָּשֵׁעַ׃ כִּי אֲפָפֻנִי מִשְׁבְּרֵי־
ו מָוֶת נַחֲלֵי בְלִיַּעַל יְבַעֲתֻנִי׃ חֶבְלֵי
שְׁאוֹל סַבֻּנִי קִדְּמֻנִי מֹקְשֵׁי־
ז מָוֶת׃ בַּצַּר־לִי אֶקְרָא יהוה וְאֶל־
אֱלֹהַי אֶקְרָא וַיִּשְׁמַע מֵהֵיכָלוֹ
ח קוֹלִי וְשַׁוְעָתִי בְּאָזְנָיו׃ °ותגעש [°וַיִּתְגָּעַשׁ ק׳]
וַתִּרְעַשׁ הָאָרֶץ מוֹסְדוֹת הַשָּׁמַיִם
ט יִרְגָּזוּ וַיִּתְגָּעֲשׁוּ כִּי־חָרָה לוֹ׃ עָלָה
עָשָׁן בְּאַפּוֹ וְאֵשׁ מִפִּיו
י תֹּאכֵל גֶּחָלִים בָּעֲרוּ מִמֶּנּוּ׃ וַיֵּט

רש"י

ומנוסי. שהייתי נס אליו לעזרה: **(ד) מהולל אקרא ה׳.** כתרגומו; בקראי לו אהודנו, לפי כי מאויבי אני בוטח שאושע. ויתכן לפתור אקרא ואושע, לשון ׳הוה׳: **(ה) אפפוני.** הקיפוני: **משברי מות.** כתרגומו, כאתא דיתבא על מתברא, כן שם מושב האבנים שהאשה יולדת שם: **נחלי.** גייסות שוטפות כנחל: **(ו) חבלי.** כתרגומו, משרית, כמו (שמואל־א י, ה), חבל נביאים: **קדמוני.** באו לפני: **(ז) בצר לי אקרא ה׳ וישמע וגו׳.** כך דרך לשון הווה, מדבר לשון עבר ולשון עתיד בפעם אחת: **(ח) ויתגעש ותרעש.** לא על נסים שאירעוהו נאמר, אלא על נסים שנעשו לישראל, וראש המקרא מחובר על סופו: **כי חרה לו.** ׳כי׳ משמש כאן בלשון ׳כאשר׳, וכן פתרונו, וכשחרה לו מפני מכעיסיו, נתגעשה ונתרעשה הארץ, ומוסדות השמים רגזו ורעשו: **(ט) עלה עשן באפו.** כן דרך הכועס, יוצא עשן מנחיריו, וכן (תהלים יח, ט), עלה עשן באפו. וזהו כל לשון חרון אף, שהאף נוחר ומעלה הבל: **ואש מפיו תאכל.** מגזרת דבר פיו, תאכל אש ברשעים:

רד"ק

מחמס. מאנשי חמס, וכן תרגם יונתן וְאַף מִיַּד כָּל חֲטוֹפִין ואנסין שֵׁזֵיב יָתִי: **(ד) מהלל אקרא ה׳.** כשאני מתפלל ואקרא ה׳ מהולל שאהללנו בתהלותי, אז מן אויבי אושע: **(ה) משברי מות.** הם הצרות החזקות שהיה בהם קרוב למות כמו שהיה בסלע המחלקות (לעיל־א כג, כח), ופירוש מִשְׁבְּרֵי כי הצרות שוברות לב האדם באנחותיו ודאגותיו או פירוש מִשְׁבְּרֵי על דרך משל כאילו אמר גלי מות, כי הגלים החזקים נקראים משברים כמו שאמר כָּל מִשְׁבָּרֶיךָ וְגַלֶּיךָ עָלַי עָבָרוּ (יונה ב, ד), ונקרא הגל כן לפי שהוא נשבר בתנועתו החזקה ויונתן פירש שהיה בצרה כאשה יושבת על משבר והיא מסוכנת למות: **נחלי בליעל יבעתני.** על דרך משל כמו הנחל השוטף כן הצרה הגדולה, ובְלִיַּעַל אמר על כל רשע ורשע מאויביו, או יהיה בליעל שם הרשע, ויונתן תרגם סִיעַת חַיָּבִין, ואפשר לפרש נחלי מן נַחְלָה מַכָּתֵךְ (ירמיה ל, יב): **(ו) חבלי שאול.** ענין כאב מן חבלי יולדה, ויונתן תרגם מַשְׁרְיַת רַשִׁיעִין כמו חֶבֶל נְבִיאִים (לעיל־א י, ה): **(ז) מהיכלו.** מן השמים: **ושועתי באזניו.** באה באזניו, וכן כתוב בתהלים תָּבוֹא בְאָזְנָיו (יח, ז): **(ח) ותגעש.** כתיב כמו בתהלים וקרי וַיִּתְגָּעַשׁ והענין אחד וקריאת המלה מלרע, וכל הענין הזה עד ישלח ממרום (פסוק יז) רמז להשחית ולכלות אויבי ישראל כי להם הוא רעש הארץ, והשמים וחשך וערפל וגחלים ואש וחצים וברק הכל דרך משל, וכן וַיֵּט שָׁמַיִם וַיֵּרַד (פסוק י) כאילו ירד לכלותם במהרה, וזהו וַיִּרְכַּב עַל כְּרוּב וַיָּעֹף וַיֵּרָא עַל כַּנְפֵי רוּחַ (פסוק יא) רמז למהירות הכליה והאבדון לאויבים: **(ט) עלה עשן.** משל על חרון אפו באויבים כמו אָז יֶעְשַׁן אַף ה׳ וְקִנְאָתוֹ (דברים כט, יט): **ואש מפיו תאכל.** אש שיצאה מפיו תאכלם:

מצודת דוד

ומנוסי. אנוס אליו מפחד האויב: **מחמס.** מאנשי חמס: **(ד) מהולל.** כאשר אני קורא אל ה׳ בהלל, אז אני נושע: **(ה) כי אפפוני.** כאשר סבבו אותי משברי מות, רוצה לומר, כאבי מות, וכאשר החליים הבאים מאנשי בליעל בעתו וחרדו אותי: **(ו) חבלי.** וכאשר כאבי שאול סבבוני, ובאו לפני מוקשים המביאים את המיתה: **(ז) בצר לי.** כאשר היה צר לי בעבור הדברים האלה, אז קראתי לה׳, ושמע קולי, וצעקתי באה באזניו, וכפל הדבר במלות שונות, וכדרך מליצת השירה: **(ח) ויתגעש.** נעו ונדו אויבי יושבי הארץ, מרוב הפחד: **מוסדות השמים.** הוא משל על השרים מכנען: **כי חרה לו.** כאשר חרה לו, לקחת מהם נקמתו: **(ט) עלה עשן באפו.** הוא ענין כעס, ואמר בלשון הנופל באדם, שעל ידי חמום הכעס, נראה כעין עשן יוצא מנחירי האף, וכן (תהלים עד, א), יעשן אפך: **תאכל.** את הקמים עלי: **ממנו.** רצה לומר, מעמו באו הגחלים, ובערו לשרוף בשונאי: **(י) ויט.** נטה את השמים למטה לארץ, וירד עליהם להתקרב אל שונאי להכות בהם, והוא מדרך משל, לומר שהיה ממהר ליפרע מהם:

מצודת ציון

ומנוסי. מלשון ניסה ובריחה: **מחמס.** הוא כענין גזל: **(ה) אפפוני.** סבבוני, כמו (תהלים מ, יג), כי אפפו עלי: **משברי.** מלשון שבר: **נחלי.** מלשון חולי, כמו (נחום – יט), נחלה מכתך: **יבעתוני.** מלשון בעתה וחרדה: **(ו) חבלי.** מכאובי, כמו (הושע יג, יז), חבלי יולדה: **קדמוני.** באו לפני, כמו (מיכה ו, ו), במה אקדם ה׳: **(ח) ויתגעש.** ענין התנודה והתנועה החזקה, כמו (ירמיהו מו, ז), כנהרות יתגעשו מימיו: **ירגזו.** יחרדו:

enemies and the elements (*Rashi*).

Vilna Gaon comments on the verse טוֹב לַחֲסוֹת בַּה׳ מִבְּטֹחַ בָּאָדָם, *It is better to take refuge in* HASHEM *than to rely on man* (*Psalms* 118:8). *To take refuge* implies that the place of refuge gives no promise of safety, while *to rely* implies that assurances have been given. David declared that it is preferable to have faith in God without assurances than to rely on the promises of human beings. In this sense, David said that he took shelter in God, his Rock, and felt secure that God would help him.

וְקֶרֶן יִשְׁעִי — *And the Horn of my Salvation*. The horn is a metaphor for strength, just as an animal uses its horn as a weapon (*Radak*). According to *Mahari Kara*, the *horn of salvation* is the trumpet sounded exultantly by a victorious army to

My Savior, You save me from injustice.
[4]With praises I call unto HASHEM, and I am saved from my enemies.
[5]When the pains of death encircled me
and torrents of godless men would frighten me,
[6]the pains of the grave surrounded me, the snares of death confronted me —
David prays ... *[7]in my distress I would call upon HASHEM, and to my God I would call;*
from His abode He heard my voice, and my cry was in His ears.
... and God answers him *[8]Then the earth quaked and roared, the foundations of the heavens shook;*
they quaked when His wrath flared.
[9]Smoke rose up in His nostrils, a devouring fire from His mouth,
flaming coals blazed forth from Him.

---

indicate that it has triumphed in battle.

4-20. The Second part — how God saved David from his enemies.

4. **מְהֻלָּל אֶקְרָא ה׳ וּמֵאֹיְבַי אִוָּשֵׁעַ** — *With praises I call unto HASHEM, and I am saved from my enemies.* I will praise God even before the salvation comes, because I am confident that He will hear my prayers and help me (*Rashi*, from *Targum*). The Midrash (*Shocher Tov*) relates this to the battle of King Jehoshaphat against the Ammonites and Moabites (*II Chronicles* 20:22), when the king and his men *broke into song and jubilation* even before the battle began, so confident were they of God's salvation — which indeed was forthcoming. A variation upon this interpretation is that David praises God because — in general — He provides salvation on so many occasions, meaning that David is praising God for His consistent help.

Another opinion in the Midrash holds that the two phrases in this verse must be understood in reverse order [סרס המקרא ודרשהו]: "When (i.e., *after*) I am saved from my enemies I call unto HASHEM with praises."

Rabbi Chaim Soloveitchik was asked if one should sing God's praises even before His help has come. He replied by citing the verse *As for me, I trust in Your kindness, my heart will rejoice in Your salvation. I will sing to HASHEM* for He dealt kindly with me (*Psalms* 13:6). The implication of the second clause, Rabbi Soloveitchik contended, is that while one should trust that God will be kind and that salvation will come, praises are sung only once He has *dealt kindly*.

5. **מִשְׁבְּרֵי־מָוֶת** — *Pains of death.* Extreme distress is called מִשְׁבָּר, from שֵׁבֶר, *to shatter*, because it shatters the heart (*Radak*). *Rashi* cites *Targum*, who relates the word מִשְׁבָּר to מַשְׁבֵּר, *a birthing stool*, and translates: *Distress surrounded me, like a woman in childbirth, who has no strength to give birth, and is in danger of dying.*

נַחֲלֵי בְלִיַּעַל יְבַעֲתֻנִי — *And torrents of godless men would frighten me.* The *pains of death* and the enmity of the *godless* seemed like a flood, washing away all resistance (*Radak*).

6. **חֶבְלֵי שְׁאוֹל** — *The pains of the grave.* This translation of חֶבְלֵי as *pains* follows *Radak*. *Rashi* prefers *Targum's* translation: *bands of wicked men surrounded me.*

7. The first two phrases are repetitive. Most commentators regard this simply as the regular style of Scriptural poetry, in which an idea is rephrased and repeated.

Alternatively, David says that first he would call to God, in order to achieve a heightened awareness of His presence and greatness. Only then could he pray that his prayer be fully efficacious.

It may also be that David prayed both to *HASHEM*, which signifies God's Attribute of Mercy, and to Him as *Elohim*, which signifies the Attribute of Justice.

Unlike others who lose hope when they are faced with distress, the righteous never despair. In the worst of times, *I call out to God* (*Shem MiShmuel*).

7. **וַיִּשְׁמַע** — *He heard.* Here it is in the past tense, while the parallel verse in *Psalms* (18:7) is in the future tense. In this Song David thanks God for past victories, while in *Psalms*, he expresses confidence in God's mercy to respond in the future to sincere prayer (*Abarbanel*).

8. *Then* — in response to David's prayers — *the earth quaked and roared. . .* (*Mahari Kara*).

The quaking of the earth and the other examples of violent eruptions of nature, in this and the following verses (through verse 16), are metaphors for the utter destruction brought upon the enemies of Israel by God, through David (*Radak*).

Rashi, following *Targum*, interprets this series of verses as a new subject, unrelated to David's personal salvation. Rather, these verses describe various occurrences when God bent the forces of nature to vanquish His enemies, as will be described in detail in the coming verses.

9. **עָלָה עָשָׁן בְּאַפּוֹ** — *Smoke rose up in His nostrils.* In the common Biblical idiom, when a person becomes angry he is described as having his "nostrils heat up" [חֲרוֹן אַף]. The expression is totally figurative, of course, especially when used in connection with God.

וְאֵשׁ מִפִּיו תֹּאכֵל — *A devouring fire from His mouth.* A command goes forth from HASHEM, and, as a result, a fire consumes the wicked (*Rashi*). According to *Rashi* (*Megillah* 31a) this phrase alludes to the Splitting of the Sea, of which the Torah (*Exodus* 14:24) writes, *HASHEM looked down at the camp of Egypt with a pillar of fire.* This is why David's Song is read as the *Haftarah* on the seventh day of Passover, the anniversary of the Splitting of the Sea.

Radak interprets this phrase figuratively: the word of HASHEM is like a fire that consumes the wicked.

שָׁמַיִם וַיֵּרַד   וַעֲרָפֶל תַּחַת
יא רַגְלָיו: וַיִּרְכַּב עַל־כְּרוּב וַיָּעֹף   וַיֵּרָא
יב עַל־כַּנְפֵי־רוּחַ:   וַיָּשֶׁת חֹשֶׁךְ סְבִיבֹתָיו
יג סֻכּוֹת   חַשְׁרַת־מַיִם עָבֵי שְׁחָקִים: מִנֹּגַהּ
יד נֶגְדּוֹ בָּעֲרוּ גַּחֲלֵי־אֵשׁ:   יַרְעֵם מִן־שָׁמַיִם
טו יהוה   וְעֶלְיוֹן יִתֵּן קוֹלוֹ:   וַיִּשְׁלַח
טז חִצִּים וַיְפִיצֵם בָּרָק ויהמם [וַיָּהֹם ק׳]:   וַיֵּרָאוּ אֲפִקֵי
יָם   יִגָּלוּ מֹסְדוֹת תֵּבֵל   בְּגַעֲרַת
יז יהוה מִנִּשְׁמַת רוּחַ אַפּוֹ:   יִשְׁלַח מִמָּרוֹם
יח יִקָּחֵנִי   יַמְשֵׁנִי מִמַּיִם רַבִּים: יַצִּילֵנִי
מֵאֹיְבִי עָז   מִשֹּׂנְאַי כִּי אָמְצוּ
יט מִמֶּנִּי: יְקַדְּמֻנִי בְּיוֹם אֵידִי   וַיְהִי
כ יהוה מִשְׁעָן לִי: וַיֹּצֵא לַמֶּרְחָב

רש״י

(י) ויט שמים. להנקם מאויביו, ממצרים ומפרעה: **(יב) וישת חשך סביבותיו.** לסוכה, כענין שנאמר (שמות יד, כ), ויהי הענן והחשך, מפסיק בין מצרים לישראל: **חשרת מים עבי שחקים.** מאין היה החשך, עבי שחקים היו, שהן חושרין מים על הארץ: **חשרת.** לשון כברה הוא, שהוא נופל על הארץ דק דק (תענית ט, ב). וכן הוא אומר באגדות הרבה, חושרין אותו בכברה. ויש לפתור ׳חשרת׳, לשון ׳קשר׳, שמתקשרין השמים בעבים על ידי המים, כמו ׳וחשוריהם׳ האמור באופני המכונה (מלכים־א ז, לג), שהם זרועות העץ המהדקין וקושרין עיגוליה יחד: **(יג) מנגה נגדו.** שלא תאמר בחשך הוא שרוי, אלא הנוגה לפניו מן המחילה, ומאותו נוגה אשר לפניו, בערו גחלי אש, שנשתלחו חצים על מצרים: **(טז) יגלו מוסדות תבל.** שנבקע התהום, כשנבקע ים סוף נבקעו כל מימות שבעולם (ילקוט שמעוני רמז קסא): **מנשמת.** מכח נשיבת רוח אפו: **(יח) כי אמצו.** כאשר אמצו:

רד״ק

(יא) וירא. ובתהלים (יח, יא) וַיֵּדֶא בדל״ת מן כַּאֲשֶׁר יִדְאֶה הַנָּשֶׁר (דברים כח, מט), והענין קרוב: **(יב) חשרת מים.** ובתהלים (יח, יב) חֶשְׁכַת מַיִם והענין אחד, כי חשרת מים הוא קשור העבים זו בזו כמו וְחִשֻּׁקֵיהֶם וְחִשֻּׁרֵיהֶם הַכֹּל מוּצָק (מלכים־א ז, לג), וכשהעבים מקשרים זו בזו הוא החשכה: **(יג) מנוגה נגדו.** מנוגה שהוא נגדו אל אוהביו בערו גחלי אש לאויביו, כלומר אשו מאיר לאוהביו ובוער בשונאיו: **(יד) ירעם.** מן רעם: **(טו) ויהמם.** כמו בתהלים (יח, טו) כתוב וקרי וַיְהֻמֵּם ואין בינידם אלא הכנוי: **(טז) אפיקי ים.** המים הנגרים בכח נקראים אפיקים וכל המקומות שהמים נגרים בהם נקראים אפיקים על שמם: **(יז) ימשני ממים רבים.** דרך משל שהצילהו מצרות רבות, והוא מגזרת כִּי מִן הַמַּיִם מְשִׁיתִהוּ (שמות ב, י), וענינם ענין המשכה והוצאה: **(יח) מאיבי עז.** לשון יחיד על גלית או על ישבי בנוב ואפשר על שאול: **(יט) יקדמני ביום אידי.** תרגם יונתן יְקַדְּמוּנִי בְּיוֹם טַלְטוּלִי כלומר ביום שהייתי נע ונד היו אויבי מקדימים אותי ברעותידם כמו שעשו הזיפים (לעיל־א כג, יט):

מצודת דוד

תחת רגליו. להיות מוכן להפרע מהם, בחושך של ערפל: **(יא) וירכב.** לבוא: **וירא.** היה נראה בא על כנפי רוח, ודימה נשיבת הרוח, לעפיפת כנפי העוף: **(יב) וישת חושך.** שם החושך סביבות סוכתו, להיות מוכן להחשיך להאויב: **חשרת.** החושך ההוא בא מחשרת רבוי המים הנקשרים בעבים הפרושים מתחת השחקים: **(יג) מנוגה נגדו.** מחמת האורה שלפניו אשר חפצו להאיר להושיע לי, לזה בערו גחלי אש בהקמים עלי: **(טז) ויראו.** היו נראים קרקעות מי הים, כי נבקעה המים: **יגלו וגו׳.** כי נבקע הארץ: **בגערת.** בעבור גערת ה׳ בהקמים עלי: **מנשמת.** מנשיבת רוח אפו, והכל הוא בדרך משל: **(יז) ישלח ממרום.** ישלח עזרתי ממרום, ויקחני מיד האויב, ויוציאני מיד הרבים הקמים עלי, השוטפים כמים רבים: **(יח) כי אמצו.** כאשר התחזקו ממני, אז יצילני מידם: **(יט) יקדמוני.** האויב היה מקדים לבוא עלי בעת יקרני מקרה רע, בחושבו כאשר החילותי לנפול לא אוסיף לקום, אבל ה׳ היה לי למשען, ואף כי נפלתי, הנה קמתי: **(כ) למרחב.** למקום רחב, להנצל מיד:

מצודת ציון

(י) וערפל. כענין עב הענן: **(יא) כרוב.** מלאך. ורבותינו ז״ל אמרו (חגיגה יג, ב), כרביא, והוא התרגום של נער, כי דמות אדם להנה: **ויעף.** ענין פריחה: **(יב) וישת.** ענין שימה, כמו (תהלים עג, ט), שתו בשמים פיהם: **חשרת.** ענין קשור, כמו (מלכים־א ז, לג), וחשוקיהם וחשוריהם: **(יג) מנגה.** ענין הארה וזריחה: **(טו) ויהם.** מלשון מהומה: **(טז) אפיקי.** כן יקרא המים הנגרים בחוזק ורודפים, וכן (איוב ו, טו), כאפיק נחלים: **מנשמת.** מלשון נשימה ונשיבת הפה: **(יז) ימשני.** ענין הוצאה, כמו (שמות ב, י), מן המים משיתהו: **(יח) אמצו.** ענין חוזק: **(יט) אידי.** ענין מקרה רע, כמו (איוב לא, ג), הלא איד לעול: **משען.** ענין סעד:

---

10. וַיֵּט שָׁמַיִם — *He bent down the heavens*. This section of the Song refers to God's destruction of the Egyptians at the time of the Exodus (*Rashi*). "Bending the heavens" suggests that God descended from Heaven, as it were, to personally attend to the swift and total destruction of His foes (*Metzudos*).

וַעֲרָפֶל תַּחַת רַגְלָיו — *With thick darkness beneath His feet.* God enveloped the Egyptians in darkness when He trod on them in anger, as it were, at their treatment of Israel (*Radak* to *Psalms*).

11. וַיִּרְכַּב עַל־כְּרוּב — *He mounted a cherub*. The *cherub* is a metaphor for the angel that God sent to protect David. It is שכל הפועל, *the "active intellect,"* which is the angel that God dispatches to earth to watch over the righteous. David

[10]He bent down the heavens and descended, with thick darkness beneath His feet.
[11]He mounted a cherub and flew, He appeared on the wings of the wind.
[12]He made darkness into shelters all around Him —
the darkness of water, the clouds of heaven.
[13]From out of the brilliance that is before Him burned fiery coals.
[14]HASHEM thundered from the heavens, the Most High gave forth His voice.
[15]He sent forth arrows and scattered them; lightning, and He terrified them.
[16]The depths of the sea became visible, the foundations of the earth were laid bare,
by the rebuke of HASHEM, by the blowing of the breath of His nostrils.

Support against his enemies ...

[17]He sent from on high and took me, He drew me out of deep waters.
[18]He saved me from my mighty foe, and from my enemies, when they overpowered me.
[19]They confronted me on the day of my misfortune, but HASHEM was a support unto me.
[20]He brought me out into a broad space;

---

describes God as "mounting that angel and flying," so that this protection would not be delayed (*Ralbag*).

12. וַיָּשֶׁת חֹשֶׁךְ סְבִיבֹתָיו סֻכּוֹת — *He made darkness into shelters all around Him.* According to *Rashi*, this refers to the time when the Egyptians pursued Israel just before the Splitting of the Sea. *The pillar of cloud moved from in front of them and went behind them; it came between the camp of Egypt and the camp of Israel and there were cloud and darkness (Exodus* 14:19-20).

חַשְׁרַת־מַיִם — *The darkness of water.* According to *Radak* and an alternate interpretation of *Rashi*, חַשְׁרַת means *knotted* or *gnarled* — the sky is filled with and darkened by thickly gnarled clouds.This alludes to the clouds mentioned in the next phrase.

Rashi's primary interpretation of חַשְׁרַת is *sprinkling* — the clouds that surround God in darkness are "sprinklers of water."

Even when God intervenes in human affairs, He conceals Himself in natural phenomena (*Ibn Ezra*). This explains why it is so difficult to discern the hand of God. Instead of recognizing Divine intervention, people attribute His direction of affairs to the laws of nature or cause and effect.

13. מִנֹּגַהּ נֶגְדּוֹ בָּעֲרוּ גַּחֲלֵי־אֵשׁ — *From out of the brilliance that is before Him burned fiery coals.* Because God was just described as being cloaked in dark clouds, we might suppose that He Himself dwells in darkness; therefore the verse says *from out of the brilliance that is before Him*, i.e., within the darkness, there is a brilliant brightness. And from that brilliance, He cast fiery arrows against the Egyptians at the Sea of Reeds (*Rashi*).

Alternatively, for His beloved ones light emanates *from out of the brilliance that is before Him*. But the clouds barraged His enemies with *burning, fiery coals*.

14. יַרְעֵם מִן־שָׁמַיִם ה׳ — *HASHEM thundered from the heavens* against his enemies, as in Samuel's war against the Philistines (*I Samuel* 7:10) (*Mahari Kara*).

God frightened His enemies, as a person trembles upon hearing an unexpected thunderclap (*Radak*.

15. וַיִּשְׁלַח חִצִּים — *He sent forth" arrows*, i.e., He sent forth His blows like arrows.

16. וַיֵּרָאוּ אֲפִיקֵי יָם — *The depths of the sea became visible*, at the Splitting of the Sea, when the waters of the sea formed walls and the Israelites marched across the dry seabed. When the Sea of Reeds split, all the waters of the world split, as well, so that *the foundations of the earth were laid bare* (*Rashi*).

According to *Ralbag* all the descriptions of violent natural phenomena are metaphors for the miraculous, unexpected manner in which potential opponents of David's kingship were removed. No one expected Saul and Jonathan to fall in battle, but God orchestrated it when the time came for David to assume the throne (*I Samuel* 31:2-5). Had Jonathan survived, David would not have challenged his beloved friend's claim to the throne. And no one expected Abner to desert Ish-bosheth and give his support to David (*II Samuel* 3:12), nor did anyone expect the innocent Ish-bosheth to be murdered by treacherous assassins (4:6).

17. Following the two lines of interpretation in this section of the song, this is either a metaphor for God's miraculous salvation of David (*Radak*), or an allusion to the Israelites' exit from the parted waters of the Sea of Reeds (*Midrash*).

Alternatively, this refers to the angels God sent to save Lot and his family from the destruction of Sodom (*Genesis* 19:15-16), so that David could descend from Lot and his daughter (*Alshich*)

יַמְשֵׁנִי מִמַּיִם רַבִּים — *He drew me out of deep waters.* David thanks God for saving his ancestor Nachshon ben Aminadab, who was the first one to plunge into the Sea of Reeds before it split. He kept forging into the sea until he was on the verge of drowning, and then his heroic display of faith in God was rewarded when God split the sea (*Alshich*).

18. מֵאֹיְבִי עָז — *From my mighty foe.* Here David speaks in the singular, referring to the times when he was menaced by a single adversary, such as Goliath and Ishbi-benob (*Radak*).

19. יְקַדְּמֻנִי בְּיוֹם אֵידִי — *They confronted me on the day of my misfortune.* David refers to the opportunists like the Ziphites (*I Samuel* 23:19), who informed on him when he was fleeing from Saul and was virtually defenseless (*Radak, Ralbag*).

20. וַיֹּצֵא לַמֶּרְחָב אֹתִי — *He brought me out into a broad space.* He removed me from a constricted space where I was almost

כא אֹתִ֑י יְחַלְּצֵ֖נִי כִּֽי־חָ֥פֵֽץ בִּֽי׃ יִגְמְלֵ֥נִי יְהֹוָ֖ה כְּצִדְקָתִ֑י כְּבֹ֥ר יָדַ֖י יָשִׁ֥יב
כב לִֽי׃ כִּ֥י שָׁמַ֖רְתִּי דַּ֣רְכֵי יְהֹוָ֑ה וְלֹ֥א
כג רָשַׁ֖עְתִּי מֵאֱלֹהָֽי׃ כִּ֥י כָל־משפטו [מִשְׁפָּטָ֖יו ק׳]
כד לְנֶגְדִּ֑י וְחֻקֹּתָ֖יו לֹא־אָס֥וּר מִמֶּֽנָּה׃ וָאֶהְיֶ֥ה
כה תָמִ֖ים ל֑וֹ וָאֶשְׁתַּמְּרָ֖ה מֵעֲוֺנִֽי׃ וַיָּ֧שֶׁב יְהֹוָ֛ה לִ֖י
כו כְּצִדְקָתִ֑י כְּבֹרִ֖י לְנֶ֥גֶד עֵינָֽיו׃ עִם־
חָסִ֖יד תִּתְחַסָּ֑ד עִם־גִּבּ֥וֹר תָּמִ֖ים
כז תִּתַּמָּֽם׃ עִם־נָבָ֖ר תִּתָּבָ֑ר וְעִם־
כח עִקֵּ֖שׁ תִּתַּפָּֽל׃ וְאֶת־עַ֥ם עָנִ֖י
כט תּוֹשִׁ֑יעַ וְעֵינֶ֖יךָ עַל־רָמִ֥ים תַּשְׁפִּֽיל׃ כִּֽי־
אַתָּ֥ה נֵירִ֖י יְהֹוָ֑ה וַיהֹוָ֖ה יַגִּ֥יהַּ
ל חָשְׁכִּֽי׃ כִּ֥י בְכָ֖ה אָר֣וּץ גְּד֑וּד בֵּאלֹהַ֖י

רש״י

(כא) כצדקתי. כשילאו אחריו למדבר וסמכו על הבטחתו: **(כו) עם חסיד תמים נבר.** כנגד שלשה אבות, שסלם הקב״ה גמול לדקתם לבניהם: **(כז) ועם עקש.** פרעה: **תתפל.** לשון נפתל ועקש, ובספר תהלים (יח, כז) כתוב, תתפתל. דבר אחר, ישלח ממרום יקחני. על עלמו אמר, כשהיה נחפז ללכת מפני שאול בסלע המחלקות והיה קרוב להתפש, ומלאך בא אל שאול לאמר, מהרה ולכה כי פשטו פלשתים: **וישב וגו׳ בצדקתי.** שלא הרגתיו בכרתי כנף מעילו:

רד״ק

(כב) ולא רשעתי מאלהי. לא רשעתי שיצאתי מדרכי אלהי, וְדַרְכֵי שוכר עומד במקום שנים, ויונתן תרגם וְלָא הֲלֵיכִית בְּרֶשַׁע קֳדָם אֱלָהָי: **(כג) לא אסור ממנה.** מכל מצוה וחוקה, ובתהלים (יח, כג) לא אָסִר מֶנִּי, והענין אחד: **(כו) תתחסד.** מי שהוא חסיד בדרכיו אתה מראה לו גם כן שאתה חסיד בהטיבך עמו: **עם גבור.** כמו איש שתרגומו גבר וכן הוא בתהלים (יח, כו) גְּבַר ויונתן תרגם הפסוק על האבות חָסִיד וּתָמִים וְנָבָר, ותרגם עִקֵּשׁ על פרעה: **(כז) תתבר.** משפטו תתברר ובא חסר הכפל, ואם היה אומר תתבר ידמה מנחי הלמ״ד, לפיכך שמו תנועות תתבר בתתבר ודגש התי״ו להורות שהוא מפעלי הכפל: **תתפל.** בא כן לזווג המלות עם תתבר ותתמם, ועיקרו תפתל ומשפטו תתפתל ונהפכה עי״ן הפעל בפ״א הפעל כמו אם יָשׁוּב יְשִׁיבֵנִי (לעיל טו, ח), וענין תתפל תבוא עליו כדרכו הנפתלה, וכן ענין אם לַלֵּצִים הוּא יָלִיץ (משלי ג, לד) יביא עליהם שיכשלו בליצנותם: **(כח) ועיניך על רמים תשפיל.** עיניך תתן על רמים עד שתשפילם, וכן הוא בתהלים (יח, כח) בזה הענין אף על פי שאין המלות שוות וְעֵינַיִם רָמוֹת תַּשְׁפִּיל: **(כט) כי אתה נירי ה׳.** נכתב בו הנח והוא היו״ד עי״ן הפועל, הצרה היא החשכה והתשועה ממנה היא האורה והנוגה, וזהו שאמר יַגִּיהַּ חָשְׁכִּי: **(ל) כי בכה.** נכתבה בו הה״א הנחה אשר אחרי הכ״ף הקמוצה, וכן וּבְכָה וּבְעַמְּךָ (שמות ז, כט) הַנִּצֶּבֶת עִמְּכָה (שמואל־א א, כו) והדומים להם, וברוב לא תכתב זאת הה״א ופירושו בעזרתך אשבר גדוד אויבי, וארוץ משרש רצץ ובא בשורק כמו יָרוּן וְשָׂמֵחַ (משלי כט, ו) יָשׁוּד צָהֳרָיִם (תהלים צא, ו), או פירשו ארוץ לקראת גדוד אויבי ולא אירא מהם, וכן אֲדַלֶּג שׁוּר, אדלג חומת ערי אויבי לכבשם, ואומר אֲדַלֶּג למהירות כבושו אותם כאילו בדלוג נכנס בהם, ויונתן תרגם בְּכָה אָרוּץ גְּדוּד, בְּמֵימְרָךְ אַסְגֵּי מַשְׁרְיָין:

מצודת דוד

יחלצני. יוציאני מן המיצר, כי חפץ בי: **(כא) כצדקתי.** כפי צדקתי, כי לא הרעותי את אחד מהם: **כבור ידי.** כפל הדבר במלות שונות: **(כב) מאלהי.** ממצות אלהי: **(כג) לנגדי.** להתבונן בהם: **וחקתיו.** ואף החוקות, הם הדברים שטעמיהם נעלמים: **לא אסור.** אפילו מאחת ממנה, לא אסיר את עצמי: **(כה) וישב.** ולכך וישב ה׳ לי וגו׳: **לנגד עיניו.** אשר הוא לנגד עיניו, ולא נגד בני אדם ולהתיהדר: **(כו) עם חסיד וגו׳.** רצה לומר, כן דרכך להתנהג בחסד עם החסיד: **(כז) עם נבר.** עם איש ברור ונקי, תתנהג בברירות, רצה לומר, תשלם לאיש כמעשהו: **(כח) עם עני.** מוכנע כעני: **ועיניך.** תתן עיניך על המתגאים, ותשפיל אותם: **(כט) כי אתה נירי.** אתה תאיר לי כנר: **יגיה חשכי.** רצה לומר, יוציאני מן הצרה: **(ל) בכה.** בעזרתך ארוץ אל גדודי האומות:

מצודת ציון

(כ) יחלצני. ענין הוצאה ושליפה, כמו (תהלים פא, ח), בצרה קראת ואחלצך: **(כא) יגמלני.** מלשון גמול ותשלום שכר: **כבור.** מלשון ברור ונקי: **(כו) גבור.** ענינו כמו גבר, וכן נאמר בתהלים (יח, כו), והוא תרגום של איש: **(כז) נבר תתבר.** מלשון ברור ונקי: **עקש תתפל.** ענין שניהם עקמימות, כמו (דברים לב, ה), דור עקש ופתלתול, והוא בדרך ההופך: **(כט) יגיה.** מלשון נוגה ואורה: **חשכי.** מלשון חושך: **(ל) גדוד.** צבאות עם:

---

within Saul's grasp, and brought me to a large area where I could maneuver. Thus *He released me* from danger (*Metzudos*).

כִּי־חָפֵץ בִּי — *For He desired me.* Sometimes a person escapes one predicament only to find himself in another. A hostage may buy his freedom with everything he has — and then becomes free, but poverty stricken. Or someone may lose some of his priceless reward in the World to Come in return for God's help in this world. But David faced no such predicament. God helped him because *He desired* him, at no spiritual or material cost to himself (*Kli Chemdah*)

21. יִגְמְלֵנִי ה׳ כְּצִדְקָתִי — *HASHEM recompensed me according to my righteousness. Rashi*, following his general approach to this part of the song (see above, commentary to v. 8ff), sees this as an allusion to Israel's trust in God, when they left Egypt and followed Moses into the vast, uncharted desert, without provisions or preparation. They relied totally on God's assurance. As the prophet puts it, *Thus said HASHEM: I recall for you the compassion of your youth... when you followed Me into the Wilderness, into an unsown land* (*Jeremiah* 2:2).

He released me, for He desired me.

... in return for righteousness

[21]HASHEM recompensed me according to my righteousness;
He repaid me befitting the cleanliness of my hands.
[22]For I have kept the ways of HASHEM, and I have not departed wickedly from my God.
[23]For all His judgments are before me; I do not remove myself from His decrees.
[24]I have been perfectly innocent with Him, and I was vigilant against my sin.
[25]HASHEM repaid me in accordance with my righteousness,
according to my purity before His eyes.
[26]With the devout You deal devoutly.
with the one who is strong in his wholeheartedness You act wholeheartedly.
[27]With the pure You act purely, with the corrupt You act perversely.
[28]You save the humble people, while Your eyes are upon the haughty to lower them.
[29]For You are my lamp, HASHEM; HASHEM illuminates my darkness.
[30]For with You I smash a troop,

According to most commentators, however (and according to an alternative explanation given by *Rashi*), David is referring to his own *righteousness* in refusing to kill Saul when he had the opportunity to do so (*Rashi*).

22. David deserved God's help because he observed the positive commandments and did not transgress the negative one (*Ibn Ezra*).

23. The reason I was able to restrain myself from harming Saul, though my forbearance kept me in mortal danger, and the reason I was able to remain joyous despite constant travail was because I always believed that God's judgment is correct and righteous (*Mahari Ya'avetz HaDoresh*).

24. וָאֶשְׁתַּמְּרָה מֵעֲוֺנִי — *I was vigilant against my sin.* Every person is born with his unique mission in life. Knowing this, the Evil Inclination concentrates on inducing the person to sin in that particular personal area. For example, someone whose special mission is to study Torah will be tempted to engage in commerce to acquire the means to be charitable; and someone whose mission is to be wealthy and charitable will be tempted to serve God in poverty. Accordingly David says that he was especially *vigilant against my sin*, i.e., the sin that would affect his personal mission (*Imrei Emes*).

25. וַיָּשֶׁב ה׳ לִי כְּצִדְקָתִי — *HASHEM repaid me in accordance with my righteousness.* Saul and his family perished, but I became king and my dynasty will endure (*Radak*).

26. עִם חָסִיד תִּתְחַסָּד — *With the devout You deal devoutly.* A *chassid* is one who acts beyond what the law demands. Since God treats people measure for measure, it is only fair that He give such a person more than he has earned (*Radak*). It is only fair that a person who does more than is required should be rewarded with more than he deserves.

David was more devout than Saul. Therefore, although Saul had only one sin — his failure to eradicate Amalek — he lost his throne. David's sin with Bath-sheba and Uriah was worse, but as soon as David heard the prophet Nathan's very harsh rebuke, he acknowledged his guilt and repented, without trying to explain or justify his behavior. Accordingly, God forgave him. Saul, on the other hand, refused to accept Samuel's chastisement, and insisted that he was justified (*Ralbag*).

עִם גִּבּוֹר תָּמִים תִּתַּמָּם — *With the one who is strong in his wholeheartedness You act wholeheartedly.* An example of this is Abraham. Although he knew that the laws of nature made it impossible for him to have a child with Sarah, his faith in God remained untainted. As a result, God made him the spiritual father of the world and blessed him and Sarah with Isaac (*Maharsha*).

27. וְעִם־עִקֵּשׁ תִּתַּפָּל — *With the corrupt You act perversely.* God deals with man in the same manner that man deals with Him. This refers to Pharaoh (*Rashi*).

Although it is generally forbidden for a person to act *perversely* and brazenly, it is necessary to do so when dealing with evil people — but one must be sure that one's intention is sincere (*Rambam*).

28. וְאֶת־עַם עָנִי תּוֹשִׁיעַ — *You save the humble people. People* is used here in the sense of *nation* — a reference to Israel.

עַל־רָמִים תַּשְׁפִּיל — *Upon the haughty to lower them.* God cannot abide haughtiness. The Talmud quotes Him as saying of an arrogant person, "I cannot be in the same world with him."

29-46. The fourth part of the Song — God granted David the strength to overcome his enemies.

29. נֵירִי. . . יַגִּיהַּ חָשְׁכִּי — *My lamp. . . illuminates my darkness. Darkness* symbolizes distress and adversity; *lamp* and *illumination* represent deliverance and salvation (*Radak*).

When someone realizes that the Torah is God's *lamp* to *illuminate* the world, and dedicates himself to its study, God responds by giving him the understanding that re-moves his intellectual *darkness* (*Shiltei Gibborim, Shabbos* 2a).

Scripture's use of the Name HASHEM indicates that He gives spiritual light, like a *lamp*, as implied by the beginning of the verse. Kabbalistically, the addition of the *vav* to the Four-letter Name intensifies its effect. This greater power not only provides light, it can even *illuminate my darkness* [i.e., it enables a person to realize that even the apparent darkness of suffering and frustration has within it the spiritual light that comes with an awareness that God's master plan is for the ultimate good] (*Sichos Kodesh*).

30. כִּי בְכָה אָרוּץ גְּדוּד — *For with You I smash a troop.* With HASHEM by my side I have the strength to engage and conquer

לא אֲדַלֶּג־שׁוּר: הָאֵל תָּמִים
דַּרְכּוֹ אִמְרַת יהוה צְרוּפָה מָגֵן
לב הוּא לְכֹל הַחֹסִים בּוֹ: כִּי מִי־אֵל מִבַּלְעֲדֵי
לג יהוה וּמִי צוּר מִבַּלְעֲדֵי אֱלֹהֵינוּ: הָאֵל
מָעוּזִּי חָיִל וַיַּתֵּר תָּמִים
לד °דרכו [°דַּרְכִּי ק]: מְשַׁוֶּה °רגליו [°רַגְלַי ק] כָּאַיָּלוֹת וְעַל־
לה בָּמוֹתַי יַעֲמִדֵנִי: מְלַמֵּד יָדַי
לו לַמִּלְחָמָה וְנִחַת קֶשֶׁת־נְחוּשָׁה זְרֹעֹתָי: וַתִּתֶּן־
לז לִי מָגֵן יִשְׁעֶךָ וַעֲנֹתְךָ תַּרְבֵּנִי: תַּרְחִיב צַעֲדִי
לח תַּחְתֵּנִי וְלֹא מָעֲדוּ קַרְסֻלָּי: אֶרְדְּפָה
אֹיְבַי וָאַשְׁמִידֵם וְלֹא אָשׁוּב עַד־
לט כַּלּוֹתָם: וָאֲכַלֵּם וָאֶמְחָצֵם וְלֹא יְקוּמוּן וַיִּפְּלוּ

רש״י

(לא) אמרת ה׳ צרופה. ברורה, מבטיח ועושה: **(לג) ויתר תמים דרכי.** מכל מכשול, ומכל חטא, ומכל מסוכן, עד כי היה שלם וכבוש: **(לה) ונחת קשת נחושה זרעתי.** ונדרכה קשת נחושה על זרועי, שיש בי כח לדרכה, קשתות היו תלויס לדוד בביתו, והיו מלכי האומות באין ורואין אותן, ואומרים זה לזה, אתה סבור שהוא יכול לדורכן, אין זה אלא ליראנו, ודוד שומע ונוטלן ומכתתן לפניהם. ודריכת קשת לשון חתת היא, וכן תהלים אליך נחתו בי: **(לו) וענתך תרבני.** הגדלת לי מדת ענותנותך: **(לז) תרחיב צעדי.** כשאדם מדבק רגליו זו בזו, הוא נוח ליפול, וכן הוא אומר (משלי ד, יב), בלכתך לא יצר צעדך: **קרסולי.** עקבי:

רד״ק

(לא) האל תמים דרכו. שמשלם לכל איש כמעשהו והשיב לי כצדקתי ולאויבי כרשעתם, ואמרתו צרופה שאין בכל משפטיו סיג אלא הכל ברור ונקי עשוייה ביושר ובאמונה צרופים ומזוקקים מכל סיג: **(לב) כי מי אל.** לא כאותם שהיו בוטחים באליליהם, ובהתגברי על אויבי בכל עת יש להם לדעת כי שקר נסכם ואין צור אלא אלהינו, ולפי תרגום יונתן כי אז יודו לו כל העמים ויאמרו מי אל מבלעדיו בְּבֵן עַל נִיסָא וגו׳: **(לג) האל מעוזי חיל.** נכתב בוי״ו עם הדגש והדומים לו כתבנו בספר מכלל, ופירוש חָיִל בחיל כלומר בכח, או פירושו כשהייתי בחיל ובצבא היה הוא מעוזי, ופירוש וַיַּתֵּר שהתיר ופתח דרכי במלחמה ושמהו תמים ושלם שלא נפקד אחד מאנשי במלחמה, וכתיב דרכו כי דרכי היה דרכו כי בשמו הייתי בא להלחם, וכן רגליו שכתוב וקרי רַגְלַי אומר על דרך משל עזרתו והוא מכנה רגליו על דרך שָׁמָּה הַנְחַת ה׳ גִּבּוֹרֶיךָ (יואל ד, יא): **(לד) משוה רגלי.** משים כמו שִׁוִּיתִי ה׳ לְנֶגְדִּי תָמִיד (תהלים טז, ח), ותרגום שם שַׁוִּי, אמר אם הצרכתי לברוח להמלט שם רגלי כאילות ולא השיגוני אויבי: **ועל במתי יעמידני.** ואחר כך במקום שהייתי נמלט שם, והם במותי, יעמידני שם בטוח: **(לה) ונחת.** ובספר תהלים (יח, לה) וְנִחֲתָה כי קשת תכונה בלשון זכר ונקבה, ורוצה לומר כל כך למד ידי למלחמה עד שאפילו קשת נחושה לא עמדה לפני אלא נשברה בזרועותי, ופירוש נְחוּשָׁה חזקה כנחושה והוא ברזל חזק מאד, וכן וְאֶת אַרְצְכֶם כַּנְּחֻשָׁה (ויקרא כו, יט), ונחת(ה) שרשו חתת והוא נפעל מפעלי הכפל: **(לו) וענתך.** פירוש ובענותך תרבני כתרגומו וּבְמֵימְרָךְ אַסְגִּיתָנִי, ויהיה לדעתי עֲנֹתְךָ מן וְעָנִיתָ וְאָמַרְתָּ (דברים כו, ה), ובספר תהלים (יח, לו) וְעַנְוַתְךָ בקריאה הוי״ו מן עֵקֶב עֲנָוָה יִרְאַת ה׳ (משלי כב, ד) וַעֲנָוִים יִירְשׁוּ אָרֶץ (תהלים לז, יא) שהוא ענין חסידות ורוח נמוכה, ויהיה וענותך הנכתב הנה כמוהו ואף על פי שנחה הוי״ו, ותהיה תי״ו תַּרְבֵּנִי לנקבה על הענוה שזכר כמו וימינך תסעדני שאמר בתהלים (שם) ופירושו שמתני ענותך לעם רב, כי אף על פי שהייתי בעם מעט ואויבי בעם רב אני הייתי מנצח כי ענותך היתה עמי כאילו הייתי אני עם רב מהם, ויש לפרשו עזרתך ורצונך וכן וְהַכֶּסֶף יַעֲנֶה אֶת הַכֹּל (קהלת י, יט): **(לז) תחתני.** כמו תחתי ובא בנו״ן יו״ד שלא כמנהג בשמות: **קרסלי.** כרעי, ותרגום אֲשֶׁר לוֹ כְרָעַיִם (ויקרא יא, כא) דְלֵיהּ קַרְסוּלִין ויונתן תרגם רְכוּבוּתי והם הברכים:

מצודת דוד

אדלג שור. אקפוץ על החומה, לכבוש עיירות: **(לא) תמים דרכו.** לגמול לאיש כמפעלו: **צרופה.** ככסף צרוף מבלי סיג, כן אין באמרי הבטחתי דבור בטל: **מגן.** מחסה כמגן: **(לב) כי מי אל.** אשר יוכל לעמוד כנגדו, ולמחות בידו מלקיים הבטחתו: **(לג) מעוזי חיל.** מחזק אותי בכח: **ויתר תמים דרכי.** מדלג אותי בדרכי, להיות תמים מבלי מכשול: **(לד) משוה.** משים רגלי קלות, לרוץ מהר אחר האויב, כאילה זו הרצה מהרה: **ועל במותי.** העמיד אותי על גבהי וגדולתי: **(לה) למלחמה.** להלחם בטוב, וכדרך תכסיסי המלחמה: **ונחת.** נתת בי כח לשבר קשת נחושה, בעת המתחי לירות: **(לו) מגן ישעך.** ישעך היה לי למגן: **וענתך תרבני.** הענוה שבך להשגיח בי, עשה אותי כאלו הייתי עם רב, אף כי היו אנשי מתי מספר, נצחתי האויב כאלו היו רבים עמדי: **(לז) תרחיב צעדי.** הרחבת פסיעותי, לבל ימעדו רגלי לנפול בארץ:

מצודת ציון

אדלג. ענין קפיצה: **שור.** ענין חומה, כמו (בראשית מט, כב), בנות צעדה עלי שור: **(לא) צרופה.** מלשון צרוף וזקוק: **(לב) מבלעדי.** ענינו כמו זולת: **צור.** ענין חוזק. **(לג) מעוזי.** מחזקי: **חיל.** כח: **ויתר.** ענין דלוג וקפיצה, כמו (חבקוק ג, ו), ראה ויתר גוים: **(לד) משוה.** משים, כי ׳וישם׳ (בראשית ד, טו), תרגם אונקלוס ושוי: **במתי.** ענין גבהות: **(לה) ונחת.** מלשון חתת ושבירה: **(לו) וענתך.** מלשון ענוה: **תרבני.** מלשון רבוי: **(לז) צעדי.** פסיעותי, כמו (לעיל ו, יג), ויהי כי צעדו: **מעדו.** ענין החלקה והשמטה מן המקום, כמו (תהלים לז, לא), לא תמעד אשוריו: **קרסולי.** תרגום של ׳כרעים׳ (ויקרא יא, כא), הוא קרסולין: **(לח) כלותם.** מלשון כליון: **(לט) ואמחצם.** ענין הכאה ופציעה, כמו (תהלים קי, ו), מחץ ראש:

---

my enemies.

Alternatively, "with Your help *I charge* [from רוץ, *to run.*] [toward the enemy] troop and defeat it." Or the root of the word is רצץ, *to smash*, i.e., "Your help enables me to smash the enemy" *(Radak)*.

אֲדַלֶּג־שׁוּר — *I leap over a wall*, i.e., no barrier stands in my way,

with my God I leap over a wall.
[31]*The God! His way is perfect; the promise of* HASHEM *is pure.*
He is a shield for all who take refuge in Him.

Only in God is there safety

[32]*For who is God besides* HASHEM*, and who is a Rock besides our God?*
[33]*The God! My Fortress of strength; He cleared my way, with perfection.*
[34]*He makes my feet [swift] like the hinds, and stood me upon my heights.*
[35]*He trained my hands for battle, so that a copper bow could be bent by my arms.*

David defeats his enemies ...

[36]*You have given me the shield of Your salvation, and Your humility made me great.*
[37]*You widened my stride beneath me; and my ankles have not faltered.*
[38]*I pursued my foes and eradicated them, and returned not until they were destroyed.*
[39]*I destroyed them and struck them down so that they did not rise,*

---

if I have God's help. *Targum* renders, "With Your help I can conquer walled cities."

31. הָאֵל — *The God!* He is the Master of all might and He provides people with strength (*Radak*).

תָּמִים דַּרְכּוֹ — *His way is perfect.* Whatever God does is perfect and equitable. Man receives whatever is due him, according to his deeds.

צְרוּפָה — *Is pure.* God's word is like כֶּסֶף צָרוּף, *refined, pure silver,* without impurities. Whatever He promises will happen (*Metzudos*).

Just as an artisan must remove the impurities from silver before he fashions it, so a person must purge the "impurities" from his heart before he can study Torah properly. If his heart is still defective, the letters of אִמְרַת ה׳, *the promise* or *word of* HASHEM, become rearranged to become מְאֵרַת ה׳, *attrition of* HASHEM, the curse of unhealthy diminution (*Vilna Gaon* to *Proverbs* 28:4).

מָגֵן הוּא — *He is a shield.* Sometimes God must afflict a person in order to purify him, but even then He will protect those who trust Him, so that they will be able to withstand the hardship (*R' Hirsch*).

Although God sometimes decrees harsh circumstances upon people, He is also a *shield*, providing them with the protection and strength to survive (*Skulener Rebbe*).

32. Who but God can guarantee his promises, and who else can be trusted without question to carry out what he says?

וּמִי צוּר מִבַּלְעֲדֵי אֱלֹהֵינוּ — *And who is a Rock besides our God?* Homiletically, the word צוּר, *Rock*, is read as if it is spelled צַיָּר, *Artisan*, i.e., the only One Who can fashion an embryo in its mother's womb. From a man and woman who come together, God fashions a child that combines characteristics of its father and mother (*Zohar*).

33. וַיַּתֵּר תָּמִים דַּרְכִּי — *He cleared my way, with perfection.* He removed every obstacle so that my way was perfectly clear (*Rashi*).

34. מְשַׁוֶּה רַגְלַי כָּאַיָּלוֹת — *He makes my feet [swift] like the hinds.* God made me swift so that, when necessary, I can flee from the enemy (*Radak*), or He made me fleet enough to pursue my foes successfully (*Metzudos*).

35. וְנִחַת קֶשֶׁת־נְחוּשָׁה זְרֹעֹתָי — *So that a copper bow can be bent by my arms.* Usually a bow is made of wood; a metal bow might shoot arrows with more force, but the archer would need unusual strength to draw it. God gave David such great strength and skill that he could draw (*bend*) even a copper bow. The Midrash states that when foreign kings would visit and see copper bows in David's room, they would say sarcastically to one another, "Do you think David can draw such bows? He hangs them in his chamber only to intimidate us." Upon overhearing them, David would pick up a bow and prove that he could draw it with no difficulty (*Rashi*).

Radak translates נִחַת not as *bent*, but as *broken*, i.e., God allows David to break the armaments of his enemies.

36. וַעֲנֹתְךָ תַּרְבֵּנִי — *And Your humility made me great.* "Because You are humble, You deigned to bestow goodness upon human beings." This was illustrated many times for David through God's numerous miraculous acts of salvation.

Abarbanel renders, "*You instilled Your humility in me.*" A typical warrior takes credit for his victories and becomes arrogant, but God instilled humility in David so that he would recognize that all his successes were Divine gifts.

37. תַּרְחִיב צַעֲדִי תַּחְתֵּנִי — *You widened my stride beneath me.* When someone walks with short strides he is liable to falter; a broad stride signifies surefootedness (*Rashi*).

38-39. David thanks God for making him always completely victorious. Often a victorious army will pursue its fleeing enemy and not succeed in overtaking them, but David states categorically that he never returned from battle without annihilating the enemy (*Abarbanel*). This does not mean, of course, that he was able to kill every soldier; only that he destroyed the enemy as an effective fighting force. For example, although he once destroyed the Amalekite army, four hundred young fighters were able to escape on swift camels (*I Samuel* 30:17).

There were four kings — David, Asa, Jehoshaphat, and Hezekiah — each of whom reacted differently to enemy attacks. In these two verses, David prayed that he would be able to pursue, overtake, and eradicate his enemies — and God enabled him do so. Asa said that he could only pray, give chase, and overtake, but he did not have the strength to do away with the enemy. Jehoshaphat could not even pursue; he could only sing God's praises and hope that God would help him. Nevertheless his enemies were defeated. Hezekiah did not even do that. When Jerusalem was threatened by the

מ תַּחַת רַגְלָי: וַתַּזְרֵנִי חַיִל
מא לַמִּלְחָמָה תַּכְרִיעַ קָמַי תַּחְתֵּנִי: וְאֹיְבַי
מב תַּתָּה לִּי עֹרֶף מְשַׂנְאַי וָאַצְמִיתֵם: יִשְׁעוּ וְאֵין
מג מֹשִׁיעַ אֶל־יהוה וְלֹא עָנָם: וְאֶשְׁחָקֵם
כַּעֲפַר־אָרֶץ כְּטִיט־חוּצוֹת אֲדִקֵּם
מד אֶרְקָעֵם: וַתְּפַלְּטֵנִי מֵרִיבֵי עַמִּי תִּשְׁמְרֵנִי
לְרֹאשׁ גּוֹיִם עַם לֹא־יָדַעְתִּי
מה יַעַבְדֻנִי: בְּנֵי נֵכָר יִתְכַּחֲשׁוּ־לִי לִשְׁמוֹעַ
מו אֹזֶן יִשָּׁמְעוּ לִי: בְּנֵי נֵכָר יִבֹּלוּ וְיַחְגְּרוּ
מז מִמִּסְגְּרוֹתָם: חַי־יהוה וּבָרוּךְ צוּרִי וְיָרֻם
מח אֱלֹהֵי צוּר יִשְׁעִי: הָאֵל הַנֹּתֵן נְקָמֹת
מט לִי וּמוֹרִיד עַמִּים תַּחְתֵּנִי: וּמוֹצִיאִי
מֵאֹיְבָי וּמִקָּמַי תְּרוֹמְמֵנִי מֵאִישׁ חֲמָסִים

רש"י

(מב) ישעו ואין מושיע וגו'. הרי זה מקרא מסורס, ישעו אל ה' ולא ענם, ואין מושיע, כמו (ישעיהו יז, ז), ישעה האדם אל עושהו, כמו יפנה. ומנחם חברו עם (בראשית ד, ד), וישע ה' אל הבל, ופתר בו לשון עתירה, ונופל הלשון על המעתיר ועל הנעתר, כמו (שם כה, כא), ויעתר יצחק לה', ויעתר לו ה', אף כאן 'ישעו ואין מושיע' נופל על המתפלל, וישע ה' נופל על הלשון, על מי שמתפללין לפניו: **(מג) ארקעם.** ארמסם, והרבה יש בספר יחזקאל, (ו, יא), ורקע ברגלך (כה, ו), ורקעך ברגל: **(מד) מריבי.** מדואג, מאחיתופל, ושאול, והזיפים: **תשמרני לראש גוים.** לפלטני לכך. ומדרש אגדה: אמר דוד, רבונו של עולם, הצילני מדינו של ישראל, שאם אטהו או ארדה את ישראל בעבודתו, אני נענש, אלא לראש הפלשתים תשימני, והם יעבדוני, ועליהם לא אענש: **(מה) יתכחשו לי.** מחמת יראה, יאמרו לי כזבים: **לשמוע אוזן ישמעו לי.** אפילו שלא בפני, יגורו מפני, למשמע אזניהם לסור אל משמעתי: **(מו) בני נכר יבולו.** ילאו, לשון (ירמיהו ח, יג), והעלה נבל פלישטירונ"ט בלע"ז: **ויחגרו.** לשון פסחים: **ממסגרותם.** מקושי יסורי מסגר שאני מייסרן בהם: **(מז) חי ה'.** העושה לי אלה:

רד"ק

(מ) ותזרני. משפטו ותאזרני כמו וַתְּאַזְּרֵנִי שִׂמְחָה (תהלים ל, יב) מהבנין הדגוש, ולהקל נעלמה האל"ף והוטלה תנועתה על התי"ו, ופירוש חַיִל כח כתרגומו חֵילָא, ואדוני אבי ז"ל כתבו מענין הפעיל משרש זרה, ופירש הזרית לי חיל וכח בכל אברי לעשות מלחמה: **(מא) תתה.** כמו נתת חסר פ"א הפעל שלא כמנהג בעוברים: **(מב) ישעו.** רצה לומר יביטו כמו וְלֹא (ישעו אל) [שָׁעוּ עַל] קְדוֹשׁ יִשְׂרָאֵל (ישעיהו לא, א) וְלֹא יִשְׁעֶה אֶל הַמִּזְבְּחוֹת (שם יז, ח), ופירוש יביטו אל ה' ולא יושיעם: **אל ה' ולא ענם.** בעבור כי הם רשעים וקוראים אל ה' ולבם לא נכון עמו: **(מג) אדקם.** כמו וַיָּדֶק לְעָפָר (מלכים-ב כג, ו): **ארקעם.** מענין וַיְרַקְּעוּ אֶת פַּחֵי הַזָּהָב (שמות לט, ג): **(מד) מריבי עמי.** כמו עמים, וכן הָרוֹדֵד עַמִּי תַחְתָּי (תהלים קמד, ב), ויתכן לפרש כמשמעו, והוא שאול והסומכים אותו: **תשמרני לראש גוים.** ובספר תהלים (יח, מד) תְּשִׂימֵנִי לְרֹאשׁ גּוֹיִם, ופירוש תִּשְׁמְרֵנִי שמרתני ונתת עיניך בי לטובה עד שהייתי לראש גוים: **(מה) יתכחשו לי.** מיראתם אותי יכזבו לי ויאמרו לא חטאנו לך: **לשמוע אזן.** ובספר תהלים (שם, מה) לְשֵׁמַע אֹזֶן, והוא שֵׁם, וכן לְשׁוֹמַע שֵׁם בפלס שְׂאוֹר יְאוֹר תְּהוֹם, וענין הפסוק כמו בכתוב וַיַּעַשׂ דָּוִד שֵׁם (לעיל ח, יג): **ישמעו לי.** כענין וְסָר אֶל מִשְׁמַעְתֶּךָ (לעיל-א כב, יד) ואותם בְּנֵי נֵכָר שאינם נשמעים לי יִבֹּלוּ מֵעָלֶה נָבֵל (ירמיהו ח, יג), וְיַחְגְּרוּ מִמִּסְגְּרוֹתָם, כלומר שהם נסגרים מפחדם, ופירוש וְיַחְגְּרוּ כמו וְיַחְרְגוּ הפוך כמו שכתוב בספר תהלים (יח, מו) והוא ענין תנועת הפחד מתרגום וּמֵחֲדָרִים אֵימָה (דברים לב, כה) חַרְגַּת מוֹתָא וכן תרגם יונתן ויזועון מִבִּירָנְיָתְהוֹן: **(מז) חי ה'.** הפסוק הזה דרך הודאה ותהלה הוא כלומר ה' צורי ואלהי ישעי הוא חי וברוך ורם:

מצודת דוד

(מ) ותזרני. אזרת אותי כח להלחם, ואת שונאי תפיל לכרוע תחתי: **(מא) תתה לי עורף.** כי ינוסו ויהפכו לי עורף: **משנאי.** רצה לומר, וכן משנאי תתה לי עורף, והוא כפל ענין במלות שונות, כדרך מליצת השיר: **ואצמיתם.** רצה לומר, עם כי ינוסו, אשיגם ואצמיתם: **(מב) ישעו.** יפנו אל מלכי האדמה: **אל ה'.** רצה לומר, לאחר זמן יפנו אל ה' להתפלל אליו, אבל לא יענם: **(מג) כעפר.** להיות דק כעפר: **כטיט חוצות.** כטיט המושלך בחוצות, אעשה אותם דק דק, וארדד אותם על פני האדמה: **(מד) מריבי עמי.** מאנשי מלחמתי אשר בבני עמי, הלוחמים עמדי: **תשמרני.** שמרתני מיד כולם, עד הביאתני להיות ראש: **עם לא ידעתי.** רצה לומר, העם אשר המה מארץ מרחק: **(מה) יתכחשו לי.** כדרך הירא, המתנצל בפני מי אשר ירא ממנו אף בדברי כזב, בעבור הפחד: **לשמוע אוזן.** בעבור כי ישמעו רב כחי ואומץ ידי, לזה יהיו נשמעים אלי לכל אשר אצום: **(מו) יבולו.** רצה לומר, יהיו מיוסרים ואבודים: **ויחגרו.** יהיו חגרים ממה שיהיו סגורים בידי בכבלי ברזל: **(מז) חי ה'.** רצה לומר, הלא ה' חי לעולם, וכזאת יעשה כל הימים: **וברוך צורי.** וכן יהיה ה' צורי, ברוך לעולם: **וירום.** כי כשעושה נקמות בגוים, הוא מרומם ומנושא: **(מח) הנותן נקמות לי.** רצה לומר, הנוקם נקמתי: **(מט) ומקמי.** יותר מן קמי תרומם אותי:

מצודת ציון

(מ) ותזרני. מלשון אזור וחגורה: **תכריע.** ענין הנפילה על הכרעים: **קמי.** האויבים הקמים עלי: **(מא) תתה.** נתת: **עורף.** הוא אחורי הפנים: **ואצמיתם.** ענין כריתה, כמו (שם קא, ה), אותו אצמית: **(מב) ישעו.** ענין הפנה, כמו (ישעיהו יז, ח), ולא ישעה אל המזבחות: **ענם.** מלשון עניה ותשובה: **(מג) ואשחקם.** ענין כתישה, כמו (שמות ל, לו), ושחקת ממנה הדק: **אדקם.** מלשון דק: **ארקעם.** ענין רדוד ושטיחה, כמו (שם לט, ג), וירקעו את פחי הזהב: **(מד) ותפלטני.** ענין הצלה: **(מה) יתכחשו.** מלשון כחש ושקר: **(מו) יבולו.** ענין כמישה, כמו (ירמיהו ח, יג), והעלה נבל: **ויחגרו.** מלשון חגר ופסח: **(מז) צורי.** חזקי: **(מח) ומוריד.** מלשון ירידה: **(מט) ומקמי.** האויבים הקמים עלי:

and they fell beneath my feet.
[40]You girded me with strength for battle;
You brought my adversaries to their knees beneath me.
[41]And my enemies — You gave to me in retreat; my antagonists, and I cut them down.
[42]They cried out, but there was no savior;
[they turned] to HASHEM, but He answered them not.
[43]I pulverized them like dust of the earth;
like the mud in the streets I crushed them and trampled them.

... and wins allegiance from friend and foe

[44]You rescued me from the strife of my people;
You preserved me to be the head of nations; a people I did not know serves me.
[45]Foreigners dissemble to me; as soon as they hear they will obey me.
[46]Foreigners become withered and terrified from within their fortified enclosures.

Gratitude to HASHEM

[47]HASHEM lives! Blessed is my Rock! Exalted is God, Rock of my salvation,
[48]The God Who grants me vengeance and subdues nations beneath me,
[49]and extricates me from my enemies!
You raised me above my adversaries; from the man of injustice You rescued me

---

"invincible" army of Sennacherib, Hezekiah went to sleep at his regular time, confident that God would help, and, indeed, Sennacherib's forces died during the night (*Pesichta Rabbasi* 30).

Commentators explain that no matter how much it may seem that David was victorious through his own heroic efforts, he would still know that all his triumphs were due only to God's help. The other kings feared that they might be swayed into crediting their own military might for their victories if they were to exert themselves. Therefore they did the absolute minimum — each according to his own degree of faith — and relied on God.

40. וַתַּזְרֵנִי חַיִל לַמִּלְחָמָה — *You girded me with strength for battle.* You gave my limbs the strength to endure the physical exertions of war (*Ibn Ezra*).

41. תַּתָּה לִּי עֹרֶף — *You gave them to me in retreat* (lit. *the back of the neck*). You have made me constantly victorious, so that my enemies are always fleeing from me.

42. יִשְׁעוּ וְאֵין מוֹשִׁיעַ אֶל־ה׳ וְלֹא עָנָם — *They cried out, but there was no savior.* They cried to their idols for help, but the idols were powerless to help them. Then, in desperation, they appealed *to HASHEM, but He answered them not* (*Rashi to Psalms*), because they prayed only with their mouths, but they were insincere (*Radak*).

44. וַתְּפַלְּטֵנִי מֵרִיבֵי עַמִּי — *You rescued me from the strife of my people*. You delivered me from my Jewish foes — Saul, Doeg, Ahithophel, the Ziphim, and so on (*Rashi*).

Rashi also cites a Midrashic interpretation of our verse, according to which David prayed for God's help in dealing correctly with the complaints and needs of his subjects. "Rescue me from the grievances of Israel, for if I mishandle them or suppress them excessively with forced labor I will be punished! Instead *preserve me to be the head of* [other] *nations.* If I demand too much of them, I will not be punished."

עַם לֹא־יָדַעְתִּי יַעַבְדֻנִי — *A people I did not know serves me*. David conquered and subdued many foreign nations, such as Moab, Ammon, and Aram, etc. (see Chs. 8, 10).

Even from great distances, people come to serve me (*Metzudos*). In times when Israel was in ascendancy, such as in David's time and even more during Solomon's monarchy, people came to convert to Judaism. In such times the courts were reluctant to accept converts because their sincerity was questionable.

45. בְּנֵי נֵכָר יִתְכַּחֲשׁוּ־לִי — *Foreigners dissemble to me*. Because they fear me, they conceal the truth when they think it will displease me (*Rashi*). They will lie and deny that they have taken part in wars against me (*Radak*).

לִשְׁמוֹעַ אֹזֶן יִשָּׁמְעוּ לִי — *As soon as they hear they will obey me.* Even when they are not in my presence, the mere report that I have issued an order is enough to make these peoples cower with obedience (*Rashi*).

46. בְּנֵי נֵכָר יִבֹּלוּ — *Foreigners become withered.* But those who are not obedient, as described in the previous verse, will become withered and worn from fear of me (*Radak*).

וְיַחְגְּרוּ מִמִּסְגְּרוֹתָם — *And terrified from within their fortified enclosures*. This translation follows *Targum*. Even though they are within fortresses, they are afraid of me, because they know that God helps me.

Alternatively, *They are crippled by the corporal punishments that I inflict upon them* (*Rashi*).

47-51. The fourth part of the Song — David's praises of God.

47. חַי־ה׳ — *HASHEM lives!* All the above successes and miracles happened because HASHEM is the living God, Who alone has the power to perform miracles (*Radak*).

48-49. God should be exalted for two reasons: He has given me the strength to exact *vengeance and subdue nations*; and He *has extricated me* from the clutches of my enemies (*Abarbanel*).

נ תַּצִּילֵנִי: עַל־כֵּן אוֹדְךָ יְהוָה בַּגּוֹיִם וּלְשִׁמְךָ
נא אֲזַמֵּר: °מגדיל [°מִגְדּוֹל ק׳] יְשׁוּעוֹת
מַלְכּוֹ וְעֹשֶׂה־חֶסֶד לִמְשִׁיחוֹ
לְדָוִד וּלְזַרְעוֹ עַד־עוֹלָם:

כג

א וְאֵלֶּה דִּבְרֵי דָוִד הָאַחֲרֹנִים נְאֻם דָּוִד בֶּן־יִשַׁי וּנְאֻם הַגֶּבֶר הֻקַם עָל מְשִׁיחַ
ב-ג אֱלֹהֵי יַעֲקֹב וּנְעִים זְמִרוֹת יִשְׂרָאֵל: רוּחַ יְהוָה דִּבֶּר־בִּי וּמִלָּתוֹ עַל־לְשׁוֹנִי: אָמַר
אֱלֹהֵי יִשְׂרָאֵל לִי דִבֶּר צוּר יִשְׂרָאֵל מוֹשֵׁל בָּאָדָם צַדִּיק מוֹשֵׁל יִרְאַת אֱלֹהִים:

רש״י

(א) **ואלה דברי דוד.** נבואת דוד אחרונים, ומי הם הראשונים, דברי השירה האמורים למעלה, אבל בכל שירות ותשבחות שאמר, אין נקראים דברים: **הוקם על.** הוקם למעלה: **ונעים זמירות ישראל.** אין ישראל משוררים במקדש, אלא שירותיו וזמירותיו: (ב) **דבר בי.** השרה בי רוח קדשו ונדבר בי, וכל לשון נבואה, נופל בו לשון דבר, כמו (במדבר יב, ב), הרק אך במשה דבר הלא גם בנו דבר (שם פסוק, ו), אדבר בו וטעמו של דבר לפי שהרוח נכנס בו בקרב הנביא, ומדבר בו: (ג) **לי דבר צור ישראל.** אלי דבר וצוה צור ישראל, שאהיה מושל באדם, בישראל שנקראו אדם, שנאמר (יחזקאל לד, לא), אדם אתם (יבמות סא, א), ואהיה צדיק מושל ויראת אלהים. ורבותינו (מועד קטן טז, ב) פירשוהו בלשון אחר, אמר דוד, אלהי ישראל לי דבר, אלי דבר צור ישראל, מושל באדם אני, ומי מושל בי, צדיק, שאני גוזר גזירה והוא מבטלה. אבל לפי ישוב המקראות, הראשון הוא פשוטו של מקרא:

רד״ק

(נ) **על כן אודך ה׳ בגוים.** שהצלתני מאנשי חמס ורוממתני מאויבי ונתת לי נקמות מהם אודך בגוים לפני כל עם ועם: (נא) **מגדול.** מגדיל כתיב ביו״ד, וקרי בוי״ו, כמו שהוא בספר תהלים (יח, נא) בקריאה גם כן, הקרי מִגְדּוֹל בחולם והוא תואר והענין אחד: **מלכו ומשיחו.** על עצמו הוא אומר כמו שהגדיל ישועתי ועשה לי חסדים כן יעשה לי ולזרעי עד עולם: (א) **ואלה דברי דוד האחרנים.** עוד מלבד השירה אמר דברים אלה שהם דברי שבח והודאה לאל שהקימו למלכות, ואמר הָאַחֲרוֹנִים שהיו אחרונים לכל השירות והמזמורים שאמר כי אחר זה לא הופיע עליו רוח הקדש, ויונתן תרגם וְאִלֵּין פִּתְגָמֵי נְבוּאָה וגו׳: **הקם על.** הקם עליון ומלך: **ונעים זמרות ישראל.** על הזמירות שעשה בספר תהלים שהיו משוררים ומזמרים הלוים בהם לפני הארון ובבית המקדש, ויונתן תרגם וְתַקִּין לְמִימְנֵי בְּחֵיךְ וגו׳: (ב) **רוח ה׳ דבר בי.** הזמירות ברוח הקדש אמרתי אותם אשר דבר בי ומלתו היתה על לשוני באמרי הזמירות, כי רוח הקדש עוררה אותי והופיעה הדברים על לשוני, ותרגם יונתן אֲמַר דָוִד בְּרוּחַ נְבוּאָה דַה׳ וגו׳: (ג) **לי דבר.** כפל דבר הוא כמנהג הלשון, ופירושו אמר לי דבר בעבורי ואמר ודבר לשמואל הנביא שאהיה מושל באדם ומשחני למלך ובלבד שתהיה ממשלתי ביראת אלהים ואהיה צדיק, ודעת המתרגם שיצא ממני מלך המשיח שיהיה מושל ביראת אלהים וכן תרגם אותו אֲמַר דָוִד אֱלָהָא דְיִשְׂרָאֵל וגו׳:

מצודת דוד

(נ) **על כן.** בעבור החסדים האלה: **בגוים.** לפרסם חסדך: (נא) **מגדול.** רצה לומר, וכן אודך, כי אספר לומר, דעו אשר ה׳ מגדול וגו׳, רצה לומר, עושה ישועות גדולות למלכו, ולא בעבור תשלום גמול, כי אם בחסד: **ולזרעו.** כמו שעשה לדוד, כן יעשה לזרעו עד עולם. ואף שדוד עצמו אמרו, אמר לדוד ולזרעו, ולא אמר לי ולזרעי, כי כן דרך המקרא, וכן (שמואל־א יב, יא), וישלח ה׳ וגו׳ ואת שמואל, ועם כי שמואל עצמו אמרו, לא אמר ואותי: (א) **ואלה דברי דוד האחרונים.** רוצה לומר, מה שאמר אחר כל המעשים והשירים אשר שר לה׳, ומשם ואילך לא דבר עוד ברוח הקודש: **נאם דוד בן ישי.** רוצה לומר, וזה דברי נאם דוד וגו׳, רצה לומר, זה הדבר דברתי עוד הייתי דוד בן ישי, רועה צאן בשפל המדרגה: **ונאם הגבר.** וזה בעצמי דברי עתה, אף כי אני הגבר אשר הוקם למעלה, להיות משיח אלהי יעקב, למלוך בישראל, ולהיות מנעים זמירות ישראל, רוצה לומר, לסדר זמירות נעימות לישראל לשורר בבית ה׳. וכאומר, אחר כל הגדולה הזאת, לא נשתנית דעתי מאשר היתה מאז: (ב) **רוח ה׳.** רצה לומר, הדבר אשר אדבר מאז ועד עתה, לא מחכמה באה לי, אך רוח ה׳ דבר בי ומלתו וגו׳, והוא כפל ענין במלות שונות, ובא לחזק הדבר: (ג) **אמר אלהי ישראל.** רצה לומר, וזהו דברי אשר אלהי ישראל אמר, וכאלו דבר לי ליחד אלי הדבור, רצה לומר, מיד ה׳ הופיע אלי להשכיל הדבר הזה: **מושל באדם צדיק.** כאשר יועמד צדיק למשול בבני אדם, אז תמשול יראת אלהים, כי כל ממשלתו להכריח העם על היראה, אם כן היא המושלת והמתגברת:

מצודת ציון

(נא) **מגדול.** מלשון גדול: (א) **נאם.** מענין אמירה ודבור: **הגבר.** האיש: **על.** למעלה, וכן (איוב לו, לג), מקנה אף על עולה: **ונעים.** ענין עריבות ומתיקות: (ב) **ומלתו.** ענין דבור, כמו (תהלים קלט, ד), כי אין מלה בלשוני:

---

50. עַל־כֵּן אוֹדְךָ ה׳ בַּגּוֹיִם — *Therefore, I shall give thanks to You, HASHEM, among the nations.* I will proclaim to all who serve and obey me that my right to rule stems from You (*Radak*).

51. מִגְדּוֹל יְשׁוּעוֹת מַלְכּוֹ — *He is a tower of His king's salvations.* David refers not only to himself, but to his entire dynasty, throughout the generations. "Just as God has been a tower of salvation for me, so may He be for my offspring, whom He has promised to make my successors!" (*Radak*).

In Psalm 18, the parallel phrase is written מַגְדִּל יְשׁוּעוֹת מַלְכּוֹ, *He magnifies His king's salvations. Midrash Shocher Tov* explains the difference between the two versions. Rabbi Yudan says: "The redemption of this nation will not come about all at once; it will appear little by little. Therefore it is described in *Psalms* as מַגְדִּל, *He magnifies*, meaning that it is a continuous process, with God's salvation becoming greater and greater. This is like the dawn that breaks slowly, for if the sun were to rise all at once, everyone would be blinded by its fiery light. So, too, if the Redemption were to come all at once, the Jewish people, who have been accustomed only to oppression, could not endure the experience and it would overwhelm them. In *Samuel*, the word מִגְדּוֹל, *tower,* is used, because it refers to the end of the process, when the Messiah will be a tower of strength."

Thus the verse would be rendered, "His king (the Messiah) is a tower of salvations (for His people), and [God] does kindness to His Messiah."

In this verse, David refers to himself in three ways: His king, His anointed, and David. This refers to three stages in his life:

[50]*Therefore, I shall give thanks to You, Hashem, among the nations,*
and to Your Name I will sing.
[51]*He is a tower of His king's salvations,*
and does kindness to His anointed one, to David and his offspring, forever!

23 DAVID'S LAST PROPHETIC WORDS 23:1-7

[1]*These are the last words of David: The speech of David son of Jesse,*
and the speech of the man who was established on high,
the anointed one of the God of Jacob,
and the pleasing [composer] of the songs of Israel:
[2]*The spirit of Hashem spoke through me; His word is upon my tongue.*

The command that he reign ...

[3]*The God of Israel has said — the Rock of Israel has spoken to me —*
"[Become a] ruler over men; a righteous one, who rules through the fear of God,

---

When he was *king;* when he had merely been *anointed* by Samuel, but had not yet assumed the throne; and when he was merely *David*, an unknown shepherd. David thanked God for His kindness in all situations and prayed that He be equally gracious to his offspring (*Abarbanel*).

23.

1-7. David's "last words." There are three views regarding the nature of this song: (a) According to *Targum* and *Rashi*, it was David's last prophecy. *Rashi* (here and in *Moed Kattan* 16b) infers this from the use of the term *"words,"* in verse 1 here and in verse 1 of Chapter 22, a term that is not used to describe any of his psalms. *Words* is a very significant term, explains *Rashi*, for it indicates that the statements in question were uttered in prophecy. Obviously, this assumes that David was actually a prophet and that his statement in verse 2 means literally that God spoke through him. The Book of *Psalms,* however, was not prophecy, but was composed through רוּחַ הַקֹּדֶשׁ, *a spirit of holiness*, which means that God rested His spirit on him and permitted his words to reach a level just below that of prophecy (see *Abarbanel* and *Moreh Nevuchim* 45:2, who writes that none of David's words were prophecies).

(b) This was a song of gratitude to God, for having raised him from the humble status of a shepherd and made him king of Israel. Thus, this is a "song," like the many songs of gratitude that are found in the Book of *Psalms* (*Radak, Ralbag*).

(c) Like an author who signs his work upon completion and gives his background and qualifications, David arranged the many psalms he composed over a lifetime of righteous and pious service and travail (see Introduction to ch. 22) and then completed his work by composing this chapter. He begins it by stating humbly that he was not born to the kingship nor was he worthy of it on his own merit; he became king only because God elevated him to the throne. Secondly, his many songs and psalms were not products of his own greatness, but were possible only because God graced him with a spirit of holiness, which conferred a Godly spirit upon his words (*Abarbanel*).

The words of David son of Jesse.

1. דִּבְרֵי דָוִד הָאַחֲרֹנִים — *The last words of David,* i.e., the last words he uttered with Divine inspiration (*Targum*).

נְאֻם — *The speech.* This word implies that the words were carefully chosen for clarity and accuracy (*Malbim*).

הַגֶּבֶר הֻקַם עָל — *The man who was established on high,* i.e, David was *taken from the sheepfold, from following the flocks, to become ruler over God's people, over Israel* (7:8). Thus, David did not become king through his own efforts, but because God established him *on high.*

The Sages expound that הֻקַם עָל can be read הֵקִים עוֹל, *who established the yoke,* i.e., David established the yoke of repentance, because he became the role model of sincere repentance for everyone.

וּנְעִים זְמִרוֹת יִשְׂרָאֵל — *And the pleasing [composer] of the songs of Israel.* David refers to his psalms, which the Levites sung and accompanied with music in the Temple service (*Radak*). No songs were ever sung in the course of the Temple service except for those composed by David (*Rashi*).

Poetry and music attain their highest level when they are used for the service of God. Beauty for "its own sake" is sorely deficient.

It was through his *songs of Israel* that David was able to become the model of repentance (see above). By reciting the psalms of David, one can become inspired to repent (*Likutei Maharan*).

2. רוּחַ ה' דִּבֶּר־בִּי — *The spirit of Hashem spoke through me.* Hashem caused His holy Spirit to rest in me, and He spoke through me *(Rashi)*; *Rashi* understands this to refer to prophecy. According to *Radak* and others (see Introduction), this is a level of inspiration below prophecy: The spirit of Hashem spoke through me, allowing me to compose songs through Divine inspiration.

A prophet is the conduit through which God speaks to man; the prophet adds nothing of his own, as David said, *The spirit of Hashem* spoke through me. This is why Isaac's blessings to Jacob were fulfilled, even though the Patriarch thought he was blessing Esau (*Derashos HaRan*).

3. לִי דִבֶּר צוּר יִשְׂרָאֵל — *The Rock of Israel has spoken to me.* God spoke directly to David (*Rashi*). Alternatively, God spoke to David through the prophet Samuel (*Radak*).

מוֹשֵׁל בָּאָדָם — *[Become] a ruler over men.* The word אָדָם often refers not to mankind in general, but specifically to Israel; the quintessential man (*Rashi*, based on *Bava Metzia* 114; *Kerisos* 6b), for whom, as the one who accepted the Torah, God created the universe.

ד־ה וּכְאוֹר בֹּקֶר יִזְרַח־שָׁמֶשׁ בֹּקֶר לֹא עָבוֹת מִנֹּגַהּ מִמָּטָר דֶּשֶׁא מֵאָרֶץ: כִּֽי־לֹא־כֵן בֵּיתִי עִם־אֵל כִּי בְרִית עוֹלָם שָׂם לִי עֲרוּכָה בַכֹּל וּשְׁמֻרָה כִּי־כָל־יִשְׁעִי וְכָל־חֵפֶץ

ו־ז כִּי־לֹא יַצְמִיחַ: וּבְלִיַּעַל כְּקוֹץ מֻנָד כֻּלָּהַם כִּי־לֹא בְיָד יִקָּחוּ: וְאִישׁ יִגַּע בָּהֶם יִמָּלֵא בַרְזֶל וְעֵץ חֲנִית וּבָאֵשׁ שָׂרוֹף יִשָּׂרְפוּ בַּשָּׁבֶת:

רש"י

(ד) וכאור בוקר יזרח שמש. והבטיחני שתלך גדולתי הלוך וגדל, כאור נוגה אשר הולך ואור: **בוקר לא עבות.** אור שאינו אפל: **מנוגה ממטר דשא מארץ.** מאיר בקרי יותר מנוגה הבא ממטר, כחום צח עלי אור, כשהמטר יורד על הארץ מלאה דשאים, והשמש זורח עליו ומבהיק. וכן פתרונו, יותר מנוגה הבא ממטר של דשא מארץ: **(ה) כי לא כן ביתי עם אל.** שיהא בקרי עבות: **כי ברית עולם.** התורה אשר שם לי, ערוכה בכל ביתי ושמורה: **כי כל ישעי וכל חפץ.** צרכי מוכנים לפניו, והרי זה מקרא קצר: **כי לא יצמיח.** עוד למלך אחר מלכותי. דבר אחר, כי ברית עולם שם לביתי, להיות מלכותי קיימת, והברית ערוכה בכל, בפי כל הנביאים: **(ו) כקוץ מונד.** קרדו"ן בלע"ז, שבקטנותו רך נע ונד, וסופו מתקשה, עד אשר לא ביד יקחוהו: **(ז) ואיש יגע בהם ימלא.** צריך שילבש את בשרו ברזל, וימלא ידו בכלי זיין לקצצו: **ובאש שרוף ישרפו בשבת.** ואין שם תקנה אלא שריפה, ולשבת ולהתחמם כנגדם, כך הרשעים אין להם תקנה, אלא שריפה בגיהנם: **בשבת.** הקב"ה יושב על כסא הדין:

רד"ק

(ד) וכאור בקר. כאור הבקר כשיזרח השמש כשהולך ואור כן תהיה מלכותי ממשלת בקר שאין בו עבירות אלא בהיר, כי בקר שהוא עבות וענן פעם נגה ופעם מטר ואינו טוב אלא להצמיח דשא מן הארץ: **(ה) כי לא כן.** אבל ביתי אינו כן אלא נוגה בכל עת ובכל זמן כי ברית עולם שם לי שלא תפסוק, ותהיה ערוכה ושמורה בכל: **כי כל ישעי.** כל חפץ וכל ישע שלי הוא שלא יהיה כצמח השדה אשר ייבש אבל ישעי לא יפסק לעולם, ויונתן תרגם שני הפסוקים האלה כן, וכאור בקר טוּבֵיכוֹן צַדִּיקַיָּא וגו׳ כבעמוד: **(ו) ובליעל.** אבל הרשעים יהיו כקוץ מונד, כמו הקוץ שמניד אותו ומשליכו כל מוצאו כן הם כי הם מכאיבים לנוגע בהם ולא יקחו אותם ביד אבל משליכים אותם ברגלים או בדבר אחר: **(ז) ואיש יגע.** ואם יגע אדם בהם במקום שצומחים ימלא ברזל, רצה לומר יקח ברזל לכרות אותם, ואמר יִמָּלֵא כנגד המשל שהוא על הרשעים ולא יקרב אדם להם אלא אם ימלא כלי ברזל, כלומר שילבש שריון שלא יוכלו להרע לו, או פירוש יִמָּלֵא יכרת כמו בְּלֹא יוֹמוֹ תִּמָּלֵא (איוב טו, לב) ופירושו יכרת הקוץ בברזל, כלומר אם ירצה אדם לגעת בהם צריך שיכרתנו בברזל או בעץ חנית מרחוק או ישרפו אותם במקום שבתם כלומר במקום שהם צומחים, כן הרשעים צריך שישתדל האדם לכלותם בעצמו אם יוכל או על ידי אחרים כמו שעושים לקוץ עם החנית, או יתפלל עליהם שיכלו ויסופו במקומם כמו לקוצים שישרפום בשבת ויונתן תרגם (אל) שני הפסוקים כן וְרַשִׁיעַיָּא עֲבָדֵי חֶטְאָה דָּמָן לְכוּבִּין וגו׳, ואיש יגע וְאַף כָּל אֱנָשׁ דִּמְשַׁרֵי לְמִיקְרַב בְּחוּבִין אָזְלִין וגו׳ כבעמוד:

מצודת דוד

(ד) וכאור בוקר. רצה לומר, המושל כזה היא סיבה להמשיל היראה, כמו אור הבוקר המאיר בפאת המזרח, אשר הוא סיבה ידוע לשיזרח אחריו השמש, אבל כשאור הבקר לא יהיה מעונן בעבים, כי כשיהיה מעונן, אין אור הבוקר סיבה ידועה לזריחת השמש, כי לא יהיה נראה, כי הענן יכסנו: **מנוגה ממטר.** כמו מנוגה השמש וממטר השמים, אשר משניהם יחד באה הסיבה להצמיח דשא מן הארץ, וכן הדבר במושלים כאלה, כי אף אשר אור הבוקר היא סיבה ידועה לזריחת השמש, אין זו סיבה לשיתמיד בזריחתו, כי יבוא הענן ויכסנו, כן צדיק המושל, לא תמשול היראה כי אם בעוד ימשול הוא, ולא בסור ממנו הממשלה, אף לא אחרי מותו, וכמו שנוגה השמש ומטר השמים המה יחד סיבה להצמיח דשא, ולא זה בלא זה, כן צדיק אחד מושל, לא יוכל להמשיל היראה, אם המושל חבירו עומד נגדו ומוחה בידו: **(ה) כי לא כן ביתי.** אלא ממשלת בית מלכותי, לא כן היא עם הממשלת יראת האל: **כי ברית עולם שם לי.** ממשלת המלוכה שם לי לבדו, וברית עולם היא: **ערוכה בכל.** רצה לומר, הכל תלוי בה, על היותה מלוכה ונתנה ביד אחד, ואינה כממשלת מושלים שאין הכח ביד האחד כאשר חבירו עומד נגדו, אשר ידמו לנוגה השמש ומטר השמים, שאין הכח ביד אחד זולת חבירו להצמיח הדשא: **ושמורה.** גם המלוכה הלא היא שמורה לי ולזרעי מדור לדור, ואינה כממשלת שאר מושל אשר עמו תמות, או בחייו תוסר ומעשיו בטלים, אשר ידמה לאור הבוקר, שהיא סיבה ידועה לזריחת השמש, ובבוא הענן יכסהו: **כי כל ישעי.** כי כל הישע הבאה, היא ישעי, כי על ידי או על ידי זרעי תבוא, וכמו כן על ידינו תבוא כל חפץ, כי לא יצמיח מי למלכות מבלעדינו: **(ו) ובליעל.** אבל בית בליעל, כירבעם וחבריו, כולם יהיו כקוץ מונד, רצה לומר, כמו הקוץ המונד ברגלי אדם, אשר מנידים אותו ממקום למקום בדרך מהלכם: **כי לא ביד יקחו.** כי בעבור החדודים הבולטים בו, אי אפשר לקחתו ביד לסלקו מן הדרך אל מקום מיוחד, ולזה בעל כרחו הוא מונח ברגלי אדם, ומנידים אותו ממקום למקום, ולא יונח זמן רב במקום אחד, וכמו כן לא תעמוד בית בליעל על זמן רב: **(ז) ואיש יגע בהם.** רצה לומר, אולם בית הבליעל לא תהיה דומה להקוץ הזה אשר לא תגע בו יד איש, כי בהם יגע איש איש לרעה, בחרב ובחנית, והגוף של כל אחד מהם יהיה מלא מברזל החניתות, וגם עץ הנצב תבוא בו אחר להב החנית: **ובאש שרף וגו׳.** בתבערת אש ישרפו, בעת יושבת מלכותם. או רצה לומר, בעבור יושבת זכר למו, וכן היה בבית ירבעם ואחאב והדומים להם:

מצודת ציון

(ד) עבות. עננים: **מנוגה.** ענין הארה וזריחה: **דשא.** חציר: **(ה) ערוכה.** ענין סדור: **חפץ.** רצון: **(ו) מנד.** מלשון נדידה: **כלהם.** מלשון כל: **(ז) בשבת.** ענין בטול, כמו (ישעיהו יד, ד), שבת נוגש:

According to *Targum*, "Ruler over men" is connected with the preceding words (*the Rock of Israel*), and refers not to David but to God. (See also the Talmud's interpretation, cited below.)

Rashi also mentions the Sages' homiletical interpretation of our verse: [David] said (אָמַר), "The God of Israel spoke to me, the Rock of Israel (אֱלֹהֵי יִשְׂרָאֵל לִי דִבֶּר, צוּר יִשְׂרָאֵל): I (God) rule over mankind (מוֹשֵׁל בָּאָדָם), [but] a righteous man rules [over Me] (צַדִּיק מוֹשֵׁל), with his fear of God (יִרְאַת אֱלֹהִים)." A righteous person has the power to overrule God's decree, as it were, through his good deeds and prayers (*Moed Katan* 16b). Thus, God laid the ground rules for David and every king or leader of Israel. He must conduct himself with unwavering fear of God. If he does so, he merits to have God comply with his prayers.

4. This verse alludes to two types of mornings — a metaphor for two types of kingdoms. The dawn may be clouded over, with its light obscured, like Saul's kingdom, whose early promise was quickly obscured and ended, or it may begin with a clear sky and grow continuously brighter. David likens his dynasty to the latter.

וּכְאוֹר בֹּקֶר יִזְרַח־שָׁמֶשׁ — *Like the morning light when the sun shines.* God promised me that my kingdom would be everlasting, comparable to the morning light, which becomes more and more brilliant and radiant as the sun rises in the sky (*Rashi*).

The Talmud (*Pesachim* 2a) interprets our verse: "Like the morning light, the sun will shine" (יִזְרַח can be rendered in

[4]Like the morning light when the sun shines — an unclouded morning,
brighter than the glistening rain upon the herbage of the earth."
[5]For my house was not thus with God;
for the everlasting covenant [i.e., the Torah] that He has given me is firmly established and secure in all my house;
for my entire salvation and desire [have been fulfilled],
for He will not allow [other kingdoms] to sprout.

... and his enemies will be swept aside

[6]But godless men are all like a wind-blown thistle, which they cannot take by hand.
[7]A man who would touch them, he must equip himself with iron [tools]
and the shaft of a spear,
and they must be thoroughly burnt where they are.

either the future tense, *will shine*, or in present tense, *shines*). The Talmud explains that this refers to the "bright light" reserved for the righteous of the World to Come. It will shine so brightly that its mere dawn will be as bright as today's morning light (see *Rashi* ad loc.).

בֹּקֶר לֹא עָבוֹת — *An unclouded morning.* The morning light to which my kingship is compared (previous phrase) is an uninhibited light, like a morning without any clouds obscuring the light (*Rashi*).

מִנֹּגַהּ מִמָּטָר דֶּשֶׁא מֵאָרֶץ — *Brighter than the glistening rain upon the herbage of the earth.* The brilliance of my kingship will outshine the bright sunlight that is intensified even further when it is reflected off wet vegetation (*Rashi*).

Grass needs both rain and sunlight to grow. David likens his reign to a sunny morning following a night's rain, the optimum situation for growth of vegetation. This is a metaphor for a time of optimism, growth, and thriving prosperity.

5. כִּי־לֹא־כֵן בֵּיתִי עִם־אֵל — *For my house was not thus with God.* My house, the Davidic dynasty, is not destined to be like the cloudy day just mentioned (*Rashi*). The glory of the kingdom of the House of David was not meant to be "clouded over" by constant subversion or lack of endurance, as other royal houses of Israel were doomed to be, such as the House of Saul, the dynasties of the Ten Tribes, and the Hasmonean dynasty.

כִּי בְרִית עוֹלָם שָׂם לִי עֲרוּכָה בַכֹּל וּשְׁמֻרָה — *For the everlasting covenant [i.e., the Torah] that He has given me is firmly established and secure in all my house.* David does not fear that his dynasty will suffer the fate of the others, because it is firmly based on the Torah, God's eternal covenant with Israel. Alternatively, the eternal covenant with the House of David is well established in the mouths of all the prophets (*Rashi*). Besides the original covenant which was revealed to David through the prophet Nathan, there is hardly a prophet in *Tanach* who does not speak of the restoration of the House of David to full kingship over Israel.

Mahari Kara's interpretation is similar to *Rashi's*, except that he renders עֲרוּכָה בַכֹּל, *established for all time*.

The bracketed insertions in the last two phrases of the verse follow *Targum* and *Rashi*. *Radak*'s rendering avoids the addition of the bracketed insertions, as follows: *for my entire salvation and desire are that He not allow sprouting.* Thus the metaphor *sprouting* means that David's dynasty will not be like vegetation, which unavoidably withers after it grows to maturity. David's fervent prayer was that his dynasty should never deteriorate, but should always remain vibrant.

6. וּבְלִיַּעַל — *But godless men.* The word is a contraction of בְּלִי עֹל, *without the yoke [of Heaven]*. Alternatively, it is a contraction of בְּלִי יַעַל, *without benefit* — i.e., a worthless person.

A growing thistle is soft and supple at first — so much so that it bends and blows to and fro in the wind — but eventually it becomes so hardened and pointy that people cannot even take it with their bare hands (*Rashi*, based on *Targum*). Unlike a *righteous one, who rules through the fear of God* (v. 3), whose fortunes become brighter and brighter like the sun on a clear morning (v. 4), the wicked become more and more dangerous and treacherous with time.

Radak renders *But a godless man is like a pushed thistle, which people do not take away with their bare hand.* When people encounter a thistle bush in their path they do not push it aside with their hands, but with their feet, so as not to be hurt by its prickly bristles.

7. וְאִישׁ יִגַּע בָּהֶם — *A man who would touch them.* If a man must touch a thistle, he will not do so bare-handed. Rather who must touch one of these plants with his hands . . .

יִמָּלֵא בַרְזֶל — *Must equip himself with iron [tools].* Since the thistle will scratch and cut the human hand, one must use an iron tool to cut or remove it (*Radak*). He must don an iron guard on his hand (*Rashi*).

וְעֵץ חֲנִית — *And the shaft of a spear*, with which to cut the thistle (*Rashi*). The actual cutting, of course, is done with the blade, but the shaft is mentioned because it is the part that is held in the hand.

וּבָאֵשׁ שָׂרוֹף יִשָּׂרְפוּ בַּשָּׁבֶת — *And they must be thoroughly burnt where they are.* Just as a thorn can be removed only through implements, or burned in its place, so too the wicked must be obliterated, either through mercenaries or by praying for their destruction in the places where they lurk (*Radak*).

The only benefit one can get from thorns is to burn them and warm himself by the fire (*Rashi*). According to *Targum*, the wicked have no remedy for their sins in this world, but only through the fire of Gehinnom in the next world, when God sits (בַּשָּׁבֶת) upon His throne of judgment.

ח אֵ֣לֶּה שְׁמ֥וֹת הַגִּבֹּרִ֖ים אֲשֶׁ֣ר לְדָוִ֑ד יֹשֵׁ֨ב בַּשֶּׁ֜בֶת תַּחְכְּמֹנִ֣י ׀ רֹ֣אשׁ הַשָּׁלִשִׁ֗י ה֚וּא עֲדִינ֣וֹ °העצנו [°הָעֶצְנִ֔י ק] עַל־שְׁמֹנֶ֥ה מֵא֛וֹת חָלָ֖ל בְּפַ֥עַם °אחד [°אֶחָֽת ק]: ט °ואחרו [°וְאַחֲרָ֞יו ק] אֶלְעָזָ֧ר בֶּן־°דדי [°דֹּדֹ֛ו ק] בֶּן־אֲחֹחִ֖י בִּשְׁלֹשָׁ֣ה °גברים [°הַגִּבֹּרִ֣ים ק] עִם־דָּוִ֗ד בְּחָרְפָ֤ם בַּפְּלִשְׁתִּים֙ נֶאֶסְפוּ־שָׁ֣ם לַמִּלְחָמָ֔ה וַיַּעֲל֖וּ אִ֥ישׁ יִשְׂרָאֵֽל: י ה֣וּא קָ֞ם וַיַּ֣ךְ בַּפְּלִשְׁתִּ֗ים עַ֣ד ׀ כִּֽי־יָגְעָ֣ה יָד֗וֹ וַתִּדְבַּ֤ק יָדוֹ֙ אֶל־הַחֶ֔רֶב וַיַּ֧עַשׂ יְהוָ֛ה תְּשׁוּעָ֥ה גְדוֹלָ֖ה בַּיּ֣וֹם הַה֑וּא וְהָעָ֛ם יָשֻׁ֥בוּ אַחֲרָ֖יו אַ֥ךְ לְפַשֵּֽׁט: יא וְאַחֲרָ֛יו שַׁמָּ֥א בֶן־אָגֵ֖א הָרָרִ֑י

רש"י

(ח) **אשר לדוד יושב בשבת.** יושב בשבת סנהדרין, והוא תחכמוני, והוא ראש השלישי, אב בנוי בחכמה ובגבורה, בשלשה דברים הללו הוא ראש, כמו שנאמר (שמואל־א טז, יח), ונבון דבר ואיש תואר וגבור חיל: **עדינו העצני** . כשעוסק בתורה, כורך ומקשר עצמו כתולעת, כמו (איוב לח, לא), מעדנות כימה, וכשיוצא למלחמה, היה קשה כעץ, והורג שמונה מאות חלל במלחמה אחת (מועד קטן טז, ב): (ט) **בן דודו.** כך שמו: **בשלשה הגבורים.** המטולים שבגבורים: **בחרפם בפלשתים.** תקעו כף להלחם בהם ולנצחם: (י) **אך לפשט.** תרגם יונתן, לחלצא קטיליא, לא היה איש לעזרו להרוג, אלא כולם פושטים אחריו את החללים: (יא) **הררי.** מן ההר:

רד"ק

(ח) **ישב בשבת.** דעת המתרגם וכן דעת רז"ל (מועד קטן טז, ב) כי זה הפסוק על דוד, רצה לומר אלה שמות הגבורים אשר לדוד שהיה יושב בשבת וכו' אלה שמות גבורותיו של דוד, ויונתן תרגם כך אִלֵּין שְׁמָהַת גִּיבָּרַיָּא וגו', והם ז"ל פירשו (שם) יֹשֵׁב בַּשֶּׁבֶת שהיה יושב בישיבה של תורה: **ראש השלשי.** ראש לשלשה האבות: **עדינו העצני.** בשעה שהיה עוסק בתורה מעדן עצמו כתולעת ובשעה שהיה יוצא למלחמה מקשה עצמו כעץ (שם), ויש מרבותינו ז"ל שאמרו (תנחומא מסעי, ט) כי על יואב אמר זה הפסוק שהיה חכם גדול וראש סנהדרין שנאמר תַּחְכְּמֹנִי רֹאשׁ הַשָּׁלִישִׁי, ולפי הפשט נראה כי גבור אחד היה מגבורי דוד וראש גבורי דוד היה ושמו עדינו העצני, וספר עליו שהיה חכם מוסף על גבורתו והיה יושב בשבת סנהדרין וחכמי ישראל והיה ראש להם וזהו שאמר רֹאשׁ הַשָּׁלִישִׁי והוא כמו השלישים, וכן לַכָּרִי וְלָרָצִים (מלכים־ב יא, ד) כמו לכרים, ושלישים הוא לשון גדולה גדולים ונכבדים כמו הַשָּׁלִישׁ אֲשֶׁר לַמֶּלֶךְ (שם ז, ב) וּמִבְחַר שָׁלִשָׁיו (שמות טו, ד) ותחכמוני שם תואר מן חכמה, וספר מגבורותיו על שמנה מאות חלל רצה לומר שהיה על שמונה מאות חלל כלומר שהרג שמונה מאות אנשים במלחמה אחת זהו בְּפַעַם אֶחָת, ובדברי הימים (־א יא, יא) קורא אותו יָשָׁבְעָם רצה לומר שהיה יושב בראש העם וענין אחד הוא עם מה שכתוב כאן יֹשֵׁב בַּשֶּׁבֶת, ומה שאמר הנה עַל שְׁמֹנֶה מֵאוֹת חָלָל ושם אומר הוא עורר את חניתו על שלש מאות חלל, שני מלחמות היו באחת הרג שמנה מאות ובאחרת שלש מאות, ומה שאמר הנה תַּחְכְּמֹנִי ושם בֶּן חַכְמוֹנִי, בן שנאמר שם כמו איש כמו בֶּן חַיִל (לעיל־א יד, נב) רצה לומר בן חכמה, או יהיה שם אביו תחכמוני או חכמוני כי אחד הוא וזה(ו) עדינו היה בנו: **העצני.** כתיב בוי"ו וקרי ביו"ד: **בפעם אחד.** כתוב בדל"ת לשון זכר וקרי אֶחָת בתי"ו לשון נקבה: (ט) **אלעזר בן דדו.** כך היה שמו וכן תרגם יונתן בַּר דוֹדוֹ וקרי דֹּדוֹ בוי"ו וכתיב דדי ביו"ד: **בן אחחי.** ובדברי הימים (־א יא, יב) הָאֲחוֹחִי, אחוחי שם משפחה היה לפיכך אמר בֶּן אֲחֹחִי ואמר הָאֲחוֹחִי כמו בֶּן קְנַז (יהושע טו, יז) הַקְּנִזִּי (במדבר לב, יב): **בשלשה גברים.** וקרי הַגִּבֹּרִים והענין אחד, והשלשה גבורים הם הנזכרים הנה עדינו ואלעזר ושמה בן אגא, ורצה לומר בשלשה כי היה השלישי שהיה עמהם במלחמה זאת עם דוד והוא היה ראש המלחמה הזאת: **בחרפם.** מבנין פעל הדגוש כי החי"ת מעמדת בגעיא, וענינו כמו חֵרֵף נַפְשׁוֹ לָמוּת (שופטים ה, יח) שענינו גלה, וכן בְּחָרְפָם גלו נפשם לסכנה, על דרך וַיַּשְׁלֵךְ אֶת נַפְשׁוֹ מִנֶּגֶד (שם ט, יז) ויונתן תרגם כַּד חֲסִידוּ פְּלִישְׁתָּאֵי דעתו כי בְּחָרְפָם אומר על פלשתים אם כן תהיה הבי"ת בפלשתים נוספת, ולפי הפשט בְּחָרְפָם אומר על אלה הגבורים שגלו עצמם להלחם בפלשתים שנאספו שם להלחם וישראל עלו מפניהם ואלה שלשת הגבורים ירדו אליהם ואלעזר התגבר במלחמה זאת יותר מהשנים ועליו אמר הוא קָם וַיַּךְ בַּפְּלִשְׁתִּים (פסוק י): (י) **והעם ישבו אחריו.** אמר יָשֻׁבוּ כי כבר נסו מפני פלשתים כמו שאמר וַיַּעֲלוּ אִישׁ יִשְׂרָאֵל (פסוק ט) וכאשר ראו גבורת אלעזר שהיה מכה בפלשתים שבו אחריו: **אך לפשט.** כלומר לא היו צריכים להכות בפלשתים אלא לפשט את החללים לבד שהיה מכה אלעזר: (יא) **ואחריו שמה בן אגא הררי.** תרגום יונתן שַׁמָּה בַּר אָגֵא דְּמִן הָרַר טוּרָאָה:

מצודת דוד

(ח) **אשר לדוד.** כאשר הזקין ותש כחו, היו אלה שלשת הגבורים סביב לו, לבל יבוא מי ויכנו נפש: **יושב בשבת תחכמוני.** רוצה לומר, האחד היה יושב עם דוד בישיבת החכמה, והיה ראש הגבורים, ושמו עדינו העצני, (ובדברי הימים במקום 'יושב בשבת' נאמר 'ישבעם', והוא הוא, כי ישבעם הוא כאלו אמר יושב בעם, ובמקום 'תחכמוני' נאמר שם 'בן חכמוני', והוא הוא, וכן איש ירושלים, הלא נקרא 'ירושלמי' וגם נקרא 'בן ירושלים', ומובן אחד להם): **על שמונה מאות.** מוסב למעלה, לומר שהיה יושב בישיבת החכמה, על אשר היה הורג בפעם אחת שמונה מאות חלל, ואף כי נתייגע בהורגו הרג רב, מכל מקום חזר לישב בישיבת החכמה, על ההריגה וסמוך לה. (ובדברי הימים נאמר, הוא עורר את חניתו על שלש מאות חלל וגו', כי שם משבחו בהגבורה לבד, לומר על הריגת שלש מאות חלל, וסמוך לה היה עורר את חניתו להלחם עמו, כאלו עתה התחיל להלחם, וכאן משבחו באהבת החכמה עם הגבורה): (ט) **ואחריו.** במעלה: **בשלשה הגבורים.** רוצה לומר, הוא היה אחד בשלשה הגבורים אשר היו עם דוד בעת חרפם את הפלשתים אשר נאספו שם למלחמה, ולא הוזכר במקרא מן המלחמה ההיא ומתי היתה: **ויעלו.** נסתלקו מלהלחם בהם: (י) **עד כי יגעה ידו.** מרוב התנועות וההכאות, יגעה ידו ונדבקה אל החרב, כי סר אז ממנו כח התפשטות היד, כדרך המרבה בתנועות והכאות: **והעם ישובו.** אחר שנסתלקו מלהלחם, שבו אחריו אך לפשט מלבושי החללים, ולא עזרוהו להכות בהם: (יא) **ואחריו.** במעלה:

מצודת ציון

(ח) **השלשי.** ענין גבורים ונכבדים, כמו (שמות יד, ז), ושלשים על כלו, ונפלה מ"ם הרבים, וכן (מלכים־ב יא, ד), לכרי ולרצים ומשפטו, לכרים: (ט) **בחרפם.** מלשון חרפה ובזיון: **ויעלו.** נסתלקו, כמו (איוב ה, כו), כעלות גדיש: (י) **יגעה.** מלשון יגיעה ועייפות: **לפשט.** ענין הסרת המלבוש:

8-39. The list of David's main warriors and officers. This list appears, in a more detailed form, in *I Chronicles* 11:10-47, where these men are described as *the chief warriors of David, who strove for him in his kingship... to crown him in accordance with the word of HASHEM.* In *Chronicles*, the list of warriors is presented before the narrative of David bringing the Ark to Jerusalem (which is described in Ch. 6 in our Book), which indicates that these warriors served David at the beginning of his reign over all twelve tribes. Accordingly, these men were the leading servants in David's early period, and not at the end of his reign. Here in *Samuel*, however, the list of warriors is recorded after David's Song (Ch. 22) and after *David's last words* (above, vs. 1-7), suggesting that these warriors are related to a later period in his life.

Another striking difference between the two listings is that the one in *Chronicles* is followed (12:1-23) by another list of

DAVID'S MIGHTY WARRIORS 23:8-39

[8]These are the names of David's warriors: One who sat in the assembly, a sagacious man, head of the captains — he is Adino the Eznite, [who stood] over eight hundred corpses at one time.

[9]After him was Elazar son of Dodo the Ahohite; [he was] among the three mighty men who were with David when they fought defiantly against the Philistines who had gathered there for war, and the men of Israel ran off. [10]He rose up and struck the Philistines until his hand tired and his hand stuck to the sword; and HASHEM performed a great salvation on that day. The people returned after him only to strip [the corpses].

[11]After him was Shammah son of Age, from the mountain. The Philistines had

---

soldiers who joined David's cause before he became king, while he was being pursued by Saul. This in turn is followed by a third list (12:24-41), that of *the leaders of those mobilized for the army, who came to David at Hebron to transfer Saul's kingship over to him*. These second and third lists are not found in the Book of *Samuel* at all.

Abarbanel accounts for these dissimilarities by explaining that the two lists do indeed represent two different periods in David's life. The one in *Chronicles* relates to David's early period, when he struggled against Saul and then when he strove to extend his kingship over all twelve tribes. The list here in *Samuel* includes only the names of warriors who were involved in his later struggles. This is why it is recorded after the Song that celebrates "David's delivery from the hand of *all his enemies*" (22:1).

8-12. The first triad. This first group of three officers is also described in *I Chronicles* 11:10-15, but with several minor or major inconsistencies (*Abarbanel* delineates ten). The reconciliation of all the discrepancies is beyond the scope of this commentary. For a full discussion, the reader is directed to the ArtScroll *Divrei Hayamim/Chronicles*, by Rabbi Moshe Eisemann.

8. The plain meaning of this verse, the one adopted by most commentators, is that the entire verse describes *Adino the Eznite*. The Sages (*Moed Katan* 16b) and *Targum*, followed by *Rashi*, however, apply all the epithets of the verse to David, not Adino. There is also a Midrashic opinion, cited by *Rashi* above (20:17), that Adino was another name for Joab.

יֹשֵׁב בַּשֶּׁבֶת — *One who sat in the assembly*, i.e., he sat in the Sanhedrin, the assembly of the wise men of Israel. This phrase may be applied to David, Joab, or Adino, according to whichever approach is taken to explain this verse (see above).

רֹאשׁ הַשָּׁלִשִׁי — *Head of the captains*. This translation is applicable to either Adino or Joab. According to the view that these descriptions refer to David, *Rashi* renders *he was a head in three respects*, meaning that David was supreme in three areas: in pleasing appearance, in wisdom, and in strength. This corresponds to *I Samuel* 16:18, that David was *a mighty man of valor and a man of war, who understands matters, and is a handsome man*.

Some commentators note the glaring omission of Joab — David's chief general for many years — from the list of David's officers. It is possible that this is one of the reasons that prompted the Midrash to identify this otherwise-unknown Adino as Joab. Some commentators write that Adino was not Joab. Joab's name was indeed omitted because his position was so primary that it was deemed unnecessary — or even demeaning — to mention him on David's list of warriors along with his subordinates.

הוּא עֲדִינוֹ הָעֶצְנִי — *He is Adino the Eznite*. According to the plain meaning of the verse, this was a captain named Adino from a place called Ozen (*Mahari Kara*).

If Adino is a descriptive name for David or Joab (see above), the word should be understood as follows: The word עֲדִינוֹ means *bond*, as in *Job* 38:31. Its use with reference to David or Joab alludes to the fact that when either of them was engaged in Torah study, he would *bind himself* [in humility] to the single-minded pursuit of knowledge. He was called הָעֶצְנִי (*Wooden One*, from עֵץ, *wood)* because in times of battle, he would make himself as solid as wood, able to kill eight hundred men in one battle (*Rashi*).

שְׁמֹנֶה מֵאוֹת חָלָל — *Eight hundred corpses*, i.e., he slew eight hundred men in one battle.

9. אֶלְעָזָר בֶּן דֹּדוֹ בֶּן־אֲחֹחִי — *Elazar son of Dodo the Ahohite* (lit. *son of Ahohi*). Our translation follows *Radak* and others, based on *I Chronicles* 11:12, who take *son of Ahohi* to mean "member of the Ahohite family."

בִּשְׁלֹשָׁה הַגִּבֹּרִים עִם־דָּוִד — *Among the three mighty men who were with David*. The reference is to the three senior mighty men (*Rashi*) — namely, Adino, Elazar and Shammah (*Radak*).

בְּחָרְפָם בַּפְּלִשְׁתִּים — *When they fought defiantly against the Philistines*. The three pledged to each other that they would fight the Philistines and defeat them (*Rashi*).

10. עַד כִּי־יָגְעָה יָדוֹ וַתִּדְבַּק יָדוֹ אֶל־הַחֶרֶב — *Until his hand tired and his hand stuck to the sword*. He was unable to release his grip on the sword because of muscle strain, or perhaps because of the large amount of blood coagulating on the sword (*Ralbag*).

אַךְ לְפַשֵּׁט — *Only to strip* [*the corpses*]. Elazar defeated the Philistine army singlehandedly; the people had nothing to do except to come afterwards to plunder the fallen soldiers.

11. שַׁמָּא בֶן־אָגֵא — *Shammah son of Age*. He is not mentioned by name in *I Chronicles* 11:13; the verse there simply says *He* [without naming him] *was with David . . . where the Philistines had gathered for battle*. On the other hand, the verse in *Chronicles* supplies two pieces of information that our verse does not mention: (1) The battle described here took place in Pas-dammim (the place where David killed Goliath), and (2) David was at the battle, with Shammah.

וַיֵּאָסְפ֨וּ פְלִשְׁתִּ֜ים לַֽחַיָּ֗ה וַתְּהִי־שָׁ֞ם חֶלְקַ֤ת הַשָּׂדֶה֙ מְלֵאָ֣ה עֲדָשִׁ֔ים וְהָעָ֕ם נָ֖ס מִפְּנֵ֥י פְלִשְׁתִּֽים׃ (יב) וַיִּתְיַצֵּ֤ב בְּתוֹךְ־הַֽחֶלְקָה֙ וַיַּצִּילֶ֔הָ וַיַּ֖ךְ אֶת־פְּלִשְׁתִּ֑ים וַיַּ֥עַשׂ יְהוָ֖ה תְּשׁוּעָ֥ה גְדוֹלָֽה׃ (יג) וַיֵּרְד֨וּ ׳שלשים [שְׁלֹשָׁ֜ה ק׳] מֵהַשְּׁלֹשִׁ֣ים רֹ֗אשׁ וַיָּבֹ֤אוּ אֶל־קָצִיר֙ אֶל־דָּוִ֔ד אֶל־מְעָרַ֖ת עֲדֻלָּ֑ם וְחַיַּ֣ת פְּלִשְׁתִּ֔ים חֹנָ֖ה בְּעֵ֥מֶק רְפָאִֽים׃ (יד) וְדָוִ֖ד אָ֣ז בַּמְּצוּדָ֑ה וּמַצַּ֣ב פְּלִשְׁתִּ֔ים אָ֖ז בֵּ֥ית לָֽחֶם׃ (טו) וַיִּתְאַוֶּ֥ה דָוִ֖ד וַיֹּאמַ֑ר מִ֚י יַשְׁקֵ֣נִי מַ֔יִם מִבֹּ֥אר בֵּית־לֶ֖חֶם אֲשֶׁ֥ר בַּשָּֽׁעַר׃ (טז) וַיִּבְקְע֡וּ שְׁלֹשֶׁת֩ הַגִּבֹּרִ֨ים בְּמַחֲנֵ֜ה פְלִשְׁתִּ֗ים וַיִּֽשְׁאֲבוּ־מַ֙יִם֙ מִבֹּ֤אר בֵּֽית־לֶ֙חֶם֙ אֲשֶׁ֣ר בַּשַּׁ֔עַר וַיִּשְׂא֖וּ וַיָּבִ֣אוּ אֶל־דָּוִ֑ד וְלֹ֤א אָבָה֙ לִשְׁתּוֹתָ֔ם וַיַּסֵּ֥ךְ אֹתָ֖ם לַֽיהוָֽה׃ (יז) וַ֠יֹּאמֶר חָלִ֨ילָה לִּ֜י יְהוָ֗ה

רש״י

לחיה. לגדוד כחיות השדה: **(יג) מהשלשים ראש.** תרגם יונתן, מגברי רישי משריתא: **(יד) ומצב פלשתים אז בית לחם.** החיל היה חונה בעמק רפאים, ושלחו מצב שלהם לבית לחם: **(טו) מי ישקני מים.** אמרו רבותינו (בבא קמא ס, ב), הוצרך לשאול שאלה מסנהדרין היושבים בשער בית לחם: **(טז) ויסך אותם לה׳.** כך אמר, מקובלני מבית דינו של שמואל הרמתי, כל המוסר עצמו למיתה על דברי תורה, אין אומרין שמועה מפיו, ומאי ויסך אותם לה׳, דאמרינהו משמיה דגמרא (שם סא, א):

רד״ק

לחיה. עיר פרזות שאין לה חומה, והמקום ההוא נקרא אפס דמים כמו שאמר בדברי הימים (־א יא, יג), כי שם היתה מלחמה זאת: **מלאה עדשים.** ובדברי הימים (שם) אמר מְלֵאָה שְׂעוֹרִים, עמרים היתה מלאה כי החלקה כבר נקצרה אלא שאספו בתוכה עמרים מהשדות האחרים ואותם העמרים היו מהעדשים ומהשעורים והיתה מלאה מהם, ואמר הנה עדשים ושם אמר שעורים: **(יב) ויתיצב.** ובדברי הימים (שם שם, יד) אמר וַיִּתְיַצְּבוּ, רצה לומר הוא ואלעזר ואמר הנה וַיִּתְיַצֵּב כי שמה היה עיקר המלחמה ההיא: **(יג) וירדו שלשה.** וכתוב שלשים רצה לומר הגדולים והגבורים שבשלישים כמו וְשָׁלִשִׁם עַל כֻּלּוֹ (שמות יד, ז), וקרי שְׁלֹשָׁה כי השלשה היו אלה הגבורים אשר ירדו אל דוד: **מהשלשים ראש.** מהשלישים שהיו ראשי המחנות וכן תרגם יונתן, מִגִּבָּרֵי רֵישֵׁי מַשִׁרְיָיתָא, אבל הוא תרגם שלשים כמו שלישים: **ויבאו אל קציר.** בעת קציר כאילו אמר בקציר, וכן אמר וְאֶל הָאָרֹן תִּתֵּן אֶת הָעֵדֻת אֲשֶׁר אֶתֵּן אֵלֶיךָ (שם כה, כא) כמו ובארון: **אל מערת עדלם.** ובדברי הימים (־א יא, טו) אמר עַל הַצֻּר אֶל דָּוִיד אֶל מְעָרַת עֲדֻלָּם, כי צור חזק וגבוה היה שם והיא המצודה שאמר וְדָוִד אָז בַּמְּצוּדָה (פסוק יד), וזה הענין היה כשהיה דוד בורח מפני שאול ונמלט אל מערת עדולם (לעיל־א כב, א) ועל המקום ההוא אמר כל ימי היות דוד במצודה (שם שם, ד): **וחית פלשתים.** מחנה פלשתים כמו שאומר בדברי הימים (שם שם, טו) וּמַחֲנֵה פְלִשְׁתִּים חֹנָה בְּעֵמֶק רְפָאִים, וחיה הוא לשון קבוץ ועדה כמו חַיָּתְךָ יָשְׁבוּ בָהּ (תהלים סח, יא) כמו עדתך: **(יד) ומצב פלשתים.** ובדברי הימים (־א יא, טז) וּנְצִיב פְּלִשְׁתִּים ואחד הוא, וכן תרגם יונתן וּמַצַּב, וְאִסְטַרְטִיג כמו שתרגם נציבים בכל מקום, וכן תרגם וַיֵּצֵא מַצַּב פְּלִשְׁתִּים (שמואל־א יג, כג) ופירוש וּמַצַּב ונציב שרי החיל, ואמר כי המחנה הגדול היה בעמק רפאים והשרים היו עם קצת החיל בבית לחם: **(טו) מי ישקני מים.** כמשמעו שהתאוה לאותן המים שהיו יקרים וטובים וימי קציר היו כמו שאומר (לעיל פסוק יג) ובאותן הימים אדם מתאוה למים קרים מפני החום, אולי במצודה שהיה שם דוד לא היו שם מים טובים, ואחר שהביאו אותם נתחרט על ששמו עצמם שלשת הגבורים האלה בסכנה גדולה בעבור תאותו אל המים: **(טז) ולא אבה לשתותם.** שהיה חושב בנפשו אילו שתה אותם כאילו שתה דמם כי בנפשותם הביאום: **ויסך אתם לה׳.** כלומר שפכם לארץ לשם ה׳ כי לא היה שם מזבח, ומה שכתבו רז״ל בענין זה הם דברים של תימה כי חברו שני העניינים האלה כאחד והיו בשני המקומות, כי דבר חלקת השדה היה באפס דמים ודבר המים היה במערת עדולם, והם פירשו מִי יַשְׁקֵנִי מַיִם דרך משל כי המים הם התורה כמו הוֹי כָּל צָמֵא לְכוּ לַמַּיִם (ישעיהו נה, א), ופירוש מִי יַשְׁקֵנִי מַיִם הלכה נצרכה לו לשאול מסנהדרין שהיו בבית לחם וזהו שאמר מִבֹּאר בֵּית לֶחֶם אֲשֶׁר בַּשָּׁעַר כמו הַשַּׁעְרָה אֶל הַזְּקֵנִים (דברים כה, ז), וההלכה אשר הוצרכה לשאול מהם הוא דבר חלקת השדה מלאה עדשים ושעורים, ונחלקו בדבר זה (בבא קמא ס, ב) מהם אמרו כי הגדישים משעורים ומעדשים היו מישראל ופלשתים היו טמונים בהם, ושאל דוד אם יש לו רשות לשלח אש בגדישים בעבור שישרפו עמם הפלשתים ושלחו לו אסור להציל עצמו בממון חבירו אבל אתה מלך ומלך פורץ לעשות לו דרך ואין ממחין בידו, ומהם אמרו (שם) כי הגדישים משעורים היו של ישראל והגדישים של עדשים היו של פלשתים ושאל אם יש לו רשות לתת השעורים לפני הבהמות שהיו עמו לאכול וישלם חילופם לבעלי השעורים מגדישי העדשים, ושלחו לו חֲבֹל יָשִׁיב רָשָׁע גְּזֵלָה יְשַׁלֵּם (יחזקאל לג, טו) אף על פי שמשלם נקרא רשע אבל אתה מלך ומלך פורץ לעשות לו דרך ואין ממחין בידו, ופירשו וַיִּתְיַצֵּב בְּתוֹךְ הַחֶלְקָה וַיַּצִּילֶהָ (לעיל פסוק יב) שלא הניח דוד לשרוף את הגדישים או להאכילם לבהמותיו, ופירשו וְלֹא אָבָה דוד לִשְׁתּוֹתָם שלא אמר הלכה זו בשם שלשה אלא כך אמר מקובלני מבית דינו של שמואל הרמתי כל המוסר עצמו למיתה על דברי תורה אין אומרין דבר שמועה מפיו, ומאי וַיַּסֵּךְ אֹתָם לַה׳ דאמרינהו משמיה דגמרא. ודברים אלה רחוקים מאד מדרך הפשט כי הפסוקים הם ספור הגבורים אשר לדוד ומספר הגבורות אשר עשה כל אחד מהשלשה הראשונים ומה שעשו שלשת האחרונים בהביאם המים, ולא היה שאלת ההלכה בחלקה ההיא אבל מלחמה גדולה היה עד שנס ישראל מפני פלשתים כמו שאמר הכתוב (פסוק יא) ושמה התגבר והתיצב בתוך זאת החלקה והצילה שלא שרפו אותה פלשתים, ואמר שהכה בפלשתים ואמר וַיַּעַשׂ ה׳ תְּשׁוּעָה גְדוֹלָה ואין להבין בכל זה אלא פשט הכתוב כמו שהוא, ומהם אמרו (מדרש שמואל כ, א) כי מה שכתוב במקום אחר מְלֵאָה עֲדָשִׁים (פסוק יא) שתי שדות היו אחת של שעורים ואחת של עדשים, ומהם אמרו (שם) כי בשתי שנים היה דבר הזה בשנה אחת שהיו בחלקה זאת היתה מלאה עדשים ובשנה האחרת היתה מלאה שעורים, ויש מרבותינו ז״ל (רות רבה, ה) שפירשו דברים אלה כמשמען שנתאוה דוד למים, אבל

מצודת דוד

לחיה. להיות עדה ומחנה שלימה: **מלאה עדשים.** ובדברי הימים נאמר שעורים, כי באמת זו מלחמה אחרת, וזו אחרת בפעם אחר, כי כאן נאמר ששמה הצילה, ושם נאמר שאלעזר הצילה: **(יב) ויצילה.** לבל ישרפו אותה: **(יג) מהשלשים ראש.** כל אחד מהשלשה, היה ראש מהשלשים הגבורים הנזכרים למטה: **אל קציר.** כמו בקציר, וכן (שמות כה, כא), ואל הארון, ומשפטו ובהארון, ורצה לומר, בעת הקציר: **מערת עדולם.** ובדברי הימים אמר על הצור, כי צור גבוה וחזק היה שם, והוא המצודה שאמר למטה: **וחית פלשתים.** עדת פלשתים: **(יד) ומצב.** ובדברי הימים נאמר ונציב, והוא הוא, ויקרא כן לפקיד וממונה: **(טו) מי ישקני מים.** לא שצוה להביא המים, אלא כאומר מי יתן והיה נמצא לי מי בור בית לחם, על כי הזמן היה חם והמים היו קרים וערבים: **(טז) ויבקעו.** כאשר שמעו שהתאוה לה, הלכו מעצמם לעשות נחת רוח לדוד, ועברו דרך המחנה, וכאלו בקעוה לעשות בה דרך לעצמם: **ויסך.** שפכם ארצה לשם ה׳: **(יז) ויאמר.** נתן טעם על שלא שתה מהם, ואמר חלילה וגו׳, רצה לומר, חולין הוא לי לשתותם, מחמת יראת ה׳:

מצודת ציון

(יא) לחיה. רוצה לומר לעדה, וכן (תהלים סח, יא), חיתך ישבו בה: **חלקת.** אחוזת שדה: **(טו) ויתאוה.** מלשון תאוה וחשק: **(טז) ויסך.** מלשון נסך: **(יז) ה׳.** כמו מה׳:

gathered into a battalion where there was a portion of the field full of lentils, and the people fled from the Philistines. [12]*So he stood in the middle of the portion and rescued it, and slayed the Philistines; and* HASHEM *performed a great salvation.*

[13]*Once three men, who were officers over the thirty men, went down and came to David at harvest, to the cave of Adullam, and a Philistine raiding party was encamped in the Valley of Rephaim.* [14]*David was then in the stronghold, and there was a Philistine garrison in Bethlehem.* [15]*David had a craving and said, "If only someone could give me water to drink from the well of Bethlehem, which is in the city gate!"* [16]*So the three mighty men broke into the camp of the Philistines and drew water from the well of Bethlehem, which is at the gate, and they carried it and brought it to David. But he refused to drink it, and he poured it out unto* HASHEM. [17]*He said, "Far be it from me,* HASHEM,

רד"ק

אמרו כי הזמן הזה היה חג הסכות שהיו מנסכין בו המים ובמה עשה דוד שם כי היתר הבמות היה אז ונסך מים אלו בבמה, ואמרו (שם) למה שלח שלשה אחד היה הורג ואחד היה מפנה ההרוגים ואחד מכניס צלוחית בטהרה, ודברי אלה קרובים מן הראשונים, ויונתן תרגם וַיַּסֵּךְ אֹתָם לַה׳ ואמר לְנַסָּכָא יַתְהוֹן קֳדָם ה׳:

וַיֵּאָסְפוּ פְלִשְׁתִּים לַחַיָּה — *The Philistines had gathered into a battalion*. This follows *Rashi's* interpretation of the word חַיָּה. He explains that a battalion is called חַיָּה, literally *wild animal*, because the way soldiers organize themselves to fight resembles the behavior of wild animals, which band together in groups.

According to *Ralbag*, חַיָּה here is related to the word מִחְיָה (*Judges* 6:4), meaning *sustenance*. Thus he renders: *the Philistines gathered to steal the food supplies* of the Israelites, in this case a field of lentils ready for harvest.

Our verse speaks of a field of *lentils*, but *Chronicles* (11:13) states that it was a field of *barley*. The Sages give several aggadic explanations for this discrepancy in the Talmud (*Bava Kamma* 60a) and Midrash. The simplest opinion, and the one adopted by the commentators, is that there were two separate fields, one with lentils and one with barley. Our Book mentions the lentil field and *Chronicles* the barley field.

13. וַיֵּרְדוּ שְׁלֹשָׁה — *Once three men . . . went down*. Perhaps they were the three heroes mentioned above — Adino, Elazar and Shammah — in v. 9 (*Tosafos Rid*), or perhaps they were *the three* referred to in v. 18 (*Mahari Kara, Radak*).

מֵהַשְּׁלֹשִׁים רֹאשׁ — *Who were officers over the thirty men*. These three men were officers over the thirty men listed below in vs. 24-39 (*Ralbag; Abarbanel*).

Alternatively, *Rashi* and *Mahari Kara* follow *Targum* in translating שְׁלֹשִׁים here as if it were written שָׁלִישִׁים, *captains*. Accordingly, the phrase would be rendered *three men, who were among the captains*.

אֶל־קָצִיר — *At harvest*. Scripture mentions the time of year when this episode took place in order to explain why David was so thirsty for good water; harvest season is in the heat of the summer (*Radak*).

Abarbanel comments that the Philistines would conduct raids while the Israelites were harvesting their crops. They would kill or capture individual farmers and burn their crops, to starve the Israelites into submission, and David and his men would spread out to defend the farmers from the Philistine marauders.

מְעָרַת עֲדֻלָּם — *The cave of Adullam*. According to *Radak*, this episode occurred when David was hiding from Saul in Adullam (see *I Samuel* 22:1ff). *Abarbanel*, however, contends that it happened just after David became king, when the Philistines attacked and encamped in the Valley of Rephaim (see above 5:17ff).

14. וּמַצַּב פְּלִשְׁתִּים אָז בֵּית לָחֶם — *And there was a Philistine garrison in Bethlehem*. The garrison, which had been sent there by the army stationed in the nearby Valley of Rephaim (*Rashi*), consisted of the senior Philistine officers and a small group of soldiers (*Radak*).

15. Apparently there was no good water in the stronghold, so David expressed his desire for a refreshing drink from the cool waters of the Bethlehem well. Later, however, when he realized how risky such an undertaking was, he regretted having said it (*Radak*).

David never actually made a request that water be brought through enemy territory; he merely reminisced about the Bethlehem well and said that he wished he could drink from it again. His devoted soldiers surprised him by braving the enemy and bringing him the coveted drink (*Abarbanel*).

16-17. David refused to drink the water, because, as expressed in the following verse, he could not bring himself to have physical enjoyment from something for which people had risked their lives. He decided that the only appropriate use for this water, for which such a high price — in terms of danger, conviction, and courage had been paid — would be to dedicate it to the highest, most sublime function in the world, an offering to God.

וַיַּסֵּךְ אֹתָם לַה׳ — *And he poured it out unto* HASHEM. David poured it out on the ground "before HASHEM," as an act of sincere religious devotion, for he considered it a sin to drink the water, as explained above. This was not an offering in the literal sense of the word, since there was no altar. Rather it was a sign of his refusal to do something wrong (*Tosafos Rid*).

According to the Midrash, David did indeed prepare a makeshift altar at his camp, for between the destruction of Shiloh and the dedication of the Temple by Solomon, such

מֵעֲשֹׂתִי זֹאת הֲדַם הָאֲנָשִׁים הַהֹלְכִים בְּנַפְשׁוֹתָם וְלֹא אָבָה לִשְׁתּוֹתָם אֵלֶּה עָשׂוּ
יח שְׁלֹשֶׁת הַגִּבֹּרִים: וַאֲבִישַׁי אֲחִי ׀ יוֹאָב בֶּן־צְרוּיָה הוּא רֹאשׁ
השלשי [הַשְּׁלֹשָׁה ק] וְהוּא עוֹרֵר אֶת־חֲנִיתוֹ עַל־שְׁלֹשׁ מֵאוֹת חָלָל וְלוֹ־
יט שֵׁם בַּשְּׁלֹשָׁה: מִן־הַשְּׁלֹשָׁה הֲכִי נִכְבָּד וַיְהִי לָהֶם לְשָׂר וְעַד־הַשְּׁלֹשָׁה לֹא־
כ בָא: וּבְנָיָהוּ בֶן־יְהוֹיָדָע בֶּן־אִישׁ־חי [חַיִל ק] רַב־פְּעָלִים מִקַּבְצְאֵל הוּא
הִכָּה אֵת שְׁנֵי אֲרִאֵל מוֹאָב וְהוּא יָרַד וְהִכָּה אֶת־האריה [הָאֲרִי ק] בְּתוֹךְ הַבֹּאר
כא בְּיוֹם הַשָּׁלֶג: וְהוּא־הִכָּה אֶת־אִישׁ מִצְרִי אשר [אִישׁ ק] מַרְאֶה וּבְיַד הַמִּצְרִי
כב חֲנִית וַיֵּרֶד אֵלָיו בַּשָּׁבֶט וַיִּגְזֹל אֶת־הַחֲנִית מִיַּד הַמִּצְרִי וַיַּהַרְגֵהוּ בַּחֲנִיתוֹ: אֵלֶּה
כג עָשָׂה בְּנָיָהוּ בֶּן־יְהוֹיָדָע וְלוֹ־שֵׁם בִּשְׁלֹשָׁה הַגִּבֹּרִים: מִן־הַשְּׁלֹשִׁים נִכְבָּד וְאֶל־

רש"י

(יז) הדם האנשים. לשון תמיהה: **(יט) ועד השלשה לא בא.** (תרגום) ולתלת גברין לא מטא: **(כ) את שני אראל מואב.** (תרגום) ית תרין רברבי מואב. ורבותינו אמרו (ברכות יח, ב), שלא הניח כמותו, לא במקדש ראשון, ולא במקדש שני: **אריאל מואב.** על שם שבנאו שלמה, שבא מרות המואביה: **(כג) מן השלשים.** כל שלשים שבפרשה זו תירגם יונתן, גבריא:

רד"ק

(יז) חלילה לי ה'. כמו מה', וכן אֶלְחָנָן בֶּן דֹּדוֹ בֵּית לָחֶם (פסוק כד) מבית לחם, או יהיה ה' קריאה כנגד השם יתברך: **(יח) הוא ראש השלשי.** כן כתיב וקרי הַשְּׁלֹשָׁה והכתיב הוא מן שָׁלִשִׁם עַל כֻּלּוֹ (שמות יד, ז), ופירוש ראש השלשה מביאי המים והיה לו שם בהם כי היה נזכר בגבורה עמהם, ומה שאמר מִן הַשְּׁלֹשָׁה הֲכִי נִכְבָּד וַיְהִי לָהֶם לְשָׂר (פסוק יט) כפל דבר לחזק הענין כי כן דרך הלשון, ובדברי הימים (א יא, כא) מִן הַשְּׁלֹשָׁה בַשְּׁנַיִם נִכְבָּד נראה כי הוא היה אחד מהשלשה והיה נכבד מהשנים ושר עליהם, ומה שאמר הנה מהשלשה הכי נכבד רצה לומר משלשתם כי הוא היה אחד מהם, ומה שאמר ועד השלשה לא בא רצה לומר עד שלשה הראשונים והם עדינו ואלעזר ושמה לא הגיע עד גבורתם, ותרגם יונתן וְלִתְלַת גִּבּוֹרַן לָא מְטָא, כלומר לא הגיע בגבורתו לשלשה הגבורות שעשו השלשה: **(כ) בן איש חי.** כן כתיב וקרי אִישׁ חַיִל כי יהוידע אביו גם כן היה גבור חיל, ומה שכתוב חי דרשו בו (ברכות יח, ב) שהיה צדיק גמור וצדיקים אפילו במיתתם קרואים חיים, ויונתן תרגם בֶּן אִישׁ חַיִל, בַּר גְּבַר דָּחֵיל חֶטְאִין: **רב פעלים.** שהיה גדול במעשים טובים: **מקבצאל.** שם מקום נזכר בנחלת בני יהודה קַבְצְאֵל וְעֵדֶר וְיָגוּר (יהושע טו, כא) רבותינו ז"ל (ברכות יח, ב) דרשו שהרבה פעלים וקבץ לתורה: **את שני אראל מואב.** כתרגומו יַת תְּרֵין רַבְרְבֵי מוֹאָב והיא מלה מורכבת מן ארי ומן אל, וארי יש לו גבורה ואל הוא לשון חוזק, ואף על פי שהיה בניהו כהן (דברי הימים־א כז, ה) ואסור להטמא למתים, להלחם באויבי ה' הוא מצוה כשצוה הקב"ה להלחם בשבעה גוים ובשאר האומות המצרות לישראל לא חלק בין כהנים לישראל, וכן צוה להיות כהן משוח מלחמה ולהכנס עם ישראל למלחמה, והנה פנחס טמא עצמו למצוה כשהרג זמרי וכזבי (במדבר כה, ח [ועיין תרגום יונתן שם: נֵס חֲדָסְרָאֵי וכו']), וכן הלך למלחמת מדין עם ישראל (שם לא, ו): **והכה את האריה.** ה"א כתוב ולא קרי והענין אחד ארי או אריה: **ביום השלג.** אמרו כי האריה ביום צנה ושלג נוספת גבורתו, ובדברי רז"ל (ברכות יח, ב) אֵת שְׁנֵי אֲרִאֵל שלא הניח כמותו לא במקדש ראשון ולא במקדש שני, ואריאל שם בית המקדש כמו הוֹי אֲרִיאֵל (ישעיהו כט, א) ופירוש מוֹאָב שבנה אותו שלמה שבא מרות המואביה, ומה שאמר בְּיוֹם הַשָּׁלֶג דרשו בו (ברכות שם) איכא דאמרי דתבר גיזזי דברדא ונחית וטביל, ואיכא דאמרי דתנא סיפרא דבי רבי ביומא דסתוא, וכל אלה דברים רחוקים מדרך הפשט כי הכתוב מספר גבורות כל אחד מהם לא תלמודו וחסידותו, וכן תרגם יונתן הפסוקים על דרך הפשט: **(כא) אשר מראה.** כתב רצה לומר איש מצרי אשר היה לו מראה וגודל וקרי אִישׁ מַרְאֶה כמשמעו, ובדברי הימים (א יא, כג) אִישׁ מִדָּה, והענין אחד כי אִישׁ מִדָּה רצה לומר מדה גדולה כמו אנשי מדות ואִישׁ מַרְאֶה רצה לומר בעל פרצוף גדול: **(כב) ולו שם בשלשה הגברים.** המביאים את המים: **(כג) מן השלשים נכבד.** מן השלשים הגבורים שזכר אחר אלה, ויונתן תרגם מִן גִּבָּרַיָּא יַקִּיר תרגם הַשְּׁלֹשִׁים כמו השלישים:

מצודת דוד

הדם האנשים. וכי אשתה דם האנשים אשר הלכו בסכנת נפשותם, רצה לומר, הלא לדם יחשב: **(יח) הוא ראש השלשה.** הוא היה הראש מהשלשה שבקעו להביא המים לדוד: **והוא עורר וגו' על וגו'.** רוצה לומר, על ההריגה וסמוך לה היה עורר את חניתו להלחם עמו, כאלו עתה התחיל להלחם: **ולו שם בשלשה.** רוצה לומר, שהיה מפורסם לגבור בין שלשת גבורים הראשונים, והם עדינו ואלעזר ושמה אשר גם עם כל גבורתם, החשיבו גם את אבישי לגבור: **(יט) מן השלשה.** רוצה לומר, מבין שלשה שואבי המים, הם ראשי השלשים: **הכי נכבד.** האמת הוא היה המכובד שבהם, ולזה היה לשר על השנים אשר עמו: **ועד השלשה.** אבל לא בא למעלת השלשה הראשונים: **(כ) רב פעלים.** פעל הרבה גבורות: **מקבצאל.** שם מקום: **שני אריאל מואב.** תרגם יונתן, תרין רברבי מואב, ועל שם גבורתם קראם 'אריאל', שהיא מלה מורכבת מן 'ארי', ומן 'אל', שהוא ענין חוזק, כמו (יחזקאל לא, יא), ביד אל גוים: **בתוך הבור.** עם כי המקום דחוק להתחזק בו: **ביום השלג.** עם היות כי טבע הארי להתחזק ביותר בזמן הקור, ומטבע האדם להמנע ממנו הפעולות החיונית בתגבורת הקור, עם כל זאת נתגבר עליו והכהו נפש: **(כא) איש מראה.** רוצה לומר, בעל פרצוף גדול המטיל אימה: **(כב) אלה.** הפעלים ההם: **ולו שם.** רצה לומר, שהיה מפורסם לגבור בין שלשה הגבורים שואבי המים שהיו ראשי השלשים, ורוצה לומר, שעם כל גבורתם החשיבו גם אותו לגבור, אבל שלשה הגבורים הראשונים, לא החשיבו אותו למאומה לגודל הגבורה אשר היה בהם: **(כג) מן השלשים.** החשוב למטה בענין היה נכבד מאוד, ולזה לא חשבוהו עמהם, אבל לא בא למעלת שלשה שואבי מים ראשי השלשים, ולזה לא חשבוהו גם עמהם:

מצודת ציון

(יח) עורר. מלשון התעוררות ותנועה: **(יט) הכי.** המלה ההיא עם הה"א התימה, מורה על אמתת הדבר: **(כ) איש חי.** איש מזורז, וכאשר יאמרו הבריות: **(כא) בשבט.** בשרביט:

personal altars were permitted according to the halachah. Thus, he poured the water as a libation to God.

Abarbanel suggests that David did not immediately pour the water out before HASHEM, but consecrated it for use when he could go to an established altar outside the camp.

There is also an aggadic interpretation of this entire episode (*Bava Kamma* 60a-b), cited by *Rashi* here and *Radak*. Very briefly, David's thirst for water was a metaphor for his need to find the answer to a pressing halachic question pertaining to his battle tactics against the Philistines — but the nearest

that I should do this! Is this not [tantamount to] the blood of the men who risked their lives to go?" And he refused to drink it. These are what the three mighty men did.

Abishai

[18]Abishai, the brother of Joab son of Zeruiah — he was the head of the three; he wielded his sword over three hundred corpses; he was well known among the three. [19]Of the three, he was the most honored, and he became their leader, but he did not compare to the [first] three.

Benaiah

[20]Benaiah son of Jehoiada was a valiant man of many achievements, from Kabzeel; he struck down the two commanders of Moab, and he [also] went down and slew a lion in the middle of a pit on a snowy day. [21]He also struck down an Egyptian man, a man of imposing appearance; in the hand of the Egyptian was a spear, and he came down upon him with a stick, and stole the spear from the hand of the Egyptian, and killed him with his own spear. [22]These [things] Benaiah son of Jehoiada did; he was well known among the three mighty men. [23]He was more honored than the thirty,

---

Sanhedrin was in Bethlehem. The court is likened to a *well*, because it is the source of Torah, just as a well is the source of actual water. Three soldiers broke through Philistine lines and brought back the answer to David's query. When he realized what they had done, he refused to ever quote that law in their names, saying, of those three men, "I have a tradition from the school of Samuel that anyone who puts his life in danger to hear the words of the Torah should not have those rulings quoted in his name." Thus metaphorically he "poured out the water to HASHEM".

18-23. The second triad. This trio should not be confused with the first three mighty men described in vs. 8-12. Although Scripture speaks of "the three," only two of them — Abishai and Benaiah — are named. The third warrior might have been Adina son of Shiza the Reubenite, mentioned in *I Chronicles* 11:42 as "the head of the Reubenites," who was the captain of thirty men. According to *Malbim* the third member of this triad was Asahel, mentioned in v. 24.

18. עַל־שְׁלֹשׁ מֵאוֹת חָלָל — *Over three hundred corpses*. He killed three hundred men single-handedly.

וְלוֹ־שֵׁם בַּשְּׁלֹשָׁה — *He was well known among the three*. The translation follows *Radak*. Benaiah (below, v. 22) is also described as *well known*. This expression sets these two apart from the third warrior of this triad, who is not named here.

19. וְעַד־הַשְּׁלֹשָׁה לֹא־בָא — *But he did not compare to the [first] three*. He did not reach the greatness of the other group of three mighty men (*Targum*, quoted by *Rashi*). According to another version of *Targum* and *Rashi*, "He did not reach the [greatness of the] three mighty deeds" — apparently a reference to the deeds ascribed to Adino, Elazar, and Shammah [*Radak*].

20. בֶּן־אִישׁ־חַיִל — *Was a valiant man*. In the Masoretic spelling (כְּתִיב), the term אִישׁ חַיִל is spelled אִישׁ חַי, *a live man*. From this the Talmud (*Berachos* 18a) derives that "Righteous people are called 'living' even after their deaths." The converse is derived from a different verse, that "Wicked people are called 'dead' even during their lifetimes." The virtuous deeds of the righteous benefit the world even after they themselves have departed; the harm that the wicked do renders their lives useless and futile, as if they were dead.

Benaiah was *a live man* in the sense that he served God with alacrity and enthusiasm, never lazily or sadly (*Ben Poras Yosef*).

רַב־פְּעָלִים — *Of many achievements*. Only one daring deed is reported for each of the previously named heroes, but Benaiahu was a man of *many* deeds, as the verses detail (*Mahari Kara*).

מִקַּבְצְאֵל — *From Kabzeel*. A town in Judah (*Joshua* 15:21). The Talmud (ibid.) interprets this word midrashically to teach that Benaiah *gathered* [קִבֵּץ] multitudes to work for the study of Torah.

הוּא הִכָּה אֵת שְׁנֵי אֲרִאֵל מוֹאָב — *He struck down the two commanders of Moab*. The Talmud (ibid. 18b) expounds aggadically on this phrase. The Temple is sometimes referred to in Scripture as *Ariel;* since our verse speaks of *two Ariels*, it refers to both the First and Second Temples. Thus, "no one could compare to his righteousness at any time during the periods of the two Temples." The Temple is related to Moab because it was built by Solomon, who, through Ruth, was a descendant of Moabites (*Rashi*).

וְהִכָּה אֶת־הָאֲרִי — *And slew a lion . . .* Although it was an enclosed, confined area, and although it was an especially cold day, when one's strength is normally diminished by the low temperature, Benaiah was able to overcome the lion and slay him (*Ralbag*).

The Talmud (ibid.) interprets this as a reference to Benaiah's vast Torah knowledge and his dedication to its study: He studied all of *Toras Kohanim* (the halachic elucidation of the Book of *Leviticus*) during one snowy, wintry day.

Rabbi Gedaliah Schorr commented that just as one dares not relax his concentration for even an instant when fighting a lion, so one must study Torah with total concentration.

21. אִישׁ מִצְרִי — *An Egyptian man*. He was five cubits tall and his spear was as thick as a weaver's beam (*Chronicles* 11:23).

23. מִן־הַשְּׁלֹשִׁים נִכְבָּד — *He was more honored than the thirty*, i.e., the thirty mighty men listed in vs. 24-39. Here, too (see commentary to v. 13), *Targum* translates שְׁלֹשִׁים not as *thirty*,

כד הַשְּׁלֹשָׁ֖ה לֹא־בָ֑א וַיְשִׂמֵ֥הוּ דָוִ֖ד אֶל־מִשְׁמַעְתּֽוֹ׃ עֲשָׂה־אֵ֥ל אֲחִֽי־יוֹאָ֖ב
כה-כו בַּשְּׁלֹשִׁ֑ים אֶלְחָנָ֥ן בֶּן־דֹּד֖וֹ בֵּ֥ית לָֽחֶם׃ שַׁמָּה֙ הַחֲרֹדִ֔י אֱלִיקָ֖א הַחֲרֹדִֽי׃ חֶ֚לֶץ
כז הַפַּלְטִ֔י עִירָ֥א בֶן־עִקֵּ֖שׁ הַתְּקוֹעִֽי׃ אֲבִי־עֶ֙זֶר֙ הָֽעַנְּתֹתִ֔י מְבֻנַּ֖י
כח-כט הַחֻֽשָׁתִֽי׃ צַלְמוֹן֙ הָאֲחֹחִ֔י מַהְרַ֖י הַנְּטֹפָתִֽי׃ חֵ֥לֶב בֶּֽן־בַּעֲנָ֖ה
ל הַנְּטֹפָתִ֑י אִתַּי֙ בֶּן־רִיבַ֔י מִגִּבְעַ֖ת בְּנֵ֥י בִנְיָמִֽן׃ בְּנָיָהוּ֙ פִּרְעָ֣תֹנִ֔י הִדַּ֖י מִנַּ֥חֲלֵי
לא-לב גָֽעַשׁ׃ אֲבִֽי־עַלְבוֹן֙ הָֽעַרְבָתִ֔י עַזְמָ֖וֶת הַבַּרְחֻמִֽי׃ אֶלְיַחְבָּא֙
לג הַשַּֽׁעַלְבֹנִ֔י בְּנֵ֥י יָשֵׁ֖ן יְהוֹנָתָֽן׃ שַׁמָּה֙ הַֽהֲרָרִ֔י אֲחִיאָ֥ם בֶּן־שָׁרָ֖ר
לד הָאֲרָרִֽי׃ אֱלִיפֶ֥לֶט בֶּן־אֲחַסְבַּ֖י בֶּן־הַמַּֽעֲכָתִ֑י אֱלִיעָ֥ם בֶּן־
לה אֲחִיתֹ֖פֶל הַגִּֽלֹנִֽי׃ חצרו [חֶצְרַ֙י ק] הַֽכַּרְמְלִ֔י פַּעֲרַ֖י
לו-לז הָאַרְבִּֽי׃ יִגְאָ֤ל בֶּן־נָתָן֙ מִצֹּבָ֔ה בָּנִ֖י הַגָּדִֽי׃ צֶ֖לֶק
לח הָעַמֹּנִ֑י נַחְרַי֙ הַבְּאֵ֣רֹתִ֔י נשאי [נֹשֵׂ֕א ק] כְּלֵ֖י יוֹאָ֥ב בֶּן־צְרֻיָֽה׃ עִירָא֙
כד לט-א הַיִּתְרִ֔י גָּרֵ֖ב הַיִּתְרִֽי׃ א֖וּרִיָּה֙ הַֽחִתִּ֔י כֹּ֖ל שְׁלֹשִׁ֥ים וְשִׁבְעָֽה׃ וַיֹּ֙סֶף֙

רש"י

(לט) **שלשים ושבעה.** ואינן מנוין כאן, ואני אומר, יואב לא הוצרך להזכיר, שהוא שר הצבא, ואשר שחסרו, שמא בני (ישי) [נ"ל ישן] שלשה או ארבעה היו:

רד"ק

ואל השלשה לא בא. תחכמוני ואלעזר ושמה (לעיל פסוקים ח יב) ויונתן תרגם וְלִתְלַת גִּבּוֹרָן לָא מְטָא כלומר לא הגיע בגבורתו לשלש הגבורות שעשו השלשה: **וישימהו דוד אל משמעתו.** אל עצתו, או פירוש שהפקידו על אנשי משמעתו והם הכרתי והפלתי כמו שאמר למעלה וּבְנָיָה בֶּן יְהוֹיָדָע עַל הַכְּרֵתִי וְעַל הַפְּלֵתִי (לעיל כ, כג): (כד) **עשהאל אחי יואב בשלשים.** במספר השלשים היה, והם שלשים גבורים ממנו עד אוריה החתי, ויונתן תרגם בְּגִיבָּרַיָּא: **אלחנן בן דודו.** כך היה שמו דודו, וכן תרגם יונתן בַּר דוֹדוֹ: **בית לחם.** מבית לחם, וכן הִשָּׁמְרוּ לָכֶם עֲלוֹת בָּהָר (שמות יט, יב) מעלות: (כה) **שמה החרדי.** הראשון רי"ש והשני דל"ת וכן אליקא החרדי הראשון רי"ש והשני דל"ת ושניהם ליחס מקומם כתרגומו דְמִן חֲרוֹד, וכן הוא במסרה ובפסוק: (לב) **בני ישן יהונתן.** כמו וּבְנֵי פַלּוּא אֱלִיאָב (במדבר כו, ח) וּבְנֵי דָן חֻשִׁים (בראשית מו, כג): (לג) **שמה ההררי.** כתרגומו דְמִן הֲרַר טוּרָאָה: **אחיאם בן שרר הארדי.** האל"ף נחה ותרגומו דְמִטוּר גָבוֹהַּ: (לה) **חצרו.** כתוב בוי"ו וקרי ביו"ד: **הארבי.** בבי"ת: (לז) **נשאי כלי יואב.** כתוב ביו"ד לשון רבים רצה לומר על צלק ועל נחרי וקרי נֹשֵׂא על נחרי: (לט) **כל שלשים ושבעה.** אלה השלשים המנויים הם מעשהאל עד אוריה ושלשת הראשונים תחכמוני אלעזר ושמה ושלשה מביאי המים הם ששה ואבישי בן צרויה היה אחד מאלה השלשה כמו שפירשנו (פסוק יח) ובניהו בן יהוידע הרי שבעה, ויואב לא הוצרך למנות כי שר צבא היה:

מצודת דוד

אל משמעתו. להיות עמו, לשמוע ולעשות כל אשר יצוה: (כד) **בשלשים.** רוצה לומר, עם שהיה נכבד קצת מן השלשים, מכל מקום לא גדלה מאוד מעלתו עליהם, ולזה נחשב גם הוא עם השלשים שחושב והולך, ואם כן היו שלשים במספר, זולת עשהאל: (לב) **בני ישן יהונתן.** כמו בן ישן, ודוגמתו (בראשית מו כג) ובני דן חושים: (לז) **נושא כלי יואב.** חוזר הוא על נחרי, שהיה נושא כלי מלחמתו: (לט) **כל שלשים ושבעה.** כל הגבורים היו במספר שלשים ושבעה, כי שלשים מנויין כאן לבד מעשהאל, ועמו הרי שלשים ואחד, ועדינו ואלעזר ושמה הרי שלשים וארבעה, ושלשה שואבי המים ראשי השלשים המנוין, הרי שלשים ושבעה, ואבישי היה אחד משואבי המים כמו שכתוב למעלה, ובניהו לא יוחשב עמהם, כי שמהו דוד על משמעתו, ומנע את עצמו מלרדת במלחמה בתמידות, שלא יטמא את עצמו למת, כי כהן היה, ואף יואב לא יוחשב עמהם, שאין זה מכבודו לחשבו עם שאר הגבורים, על כי היה שר על כל הצבא, החשוב מאוד מאוד מכולם:

מצודת ציון

(כד) **בית לחם.** מבית לחם:

but as *captains* or *mighty men*. Benaiah was more honored than the other mighty men (apparently a reference to the thirty mighty men mentioned below).

וַיְשִׂמֵהוּ דָוִד אֶל־מִשְׁמַעְתּוֹ — *And David set him as his confidant*. Benaiah became an adviser to David, or he was placed over David's special personal forces — the slingers and archers (see above, 8:18).

24-39. The thirty warriors. The list of warriors appears also, with several minor and some major variations, in *I Chronicles*, 11:26-47. Some of the names that appear here appear in *Chronicles* in identical form; some appear in a slightly altered form; and some appear in a radically different form. This is not such a difficulty, however, if we bear in mind that it is quite common in *Tanach* for one person to be known by two or more names (*Abarbanel*).

The most striking difference between our list and that of *Chronicles* is the addition there of at least sixteen more names after Uriah the Hittite, who is the last entry in our list. *Abarbanel* explains this discrepancy as follows. The listing in *Chronicles* (11:26) is described as גִּבּוֹרֵי הַחֲיָלִים, *the mighty warriors*, or, as *Abarbanel* prefers, *the officers of the soldiers*. In our Book, on the other hand, the list consists only of "mighty men." Some of the soldiers mentioned in *Chronicles*, although they might have been leaders and officers (and hence fitting for inclusion on the listing in that Book), were not considered to be "mighty men" in their own right, and were thus not seen fit for inclusion in the list here.

The Midrash declares that it was in poor taste for David to mention Uriah (v. 39) after what was done to him in the matter of Bath-sheba. For this reason the list was abruptly ended,

but he did not compare to the [first] three; and David set him as his confidant.

The rest of his heroic warriors

24Asahel, the brother of Joab, was among the thirty, [who were]: Elhanan son of Dodo of Bethlehem, 25Shammah the Harodite, Elika the Harodite, 26Helez the Paltite, Ira son of Ikkesh the Tekoite, 27Abiezer the Anathothite, Mebunnai the Hushathite, 28Zalmon the Ahohite, Maharai the Netophathite, 29Heleb son of Baanah the Netophathite, Ittai son of Ribai from Gibeah of the Children of Benjamin, 30Benaiah a Pirathonite, Hiddai from Nahale-gaash, 31Abi-albon the Arbathite, Azmaveth the Barhumite, 32Eliahba the Shaalbonite; of the sons of Jashen, Jonathan; 33Shammah from the mountain, Ahiam son of Sharar the Ararite, 34Eliphelet son of Ahasbai son of the Maacathite, Eliam son of Ahithophel the Gilonite, 35Hezrai the Carmelite, Paarai the Arbite, 36Igal son of Nathan from Zobah, Bani the Gadite, 37Zelek the Ammonite, Nahrai the Beerothite — who was Joab son of Zeruiah's armor-bearer — 38Ira the Ithrite, Gareb the Ithrite, 39Uriah the Hittite. Altogether there were thirty-seven [mighty men].

---

omitting the additional names supplied in *Chronicles.* The unseemly mention of Uriah is given as the reason for the punishment described in the next chapter.

24. עֲשָׂה־אֵל . . . בַּשְּׁלֹשִׁים — *Asahel . . . was among the thirty.* There are actually thirty-*one* warriors in this list, not thirty. *Abarbanel* resolves the problem by commenting that the two names in v. 36 are actually the same person. Our translation follows the opinion of *Metzudos*, who comments that Asahel himself is not to be counted among the thirty warriors. This is why the words "who were" are added in brackets.

According to *Targum*, who translates the word שְׁלֹשִׁים as *mighty men*, there is no problem, since, according to him, Scripture never mentions the number thirty.

34. Eliam was Bath-sheba's father (11:3), and thus David's father-in-law. Ahithophel, Eliam's father, was a major supporter of Absalom's rebellion (Chs. 15-17).

39. Uriah the Hittite was Bath-sheba's ex-husband (Ch. 11).

כֹּל שְׁלֹשִׁים וְשִׁבְעָה — *Altogether there were thirty-seven [mighty men].* After listing thirty (or thirty-one, to be exact) names, how can Scripture say that *altogether there were thirty-seven mighty men*?

According to *Rashi, the sons of Jashen* (v. 32) may have been three or four people. Furthermore, Joab is not mentioned anywhere in this chapter, because his centrality in David's reign requires no elucidation, but he is included in the number of thirty-seven. But *Rashi* does not explain how to arrive at the full thirty-seven. Perhaps he would add one of the triads.

Radak explains that the thirty-seven consist of the thirty mentioned here, plus the three men of the first triad and the three men who fetched water for David (of whom Abishai was one) plus Benaiah. Joab, however, due to his senior position, is not counted on this list at all.

Abarbanel counts the thirty-seven as follows: The thirty enumerated here, the first triad, the second triad (who, according to *Abarbanel*, were identical to the three water-fetchers, and whose number included both Abishai and Benaiah), plus Joab.

As noted above, *Metzudos* counts thirty-*one* men on the long list, so that by adding on the six men of the first and second triads we arrive at thirty-seven.

24.

A tragic error and a catastrophic result. The chapter begins by saying that God was angry — very angry — with Israel. It is axiomatic that Divine anger is provoked only by sin, but Scripture does not specify the sin that precipitated God's wrath. It is also axiomatic that great people are judged by very exacting standards. Misdeeds that would be trivial when committed by others are considered to be serious when committed by people such as David and the nation that lived in a time of prophecy and the visible presence of holiness.

Regarding the sins that caused the events of this chapter, *Rashi* and *Radak* both write that they do not know the reason for God's anger. *Radak* comments that the sin could not have been a flagrant, public one, because David would not have permitted such a thing to happen. No doubt it was a sin committed in privacy, without David's knowledge, but one that was serious enough to warrant the harsh punishment that was forthcoming.

The Sages of the Midrash, elaborated upon by *Ramban* (*Bamidbar* 16:21), assert that the people sinned by not asking that a Temple be built. For many years the Holy Ark had been in makeshift, temporary shelters, "like a stranger wandering the land." Although the Torah says many times that there would be a Temple as a central dwelling of the *Shechinah*, the same nation that had vociferously demanded a king decades before took no notice of its lack of a Temple. Only David had requested it, but God refused him (Ch. 7). Had the people truly wanted it, a Temple might well have been built in the time of the judges, or even by David. It is noteworthy that the entire episode in this chapter ends when David purchased the future site of the Temple and was commanded to build an altar there, which implies that after the suffering that atoned for the nation's apathy toward the Temple, the groundwork was laid for its future construction.

Abarbanel suggests that the reason for HASHEM's wrath was the seditious, widely supported insurrection of Sheba son of Bichri (Ch. 20), which had hitherto gone unpunished. This disloyalty was all the more sinful, since the people had been

אַף־יהוה לַחֲר֖וֹת בְּיִשְׂרָאֵ֑ל וַיָּ֨סֶת אֶת־דָּוִ֤ד בָּהֶם֙ לֵאמֹ֔ר לֵ֛ךְ מְנֵ֥ה אֶת־יִשְׂרָאֵ֖ל וְאֶת־
ב יְהוּדָֽה׃ וַיֹּ֨אמֶר הַמֶּ֜לֶךְ אֶל־יוֹאָ֣ב ׀ שַׂר־הַחַ֣יִל אֲשֶׁר־אִתּ֗וֹ שֽׁוּט־נָ֜א בְּכָל־שִׁבְטֵ֤י יִשְׂרָאֵל֙
ג מִדָּן֙ וְעַד־בְּאֵ֣ר שֶׁ֔בַע וּפִקְד֖וּ אֶת־הָעָ֑ם וְיָ֣דַעְתִּ֔י אֵ֖ת מִסְפַּ֥ר הָעָֽם׃ וַיֹּ֨אמֶר
יוֹאָ֜ב אֶל־הַמֶּ֗לֶךְ וְיוֹסֵ֣ף יהוה֩ אֱלֹהֶ֨יךָ אֶל־הָעָ֜ם כָּהֵ֤ם ׀ וְכָהֵם֙ מֵאָ֣ה פְעָמִ֔ים
ד וְעֵינֵ֥י אֲדֹנִֽי־הַמֶּ֖לֶךְ רֹא֑וֹת וַאדֹנִ֣י הַמֶּ֔לֶךְ לָ֥מָּה חָפֵ֖ץ בַּדָּבָ֥ר הַזֶּֽה׃ וַיֶּחֱזַ֤ק דְּבַר־
הַמֶּ֙לֶךְ֙ אֶל־יוֹאָ֔ב וְעַ֖ל שָׂרֵ֣י הֶחָ֑יִל וַיֵּצֵ֨א יוֹאָ֜ב וְשָׂרֵ֤י הַחַ֙יִל֙ לִפְנֵ֣י הַמֶּ֔לֶךְ לִפְקֹ֥ד
ה אֶת־הָעָ֖ם אֶת־יִשְׂרָאֵֽל׃ וַיַּעַבְר֖וּ אֶת־הַיַּרְדֵּ֑ן וַיַּחֲנ֤וּ בַעֲרוֹעֵר֙ יְמִ֣ין הָעִ֔יר אֲשֶׁ֛ר

רש״י

(א) **ויסף אף ה׳ לחרות בישראל.** לא ידעתי על מה: **ויסת.** גירה: (ג) **כהם וכהם.** כהם כפלים, וכהם שני כפלים, הרי ארבעה כפלים, וכן חוזר וכופל את הכפילה, עד מאה פעמים, כמלאת ברכתו של יואב יתירה על של משה שאמר (דברים א, יא), ככם אלף פעמים, ועוד, שברכתו של משה לזמן מרובה, ושל יואב מיד, שנאמר בה, ועיני אדני המלך רואות:

רד״ק

(א) **ויסף אף ה׳.** לא ידענו זה החרון למה היה, אם היה רע בישראל דוד היה מבער אותו, אולי היה בישראל עוברי עבירה בסתר, ומה שאמר וַיֹּסֶף כי דבר אבשלום חרון אף היה מה׳ על ישראל, אף על פי שהיה הדבר ההוא לעונש דוד שברח מפני בנו וששכב עם נשיו, וגם כן נענשו ישראל שנגפו בעת ההיא עשרים אלף ביום אחד (לעיל־ב יח, ז) אם כן הדבר ההוא היתה סבה מאת ה׳ לחרות בישראל על מעשים רעים שהיה בסתר בהם, וכן עתה הוסיף אף ה׳ לחרות בישראל על נסתרות שהיו ביניהם, כי אילו היו גלויות לא הניחם דוד, ולפי שלא היו גלויות העניש האל על ידי סבה כי כל משפטיו צדק ואמת והסית את דוד ונתן בלבו שימנה אותם, או אמר וַיֹּסֶף על הרעב שהיה שלש שנים (לעיל כא, א) ואף על פי שנגלה אותו העון חרון אף היה על כל ישראל, ועתה הוסיף לחרות בהם והסית את דוד שימנה אותם, וכבר היה דבר זה נודע בישראל מן התורה כי אם ימנו את ישראל שלא יתנו איש כופר נפשו שיהיה בהם נגף ואפילו ימנה אותם לצורך, וצוה דוד את יואב שימנה אותם והיה קשה בעיני יואב לעשות זה הדבר לפי שידע שיחסרו, וכן אמר בדברי הימים (־א כא, ג) לָמָּה יִהְיֶה לְאַשְׁמָה לְיִשְׂרָאֵל ואף על פי שיקח מהם כסף או שום דבר כיון שימנה אותם שלא לצורך יחסרו כמו שפירשתי למעלה בפסוק וַיִּפְקְדֵם בַּטְּלָאִים (לעיל־א טו, ד), ואמרו רז״ל (במדבר רבה ב, יז) כל זמן שנמנו ישראל לצורך לא חסרו שלא לצורך חסרו כמו בימי דוד, לפיכך היה קשה בעיני יואב לעשות זה הדבר עד שחזק דבר המלך אל יואב ועל שרי החיל, ומה שאמר וַיָּסֶת אֶת דָּוִד בָּהֶם כלומר ששם בלבו למנותם, ומה שאמר לאמר לֵךְ מְנֵה אֶת יִשְׂרָאֵל היה בלב דוד שיאמר לאחד משריו לך מנה את ישראל, לא שהאל אמר לו בנבואה לך מנה, שאם כן איך אמר דוד חָטָאתִי מְאֹד (פסוק י) ואם האל אמר לו מה חטא, אלא ששם בלבו למנותם בעבור עון ישראל ודוד לא ידע כי מה׳ הוא, ותרגם יונתן וְגָרֵי יַת דָּוִד בְּהוֹן והיצר שהיה בלבו למנותם הוא השטן שנאמר בדברי הימים (־א כא, א): **ויסף ה׳.** וי״ו זו לתחלת הדברים ולא לתוספת דבר, וכמוהו ווי״ן רבים במקרא כמו שכתבנו בתחלת ספר יהושע (א, א): (ג) **אל העם.** כתרגומו עַל עַמָּא: (ה) **ויעברו את הירדן.** מעבר הירדן התחילו למנות וכשעברו הירדן חנו בערוער: **ימין העיר.** מחוץ לעיר ושם הסכימו באיזה מקום יעברו למנות, ואותו המקום שחנו בו היה בתוך הנחל וזהו שאמר אֲשֶׁר בְּתוֹךְ הַנַּחַל:

מצודת דוד

(א) **ויוסף אף ה׳ לחרות בישראל.** מלבד מה שחרה אפו בדבר הגבעונים שהיה בעבור זה רעב שלש שנים, הוסיף עוד לחרות. (ויתכן שהחרון היה על מה שמרדו בדוד, בדבר אבשלום ושבע בן בכרי. או היה בידם עון נסתר, ונעלם מעיני דוד): **ויסת את דוד בהם.** רוצה לומר, מי שדרכו להסית, הסיתו, וכן נאמר בדברי הימים (א כא, א) שהשטן הסיתו, והקב״ה מסרו בידו, והסתתו היה בדבר הרע להם לאמר, לך מנה וגו׳, ובעבור זה באה התקלה עליהם, כמפורש בענין: (ב) **ופקדו.** אתה ואנשיך אשר ילכו עמך: (ג) **ויוסף ה׳.** על כי היה נראה משאלת המלך אשר יחשוב כי רבים המה, ולכן התאוה לדעת מספרם, ולזה אמר לו יואב, מי יתן ועוד יוסף ה׳ עליהם כמו שהם עכשיו, ועוד יוסף כמספר אשר יהיו אחר ההוספה הראשונה, ועוד יתכפלו ויחזרו ויתכפלו עד מאה פעמים: **ועיני וגו׳.** בימיו יתרבו כהחשבון הזה, ובעיניו יראה: **למה חפץ.** רצה לומר, הואיל ואין צורך למנותם, מוטב הוא שלא למנותם, כי אין הברכה מצויה אלא בדבר הסמוי מן העין: (ה) **ימין העיר.** חנו בימין העיר ערוער, והימין היתה בתוך הנחל, ומאחוזת בני גד:

מצודת ציון

(א) **לחרות.** מלשון חרון אף: **ויסת.** מלשון הסתה: (ב) **שוט.** ענין ההליכה אנה ואנה, וכן (איוב א, ז), משוט בארץ: **ופקדו.** ענין מנין ומספר: (ד) **לפני המלך.** כמו מלפני המלך:

---

severely punished for its support of Absalom's rebellion (see above, 18:7), when twenty thousand men fell. In support of this theory, *Abarbanel* notes that the angel who administered the plague was told to *stay his hand* when he arrived at Jerusalem (below, v. 16), which is at the border of the territory of Judah, the one tribe that had no part in Sheba's rebellion (above, 20:2).

Whatever the underlying cause of God's anger with the nation, the immediate cause was a surprising error by David. Although the Torah specifically bans a census of the nation, except in an indirect manner and for an important cause (see below), David ordered such a census, even though Joab pleaded with him not to do so.

1-9. David succumbs to a faulty desire and orders the census.

1. וַיֹּסֶף אַף־ה׳ לַחֲרוֹת בְּיִשְׂרָאֵל — The *anger of HASHEM again flared against Israel*. The word *again* implies that God had been angry before. The previous anger was because of the widespread support for Absalom's revolt (above, Chs. 15-18), in which 20,000 Israelites died (18:7), or because of the reasons for the three-year famine described above, in Ch. 21 (*Radak*). Another reason was the support for Sheba ben Bichri's rebellion (*Abarbanel*).

וַיָּסֶת אֶת־דָּוִד — *And He incited David*. It is inconceivable that God would actually *force* David to sin, and it is especially absurd to suppose that He would punish someone for following through on such an "imposed" thought. The meaning is, rather, that David's thoughts and actions are ascribed to being God's doing in the same general sense that we say that God is the Cause of all events in the Universe (*Ralbag*).

The parallel verse in *I Chronicles* (21:1) reads "A *satan* [i.e., an evil impulse (*Radak*)] incited David to count Israel." He could have resisted the impulse, and he realized later (v. 10) that he should have done so. God merely put the idea into his

24 **DAVID'S WRONGFUL CENSUS** 24:1-25

[1] *The anger of HASHEM again flared against Israel, and He incited David because of them, to say, "Go count the people of Israel and Judah."* [2] *So the king said to Joab, the commander of his army, "Travel around among all the tribes of Israel, from Dan to Beer-sheba, and count the people, so that I may know the number of the people."* [3] *But Joab said to the king, "May HASHEM your God increase the number of the people over and over a hundred times, while the eyes of my lord the king [live to] see [it]; but why should my lord the king desire such a thing?"* [4] *But the king's word prevailed over Joab and the officers of the army; so Joab and the officers of the army who were before the king went to count the people, Israel.*

A lengthy expedition

[5] *They crossed the Jordan and encamped in Aroer, south of the city that was in the*

mind so that, if he failed to withstand the test, the census would be the catalyst to punish the people for their own sin, whatever it was.

The reason God *incited* David was in retribution for a misstatement of his. In his last confrontation with Saul, when he said once again that he bore Saul no malice, David said, *"If it is HASHEM Who has incited you against me . . ."* (*I Samuel* 26:19). At that time God said, as it were, "You have accused Me of being an inciter. By your life, I will incite you to do something that even schoolchildren know is forbidden [i.e., that it is forbidden to count Jews by the head]" (*Berachos* 62b).

Even though David's intention was to spare Saul from embarrassment by saying that his hatred of David was not his fault, his improper expression caused him to lose the Divine protection against sin that he had earned. The result was that he fell prey to the incitement (*Michtav MeEliyahu*).

2. David's motive for the census. The Sages and commentators offer various reasons that may have motivated David to order the census:

(a) He simply wished to celebrate the large numbers of people in his kingdom. This is implied by our verse, which quotes David as saying, *"so that I may know the number of the people."* It is sinful to conduct such a census even if the people are not counted by the head, but they are asked to submit coins or some other objects, and then the submissions are counted (*Ramban* to *Numbers* 1:3).

(b) He seemed to put his trust in military might, rather than in God's help. Accordingly, he wanted a census to determine how many potential soldiers were at his disposal (*Ralbag*).

(c) The census was in response to the new political situation. Earlier in his kingship, he could rely on huge numbers of volunteers whenever the nation had to go to war. Now, after two popular rebellions, indicating that his support had waned, he thought that he might have to resort to a military draft, in the event of war, so he wanted to know how many able-bodied men there were (*Malbim*).

וְיָדַעְתִּי אֵת מִסְפַּר הָעָם — *So that I may know the number of the people.* This implies that there was no compelling necessity to count the number of Jews; David merely wished to know how many there were, as noted above.

3. Joab pleaded with David not to order the census. Since it seemed that David's motivation was, as noted above, not based on need, Joab argued that the nation was populous and God's blessing would make it even larger. He said, *May HASHEM your God increase the number of the people over and over a hundred times*, lit., "May God increase the number of the people [by an equal number to] what they are (i.e., double their present number) and like they are [again] (i.e., quadruple their present number), and so on a hundred times!" (*Rashi*).

וַאדֹנִי הַמֶּלֶךְ לָמָּה חָפֵץ בַּדָּבָר הַזֶּה — *But why should my lord the king desire such a thing?* Joab alluded to the Torah's warning that a head count of the nation could result in a plague (*Exodus* 30:12). According to the Midrash (*Bamidbar Rabbah*, cited in *Radak*), a count undertaken for an important purpose — such as a military or economic reason — is not subject to the harmful effects of a head count.

According to many commentators (see *Radak* here; *Ramban* to *Numbers* 1:3), even an essential census must be carried out through an indirect count, like the census in the Wilderness, in which the people gave half-shekel coins, and then the coins were counted. *Ramban* assumes that this is how Joab counted the people. However, unessential censuses, like this one, may bring misfortune even if they are done indirectly. This is why Joab urged David to reconsider his order. A further possibility suggested by *Ramban* is that David wanted everyone counted from the age of bar mitzvah, while the Torah sanctions censuses from the age of twenty and up.

Elsewhere *Ramban* (on *Shemos* 30:12) writes that this census was carried out by counting the people directly, but the tragedy that befell Israel in our chapter would have been avoided if the count had been conducted through the collection of *shekels*, or through some other indirect method. *Abarbanel* concurs. If so, why didn't Joab conduct the census this way? And if he did not, the sin should have been ascribed to him, not to David. Furthermore, instead of trying to dissuade David, Joab should have obeyed his command, and implemented it through the collection of money or other objects. *Abarbanel* explains that David explicitly commanded Joab to *count the people* (vs. 1,2), implying that he ordered a direct head-count; Joab could not faithfully follow the king's order by an indirect tally.

5. Joab began the census with the Gadites because they were the most warlike and hostile of the tribes, and he hoped that they would resist the count by force, compelling him to return to David empty handed (*Rashi*).

ו בְּתוֹךְ־הַנַּחַל הַגָּד וְאֶל־יַעְזֵר׃ וַיָּבֹאוּ הַגִּלְעָדָה וְאֶל־אֶרֶץ תַּחְתִּים חָדְשִׁי וַיָּבֹאוּ
ז דָּנָה יַּעַן וְסָבִיב אֶל־צִידוֹן׃ וַיָּבֹאוּ מִבְצַר־צֹר וְכָל־עָרֵי הַחִוִּי וְהַכְּנַעֲנִי וַיֵּצְאוּ
ח אֶל־נֶגֶב יְהוּדָה בְּאֵר שָׁבַע׃ וַיָּשֻׁטוּ בְּכָל־הָאָרֶץ וַיָּבֹאוּ מִקְצֵה תִשְׁעָה חֳדָשִׁים
ט וְעֶשְׂרִים יוֹם יְרוּשָׁלָם׃ וַיִּתֵּן יוֹאָב אֶת־מִסְפַּר מִפְקַד־הָעָם אֶל־הַמֶּלֶךְ וַתְּהִי
יִשְׂרָאֵל שְׁמֹנֶה מֵאוֹת אֶלֶף אִישׁ־חַיִל שֹׁלֵף חֶרֶב וְאִישׁ יְהוּדָה חֲמֵשׁ־מֵאוֹת אֶלֶף
י אִישׁ׃ וַיַּךְ לֵב־דָּוִד אֹתוֹ אַחֲרֵי־כֵן סָפַר אֶת־הָעָם וַיֹּאמֶר
דָּוִד אֶל־יהוה חָטָאתִי מְאֹד אֲשֶׁר עָשִׂיתִי וְעַתָּה יהוה הַעֲבֶר־נָא אֶת־עֲוֹן

רש"י

(ה) **הגד ואל יעזר**. התחיל בבני גד, לפי שהם גבורים וקשים, אמר, הלואי וילחמו בי, ויעכבו על ידי: (ו) **ואל ארץ תחתים חדשי**. מקום ישוב חדש, שאוכלוסיהן מועטין, אולי בתוך כך יתחרט דוד, וישלח אליו שליח שיחזור בו: **דנה**. בבני דן: **יען**. שם המקום: (ט) **מספר מפקד**. אם מספר למה מפקד, שני אנפיראות עשה, גדולה וקטנה, אמר אראנו את הקטנה, ואם יקלוף אראנו את הגדולה, לכך נאמר מפקד, לשון חסרון, כך נדרש בפסיקתא: **ותהי ישראל**. תשש כאן כנקבה: **שמונה מאות אלף**. ובדברי הימים (א כא, ה) הוא אומר, אלף אלפים ומאה אלף, באגדת אמוראים (ילקוט שמעוני רמז קסה) מצינו, אמר רבי יהושע בן לוי, הכתובים מוסיפין כאן מה שחסרו כאן, אלו שני שבטים שלא נמנו, שכך כתיב בדברי הימים (שם פסוק, ו), ולוי ובנימן לא פקד בתוכם כי נתעב דבר המלך את יואב. אמר יואב, באלו אני יכול להשמט ולומר, שבט לוי אינו נמנה במנין שאר שבטים כי אם מבן חודש ומעלה, ובנימן, דיו שנחסר וכלה בפלגש בגבעה. ובשלשים ושתים מדות דרבי אליעזר בנו של רבי יוסי הגלילי שנינו, כתוב אחד אומר ויהי כל ישראל אלף אלפים ומאה אלף ויהודה ארבע מאות ושבעים אלף, וכתוב אחד אומר ותהי ישראל שמונה מאות אלף ואיש יהודה חמש מאות אלף, נמצא ביניהם שלש מאות אלף, אלו שלש מאות אלף מה טיבן, בא הכתוב השלישי והכריע (שם כז, א), ובני ישראל למספרם ראשי האבות ושרי האלפים והמאות ושוטריהם המשרתים את המלך לכל דבר המחלוקת הבאה והיוצאת חדש בחדש לכל חדשי השנה המחלקה האחת עשרים וארבעה אלף, מלמד שאלו שלש מאות אלף היו הכתובים בנימוסו של מלך, ולא היו צריכין לימנות, כילד, עשרים וארבעה אלף לשנים עשר, הרי כאן מאתים ושמונים אלף ושמונת אלפים, נשתיירו שנים עשר אלף, הן הן נשיאי ישראל:

רד"ק

הגד ואל יעזר. כתרגומו דבְגוֹ נַחְלָא דִבְשִׁבְטָא גָד וְאֵל יַעְזֵר ויש מפרשים הגד מענין מָלֵא עַל כָּל גְּדוֹתָיו (יהושע ג, טו): (ו) **ואל ארץ תחתים חדשי**. תרגום יונתן לְאַרְעָא דָרוֹמָא לְחָדְשִׁי לא ידעתי למה תרגם תַּחְתִּים דָרוֹמָא: **חדשי**. מקום ישוב חדש: **דנה יען**. לדן יען, כן היה שם המקום: **דנה**. מלעיל והנו"ן רפה: **וסביב אל צידון**. כתרגומו וּמִתַּמָּן אַסְתְּחַר לְצִידוֹן: (ז) **מבצר צר**. מבצר שהיה בצור גבוה ועל כן נקרא מבצר צר, וכן הוא נזכר בספר יהושע בנחלת בני אשר וְעַד עִיר מִבְצַר צֹר (יהושע יט, כט): **וכל ערי החוי והכנעני**. שהיו יושבים בהם חוי וכנעני עם ישראל שלא הורישום בני ישראל והיו להם למס: (ט) **את מספר מפקד העם**. כתרגומו יַת חוּשְׁבַּן מִנְיַן עַמָּא, והוא כפל דבר לחזק ובא סמוך על סמוך כמו מִבְחַר וְטוֹב לְבָנוֹן (יחזקאל לא, טז) נַהֲרֵי נַחֲלֵי דְּבַשׁ וְחֶמְאָה (איוב כ, יז): **ותהי ישראל**. ותהי עדת ישראל וכן וַתְּהִי מוֹאָב לְדָוִד לַעֲבָדִים (שמואל-ב ח, ב): **שמנה מאות אלף איש חיל וגו' ואיש יהודה חמש מאות אלף איש**. ובדברי הימים (-א כא, ה) וַיְהִי כָל יִשְׂרָאֵל אֶלֶף אֲלָפִים וּמֵאָה אֶלֶף ... וִיהוּדָה אַרְבַּע מֵאוֹת וְשִׁבְעִים אֶלֶף, מצאנו באגדה (פסיקתא רבתי יב) אמר רבי יהושע בן לוי הכתובים מוסיפים כאן מה שחסרו כאן אלו שני שבטים שלא נמנו, שכך כתוב בדברי הימים (-א כא, י) וְלֵוִי וּבִנְיָמִן לֹא פָקַד בְּתוֹכָם כִּי נִתְעַב דְּבַר הַמֶּלֶךְ (אל) [את] יוֹאָב, אמר יואב באלו אני יכול להשמט ולומר שבט לוי אינו נמנה במנין שאר השבטים כי אם מבן חדש ומעלה (במדבר ג, טו), ובנימין דיו שחסר וכלה בפלגש בגבעה (שופטים כ), ולזה הפירוש פסוק זה ולוי ובנימין לא פקד בתוכם בכאן היה לו לכתוב אותו לא בדברי הימים כי כאן הוא חסר המספר והיה לתת טעם לחסרון, גם לחסרון שחסרו בני יהודה בדברי הימים (-א כא, ה) לא נתן טעם. ובשלשים ושתים מדות דרש רבי אליעזר בנו של רבי יוסי הגלילי אומר משני כתובים המכחישים זה את זה יבא הכתוב השלישי ויכריע ביניהם, כיצד כתוב אחד אומר ויהי כל ישראל אלף אלפים ומאה אלף ויהודה ארבע מאות ושבעים אלף וכתוב אחד אומר וַתְּהִי יִשְׂרָאֵל שְׁמֹנֶה מֵאוֹת אֶלֶף ... וְאִישׁ יְהוּדָה חֲמֵשׁ מֵאוֹת אֶלֶף נמצא ביניהם שלש מאות אלף אלו שלש מאות אלף מה טיבן בא הכתוב השלישי והכריע ובני ישראל למספרם ראשי האבות ושרי האלפים והמאות ושוטריהם המשרתים את המלך לכל דבר המחלוקת הבאה והיוצאת חדש בחדש לכל חדשי השנה המחלוקת האחת ארבעה ועשרים אלף, מלמד שאלו שלש מאות אלף היו הכתובים בנימוסו של מלך ולא היו צריכים להמנות, כיצד ארבעה ועשרים אלף לשנים עשר הרי כאן מאתים ושמונים אלף ושמונת אלפים נשתיירו שנים עשר אלף הן הן נשיאי ישראל, והשליכם הכתוב מכאן וחזר וכללן להלן, וגם זה לא נתן טעם לחסרון מספר יהודה שנמצאו בדברי הימים חסרים שלשים אלף ואפשר שאותם שלשים אלף אלו מתו במגפה כי שבעים אלף היו המתים במגפה (פסוק טו) ושלשים אלף מהם היו מיהודה, ומתו כל כך מיהודה לפי שהוא שבטו של דוד והוא היה הסבה, או היו באותו שבט רוב החוטאים. ובדרש (מדרש שמואל ל, ב) עוד שני פתקים עשה יואב אחד מרובה ואחד מועט אמר אם מקבל הוא את המועט טוב ואם לאו אני נותן לו את המרובה: (י) **ויך לב דוד אתו**. כתרגומו וְחָשׁ דָּוִד בְּלִבֵּיהּ, כלומר חשש על העון שעשה שיקרהו עונש בזה לו ולישראל והכה לבו אותו בעבור זה, כלומר הומה וחרד לבו ונתחרט ובקש רחמים מהאל שיעביר עונו: **אחרי כן ספר**. אשר ספר, וכמוהו רבים:

מצודת דוד

ואל יעזר. משם הלכו אל יעזר: (ו) **חדשי**. הנתיישב מחדש ומזמן קרוב: **דנה יען**. לדן יען, והוא שם מקום: **וסביב**. משם סובב עצמו והלך אל צידון: (ז) **מבצר צור**. מבצר חזק שעמד על הצור: **וכל ערי החוי והכנעני**. רוצה לומר, הערים אשר החוי והכנעני יושבים [בהר] בהם בתוך בני ישראל: **באר שבע**. אל באר שבע: (ט) **מספר מפקד**. כפל המלה בשמות נרדפים לתוספת ביאור, וכן (דניאל יב, ב), אדמת עפר: **שמונה מאות אלף**. ובדברי הימים (א כא, ה) נאמר, אלף אלפים ומאה אלף, על כי עזרא כלל עמהם גם בני בנימין ובני לוי, אבל יואב לא מנה אותם בתוך בני ישראל, וכמו שכתוב בדברי הימים (א כא, ו): **שולף חרב**. רוצה לומר, אנשי המלחמה: **חמש מאות אלף**. ובדברי הימים (א כא, ה) נאמר ארבע מאות ושבעים אלף, על כי שם נאמר שולף חרב, והם לא היו כי אם ארבע מאות ושבעים אלף, אבל כאן חושב את כולם, אף אותם אשר לא היו שולפי חרב, ועמהם היו במספר חמש מאות אלף: (י) **ויך לב דוד אותו**. רוצה לומר, המה לבו וחרד על אשר צוה למנותם, על כי הדבר הזה הוא סיבה להביא עליהם הנגף, וכמו שכתוב (שמות ל, יב), ונתנו איש כופר נפשו וגו׳ ולא יהיה בהם נגף, אבל בלא כופר הנה הנגף מעותד לבוא: **חטאתי מאד אשר עשיתי**. רצה לומר, במה שעשיתי סיבה להביא הנגף על העם, הנה זה חטאתי מאוד: **העבר נא וגו׳**. רצה לומר, לא ימותו לשחת, ואם כן ממילא יעבור העון וילך לו, הואיל ולא יבא הנגף:

מצודת ציון

(ה) **הנחל**. העמק: (ח) **וישוטו**. הלכו אנה ואנה: (י) **אחרי כן**. אחרי אשר, וכן (בראשית יט, ח), כי על כן באו, ורוצה לומר על אשר באו: **נסכלתי**. מלשון סכלות ושטות:

middle of the Valley of Gad, and [then went] to Jazer. [6]*They came to Gilead and to the land of Tahtim-hodshi, and they came to Dan-jaan, and went around to Sidon.* [7]*They came to the fortress of Tyre and to all the Hivvite and Canaanite cities, and they went to the south of Judah, to Beer-sheba.* [8]*They traveled around the entire land, coming back to Jerusalem at the end of nine months and twenty days.* [9]*Joab gave the sum of the number of people over to the king: [In] Israel were eight hundred thousand men of war — drawers of the sword — and the men of Judah, five hundred thousand men.*

David chooses his punishment

[10]*David's heart smote him after having counted the people, and David said to* HASHEM, *"I have sinned greatly in what I have done. Now,* HASHEM, *please remove the sin*

6. אֶרֶץ תַּחְתִּים חָדְשִׁי — *The land of Tahtim-hodshi.* The word חָדְשִׁי means *new*; this place was called the New Tahtim. Joab went to this new settlement, which had few inhabitants, in an attempt to stall for time. He hoped that in the meantime David would reconsider (*Rashi*).

דָּנָה יַּעַן — *To Dan-jaan,* i.e., Jaan, in the territory of Dan (*Rashi*).

7. עָרֵי הַחִוִּי וְהַכְּנַעֲנִי — *The Hivvite and Canaanite cities,* i.e., cities in which Jews lived alongside the original Canaanite inhabitants, who resisted Jewish attempts to drive them out (*Radak*).

9. אֶת־מִסְפַּר מִפְקַד־הָעָם — *The sum of the number of people.* Or, "the count of the number of people." According to *Radak*, the repetitious use of two almost synonymous words is for the purpose of emphasis.

Rashi (quoting *Pesikta*) cites a Midrashic explanation for this expression. Joab prepared two population totals to present to the king: the first was a smaller number, in an attempt to undermine the entire census venture; the second was the true count, to be given to David if he would realize the inaccuracy of the first and become angry. The word מִפְקַד is related to נִפְקַד (*Numbers* 31:49), meaning *lacking*. This word represents the lower estimate, while מִסְפַּר is the higher, accurate count. As for how the two figures — the higher and the lower — were arrived at, see below. [This interpretation would lend credence to the view that David's error was to rely on the strength of numbers, rather than on God's help. Joab calculated that the smaller number would convince the king that his manpower was insufficient to prevail against all enemies and that he had to rely on God.]

Discrepancy of totals. Our verse gives the results of the census as 800,000 men of Israel and 500,000 of Judah. The commentators note that these numbers are sharply different from the totals given in the parallel account in *I Chronicles* 21:5, which gives the totals as 1,100,000 for Israel and 470,000 for Judah. The version in *Chronicles* also states that Joab did not count the tribes of Levi and Benjamin, because *the king's command was abhorrent to Joab* (ibid. 21:6).

Rashi mentions two Midrashic explanations: According to the *Pesikta*, there were 800,000 people *not* including the tribes of Levi and Benjamin; 1,100,000 was the full count, including those two tribes. Apparently, according to this explanation, the two tribes of Levi and Benjamin *were* counted, but their numbers were not included in the total tally given to David (in our Book).

Radak wonders why, according to this explanation, the verse that mentions the omission of Levi and Benjamin is recorded in *Chronicles*, where the *full* count is given.

Rashi cites another Midrash (ברייתא דל״ב מדות) that bases the solution on *I Chronicles* 27:1, which states that there were twelve groups of officials, each of which served the king for one month a year. Each of these groups numbered 24,000, for a total of 288,000 men in the service of the king. David knew the census of these groups, so Joab did not include them in his census, but they are part of the total in *Chronicles*. In addition to this, each monthly group had 1,000 supervisors and officers, totaling 12,000. Thus the grand total was 1,100,000 men — the combined total of 800,000, 288,000, and 12,000.

Rashi, quoting *Pesikta*, explains why Joab excluded Levi and Benjamin from the census. He reasoned, "Levi was never counted [in the Torah — *Numbers* 1-3] together with the other tribes [who were counted from the age of twenty], but separately, from the age of one month. As for Benjamin, it is enough for them that their numbers were so decimated in the incident of the concubine in Gibeah [*Judges* 19-21]," and therefore David did not want to put them at risk for another plague by including them in a census.

As for the discrepancy in numbers of Judah between the two Books — 500,000 according to our Book, and 470,000 in *Chronicles* — this issue is not discussed by the Midrash. *Abarbanel* suggests two solutions: (a) The figure in our Book is rounded off to the nearest hundred thousand. All the numbers given in both places must certainly have been rounded off, since it is practically impossible that the Israelites' population just happened to be exactly these round numbers. (b) The people who lived in Jerusalem itself were not counted in the figure given in *Samuel*, but were included in the total of *Chronicles*.

10. David realized that he had done wrong. As was characteristic of him, whenever he erred he repented immediately, without excuses or rationalizations.

יא עַבְדְּךָ כִּי נִסְכַּלְתִּי מְאֹד: וַיָּקָם דָּוִד בַּבֹּקֶר וּדְבַר־יהוה הָיָה אֶל־גָּד
יב הַנָּבִיא חֹזֵה דָוִד לֵאמֹר: הָלוֹךְ וְדִבַּרְתָּ אֶל־דָּוִד כֹּה אָמַר יהוה שָׁלֹשׁ אָנֹכִי נוֹטֵל
יג עָלֶיךָ בְּחַר־לְךָ אַחַת־מֵהֶם וְאֶעֱשֶׂה־לָּךְ: וַיָּבֹא־גָד אֶל־דָּוִד וַיַּגֶּד־לוֹ וַיֹּאמֶר לוֹ
הֲתָבוֹא לְךָ שֶׁבַע־שָׁנִים ׀ רָעָב ׀ בְּאַרְצֶךָ וְאִם־שְׁלֹשָׁה חֳדָשִׁים נֻסְךָ לִפְנֵי־צָרֶיךָ
וְהוּא רֹדְפֶךָ וְאִם־הֱיוֹת שְׁלֹשֶׁת יָמִים דֶּבֶר בְּאַרְצֶךָ עַתָּה דַּע וּרְאֵה מָה־אָשִׁיב
יד שֹׁלְחִי דָּבָר: וַיֹּאמֶר דָּוִד אֶל־גָּד צַר־לִי מְאֹד נִפְּלָה־נָּא בְיַד־יהוה
טו כִּי־רַבִּים °רחמו [°רַחֲמָיו ק׳] וּבְיַד־אָדָם אַל־אֶפֹּלָה: וַיִּתֵּן יהוה דֶּבֶר בְּיִשְׂרָאֵל
מֵהַבֹּקֶר וְעַד־עֵת מוֹעֵד וַיָּמָת מִן־הָעָם מִדָּן וְעַד־בְּאֵר שֶׁבַע שִׁבְעִים אֶלֶף אִישׁ:
טז וַיִּשְׁלַח יָדוֹ הַמַּלְאָךְ ׀ יְרוּשָׁלַםִ לְשַׁחֲתָהּ וַיִּנָּחֶם יהוה אֶל־הָרָעָה וַיֹּאמֶר

רש"י

(יב) שלש אנכי נוטל עליך. אחת משלש, וכן (שמואל-א יח, כא), בשתים תתחתן בי היום, באחת משתים. שלש אני נוטל עליך, כנגד שלש שהטיל על שאול, (שם כו, י), כי אם ה' יגפנו, או יומו יבא ומת, או במלחמה ירד ונספה: **(יד) צר לי מאד.** הקטנה שבהם קשה מאד: **נפלה נא ביד ה'.** הדבר, ולא החרב והרעב, שגם הוא מסור לעשירים אוגרי פירות. אמר רבי אלכסנדרי, אמר דוד, אם אני בורר לי החרב עכשיו, ישראל אומרים הוא בוטח בגבוריו, שהוא לא ימות והאחרים ימותו, ואם אני בורר הרעב, יאמרו בוטח הוא בעושרו, אברר לי דבר שהכל שוין בו (ראה ילקוט שמעוני רמז קסה): **(טו) מהבקר ועד עת מועד.** (תרגום) מעידן דמתנכים תמידא ועד דמתסק:

רד"ק

(יא) ויקם דוד בבקר. לא שכב לבו בלילה וקם בבקר והנה בא אליו גד הנביא בדבר ה' שנגלה אליו בלילה: **חזה דוד.** כי נבואותיו היו לדוד ועל ידו היה מדבר הקב"ה עם דוד, ואף על פי שלא נכתבו מנבואותיו אלא זאת: **(יב) ודברת אל דוד.** כשהיה חוטא היה אומר אֶל דָּוִד וכשרצה לבנות הבית אמר לֵךְ וְאָמַרְתָּ אֶל עַבְדִּי ... דָּוִד (לעיל ז, ב): **שלש אנכי נוטל עליך.** כתרגומו חֲדָא מִתְּלָת, וכן אמר בְּחַר לְךָ אַחַת מֵהֶם, ואמר שלש לשון נקבה כלומר שלש גזירות לפיכך כתבה גם כן לשון נקבה: **(יג) שבע שנים.** ובדברי הימים (א כא, יב) שָׁלוֹשׁ שָׁנִים, לא אמר לו אלא שלש אלא מה שאמר שבע לפי שזה הענין היה אחר שלש שני רעב שהיו בימי דוד שנה אחר שנה, והנה אם יהיו עתה שלש שנים אחרים הנה יהיו שש שנים והשביעית אף על פי שירד בה מטר לא תמלט בלא רעב, שנה שתבא אחר שש שנים רעב, ועוד כי עד עת הקציר לא יהיה להם לחם בשביעית: **והוא רדפך.** שלא יהיה לך תקומה מפניו צריך שיכירו הכל כי מאת האל הוא והוא רודפך: **(יד) נפלה נא ביד ה'.** זהו הדֶּבֶר כמו הִנֵּה יַד ה' הוֹיָה (שמות ט, ג), ועוד כי ברעב אף על פי שהוא ביד ה' יפלו גם כן ביד אדם שילכו למצרים או לשאר ארצות לשבור בר ולחם, אבל הדבר אין בו אלא יד השם לבד לפיכך המובן ממלת ביד ה' הוא הדבר, לפיכך בחר הוא בדבר כי הוא ביד ה' לבד אבל בשנים היה חרפה בגוים בנוסם לפני אויביהם ונגפים לפניהם, וכן ברעב כי היו הולכים בארצות הגוים והיו חרפה בהם, וכן אומר הכתוב ולא אתן אתכם עוד חֶרְפַּת רָעָב בַּגּוֹיִם (יחזקאל לו, ל). ובדרש (מדרש שמואל לא, א) חשב דוד בדעתו ואמר אם בוחר אני רעב עכשיו כל ישראל אומרים מאי איכפת לו לבן ישי על אוצרותיו הוא בוטח וישראל ימותו ברעב, ואם בורר אני חרב עכשיו ישראל אומרין מה לו על גבוריו הוא בוטח שהם יצאו למלחמה הם ימותו והוא ינצל אמר, יבא דבר שהכל שוין בו, דבר אחר (שם) אם בורר אני רעב עכשיו כל ישראל מוכי רעב בדרכים אם בורר אני חרב עכשיו כל ישראל מוכי חרב בדרכים יבא דבר, ויש אומרים (שם) גד רמז לו דַּע וּרְאֵה מָה אָשִׁיב שׁוֹלְחִי דָּבָר (פסוק יג) דָּבָר הוא דֶּבֶר באותיות: **(טו) מהבקר ועד עת מועד.** כתרגום מֵעִידָּן דְּמִתְנְכִיס תְּמִידָא וְעַד דְּמִיתַּסֵק, ויש מרז"ל (ברכות סב, ב) שפירשו עד חצי היום והוא עת מועד ממועדי השמש כי זריחתו מועד אחד וחצי היום מועד אחר ובא השמש מועד אחר, ומהם אמרו (שם) משהאיר מזרח עד הנץ החמה, והנה מרחמי האל קצר זמן הדבר שהרי אמר לו שלשת ימים ולא היה אלא מהבקר ועד עת מועד. ובדרש (מדרש שמואל לא, ג) וַיִּתֵּן ה' דֶּבֶר שלשים וששה שעות של פורענות נגזר עליהם באותו היום באו פרקליטין גדולים ובטלו אותם, ואלו הן חמשת ספרי תורה שבעת ימי השבת שמנה ימי ברית מילה וזכות שלשת אבות, נשתיירו שלש עשרה תרי אמוראי חד אמר בזכות שנים עשר שבטים וחד אמר בזכות עשרת הדברות ושני לוחות, נשתיירה שם שעה אחת רבי חייא אמר משחיטת התמיד עד זריקת דמו: **(טז) וישלח ידו המלאך.** הראה הקב"ה דמות מלאך וחרבו שלופה בידו נטויה על ירושלים, והעמידו סמוך לגרן ארונה היבוסי כדי שיראהו דוד שם ויתפלל ויעתר לו האל במקום ההוא ותעצר המגפה, ויהיה סימן לדוד כי שם הוא מקום העתרה ושם יהיה בית המקדש ושם בית התפלה והעבודה כמו שצוה לו האל על יד גד להקים שם מזבח, ושם נעתר לו באש שירד מן השמים על העולה כמו שאומר בדברי הימים (א כא, כו):

מצודת דוד

כי נסכלתי. רצה לומר, הלא אני עשיתי סכלות גדולה מאד, למנותם בלא כופר נפש, ומה פשעו הם לשימותו במגפה, וכאשר לא ימותו, לא ימצא בי עון: **(יא) ויקם דוד בבקר.** רוצה לומר, מיד כאשר קם דוד בבקר, היה הדבר ה' אל גד וגו': **חוזה דוד.** נקרא כן, על כי כל נבואותיו לא היו רק לדוד, ולא לזולת: **(יב) שלש.** רוצה לומר, אחת משלש, וכן (שמואל-א יח, כא), בשתים תתחתן בי. ורוצה לומר, באחת משתים: **(יג) התבוא.** אם רוצה אתה אשר תבוא שבע שנים רעב, תמורת הנגף המעותד לבוא בעבור המנין מבלי כופר, ובדברי הימים (א כא, יב) נאמר שלש שנים, כי באמת לא אמר רק שלש שנים, אבל על כי כבר עברו שלש שנים רעב בעבור דבר הגבעונים, אם כן הרי שש שנים, ותמשך עוד ממילא בשנה השביעית עד זמן הקציר: **ואם שלשה וגו'.** רוצה לומר, או אם תרצה לקבל להיות שלשה חדשים וגו': **שלשת ימים דבר.** רוצה לומר, יקל בדבר, להיות זמן מוגבל בהשגחת המקום: **וראה.** בראיית הלב ובהבנתה: **שלחי.** לשולחי, והוא המקום ברוך הוא: **(יד) צר לי מאד.** כלומר הלא כולם קשות הם למאוד, ועם כל זאת נפלה ביד ה', זו הדבר, כי רחמיו מרובים, ורחם ירחם: **וביד אדם.** כי גם בעבור הרעב יצטרכו לבני אדם, והמה לא ירחמו: **(טו) מהבקר.** מעת הבוקר שבאה הנבואה אל גד כמו שכתוב למעלה, ומיד אמרה לדוד, ובחר בדבר ואז התחיל הדבר, והתמיד עד עת אותו מועד למחרתו: **(טז) וישלח.** המלאך המשחית בעם, שלח ידו להשחית גם אנשי ירושלים, ואז נחם ה' וגו':

מצודת ציון

(יב) נוטל עליך. משא עליך, וכן (משלי כז, ג), ונטל החול: **(יג) התבוא.** הה"א השאלה: **נסך.** תהיה נס ובורח: **(יד) צר.** מלשון צרה ודחק: **(טו) מועד.** זמן: **(טז) וינחם.** ענין הפוך מחשבה: **רב.** ענינו כמו די, וכן (דברים א, ו), רב לך:

11-16. David chooses the retribution for himself and the nation. As soon as David expressed his remorse, God sent the prophet Gad to tell him that there would be a punishment for his and the nation's shortcomings, and David could choose one of three alternatives.

11. As soon as David awoke, the prophet came to him.

of Your servant, for I have acted very foolishly." [11]*David arose the next morning; and the word of* HASHEM *had come to the prophet Gad, David's seer, saying,* [12]*"Go and say to David, 'Thus says* HASHEM*: I am holding three [things] upon you; choose for yourself one of them and I shall do it to you.' "* [13]*So Gad came to David and told him; he said to him, "[Would you rather have] seven years of famine come to your land, or three months of fleeing from your enemy while he pursues you, a three-day pestilence in your land? Now determine and consider what answer I should return to the One Who has sent me."* [14]*David said to Gad, "I am exceedingly distressed. Let us fall into the hand of* HASHEM*, for His mercies are abundant; but let me not fall into human hands."*

Early end to the pestilence

[15]*So* HASHEM *sent a pestilence in Israel, from the morning until the set time; there died from the people, from Dan to Beer-sheba, seventy thousand men.* [16]*When the angel stretched out his hand against Jerusalem to destroy it,* HASHEM *relented of the evil and told*

חֹזֵה דָוִד — *David's seer.* Although this is the only place where Gad is mentioned in Scripture, he was the medium through which God regularly communicated with David (*Radak*). Although the prophet Nathan was still alive and was still close to David, Gad had become God's emissary to the king.

12. שָׁלֹשׁ אָנֹכִי נוֹטֵל עָלֶיךָ — *I am holding three* [*things*] *upon you.* That is, *one* of these three punishments will afflict you (*Targum, Rashi*).

God gave David *three* punishments to choose from because he had once implied that one of three curses would come upon Saul. When David's men wanted him to kill Saul, David refused (I *Samuel* 26:10), saying, *"As* HASHEM *lives,* HASHEM *will strike him with illness, or his day will come and he will die, or he will go forth into battle and perish"* (*Rashi*). Although David was not saying that he hoped one of these misfortunes would befall Saul, the very idea that he spoke of them showed that he harbored such thoughts against Saul. This is another instance of the exacting way in which people of David's caliber are judged.

As mentioned above, *Abarbanel* holds that the reason the people — who had no part in the impropriety of the census — were punished was their support for Sheba's revolt. Accordingly, the triple punishments corresponded to the three times the populace was disloyal to David: in the times of Ish-bosheth, Absalom, and Sheba.

13. שֶׁבַע־שָׁנִים רָעָב — *Seven years of famine*. The corresponding verse in *Chronicles* (21:12) says, "*three* years of famine." *Radak* explains that the incident of the census took place immediately after the three-year famine of Ch. 21 of our Book. An additional three years would bring the total to six. Even after the rains would return to normal, it would take almost a year to harvest new crops, so that the total duration of the hunger would be seven years.

Alternatively, the option of *famine* had two variations: either there would be seven years of famine brought about by natural causes, such as drought, infestation, etc., or three years of famine caused by warfare (*Pesikta*).

שְׁלֹשֶׁת יָמִים דֶּבֶר בְּאַרְצְךָ — *A three-day pestilence in your land. Chronicles* (ibid.) describes it as a pestilence in the land, with an angel of God bringing destruction throughout all the borders of Israel.

Gad concluded by saying that David must make his choice immediately, because the prophet must report back to *the one who sent me.*

14. צַר־לִי מְאֹד — *"I am exceedingly distressed,"* for even the least severe of the three choices is devastating (*Rashi*).

נִפְּלָה־נָּא בְיַד־ה׳ — *Let us fall into the hand of* HASHEM. David chose the option of the three-day plague, for in this manner the people would fall into the hands of God, and not the hands of man. Warfare is certainly man-made. In a sense, famine, too, is in the hands of man, because the rich can afford to buy and hoard scarce food, leaving others to go hungry, but only God can determine who will be affected by a plague (*Rashi*).

Radak adds that a successful war against Israel would desecrate God's Name. Famine, too, would desecrate the Name, because people would travel to other countries to buy food, thus allowing the nations to ridicule Israel, whose God could not provide them with food (*Radak*).

כִּי־רַבִּים רַחֲמָיו — *For His mercies are abundant.* A second reason for choosing to "fall into the hand of God" is that *God's mercies are abundant*, while man can be cruel and merciless.

This verse is included by many in the daily *Tachanun* service.

15. מֵהַבֹּקֶר וְעַד־עֵת מוֹעֵד — *From the morning until the set time.* Regarding the definition of *set time*, there are several opinions among the Sages, according to all of which the "three days" were drastically reduced: (a) midmorning, the time when the daily *tamid* offering is burned on the Altar; (b) the *set time* is noon [which marks the beginning of afternoon, which is a new part of the day (*Radak*)]; (c) from the time when the morning *tamid*-offering is slaughtered until its blood is sprinkled on the Altar, a very short period of time (*Berachos* 62b). *Abarbanel*, however, suggests that the *set time* might simply refer to the time that had been *set* by Gad — the end of the three-day period.

This account of the plague does not say how many people died, but *I Chronicles* (21:14) gives the total as 70,000. The Sages (*Berachos* 62b) teach that only one man died, Abishai ben Zeruiah, who was so great that his death harmed Israel as much as the loss of 70,000 people.

16. וַיִּנָּחֶם ה׳ — HASHEM *relented*, in response to David's prayer,

לַמַּלְאָךְ הַמַּשְׁחִית בָּעָם רַב עַתָּה הֶרֶף יָדֶךָ וּמַלְאַךְ יהוה הָיָה עִם־גֹּרֶן °האורנה
יז [°הָאֲרַוְנָה ק] הַיְבֻסִי: וַיֹּאמֶר דָּוִד אֶל־יהוה בִּרְאֹתוֹ ׀ אֶת־הַמַּלְאָךְ ׀
הַמַּכֶּה בָעָם וַיֹּאמֶר הִנֵּה אָנֹכִי חָטָאתִי וְאָנֹכִי הֶעֱוֵיתִי וְאֵלֶּה הַצֹּאן מֶה עָשׂוּ תְּהִי
יח נָא יָדְךָ בִּי וּבְבֵית אָבִי: וַיָּבֹא־גָד אֶל־דָּוִד בַּיּוֹם הַהוּא וַיֹּאמֶר לוֹ
יט עֲלֵה הָקֵם לַיהוה מִזְבֵּחַ בְּגֹרֶן °ארניה [°אֲרַוְנָה ק] הַיְבֻסִי: וַיַּעַל דָּוִד כִּדְבַר־
כ גָּד כַּאֲשֶׁר צִוָּה יהוה: וַיַּשְׁקֵף אֲרַוְנָה וַיַּרְא אֶת־הַמֶּלֶךְ וְאֶת־עֲבָדָיו עֹבְרִים
כא עָלָיו וַיֵּצֵא אֲרַוְנָה וַיִּשְׁתַּחוּ לַמֶּלֶךְ אַפָּיו אָרְצָה: וַיֹּאמֶר אֲרַוְנָה מַדּוּעַ בָּא אֲדֹנִי־
הַמֶּלֶךְ אֶל־עַבְדּוֹ וַיֹּאמֶר דָּוִד לִקְנוֹת מֵעִמְּךָ אֶת־הַגֹּרֶן לִבְנוֹת מִזְבֵּחַ לַיהוה
כב וְתֵעָצַר הַמַּגֵּפָה מֵעַל הָעָם: וַיֹּאמֶר אֲרַוְנָה אֶל־דָּוִד יִקַּח וְיַעַל אֲדֹנִי הַמֶּלֶךְ
כג הַטּוֹב °בעינו [°בְּעֵינָיו ק] רְאֵה הַבָּקָר לָעֹלָה וְהַמֹּרִגִּים וּכְלֵי הַבָּקָר לָעֵצִים: הַכֹּל
נָתַן אֲרַוְנָה הַמֶּלֶךְ לַמֶּלֶךְ וַיֹּאמֶר אֲרַוְנָה אֶל־הַמֶּלֶךְ יהוה אֱלֹהֶיךָ
כד יִרְצֶךָ: וַיֹּאמֶר הַמֶּלֶךְ אֶל־אֲרַוְנָה לֹא כִּי־קָנוֹ אֶקְנֶה מֵאוֹתְךָ בִּמְחִיר וְלֹא

רש"י

(טז) היבוסי. שר מלודת ליון היה, ששמה יבוס: **(כ) וישקף ארונה.** מתחבא היה מפני המלאך, כך כתוב בדברי הימים (א כא, כ): **(כב) והמרגים.** כלי עץ מלא חרילין, וככד הוא, ומעבירין אותו על הקש תמיד, ומחתכו להיות תבן למאכל בהמות: **(כג) ארונה המלך.** שר היבוסי היה:

רד"ק

אל הרעה. כמו על הרעה, ורבים כמוהו: **רב עתה הרף ידך.** די במגפה אל תשחת ירושלם, ויש בו דרש (ברכות סב, ב) אמר לו הקב"ה למלאך טול הרב שבהם באותה שעה מת אבישי בן צרויה ששקול כרובה של סנהדרין: **עם גרן.** סמוך לגורן: **האורנה.** כתוב בוי"ו קודם לרי"ש וקרי הארונה רי"ש קודם לוי"ו, ואחד הוא כי רבים כמוהו בהפוך האותיות ומה שאמר אדם בה"א הידיעה הוא שלא כמנהג ואפשר שהוא שם תואר: **(יח) עלה.** לפי שגרן ארונה שהיה מקום בית המקדש הוא במעלה כנגד ירושלים: **(יט) כדבר גד.** בכ"ף ובדברי הימים (־א כא, יט) בדבר גד בבי"ת: **(כ) אפיו ארצה.** כמו על אפיו: **(כב) והמרגים.** מן לְמוֹרַג חָרוּץ (ישעיהו מא, טו): **וכלי הבקר.** ושאר כלי הבקר ובדברי הימים עוד וְהַחִטִּים לַמִּנְחָה (־א כא, כג): **(כג) הכל נתן.** הוא נתן אבל לא רצה דוד לקבל במתנה: **ארונה המלך.** מלך היבוסי היושב בירושלים היה, כי אף בימי דוד היה היבוסי בירושלים כמו שנשארו שם משכבשוה בני יהודה, כמו שכתוב וַיֵּשֶׁב הַיְבוּסִי אֶת בְּנֵי יְהוּדָה בִּירוּשָׁלַם עַד הַיּוֹם הַזֶּה (יהושע טו, סג) והיו שם למס עובד והיו להם בתים שדות וכרמים על ידי המס שהיו עובדים לבני יהודה ובני בנימין, וזה השדה והגורן היה לארונה היבוסי ורצה לתתם לדוד ולא רצה לקבלם כי אם במחיר, ואף אחר שכבש דוד המצודה (לעיל ה, ז) הניחם לשבת בעיר ירושלים אותם שהיו יושבים בעיר מתחלה למס עובד, והיו שם עד שבנה שלמה את הבית, וזה היבוסי לא היה מן שבע אומות אלא מפלשתים מזרע אבימלך כמו שפירשנו בספר יהושע (טו, סג), והיה מותר להניחם לשבת בארץ כיון שקבלו עליהם שלא לעבוד עבודת אלילים ושאר מצות שהוזהרו עליהם בני נח, ואפילו משבע אומות היו יכולין לשבת בארץ בתנאי זה שלא יחטיאו שנאמר לֹא יֵשְׁבוּ בְּאַרְצְךָ פֶּן יַחֲטִיאוּ אֹתְךָ לִי (שמות כג, לג) אבל כל זמן שאינן חוטאין שקבלו עליהם שבע מצות מותר להניחם בארץ, ובמקצת נסחאות התרגום תרגם נתן אֲרַוְנָה הַמֶּלֶךְ לַמֶּלֶךְ, יְהַב אֲרַוְן לְמַלְכָּא דִי בְעָא מִינֵּיהּ מַלְכָּא: **ירצך.** כתרגמו יְקַבֵּל קֻרְבָּנָךְ בְּרַעֲוָא: **(כד) מאותך במחיר.** כמו מאתך, כי רבים מן הרפים כענין עם:

מצודת דוד

רב עתה. די עתה במה שמתו, והרף ידך מלהשחית עוד כזאת, כי אם מעט מעט: **היה עם גורן.** היה עומד סמוך לגורן וגו׳: **היבוסי.** מבני יבוס, ואמרו רבותינו ז"ל (עבודה זרה כד, ב) שהיה גר צדק: **(יז) אנכי חטאתי.** רצה לומר, אני הסיבה בהמגפה הזאת: **ואלה הצאן.** רצה לומר, בני העם: **ידך.** מכת ידך, זו הדבר: **(יח) ויאמר לו.** בדבר ה׳: **(יט) ויעל דוד.** אל הגורן אשר עמד בהר: **(כא) מדוע בא.** כאומר היה לך לשלוח אחרי לבוא אליך: **לבנות מזבח לה׳.** ובאתי הנה לכבוד המקום ברוך הוא: **ותעצר.** כדי שתעצר המגפה: **(כב) יקח ויעל.** יקח הגורן למזבח, ויעלה עליו משלי את הטוב בעיניו, ראה הבקר מוכן לעולה וגו׳: **וכלי הבקר.** וגם שאר כלי הבקר יהיו לעצים, להבעיר האש על המזבח: **(כג) הכל נתן.** הכל נדב לתת למלך: **ארונה המלך.** הוא היה למלך על היבוס עד שלא כבשה דוד, ומשכבשה נתגייר, ונשאר עליו שם מלך: **ירצך.** יהיה מרוצה לך לקבל עולותיך ברצון, לשתעצר המגפה: **(כד) לא.** רוצה לומר, לא אקבלם במתנת חנם, אלא אקנה בכסף דמי שווים:

מצודת ציון

הרף. מלשון רפיון: **(יז) העויתי.** מלשון עון: **(כ) וישקף.** ענין הבטה וראיה: **עליו.** סמוך לו: **אפיו.** על פניו: **(כא) ותעצר.** ענין מניעה, וכן (שם יא, יז), ועצר את השמים: **(כב) והמרגים.** הוא לוח עץ ובתחתיתו תחובים אבנים דקים, ובו דשים התבואה, וכן (ישעיהו מא, טו), למורג חרוץ: **(כד) מאותך.** מאתך, וכן (יחזקאל – כב), ושם אדבר אותך: **במחיר.** ענין דמי הדבר וערכו, כמו (ישעיהו נה, א), ובלא מחיר יין וחלב:

---

which is quoted in the next verse (*Abarbanel*).

גֹּרֶן הָאֲרַוְנָה הַיְבֻסִי — *The threshing floor of Araunah the Jebusite*. The threshing floor was on Mount Moriah, the site of Abraham's intended sacrifice of Isaac (*Genesis* 22:2). In *Chronicles*, Araunah is called *Ornan* throughout the narrative. *Radak* suggests that the word *Araunah* might be a title of honor, and not a proper name. Thus this man's name was Ornan, and he was the "Araunah" of Jebus. (See below, v. 23, where he is referred to as "Araunah the king.")

הַיְבֻסִי — *The Jebusite*. The Talmud (*Avodah Zarah* 24b) teaches that Araunah was a gentile who accepted upon himself to observe the Seven Noahide Laws [גֵּר תּוֹשָׁב], and was therefore permitted to live in peace in *Eretz Israel* (see *Radak*).

17. God permitted David to see the angel with his sword outstretched over Jerusalem (*Chronicles* 21:16). This was God's signal to David that Jerusalem was in danger and he should

the angel who was destroying among the people, "Enough! Now stay your hand!" The angel of HASHEM was at the threshing floor of Araunah the Jebusite.

Araunah's threshing floor

[17]David said to HASHEM when he saw the angel who was striking down the people, "Behold, I have sinned and I have transgressed; but these sheep — what have they done? Let Your hand be against me and my father's family."

[18]Gad came to David on that day and said to him, "Go up, erect an altar to HASHEM on the threshing floor of Araunah the Jebusite." [19]So David went up as Gad had said, as HASHEM had commanded. [20]Araunah looked out and saw the king and his servants coming across to him, and Araunah went out and prostrated himself to the king, with his face to the ground.

[21]Araunah asked, "Why has my lord the king come to his servant?" And David replied, "To buy the threshing floor from you in order to build an altar to HASHEM, so that the pestilence may cease from the people." [22]But Araunah said to David, "Let my lord the king take [it] and offer whatever is proper in his eyes. See, the cattle are [available] for elevation-offerings, and the threshing tools and the implements of the cattle are [available] for firewood." [23]Araunah the king gave all of it to the king, and Araunah said to the king, "May HASHEM your God accept your [offerings]."

[24]But the king told Araunah, "No; I shall purchase it from you for a price, and I shall not

---

pray. This was also an implied message to David that the threshing floor was a place of prayer and that it was the Divinely designated site of the Temple (*Radak*).

הִנֵּה אָנֹכִי חָטָאתִי . . . וְאֵלֶּה הַצֹּאן מֶה עָשׂוּ — *Behold, I have sinned . . . but these sheep — what have they done?* David protested that he was the sinner and the people should not suffer for his sin, in which they had no part. What is difficult, however, is that verse 1 states clearly that God was angry with the people even before the census. The people, then, were suffering for *their own* sins, not David's. Perhaps David was unaware of the people's sinfulness (see *Radak* to v. 1), and therefore blamed himself.

In his intense devotion to the people and his great modesty, David accepted the blame upon himself, in order to spare the nation from suffering (*Ralbag*).

Abarbanel suggests, as noted above, that the people had sinned by supporting rebellions against David. In his love for the people, David took responsibility for the rebellions upon himself for having allowed situations to develop to the point that the nation lost confidence in him.

Shelah HaKadosh provides a Kabbalistic explanation for how David's acceptance of responsibility could make the sins of the people disappear. The same approach explains the process of repentance. In God's scheme for the universe, sin has the potential to make a harmful mark in the Heavenly spheres, and it is the function of Satan to bring these sins on high where they can do spiritual damage. When a person repents and accepts God's judgment upon himself — or, as in our case, when David blamed himself and defended the people — the harmful influence of the sin is removed from Satan's control and is placed on the penitent, where it will be remedied by whatever degree of punishment God deems proper.

18. God accepted David's prayer and commanded him to erect an altar at the threshing floor.

20. Araunah had been threshing wheat, when he turned around and saw the angel. Frightened, he and his four sons went into hiding (*I Chronicles* 21:20). When he saw David and the royal entourage, Araunah went out and bowed.

22. Hearing that David wished to erect an altar and bring an offering to God — and that this would stay the plague — Araunah offered to contribute everything necessary for David to do so.

וְהַמֹּרִגִּים — *The threshing tools*. The translation follows *Ralbag* and others. *Rash* (here and *Isaiah* 28:7, 41:15), defines it as a tool used to chop the straw of grain stalks into animal fodder.

23. נָתַן אֲרַוְנָה הַמֶּלֶךְ לַמֶּלֶךְ — *Araunah the king gave . . . to the king.* In a magnanimous gesture of royal courtesy, Araunah offered David everything he might want. As the next verse states, nothing was actually given, because David insisted on buying the field; what Araunah "gave" was his sincere desire to do everything he could for David.

אֲרַוְנָה הַמֶּלֶךְ — *Araunah the king.* He was called *the king* because he was in charge of Jebus, the main fortress of Jerusalem (*Rashi*; see commentary above, v. 16). Alternatively, Araunah was called *king* because he was the chieftain of Jerusalem's Jebusites, who had accepted the Seven Noahide Laws (*Radak*). According to *Abarbanel*, he is called "king" because of his regal gesture of generosity to David.

ה' אֱלֹהֶיךָ יִרְצֶךָ — *May HASHEM your God accept your [offerings]*. Although I am donating all the supplies for the offerings, they should be considered as *your* offering, and may God accept it as such with favor (*Abarbanel*).

24. David would accept neither the land nor the animals as gifts. Like Abraham who insisted on buying the Cave of Machpelah as the burial place for Sarah, David asked Araunah to sell him the threshing floor and the animals he needed for the offering.

אַעֲלֶה לַיהוָה אֱלֹהַי עֹלוֹת חִנָּם וַיִּקֶן דָּוִד אֶת־הַגֹּרֶן וְאֶת־הַבָּקָר בְּכֶסֶף שְׁקָלִים חֲמִשִּׁים: כה וַיִּבֶן שָׁם דָּוִד מִזְבֵּחַ לַיהוָה וַיַּעַל עֹלוֹת וּשְׁלָמִים וַיֵּעָתֵר יהוה לָאָרֶץ וַתֵּעָצַר הַמַּגֵּפָה מֵעַל יִשְׂרָאֵל:

סכום הפסוקים של זה הספר אלף וחמש מאות וששה. **אשרו** חמוץ סימן.

רש"י

(כד) **שקלים חמשים.** ובדברי הימים (שם פסוק כה) הוא אומר, שקלי זהב משקל שש מאות, הא כיצד, גבה חמשים שקלים כסף מכל שבט ושבט, הרי שש מאות, ונתן לו כסף בדמי הזהב. וכן שנינו בסוף שחיטת קדשים (זבחים קטז, ב), גבה כסף בשש מאות כסף בשקלי זהב. וכן שנינו בספרי.

חסלת ספר שמואל.

רד"ק

בכסף שקלים חמשים. ובדברי הימים (־א כא, כה) שִׁקְלֵי זָהָב מִשְׁקָל שֵׁשׁ מֵאוֹת, אמרו רז"ל (זבחים קטז, ב) גבה מכל שבט ושבט חמשים שקלים שהן שש מאות כסף ומשקלם במשקל של זהב, וזה שכתוב שקלי זהב, ועוד אמר (ספרי דברים ע, יד) כתוב אחד אומר בְּאַחַד שְׁבָטֶיךָ (דברים יב, יד) וכתוב אחד אומר מִכָּל שִׁבְטֵיכֶם (שם שם, ה) זהו שרבי יהודה אומר כסף מכל שבטיכם בית הבחירה משבט אחד, רבי אומר משום אבא יוסף בן דוסתאי (זבחים קטז, ב) בקר ועצים ומקום המזבח בחמשים וכל הבית כלו בשש מאות, ולשון הפסוקים מוכיחים דברי רבי כי אומר (קנה) [וַיִּקֶן דָּוִד] אֶת הַגֹּרֶן וְאֶת הַבָּקָר בְּכֶסֶף שְׁקָלִים חֲמִשִּׁים, ובגרן היה המזבח, ובדברי הימים (־א כא, כה) אומר וַיִּתֵּן דָּוִיד (לארונה) [לְאָרְנָן] בַּמָּקוֹם שִׁקְלֵי זָהָב וגו׳ רצה לומר כל המקום שהוא בשדה שנבנה בו הבית: **(כה) ויעתר ה׳ לארץ ותעצר המגפה מעל ישראל.** (תרגום) וְקַבֵּיל ה׳ צְלוֹת דַּיָּירֵי אַרְעָא, ובדרש (מדרש שמואל לא, ד) כל האלפים האלה שנפלו בימי דוד לא נפלו אלא על ידי שלא תבעו בית המקדש, והרי דברים קל וחומר ומה אם אלו שלא היה בימיהם ולא חרב בימיהם נפלו על שלא תבעו אותו אנו שהיה בימינו וחרב בימינו על אחת כמה וכמה, לפיכך התקינו זקנים ונביאים ליטע בפיהם של ישראל להיות מתפללים שלשה פעמים בכל יום השב שכינתך ומלכותך לציון וסדר עבודתך לירושלים אמן כן יהי רצון סלה:

מצודת דוד

חנם. מהדבר הניתן לי בחנם: **בכסף שקלים חמשים.** ובדברי הימים (א כא, כה) נאמר, שקלי זהב משקל שש מאות, כי חמשים שקלים נתן לו בעבור הגורן מקום המזבח ובעבור הבקר, ומאשר ראה כי שם יהיה בית אלהים, קנה כל השדה סביב הגורן, ובעבורם נתן שש מאות שקלי זהב: **(כה) ויעתר.** נתרצה לאנשי הארץ, ונעצרה המגפה מכל וכל מעל ישראל:

מצודת ציון

(כה) ויעתר. נתרצה, כמו (בראשית כה, כא), ויעתר לו ה׳:

בְּכֶסֶף שְׁקָלִים חֲמִשִּׁים — *For fifty silver shekels.* In *Chronicles* (21:25), the price is given as six hundred gold shekels. David collected silver in the equivalent of fifty gold shekels from each of the twelve tribes , for a total of six hundred gold shekels' worth of silver (*Rashi*, quoting *Sifrei*; *Zevachim* 116b). David could easily have funded the entire purchase price, but he wanted the site of the Temple to belong equally to all the tribes of Israel (*Maharsha*).

The Sages (ibid.) offer two other solutions for the discrepancy. (a) Our verse speaks of the *threshing floor and the cattle*, while the verse in *Chronicles* reads that the six hundred shekels were *for the place*, i.e., the surrounding property, as well. (b) The fifty shekels paid only for the offering, while the six hundred shekels were for the threshing floor.

Alternatively, gold at that time (and in the times of the Talmud) was worth twelve times as much as silver. Thus, both verses are saying the same thing. Our verse gives the price in gold, while the verse in *Chronicles* gives the price in silver (*Rabbeinu Tam*).

25. *Hashem then answered the prayers of the land, and the pestilence ceased from Israel.* In *Chronicles* (21:26-22:1) the end of the story is told in detail: *[David] called out to Hashem, and He responded to him with fire from heaven upon the Altar.... Hashem then said [the command] to the angel, and he returned his sword to its sheath. At that time, when David saw that Hashem had answered him at the threshing floor of Ornan the Jebusite, he brought offerings there . . . David said, "This is the House of Hashem, God, and this is the Altar of Burnt-offering for Israel."* In other words, God revealed to David that this was the place where all the offerings of Israel would be brought; that this was the *place that Hashem . . . would choose from among all the tribes* (*Deuteronomy* 12:5 ff), and David realized that the great Temple that Solomon would build (7:12-13), would be located there.

The site of the Temple. Why indeed was Araunah's threshing floor chosen to be the site of the Temple? While it is true that Mount Moriah was the place where Abraham almost sacrificed Isaac, this does not mean that the site was imbued with sanctity as a *result* of the devotion of Abraham and Isaac. Rather, it is *because* this place always possessed unique spiritual characteristics since Creation — just as *Eretz Yisrael* is innately more sacred than any other land (see *Deuteronomy* 11:12) — that it was chosen as the site for the *Akeidah* of Isaac and the site of the Temple.

Why it was only now that God chose to reveal this sacred location to David, and not when he asked for permission to build the Temple, many years before this event (above, Ch. 7)? God wanted to make it clear that the nation should not

David buys it and builds an altar

offer up to HASHEM my God free elevation-offerings!" So David bought the threshing floor and the cattle for fifty silver shekels. [25]*David built an altar there to HASHEM, and he offered elevation-offerings and peace-offerings. HASHEM then answered the prayers of the land, and the pestilence ceased from Israel.*

---

blame David for the plague. By showing them that the plague ended when David brought offerings, it became clear to all that only his righteousness had saved them. God meant this as a sign — to David and to the Jewish people — that he was beloved by God in his old age, after his years of trials and tribulations and his many encounters with adversity as king, just as he was when he was a youth. Also, David always longed to know the site of the Temple so that he could make preparations for its eventual construction by Solomon. Now that the site was revealed to him, he threw himself into assembling funds and materials that would be ready for Solomon. Because of David's dedication to it, it is known as David's Temple.

Although the Book of *Samuel* ends now, the Book of *Chronicles* gives an extensive description of David's ambitious and far-reaching preparations for the building and functioning of the Temple. Verse 22:5 (ibid.) sums up David's attitude:

> "David thought, 'Solomon my son is young and tender, and the Temple that is to be built for HASHEM must be exceedingly grand, to be a source of fame and glory throughout all the lands. I will now make preparations for it.' So David prepared a great deal before his death." David consecrated "a hundred thousand talents of gold, a million talents of silver, and an amount of copper and iron which is not weighed because of its abundance" (ibid. 22:14). He had masons hew the stones for the Temple and even the nails were prepared in advance (ibid. 22:2-3). He divided up all the Levite families into divisions according to their lineage, as described in Chapter 23, and the *Kohen* families were also arranged into twenty-four groupings (Chapter 24). Several Levites were designated as directors of song in the Temple; other Levite families were delegated to become gatekeepers (Chapters 25-26). He even drew up detailed plans — through Divine inspiration (28:19) — of the Temple building, which he handed over to Solomon before his death (28:11). David's appeal to the people to donate as much materials for the Temple as possible, and his famous prayer upon that occasion ("Yours, HASHEM, is the greatness....") are described in Ch. 29.

All this information was omitted from the Book of *Samuel* because its authors — the prophets Samuel, Nathan, and Gad (*Bava Basra* 14b, *I Chronicles* 29:29) — had a specific purpose in mind. They wanted to inspire the reader with fear of God and with an appreciation of the hand of Divine justice that guides history. They wanted to record those incidents that were suitable to imbuing people with these concepts, such as David's sin with Bath-sheba and the ordeals that he underwent as a result (Absalom's rebellion, etc.); the three-year famine that was a consequence of Saul's persecution of the Gibeonites; the census and its results, etc. But they omitted those events that, while important from a historical perspective, did not teach those moral lessons (*Abarbanel*).

This last chapter of the Book is typical of David's life, as it combines hardship, a difficult choice, personal sacrifice for the sake of Israel — and, finally, historic spiritual accomplishment. At every juncture of his trouble-filled life, he was challenged and emerged greater than he had been before. [See Introduction to this volume.]

Speaking for God, the psalmist Eisan the Ezrahite writes,

> הֲרִימוֹתִי בָחוּר מֵעָם. מָצָאתִי דָּוִד עַבְדִּי
> בְּשֶׁמֶן קָדְשִׁי מְשַׁחְתִּיו.
> *I have exalted the one chosen from among My people.*
> *I have found David, My servant; with My holy oil*
> *I have anointed him (Psalms 89:20-21).*

God "found" David — as one finds a treasure. He found David to be His "servant," someone who is dedicated totally to God, whose entire being is a means to serve his Creator. "With My holy oil I have anointed him" — the hand that poured the oil was Samuel's, but the One Who willed it was God. Samuel was the agent, not the motivator. God anointed David and his successors with the very same oil that Moses prepared to anoint the Tabernacle and its vessels, the very same oil that Solomon would use to consecrate the Temple. David and the Sanctuary shared the same mission, to serve God and be a resting place for His Presence on earth.

David's mission remains eternal, just as his psalms and life remain the eternal inspiration of countless people in every generation. The oil of Moses will one day anoint David's descendant and successor, the King Messiah, may it happen speedily in our time — and then the mission of "the one chosen by God" will come to final fruition.

Appendix

The Enigma of King David

The Sages tell us that King David is one of the "Seven Shepherds" of the Jewish people, a man who stands at the pinnacle of spiritual greatness, along with Abraham, Isaac, Jacob, Moses, Aaron, and Joseph. As the "Sweet Singer of Israel" and composer of the Book of *Tehillim*/Psalms, his closeness to God is manifest and his ability to arouse sparks of holiness remains undiminished after three millennia. Clearly he was one of the loftiest people in history — yet a cursory reading of the narratives of the Book of Samuel presents a picture of King David that appears to be at odds with that of the Sages and Jewish tradition. A superficial reading of the text shows us a person who was constantly involved in moral and spiritual challenges, and did not always face them successfully. Since we are dealing with the word of God, it is incumbent upon us to try and understand these apparent discrepancies.

The truth, of course, is that the Sages' understanding is the true one. Scripture is like an iceberg, with infinitely more beneath the surface than the eye can see, and the Sages perceived its unseen essence. We cannot try to understand the verses of eternal Scripture in the shallow manner that we might bring to a reading of current events. When there seems to be a contradiction between the profound understanding of the Sages and the simple translation of a verse, the choice is obvious.

More than that, as is the case throughout the Torah and Scripture, the literal text requires the elucidation of the oral tradition. For example, the Torah contains the commandments of *tefillin* and kosher slaughter, but it does not explain what *tefillin* are or how the slaughter is to be performed. Clearly, there had to be an Oral Law that explained the Written Torah. The same is true regarding the inner meaning of commandments and narratives. In the Ten Commandments, we are instructed not to murder, and the Sages teach that we are prohibited not only from literally taking a life, but also from moral crimes that a refined person should understand are *tantamount* to killing, such as publicly embarrassing someone or causing someone to fall into poverty. The same is true of the narratives of the Prophets. The literal meaning is not always the true meaning. Similarly, we cannot truly understand the life and deeds of David without knowing the oral tradition handed down by the Sages.

At the outset, it is essential to recognize that when speaking about the errors of such people as Abraham, Moses, and David, the Torah and Scripture use very strong terms. Such people are held to the highest standards, and their missteps are described harshly, even though their "sins," as explained by the Sages, hardly seem serious by our standards. The great thinkers of our tradition have elaborated upon those teachings.

A striking example of this is found in God's explanation of the cause of Joshua's defeat in the battle for Ai (see *Joshua* Ch. 7). God said, *Israel has sinned; they have also violated My covenant that I commanded them; they have also stolen; they have also denied; they have also placed [it] in their vessels* (*Joshua* 7:10).

A very serious case of national downfall, is it not? However, Scripture goes on to say that the guilty party was not the entire nation and not even a group of people — it was one man, Achan — yet God accused the entire nation of sinning. The commentators explain that if Israel had properly appreciated the holiness of God's covenant and the gravity of violating it, not even one person would have sinned. When society regards certain sins lightly, without abhorrence, it is much more likely that an individual will commit those transgressions. On the other hand, when society at large considers certain behavior as being so far beyond

the pale as to be unthinkable, the chances are very slight or even non-existent that anyone will violate the norm. So we have an instance where one man sinned, but the entire nation was at fault (*Michtav MeEliyahu* vol. 1; also translated in *Strive for Truth*).

In the same way, no one should dare judge David by the simple translation of the Scriptural verses. To understand the man and his life, we must be guided by the explanations of the Sages and the insights of the classic commentators.

Let us imagine that we did not know that David was the author of the Book of Psalms. We would read the moving, inspired, spiritual, noble, God-saturated psalms and be certain that their author could not be the same man described in parts of the Book of Samuel. But he is. It should be clear, therefore, that even though we may not understand every deed of David, the failure is ours, not his, because we are dealing with a person who is lofty beyond our imagination.

While this commentary cannot provide a lengthy analysis of our greatest king, a brief introduction is in order for a proper understanding of the man who is the central figure of this Book.

Facets of Greatness

David's character and achievements had many facets, which, in combination, paint the total picture of his greatness:

(a) His faith in God was complete, no matter how dark and discouraging the circumstances.

(b) He was uncompromisingly devoted to the Jewish people, and always negated himself for the sake of the nation.

(c) His humility was awesome. His Book of Psalms is replete with such references to himself as a worm, a disgrace, and so on.

(d) When he sinned, he never attempted to justify himself; he acknowledged his error and repented immediately.

(e) He was created to be the model and mentor of repentance for all time.

(f) He subjugated and refined every aspect of his character, even those that were deeply ingrained.

(g) He was a great warrior and charismatic leader, who lifted his nation from ignominious defeat and national defeatism to triumph and confidence.

(h) His most famous single feat, his killing of the fearsome giant Goliath, was clearly miraculous and showed that he deserved God's help.

(i) As the "Sweet Singer of Israel," he composed psalms for every occasion, psalms that have been calming and invigorating spirits for thousands of years, psalms for every human being in times of joy, sadness, challenge, gratitude, despair, and every other emotion and need. His psalms bear the unmistakable stamp of a man upon whom God rested His presence.

With the above in mind, let us attempt to scratch the surface of the man and his role in the Divine plan.

Difficulty Without Respite

No one ever had a more difficult life, from his earliest youth until his last days. His own family considered him an outcast and consigned him to tend the sheep, where he would be relatively isolated and out of the public eye (*Yalkut HaMachiri, Tehillim* 118:28; *Midrash HaGadol*, *Devarim* 1:17; see *Sefer HaToda'ah* to Iyar). His own father regarded him with disdain; when the prophet Samuel invited Jesse and all his sons to a feast in order to anoint David, Jesse left David in the field with the sheep. David himself lamented כִּי אָבִי וְאִמִּי עֲזָבוּנִי וַה׳ יַאַסְפֵנִי, *though my father and mother have forsaken me, Hashem will gather me*

in (*Psalms* 27:11). David killed Goliath and became a national hero — but soon after, King Saul accused him of treason, and he became a hunted fugitive. When Saul died, it took seven years for the entire nation to accept David as its king, even though he had been anointed by Samuel. Even then, David had to contend with the sometimes violent insubordination of his commanding general Joab, the humiliating episode of Bath-sheba and Uriah, killings and rebellion within his own family, flight from Jerusalem to save his life, and a wide range of punishments upon himself and his people. David wished to build the Holy Temple, but God rebuffed him, because he was a warrior who spilled blood. Indeed, he was forced to engage in many battles throughout his reign, placing himself in mortal danger for the sake of his people. Even as he lay on his deathbed, his son Adonijah attempted to usurp the throne (see *I Kings* Ch.1).

Why was his lot so painful? What was his mission on earth and how did it shape his life experience?

The Inner Struggle

It is true, David was a warrior, but not in the sense indicated by a simple translation of Scripture's verse. *R' Tzadok HaKohen* comments that he was born with a passionate and violent nature; it was a nature that was clearly evident and disturbing to Samuel, who, as a "seer," was attuned to the spiritual reality beneath the veneer of body and clothing. When David was brought to Samuel, the prophet saw before him a young man וְהוּא אַדְמוֹנִי עִם יְפֵה עֵינַיִם, *He was ruddy with fair eyes* (ibid. 16:12). The Midrash expounds:

> When Samuel saw David he was alarmed. He said, "This ruddy fellow is a killer, like Esau!" But God calmed him, saying, "No, this one is different, because he has fair eyes. Esau kills to satisfy his own desires, but David slays his foes only with the guidance of the Sanhedrin [which is the 'eyes of the congregation']" (*Bereishis Rabbah* 66:3).

This is the key to understanding David. It is true that he had inclinations like Esau's, but he battled them and subdued them. He acted to carry out the will of God, as understood by the Sanhedrin. His personal mission in life was to wage war with his evil inclination, and his outer success in war was merely a reflection — and an outgrowth — of his inner war. David said of himself לִבִּי חָלַל בְּקִרְבִּי, *my heart has died within me (Psalms* 109:22), which means that he "killed" his evil inclination by exercising the strictest and most unwavering self-control (*Bava Basra* 17a; *Yerushalmi Berachos* 9:5), and because he conquered himself, he earned Divine assistance and conquered his enemies (*Pri Tzaddik*).

Giving Hope to Future Sinners

Scripture states explicitly that David made errors, most prominently in the matter of Bath-sheba and Uriah (see comm. to *II Samuel* Ch. 11 for a discussion of how it happened and why the righteous David erred). When he sinned, however, he confessed his guilt without delay and repented unreservedly. As David says of himself, אֲנִי הַגֶּבֶר הֻקַם עָל (*II Samuel* 23:1, see comm.), which the Sages interpret to mean *I am the one who established the yoke* [of repentance] (*Moed Katan* 16a). God knew from the time of Creation that the concept of repentance and forgiveness is essential for the survival of humanity, because weak-willed man could not survive without it. Someone had to become the model of repentance. David was the one. As the Sages express it, if any individual sins, even grievously, let him not despair. Let him look at David, who sinned with Bath-sheba, but repented and confessed and was forgiven.

Negation of Self

David became a public person for the first time when he heard the blasphemies of Goliath and saw how the huge and powerful giant terrorized the entire Jewish army, including King Saul. David said, *Who is this uncircumcised Philistine that he disgraces the battalions of the living God?* (*I Samuel* 17:26). The reviled shepherd boy was the last candidate a logical person would have chosen to fight the Philistine champion. Nor was it rational for him to undertake the "impossible mission." He did so for just one reason. Armed only with a sling and five stones, he faced Goliath and proclaimed:

> *You come to me with a sword, a spear, and a javelin — but I come to you with the Name of HASHEM . . . On this day, HASHEM will deliver you into my hand . . . Then the whole earth will know that there is a God in Israel, and all this assembly will know that not through sword and spear does HASHEM grant salvation . . .* (17:45-47).

Ostensibly, David fought with a slingshot, but his true weapon was his faith in God and his determination to defend God's glory (*Chochmah u'Mussar*).

David saw himself as nothing but a tool to serve God. Throughout the Book of Psalms, he refers to his personal worthlessness. He calls himself a worm, a disgrace, someone reviled by everyone. He could wear the royal raiment and rule a nation, but he knew that the trappings were not the man and he had no interest in the opportunities for wealth and aggrandizement afforded by the throne. Everything was for the sake of God and Israel.

His devotion to his people is reflected in the last chapter of this Book. In *II Samuel* Chapter 24, David and the Jewish people are punished with a terrible plague (see comm. for a discussion of the respective sins), but he cannot tolerate the suffering of his people. He pleads with God, הִנֵּה אָנֹכִי חָטָאתִי . . . וְאֵלֶּה הַצֹּאן מֶה עָשׂוּ? — *Behold, **I** have sinned . . . but these sheep — what have **they** done?* In his intense devotion to Israel and his great modesty, David accepted the entire blame upon himself, and he protested that the people should not suffer for his sin (*Ralbag*).

Nothing of His Own

This self-negation is reflected in the letters of his name. The first letter is a *dalet;* in Hebrew the word דַּל means *a pauper.* David considered himself to be as lacking in intrinsic worth as the least man in Israel. The next letter, *vav*, reaches upward, representing aspiration for growth and accomplishment. It symbolizes the king, the ruler, the personal growth that was the constant pattern of his life. But after the growth and accomplishment, his name ends with another *dalet*, because his accomplishments were not his own; they belonged to God and Israel. As for David himself, he remained the same pauper he had always been (*Chiddushei Harim*).

This is an essential part of David's greatness. It is the reason the psalmist Assaf says, וַיִּבְחַר בְּדָוִד עַבְדּוֹ, [*God*] *chose David His servant* (*Psalms* 78:70), and the psalmist Eisan says, מָצָאתִי דָּוִד עַבְדִּי, *I* [God] *have found David, My servant* (ibid. 89:21). The literal translation of the word עֶבֶד is *slave*, not *servant*. By definition, a slave owns nothing of his own, not even his body; everything he has and is belongs to his master. That was David. He negated everything for the sake of God and His people.

Although he was denied the privilege of building the Temple, he threw himself into preparing for it, by gathering and sanctifying wealth and materials for its construction. But even then, he refused to take possession of these items and then contribute them for the Temple. He did not wish to own this wealth even for a moment; instead he made the legal acquisition only for the sake of the Temple, so that he remained impoverished, except for what was necessary to carry out his responsibilities as monarch.

Historic Pattern

David's life of hardship must be understood in the context of Jewish history, which shows that God wanted the development of events leading up to the coming of Messiah and the Final Redemption to come about through difficulty and struggle, as if to teach man that great successes can be wrenched from the most unlikely conditions. It is noteworthy that the creation and very survival of the Davidic dynasty — the instrument of the final Redemption — was possible only through an incredible chain of challenges and miracles. David's great-grandmother, the Moabite princess Ruth, was a descendant of the unnatural relationship between Lot and his daughter (*Genesis* 19:31-36). David's ancestor Peretz was born through the unusual relationship of Judah and Tamar (see *Genesis* Ch. 38). Had Boaz not married Ruth on the very last day of his life (*Ruth* 4:13; *Yalkut Shimoni*), David's grandfather could not have been born. During one of the darker periods of Jewish monarchy, the evil Queen Athaliah ordered the assassination of every Davidic heir to the throne, and only one young child, Joash, was saved and hidden (*II Kings* 11:1-2). Joash grew up and continued the dynasty (see ibid. 11:12). In the tragic period of the Roman destruction of the Second Temple, only the miraculous intervention of Rabban Yochanan ben Zakkai saved the family of Rabban Gamliel, the royal descendants of David (*Gittin* 56b).

Thus, not only David's own life, but his past and future generations were enmeshed in the classic struggle against the evil forces that constantly conspired to snuff out the family that God had chosen to fulfill His plan for the universe.

His Role in the Temple

David's wish to build the Temple was refused, but not entirely. The nation of Israel was taken to task for not requesting a Temple throughout the centuries of the judges (see comm. to *II Samuel* 24:1). The clear implication is that they would have had a Temple had they sincerely wanted it. David *did* sincerely want it, and when God refused his request, He told David that his son and successor would be the builder. It may well be that Solomon merited to build the Temple only because David, unlike all his predecessors, yearned to erect a dwelling place for God's Presence. So David's wish was not entirely thwarted. Solomon became the builder because David begged for the privilege (*Michtav MeEliyahu*).

It is fitting, therefore, that the Book of Samuel ends with the confluence of several of the threads of David's greatness. He confesses his sin. He asks God to absolve the people. He is shown the site of the Temple. He enlists all the tribes to share equally in its purchase. He builds an altar. He lays the foundation for the future.

David, not Solomon, was shown the Temple's location. He, not Solomon, purchased the land. And then, as the last eight chapters of the first Book of Chronicles recount, David plunged into the task of preparing the necessary resources for Solomon's future construction. And because of his dedication to it, the Temple is called David's House (*I Kings* 12:16; *Psalms* 30:1).

How appropriate that the Book of David's travails and frustrations should end with him laying the foundation for the future.

דָּוִד מֶלֶךְ יִשְׂרָאֵל חַי וְקַיָּם
David, King of Israel, is alive and enduring
(*Rosh Hashanah* 25a).

Translation of Names in Tanach

(IN HEBREW ALPHABETICAL ORDER)

א

אֲבִגַיִל/אֲבִיגַיִל	Abigail
אֲבִי	Abi
אֲבִיָּה	Abijah
אֲבִי הַיִל	Abihail
אֲבִיחַיִל	Abihail
אֲבִיהוּא	Abihu
אֲבִיָּם	Abijam
אֲבִימֶלֶךְ	Abimelech
אֲבִינָדָב	Abinadab
אֲבִינֵר	Abiner
אֲבִירָם	Abiram
אֲבִישַׁג	Abishag
אֲבִישַׁי	Abishai
אֶבְיָתָר	Abiathar
אַבְנֵר	Abner
אַבְרָהָם	Abraham
אַבְרָם	Abram
אַבְשָׁלוֹם	Absalom
אֲגָג	Agag
אֱדוֹם	Edom
אֲדַלְיָא	Adalia
אָדָם	Adam
אֲדֹנִי־בֶזֶק	Adoni-bezek
אֲדֹנִיָּה	Adonijah
אֲדֹנִי־צֶדֶק	Adoni-zedek
אֲדֹרָם	Adoram
אַדְרַמֶּלֶךְ	Adrammelech
אֵהוּד	Ehud
אָהֳלִיאָב	Oholiab
אַהֲרֹן	Aaron
אֱוִיל מְרֹדַךְ	Evil-merodach
אוֹן	On
אוֹנָן	Onan
אוּרִי	Uri
אוּרִיָּה(וּ)	Uriah
אוּרִיָּה (הַכֹּהֵן)	Urijah
אַחְאָב	Ahab
אָחָז	Ahaz
אֲחַזְיָה	Ahaziah
אֲחִיָּה	Ahijah
אֲחִימֶלֶךְ	Ahimelech
אֲחִינֹעַם	Ahinoam
אֲחִיעֶזֶר	Ahiezer
אֲחִישָׁר	Ahisar
אֲחִיתֹפֶל	Ahitophel
אֲחַשְׁוֵרוֹשׁ	Ahasuerus
אִיּוֹב	Job
אִיזֶבֶל	Jezebel
אִיכָבוֹד	Ichabod
אֵילוֹן	Elon
אִישׁ בֹּשֶׁת	Ish-bosheth
אִיתָמָר	Ithamar
אָכִישׁ	Achish
אֵלָה	Elah
אֶלְחָנָן	Elhanan
אֱלִיאָב	Eliab
אֱלִיחֹרֶף	Elihoreph
אֵלִיָּהוּ	Elijah
אֱלִיהוּא	Elihu
אֱלִימֶלֶךְ	Elimelech
אֱלִיעֶזֶר	Eliezer
אֱלִיפַז	Eliphaz
אֶלְיָקִים	Eliakim
אֶלְיָשִׁיב	Eliashib
אֱלִישָׁמָע	Elishama
אֱלִישָׁע	Elisha
אֶלְעָזָר	Elazar
אֶלְקָנָה	Elkanah
אָמוֹן	Amon
אֲמַצְיָה	Amaziah
אַמְרָפֶל	Amraphel
אֱנוֹשׁ	Enosh
אָסָא	Asa
אָסְנַת	Asenath
אָסָף	Asaph
אֵסַר חַדֹּן	Esar-haddon
אֶסְתֵּר	Esther
אֶפְרַיִם	Ephraim
אֶפְרָת	Ephrath
אֲרַוְנָה	Araunah
אָרְנָן	Ornan
אַשְׁפְּנַז	Ashpenaz
אָשֵׁר	Asher
אִתַּי	Ittai

ב

בִּגְתָן	Bigthan
בִּדְקַר	Bidkar
בֹּעַז	Boaz
בַּלְאֲדָן	Baladan
בֵּלְאשַׁצַּר/בֵּלְשַׁאצַּר	Belshazzar
בִּלְדַּד	Bildad
בִּלְהָה	Bilhah
בֵּלְטְשַׁאצַּר	Belteshazzar
בִּלְעָם	Balaam
בָּלָק	Balak
בֶּן־הֲדַד	Ben-hadad
בְּנָיָהוּ	Benaiah
בִּנְיָמִין	Benjamin
בַּעֲנָא	Baanah
בַּעֲנָה	Baanah
בַּעְשָׁא	Baasha
בְּצַלְאֵל	Bezalel
בְּרֹאדַךְ	Berodach
בָּרוּךְ	Baruch
בַּרְזִלַּי	Barzillai
בֶּרַע	Bera
בָּרָק	Barak
בִּרְשַׁע	Birsha
בְּתוּאֵל	Bethuel
בַּת־שֶׁבַע	Bath-sheba

ג

גַּבְרִיאֵל	Gabriel
גָּד	Gad
גְּדַלְיָה	Gedaliah
גִּדְעוֹן	Gideon
גּוֹג	Gog
גֵּיחֲזִי	Gehazi
גָּלְיָת	Goliath
גֹּמֶר	Gomer
גַּעַל	Gaal
גֵּרְשֹׁם	Gershom
גֵּרְשׁוֹן	Gershon

ד

Deborah	דְּבוֹרָה
Doeg	דּוֹאֵג
David	דָּוִד
Dinah	דִּינָה
Delilah	דְּלִילָה
Dalphon	דַּלְפוֹן
Dan	דָּן
Daniel	דָּנִיֵּאל
Darius	דָּרְיָוֶשׁ
Dathan	דָּתָן

ה

Abel	הֶבֶל
Hegai	הֵגַי
Hagar	הָגָר
Hadad	הֲדַד
Hadadezer	הֲדַדְעֶזֶר
Hadassah	הֲדַסָּה
Hadoram	הֲדֹרָם
Hoham	הוֹהָם
Hosea	הוֹשֵׁעַ (הנביא)
Hoshea	הוֹשֵׁעַ
Heman	הֵימָן
Haman	הָמָן
Horam	הֹרָם

ו

Vaizatha	וַיְזָתָא
Vashti	וַשְׁתִּי

ז

Zeeb	זְאֵב
Zabad	זָבָד
Zebadiah	זְבַדְיָהוּ
Zabud	זָבוּד
Zebudah	זְבוּדָּה
Zebulun	זְבוּלֻן/זְבֻלוּן
Zichri	זִכְרִי
Zechariah	זְכַרְיָה(וּ)
Zilpah	זִלְפָּה
Zimri	זִמְרִי
Zerubbabel	זְרֻבָּבֶל
Zerah	זֶרַח
Zeresh	זֶרֶשׁ

ח

Habakkuk	חֲבַקּוּק
Haggai	חַגַּי
Eve	חַוָּה
Huram	חוּרָם
Hushai	חוּשַׁי
Hazael	חֲזָאֵל
Hezekiah	חִזְקִיָּה
Hiel	חִיאֵל
Hiram	חִירָם
Hilkiah	חִלְקִיָּהוּ/חִלְקִיָּה
Hamutal	חֲמוּטַל
Hannah	חַנָּה
Enoch	חֲנוֹךְ
Hanani	חֲנָנִי
Hananiah	חֲנַנְיָה
Hophni	חָפְנִי
Hefzibah	חֶפְצִי־בָהּ
Hezron	חֶצְרוֹן
Harbonah	חַרְבוֹנָא
Haran	חָרָן

ט

Tob-adonijah	טוֹב אֲדוֹנִיָּה
Tobiah	טוֹבִיָּה
Tobijah	טוֹבִיָּהוּ

י

Jair	יָאִיר
Jaazaniah	יַאֲזַנְיָה
Josiah	יֹאשִׁיָּהוּ
Jabin	יָבִין
Jeduthun	יְדוּתוּן
Jedidah	יְדִידָה
Jehu	יֵהוּא
Jehoahaz	יְהוֹאָחָז
Jehoash	יְהוֹאָשׁ
Judah	יְהוּדָה
Jehozabad	יְהוֹזָבָד
Jehoiachin	יְהוֹיָכִין
Jehoiakim	יְהוֹיָקִים
Jehonadab	יְהוֹנָדָב
Jehonathan	יְהוֹנָתָן
Jonathan	יְהוֹנָתָן/יוֹנָתָן (בן שאול)
Jehoaddan	יְהוֹעַדָּן/יְהוֹעַדִּין
Jehozadah	יְהוֹצָדָק
Jehoram	יְהוֹרָם
Jehosheba	יְהוֹשֶׁבַע
Jehoshabeath	יְהוֹשַׁבְעַת
Joshua	יְהוֹשֻׁעַ
Jehoshaphat	יְהוֹשָׁפָט
Joab	יוֹאָב
Joah	יוֹאָח
Joel	יוֹאֵל
Joash	יוֹאָשׁ
Jobab	יוֹבָב
Jozacar	יוֹזָכָר
Johanan	יוֹחָנָן
Joiada/Jehoiada	יוֹיָדָע/יְהוֹיָדָע
Jochebed	יוֹכֶבֶד
Jonadab	יוֹנָדָב
Jonah	יוֹנָה
Joseph	יוֹסֵף
Joram	יוֹרָם
Jotham	יוֹתָם
Jezreel	יִזְרְעֶאל
Jahaziel	יַחֲזִיאֵל
Jahzeiah	יַחְזְיָה
Ezekiel	יְחֶזְקֵאל
Jecoliah	יְכָלְיָה(וּ)
Jabez	יַעְבֵּץ
Jedi the Seer	יֶעְדַּי/יֶעְדּוֹ
Jael	יָעֵל
Jacob	יַעֲקֹב
Japhia	יָפִיעַ
Japheth	יֶפֶת
Jephthah	יִפְתָּח
Isaac	יִצְחָק
Joktan	יָקְטָן
Jerubaal	יְרֻבַּעַל
Jeroboam	יָרָבְעָם
Jerusah	יְרוּשָׁא/יְרוּשָׁה
Jeremiah	יִרְמְיָה(וּ)
Ishvi	יִשְׁוִי
Jeshua	יֵשׁוּעַ
Jesse	יִשַׁי
Ishmael	יִשְׁמָעֵאל
Isaiah	יְשַׁעְיָה(וּ)
Israel	יִשְׂרָאֵל
Issacher	יִשָּׂשכָר
Jether	יֶתֶר
Jethro	יִתְרוֹ
Ithream	יִתְרְעָם

כ

Chedorlaomer	כְּדָרְלָעֹמֶר
Cyrus	כּוֹרֶשׁ
Cush	כּוּשׁ
Cushan-rishathaim	כּוּשַׁן רִשְׁעָתַיִם
Cozbi	כָּזְבִּי
Chileab	כִּלְאָב
Caleb	כָּלֵב
Chilion	כִּלְיוֹן
Cononiah	כָּנַנְיָהוּ
Canaan	כְּנַעַן

ל

Leah	לֵאָה
Lo-ammi	לֹא עַמִּי
Lo-ruhamah	לֹא רֻחָמָה
Laban	לָבָן
Labben	לַבֵּן
Levi	לֵוִי
Lemuel	לְמוּאֵל
Lamech	לֶמֶךְ
Lappidoth	לַפִּידוֹת

מ

Mehuman	מְהוּמָן
Maher-shalal-hash-baz	מַהֵר שָׁלָל חָשׁ בַּז
Moab	מוֹאָב
Mahlon	מַחְלוֹן
Michael	מִיכָאֵל
Micah	מִיכָה/מִיכָא
Micaiahu	מִיכָיְהוּ (הנביא)
Micajehu	מִיכָיְהוּ (מהר אפרים)
Michal	מִיכַל
Mishael	מִישָׁאֵל
Meshach	מֵישַׁךְ
Mesha	מֵישַׁע
Malachi	מַלְאָכִי
Malchizedek	מַלְכִּי־צֶדֶק
Malchishua	מַלְכִּישׁוּעַ
Queen of Sheba	מַלְכַּת שְׁבָא
Memucan	מְמוּכָן
Manoah	מָנוֹחַ
Menahem	מְנַחֵם
Manasseh	מְנַשֶּׁה
Mispar-begvai	מִסְפָּר־בִּגְוָי
Maacah	מַעֲכָה
Mephiboshet	מְפִיבֹשֶׁת
Merab	מֵרַב
Mordechai-bilshan	מָרְדֳּכַי בִּלְשָׁן
Mordechai	מָרְדֳּכַי
Merodach-baladan	מְרוֹדַךְ בַּלְאֲדָן
Miriam	מִרְיָם
Merari	מְרָרִי
Moses	מֹשֶׁה
Meshullemeth	מְשֻׁלֶּמֶת
Methusael	מְתוּשָׁאֵל
Mattan	מַתָּן
Mattaniah	מַתַּנְיָה
Mithredath	מִתְרְדָת

נ

Nebuzaradan	נְבוּזַרְאֲדָן
Nebuchadnezzar	נְבוּכַדְנֶאצַּר
Nebuchadrezzar	נְבוּכַדְרֶאצַּר
Naboth	נָבוֹת
Nabal	נָבָל
Nadab	נָדָב
Noah	נֹחַ
Nahum	נַחוּם
Nahor	נָחוֹר
Nehemiah	נְחֶמְיָה
Nimrod	נִמְרֹד
Nahash	נָחָשׁ
Nahshon	נַחְשׁוֹן
Naamah	נַעֲמָה
Naomi	נָעֳמִי
Naaman	נַעֲמָן
Naphtali	נַפְתָּלִי
Nathan	נָתָן
Nethanel	נְתַנְאֵל

ס

Sibbecai	סִבְּכַי
Sihon	סִיחוֹן
Sisera	סִיסְרָא
Sanballat	סַנְבַלַּט
Sennacherib	סַנְחֵרִיב
Saph	סַף

ע

Obed-edom	עֹבֵד אֱדוֹם/עֹבֵד אֱדֹם
Ebed-melech	עֶבֶד־מֶלֶךְ
Eber	עֵבֶר
Eglon	עֶגְלוֹן
Oded	עֹדֵד
Iddo	עִדּוֹ
Adriel	עַדְרִיאֵל
Obed	עוֹבֵד
Obadiah	עוֹבַדְיָה
Og	עוֹג
Uzzah	עֻזָּא
Uzziah	עֻזִּיָּה
Ezra	עֶזְרָא
Azariah	עֲזַרְיָה
Achan	עָכָן
Achsah	עַכְסָה
Eli	עֵלִי
Amon	עָמוֹן
Amos	עָמוֹס
Amminadab	עַמִּינָדָב
Amalek	עֲמָלֵק
Omri	עָמְרִי
Amram	עַמְרָם
Amasa	עֲמָשָׂא
Ephron	עֶפְרוֹן
Er	עֵר
Oreb	עֹרֵב
Orpah	עָרְפָּה
Asahel	עֲשָׂהאֵל
Esau	עֵשָׂו
Athaliah	עֲתַלְיָה
Othniel	עָתְנִיאֵל

פ

Potiphar	פּוֹטִיפַר
Poti-phera	פּוֹטִי־פֶרַע
Pul	פּוּל
Puah	פּוּעָה
Poratha	פּוֹרָתָא
Peleg	פֶּלֶג
Palti	פַּלְטִי
Paltiel	פַּלְטִיאֵל
Pelatiah	פְּלַטְיָהוּ
Ploni Almoni	פְּלֹנִי אַלְמֹנִי
Phinehas	פִּנְחָס
Peninnah	פְּנִנָּה
Pekah	פֶּקַח

Shemiramoth	שְׁמִירָמוֹת
Shimeah	שִׁמְעָא
Simeon	שִׁמְעוֹן
Shimei	שִׁמְעִי
Shemaiah	שְׁמַעְיָה
Shemer	שֶׁמֶר
Samson	שִׁמְשׁוֹן
Shimshai	שִׁמְשַׁי
Shinab	שִׁנְאָב
Seir	שֵׂעִיר
Shaashgaz	שַׁעַשְׁגַּז
Shephatiah	שְׁפַטְיָה
Shaphan	שָׁפָן
Sarezer	שַׂרְאֶצֶר/שַׁרְאֶצֶר
Sarah	שָׂרָה
Sarai	שָׂרַי
Seraiah	שְׂרָיָה
Sheshbazzar	שֵׁשְׁבַּצַּר
Seth	שֵׁת
Shethar-bozenai	שְׁתַר בּוֹזְנַאי

ת

Tibni	תִּבְנִי
Tiglath-pileser	תִּגְלַת פִּלְאֶסֶר
Tola	תּוֹלָע
Tamar	תָּמָר
Toi	תֹּעִי
Terah	תֶּרַח
Tirzah	תִּרְצָה
Teresh	תֶּרֶשׁ
Tartan	תַּרְתָּן
Tattenai	תַּתְּנַי

Rebecca	רִבְקָה
Rabashakeh	רַב־שָׁקֵה
Regem-melech	רֶגֶם מֶלֶךְ
Ruth	רוּת
Rezon	רְזוֹן
Rahab	רָחָב
Rehoboam	רְחַבְעָם
Rachel	רָחֵל
Reuel	רְעוּאֵל
Reelaiah	רְעֵלָיָה
Rezin	רְצִין
Rizpah	רִצְפָּה

ש

Saul	שָׁאוּל
Shearjashub	שְׁאָר יָשׁוּב
Shebna	שֶׁבְנָא
Sheba	שֶׁבַע
Shadrach	שַׁדְרַךְ
Shavsha	שַׁוְשָׁא
Shechem	שְׁכֶם/שֶׁכֶם
Shecaniah	שְׁכַנְיָה
Shelah	שֵׁלָה
Shallum	שַׁלּוּם
Solomon	שְׁלֹמֹה
Salmah	שַׂלְמָה
Shelomith	שְׁלֹמִית
Shalmaneser	שַׁלְמַנְאֶסֶר
Shem	שֵׁם
Shemeber	שֶׁמְאֵבֶר
Shamgar	שַׁמְגַּר
Shammah	שַׁמָּה
Samuel	שְׁמוּאֵל

Pekahiah	פְּקַחְיָה
Purah	פֻּרָה
Parmashta	פַּרְמַשְׁתָּא
Pharaoh	פַּרְעֹה
Pharaoh-neco	פַּרְעֹה נְכוֹ
Perez	פֶּרֶץ
Parshandatha	פַּרְשַׁנְדָּתָא
Pashur	פַּשְׁחוּר

צ

Zibiah	צִבְיָה
Zadok	צָדוֹק
Zedekiah	צִדְקִיָּה
Zophar	צוֹפַר
Ziba	צִיבָא
Zelophehad	צְלָפְחָד
Zemah	צֶמַח
Zephaniah	צְפַנְיָה
Zipporah	צִפֹּרָה
Zaphenath-paneah	צָפְנַת פַּעְנֵחַ

ק

Kohath	קְהָת
Kore	קוֹרֵא
Keturah	קְטוּרָה
Cain	קַיִן
Kish	קִישׁ
Korah	קֹרַח

ר

Reuben	רְאוּבֵן

Index

the prophets
נביאים ראשונים
MW01078251